TK_pUgyPsbCBqV3tk

MARCO LEGAL Y PROCEDIMENTAL DE LA ORDENACIÓN DEL TERRITORIO EN ESPAÑA: DIAGNÓSTICO Y BALANCE

Marco legal y procedimental de la Ordenación del Territorio en España: diagnóstico y balance

Coordinación
Joaquín Farinós Dasí

Edición
Enrique Peiró Sánchez-Manjavacas
Joaquín Farinós Dasí

THOMSON REUTERS
ARANZADI

Primera edición, 2020

THOMSON REUTERS PROVIEW™ eBOOKS
Incluye versión en digital

Este trabajo se ha realizado en el marco del proyecto de investigación "Gobernanza efectiva del territorio: actualización y propuestas para la aplicación de una política de Ordenación del Territorio comprensiva en España" (GOBEFTER-II), del Plan Estatal de Investigación Científica y Técnica y de Innovación 2013-2016, Programa Estatal de Investigación, Desarrollo e Innovación Orientada a los Retos de la Sociedad, del Ministerio de Ciencia, Innovación y Universidades, con referencia CSO2016-78169-R. Cofinanciado por la Agencia Estatal de Investigación (AEI) y al Fondo Europeo de Desarrollo Regional (FEDER).

Editorial Aranzadi, S.A.U.
Camino de Galar, 15
31190 Cizur Menor (Navarra)
ISBN: 978-84-1345-910-3
DL NA 1893-2020
Printed in Spain. Impreso en España
Fotocomposición: Editorial Aranzadi, S.A.U.
Impresión: Rodona Industria Gráfica, SL
Polígono Agustinos, Calle A, Nave D-11
31013 – Pamplona

Índice

CAPÍTULO 5

LA PLANIFICACIÓN TERRITORIAL EN EL PRINCIPADO DE ASTURIAS

ESTHER RANDO BURGOS Y ENRIQUE PEIRÓ SÁNCHEZ-MANJAVACAS

CAPÍTULO 6

LA PLANIFICACIÓN TERRITORIAL EN LES ILLES BALEARS 191

ENRIQUE PEIRÓ SÁNCHEZ-MANJAVACAS Y ESTHER RANDO BURGOS

CAPÍTULO 8

CAPÍTULO 9

LA PLANIFICACIÓN TERRITORIAL EN CASTILLA-LA MANCHA 297

ENRIQUE PEIRÓ SÁNCHEZ-MANJAVACAS Y ESTHER RANDO BURGOS

CAPÍTULO 12

EL PROCEDIMIENTO DE LA PLANIFICACIÓN TERRITORIAL EN LA COMUNITAT VALENCIANA

ENRIQUE ANTEQUERA TERROSO Y MERCEDES ALMENAR-MUÑOZ

CAPÍTULO 13

LA PLANIFICACIÓN TERRITORIAL EN EXTREMADURA ......

ESTHER RANDO BURGOS Y ENRIQUE PEIRÓ SÁNCHEZ-MANJAVACAS

CAPÍTULO 14

LA PLANIFICACIÓN TERRITORIAL EN GALICIA

ENRIQUE PEIRÓ SÁNCHEZ-MANJAVACAS, MANUEL BOROBIO SANCHIZ
Y ESTHER RANDO BURGOS

CAPÍTULO 16

EL PROCEDIMIENTO DE LA PLANIFICACIÓN TERRITORIAL EN LA REGIÓN DE MURCIA 581

ENRIQUE ANTEQUERA TERROSO

23

CAPÍTULO 17

EL PROCEDIMIENTO DE LA PLANIFICACIÓN TERRITORIAL EN LA RIOJA 607

ENRIQUE ANTEQUERA TERROSO

Presentación

Desde el proyecto GOBEFTER, en su primera fase y ahora en la segunda, "Gobernanza efectiva del territorio: actualización y propuestas para la aplicación de una política de Ordenación del Territorio comprehensiva en España" (CSO2016-78169-RCSO), en el que participan un nutrido grupo de investigadores y colaboradores, procedentes de distintas campos científicos y especialidades (ambientalistas, arquitectos, economistas, geógrafos, ingenieros agrónomos, ingenieros de caminos, canales y puertos, juristas, politólogos, sociólogos), hemos venido trabajando en el análisis, diagnóstico y evaluación de la política, y práctica, de la Ordenación del Territorio que han venido desarrollando, con mayor o menor intensidad, voluntad y resultados, las diecisiete Comunidades Autónomas españolas.

Fruto de esta continuada labor, hemos venido produciendo y publicando distintos materiales. Tanto artículos, comunicaciones y ponencias en distintos congresos internacionales (como los organizados por la Asociación de Geógrafos Españoles o los organizados por la Asociación Interprofesional de Ordenación del Territorio –FUNDICOT–), informes (como los de la Cátedra de Cultura Territorial Valenciana) y libros (como el titulado *'Territorio y Estados. Una nueva política de Ordenación del Territorio en el S.XXI'* o, considerando la OT como asunto de Estado y de su organización y coordinación territorial, el titulado *"España: Geografías para un Estado posmoderno"*). Algunos de estos trabajos han representado un ejercicio de actualización de la información a partir de los que poder seguir trabajando de forma incremental en el análisis de la OT. Es el caso de esta obra, centrada en el análisis y diagnóstico de los procedimientos de elaboración y aprobación de los distintos instrumentos de OT en España.

Siendo el análisis de la gobernanza en materia de OT el tema principal, en los trabajos previos la atención se puso en la primera de las tres dimensiones de esta gobernanza: estructura, proceso y resultados. En concreto se procuró un inventario del conjunto de normas, reglamentos e instrumentos de ordenación del territorio. También de materias

29

relacionadas como el urbanismo, el paisaje, el medio ambiente, el desarrollo rural, los planes de espacios turísticos y los pactos territoriales por el empleo (un primer resultado sobre estos instrumentos puede verse en el capítulo 22 del Atlas Nacional de España Siglo XXI). Del mismo modo, junto a este análisis legislativo e instrumental, también en el ámbito de la gobernanza como estructura o precondición, se realizaba un análisis de la situación y evolución que la política de OT había tenido en el seno de los organigramas de los distintos gobiernos autonómicos desde su origen.

Cabía, a partir de entonces, abordar dos nuevas tareas. Por una parte la actualización permanente de la batería de legislación y de instrumentos de OT. En este sentido se dispone de una base de datos que se ha hecho disponible en abierto para cualquier persona interesada, a través de un visor ubicado en la página web del grupo de investigación 'Gobierno y Desarrollo Local Sostenible' de la UVEG (www.blogs.gdls.es). Por otra, y más novedosa y que justifica la presente publicación, un análisis y diagnóstico de los procesos mediante los que se elaboran y ponen en práctica los instrumentos a partir de los que toma forma la política de OT en el conjunto de las CCAA españolas.

Ello a través de la correspondiente metodología de análisis, que incluía: una revisión de la bibliografía específica publicada sobre el tema, el seguimiento de la legislación en los diarios oficiales y en los documentos oficiales de compendio de la misma (en especial los códigos urbanísticos estatal y de las CCAA de la Biblioteca Jurídica Digital del Ministerio de la Presidencia del Gobierno de España), la revisión de la documentación disponible de cada uno de los instrumentos (planes) de ordenación redactados y en distintas fases de aprobación, así como la de las notas y noticias de prensa y otra documentación oficial. También se han llevado a cabo entrevistas con los distintos técnicos responsables de la elaboración de estos planes en las distintas administraciones autonómicas. Recopilada toda esta información, se procedió a su tratamiento y análisis de acuerdo con los objetivos previstos. El resultado es el que el lector tiene en sus manos, una novedosa y actualizada publicación sobre la forma, procedimientos, mediante los que se aprueban y aplican los instrumentos (regionales y subregionales) de OT en cada una de las diecisiete Comunidades Autónomas españolas.

Los resultados evidencian los conflictos todavía presentes y por resolver en materia de OT, que invitan a seguir avanzando hacia una reconceptualización de la misma como política pública por excelencia para la gestión de las dinámicas territoriales. Una herramienta de apoyo normalizada en los procesos de toma de decisiones en toda acción de gobierno, idealmente bajo nuevas prácticas de gobernanza territorial a partir de las que poder desarrollar una planificación territorial de carácter integral, con un estilo más estratégico y colaborativo. Ello supone una reconsideración no solo de la propia política de OT y cómo llevarla a cabo (planificación y gestión), sino también del marco institucional y de la forma de desarrollar la acción de gobierno. Para ello cabe preguntarse si los problemas de coordinación son cuestiones inherentes a los procedimientos de tramitación de las figuras de planificación territorial y urbanística o si, por el contrario, se trata de una cuestión que radica en el propio funcionamiento de las administraciones que acaba repercutiendo en el desarrollo de las políticas públicas, entre ellas la OT. En esta obra hemos tratado de procurar una repuesta, basada en evidencias, a lo primero.

A esta presentación le sigue un primer capítulo en el que por una parte se presenta el desarrollo normativo e instrumental que ha seguido en España la Ordenación del Territorio y, por otra, la forma en que se pretende abordar en la presente obra un pionero diagnóstico sobre las formas en que estos instrumentos van tomando carta de naturaleza: su procedimiento de elaboración y aprobación final. Se complementa con un segundo capítulo en el que se establece el marco general, de acuerdo con las Directivas europeas en materia de Evaluación Ambiental Estratégica, que son las que finalmente han ido definiendo las fases de los procedimientos de una forma más o menos estandarizada.

Se continua, en los diecisiete siguientes (capítulos 3 a 19) con el análisis pormenorizado de los procedimientos seguidos en cada una de las diecisiete CCAA a la hora de preparar, tramitar y aprobar los distintos instrumentos de ordenación territorial. El foco se ha querido poner en los de carácter integral (propiamente territoriales), de nivel regional y subregional; pero sin olvidar otros como los de tipo sectorial, más recurrentes, y aquellos pensados para espacios litorales y metropolitanos, que han captado la atención preferente del planificador junto con los instrumentos de carácter regional (del conjunto de la Comunidad Autónoma). Estos diecisiete capítulos responden a una misma estructura de contenidos, al objeto de poder realizar, a partir de su lectura, un análisis comparado y llegar a establecer alguna clasificación de CCAA y algunas conclusiones de conjunto. Es de lo que se ocupa el último capítulo 20, que cierra el libro. Se presentan las diferencias, pero también las similitudes, las tendencias observadas y una serie de conclusiones y recomendaciones a partir de las buenas prácticas identificadas.

En los capítulos dedicados a cada Comunidad Autónoma, el tratamiento y análisis de la información correspondiente se hizo de forma que se pudiera responder a las distintas cuestiones a dilucidar, que constituyen los distintos apartados en los que se acaban estructurando dichos capítulos:

1. Antecedentes

2. Normativa de base

3. Esquema de instrumentos (con su cartografía correspondiente)

4. Órganos responsables de la OT en la Comunidad Autónoma

5. Procedimientos y responsabilidades formales para cada tipo de plan. Se incluye el procedimiento de evaluación ambiental estratégica seguido en cada caso, ilustrado a través de una serie de organigramas (diagramas de flujo) para los que se ha empleado el lenguaje UML.

6. Embotellamientos y condiciones que alteran el funcionamiento

7. Situación resultante

Instrumentos, enfoques y responsabilidades en el procedimiento han sido tratadas para cada Comunidad Autónoma en cada uno de los capítulos, sirviéndonos de cada legislación autonómica como base documental del análisis; posteriormente complementada con el análisis de los contenidos de los propios instrumentos (planes) y su documentación técnica asociada. Mientras los tres primeros apartados presentan un carácter de inventario actualizado, el resto ponen el foco y aportan un valor añadido respecto del proceso; de los procedimientos de elaboración, aprobación e implementación de los instrumentos de OT. Para hacerlos más comprensibles y visuales al o a la lectora, y también para no perder de vista las posibles lógicas comunes que puedan haber detrás, en todos ellos se incorporan distintos organigramas que los representen de forma comprensible para un fácil seguimiento. Estos procedimientos, en principio estandarizables, resultan muy diversos, incluso con cierto carácter iterativo según el propio contexto y circunstancias, tal y como se detalla en cada uno de los casos analizados.

Un elemento importante en este procedimiento ha sido la incorporación, tal y como obliga la Directiva europea de EAE, del procedimiento de Evaluación Ambiental Estratégica en todo plan o programa que tenga un impacto sobre el medio ambiente. Esta exigencia ha acabado por modificar los procedimientos inicialmente seguidos, de forma que se tiende, como se comentará especialmente en el último capítulo, a una cierta estandarización y similitud en los procedimientos de aprobación de los planes. El/la lector/a podrá encontrar en los organigramas el procedimiento de aprobación de los instrumentos, el procedimiento conjunto (integrando la EAE) al que se acaba tendiendo. Las dificultades encontradas en el diseño y acabado de los organigramas es un indicador de las que se deben haber encontrado los departamentos de la administración responsables de la elaboración y aprobación de los planes; un proceso que tampoco resulta uniforme en todos los casos. A la evaluación y los informes ambientales, además de los preceptivos sectoriales, se le unen la evaluación territorial, urbanística, paisajística, más recientemente de género... en algunas CCAA.

Se ha tratado de caracterizar dichos procedimientos, así como identificar y tipificar los principales problemas que se producen. Uno de ellos, a tenor de los resultados obtenidos, es el de la coordinación; tanto la vertical (multinivel entre los diferentes niveles político-administrativos) como la de tipo horizontal (entre departamentos sectoriales, de un mismo nivel o de varios; en este último caso una cooperación que podríamos denominar 'en diagonal'). El estudio de los estrangulamientos va más allá de su simple identificación. Es necesario conocer en qué momentos del procedimiento se producen, la unidad responsable de la fase o tarea en la que tienen lugar y los motivos principales que los motivan (de naturaleza técnica o procedimental, política o de otro tipo). Es el punto de partida para plantear posibles soluciones a las causas del conflicto que puede conducir al estrangulamiento o parálisis del procedimiento y al bloqueo del plan.

De todo ello resulta un material detallado y actualizado que aborda una cuestión poco tratada y sistematizada en la bibliografía especializada en esta materia hasta la fecha. Una obra, por tanto, que podemos considerar pionera en este campo, base para futuros avances y actualizaciones posteriores. Un hito más en el intento de hacer más cercana y comprensible para especialistas, técnicos, tomadores de decisiones, académicos y estudiantes de esta disciplina (también técnica y política que es la OT) en los distintos estudios de grado y de posgrado, así como para la ciudadanía y el público interesado en general. Con ello se estará contribuyendo a su mejor reconocimiento y valoración social, así como a mejorar su práctica, con el fin último de mejorar de la calidad de vida de la población y de poner más al alcance un nuevo modelo de desarrollo territorial sostenible.

Joaquín Farinós Dasí

Capítulo 1

La pertinencia de la política de Ordenación del Territorio y de un diagnóstico sobre su práctica

Joaquín Farinós Dasí

*Geógrafo, Catedrático de Análisis Geográfico Regional de la Universitat de València.
Presidente de Fundicot y Director de la Cátedra de Cultura Territorial
Valenciana*

Enrique Peiró Sánchez-Manjavacas

*Ambientólogo, Doctorando del IIDL. Investigador responsable e investigador del
GDLS-Grupo de Investigación consolidado. IIDL-Universitat de València*

SUMARIO: 1. DESARROLLO NORMATIVO E INSTRUMENTAL DE LA OT
EN ESPAÑA. 1.1. *Evolución histórica: la consolidación del enfoque
urbanístico a microescala.* 1.2. *Comportamiento de las comunidades
autónomas ante una competencia nueva.* 1.2.1. *El enrevesado camino hacia los instrumentos regionales y subregionales de OT.* 1.2.2.
*Particularidades en la generalidad: de planes sectoriales y espacios de
especial interés (costeros y metropolitanos).* 1.2.3. *De la institucionali-
zación al liderazgo y el compromiso político con la OT.* 2. HACIA UN
DIAGNÓSTICO PORMENORIZADO SOBRE LA PUESTA EN
PRÁCTICA DE LOS INSTRUMENTOS DE OT EN ESPAÑA. 3.
REFERENCIAS BIBLIOGRÁFICAS

1. DESARROLLO NORMATIVO E INSTRUMENTAL DE LA OT EN ESPAÑA

De manera reiterada se afirma que la política de OT se caracteriza por su
heterogeneidad entre las distintas CCAA, resultado de su propio contexto

cultural y político; pero también de las formas y del modelo de desarrollo socioeconómico escogido. Todo ello condiciona la manera en la que los sistemas de planificación y sus normativas se relacionan, interpretan y desarrollan (Albrechts, 2001; Gallego y Pitxer, 2019). Sin embargo, no resultan diferencias insalvables en la forma de desarrollar una política que persigue principios y objetivos generales como la mejora de la calidad de vida y la sostenibilidad.

1.1. EVOLUCIÓN HISTÓRICA: LA CONSOLIDACIÓN DEL ENFOQUE URBANÍSTICO A MICROESCALA

A finales de los años 1990, Williams (1996) realizaba una valoración sobre la política territorial en la Unión Europea. Identificaba diferentes estilos y tradiciones de planificación (respectivamente según el contexto cultural e institucional), que finalmente serían oficializados en un posterior informe de la DG Regio con título *"The EU compendium of spatial planning systems and policies"* (CE, 1997): urbanismo, planificación de usos del suelo, planificación del desarrollo económico regional y planificación integrada. España formaba parte, junto con otros países mediterráneos, de la llamada tradición urbanística, fuertemente regulativa y con una alta dependencia de las disposiciones legales que se materializan a través de las figuras de planeamiento (del tipo *'hard planning'* o planificación 'dura'). Casi tres décadas después, pese a muchos intentos y pocos avances, no puede decirse que la situación haya cambiado; más bien pareciera incluso, a tenor de lo sucedido en los últimos años, que se ha reforzado.

Tal y como indica Selva (2017), antes de la dictadura franquista, España se caracterizaba por un sistema marcadamente municipalista y con escasa población, en un momento en el que el planeamiento territorial se veía notablemente influido por la idea del *Regional Planning* británico[1]. Sin embargo, con el franquismo el panorama cambiará sustancialmente, de manera que, tal y como recoge el citado autor, durante la década de los años 1940 se recupera el urbanismo, que en un fuerte contexto totalitario fue evolucionando hacia una "dictadura empírico-conservadora" y, en última instancia, hacia un "franquismo tecnopragmático". Con un estilo de administración de tipo napoleónico (organización en departamentos sectoriales) que, como indica Garrido (2002), rompía con la tendencia de carácter regionalizador iniciada a mediados del s. XIX.

---

1. Siguiendo con las tipificaciones sobre el planeamiento de Williams (1996), forma parte de la tradición de planificación de los usos del suelo, encaminada a la regulación y administración del crecimiento urbano en la ciudad y su entorno, otorgando a cada espacio el mejor uso en base a la técnica de la zonificación (*zonning*). En su caso con un carácter menos tecnocrático y más participado, y con la intención de dotar de la necesaria vivienda a la población de forma equilibrada a lo largo del territorio británico, más allá de las grandes concentraciones urbanas como Londres.

A partir de la década de los años 1940 el urbanismo se retoma como política fundamental, regulada desde el ámbito nacional: potenciar un crecimiento económico mediante la expansión de las ciudades (algunas satélites de la principal) de acuerdo con un enfoque organicista que pretendía una mayor eficiencia del sistema urbano. Un periodo de pruebas para el desarrollo de las diferentes formas de delimitación y gestión que terminarían plasmándose en la Ley del Suelo del año 1956 (LS56). Dicha ley era de carácter urbanístico y pretendía regular las intervenciones territoriales mediante un instrumento muy rígido, el Plan General, cuya gestión dependía del correspondiente organismo urbanístico a nivel central (Benabent, 2006, p. 103). Esto supuso un notable cambio, en tanto ya no serían las corporaciones locales las responsables de decidir en última instancia la forma que debían adoptar los procesos de desarrollo territorial, como antaño, cuando disponían de una fuerte competencia para regular los procesos edificatorios y de urbanización, en especial las grandes ciudades, que desde finales del siglo XIX empezaban a expandirse más allá de sus límites clásicos (Giménez, 2013). Sin embargo, sí seguirán proponiendo su plan urbanístico y serán las responsables de su gestión.

La LS56 contempla como herramienta básica de planeamiento, junto con los Planes Generales de Ordenación Urbana a nivel local, una figura de ámbito estatal, el Plan Nacional de Ordenación[2]. Constituía el instrumento de rango superior en un sistema jerárquico que contaría con la figura de los planes provinciales para su desarrollo. De estas figuras se esperaba que fueran el marco del desarrollo urbanístico, sirviendo para conectar los contenidos previstos a nivel nacional con los desarrollos locales. Si bien llegaron a aprobarse algunos planes provinciales, no se han considerado experiencias exitosas[3].

Mediante estos planes provinciales, como indica Garrido (2002), el urbanismo de la década de los años 1960 adquirió una concepción más amplia que superaba los límites urbanos, llegando a contemplar áreas a mayor escala. Ello nos acerca a la idea de ordenación territorial que surgía en Francia con el *Aménagement du Territoire*, y antes en Inglaterra con el

---

2. Figura que nunca se desarrolló desde entonces y hasta la STC 61/1997, por la que se anula la posibilidad de ser redactado y aprobado por el Gobierno de España.
3. En el caso del plan provincial de Guipúzcoa, el documento únicamente representaba un marco teórico de escasa viabilidad en su aplicación; por tanto, careció de incidencia real en la ordenación territorial (Terán, 1978). En el caso de Barcelona, un enfoque ajeno a la realidad socioeconómica lo condujo al fracaso; no obstante, destaca la nueva forma que tiene el plan de tratar la OT, tanto analítica como propositivamente (Terán, 1978; Benabent, 2006). En el caso del Plan Provincial de las Islas Baleares, nace como respuesta al rápido crecimiento urbanístico que tuvo lugar en la década de los 60 en las Islas Baleares, asociado a la aparición del turismo en el archipiélago balear (García y Martorell, 2007).

"*Regional Planning*" para repartir posibles más allá del entorno de la ciudad de Londres, como forma de integrar la planificación física y la del desarrollo económico con criterios de equilibrio territorial. Todo ello en un contexto socioeconómico marcado por el Plan de Estabilización de 1959, año que marca el inicio del aperturismo y liberalización de la economía del régimen franquista, que a partir de entonces va a desarrollar una política de enfoque estructuralista acorde con los planteamientos tecnocráticos del gobierno del Opus Dei del momento. La planificación orgánica y multifuncional del territorio español en sus distintas partes, propia del enfoque funcionalista de la etapa falangista inicial, se sacrificará por el objetivo del crecimiento a toda costa[4]. Esto sentará las bases para el desarrollismo de los futuros Planes de Desarrollo, que dieron paso a la progresiva urbanización y concentración de población, actividades, recursos, infraestructuras y equipamientos en las principales ciudades y áreas metropolitanas españolas y al éxodo rural, sin que la normativa del año 1956 y sus figuras asociadas pudieran evitar los negativos efectos territoriales[5].

Con la aprobación de la siguiente norma en materia de urbanismo en España (la Ley 19/1975, de 2 de mayo, de reforma de la Ley sobre Régimen del Suelo y Ordenación Urbana) aparecía la figura de los Planes Directores Territoriales de Coordinación (PDTC) (Serrano, 2018). Esta figura resulta de un particular interés, pues en su planteamiento se hace una aproximación a la idea de desarrollo regional en el sentido expuesto en el párrafo anterior. Suponía el intento (a la postre fracasado) de aproximar planificación física y desarrollo económico (Benabent, 2006)[6]. Según Garrido (2002) fue el único ejemplo de regionalismo funcional que tuvo lugar en este periodo preconstitucional, contando con el acuerdo para la formulación de cuatro Planes Directores Territoriales de Coordinación

---

4. Como recoge Garrido (2002), el modelo de planificación económico del régimen tenía como objetivo último un rápido crecimiento agregado. Sin embargo, el autor cita el trabajo de García de Enterría (1985) para reflejar cómo el aumento del PIB como fin no solo no evitará los preexistentes desequilibrios territoriales sino que los potenciará. Por ello plantea la necesidad de cambiar el desarrollo cuantitativo-sectorial por un modelo de desarrollo regional.

5. Tuvieron lugar crecientes problemas de congestión del tráfico, de acceso a la vivienda y a los servicios, procesos especulativos y de desorden urbano que la misma LS56 (que fuera desdicha por otras legislaciones contradictorias posteriores, como la de centros turísticos o las que promueven el desarrollo de nuevas infraestructuras de transporte) no atajó.

6. Como señala Giménez (2013), en el año 1973 se creó el Ministerio del Desarrollo, que aunaba las Direcciones Generales de Planificación Económica, Planificación Social y Planificación Territorial (junto a otras), que tenían a su cargo los trabajos para el desarrollo de los correspondientes Planes. Conforme a lo establecido en el art. 8.1. de la Ley 19/1975, de 2 de mayo, se indica que esta figura debía aunar lo establecido en el Plan de Ordenación Nacional y la Planificación Económica en sus ámbitos de desarrollo.

regionales (Asturias, Aragón, Andalucía y Galicia), de los que únicamente se inició la tramitación de dos de ellos (Galicia y Andalucía), que no se materializaron, y el de Doñana y su entorno, el único aprobado[7].

La aprobación de Constitución Española de 1978 supuso la aparición de la política de OT propiamente dicha. Esta será de competencia exclusiva de las CCAA, una circunstancia que ayuda a explicar las dificultades para su desarrollo real y para su adecuado encaje en el sistema jurídico instrumental de un Estado con una tradición fuertemente centralizadora. Además de su propia complejidad, en tanto que materia transversal, en una administración de corte napoleónico y fuerte carácter sectorial. Todo ello hizo que esta política tuviera un entendimiento restringido (Martín, 2014, p. 322), que la equipara a un urbanismo que actúa a una escala distinta de la municipal (Saénz, 1983; González y Martínez, 1980).

Sin embargo, otros autores (como Ávila, 1993 y Pérez, 1998) abogan por una interpretación de la OT desde un enfoque más amplio que respondería a una lectura del texto constitucional que no ha tenido lugar (vid. Farinós, García y Aldrey, 2018). Implica un entendimiento de la OT como política pública de carácter transversal, destinada a la coordinación de las políticas sectoriales con impacto territorial, con el fin de asegurar su adecuado desarrollo (tanto operativamente como desde el punto de vista de su plasmación en el espacio), encaminada a garantizar un modelo territorial basado en la justicia espacial, el buen gobierno territorial (gobernanza) y la sostenibilidad.

Pero la realidad práctica demuestra cómo se ha consolidado una lectura de la OT como una planificación de usos del suelo a escala supramunicipal, optando por una interpretación restrictiva de la misma (Pérez, 1998). Lejos de actuar como marco para la coordinación del resto de las políticas sectoriales, acaba entrando en competencia con ellas; que de hecho le preceden, cuentan con mayor tradición y arraigo en las estructuras de poder y cuentan con muchos más recursos. Se aleja así de la idea del desarrollo regional, presentando un enfoque marcadamente tecnocrático que la aleja de la necesaria gobernanza territorial (Farinós, García y Aldrey, 2018).

Si bien en el año 1978 la OT adquiere su propio reconocimiento como política diferenciada de la política urbanística, de la que hasta entonces dependían las figuras de planeamiento supramunicipal, el desarrollo de

---

7. Para un repaso al inventario de los PDTC a las distintas escalas previstos, pero nunca desarrollados, a excepción del de Doñana y su entorno, aprobado en 1988 por la Junta de Andalucía y que se mantendría como ámbito en el PDR de Andalucía como región objetivo 1 de la Política Regional Europea, vid. Farinós (2002). Fue el antecedente inmediato del hoy vigente Plan de Ordenación del Territorio del ámbito de Doñana (vid. Rando, 2019).

la legislación que debía dar cobertura jurídica a sus instrumentos y procedimientos siguió un largo y dilatado camino[8]. Además, los distintos Estatutos de Autonomía hicieron una lectura reduccionista de la competencia de OT, ligada a los usos del suelo, heredera de las tradicionales formas y objetivos, trasladando las típicas prácticas y enfoques del urbanismo a la ordenación del territorio (Vaquer, 2018). A pesar de ello, como señala Martín (2014, p. 323) *"...también se aprecia que cuando se ha estimado necesario se ha vinculado a otras materias/políticas"*. Una vinculación basada en la yuxtaposición de materias competenciales conexas, tales como el urbanismo o la vivienda, a las que cabe añadir el medio ambiente y la política de desarrollo económico, por su impacto territorial asociado. Aunque se trata de políticas que obedecen al mismo fin, ello no ha hecho más fácil su coordinación e integración efectiva (Parejo, 2007).

1.2. COMPORTAMIENTO DE LAS COMUNIDADES AUTÓNOMAS ANTE UNA COMPETENCIA NUEVA

1.2.1. El enrevesado camino hacia los instrumentos regionales y subregionales de OT

Las primeras CCAA en desarrollar la normativa de OT lo hicieron en la década de los años 1980. Cataluña lo hizo en 1983, la Comunidad de Madrid en 1984, Navarra en 1986, Asturias, Baleares y Canarias en 1987 y la Comunitat Valenciana en el año 1989. Posteriormente, ya en la década de los años 1990, aparecerían los primeros instrumentos. A partir de ese momento ya empiezan a hacerse notar las primeras dificultades y barreras a los que esta nueva política pública (de carácter autonómico y nunca estatal) se tendrá que enfrentar. En 1991 Asturias aprobaba su figura de planeamiento regional, solo 4 años después de la aprobación de su Ley regional (un plazo de tramitación corto para lo que acabará siendo habitual). El resto de las CCAA tardarían más: Cataluña aprobaría su plan regional en 1995 (12 años después de la aprobación de su primera Ley de OT), Baleares en 1999 (también transcurridos otros 12 años). Por su parte, Aragón lo aprobaría en el año 1995, al amparo de la ley de 1992, y el País Vasco en 1997 al amparo de su Ley de 1990.

En ocasiones incluso se llega a modificar la normativa (segundas leyes de OT) antes de que lleguen a aprobarse los primeros instrumentos; como

---

8. Véase Martín (2014) para una valoración detallada del desarrollo normativo en la materia. Sobre el particular, también se pronuncia de manera pormenorizada Rando (2019b), analizando la evolución del marco normativo desde su incorporación en la Constitución como competencia autónoma e independiente a asumir por las Comunidades Autónomas, su ulterior inclusión en los Estatutos de Autonomía, los primeros textos legales aprobados y las sucesivas reformas hasta llegar a las vigentes legislaciones autonómicas en materia de OT.

sucede en la Comunitat Valenciana, Canarias y Navarra. En la Comunitat Valenciana, aunque la Ley de 1989 recogía una primera figura de planificación regional, este plan no se redactó ni llegó a aprobarse nunca; a pesar de los intentos de adaptación (reconsideración hacia enfoques más próximos a un ordenamiento urbanístico regional) y de que desde la década de los años 1990 la OT apostó por los más acostumbrados instrumentos de carácter sectorial que, en virtud del desarrollo normativo, adquirían rango de instrumentos de planificación territorial (vid. Farinós, Peiró y Zornoza, 2019). Por su parte, Canarias tramitaría su primer instrumento de OT, de carácter subregional, el primero en España, el año 1991, el de Lanzarote. Ya en 2003 verían la luz las Directrices de Ordenación General y las Directrices de Ordenación del Turismo de Canarias, su figura de ámbito regional. Navarra tramitaría dos nuevas normativas (en 1994 y 2002) antes de tener su instrumento (estrategia territorial) de carácter regional, con un desarrollo muy particular y novedoso (de clara influencia europea); en relación a lo que había venido practicando hasta entonces durante las décadas de los años 1980 y 1990, cuando tramitaba mayoritariamente proyectos puntuales sobre el territorio que se coordinaban mediante figuras de planeamiento sectorial (Farinós et al. 2017).

El resto de CCAA aprobarían sus leyes de OT durante la década de los años 1990, a excepción de Extremadura que lo hará en 2001. Mención aparte merece el caso madrileño, que en 1995 tramitaría una segunda normativa en OT sin que la primera hubiera tenido ningún desarrollo, constituyendo la única región que hoy en día carece de desarrollo instrumental de cualquier tipo.

La citada Sentencia del Tribunal Constitucional STC 61/1997 supuso un importante punto de inflexión. La necesidad de desarrollar leyes autonómicas propias en materia de urbanismo tuvo como efecto secundario la actualización de muchas de las leyes de OT. A partir de entonces se empezaron a regular en el mismo texto legal distintas materias afines (OT, urbanismo, paisaje, turismo, medio ambiente...) (vid. Farinós, García y Aldrey, 2018; Farinós, 2017). Al mismo tiempo, los instrumentos regionales que se irán aprobando van sustituyendo su denominación de "Plan" por la de "Directrices" (Cruz, 2018) y, en algunos casos, Estrategias. De los planteamientos rígidos del plan director, se va evolucionando a unas nuevas figuras con determinaciones menos vinculantes para los privados (sí lo continúan siendo para el sector público de forma directa o indirecta –por ejemplo abriendo posibilidades de recibir financiación–) y más flexibles a la hora de ser establecidas (acercamiento al método de planificación estratégica). Como se señala en Peiró, Elorrieta y Farinós (2019), se trata de unos instrumentos (los regionales) que presentan *"poca concreción a la hora de señalar plazos o prioridades de los proyectos, que se dejan en manos del planeamiento derivado (el territorial o incluso directamente urbanístico sin escala intermedia en no pocos casos)".* Este fenómeno responde a la clara influencia que la UE está ejerciendo en materia de política de OT, a la que los instrumentos de carácter regional son especialmente sensibles (Elorrieta, 2018).

Todo ello en un contexto (la década de los años 1990) en el que el modelo de desarrollo predominante escogido, un modelo neoliberal que ha apostado por la desregulación como forma de potenciar el crecimiento, manifiesta de manera más clara y evidente sus negativos impactos territoriales y ambientales. La actividad urbanística, la construcción y los movimientos especulativos pasan a convertirse en el motor de la economía, gracias a nuevas legislaciones urbanísticas, la española y las autonómicas, que favorecen procesos de liberalización y revalorización del suelo (Farinós, Peiró y Zornoza, 2019). El suelo, más que nunca hasta entonces, pasa a ser interpretado como un bien material sujeto a utilización privada (Vaquer, 2018), olvidando por el camino su carácter de espacio público o común y el principio de la defensa del interés general. Fue la base para un modo de desarrollo territorial y socioeconómico fundamentado en los grandes desarrollos urbanísticos, las grandes infraestructuras para captar las inversiones extranjeras y en las instalaciones para el turismo. Principalmente en los espacios litorales y en los entornos de las grandes ciudades, aunque se extendió como una metástasis a lo largo de cualquier parte del territorio español.

Ya será en la primera década de los años 2000 cuando las CCAA comenzarán a tramitar los primeros instrumentos de OT de ámbito subregional (excepción hecha del pionero Plan Insular de Ordenación Territorial de Lanzarote del año 1991). Únicamente Cataluña, el País Vasco, Aragón y Baleares lo harán tras haber aprobado su instrumento regional. Contrariamente, en los casos de Andalucía y de Castilla y León, la aprobación de su respectivo instrumento de OT regional se produce después de que hubieran aprobado sus primeros instrumentos subregionales. Significativo el caso andaluz; en el momento de aprobar su instrumento de planificación regional, en 2006, ya contaba con 8 instrumentos de planificación subregional vigentes. Algo que no pasaría desapercibido ni escaparía a las críticas por parte de algunas instituciones (Informe anual del Defensor del Pueblo Andaluz, 2009, p. 15-19) (Rando, 2020b). Por su parte, la Comunitat Valenciana no podrá contar hasta el año 2018 con sus primeros instrumentos subregionales de OT de carácter integral (sí disponía de otros de carácter sectorial, como contra el riesgo de inundación, desde 2003, revisado en 2015). Su instrumento regional, la Estrategia Territorial de la Comunitat Valenciana, acabará siendo aprobado en 2011. Ese mismo año Galicia aprobaba sus Directrices de Ordenación del Territorio. Castilla-La Mancha no ha aprobado su instrumento regional hasta la fecha. Similar es el caso de Extremadura, que solo a partir de 2015 recupera la iniciativa de tramitación de su plan regional; y de Cantabria, que ha podido redactar un Plan Regional de Ordenación Territorial (PROT) cuya aprobación no ha sido posible hasta el momento, y que tampoco cuenta con figuras de ámbito subregional de carácter integral.

Ya entrados en la década de los años 2010 continúa el impulso en la tramitación de instrumentos subregionales. Hasta el punto de que Cataluña, Canarias, Navarra y País Vasco se suman a las Islas Baleares como CCAA que han llegado a cubrir todo su territorio con este tipo de figuras. Tal y como recogen Farinós et al. (2017):

> *"el grueso de instrumentos parece querer concentrarse en el tiempo que va desde 2003 a 2011. Coincide la primera parte de esta horquilla con el momento álgido de la OT a nivel europeo, y con las reformas de las Leyes de OT en algunas CCAA, y con el inicio de la crisis asociada al reventón especulativo de la burbuja inmobiliaria, del mal urbanismo".*

A finales de esta década, fruto de los cambios en los gobiernos regionales operados en 2015, y muy influido por el agotamiento del modelo tras el estallido de la burbuja inmobiliaria y la consiguiente situación de crisis, la OT resurge en dos CCAA que habían tenido hasta entonces un desarrollo irregular y desigual en la materia. Por una parte, Extremadura inicia la tramitación de una normativa encaminada a corregir los problemas y retos a los que tradicionalmente se ha enfrentado esta política pública en el territorio extremeño (muchos de ellos extrapolables a otras regiones españolas). Recupera la tramitación de las figuras de planteamiento subregional, que había iniciado tibiamente con anterioridad, e inicia la tramitación de nuevos instrumentos de carácter subregional, así como la tramitación de un instrumento de carácter regional. Por otra parte, la Comunitat Valenciana modificará en reiteradas ocasiones su Ley de OT, urbanismo y paisaje (LOTUP) de 2014, reconsidera su política de OT, replantea y aprueba distintos instrumentos subregionales que habían quedado pendientes, e inicia la redacción de otros nuevos en un intento de ir cubriendo progresivamente todo el territorio valenciano.

Estas tramitaciones de instrumentos de OT más recientes (posteriores a 2010) se han desarrollado en un renovado marco. Por un lado, el foco ya no está en el crecimiento urbano sino en la rehabilitación y renovación de la ciudad consolidada[9]. Por otra, la nueva normativa de suelo (Ley 8/

---

9. Potenciado por la Ley de 8/2013, de 26 de junio, de rehabilitación, regeneración y renovación urbanas y el posterior Real Decreto Legislativo 7/2015, de 30 de octubre, por el que se aprueba el texto refundido de la Ley de Suelo y Rehabilitación Urbana.

2007, de 28 de mayo, de suelo, y el Real Decreto Legislativo 2/2008, de 20 de junio, por el que se aprueba el Texto Refundido de la Ley de Suelo; hoy Real Decreto Legislativo 7/2015, de 30 de octubre, por el que se aprueba el texto refundido de la Ley de Suelo y Rehabilitación Urbana) acaba incluyendo el paradigma ambiental. Como indica Baño León (2009) ello ha supuesto trasladar las cuestiones ambientales al urbanismo, haciendo posible que el suelo sea reconsiderado más allá de su valor económico (Vaquer, 2018; García de Leonardo-Tobarra, 2019).

1.2.2. Particularidades en la generalidad: de planes sectoriales y espacios de especial interés (costeros y metropolitanos)

A todo lo dicho, cabe añadir que, a pesar de la lectura restrictiva que se viene haciendo de la política de OT, se han ido abriendo nuevas líneas de acción; caso por ejemplo de la ordenación del litoral y, de nuevo, las áreas metropolitanas. Las diez CCAA costeras han aprobado instrumentos de ordenación del espacio litoral (si bien en el caso de Andalucía ya no se encuentra vigente tras la declaración de nulidad de pleno derecho por el Tribunal Superior de Justicia por defectos de forma, al ser aprobado estando el gobierno en funciones), con un enfoque y tratamiento notablemente diverso (Farinós, García y Aldrey, 2018; Díaz, 2015). Cantabria, y en cierto modo Andalucía, equiparaban estas figuras litorales a las regionales[10]. Cantabria se encuentra actualmente tramitando su figura de planeamiento regional, al amparo de una normativa que carece de figuras de planeamiento integrales para el ámbito subregional, salvo esta figura de planeamiento litoral. Mientras, Asturias, Galicia y Murcia los consideran figuras de ordenación subregionales, representando en los tres casos la única figura que ha tenido una aprobación y desarrollo efectivos. Murcia planteaba tres instrumentos subregionales que no fueron aprobados, mientras que Asturias y Galicia se centrarán en un desarrollo territorial con enfoque sectorial (como veremos a continuación). Cataluña, el País Vasco y la Comunitat Valenciana los consideran instrumentos de planeamiento sectorial (acorde a un criterio temático, pues se centran en la ordenación de un sector determinado y sus conflictos) para afrontar principalmente cuestiones fundamentalmente urbanísticas y de infraestructuras. Por su parte, en Andalucía el espacio

---

10. De conformidad con el artículo 42.2 de la Ley 1/1994, de 11 de enero, de Ordenación del Territorio de la Comunidad Autónoma de Andalucía, el Plan de Protección del Corredor Litoral de Andalucía será vinculante para los Planes de Ordenación del Territorio de ámbito subregional y producirá los demás efectos establecidos en esa Ley para dichos planes. Un Plan de carácter "sui generis" a "caballo" entre el POTA y los POTS, que pretendía resolver el problema de la no adaptación de los planes municipales de los municipios costeros al POTA (solo lo había hecho 10 de los 62 según el Decreto Ley 5/2012 Decreto-ley 5/2012, de 27 de noviembre, de medidas urgentes en materia urbanística y para la protección del litoral de Andalucía).

litoral ha tenido dos instrumentos diferentes. Por una parte las Directrices Regionales del Litoral de Andalucía, aprobadas en 1990, antes de que lo fuera la ley de OT en 1994[11]. A partir del año 2012 se incorpora *ex novo* un nuevo instrumento de planificación territorial a la Ley de Ordenación del Territorio de Andalucía, el Plan de Protección del Corredor Litoral de Andalucía, aprobado definitivamente en 2015 y posteriormente, en 2017, declarado nulo por el Tribunal Superior de Justicia de Andalucía sustentado en defectos formales en el procedimiento de tramitación del mismo, concretamente el plan fue aprobado cuando el gobierno se encontraba en funciones (Rando, 2018).

Figura 1. Relaciones entre Planes subregionales de OT y áreas metropolitanas

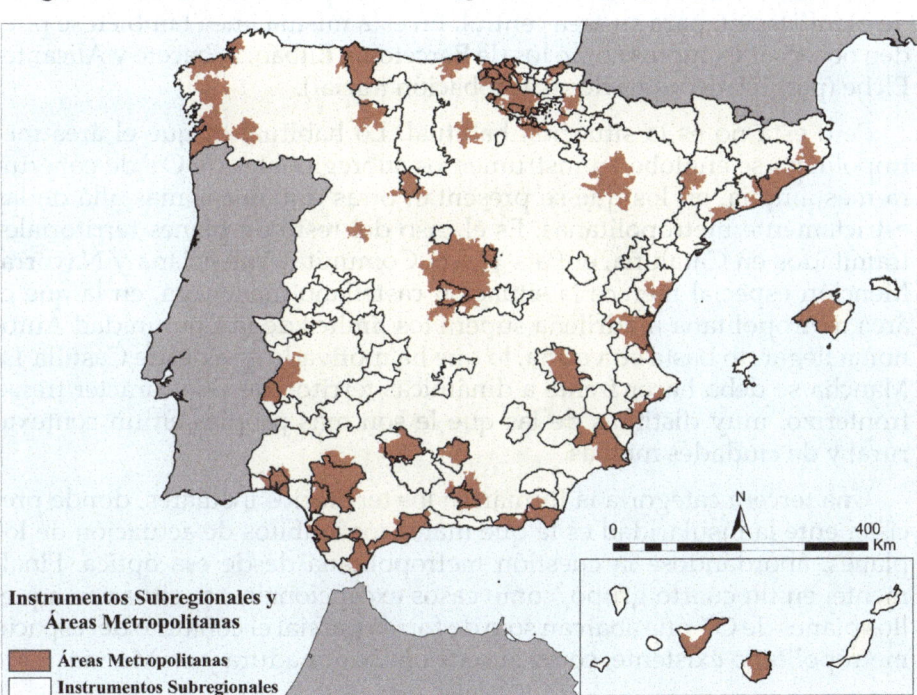

Fuente: Elaboración propia sobre la base de Farinós, Peiró y Gomis (2017)

---

11. En 2007 la Junta de Andalucía tomó la iniciativa de desarrollar una Propuesta de Estrategia Andaluza de Gestión Integrada de Zonas Costeras (GIZC). Daba así respuesta a la Recomendación del Parlamento y del Consejo Europeo de 2002 sobre la aplicación de la GIZC en Europa, y a la Proposición no de Ley, relativa a la Gestión Integrada de Zonas del Litoral, que aprobaba el Pleno del Parlamento Andaluz en 2005. A pesar de su carácter más estratégico, su naturaleza se quiso ambiental y acabó con la preparación del documento en 2008.

En lo que respecta al fenómeno metropolitano, este se manifiesta como uno de los grandes retos a los que hoy se sigue enfrentando la OT (De Miguel, 2008; Feria y Martínez, 2016; Cruz, de Oliveira y Santiago, 2017). Hasta la fecha no se ha sido capaz de resolver los conflictos de estos espacios ni de mejorar su organización. En el conjunto español, el fenómeno metropolitano se recoge en distintos tipos planes de OT (Farinós, Peiró y Gomis, 2018)[12]. Es posible reconocer cuatro tipos de situaciones.

La primera: instrumentos de OT centrados en cada uno de estos espacios metropolitanos y ajustados a sus límites previamente establecidos como espacios de ordenación. Destaca el caso de Andalucía, que ha tratado de dotar a todas sus áreas metropolitanas de su respectivo plan. En el caso de Asturias, se encuentra en trámites para dotarse de una figura de planificación para su área central. En esta misma línea también se pueden observar ejemplos como los de Barcelona, Bilbao, Albacete y Alicante-Elche (paralizado antes de su aprobación inicial).

Pero esta no es la situación habitual. Lo habitual es que el área metropolitana se englobe en instrumentos subregionales de OT de cobertura más amplia, en los que se presentan otras dinámicas más allá de las estrictamente metropolitanas. Es el caso del resto de planes territoriales tramitados en Cataluña, el País Vasco, Comunitat Valenciana y Navarra. Mención especial merece la situación castellano-manchega, en la que el área metropolitana madrileña supera los límites de la Comunidad Autónoma llegando hasta su vecina, lo que ha motivado que desde Castilla-La Mancha se deba hacer frente a dinámicas territoriales, de carácter transfronterizo, muy distintas de las que le son más propias en un contexto rural y de ciudades medias.

Una tercera categoría la formarían los territorios insulares, donde precisamente la insularidad es la que marca los ámbitos de actuación de los planes, abordándose la cuestión metropolitana desde esa óptica. Finalmente, en un cuarto grupo, como casos excepcionales, se situarían aquellos planes de OT que abarcan solo de forma parcial el conjunto del espacio metropolitano existente, como sucede en Extremadura y en Murcia.

Mención especial requieren las figuras de planeamiento de carácter sectorial, en tanto, tal y como indica Benabent (2012, p. 143), el ámbito regional, supuestamente superior y al que deben subordinarse las demás determinaciones, no siempre prevalece sobre las políticas sectoriales. Y es que el planeamiento sectorial se ha incorporado como parte de la batería

---

12. En aquel trabajo se hacía un repaso, análisis y tipificación de las AAMM de acuerdo con los instrumentos de ordenación con los que contaban, planes subregionales de OT y/o planes estratégicos.

de figuras de planeamiento propias de la OT (con la excepción de Andalucía y, recientemente, Extremadura[13]), con lo que la OT entra en competencia con otras políticas sectoriales[14].

Un planeamiento sectorial que ofrece diferentes situaciones (para una valoración más detallada vid. Peiró y Farinós, 2019). Por una parte, regiones como la Comunitat Valenciana, Murcia, La Rioja, Castilla-La Mancha o Aragón, tramitan figuras (con un ámbito de actuación a nivel del conjunto del territorio autonómico) que desarrollan específicamente las cuestiones sectoriales contenidas en las figuras de planeamiento regional (cuando sí existe el instrumento regional) o, en su defecto, actúan directamente como referentes para la organización territorial. De forma similar se comportan regiones como Castilla y León, Galicia o Cantabria; particularmente estas dos últimas, que consideran dentro de las posibles figuras de planeamiento los proyectos. Entonces, la política sectorial actúa como una herramienta facilitadora de intervenciones territoriales puntuales (la máxima expresión de la OT como si de actuaciones urbanísticas de detalle se tratara).

Dentro de este grupo, Navarra fue la excepción. La política territorial se concentró en actuaciones sectoriales entre 1987 y 1999 (con 68 instrumentos sectoriales), dando paso en los últimos años a una nueva planificación territorial de carácter integral y cubriendo todo su territorio con figuras de planeamiento subregional (5 planes subregionales de OT y 2 Planes de Ordenación de Recursos Naturales). En la actualidad parece querer volver a lo primero. El resto de las CCAA comenzarán a plantear figuras de planeamiento de carácter sectorial a partir de la década de los 90 (con alguna excepción a finales de los 80) y de forma más clara y continuada a partir de los 2000.

1.2.3. De la institucionalización al liderazgo y el compromiso político con la OT

En lo referente al contexto político, tal y como indican Farinós et al. (2017), no hay evidencias suficientes que permitan afirmar que exista voluntad política generalizada que pretenda hacer de la OT una política pública de primer orden; como método de gobierno en sentido integral.

---

13. Tras la renovación de su marco legal en la materia en 2018, ha seguido el modelo andaluz. Los instrumentos sectoriales ya no se consideran propios de la política de OT sino como planes con incidencia en la OT, a la que quedan subordinados.
14. En Farinós et al. (2017) se pueden observar, ordenadas cronológicamente, las diferentes figuras tramitadas, en función de si se trata de figuras sectoriales o integrales de ámbito subregional.

Buena prueba de ello, siguiendo a los citados autores, es la configuración y funcionamiento de los departamentos donde queda integrada la OT, generalmente compartiendo espacio con otras políticas que la prevalecen en contenido y desarrollo. De acuerdo con la experiencia vivida en España, suelen ser determinados componentes de los equipos técnicos de estas unidades, que han podido gozar de una larga continuidad pese a los sucesivos cambios de gobierno y reorganizaciones de las administraciones autonómicas, los que han logrado mantener la continuidad de esta política, incluso en los momentos de mayor dificultad.

En este sentido, Benabent (2012, p. 145) reconoce un sesgo ideológico en relación con la planificación (y consecuentemente con el desarrollo de las figuras de planeamiento en las que se materializa) como método de gobierno. Según se recoge en Farinós et al. (2017), son los gobiernos conservadores los que se han mostrado más reacios a su desarrollo, aunque no son los únicos.

Varias son las causas de esa desafección entre la política ('*politics*') y la OT; cabe destacar las siguientes como principales:

- La falta de cultura de pacto entre formaciones de signo político opuesto para llevar a cabo determinadas políticas de largo recorrido (en este caso la OT) a lo largo de diversas legislaturas ha condicionado su tramitación y aprobación final. Por este motivo, los procedimientos prefieren iniciarse al principio de cada legislatura, para que su aprobación pueda llegar a producirse antes de los nuevos comicios electorales que pudieran implicar cualquier cambio y, con ello, el bloqueo de la tramitación de los instrumentos en marcha.

- El recelo entre las distintas administraciones públicas implicadas en la OT que, lejos de cooperar, optan por asegurar su ámbito competencial aún a costa de los buenos resultados (su eficacia); algo que acaba resultando secundario frente al objetivo principal de conservar los respectivos ámbitos de control e influencia (independientemente de que sean o no del mismo color político, pero máxime cuando son diferentes).

- La pérdida de implicación y confianza entre el cuerpo político y los equipos técnicos de la administración. Temerosos los primeros de la retirada del crédito electoral, los segundos de la pérdida de seguridad jurídica del procedimiento, todo ello ha hecho que se opte por no arriesgar (incluso por no avanzar) con la OT. Una política cuyos resultados no son inmediatos ni claramente visibles en el corto; aunque, como apunta Zoido (2010, p. 196), sus expectativas (favorables o contrarias) se hacen manifiestas antes de aprobarse.

- La propia cultura y estilo de gestión predominante, la de captar ayudas y dedicar fondos a proyectos puntuales en el corto plazo. Esto casa mal con la propia naturaleza de la OT, una política orientada al medio y largo plazo para el conjunto del sistema territorial, con la que estas inversiones puntuales deben ser coherentes. Entre coherencia y posibilidad de financiación para la acción, prima lo segundo, optando por un carácter iterativo, orgánico e incluso caótico o improvisado de las intervenciones según el coste de oportunidad del momento. La planificación, se dice, no puede ser un hándicap para la consecución de fondos e inversiones que representan una oportunidad para la creación de sinergias para el desarrollo, importando poco no solo su impacto sino también su eficacia.

En definitiva, la falta de reconocimiento político y social de la OT contribuye decisivamente a que no resulte prioritaria en la formación de las agendas políticas. Viene a cobrar protagonismo cuando tras ella subyacen otros intereses (como por ejemplo sucedió al inicio del Estado autonómico, cuando algunas CCAA hallaron en ella un punto de apoyo para avanzar en su consolidación – Farinós et al. 2017; Garrido, 2017–).

2. HACIA UN DIAGNÓSTICO PORMENORIZADO SOBRE LA PUESTA EN PRÁCTICA DE LOS INSTRUMENTOS DE OT EN ESPAÑA

Desde del proyecto GOBEFTER hemos venido trabajando en el análisis de la política y práctica de Ordenación del Territorio como ámbito de desarrollo y aplicación de nuevas formas de gobernanza territorial. La cuestión que se aborda en esta obra es la relativa a los procedimientos seguidos a la hora de realizar el diseño, elaboración, aprobación e implementación de los instrumentos de OT en las diecisiete Comunidades Autónomas españolas (CCAA), que son las que tienen competencia para ello. Es continuación lógica que sigue a la tarea previa de análisis la legislación y del nivel de desarrollo de los distintos instrumentos regionales y subregionales de cada una de ellas[15].

En esta ocasión se presentan y analizan los procedimientos de tramitación de los planes y sus problemas asociados, tratando de encontrar pautas comunes para el conjunto de CCAA. Se identifican las responsabilidades en cada una de las fases de elaboración e implementación de las

---

15. Vid. Farinós (coord.) (2018), especialmente los capítulos del bloque tercero de dicha publicación, o las actualizaciones posteriores en Farinós, Peiró y Antequera (2020).

figuras de planeamiento, así como las dificultades y estrangulamientos existentes.

Diversos han sido los trabajos previos en los que se han llevado a cabo sucesivas actualizaciones de la legislación, la normativa y los instrumentos de esta política, con un enfoque predominantemente descriptivo[16]. En esta ocasión, transitando hacia un enfoque explicativo, se lleva a cabo un detallado estudio de los procedimientos seguidos en la elaboración y tramitación de los instrumentos de planeamiento, y de las responsabilidades en cada caso[17].

En 1999 Manuel Benabent publicaba los resultados de un primer estudio comparado en el que analizaba las diferentes normativas en materia de OT[18]. Con él pretendía esclarecer cuestiones básicas sobre una política pública emergente en aquel momento (muchas de las primeras leyes y reglamentos de OT se desarrollaron en aquella década). El autor concluía que todas las leyes autonómicas abordaban tres grandes cuestiones: 1) el establecimiento de una finalidad para la política de OT; 2) la presentación de la batería de instrumentos para llevarla a cabo y 3) los procedimientos de gestión necesarios. Dicho trabajo evidenciaba la transversalidad en la política de OT. Su materialización no solo debía producirse a través de los

---

16. Entre los escasos aportes de los últimos años, cabe destacar los de Benabent (2006, 2009, 2012, 2019), Hildebrand (2006), el número 14 monográfico sobre 'Geografía, Ordenación del Territorio y Cultura Territorial' coordinado por Fernando Manero en la revista 'Polígonos' (2014), Rando (2019b, 2020), el número 47 monográfico de la revista Cuadernos Geográficos de la Universidad de Granada dedicado a un análisis comparado de las situación de la OT en España coordinado por Francisco Rodríguez Martínez (2010) y Zoido (2007).

    Una situación a la que sumar *"la escasa atención prestada a la elaboración teórica de la planificación"* que ha dificultado un desarrollo de las figuras de planeamiento acorde a postulados teóricos, así como un escaso interés de los estudios académicos por profundizar en las necesidades prácticas asociadas a los enfoques teóricos (Benabent, 2016 p. 354).

    En el caso del grupo de investigación "Gobierno y Desarrollo Local Sostenible" (GDLS), esta actualización se ha venido realizando progresivamente, ampliando además el análisis sobre otras figuras de planeamiento sectorial y subregional de segundo nivel, así como otras figuras con incidencia en la OT. El inventario de todos estos instrumentos se encuentra disponible en abierto al público interesado y puede ser consultado en el visor preparado por el equipo investigador (https://gdls.blogs.uv.es/visores/).

17. Como ya planteara hace algún tiempo Benhabib (1985), se puede diferenciar entre los momentos de diagnosis-explicación y los momentos utópico-anticipativos, de carácter más propositivo, en los que nos centramos.

    Más allá de ofertar una imagen de la situación actual de la ordenación del territorio, se abordan parte de las causas que explican esta situación como antesala hacia trabajos encaminados a la presentación de propuestas de mejora sobre la situación de partida.

18. En esta misma línea, también publicado a finales de los 90 se encuentra el trabajo de Chica y Santos (1999), que prestan especial atención a los objetivos de esta política.

oportunos instrumentos (un primer fin en sí mismo –primera cuestión–) que presentarán una determinada naturaleza jurídica y enfoque (integral vs sectorial, vinculante vs estratégico, plan vs proyecto… –segunda cuestión–), sino que además se han creado órganos mediante los que estos instrumentos procedimentalmente se desarrollan y aplican (tercera cuestión).

Las tres cuestiones acabadas de referir (instrumentos, enfoques y responsabilidades en el procedimiento) han sido tratadas para cada Comunidad Autónoma en los capítulos que siguen, sirviéndonos de cada legislación autonómica como base documental del análisis, posteriormente complementada el análisis de los contenidos de los propios instrumentos (planes) y su documentación técnica asociada[19].

Se trata de una tarea que cabe enmarcar en el campo del análisis de políticas públicas, y más concretamente en el de la evaluación de las políticas públicas que, en palabras de Subirats et al. (2008: 25) tiene por objetivo:

> *"contribuir al establecimiento de un diagnóstico, poniendo en evidencia los factores que puedan llegar a explicar el «buen» o «mal» funcionamiento de las políticas públicas desde la perspectiva de la capacidad de producción de los poderes públicos y de sus administraciones, y por tanto valorando la eficacia de sus políticas y productos. Con esta aproximación analítica se quiere describir, comprender y explicar el funcionamiento del sistema político-administrativo en su conjunto y sus interacciones con los actores no gubernamentales. Tratando de explicar los productos o servicios de la administración pública, tradicionalmente conocidos como «outputs», y la explicación de los efectos («impactos y outcomes») que tales servicios provocan en los grupos sociales que están implicados en un problema colectivo específico".*

El campo de las políticas públicas resulta muy amplio; en él también debe considerarse, y así se ha hecho en el presente trabajo, la disciplina de la Administración Pública que, como indica Navarro (2008):

> *"Desde esta rama del conocimiento se ha puesto siempre el acento no tanto en explicar el proceso decisorio en toda su extensión sino en investigar el detalle de una parte de él, en concreto la de la implementación de las decisiones, identificando a sus responsables, las características organizativas de la administración de un programa o el mejor modo de llevar a cabo su gestión".*

En este caso, la política objeto de evaluación es la OT, la cual nacía encaminada a contribuir al desarrollo regional (Monod & Castelnajac, 1973; Friedman & Weaver, 1979). Para lo cual se pretende conjugar la

---

19. Como indican Feria et al. (2005), las figuras de planeamiento se encuentran asentadas en el plano normativo, a pesar de haber tenido un desigual desarrollo en cada Comunidad Autónoma (vid. Farinós, García y Aldrey, 2018, Peiró y Farinós, 2019).

planificación física de usos del suelo (en un sentido amplio que permita incluir el medio rural empobrecido –Sussman, 1976–) con la planificación de la implantación de las actividades económicas en el territorio, favoreciendo la equidistribución frente a las hiper-concentraciones urbanas. Estas cuestiones conforman lo que Faludi (1973) identifica como teoría sustantiva o *teoría en planificación,* sobre el contenido de la planificación.

Con el paso del tiempo se superará este enfoque original de integración entre planificación física y económica, que encuentra su origen y fundamento inicial en la teoría locacional. En la actualidad es el enfoque de la comprehensividad el que va a caracterizar la planificación territorial en el mundo occidental (Allmendinger, 2009), al dar cabida a la dimensión ambiental, patrimonial y paisajística y, más recientemente, la reconsideración de los espacios rurales y las relaciones urbano-rurales. Se da lugar así a lo que Farinós y Milder (2007) denominaban estilo neo-comprehensivo de planificación. Más que una mera identificación de los contenidos que aborda la planificación, se trata de atender a la forma mediante la que se conciben todos los aspectos que giran en torno a la idea del desarrollo socioeconómico como forma de lograr el bienestar de la sociedad.

La cuestión procedimental que nos ocupa se vincula con *la teoría de la planificación* planteada por Faludi (1973). Se encarga de los procesos mediante los cuales la planificación territorial se concreta en determinados instrumentos que se implementarán posteriormente. Se interrelacionan contenidos y formas de planificación, siendo lo segundo el corolario de lo primero. Las formas, por tanto, son consecuencia directa del contenido o, más concretamente, de la manera en la que el contenido se concibe. El ejercicio de la planificación es visto como la manera adecuada de objetivar la decisión política, gracias a la traslación del método científico (positivista) a la toma de decisiones (Faludi, 1973). Bajo una lógica de la racionalidad-comprehensiva que, todavía vigente, es la que se emplea para el desarrollo de la política de OT en el Estado español, pese a algunos avances posteriores (Benabent, 2016).

En los capítulos que siguen, tras el inmediato posterior sobre el procedimiento de Evaluación Ambiental Estratégica, se hace un recorrido por el conjunto de las diecisiete CCAA españolas, para cerrar con el dedicado a realizar un análisis del conjunto.

3. REFERENCIAS BIBLIOGRÁFICAS

ALBRECHTS, L. (2001). Devolution, Regional Governance and Planning Systems in Belgium, *International Planning Studies,* 6(2), 167-182.

ALLMENDINGER, P. (2009). *Planning theory*. Basingstoke, UK: Palgrave Macmillan.

ÁVILA, J. L. (1993). *La ordenación del territorio en el País Vasco: análisis, ejercicio y delimitación competencial*. Madrid: IVAP.

BAÑO LEÓN, J. M. (2009). *Derecho Urbanístico Común*. Madrid: Iustel.

BENABENT, M. (1999). La ordenación del territorio en España. Una función pública aun por consolidar, *Cuadernos Económicos de Granada*, 2, 58-71.

BENABENT, M. (2006). *La Ordenación del Territorio en España*. Sevilla: Universidad de Sevilla – Consejería de Obras Públicas y Transporte.

BENABENT, M. (2009). Los Planes de Ordenación del Territorio en España. De la Instrumentación a la Gestión. En L. Sánchez Pérez-Moneo y M. A. Troitiño Vinuesa (coord.), *Agua, Territorio y Paisaje: De los Instrumentos Programados a la Planificación Aplicada* (pp. 143-158). FUNDICOT.

BENABENT, M. (2012). Treinta años de ordenación del territorio en el estado de las autonomías. En M. Castañer (ed.), *El planejament territorial a Catalunya a inici del segle XXI* (pp. 140-165). Barcelona: Societat Catalana d'Ordenació del Territori.

BENABENT, M. (2016). Teorías de la planificación territorial: métodos de decisión. *Ciudad y territorio: Estudios territoriales*, 189, 353-368.

BENABENT, M. (2019). La insoportable rigidez del Plan General Urbanístico. La necesidad de un cambio de modelo, *Ciudad y Territorio Estudios Territoriales*, 201, 451-466.

Benhabib (1985).

CE (1997). *The EU Compendium of Spatial Planning Systems and Policies, Regional Development Studies 28*. Luxemburgo: Oficina de Publicaciones Oficiales de las Comunidades Europeas.

CHICA, A. Y SANTOS, E. (1999). Entendimiento del espacio geográfico en las leyes autonómicas de ordenación del territorio. *Ería*, 49, 159-176.

CRUZ, J. (2018). La ordenación del territorio en España en busca de su identidad. Estudio comparado del modelo territorial. En J. Farinós (coord.). J. Farinós y E. Peiró (eds.), *Territorios y Estados: Elementos para la coordinación de las políticas de Ordenación del Territorio en el siglo XXI* (pp. 927-958). Valencia: Tirant Humanidades.

CRUZ, J., DE OLIVEIRA, G. Y SANTIAGO, J. (2017). El espacio libre en la planificación territorial. Análisis comparado de las áreas metropolitanas en España. *Ciudad y territorio: Estudios territoriales*, 193, 401-416.

DE MIGUEL, R. (2008). Planificación territorial, Gobierno y gobernanza metropolitana en las grandes ciudades españolas, *Boletín de la AGE*, 48, 355-374.

ELORRIETA, B. (2018). Spain following in the EU's footsteps: the Europeanization of spatial planning in its Autonomous Communities. *Planning Practice & Research*, 33 (2), 154-171.

FALUDI, A. (1973). *A Reader in Planning Theory*. Michigan: Pergamon Press.

FARINÓS, J. (2002). L'impacte de la integració comunitària en la política regional española. En J. Farinós (coord.), *Geografia regional d'Espanya. Una nova geografia per a la planificació i el desenvolupament regional* (pp. 219-267). Valencia: Universitat de València.

FARINÓS, J. (2017). La gobernanza como elemento de transformación territorial, ambiental y urbana. ¿Gobernanza territorial sin territorio? En A. Serrano (coord.). J. Farinós, y A. Serrano (eds.), *Ordenación del territorio, urbanismo y medio ambiente en un mundo de cambio* (pp. 213-245). Valencia: Cátedra de Cultura Territorial Valenciana.

FARINÓS, J. (coord.) (2018). *Territorios y Estados: Elementos para la coordinación de las políticas de Ordenación del Territorio en el siglo XXI*. Valencia: Tirant Humanidades.

FARINÓS, J., ALDREY, J. A., DEL RÍO, D. Y PEIRÓ, E. (2017). Situación y evolución de la política de ordenación del territorio en los gobiernos y administraciones de las CCAA. En XXV Congreso AGE, 25-27 de octubre, Madrid: AGE/UAM, 2460-2470.

FARINÓS, J., GARCÍA, M.J. Y ALDREY, J. A. (2018). Desarrollo legislativo y planificador en materia territorial y urbanística a nivel español. En J. Farinós (coord.). J. Farinós y E. Peiró (eds.), *Territorios y Estados: Elementos para la coordinación de las políticas de Ordenación del Territorio en el siglo XXI* (pp. 959-1061). Valencia: Tirant Humanidades.

FARINÓS, J., PEIRÓ, E. Y ANTEQUERA, E. (2020). Retos para la planificación y gestión territorial en España: las ineficiencias en el proceso de aprobación de los planes y sus causas. En J. Farinós (coord.), *Desafíos y oportunidades de un mundo en transición; una interpretación desde la Geografía* (pp. 562-578). Valencia: PUV.

FARINÓS, J., PEIRÓ, E. Y GOMIS, A. (2018). Planificación y ordenación territorial en espacios metropolitanos: Evolución y análisis de la situación en España. En N. Baron y J. Romero (eds.), *Cultura territorial e innovación social: ¿Hacia un nuevo modelo metropolitano en Europa del Sur?*

(pp. 157-192). Valencia: IIDL-PUV, Colección Desarrollo Territorial: Estudios y Documentos, n.° 33.

Farinós, J., Peiró, E. y Zornoza, C. (2019). Análisis del suelo y del planeamiento urbano y territorial en la Comunitat Valenciana en el periodo 2006-2017. En J. Farinós (coord.). J. Farinós y E. Peiró (eds.), *Informe sobre la evolución y situación socioterritorial de la Comunitat Valenciana* (pp. 269-353). Valencia, Cátedra de Cultura Territorial/Universitat de València.

Farinós, J. y Milder, J. (2007). Spatial planning in ESPON 29: a new Physiognomy. En J. Farinós (coord. y ed.), *ESPON 2.3.2. Project Final Report* (pp. 172-204).

Feria, J. M.ª; Rubio, M. y Santiago, J. (2005). Los planes de ordenación del territorio como instrumentos de cooperación, *Boletín de la A.G.E.*, 39, 87-116.

Feria, J. M.ª y Martínez, L. (2016). La definición y delimitación del sistema metropolitano español: permanencias y cambios entre 2001 y 2011. *Ciudad y Territorio. Estudios Territoriales*, 48(187), 9-24.

Friedmann, J. y Weaver, C. (1979). *Territorio y función*. Madrid: Instituto de Estudios de Administración Local.

Gallego, J. R. y Pitxer, J. V. (2019). Propuesta de articulación institucional entre la planificación física y la planificación económica: un enfoque evolucionista y territorial. Ponencia presentada al IX CIOT, Santander, del 13-15 de marzo.

García de Enterría, E. (1985). La significación de las competencias exclusivas del Estado en el sistema autonómico. *Revista Española de Derecho Constitucional*, 2(5), 63-93.

García, M. A. y Martorell, O. (2007). Una reflexión sobre el modelo turístico de las Illes Balears. *XX Congreso anual de AEDEM*, Vol. 1, 1097-1106.

García-Leonardo Tobarra, E. (2019). Análisis de la evolución de la producción legislativa (de la escala valenciana a la europea) en relación con el desarrollo territorial sostenible. En J. Farinós (coord.). J. Farinós y E. Peiró (eds.), *Informe sobre la evolución y situación socioterritorial de la Comunitat Valenciana* (pp. 23-80). Valencia: Cátedra de Cultura Territorial/Universitat de València.

Garrido, C. (2002). El regionalismo funcional del régimen de Franco. *Revista de Estudios Políticos (Nueva Época)*, 115.

GARRIDO, J. (2017). *La incidencia de las políticas públicas en las transformaciones territoriales* (Tesis Doctoral). Universidad de Granada.

GARRIDO, J. (2020). Cuestiones preliminares a abordar en la concreción de una propuesta metodológica para el seguimiento y evaluación de planes territoriales en España. *Investigaciones Geográficas, in press, 73, 75-94.* https://doi.org/10.14198/INGEO2020.GC.

GIMÉNEZ, M. A. (2013). Autoritarismo y modernización de la Administración Pública española durante el franquismo. *reALA (Nueva Época), 1.*

GONZÁLEZ, J. L. Y MARTÍNEZ, R. (1980). Ordenación territorial en una nueva situación, *Ciudad y Territorio. Revista de Ciencia Urbana, 1, 25-38.*

HILDENBRAND, A. (2006). La política de ordenación del territorio de las Comunidades Autónomas: balance crítico y propuestas para la mejora de su eficacia. *Revista de Derecho Urbanístico y Medio Ambiente, 230,* 79-140.

MARTÍN, M. I. (2014). La Ordenación del Territorio en las Comunidades Autónomas. Desarrollo Normativo. *Polígonos. Revista de Geografía, 26,* 321-348.

MONOD, J. Y DE CASTELBAJAC, P. (1973). *L'aménagement du territoire.* París: Presses Universitaires de France.

NAVARRO, C. (2008). El estudio de las políticas públicas, *RJUAM, 17, 231-255.*

PAREJO ALFONSO, L. (Dir.) (2007). Veinte años de derecho urbanístico canario. Madrid: Montecorvo.

PEIRÓ, E., ELORRIETA, B. Y FARINÓS, J. (2020). Opciones para un nuevo estilo de ordenación del territorio integrada en España a partir de los instrumentos de la política de cohesión europea. En J. Farinós (coord.), *Desafíos y oportunidades de un mundo en transición; una interpretación desde la Geografía* (pp. 521-532). Valencia: PUV.

PEIRÓ, E. Y FARINÓS, J. (2019). La planificación territorial de carácter sectorial en España: diagnóstico y propuesta de clasificación regional. *Ciudad y Territorio. Estudios Territoriales, 51(200), 249-264.*

PÉREZ, A. A. (1998): *La ordenación del territorio en el Estado de las Autonomías.* Madrid: Instituto Universitario de Derecho Público García Oviedo/Marcial Pons.

RANDO BURGOS, E. (2018). La anulación del Plan de Protección del Corredor Litoral de Andalucía por el Tribunal Superior de Justicia de Andalucía: ¿nuevas dificultades en la planificación de Andalucía? *Revista de Estudios de la Administración Local y Autonómica: Nueva Época*, 10, 109-131. https://revistasonline.inap.es/index.php/REALA/article/view/10518/11317 (consultado el 20.04.20).

RANDO BURGOS, E. (2019). *Perspectiva jurídica de la planificación territorial en la provincia de Huelva*. Universidad de Huelva.

RANDO BURGOS, E. (2019b): *Legislación e instrumentos de la ordenación del territorio en España*. Madrid: Iustel.

RANDO BURGOS, E. (2020): *Régimen jurídico de la gestión territorial*. Valencia: Tirant lo Blanch.

SAÉNZ, G. (1983): *Ordenación territorial y proceso autonómico*. Madrid: Cursos de Ordenación del Territorio del Colegio Oficial de Arquitectura de Madrid.

SELVA, J. R. (2017). Planeamiento metropolitano español. *riURB Revista Iberoamericana de Urbanismo*, 13, 3-24.

SERRANO, A. (2018). La ordenación del territorio en España: pasado, presente y ¿futuro? Una visión desde experiencias de gestión propias. En J. Farinós (coord.). J. Farinós y E. Peiró (eds.), *Territorios y Estados: Elementos para la coordinación de las políticas de Ordenación del Territorio en el siglo XXI* (pp. 849-926). Valencia: Tirant Humanidades.

SUBIRATS, J., KNOEPFEL, P., LARRUE, C. Y VARONNE, F. (2008). *Análisis y gestión de políticas públicas*. Barcelona: Ariel.

SUSSMAN, C. (1976). *Planning for the fourth migration, the neglected vision of Regional Planning Association of America*. Cambridge: The Mit Press.

TERÁN, F. (1978). *Planeamiento urbano en la España contemporánea 1900-1980*. Madrid: Alianza Universidad Textos.

VAQUER, C. (2018). *Derecho del Territorio*. Valencia: Tirant lo Blanch.

WILLIAMS, R. (1996). *European Union spatial policy and planning*. Londres: Paul Chapman Publishing.

ZOIDO, F. (2007). Territorialidad y gobierno del territorio, hacia una nueva cultura política. E J. Farinós y J. Romero (coords.), *Territorialidad y buen gobierno para el desarrollo sostenible* (pp.19-48). Valencia: PUV.

ZOIDO, F. (2010). Ordenación del Territorio en Andalucía. Reflexión personal. *Cuadernos Geográficos*, 47, 189-221.

Capítulo 2

Acerca del procedimiento de evaluación ambiental estratégica y la incardinación de la salud en el proceso de elaboración de los planes

Mercedes Almenar-Muñoz

Abogado Urbanista y Ambiental. Prof. Dra. Departamento de Urbanismo.
Universitat Politècnica de València

Enrique Antequera Terroso

Ingeniero de Caminos. Prof. Departamento de Urbanismo
Universitat Politècnica de València

1. SOBRE LOS ORÍGENES E INTENCIONES DE LA EAE. LA ESCASA CONSIDERACIÓN DE LA SALUD EN LAS DIRECTIVAS EUROPEAS Y EN LA LEGISLACIÓN ESPAÑOLA DE EVALUACIÓN AMBIENTAL

En la práctica, el objetivo de la evaluación ambiental es introducir la variable físico-natural en la toma de decisiones sobre planes con incidencia significativa en el medio ambiente, proporcionando mayor fiabilidad a las decisiones, al poder elegir, de entre las diferentes alternativas posibles, aquella que mejor salvaguarde los intereses generales. Desde una perspectiva global e integrada, teniendo en cuenta todos los efectos derivados de la ordenación territorial y urbanística proyectada. Debe reforzarse la fase de identificación de los factores ambientales, incrementando la base de conocimientos y divulgación de las vulnerabilidades del territorio, riesgos climáticos y efectos sobre la salud de las personas, como elemento sustantivo en las EAE, en coherencia con el Protocolo de Kiev de 2003.

La viabilidad ambiental del planeamiento implica incorporar conocimiento, criterio y compromiso ambiental al proceso de elaboración del plan. La identificación de los efectos sobre el medio ambiente conlleva la mejora documental de los planes, al identificarse y considerarse las afecciones territoriales y riesgos ambientales desde el inicio de la toma de decisiones.

Para una efectiva protección del medio ambiente resulta imprescindible detectar la existencia de valores ambientales, que hacen que no pueda ser viable cualquier alteración o transformación del medio natural. Todo suelo con valores ambientales significativos quedará sujeto a un régimen jurídico especial de protección.

Si fuese necesario establecer un precedente de las actuales evaluaciones ambientales, existe un acuerdo bastante generalizado que lo sitúa en la *"National Environmental Policy Act"*, aprobada en Estados Unidos en 1969 y convertida en ley un año después (Arévalo Gutiérrez, 2019; Almenar-Muñoz 2015; Enríquez de Salamanca, 2014). Esta ley superaba las, hasta entonces, tradicionales evaluaciones ambientales a posteriori de la actuación, por una evaluación ex ante, permitiendo que una toma de decisiones más informada y también condicionada por las aportaciones de los propios ciudadanos.

A partir de este precedente y centrándonos en la UE, se ha ido desarrollando un amplio abanico de disposiciones, protocolos y convenios, cuyos principales hitos son dos directivas: la 2001/42/CE relativa la evaluación de los efectos de determinados planes y programas en el medio ambiente y en la 2011/92/UE, relativa a la evaluación de las repercusiones de determinados proyectos públicos y privados sobre el medio ambiente (que deroga la Directiva 85/337/CEE que institucionalizó las evaluaciones de impacto)[1]. Intercalada se aprobó la Directiva 97/11/CE que modificaba la 85/337/CEE y, más recientemente, la Directiva 2014/52/UE[2], que modifica determinados artículos de la 2011/92/UE de evaluación ambiental de proyectos.

Por tanto, y por lo que respecta a la evaluación de planes y programas, es la Directiva de 2001 la base de la legislación europea sobre el tema. En España, esta directiva se transpuso en la Ley 9/2006, de 28 de abril (con dos años de retraso respecto el plazo máximo que la propia directiva establecía para julio de 2004). Actualmente rige la Ley 21/2013[3], de 9 de diciembre, que deroga la de 2006; de carácter básico excepto en algunos artículos que se aplican únicamente a la Administración General del Estado, relacionados en la Disposición Final Octava.

Mención especial merece, a nuestro entender, el denominado de forma abreviada Protocolo de Evaluación Ambiental Estratégica, aprobado en el seno de la *United Nations Economic Commission for Europe and Executive Committee* (UNECE) en Kiev en 2003[4] y ratificado por España en 2010[5]. La importancia del protocolo viene derivada por dos aspectos, uno formal y un segundo de mayor calado. Respecto al primero, desaparece la denominación de "evaluación ambiental", empleada de forma generalizada en la Directiva de 2001, que es sustituida por la de "evaluación ambiental estratégica" (EAE), forma utilizada actualmente al hacer referencia a la evaluación ambiental de planes y programas.

El segundo y más importante punto de interés del Protocolo es la incorporación de la salud humana como un elemento sustantivo y diferenciado del medio ambiente dentro del esquema de objetivos de la EAE. Así, frente al artículo 1. Objetivos de la Directiva de 2001, que establece que:

La presente Directiva tiene por objeto conseguir un elevado nivel de protección del medio ambiente y contribuir a la integración de aspectos medioambientales en la preparación y adopción de planes y programas con el fin de promover un desarrollo sostenible, garantizando la realización, de conformidad con las disposiciones de la presente Directiva, de una evaluación

---

1.   Disponibles en https://eur-lex.europa.eu/legal-content/ES/TXT/?uri=OJ:L:2001:197:TOC (Directiva 2001/42/CE) y en https://eur-lex.europa.eu/legal-content/ES/TXT/?qid=1578588848618&uri=CELEX:32011L0092 (Directiva 2011/92/UE).

2.   https://eur-lex.europa.eu/legal-content/ES/TXT/?qid=1578588949973&uri=CELEX:32014L0052.

3.   BOE n.º 102 de 29 de abril de 2006.

4.   Protocolo sobre Evaluación Estratégica del Medio Ambiente de la convención sobre la evaluación del impacto ambiental en un contexto transfronterizo.
      Disponible en http://www.unece.org/fileadmin//DAM/env/eia/bienvenido.html.

5.   BOE n.º 162 de 5 de julio de 2010.

medioambiental de determinados planes y programas que puedan tener efectos significativos en el medio ambiente.

El artículo 1. Objetivo del Protocolo, dice:

*El presente Protocolo tiene por finalidad garantizar un alto grado de protección del medio ambiente, **incluida la salud**, mediante:*

    *a) La garantía de que las consideraciones relativas al medio ambiente, **incluida la salud**, se tendrán plenamente en cuenta en la elaboración de planes y programas;*

    *b) La contribución a la toma en consideración de las preocupaciones que suscita el medio ambiente, **incluida la salud**, en la formulación de políticas y legislación;*

    c) El establecimiento de procedimientos claros, transparentes y eficaces de evaluación estratégica medioambiental;

    d) La garantía de la participación del público en la evaluación estratégica medioambiental; y

    *e) La integración, por estos medios, de las preocupaciones que suscita el medio ambiente, **incluida la salud**, en las medidas e instrumentos destinados a promover un desarrollo sostenible.*

Lo mismo sucede cuando Directiva y Protocolo abordan la definición de evaluación ambiental/evaluación estratégica ambiental, artículos 2.b y 2.6 respectivamente, en donde, independientemente de la calidad de la definición, la Directiva soslaya cualquier referencia a la salud mientras que en el Protocolo se emplea nuevamente la fórmula citada. De esta forma la expresión "el medio ambiente, incluida la salud" se repite en 32 ocasiones a lo largo de las 21 páginas del Protocolo, mientras que la Directiva, sólo utiliza la palabra "salud" en tres ocasiones.

La salud humana se reconoce como un componente esencial y con características diferenciadas del conjunto de elementos del sistema medio ambiental. De esto, no puede sino derivarse la necesidad de que la componente "salud humana" prevalezca sobre el resto de las consideraciones en los procesos de evaluación ambiental estratégica a los que hace referencia el Protocolo, lo que se debería traducir en un tratamiento específico de aquellos efectos derivados de los planes y programas que mayor incidencia tienen sobre la salud.

Lamentablemente, la transposición de la Directiva a la legislación española eliminó esta prevalencia marcada en el Protocolo. La salud se cita en pocas ocasiones, doce en la ley estatal de 2013, apareciendo vinculada fundamentalmente a las evaluaciones ambientales de proyectos y, por lo que se refiere a la de planes y programas, la incorpora como un componente más del documento de Estudio de Evaluación Ambiental Estratégica (Anexo IV); junto con la fauna, la flora, la tierra o el aire, entre otros.

Uno de los temas que mayor premura requieren, en el ámbito de las Comunidad Autónomas (CCAA), es el de la incorporación de los criterios de salud en el conjunto de procesos administrativos, cuyo exponente más visible es el de la evaluación ambiental. En este sentido, hay que resaltar que la integración de los aspectos de salud pública en los procedimientos de EA es uno de los requisitos para lograr una adecuada evaluación ambiental. No es casualidad que en el Real Decreto Legislativo 1/2008, de 11 de enero, por el que se aprueba el texto refundido de la Ley de evaluación de impacto ambiental de proyectos, ya indicara al "ser humano" como primer factor a tener en cuenta en la evaluación ambiental y, en la legislación de evaluación de planes y programas, se mencione expresamente a las administraciones con competencias en "salud humana" (Casas et al, 2011).

No era injustificado el peso asignado a la salud en el Protocolo de Kiev. Sólo en Europa, con datos de la Agencia Europea de Medio Ambiente[6] de 2012, la contaminación del aire supone algo más de 490 mil muertes prematuras al año (Almenar-Muñoz, 2018) . Cifra que un estudio recientemente publicado eleva hasta las 790 mil muertes y 2'2 años de pérdida de esperanza de vida (Lelieveld et al, 2019).

2. LAS DEBILIDADES DETECTADAS EN LA DIRECTIVA 2001/42/CE. LOS INFORMES DEL COMITÉ DE LAS REGIONES Y LOS INFORMES PERIÓDICOS DE LA COMISIÓN SOBRE SU APLICACIÓN

Aunque el Considerando 8 de la Directiva 2001/42 señala explícitamente que uno de sus objetivos es *"establecer un marco general de evaluación medioambiental que establezca unos principios amplios del sistema de evaluación medioambiental y deje los detalles a los Estados miembros"*, parece claro que los 15 artículos y dos anexos que la integran pueden resultar insuficientes dada la importancia, no sólo sobre la vida de las personas y del medio ambiente, sino también económica, que implica su aplicación.

Tan es así, que al poco de su aprobación, la DG de Medio Ambiente de la Comisión ya hizo público el documento "Aplicación de la Directiva 2001/42 relativa a la evaluación de los efectos de determinados planes y programas en el medio ambiente"[7]. En él se intentaba explicar y desarrollar

---

6.   https://www.eea.europa.eu/es/pressroom/newsreleases/muchos-europeos-siguen-expuestos-a#tab-datos-relacionados.

7.   Disponible en https://ec.europa.eu/environment/eia/sea-support.htm. Aunque el documento no tiene fecha, se deduce de su lectura que es anterior a 2004.

de forma detalla cada uno de los artículos de la Directiva y reconociendo en su prólogo, a cargo de la entonces Directora General de Medio Ambiente de la Comisión Europea, a dificultad de su aplicación, al señalar que:

Si bien el concepto de evaluación ambiental estratégica es relativamente sencillo, la aplicación de la directiva plantea a los Estados miembros un reto considerable.

Además de entrañar una importante labor de toma de decisiones, en muchos casos podrá hacer precisa una mayor estructuración de los procedimientos de planificación y consulta. Las propuestas deberán evaluarse de modo más sistemático contrastándolas con criterios medioambientales para determinar sus posibles efectos y los de otras alternativas viables. Se plantearán dificultades de interpretación, pero, si se aplican correctamente, las evaluaciones permitirán llegar a decisiones más fundamentadas.

Los recelos de la Comisión en cuanto a los problemas que podía suponer la aplicación de la Directiva se ven reflejados en el propio texto, de manera que el artículo 12.3 obliga a la Comisión a realizar informes periódicos sobre su aplicación y eficacia[8]. El primero en 2006, y cada siete años a partir de entonces. Sobre el contenido de los dos publicados hasta la fecha se hablará posteriormente.

La ausencia de un site específico en la web de la UE dificulta el conocimiento de la situación exacta con respecto a la implementación de la Directiva en cada Estado miembro. No obstante, Sheate et al (2005) proporcionan un juicio profundo sobre el progreso de la aprobación de las estipulaciones de la Directiva para el caso sectorial específico del planeamiento urbanístico, mientras que Partidario (2005) glosa una revisión en detalle de la situación en siete Estados miembros.

2.1. EL INFORME DEL COMITÉ DE LAS REGIONES

Posteriormente, en 2010, el Comité de las Regiones publicaba un informe sobre posibles mejoras a considerar, tanto en las directivas de evaluación de impacto como en la de evaluación estratégica (COMMITTEE OF THE REGIONS, 2010). Este informe pone de manifiesto algunas de sus debilidades, que divide en comunes a ambas directivas y específicas de cada una de ellas. En la parte de problemas comunes, el informe señala:

- Ninguna de las Directivas establece estándares medioambientales obligatorios y la calidad de las EIA y EAE se deja en gran medida a las autoridades nacionales;

---

8.   Lo que, por ejemplo, no sucede con la Directiva de EIA.

-   En la cuestión de la participación pública y la transparencia en el proceso de toma de decisiones, todavía hay problemas que necesitan ser abordados, concretamente los que tiene que ver con el comienzo de la etapa de consulta pública, la forma de información pública y acceso a ella;

-   Carecen de una metodología bien establecida para determinar los impactos del cambio climático[9].

En la parte dedicada al análisis particularizado de la Directiva de EAE, los puntos más relevantes sobre los que incide el informe del Comité son:

-   La aplicación de la directiva ha sido desigual entre los estados miembros.

-   Se aprecia una falta para rodaje en su aplicación y una falta de capacidad de las administraciones responsables de hacerlo.

-   Existen una serie de lagunas que el Comité recomienda que se aborden en una revisión de la Directiva; en concreto hace referencia a la necesidad de especificar inequívocamente su alcance para definir mejor qué información debe contener el informe ambiental, para obligatoriamente proporcionar una definición específica de alternativas razonables y establecer métodos e indicadores para el monitoreo de efectos ambientales significativos, y plantear medidas de protección y correctoras.

-   La EAE incrementa los costes de elaboración del plan o programa entre un 0'1 y un 1%, y los tiempos de aprobación entre un 20 y un 25%, por lo que recomienda que esta cuestión se aborde igualmente en una futura revisión de la Directiva.

2.2. LOS INFORMES PERIÓDICOS DE LA COMISIÓN SOBRE LA APLICACIÓN DE LA DIRECTIVA

Como se ha indicado anteriormente, la propia Directiva obligaba a la Comisión Europea a realizar un seguimiento de su aplicación en los países miembros. El primero, que debía estar listo en 2006 y debía recoger propuestas de modificación, no se presentó hasta 2009 debido, según se señala en el mismo informe, al retraso en la transposición de la Directiva por parte de muchos de los países de la Unión[10]; también por su escasa aplicación, lo que dificultaba notablemente la obtención de conclusiones.

---

9.   La Directiva obliga a que el Informe Medioambiental (Estudio Ambiental Estratégico) al que hace referencia el artículo 5.1, deberá estudiar los probables efectos significativos sobre los factores climáticos, entre otros.

10. En diciembre de 2004, fecha límite para su transposición por todos Estados miembros, todavía faltaban quince por hacerlo.

En cualquier caso y pese los inconvenientes indicados, el Informe sí expone una pequeña lista de propuestas, basadas alguna de ellas en el Protocolo de Kiev al que se ha hecho referencia en el apartado anterior, que se pueden resumir en:

- La necesidad de abordar con mayor profundidad cuestiones que la Directiva no trata suficientemente: cambio climático, biodiversidad y riesgos;

- La inclusión como documentos que puedan ser sometidos a EAE, de políticas y propuestas legislativas;

- Mejorar la formación del personal involucrado en materia de EAE, publicando guías y documentos de orientación;

- Un mayor esfuerzo por parte de la Comisión, en colaboración con los Estados miembros, en la interpretación de conceptos claves de la Directiva.

Como conclusiones el Informe pone de relieve que, pese a lo escaso de la muestra disponible, no existía en el momento de su redacción una postura unánime ni en cuanto a la configuración institucional y jurídica de la Directiva ni en cuanto al papel que para su aplicación juegan los Estados. Si parece haber mayor acuerdo en la necesidad de mantener la estabilidad legislativa; es decir, no modificar la Directiva en tanto no se alcance un bagaje mínimo en su aplicación. Por último, el Informe señala que la Directiva contribuye a mejorar los procedimientos de planificación y anima a que la toma de decisiones sea más trasparente y participativa.

El 2.º Informe de la Comisión sobre la aplicación de la Directiva de EAE se hizo público en 2017, cuando los veintiocho Estados miembros ya la habían transpuesto y ya existía una experiencia acumulada, tanto por lo que respecta a su interpretación a través de la jurisprudencia dictada por el Tribunal de Justicia de la UE como en su aplicación en los países miembros.

Sobre esta base, mucho más fundada que la del informe de 2009, este segundo documento pone de relieve debilidades en la aplicación de la Directiva que ya se apuntaron en el primero y que se podían resumir en las siguientes:

- Vuelve a surgir el problema de la disponibilidad y calidad de los datos, así como de la dificultad de valoración de algunos efectos; por ejemplo, la vulnerabilidad frente al cambio climático.

- Igualmente se reitera el problema de la formación de los técnicos y de las autoridades encargadas de su control.

- También se mantiene el problema de la definición de las "alternativas razonables" que exige la Directiva.

- Otro aspecto que cita el informe es el relacionado con la supervisión (seguimiento) del plan, indicando que depende del tipo de plan o programa, pero sin que se haya podido establecer una norma o pauta seguida de manear generalizada. De hecho, el informe indica que "...los Estados miembros no han podido proporcionar información sobre la frecuencia de la supervisión".

Respecto a la eficacia o no de la EAE, hay tres conclusiones que, aunque en algún caso no dejan de ser evidentes, no por ello dejan de ser relevantes:

- el procedimiento es más eficaz si existe la voluntad política de influir de manera efectiva en el proceso de planificación.

- Las EAE tiene más capacidad de influencia en planes y programas de ámbito regional y pequeña escala que en los de carácter nacional, en donde la componente política tiene un peso notable en la toma de decisiones final.

- Por último, y de alguna forma relacionado con los dos puntos anteriores, los resultados del procedimiento de la EAE dependen de la coyuntura concreta de cada plan, pudiendo generar una reflexión comprometida respecto el plan original o ser solo un mero trámite administrativo sin repercusión final alguna.

El Informe, que no propone modificación alguna en la Directiva, finaliza señalando que, a pesar de que persisten ciertos problemas en el procedimiento, la experiencia acumulada y la jurisprudencia del TJUE han solventado bastantes de las dudas que se plantearon al inicio de su aprobación. Por último, señala que es necesario que todos los países realicen un esfuerzo de carácter proactivo en la mejora de la información disponible y en la formación de los técnicos.

3. EL MARCO ESTATAL Y AUTONÓMICO DE LA EVALUACIÓN AMBIENTAL DE PLANES

A nivel estatal la protección ambiental viene impuesta por el derecho comunitario, de obligatoria observancia para todos los Estados miembros, a través de instrumentos internacionales como son las directivas.

La transposición o incorporación de las directivas al ordenamiento interno es una de las actividades normativas más delicadas que tienen que abordar las autoridades de los Estados miembros. El *Conseil d'État francés* y el Consejo de Estado español dedicaron en 2007 y 2008, respectivamente, sendos informes a la inserción del Derecho de la Unión en el derecho interno. De forma sintética puede decirse que la actividad de incorporación de las directivas europeas al marco interno está sometida a requisitos jurídicos europeos y a condicionantes derivados del ordenamiento interno. Los condicionantes internos pueden ser de diversos tipos: básicamente, de carácter constitucional (p. ej., la reserva de ley), derivados de la distribución competencial en los Estados compuestos y relativos a la técnica legislativa (Almenar-Muñoz, 2019).

La prevención en materia de medio ambiente es uno de los pilares básicos de la normativa europea, cuyos principios rectores de la acción comunitaria se encuentran recogidos en los arts. 191 y siguientes del Tratado de Funcionamiento de la Unión Europea (TFUE) firmado en Roma en 1957. El derecho constitucional español dedica el art. 45 CE al medio ambiente, dentro del título de los derechos y deberes fundamentales: *"Todos tienen el derecho a disfrutar de un medio ambiente adecuado para el desarrollo de la persona, así como el deber de conservarlo"*. Consideramos que debería elevarse la categoría legal del medio ambiente en la Constitución Española como derecho fundamental, ahora se recoge como principio rector, así como incorporar la mitigación del cambio climático como uno de los fines de la Carta Magna, por ser uno de los mayores problemas ambientales a escala mundial.

En España, como se ha dicho en epígrafes precedentes, la transposición de la Directiva relativa a la evaluación ambiental del planeamiento (EAE) se efectúa en 2006 con la aprobación de la Ley 9/2006, de 28 de abril, sobre la evaluación de los efectos de determinados planes y programas en el medio ambiente (LEAE), derogada por la Ley 21/2013, de 9 de diciembre, de Evaluación Ambiental (LEA), que integra en un mismo texto los procesos de Evaluación Ambiental Estratégica de planes y programas y los de Impacto Ambiental de proyectos. El esquema general del proceso ordinario de evaluación ambiental del planeamiento, conforme a la Ley 21/2013, de 9 de diciembre, modificada por la Ley 9/2018 de 5 de diciembre, se muestra en la Figura 1.1.

El carácter básico de prácticamente todo el articulado de la Ley[11], aunque en teoría podía haber facilitado la transposición a las diferentes legislaciones autonómicas, en la práctica no lo ha hecho del todo. Moreno Molina (2016) habla de *"La interminable adaptación de la normativa autonómica a la estatal"*, a la vista de las diferentes opciones que han elegido las CCAA para dicha adaptación, dando lugar a *"...un elevado número de normas, lo que configura un marco legal caracterizado por la dispersión y volatilidad..."*.

Por imperativo del Real Decreto Legislativo 2/2008, de 20 de junio por el que se aprueba el Texto Refundido de la Ley de Suelo (TRLS 2008),

---

11. Como se ha indicado, la Disposición Final Octava enumera los artículos que no tienen este carácter de básicos y que básicamente inciden sobre el tema de los plazos que se establecen a lo largo del procedimiento de evaluación.

de carácter básico, se establece el sometimiento al proceso de evaluación ambiental estratégica de los instrumentos de ordenación territorial y urbanísticos con efectos significativos en el medio ambiente. Llama la atención que dicho TRLS no recogiera literalmente la denominación de la evaluación ambiental estratégica (Ley 9/2006), que obviamente ya se encontraba en vigor, refiriéndose de forma genérica a la legislación de evaluación de los efectos de determinados planes y programas en el medio ambiente, lo que generó gran inseguridad jurídica para el planificador.

Con todo, la vocación ambiental del TRLS 2008, derogado por el TRLS 2015, se concretaba en la evaluación y seguimiento de la sostenibilidad del desarrollo urbano, técnica que tiene efectos significativos en relación con la ordenación del territorio y el planeamiento urbanístico, incluyendo la obligatoriedad de elaborar un mapa de riesgos naturales del ámbito objeto de ordenación, imprescindible para una rigurosa evaluación ambiental. Esa visión ambiental del planeamiento a fin de preservar y restaurar el medio ambiente ha sido defendida por la doctrina más autorizada, y, por todos, Bassols Coma (1981). De facto, en materia de ordenación del territorio y urbanismo, hasta la aprobación de la Directiva EAE (2001) y posterior trasposición (2006) las cuestiones ambientales no tenían peso en el planeamiento.

Uno de los puntos de la LEAE más controvertido fue el relativo a la fecha de aplicación del procedimiento de la EAE, disponiendo *"el sometimiento a EAE de los planes que no contaran con aprobación definitiva como máximo el 21 de julio de 2006"*. En este asunto, la citada ley no regulaba el supuesto de planes que ya contaban con evaluación ambiental finalizada a la entrada en vigor de la LEAE, lo que ha ocasionado graves problemas procedimentales en la tramitación de los planes.

En efecto, todos los planes con incidencia en el medio ambiente que no contaran con aprobación definitiva con fecha de 21 de julio de 2006 debían someterse al procedimiento de evaluación ambiental estratégica. Ahora bien, una cuestión es la aplicación plena de la evaluación ambiental estratégica a los planes a partir de la entrada en vigor de la LEAE que no contaban en fecha 21 de julio de 2006 con resolución del órgano ambiental, y, por ende, con aprobación definitiva. Y cuestión bien distinta son aquellos planes aprobados definitivamente con posterioridad al 21 de julio de 2006, pero que ya contaban con proceso de evaluación ambiental finalizado con anterioridad a la entrada en vigor de la LEAE. En el caso de la Comunidad Valenciana mediante la emisión de una Declaración de Impacto Ambiental.

Figura 1. Tramitación y aprobación del planeamiento. Proceso ordinario de evaluación ambiental estratégico. Procedimiento según ley 21/2013

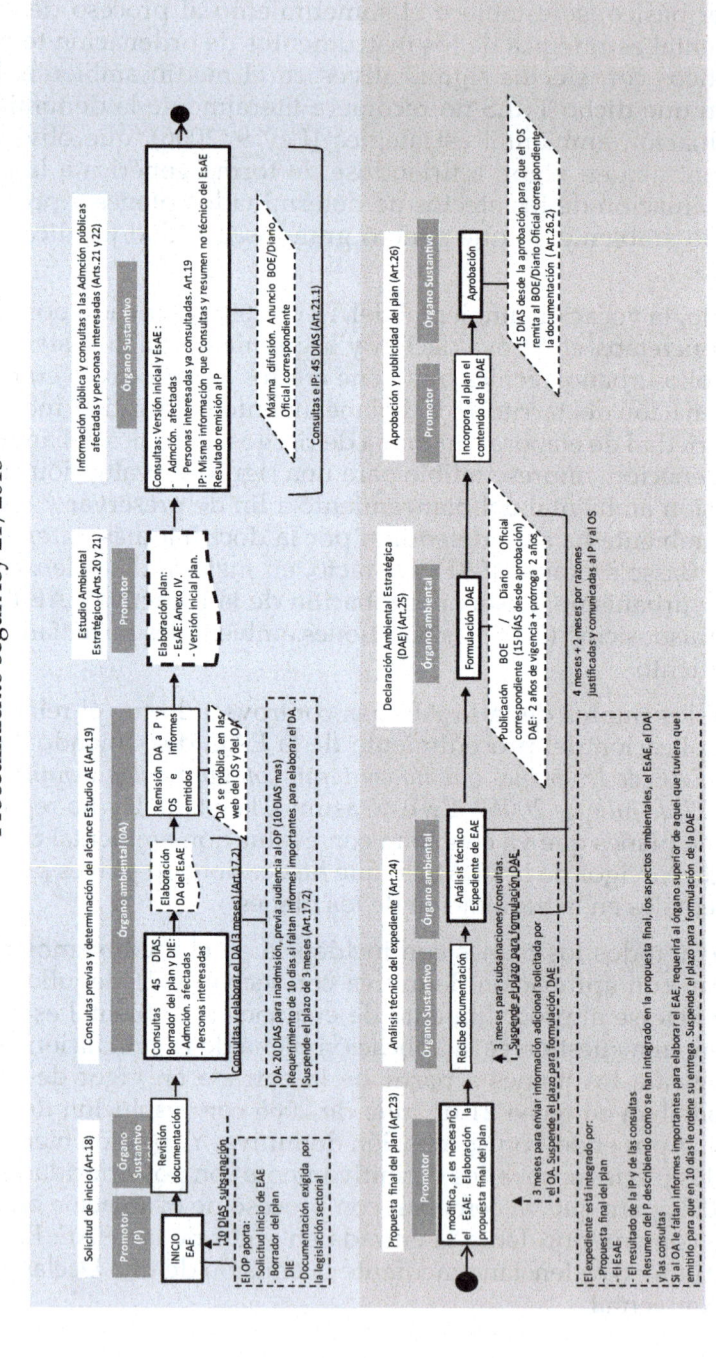

Fuente: Elaboración propia

En la práctica, esta deficiencia de la Ley de EAE de 2006, al no establecer un régimen transitorio para aquellos planes ya sometidos a evaluación ambiental con anterioridad a su entrada en vigor, pero sin aprobación definitiva, supuso una duplicidad del procedimiento de EA y un alargamiento innecesario del trámite de aprobación de los planes, ya que generó una gran inseguridad jurídica en los operadores territoriales y urbanísticos (planificador y administración) sobre el procedimiento de EA aplicable. Además, en algunos casos a pesar de contar el plan con Declaración de Impacto Ambiental emitida tuvo que someterse de nuevo al proceso de evaluación ambiental conforme a la LEAE.

Tras una dilatada aplicación de la EAE, se subrayan las principales ventajas de este procedimiento frente al marco anterior de evaluación de impacto ambiental (Almenar-Muñoz, 2017):

a. La principal mejora de la EAE es el *estudio de alternativas* del planeamiento, ya que hasta la entrada en vigor de la LEAE solamente se evaluaba una propuesta de ordenación. Asimismo, el trámite de evaluación ambiental se efectuaba de manera paralela a la tramitación del plan, y con la EAE el análisis ambiental es previo a la redacción técnica del planeamiento. Esto supone una mayor eficacia de las decisiones que deban adoptarse, al poder elegir, entre las diferentes alternativas posibles, aquella que mejor salvaguarde los intereses generales desde una perspectiva global e integrada del territorio, teniendo en cuenta todos los efectos derivados de la ordenación urbanística y territorial proyectada.

b. La EAE supone una mayor *participación pública y plazos* más amplios de exposición del plan, en garantía del derecho a la información ambiental.

c. Otra mejora es la obligación de remitir al órgano ambiental *los informes de seguimiento* del cumplimiento de los condicionantes ambientales del plan señalados para su aprobación. Esto supone que, para el desarrollo de los ámbitos urbanísticos previstos en el plan, hay que acreditar previamente ante el órgano ambiental el cumplimiento de los condicionantes ambientales. Se señala la ausencia de regulación en este punto respecto al planeamiento territorial.

En efecto, la Directiva EAE constituyó un notable avance en el proceso de integración ambiental en las políticas sectoriales iniciado en el Consejo Europeo de Cardiff (1998), que culminó con la aprobación de la Estrategia de la Unión Europea para un Desarrollo Sostenible en el Consejo Europeo de Göteborg (2001), (Sadler et al, 1996). Con la EAE estamos ante un procedimiento jurídico-administrativo de carácter preventivo que tiene por objeto la identificación, predicción e interpretación y comunicación de los impactos ambientales que un plan produciría en caso de ser ejecutado, así como la prevención, corrección y valoración de los mismos. Todo ello con el fin de ser aceptado, modificado o rechazado por parte de las distintas Administraciones Públicas competentes.

En el ámbito de las CCAA, la legislación de evaluación ambiental no establece claramente qué procedimientos han de considerar los impactos en salud y, sobre todo, qué expedientes han de ser informados por las autoridades sanitarias. Este hecho determina que la casuística a nivel autonómico sea muy amplia y diversa. Desde las situaciones en algunas CCAA en las que están perfectamente definidos qué expedientes van a ser sometidos al criterio de salud, hasta aquellas otras en las que no está claro y depende de la autoridad ambiental que puede remitir desde, en teoría, todos, a ningún expediente. El estado regulatorio es el siguiente (actualizado sobre la base del trabajo de Casas et al, 2011):

ANDALUCÍA

- Ley 7/2007, de Gestión Integrada de la Calidad Ambiental.

ARAGÓN

- Decreto 45/1994, de 4 de marzo, de evaluación de impacto ambiental.

- LEY 11/2014, de 4 de diciembre, de Prevención y Protección Ambiental de Aragón.

- Decreto 312/2002, de 8 de octubre, por el que se atribuyen determinadas competencias en materia de evaluación de impacto ambiental.

- Resolución de 7 de junio de 2005, por la que se aprueba el plan de inspección, control y vigilancia ambiental de la comunidad autónoma de Aragón.

ASTURIAS

- Ley 1/1987, de 30 de marzo, de Coordinación y Ordenación territorial.

BALEARES

- Ley 12/2016, de 17 de agosto, de evaluación ambiental de las Illes Balears.

CANARIAS

- Ley 14/2014, de 26 de diciembre, de Armonización y Simplificación en materia de Protección del Territorio y de los Recursos Naturales.

CANTABRIA

- Ley 17/2006 de 11 de diciembre de Control Ambiental Integrado.
- Decreto 19/2010, de 18 de marzo, por el que se aprueba el Reglamento de la Ley 17/2006.

CASTILLA Y LEÓN

- Decreto Legislativo 1/2015, de 12 de noviembre, por el que se aprueba el texto refundido de la Ley de Prevención Ambiental de Castilla y León.

CASTILLA LA MANCHA

- Ley 4/2007, de 8 de marzo, de Evaluación Ambiental en Castilla-La Mancha.

CATALUÑA

- Ley 6/2009, de 28 de abril, de evaluación ambiental de planes y programas.
- Ley 20/2009, de 4 de diciembre de 2009, de Prevención y Control Ambiental de actividades.

COMUNIDAD VALENCIANA

- Ley 5/2014 de Ordenación del Territorio, Urbanismo y Paisaje Comunidad Valenciana.
- Ley 6/2014, de 25 de julio, de la Generalitat, de Prevención, Calidad y Control Ambiental de Actividades en la Comunitat Valenciana.
- Ley 2/1989, de 3 de marzo, de la Generalitat Valenciana de Impacto Ambiental.
- Decreto 95/2009, de 10 de julio, del Consell, por el que se crea el sistema de vigilancia sanitaria de los riesgos ambientales.

EXTREMADURA

- Ley 16/2015, de 23 de abril, de protección ambiental de la Comunidad Autónoma de Extremadura.

GALICIA

- Ley 1/1995, de Protección Ambiental de Galicia.

- Decreto 442/1990, de 13 de septiembre, de evaluación de impacto ambiental para Galicia.

- Decreto 327/1991, del 4 de octubre, de evaluación de efectos ambientales para Galicia.

- Decreto 133/2008, del 12 de junio, por lo que se regula la evaluación de incidencia ambiental.

COMUNIDAD DE MADRID

- Ley 2/2002, de 19 de junio, de Evaluación Ambiental de la Comunidad de Madrid.

REGIÓN DE MURCIA

- Ley 4/2009, DE 14 de mayo, de Protección Ambiental Integrada.

NAVARRA

- Ley Foral 4/2005, de 22 de marzo, de Intervención para la Protección Ambiental.

- Decreto Foral 93/2006, de 28 de diciembre, por el que se aprueba el Reglamento de desarrollo de la Ley Foral 4/2005, de 22 de marzo, de Intervención para la Protección Ambiental.

LA RIOJA

- La Ley 6/2017, de 8 de mayo, de Protección del Medio Ambiente de la Comunidad Autónoma de La Rioja.

PAÍS VASCO

- Decreto 211/2012, de 16 de octubre, por el que se regula el procedimiento de evaluación ambiental estratégica de planes y programas.

- Ley 3/1998 General de Protección de Medio Ambiente del País Vasco establece el objeto, las competencias y aspectos generales de la evaluación conjunta de impacto ambiental.

- Decreto 183/2003 por el que se regula el procedimiento de evaluación conjunta de impacto ambiental.

4. A MODO DE SÍNTESIS FINAL

De lo expuesto, puede extraerse que existen instrumentos jurídicos suficientes que posibilitan la inclusión de criterios sobre salud en los diferentes procedimientos establecidos para la evaluación ambiental de actividades, planes y programas.

Respecto de los procesos de participación pública de los planes, debemos referirnos a la regulación normativa establecida en el Convenio de Aarhus (CA) de 1998, en desarrollo del Principio 10 de la Declaración de Rio de Janeiro de 1992, que otorga al público (particulares y asociaciones que los representan) el derecho de acceder a la información y participar en las decisiones adoptadas en materia de medio ambiente, así como de reclamar una compensación si no se respetan estos derechos. El Convenio, vigente desde el 30 de octubre de 2001, parte de la premisa de que una mayor sensibilización e implicación del público en las cuestiones medioambientales favorecerá la protección del medio ambiente. El Convenio tiene por objeto contribuir a proteger el derecho de cada persona, de las generaciones presentes y futuras, a vivir en un medio ambiente adecuado para su salud y su bienestar. Con todo, no establece acción pública alguna, ni siquiera respecto del acceso a la información o de participación.

Para alcanzar dicho objetivo, el Convenio propone intervenir en tres ámbitos:

- garantizar el acceso del público a la información en materia de medio ambiente de que disponen las autoridades públicas;

- favorecer la participación del público en la toma de decisiones que tengan repercusiones sobre el medio ambiente;

- ampliar las condiciones de acceso a la justicia en materia de medio ambiente.

El art. 9 del citado Convenio contiene tres mecanismos diferentes de tutela judicial: el acceso a la información, la participación del público en la toma de decisiones y el acceso a la justicia en materia medioambiental. De facto, se persigue proteger el Derecho ambiental de forma universal, así como los mecanismos establecidos para conseguir su eficacia: el acceso a la información y la participación en la toma de decisiones.

En este punto, atendiendo al espíritu del CA, debe entenderse tanto el acceso al público a la información medioambiental como la participación pública en sentido amplio; es decir, de forma continua y permanente (no únicamente durante el trámite específico de exposición o consulta del plan, como algunas administraciones interpretan) y en relación a cualquier documentación del plan, de los informes sectoriales emitidos, la actualización continua de la información de ordenación territorial y urbanística, etc.

En este mismo sentido, el VII Programa de acción en materia de medio ambiente de la UE, vigente hasta 2020, reconoce la importancia de dar al público un acceso mucho mayor a la información. De este modo el público entendería mejor la problemática medioambiental y sería más fácil que los individuos aportaran mejoras a su propio entorno. Por otra parte, también reconoce la necesidad de mejorar los sistemas de inspección y vigilancia y el acceso a la justicia en cuestiones medioambientales.

En definitiva, el desafío actual de la planificación radica en aumentar la base de conocimientos y divulgación de las vulnerabilidades del territorio y riesgos climáticos, el fortalecimiento del planeamiento territorial y urbanístico en campos como la protección de la salud, el acceso a la información, la mitigación del cambio climático y la contaminación atmosférica, y la regulación de vacíos, en vez de diseñar nuevos marcos, considerando que la España cuenta con un cuerpo legislativo completo en materia de protección medioambiental y que la mayor parte de CC.AA disponen del fundamento jurídico necesario sobre el que pueden construir medidas preventivas y correctoras.

5. REFERENCIAS BIBLIOGRÁFICAS

Almenar-Muñoz, M. (2017). Análisis evolutivo de la evaluación ambiental estratégica: 10 años de aplicación. El caso de la Comunidad Valenciana. *Revista de Derecho Urbanístico y Medio Ambiente*, 51(313), 109-132.

Almenar-Muñoz, M. (2018). Contaminación atmosférica urbana y cambio climático. En M.ª R. Alonso (Dir.), *Retos del desarrollo urbano sostenible e integrado* (pp. 339-356). Valencia: Tirant Lo Blanch.

Almenar-Muñoz, M. (2015). La tramitación de planes y programas. Especial referencia al procedimiento de evaluación ambiental. En J. Hervás (coord.), *Nuevo régimen urbanístico de la Comunidad Valenciana. Ley de Ordenación del Territorio, Urbanismo y Paisaje. LOTUP* (pp. 189-235). Valencia: Tirant Lo Blanch.

Arévalo Gutiérrez, A. (2019). Evaluación ambiental: la culminación de la incorporación de la Directiva 2014/52/UE mediante la Ley 9/2018, *Revista de Urbanismo*, 71.

BASSOLS COMA, M. (1981). Urbanismo y Medio Ambiente. En L. Rodríguez Ramos (coord.), *Derecho y Medio Ambiente*. Madrid: CEOTMA, Serie Monografías n.° 4.

CASAS, S., GARCÍA, A., SUÁREZ, S., BARBERÁ, M., LÓPEZ, E., ARÁNGUEZ, E., ORDÓÑEZ, J.M., MARTÍNEZ, A., BOLDO, E., ESCORZA, F., VARGAS, F., CARROQUINO, M.J., SALTO, M.J., MARTÍNEZ, M.J. y MARTÍN, P. (2011). *La salud en la evaluación de impactos ambientales. Guía metodológica*. Madrid: Sociedad Española de Sanidad Ambiental. Serie De aeribus, aquis et locis n.° 1.

COMMITTEE OF THE REGIONS (2010). Opinion of the Committee of the Regions on IMPROVING THE EIA AND SEA DIRECTIVES. Disponible en https://op.europa.eu/en/publication-detail/-/publication/4d869531-3f9c-41cc-a8a9- 02afe61d5ee2/language-en.

ENRÍQUEZ DE SALAMANCA, A. (2014). *La Evaluación Ambiental Estratégica de Planes y Programas*. Presentación en mesa redonda. Instituto Superior del Medioambiente. Disponible en: http://www.comunidadism.es/herramientas/presentaciones-mesa-redonda-ley-de-evaluacion-ambiental.

LELIEVELD, J., KLINGMÜLLER, K., POZZER, A., PÖSCHL, R., FNAIS, M., DAIBER, A. y MÜNZEL, T. (2019). Cardiovascular disease burden from ambient air pollution in Europe reassessed using novel hazard ratio functions. *European Heart Journal*, 40 (20-21), 1590-1596.

MORENO MOLINA, A. (2016). El planeamiento urbanístico y la evaluación ambiental estratégica: balance y reflexiones críticas sobre una relación problemática. *Práctica urbanística: Revista mensual de urbanismo*, 143.

PARTIDARIO M. R. (2005). The contribution of Strategic Impact Assessment to Planning Evaluation. En Miller, D. y Patassini, D. (eds.), *Accounting for non-market values in planning evaluation*, Ashgate Publishing.

SHEATE, W., BYRON, H., DAGG, S. Y COOPER., L. (2005). *The relationship between the EIA and SEA Directives - final report to the European Commission*, Contract n. ENV.G.4/ETU/2004/0020r, Imperial College London Consultants, London. Disponible en: https://ec.europa.eu/environment/archives/eia/pdf/final_report_0508.pdf.

SADLER. B. y VERHEEM, R. (1996). *La extensión de la evaluación de impacto ambiental a las políticas de planes o programas*. La Haya, Holanda: Ministerio de Vivienda, Urbanismo y Medio Ambiente.

ANEXO. LA METODOLOGÍA DE ELABORACIÓN DE LOS DIAGRAMAS DE FLUJO PARA LA REPRESENTACIÓN DE LA TRAMITACIÓN DE LAS FIGURAS DE PLANEAMIENTO. EL LENGUAJE UML[12]

Con el fin de facilitar al/la lector/a la información sobre los procedimientos de tramitación y aprobación de las diferentes figuras de planeamiento abordadas, particularmente de las diferentes etapas que son objeto de valoración para la detección de los embotellamientos, para cada una de las regiones con competencias en materia de Ordenación del Territorio (en adelante OT) se ha desarrollado un diagrama de flujo, en tanto permiten de manera gráfica, la representación de un procedimiento (en nuestro caso, el de tramitación y aprobación de las figuras de planeamiento de OT) conformado por una serie de etapas interrelacionadas (sobre las que se aporta información considerada de interés) y que permite tu valoración de manera conjunta.

Las razones por las que se opta por el uso del lenguaje UML responden a lo descrito por Enrique Hernández Orallo, profesor asociado del Departamento de Informática de Sistemas y Computadores de la Universitat Politécnica de Valencia[13]. Y es que el UML permite realizar un modelado visual, una simplificación de la realidad para de manera gráfica, representar las partes fundamentales de un determinado sistema, de manera que facilita el tratamiento de la información relativa a sistemas marcadamente complejos.

Encontrando como principal ventaja del UML su condición de lenguaje que, como tal, está sujeto a unas normas que facilitan no solo la comunicación de la información sino la estandarización de la representación para su comparación.

Si bien se crea para trabajar en el ámbito de la informática, con el fin de modelar sistemas complejos donde existe un elevado volumen de software, su utilización (gracias a sus características que lo hacen de sencilla interpretación) se ha ido ampliando para incorporarse en otros ámbitos como el de las empresas para el diseño de los flujos de trabajo o el diseño

---

12. Queremos agradecer la colaboración de Sheila González Mardones (Profesora asociada del Departamento de Artes Visuales y Diseño de la Universidad de Barcelona) en la revisión del uso del lenguaje UML para el presente trabajo. La redacción de este anexo corresponde a Itxaro Latasa, Berezi Elorrieta y Enrique Peiró.

13. http://www.disca.upv.es/enheror/pdf/ActaUML.PDF.

de la estructura de una organización. En nuestro caso, se ha hecho uso del lenguaje UML para la representación de los procedimientos de tramitación y aprobación de los instrumentos de planeamiento territorial en tanto son múltiples las etapas que tienen lugar y los actores que participan a lo largo del procedimiento, encontrado en el modelo UML una herramienta idónea en tanto se compone de:

- **Elementos:** Que para nuestro caso engloba las acciones (como por ejemplo los procesos de aprobación inicial de los instrumentos) y objetos (como por ejemplo la documentación técnica) asociados.

- **Relaciones:** Que vinculan los diferentes elementos.

- **Diagramas:** El resultado final que aúna a los elementos y sus relaciones.

En particular se plantean unos diagramas de secuencia, en tanto son los que muestras las interacciones de los elementos de una manera temporal.

Se explican a continuación los símbolos y significados utilizados para la elaboración de los organigramas presentes en los diferentes capítulos que conforman el presente trabajo.

1. LA ESTRUCTURA GENERAL DE LOS ORGANIGRAMAS

Tal y como se ha indicado anteriormente, el fin de los organigramas (de secuencia), es la representación gráfica con un carácter temporal de la interacción de una serie de elementos. Así, la lectura de los organigramas tendrá lugar de izquierda a derecha, mostrándose una representación esquemática de los mismos a continuación.

Figura 1. Representación esquemática de los organigramas

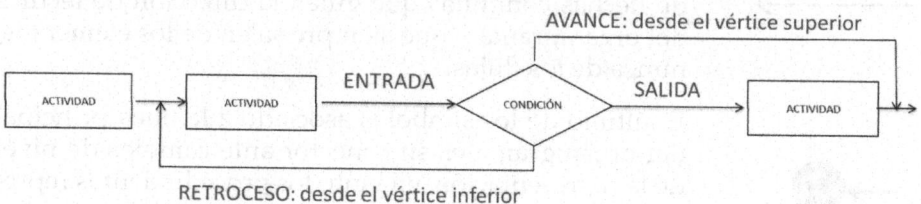

Fuente: Elaboración propia

Este ejemplo representa la línea principal del organigrama que recoge las principales acciones a representar, las cuales se materializan mediante una serie de símbolos con unos significados asociados:

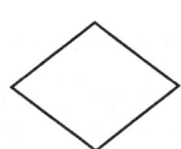

Mediante los rectángulos de fondo gris y con letra blanca se identifican los diferentes responsables de cada parte del procedimiento (ya sean instituciones, departamentos, personas físicas o jurídicas...). Se les otorga esta coloración propia para diferenciarlo del resto de símbolos, permitiendo una rápida localización e identificación de estos.

Todos los diagramas presentan un inicio y un final común mediante el presente símbolo, que ayuda al lector a ubicar el orden de lectura de la información presentada.

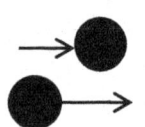

Mediante el uso de rectángulos de fondo blanco y letras en negro, se representan las diferentes actividades/paso del proceso (los elementos).

El procedimiento representado no es estrictamente linear, en tanto durante el mismo existe procesos de revisión y verificación, así como la introducción de modificaciones que pueden traducirse en retrocesos y repetición de determinadas etapas. Por ello, mediante el uso de los rombos, se representan condiciones que debe cumplirse para que el procedimiento pueda avanzar o en su defecto retroceder hasta subsanar la deficiencia.

Para la conexión de los diferentes elementos que conforman línea principal del organigrama, se hace uso de flechas continuas que guíen la dirección de lectura del organigrama y que siempre salen de los elementos, nunca de los flujos.

El último de los símbolos asociado a la línea principal del organigrama es su conector ante cambios de nivel de la representación, en tanto los procedimientos representados contienen muchas etapas asociadas, motivo por el cual, abarcan varias líneas horizontales que de esta manera quedan debidamente conectadas y organizadas siguiendo la lógica temporal.

Asociado a los diferentes elementos que conforman el diagrama, y ante la naturaleza del procedimiento (administrativo) que se trata de representar, marcado no solo por la pluralidad de actores, sino por la cantidad de documentación e información elaborada, a la par que la necesidad de hacer aclaraciones puntuales, se presentan una serie de símbolos que se utilizan para complementar la información sobre los elementos indicados. Son los siguientes:

Documentación

Mediante este símbolo se introducen en el diagrama, asociado a los elementos, la documentación que se presenta en el procedimiento (ya sea como input para su desarrollo, o como un output derivado d la propia tramitación descrita).

Acciones

Ante la complejidad del procedimiento representado, se hace uso del presente símbolo con el fin de representar una acción (actividad) del proceso (un elemento) complementario a los recogidos en la línea principal del organigrama. Esta condición de elemento secundario explica que se comparta el rectángulo de fondo blanco y letra negra, pero con una delimitación discontinua para diferenciarse de las actividades principales.

Datos

El presente símbolo se utiliza para representar la información que sale del procedimiento con el fin de hacerlo público. Se trata del momento de generación de información que esté sujeta a consulta, como las publicaciones en diarios oficiales estatal o regionales, o la información publicada en prensa.

Texto sin recuadro de ningún tipo

Se contempla la posibilidad de representar información complementaria que se considere necesaria, pero que no encaje con las categorías indicadas anteriormente, mediante el uso de texto sin ninguna representación geométrica asociada.

Para la conexión de los elementos que conforman la línea principal del organigrama con la información complementaria que aparece en un segundo nivel complementario, que se ubica en la zona inferior del eje central, se hace uso de línea continuas que conectan los elementos principales con las aclaraciones que puntualmente sea necesario realizar.

En la representación de los organigramas se hace uso de dos cromatismos diferentes (usados de base de la representación) para resaltar las dos etapas donde existe una mayor heterogeneidad en los procedimientos en cada una de las regiones. Se trata de las etapas de iniciación y redacción de los instrumentos (que contarán con un fondo de color azulado) y las etapas de aprobación definitiva del instrumento (que contarán con un fondo de color verdoso). Este uso cromático actúa como indicado del procedimiento, en tanto es indicativo de la complejidad de cada etapa. De manera que una mayor presencia de fondo azul en los organigramas es indicativa de procesos más complejos y prolongados en las etapas precedentes a la redacción y aprobación definitivas de los instrumentos.

2. ALGUNAS NOTAS FINALES

El lenguaje UML, como se ha indicado con anterioridad, se asociada principalmente al ámbito de la informática. Su utilización no se ajusta de manera estricta a su codificación y desarrollo habitual, sino que se ha adaptado a las necesidades del presente trabajo, con el fin de lograr una representación que, aunque sencilla de interpretar no fuera una simplificación banal de los procedimientos de tramitación y aprobación de las figuras de planeamiento. De esta manera lograr una representación sencilla, pero sin perder información de los procedimientos objeto de estudio en el presente trabajo.

Una cuestión fundamental es la adopción de una representación común que permita la comparación de realidades marcadamente heterogéneas, encontrando en los organigramas una oportunidad idónea para la realización de este estudio comparado que permite una rápida identificación de actores y etapas entre las diferentes regiones y entre los diferentes instrumentos de planeamiento contemplados.

Por ello, y partiendo del lenguaje UML se hacen algunas adaptaciones (como la aparición de una segunda línea complementaria a la línea principal de representación) con el fin de responder a las necesidades de representación manteniendo en todo momento la lógica del lenguaje UML. Así como la utilización de fondos cromáticos para clasificar diferentes momentos del procedimiento que facilitan su comparación. Un añadido a priori no utilizado por el lenguaje UML pero que en nada interfiere sobre la representación.

Capítulo 3

El procedimiento de la planificación territorial en Andalucía. Informe y valoración

Sᴇʀɢɪᴏ Sᴇɢᴜʀᴀ Cᴀʟᴇʀᴏ

INGENIO (CSIC-UPV, Universitat Politècnica de València)

Jᴜᴀɴ Gᴀʀʀɪᴅᴏ Cʟᴀᴠᴇʀᴏ

Departamento de Antropología, Geografía e Historia, Universidad de Jaén

SUMARIO: 1. ANTECEDENTES. 2. NORMATIVA BASE DE LA ORDENA-CIÓN DEL TERRITORIO EN ANDALUCÍA. 3. ESQUEMA DE INSTRUMENTOS. 3.1. *El Plan de Ordenación del Territorio de Andalucía (POTA).* 3.2. *Los Planes de Ordenación del Territorio de Ámbito Subregional (POTS).* 3.3. *El Plan de Protección del Corredor Litoral de Andalucía (PPCLA).* 3.4. *Los Planes con Incidencia en la Ordenación del Territorio.* 3.5. *Los Planes Especiales de interés supramunicipal.* 3.6. *Actuaciones de Interés Supramunicipal y Actuaciones de Interés Autonómico.* 3.7. *La singularidad del Plan Especial de Protección del Medio Físico y Catálogo de las provincias andaluzas.* 4. ÓRGANOS RESPONSABLES DE LA ORDENACIÓN DEL TERRITORIO EN ANDALUCÍA. 5. PROCEDIMIENTOS Y RESPONSABILIDA-DES FORMALES. 5.1. *Procedimiento de elaboración y aprobación del POTA (LOTA, art. 8).* 5.2. *Procedimiento de elaboración y apro-bación de los POTS (LOTA, art. 13).* 5.3. *Procedimiento de elabora-ción y aprobación del PPCLA (LOTA, art. 44).* 5.4. *Procedimiento de elaboración y aprobación para los Planes con Incidencia en la Ordena-ción del Territorio (LOTA, art. 18).* 5.5. *Procedimiento de la evalua-ción ambiental de planes y programas.* 6. EMBOTELLAMIENTOS

Y CONDICIONANTES QUE ALTERAN EL FUNCIONA-
MIENTO DE LA ORDENACIÓN DEL TERRITORIO EN AN-
DALUCÍA. 7. SITUACIÓN RESULTANTE. 8. REFERENCIAS
BIBLIOGRÁFICAS Y NORMATIVA.

1. ANTECEDENTES

En España, desde la aparición del Estado de las Autonomías, la Ordenación del Territorio viene consolidándose como una función pública
ejercida por las Comunidades Autónomas. La Constitución Española en
su artículo 148.1 relaciona aquellas competencias que podrán ser asumidas por las Comunidades Autónomas, y entre ellas figura en un lugar
relevante la Ordenación del Territorio, vinculada a su vez a las competencias en Urbanismo y Vivienda. En el periodo de casi 20 años desde 1983
a 2001, las Comunidades Autónomas se han dotado de sus respectivas
primeras leyes de Ordenación del Territorio, estableciéndose un corpus
legislativo que guarda una estrecha similitud a pesar del amplio margen
temporal en el que transcurre. En paralelo, se han ido aprobando e imple-
mentando diferentes planes de ordenación del territorio, de ámbito regional y subregional.

Los inicios de la ordenación del territorio en Andalucía hay que bus-
carlos en la configuración del organigrama de la pre-Junta de Andalucía,
cuando se reservó una cartera a este cometido bajo la denominación de
Consejería de Obras Públicas y Ordenación del Territorio[1]. Esta recalaría
en el que a la postre sería el primer presidente de la Junta de Andalucía, lo
que ya de por si tiene su significación. Otro hecho que ratifica esta importancia sería que la mencionada cartera quedaría reservada para el partido
mayoritario de los que constituían el gobierno pre-autonómico. Todos estos anhelos tenían como fundamento la consideración de que la OT sería
la que sacaría a Andalucía del letargo en el que se encontraba sumida; que
era una de las mejores plataformas para "hacer Andalucía" y así espantar
el fantasma de las dos Andalucías; que sería una de las primeras fuentes
de financiación para la Junta, pues los fondos del estatal e iniciado Plan
Director Territorial de Coordinación de Andalucía pasarían a ésta; y que
con ella se sentarían las bases de la Andalucía del futuro, clave para su
implementación, pero también para perpetuar en el poder a quien la con-
trolase (Garrido, 2017a).

Pero desde el Estatuto de Andalucía de 1981, quedaron marcados
por los conflictos competenciales de la primera Consejería de Política

---

1.   Acuerdo del Consejo Permanente de la Junta de Andalucía del 2 de junio de 1978.

Territorial y de la Consejería responsable en materia económica, además de las fuertes reticencias de las entidades locales a la comarcalización y a la planificación supramunicipal. Durante esta etapa inicial fue aprobado uno de los primeros planes territoriales españoles, el Plan Director Territorial de Coordinación de Doñana y su Entorno de 1988[2] (amparado estatalmente por la Ley del Suelo de 1975). Sin embargo, a pesar de este logro, el resultado general muestra que los anteproyectos de ley y planes de ordenación del territorio de Andalucía fracasaron durante esta primera etapa dando lugar posteriormente al desmantelamiento administrativo de la Dirección General de Ordenación del Territorio durante la segunda legislatura autonómica (1986-1990). En esta etapa prevaleció la Dirección General de Urbanismo hasta que en la tercera legislatura autonómica (1990-1996) resurge la Dirección General de Ordenación del Territorio que propició la Ley 1/1994 de Ordenación del Territorio de Andalucía, consolidándose la ordenación del territorio como planificación física del territorio (Hildenbrand, 2003). Tras la aprobación de la Ley de Ordenación del Territorio de Andalucía en 1994, surgen acuerdos para la formulación de los primeros Planes de Ordenación del Territorio de ámbito subregional aunque serían parcialmente bloqueados por el acuerdo de mayoría de oposición en la Cámara del Parlamento de Andalucía durante la cuarta legislatura autonómica (1994-1996). Por otra parte, con aquel impulso se inician los trabajos del Plan de Ordenación del Territorio de Andalucía (POTA) cuyo documento de avance *Bases y Estrategias* se aprobó en 1999[3], y en el mismo año se ratificó definitivamente el primer plan subregional, el Plan de Ordenación del Territorio de la Aglomeración Urbana de Granada[4], el plan subregional que marcaría la línea de trabajo de los sucesivos (Garrido, 2019b).

La sexta legislatura (2000-2004) rompe con esta inercia positiva para la ordenación del territorio en favor de la planificación urbanística que

---

2. Decreto 181/1988 de 3 de mayo por el que se aprueba definitivamente el Plan Director Territorial de Coordinación de Doñana y su Entorno y se crea la Comisión de Seguimiento y Gestión para el desarrollo del Plan. (BOJA n.º 37 de 13 de mayo de 1988). Disponible en: https://www.juntadeandalucia.es/boja/1988/37/7.

3. Decreto 103/1999, de 4 de mayo, por el que se aprobaron las Bases y Estrategias del Plan de Ordenación del Territorio de Andalucía. (BOJA n.º 96 de 19 de agosto de 1999). Disponible en: http://juntadeandalucia.es/boja/1999/96/1 (septiembre 2018).

4. Decreto 244/1999, de 27 de diciembre, por el que se aprueba el Plan de Ordenación del Territorio de la aglomeración urbana de Granada. (BOJA n.º 37 de 28 de marzo de 2000). Disponible en: http://www.juntadeandalucia.es/medioambiente/portal_web/web/temas_ambientales/ordenacion_territorio/02_planes_ordenacion_territorio/aglomeracion_urbana_granada/decreto_aprob_244_1999.pdf (septiembre 2018).

prevalece en la Dirección General de Ordenación del Territorio y Urbanismo, etapa en la que se produce la aprobación de la Ley 7/2002, de 17 de diciembre, de Ordenación Urbanística de Andalucía. A partir de la séptima legislatura (2004-2008) la ordenación del territorio queda reforzada con la creación de una Secretaría General, con rango de Viceconsejería, superior a la anterior Dirección General. Este aumento de categoría supone que la ordenación del territorio adquiera el mayor rango, desde el punto de vista jerárquico y simbólico, que perdura hasta la fecha. Además, esta situación favorable dio comienzo a la numerosa aprobación de planes de ordenación del territorio en Andalucía. A inicios de la novena legislatura (2012-2015) surge la preocupación en la Secretaría General por atender los problemas de ordenación del litoral de Andalucía tras el impacto del desarrollo turístico-inmobiliario, aprovechando el contexto de crisis económica. Además, en la Consejería se unifican las carteras de Ordenación del Territorio y Medio Ambiente. Por otra parte se aprueba entonces el Decreto-ley 5/2012, de 27 de noviembre, de medidas urgentes en materia urbanística y para la protección del litoral de Andalucía que modifica la Ley de Ordenación del Territorio de Andalucía de 1994 incorporando un nuevo instrumento de ordenación del territorio: el Plan de Protección del Corredor Litoral de Andalucía, elemento que debería resultar clave para frenar la colmatación del litoral, así como para darle un nuevo sentido económico al mismo, favoreciendo los usos turísticos respecto a los residenciales (Garrido, 2017b). Este presenta un carácter eminentemente subregional, y se elaboró y aprobó en los años siguientes pero recientemente, el 23 de abril de 2018, ha sido declarado nulo por el Tribunal Superior de Justicia de Andalucía[5], no por cuestiones de contenido sino de forma, ya que fue aprobado por un ejecutivo que se encontraba en funciones y no podía adoptar decisiones con orientaciones políticas sin razonar su urgencia. En este periodo la Ordenación del Territorio suponía una política de primer nivel en la administración autonómica de Andalucía, compartiendo consejería con Medio Ambiente. Dentro de la Consejería de Medio Ambiente y Ordenación del Territorio, la responsabilidad recaía en la Secretaría General de Ordenación del Territorio y sostenibilidad Urbana. Finalmente, la reciente legislatura vuelve a separar la ordenación del territorio de la cartera de medio ambiente. La Consejería de Fomento, Infraestructuras y Ordenación del Territorio engloba la política territorial y

---

5. Resolución de 23 de abril de 2018, de la Secretaría General Técnica, por la que se dispone el cumplimiento y publicación del fallo de la Sentencia de 7 de septiembre de 2017, de la Sección Segunda de la Sala de lo Contencioso Administrativo del Tribunal Superior de Justicia de Andalucía, con sede en Sevilla, en relación al recurso contencioso-administrativo núm. 711/2015. Disponible en: https://www.juntadeandalucia.es/boja/2018/81/BOJA18-081-00001-7302-01_00134709.pdf.

delega las funciones en materia de ordenación del territorio a la Secretaría General de Infraestructuras, Movilidad y Ordenación del Territorio.

Por último, cabe mencionar que Andalucía, desde que fue aprobada la Ley 1/1994, de 11 de enero, de Ordenación del Territorio de la Comunidad Autónoma de Andalucía, ha destacado como una de las comunidades autónomas con mayor desarrollo de instrumentos de ordenación, tanto en número como en superficie ordenada. A mediados de la primera década del siglo XXI, encontramos que era de las pocas comunidades autónomas que presentaba gran número de planes de ordenación del territorio de escala subregional aprobados y que, junto a los planes en elaboración y tramitación, cubrían parte significativa de la superficie regional en 2005 (Feria et al., 2005), la mayor parte de su población y las áreas más conflictivas del territorio andaluz como eran las aglomeraciones urbana y el litoral.

Desde que en el año 2006 se aprobó definitivamente el Plan de Ordenación del Territorio de Andalucía (POTA), se ha pasado de contar con 5 planes de ordenación del territorio subregionales (POTS) aprobados definitivamente a los 17 que existen hoy. Además, otros 5 planes de ámbito subregional se encuentran en periodo de tramitación o en fase de redacción (Tabla 1).

Tabla 1. Planes de Ordenación del Territorio de Andalucía

Planes de Ordenación del Territorio	Municipios (n.º)	Estado	Fecha de Aprobación	Decreto (Boletín Oficial Junta de Andalucía)
Plan de Ordenación del Territorio de Andalucía	771	Aprobado	07/11/2006	Decreto 206/2006
Planes de Ámbito Subregional				
Aglomeración Urbana de Granada	32	Aprobado	28/03/2000	Decreto 244/1999
Poniente de Almería	9	Aprobado	10/10/2002	Decreto 222/2002
Sierra de Segura (Jaén)	13	Aprobado	30/09/2003	Decreto 219/2003
Ámbito de Doñana	13	Aprobado	03/02/2004	Decreto 341/2003
Bahía de Cádiz	5	Aprobado	08/10/2004	Decreto 462/2004

Planes de Ordenación del Territorio	Municipios (n.º)	Estado	Fecha de Aprobación	Decreto (Boletín Oficial Junta de Andalucía)
Litoral Occidental de Huelva	7	Aprobado	17/07/2006	Decreto 130/2006
Litoral Oriental – Axarquía (Málaga)	29	Aprobado	03/10/2006	Decreto 142/2006
Levante de Almería	11	Aprobado	24/03/2009	Decreto 026/2009
Aglomeración Urbana de Sevilla	46	Aprobado	09/07/2009	Decreto 267/2009
Aglomeración Urbana de Málaga	13	Aprobado	23/07/2009	Decreto 308/2009
Costa Noroeste de Cádiz	4	Aprobado	19/05/2011	Decreto 095/2011
La Janda (Cádiz)	7	Aprobado	21/12/2011	Decreto 351/2011
Aglomeración Urbana de Almería	9	Aprobado	04/01/2012	Decreto 358/2011
Costa Tropical de Granada	17	Aprobado	01/02/2012	Decreto 369/2011
Campo de Gibraltar (Cádiz)	7	Aprobado	19/03/2012	Decreto 370/2011
Sur de Córdoba	31	Aprobado	22/03/2012	Decreto 003/2012
Aglomeración Urbana de Jaén	15	Aprobado	03/11/2014	Decreto 124/2014
Aglomeración Urbana de Huelva	8	Trámite	-	Decreto 522/2008
Almanzora (Almería)	-	Redacción	-	Decreto 240/2011
Revisión: Bahía de Cádiz-Jerez	-	Redacción	-	Decreto 241/2011
Aglomeración Urbana de Córdoba	-	Redacción	-	Decreto 242/2011
Costa del Sol Occidental	-	Redacción	-	Decreto 143/2017

Fuente: elaboración propia a partir de la Junta de Andalucía. Consejería de Medio Ambiente y Ordenación del Territorio. http://www.juntadeandalucia.es/medioambiente (septiembre 2018)

2. NORMATIVA BASE DE LA ORDENACIÓN DEL TERRITORIO EN ANDALUCÍA

La ley principal que define los procedimientos y las responsabilidades formales de la ordenación del territorio en Andalucía es la Ley 1/1994, de 11 de enero, de Ordenación del Territorio de la Comunidad Autónoma de Andalucía (y su modificación por Decreto Ley 5/2012, de 27 de noviembre). Además la Ley 7/2007, de 9 de julio, de Gestión Integrada de la Calidad Ambiental de Andalucía (y su modificación por Decreto-Ley 3/2015, de 3 de marzo), regula el procedimiento ambiental al que deben ser sometidos los planes andaluces. A continuación se muestra la información básica sobre la legislación e instrumentos de ordenación en Andalucía (Tabla 2):

Tabla 2. Legislación e instrumentos básicos de ordenación del territorio en Andalucía

Comunidad Autónoma	Andalucía
Antecedentes normativos	-
Legislación de OT actual	Ley 1/1994, de 11 de enero, de Ordenación del Territorio de la Comunidad Autónoma de Andalucía
Departamento de OT actual	Consejería de Medio Ambiente y Ordenación del Territorio. Secretaría General de Ordenación del Territorio y Sostenibilidad Urbana
Plan de OT regional	Plan de Ordenación del Territorio de Andalucía (2006)
Entrada en vigor (año)	2006
Normativa de aprobación	Decreto 206/2006, de 28 de noviembre, por el que se adapta el Plan de Ordenación del Territorio de Andalucía.
Organismo impulsor	→ Consejería de Obras Públicas y Transportes (Dirección General de Planificación)
Periodo de tramitación	1995 (Decreto de formulación) – 1996 (Avance: bases y estrategias) – 2006 (Aprobación definitiva)
Otros planes de OT	- Planes de Ordenación del Territorio Subregionales - Plan de Protección del Corredor Litoral de Andalucía (Declaración de nulidad por Resolución de 23 de abril de 2018)

Comunidad Autónoma	Andalucía
Otros planes con incidencia en OT (Véase Anexo II)	- Planes y Estrategias Sectoriales - Planes Directores

Fuente: Elaboración propia a partir de la Junta de Andalucía. Consejería de Medio Ambiente y Ordenación del Territorio. http://www.juntadeandalucia.es/medioambiente (septiembre 2018)

3. ESQUEMA DE INSTRUMENTOS

Figura 1. Esquema de Instrumentos de Planificación Territorial en Andalucía

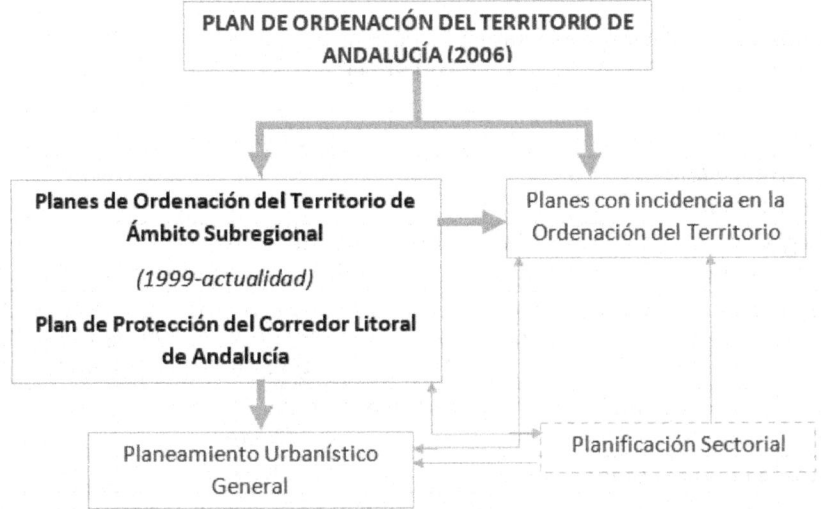

Fuente: Reelaborado a partir de Segura (2017)

La normativa andaluza establece un sistema jerárquico de vinculación entre instrumentos de ordenación de tipo piramidal cerrado para la política de planificación territorial en Andalucía (Figura 3), donde los planes de ordenación sectoriales se someten a los planes territoriales de ámbito subregional y estos a su vez al plan regional (Benabent, 2006; Hildenbrand, 2011).

Concretamente los tipos de planes recogidos en la Ley de Ordenación del Territorio de Andalucía son el (3.1) Plan de Ordenación del Territorio de Andalucía (plan regional), (3.2) los planes de ámbito subregionales de ordenación del territorio, (3.3) el Plan de Protección del Corredor Litoral de Andalucía, y (3.4) los Planes con Incidencia en la Ordenación del Territorio.

3.1. EL PLAN DE ORDENACIÓN DEL TERRITORIO DE ANDALUCÍA (POTA)

De acuerdo con la Ley 1/1994 de Ordenación del Territorio de Andalucía el POTA establece los elementos básicos que conforman el marco estratégico para los demás instrumentos de ordenación previstos en esta y para todas las actuaciones con incidencia territorial.

Transcurrieron varios años desde su formulación hasta la aparición del primer avance del Plan, las Bases y Estrategias del POTA de 1999. Este documento preliminar sirvió como marco de referencia para los primeros planes de ordenación del territorio de ámbito subregional aprobados en Andalucía. Finalmente, el Plan fue aprobado definitivamente por Decreto en 2006.

Las estrategias de desarrollo territorial del POTA se centran en el sistema de ciudades de Andalucía, el sistema de articulación regional relacionado con las comunicaciones, transportes y energía; así como en el sistema regional de protección del territorio que responde a la prevención de riesgos y a la puesta en valor del patrimonio territorial natural y cultural de Andalucía. Además, el documento pone énfasis en la integración exterior de la Comunidad Autónoma como región fronteriza.

Una de las grandes novedades de este documento es la zonificación paisajística que se establece para el territorio andaluz.

Concretamente se presentan cuatro Dominios Territoriales de Andalucía:

1. Sierra Morena-Los Pedroches.
2. Valle del Guadalquivir.
3. Sierras y Valles Béticos.
4. Litoral.

El POTA también identifica, aparte de los grandes centros regionales, Unidades Territoriales representativas de cada Dominio Territorial:

1. Centros Regionales.
2. Unidades Territoriales Litorales basadas en Redes de Ciudades Medias.
3. Unidades Territoriales Interiores basadas en Redes de Ciudades Medias.
4. Unidades Territoriales organizadas por Centros Rurales.

3.2. LOS PLANES DE ORDENACIÓN DEL TERRITORIO DE ÁMBITO SUBREGIONAL (POTS)

De acuerdo con la Ley de Ordenación del Territorio de Andalucía, los Planes de Ordenación del Territorio de ámbito subregional establecen los elementos básicos para la organización y estructura del territorio en su ámbito, siendo el marco de referencia territorial para el desarrollo y coordinación de las políticas, planes, programas y proyectos de las Administraciones y Entidades Públicas así como para las actividades de los particulares. Los Planes de Ordenación del Territorio de ámbito subregional contendrán:

a) Los objetivos territoriales a alcanzar y las propuestas a desarrollar durante la vigencia del plan.

b) El esquema de las infraestructuras básicas y la distribución de los equipamientos y servicios de ámbito o carácter supramunicipal necesarios para el desarrollo de los objetivos propuestos.

c) La indicación de las zonas para la ordenación y compatibilización de los usos del territorio y para la protección y mejora del paisaje, de los recursos naturales y del patrimonio histórico y cultural, estableciendo los criterios y las medidas que hayan de ser desarrolladas por los distintos órganos de las Administraciones Públicas.

d) Las determinaciones de los Planes con Incidencia en la Ordenación del Territorio y de los Planes Urbanísticos vigentes en su ámbito que deban ser objeto de adaptación, justificando las alteraciones propuestas para los mismos.

e) La concreción de aquellas determinaciones del plan cuya alteración precisará su revisión a los efectos del artículo 26, apartado 2.

f) Las previsiones para el desarrollo, seguimiento y ejecución del plan.

g) Los demás aspectos que el Consejo de Gobierno considere necesario incluir para la consecución de los objetivos del plan.

Concretamente estos documentos de planificación constan de:

a) Memoria informativa, que contendrán el análisis y diagnóstico de las oportunidades y problemas para la Ordenación del Territorio en el momento de la elaboración del plan.

b) Memoria de ordenación, que contendrá la definición de los objetivos y criterios de la ordenación, las propuestas y medidas y, en su caso, las determinaciones objeto de adaptación de los planes a que se hace referencia en el apartado 1, d), del artículo anterior.

c) Memoria económica con la estimación de las acciones comprendidas en el plan y el orden de prioridad de ejecución de las mismas.

d) Normativa, que contendrá las determinaciones de ordenación y de gestión del plan y la naturaleza de las mismas, de acuerdo con lo establecido en el artículo 21.

e) Documentación gráfica, con planos de información y propuesta, a escala adecuada para la correcta comprensión de su contenido y determinaciones.

Figura 2. Situación de los planes subregionales de ordenación del territorio en Andalucía

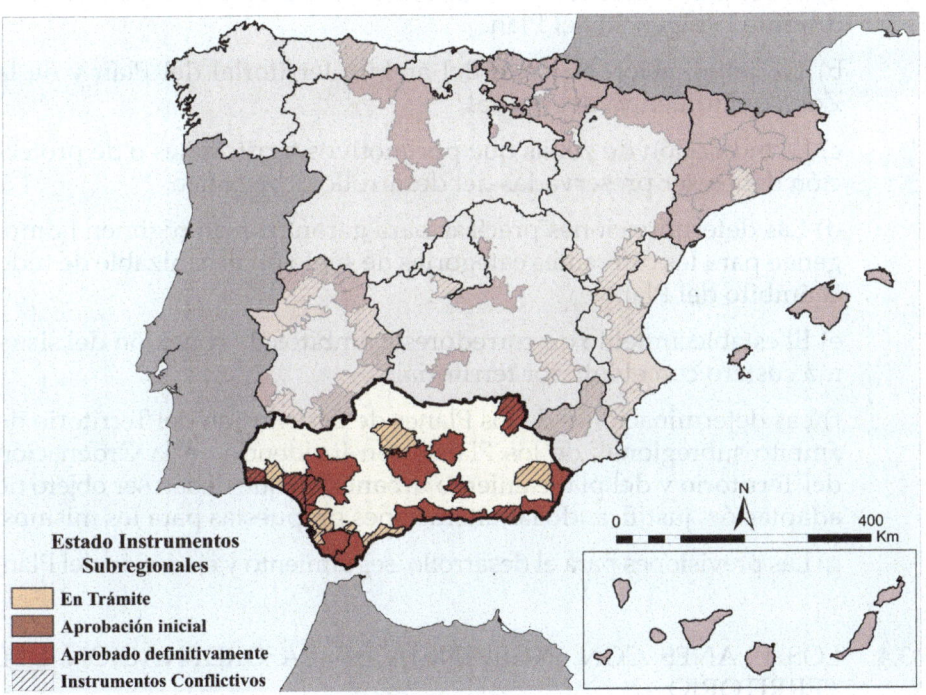

Fuente: Elaboración propia

3.3. EL PLAN DE PROTECCIÓN DEL CORREDOR LITORAL DE ANDALUCÍA (PPCLA)

El PPCLA surge en la LOTA como instrumento de ordenación del territorio a través del Decreto-Ley 5/2012, de 27 noviembre, de medidas urgentes en materia urbanística y para la protección del litoral de Andalucía. A tenor de la densificación y degradación del Litoral de Andalucía y con el afán de protegerlo surge este Decreto que aprovecha la coyuntura de la crisis económica y el retroceso de la inversión inmobiliaria. Este Plan, que cubre una pequeña franja del Dominio Litoral identificado por el POTA, tendría además condición vinculante para el resto de los planes de ordenación del territorio subregionales. Sin embargo, como ya se ha dicho, a pesar de su aprobación, recientemente ha sido declarado nulo por sentencia del Tribunal Superior de Justicia de Andalucía.

El Plan de Protección del Corredor Litoral de Andalucía tendría el siguiente contenido:

a) Los objetivos territoriales a alcanzar y las propuestas a desarrollar durante la vigencia del Plan.

b) La delimitación concreta del ámbito territorial del Plan y de la Zona de Influencia del Litoral.

c) La indicación de zonas que por motivos territoriales o de protección deben ser preservadas del desarrollo urbanístico.

d) Las determinaciones precisas para garantizar un régimen homogéneo para las diferentes categorías de suelo no urbanizable de todo el ámbito del Plan.

e) El establecimiento de corredores o ámbitos de conexión del sistema costero con el interior territorial.

f) Las determinaciones de los Planes de Ordenación del Territorio de ámbito subregional, de los Planes con Incidencia en la Ordenación del Territorio y del planeamiento urbanístico que deban ser objeto de adaptación, justificando las alteraciones propuestas para los mismos.

g) Las previsiones para el desarrollo, seguimiento y ejecución del Plan.

3.4. LOS PLANES CON INCIDENCIA EN LA ORDENACIÓN DEL TERRITORIO

Los Planes con Incidencia en la Ordenación del Territorio hacen referencia al listado de actividades de planificación y actividades de intervención singular añadidas en el Anexo II de la propia Ley de Ordenación del Territorio de Andalucía revisada. Estos incluyen los elaborados por la propia Junta de Andalucía, por el resto de las administraciones andaluzas y los de ámbito estatal con aplicación en el conjunto del territorio andaluz.

De acuerdo con la LOTA, aparte de la normativa específica, estos planes incluyen:

a) La expresión territorial del análisis y diagnóstico del sector.

b) La especificación de los objetivos territoriales a conseguir de acuerdo con las necesidades sectoriales y criterios establecidos para la Ordenación del Territorio.

c) La justificación de la coherencia de sus contenidos con el Plan de Ordenación del Territorio de Andalucía y con las determinaciones de los Planes de Ordenación del Territorio de ámbito subregional que les afecten.

3.5. LOS PLANES ESPECIALES DE INTERÉS SUPRAMUNICIPAL

No están previstos en la LOTA, por lo que no podrían ser considerados como instrumentos oficialmente regulados, aunque sí que forman parte de la planificación territorial andaluza. Nacieron a demanda de la sociedad y colectivos sensibilizados con la protección del patrimonio natural y cultural. Su finalidad fundamental es identificar, caracterizar y lograr la implantación de los sistemas de espacios libres de alcance supramunicipal identificados en los Planes de Ordenación del Territorio, así como la protección y puesta en valor de los valores patrimoniales, agrícolas, medio ambientales, paisajísticos o etnológicos, además de aquellos otros fines que queden establecidos en los respectivos Planes de Ordenación del Territorio. En la actualidad existen cuatro Planes Especiales de este tipo, encontrándose en distintas fases de tramitación: el Plan Especial Supramunicipal del Curso Medio y Bajo del río Palmones en los términos municipales de Algeciras y Los Barrios (Cádiz) y el Plan Especial de Ordenación de las zonas de regadío ubicadas al norte de la corona forestal de Doñana están aprobados definitivamente; el Plan Especial de Ordenación de la Vega de Granada está aprobado inicialmente, aunque paralizado (Garrido, 2019a); y el Plan Especial de ordenación de la Vega del Rio Andarax se halla en fase de redacción.

3.6. ACTUACIONES DE INTERÉS SUPRAMUNICIPAL Y ACTUACIONES DE INTERÉS AUTONÓMICO

Las Actuaciones de Interés Supramunicipal se prevén para facilitar el desarrollo de algunas de las iniciativas contenidas en los Planes de Ordenación del Territorio de Ámbito Subregional cuando estas incumben a más de un municipio. Normalmente afrontan cuestiones relacionadas con la implementación de las dotaciones de carácter comarcal o regional vinculadas al sistema de espacios libres, las zonas que deben ser objeto de mejora y regeneración ambiental y paisajística, y los bienes que deben ser preservados por sus valores patrimoniales. Por su parte, las Actuaciones de Interés Autonómico son iniciativas igualmente de gran repercusión para la comarca o la región, éstas más vinculadas a proyectos socioeconómicos (centros logísticos, de innovación industrial, tecnológicos, etc.) y que permiten tanto la acción pública directa como la inversión empresarial. Por consiguiente, ni unas ni otras serían instrumentos de OT, pero en ocasiones son fundamentales para la consecución de las acciones y medidas planteadas en estos.

3.7. LA SINGULARIDAD DEL PLAN ESPECIAL DE PROTECCIÓN DEL MEDIO FÍSICO Y CATÁLOGO DE LAS PROVINCIAS ANDALUZAS

No puede interpretarse como un instrumento de OT *sensu stricto*, pues surgieron para la ordenación del medio físico, pero por el momento en el que nacieron (en los albores de la Autonomía, entre 1986 y 1987), por encargarse de la regulación de los usos y actividades del territorio (de forma particular de los espacios catalogados por el mismo, pero en general de todo el suelo) y por seguir vigente (siendo el plan más longevo de los actualmente vigentes en la CCAA), se ha convertido en el máximo referente de la ordenación territorial y planificación urbanística de muchos municipios, singularmente de aquellos que carecían de instrumentos de planificación urbanística general[6]. En principio debería haber sido un inventario de espacios naturales protegidos cuando este aún no existía, de hecho fue base fundamental para la constitución de la posterior Red de Espacios Naturales Protegidos de Andalucía (Garrido, 2017a), pero la Direccion General de Urbanismo de entonces decidió ampliar su regulación a todo el espacio provincial, catalogado de protección especial y no catalogado, primero para proteger los entornos de los espacios catalogados y segundo para que ejerciera de planificación urbanística general mientras que los municipios aprobaban sus respectivos instrumentos. Así, el PEPMFC ha sido uno de los planes más aducidos a la hora de otorgar autorizaciones y licencias en toda Andalucía, habiendo sido parte fundamental de su ordenación territorial y su planificación urbanística. Así lo ha sido hasta el punto de entrar en colisión directa con los Planes de Ordenación del Territorio de Ámbito Subregional, por cuanto que a la entrada en vigor de éstos se deroga el PEPMFC en todo

---

6. Sólo en la provincia de Granada, en 2017 todavía había 42 municipios que se regían territorial y urbanísticamente por el PEPMFC, lo que suponía el 23% de los municipios, el 15% de la superficie y el 4% de la población provincial (Garrido, 2017a).

su circunscripción, lo que ha motivado que algunos municipios sin planeamiento urbanístico general se sitúen en un extraño limbo planificador, al quedarse sin la regulación de detalle que le aportaba el PEPMFC y verse sometidos a la generalista regulación del respectivo POTS, que no alcanza a serle útil en su día a día.

4. ÓRGANOS RESPONSABLES DE LA ORDENACIÓN DEL TERRITORIO EN ANDALUCÍA

Figura 3. Esquema de la Consejería de Medio Ambiente y Ordenación del Territorio de la Junta de Andalucía. Dirección, coordinación y control de actividades de los órganos directivos centrales

Consejería de Medio Ambiente y Ordenación del Territorio de la Junta de Andalucía:
- Viceconsejería
- Secretaría General de Ordenación del Territorio y Sostenibilidad Urbana:
     a) Dirección General de Urbanismo
- Secretaría General de Medio Ambiente y Cambio Climático:
     a) Dirección General de Gestión del Medio Natural y Espacios Protegidos.
     b) Dirección General de Prevención y Calidad Ambiental.
     c) Dirección General de Planificación y Gestión del Dominio Público Hidráulico.
     d) Dirección General de Infraestructuras y Explotación del Agua.
- Secretaría General Técnica
Otros órganos colegiados adscritos a la Consejería:
     a) El Consejo Andaluz de Medio Ambiente.
     b) El Consejo Andaluz de Biodiversidad.
     c) El Consejo Andaluz del Agua.
     d) El Consejo Andaluz de Ordenación del Territorio y Urbanismo.
     e) Las Comisiones Territoriales de Ordenación del Territorio y Urbanismo.
     f) El Observatorio Territorial de Andalucía.
     g) Comisiones Provinciales de Coordinación Urbanística.

Fuente: A partir de los siguientes documentos normativos: Ley 9/2007, de 22 de octubre del Decreto de la Presidenta 12/2015, de 9 de junio. Decreto 216/2015, de 14 de julio

En la legislatura anterior, la Ordenación del Territorio suponía una política de primer nivel en la administración autonómica de Andalucía, compartiendo consejería con Medio Ambiente, con una secretaría general específica de Ordenación del Territorio y Sostenibilidad Urbana (Figura 2).

Finalmente, desde el cambio de gobierno de la reciente legislatura, la ordenación del territorio vuelve a distanciarse de la cartera de medio ambiente recuperando el nombre de Consejería de Fomento, Infraestructuras y Ordenación del Territorio. Esta nueva cartera política autonómica engloba la política territorial y deriva las responsabilidades en materia de ordenación del territorio a la Secretaría General de Infraestructuras, Movilidad y Ordenación del Territorio.

5. PROCEDIMIENTOS Y RESPONSABILIDADES FORMALES

5.1. PROCEDIMIENTO DE ELABORACIÓN Y APROBACIÓN DEL POTA (LOTA, ART. 8)

Según la Ley de Ordenación del Territorio de Andalucía corresponde al Consejo de Gobierno, a propuesta del Consejero de Medio Ambiente y Ordenación del Territorio, realizar el acuerdo de formulación del Plan de Ordenación del Territorio de Andalucía. Este acuerdo de formulación establecerá los objetivos generales que habrán de orientar su redacción, la composición y funciones de la Comisión de Redacción y el procedimiento y plazo para su elaboración. Además, en el procedimiento de elaboración del plan se garantizará la información pública por un plazo no inferior a dos meses y la participación de las Administraciones y Entidades Públicas afectadas por razón de su competencia. Una vez aprobado el plan por el Consejo de Gobierno, se remitirá al Parlamento para su aprobación. Una vez aprobado el Plan por el Parlamento y efectuadas por el Consejo de Gobierno las adaptaciones que vengan requeridas por las Resoluciones de la Cámara, se publicará en el Boletín Oficial de la Junta de Andalucía (DIAGRAMA 1).

Diagrama 1. Procedimiento de tramitación del Plan de Ordenación del Territorio de Andalucía

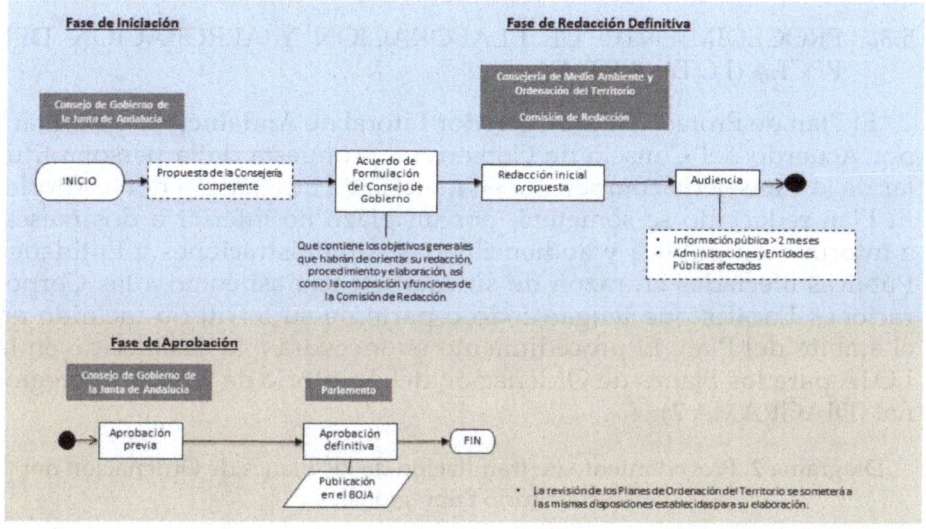

Andalucía / Ámbito regional

Plan de Ordenación del Territorio de Andalucía

Procedimiento de elaboración y aprobación según la Ley 1/1999, de 11 de enero, de Ordenación del Territorio de Andalucía (Artículo 8º)

Fuente: Elaboración propia

5.2. PROCEDIMIENTO DE ELABORACIÓN Y APROBACIÓN DE LOS POTS (LOTA, ART. 13)

La LOTA establece que corresponde al Consejo de Gobierno acordar la formulación de los Planes de Ordenación del Territorio de ámbito subregional, a propuesta del Consejero competente en esta materia o a instancia de las Corporaciones Locales. Antetodo, de forma previa, el Consejero dará audiencia a las Corporaciones Locales afectadas por el ámbito del Plan. El acuerdo de formulación establecerá el ámbito, los objetivos generales que habrán de orientar su redacción, la composición y funciones de la Comisión de Redacción y el procedimiento y plazo para su elaboración. En la Comisión de Redacción participará una representación de los municipios afectados. La tramitación del documento redactado exige su información pública por un periodo no inferior a dos meses durante el que se deben recibir además los informes preceptivos de las administraciones públicas pertinentes así como de los órganos colegiados pertinentes

(Consejo y la Comisión de Ordenación del Territorio y Urbanismo). El plan de ordenación del territorio resultante debe ser finalmente aprobado por Decreto del Consejo de Gobierno, dando cuenta al Parlamento, y publicarse en el Boletín Oficial de la Junta de Andalucía (DIAGRAMA 2).

5.3. PROCEDIMIENTO DE ELABORACIÓN Y APROBACIÓN DEL PPCLA (LOTA, ART. 44)

El Plan de Protección del Corredor Litoral de Andalucía se formulará por Acuerdo del Consejo de Gobierno a propuesta de la persona titular de la Consejería competente en materia de ordenación del territorio. El Plan redactado se someterá, por un plazo no inferior a dos meses, a información pública y audiencia a las Administraciones y Entidades Públicas afectadas en razón de su competencia así como a las Corporaciones Locales que tengan todo o parte de su territorio incluido en el ámbito del Plan. El procedimiento se adecuará a lo establecido en la LOTA para los Planes de Ordenación del Territorio de ámbito subregional (DIAGRAMA 2).

Diagrama 2. Procedimiento de tramitación de los Planes de Ordenación del Territorio Subregionales

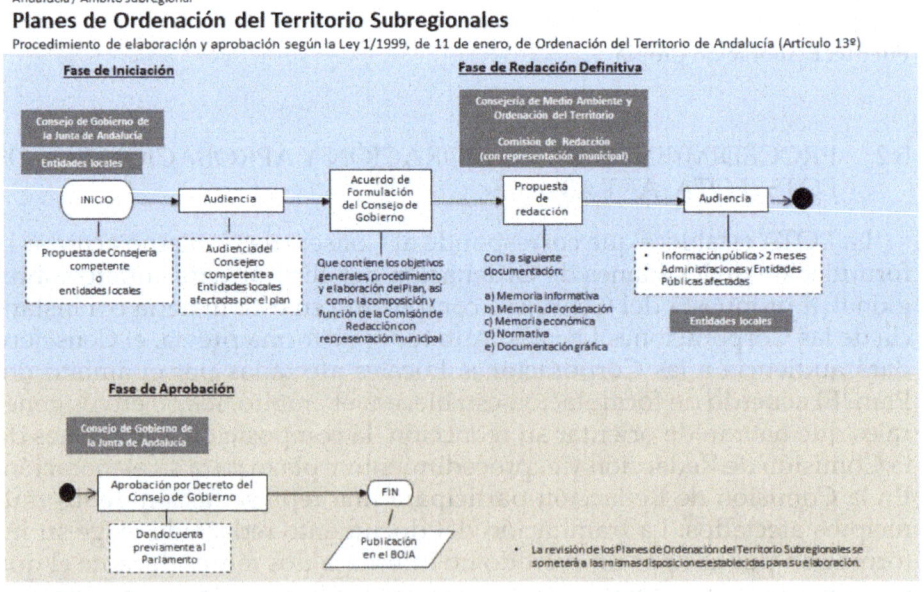

Fuente: Elaboración propia

5.4. PROCEDIMIENTO DE ELABORACIÓN Y APROBACIÓN PARA LOS PLANES CON INCIDENCIA EN LA ORDENACIÓN DEL TERRITORIO (LOTA, ART. 18)

Corresponde al Consejo de Gobierno, a propuesta del Consejero competente, acordar la formulación de los Planes con Incidencia en la Ordenación del Territorio. La elaboración de los Planes con Incidencia en la Ordenación del Territorio se regirá por la correspondiente legislación especial y por el acuerdo de formulación. Redactado el plan se emitirá informe, sobre sus aspectos territoriales, por el órgano competente en Ordenación del Territorio. El plazo para la emisión del informe será de dos meses, transcurrido el cual, sin pronunciamiento expreso, se considerará que el mismo tiene carácter favorable. El plan será aprobado definitiva por Decreto del Consejo de Gobierno (DIAGRAMA 3).

Diagrama 3. Procedimiento de tramitación de los Planes con Incidencia en la Ordenación del Territorio

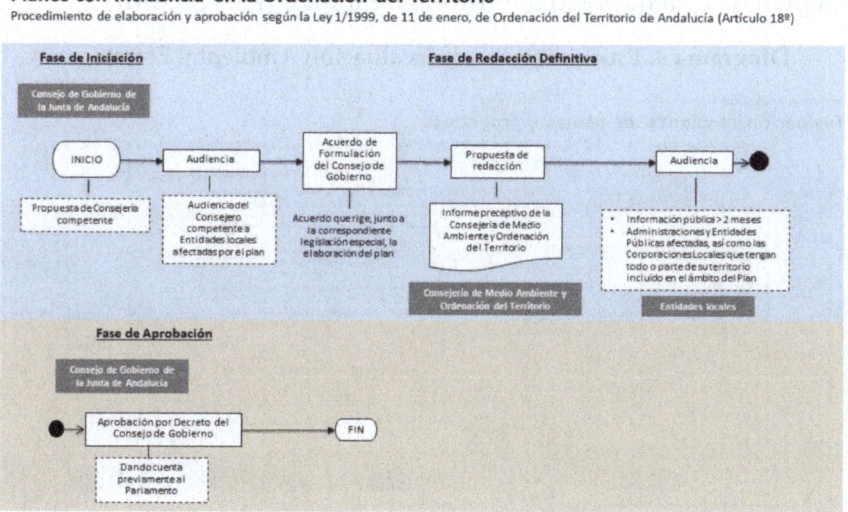

Fuente: Elaboración propia

5.5. PROCEDIMIENTO DE LA EVALUACIÓN AMBIENTAL DE PLANES Y PROGRAMAS

Por otra parte, el procedimiento de elaboración de planes de ordenación del territorio en Andalucía se inicia paralelamente con la tramitación de la evaluación ambiental estratégica. En esta fase preliminar se presenta el borrador inicial del plan propuesto por la Consejería de Ordenación del Territorio y Medio Ambiente o, en el caso de los planes subregionales de ordenación, también podría ser como propuesta de las entidades locales implicadas. Esto ocurre desde la modificación por Decreto-Ley 3/2015, de 3 de marzo, que adapta la Ley 7/2007, de 9 de julio, de Gestión Integrada de la Calidad Ambiental de Andalucía, al texto legal nacional de la Ley 21/2013, de 9 de diciembre, de evaluación ambiental. En relación con el trámite ambiental, de forma general, el órgano ambiental, tiene la responsabilidad de decisión sobre el procedimiento simplificado u ordinario para los planes y programas, así como de aprobar el Informe Ambiental Estratégico o el Estudio Ambiental Estratégico respectivamente. Por un lado, el Informe Ambiental debe ser elaborado en un periodo de 3 meses por el órgano ambiental quedando el trámite ambietal aprobado si no se identifican incidencias ambientales. Por el otro lado, el estudio ambiental estratégico del procedimiento ordinario de evaluación ambiental, elaborado por el órgano promotor, debe superar dos procesos de audiencia pública y revisión. Finalmente, el órgano ambiental también es responsable de la redacción de la Declaración Ambiental Estratégica final cuyo contenido debe ser incorporado al plan de ordenación del territorio definitivo (DIAGRAMA 4).

Diagrama 4. Procedimiento de Evaluación Ambiental Estratégica

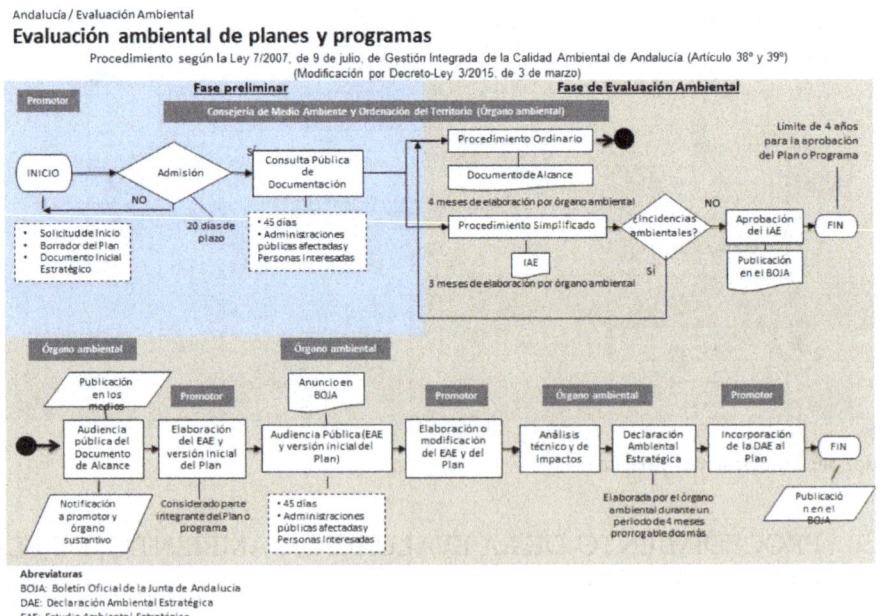

Fuente: Elaboración propia

6. EMBOTELLAMIENTOS Y CONDICIONANTES QUE ALTERAN EL FUNCIONAMIENTO DE LA ORDENACIÓN DEL TERRITORIO EN ANDALUCÍA

a) Falta de visión integral.

b) Tensión entre competencias histórica entre la cartera política encargada de la planificación territorial y la de planificación económica.

c) Carencias en materia de coordinación y cooperación horizontal y vertical.

d) Predominio y distanciamiento de la política urbanística.

e) Mayor implementación práctica de las políticas sectoriales.

f) Participación ciudadana guiada por una normativa desfasada.

Los principales embotellamientos o problemas históricos de la ordenación del territorio de Andalucía y la elaboración de planes de ordenación del territorio han sido la falta de una visión integral de las políticas que afectan al territorio. La falta de coordinación y cooperación horizontal entre la política territorial y económica son el origen de la primera crisis de esta materia en la administración pública andaluza. La ordenación del territorio y la planificación urbanística se han mantenido distantes durante largo tiempo, prevaleciendo la última sobre la primera en varias etapas históricas, aun compartiendo una única Dirección General. La ordenación del territorio ha sido considerada como una hermana menor del urbanismo en Andalucía durante muchos años (Zoido, 2010). Además, las dificultades encontradas en la cooperación administrativa (en vertical y en horizontal) son significativas puesto que las entidades locales siempre se han mostrado reticentes al control territorial supramunicipal y la administración regional no ha sabido superar este asunto de forma plena (Benabent, 2006 y 2009; Hildebrand, 2003 y 2011). Asimismo, durante años las Direcciones Generales responsables de políticas infraestructurales se han impuesto y, con frecuencia, han conseguido aislar a la Dirección General de Ordenación del Territorio que ha presentado tradicionalmente una menor repercusión y consideración política en relación con su atractivo electoral (Hildenbrand, 2003).

La problemática anterior ha derivado en una falta de experiencia en materia de evaluación y seguimiento de los planes de ordenación del territorio aprobados que ha sido constatada en varios trabajos (Segura y Pedregal, 2014, 2017; Segura, 2017; Garrido, 2017; Garrido, 2019). En gran parte esto es debido a la inexistencia de órganos de gestión adecuados para la gestión de los planes y a las limitaciones de financiación y de las medidas económicas que acompañan a los planes (Benabent, 2009). En relación con la participación pública, en Andalucía existe un modelo de participación pública que se puede considerar desfasado o falto de revisión, relacionado con el sometimiento a información pública por un periodo mínimo de dos meses una vez redactado el plan en sus fases iniciales.

Desde un punto de vista práctico y tras la revisión de las normativas y documentos aprobados, se observa que todos los procedimientos de elaboración de planes formulados antes de la VII Legislatura del Gobierno Autonómico de la Junta de Andalucía, que comenzó en el año 2004, presentan desfases de entre seis y diez años desde su orden de formulación hasta su aprobación definitiva. Los motivos que pudieran estar tras estas dilaciones son la falta de experiencia en la implementación de estos planes y la prevalencia del urbanismo durante esta etapa. Esta última por cuanto que los conflictos jurídico-políticos surgidos entre el Estado (PP) y la Junta de Andalucía (PSOE) con motivo de la aplicación de la Ley 6/1998, de 13 de abril, sobre Régimen del Suelo y Valoraciones, se trasladarán a la planificación territorial. Dicha secuencia queda perfectamente plasmada en la exposición de motivos de la Ley 7/2002, de 17 de diciembre, de Ordenación Urbanística de Andalucía, donde se aduce que "el Parlamento de Andalucía aprobó la Ley 1/1997, de 18 de junio, por lo que se aprueban con carácter urgente y transitorio disposiciones en materia de régimen de suelo y de ordenación urbana, que básicamente recupera como texto legislativo propio de la Comunidad Autónoma de Andalucía la parte anulada del Texto Refundido de la Ley sobre Régimen del Suelo y Ordenación Urbana, aprobado por Real Decreto Legislativo 1/1992, de 26 de junio. Posteriormente, las Cortes Generales aprobaron la Ley 6/1998, de 13 de abril, sobre Régimen del Suelo y Valoraciones, y sobre la que el Tribunal Constitucional ha dictado la Sentencia 164/2001, de 11 de julio, que ha estimado parcialmente los recursos interpuestos en su día; contra esta y, además de declarar inconstitucional algunos preceptos de la citada norma, ha expresado el sentido en el que se han de interpretar determinados artículos para que éstos no incurran en inconstitucionalidad. Con ello quedan delimitadas las materias que han de considerarse propias del Estado, y en cuyo marco se ha de desarrollar esta Ley". Como puede intuirse el conflicto estaba servido. Básicamente este conflicto se fundamente en tres hechos: la invasión competencial de la Comunidad Autónoma, los desajustes en los porcentajes de cesión de suelo para equipamientos y espacios libres públicos y, sobre todo, el hecho de que todo el suelo no urbanizable que no fuese protegido podría homologarse con el suelo urbanizable. Así pues, este conflicto, en principio jurídico, se extrapolaría hacia arriba al plano político y hacia abajo al plano técnico, confiriendo inseguridad a los gestores y técnicos encargados de la redacción y aprobación de los planes territoriales, que prefirieron esperar a ver como se desenvolvía el pulso echado entre la Junta de Andalucía y el Estado, motivo por el cual algunos planes tardaron en salir.

Por otra parte, a partir del año 2004, con la creación de la Secretaría General de Ordenación del Territorio bajo rango de Viceconsejería, un nuevo impulso refuerza el desarrollo de instrumentos que además incorporan el procedimiento de evaluación ambiental estratégica. Los procedimientos de elaboración de estos planes no presentan grandes contratiempos salvo modificaciones menores de ampliación de plazos para realización de trabajos técnicos en los planes de ordenación de La Janda y del Campo de Gibraltar. Esta nueva generación de planes se desarrollará hasta la primera quincena del siglo XXI, fecha a partir de la que los actuales instrumentos propuestos y las revisiones de los anteriores planes se encuentran de forma general bajo bloqueo. Estos bloqueos se encuentran en las etapas iniciales del trabajo y ninguno de los instrumentos ha superado la tramitación del procedimiento ambiental. A todo ello, se debe sumar el importante cambio que supone el nuevo gobierno de la XI Legislatura que en 2019 legitima un cambio de orientación radical en la política de la Junta de Andalucía. Véase anexo I.

7. SITUACIÓN RESULTANTE

Lo cierto es que, teniendo en cuenta la problemática anterior, no sería hasta estos últimos años cuando las políticas de ordenación del territorio, urbanismo y medio ambiente se aúnen en una misma Consejería para superar estas trabas a imagen de la experiencia planificadora alemana y europea que analiza Hildenbrand (2003). Las carencias de información pública sobre la importancia de la ordenación del territorio pueden ahora suplirse gracias a la unión de la Ordenación del Territorio con la concienciación ambiental tras la consolidación de la Consejería de Medio Ambiente y Ordenación del Territorio en 2015.

Esto reafirmaría a la ordenación del territorio como política de primer nivel en Andalucía prestando especial interés a la coordinación y cooperación horizontal y vertical tratando de superar las reticencias tradicionales. Las nuevas interacciones entre medio ambiente, ordenación del territorio y urbanismo; unidas a la nueva experiencia de adaptación de la reciente normativa de evaluación ambiental estratégica suponen una etapa de gran interés y potencial para el desarrollo de procedimientos de elaboración de planes de ordenación del territorio con mayor efectividad e inteligencia territorial. Sin embargo, a tenor de la última reestructuración de la organización de sendas áreas, cabe la posibilidad de que se dé un paso atrás al respecto, volviéndose a la situación pretérita.

8. REFERENCIAS BIBLIOGRÁFICAS Y NORMATIVA

REFERENCIAS BIBLIOGRÁFICAS

BENABENT FERNÁNDEZ DE CÓRDOBA, M. (2006). *La ordenación del territorio en España: evolución del concepto y de su práctica en el siglo XX*. Sevilla: Universidad de Sevilla - Junta de Andalucía: Consejería de Obras Públicas y Transportes Servicio de Publicaciones.

BENABENT FERNÁNDEZ DE CÓRDOBA, M. (2009). Los planes de ordenación del territorio en España. De la instrumentación a la gestión. En L. Sánchez Pérez-Moneo y M. Á. Troitiño Vinuesa (eds.), *Agua, territorio y paisaje: de los instrumentos programados a la planificación aplicada : V Congreso Internacional de Ordenación del Territorio = 5th International Congress for Spatial Planning : Málaga 22, 23 y 24 de noviembre de 2007*, (pp. 143-158). Madrid: Asociación Interprofesional de Ordenación del Territorio (FUNDICOT).

FERIA TORIBIO, J. M.ª, RUBIO TENOR, M. y SANTIAGO RAMOS, J. (2005). Los planes de ordenación del territorio como instrumentos de cooperación. *Boletín de la Asociación de Geógrafos Españoles*, 39, 87-116.

GARRIDO CLAVERO, J. (2017a). *La incidencia de las políticas públicas en las transformaciones territoriales* (Tesis Doctoral). Universidad de Granada.

GARRIDO CLAVERO, J. (2017b). Evaluación del Plan de Protección del Corredor Litoral de Andalucía en la provincia de Granada. *Cuadernos Geográficos*, 57(1), 110-131.

GARRIDO CLAVERO, J. (2019a). El Plan Especial de Ordenación de la Vega de Granada. Propuestas con repercusión ambiental para un ámbito agrícola periurbano. *Ciudad y Territorio. Estudios Territoriales*, 201, 511-524.

GARRIDO CLAVERO, J. (2019b). El Plan de Ordenación del Territorio de la Aglomeración Urbana de Granada (POTAUG): Fundamentos para su necesaria revisión. *Cuadernos Geográficos*, 58(2), 287-305.

HILDENBRAND SCHEID, A. (2003). La política territorial de la Junta de Andalucía (1982-2002). Análisis de su implementación, balance y propuestas para el futuro. En A. Porras Nadales (coord.), *El sistema competencial de la Junta de Andalucía y su desarrollo efectivo. Jornadas de Estudio organizadas por el Parlamento de Andalucía. XX Aniversario del Estatuto, Secretaría General del Parlamento de Andalucía*, (pp. 373-407). Granada: Editorial Comares.

HILDENBRAND SCHEID, A. (2011). Los planes de ordenación del territorio (POTA y POTS) de la Comunidad Autónoma de Andalucía y sus afecciones para el planeamiento urbanístico. En J. M. Jurado Almonte (Ed.), *Ordenación del Territorio y Urbanismo: Conflictos y oportunidades* (pp. 161-201). Sevilla: Universidad Internacional de Andalucía.

SEGURA CALERO, S. (2017). *Mecanismos de evaluación, seguimiento y gestión de instrumentos de ordenación del territorio. Análisis internacional comparado* (Tesis Doctoral). Universidad de Sevilla.

SEGURA CALERO, S., Y PEDREGAL MATEOS, B. (2014). Mecanismos de evaluación y seguimiento en planes de ordenación del territorio de Andalucía, España. *Perspectiva Geográfica*, 19(2), 357-378. https://doi.org/http://dx.doi.org/10.19053/01233769.4104.

SEGURA CALERO, S., Y PEDREGAL MATEOS, B. (2017). Monitoring and Evaluation Framework for Spatial Plans: A Spanish Case Study. *Sustainability*, 9 (10), 1706, 1-19. https://doi.org/10.3390/su9101706.

ZOIDO NARANJO, F. (2010). Ordenación del territorio en Andalucía: reflexión personal. *Cuadernos geográficos de la Universidad de Granada*, 47, 189-221.

NORMATIVA

Ley 19/1975, de 2 de mayo, de reforma de la Ley sobre Régimen del Suelo y Ordenación Urbana. Publicado en BOE núm. 107, de 5 de Mayo de 1975.

Constitución Española de 1978 [Const]. Publicado en BOE núm. 311, 29 de Diciembre de 1978.

Ley Orgánica 6/1981, de 30 de diciembre, de Estatuto de Autonomía para Andalucía. Publicado en BOE núm. 9, de 11 de Enero de 1982.

Ley 1/1994, de 11 de enero, de Ordenación del Territorio de la Comunidad Autónoma de Andalucía. Publicado en BOJA núm. 8, de 22 de Enero de 1994.

Ley 7/2002, de 17 de diciembre, de Ordenación Urbanística de Andalucía. Publicado en BOJA núm. 154, de 31 de Diciembre de 2002.

Ley 7/2007, de 9 de julio, de Gestión Integrada de la Calidad Ambiental de Andalucía. Publicado en BOJA núm. 143, 20 de Julio de 2007.

Decreto-Ley 5/2012, de 27 de noviembre, de medidas urgentes en materia urbanística y para la protección del litoral de Andalucía. Publicado en BOJA núm. 233, de 28 de Noviembre de 2012.

Decreto-ley 3/2015, de 3 de marzo, por el que se modifican las Leyes 7/2007, de 9 de julio, de gestión integrada de la calidad ambiental de

Andalucía, 9/2010, de 30 de julio, de aguas de Andalucía, 8/1997, de 23 de diciembre, por la que se aprueban medidas en materia tributaria, presupuestaria, de empresas de la Junta de Andalucía y otras entidades, de recaudación, de contratación, de función pública y de fianzas de arrendamientos y suministros y se adoptan medidas excepcionales en materia de sanidad animal. Publicado en BOJA núm. 48, de 11 de Marzo de 2015.

ANEXO I. DESFASES TEMPORALES EN LA TRAMITACIÓN DE LAS FIGURAS DE PLANIFICACIÓN TERRITORIAL

Planes de Ámbito Subregional (ANDALUCIA)					
Planes de Ámbito Subregional	Estado	Aprobación	Formulación	Desfase (años)	Observaciones y Modificaciones
Aglomeración Urbana de Granada	Aprobado	Decreto 244/1999	Acuerdo de 24 de mayo de 1994	6	En 2005 modificación del plan de ordenación del territorio de la aglomeración urbana de granada (decreto 244/1999, de 27 de diciembre, BOJA núm. 37 de 28 de marzo de 2000)
Poniente de Almería	Aprobado	Decreto 222/2002	DECRETO 6/1996, de 9 de enero	6	Orden de 20 de noviembre de 2014, por la que se aprueba la Modificación núm. 1 del Plan de Ordenación del Territorio del Litoral Occidental de Huelva
Sierra de Segura (Jaén)	Aprobado	Decreto 219/2003	DECRETO 5/1996, de 9 de enero	7	
Ámbito de Doñana	Aprobado	Decreto 341/2003	ACUERDO de 20 de febrero de 1996	8	
Bahía de Cádiz	Aprobado	Decreto 462/2004	Acuerdo de 10 de mayo de 1994	10	

109

Planes de Ámbito Subregional (ANDALUCIA)

Planes de Ámbito Subregional	Estado	Aprobación	Formulación	Desfase (años)	Observaciones y Modificaciones
Litoral Occidental de Huelva	Aprobado	Decreto 130/2006	DECRETO 52/1999	7	Orden de 20 de noviembre de 2014, por la que se aprueba la Modificación núm. 1 del Plan de Ordenación del Territorio del Litoral Occidental de Huelva
Litoral Oriental - Axarquía(Málaga)	Aprobado	Decreto 142/2006	DECRETO 9/2004, de 20 de enero	2	
Levante de Almería	Aprobado	Decreto 026/2009	DECRETO 89/2007, de 27 de marzo	2	Orden 18 de julio de 2017 de formulación de modificación. Y Orden de 7 de noviembre de 2018, por la que se aprueba la modificación núm. 1 del Plan
Aglomeración Urbana de Sevilla	Aprobado	Decreto 267/2009	DECRETO 195/2006, de 7 de noviembre	3	
Aglomeración Urbana de Málaga	Aprobado	Decreto 308/2009	DECRETO 213/2006, de 5 de diciembre	3	Orden de 30 de junio de 2014, por la que rectifica el Plan
Costa Noroeste de Cádiz	Aprobado	Decreto 095/2011	DECRETO 92/2007, de 27 de marzo	4	

Planes de Ámbito Subregional (ANDALUCIA)					
Planes de Ámbito Subregional	Estado	Aprobación	Formulación	Desfase (años)	Observaciones y Modificaciones
La Janda (Cádiz)	Aprobado	Decreto 351/2011	Decreto 90/2007	4	DECRETO 261/2009, de 26 de mayo, por el que se modifica el Decreto de Formulación (por complejidad de los trabajos técnicos que debían ser realizados en 6 meses, se amplió el plazo con un año más a partir de este decreto de modificación de plazos)
Aglomeración Urbana de Almería	Aprobado	Decreto 358/2011	DECRETO 521/2008, de 9 de diciembre	4	
Costa Tropical de Granada	Aprobado	Decreto 369/2011	DECRETO 59/2006, de 14 de marzo	5	
Campo de Gibraltar (Cádiz)	Aprobado	Decreto 370/2011	Decreto 88/2007	5	DECRETO 260/2009, de 26 de mayo, por el que se modifica el Decreto 88/2007 (por complejidad de los trabajos técnicos que debían ser realizados en 6 meses, se amplió el plazo con un año más a partir de este decreto de modificación de plazos)
Sur de Córdoba	Aprobado	Decreto 003/2012	DECRETO 34/2009, de 17 de febrero	3	
Aglomeración Urbana de Jaén	Aprobado	Decreto 124/2014	DECRETO 243/2011, de 12 de julio	3	

111

Planes de Ámbito Subregional (ANDALUCIA)					
Planes de Ámbito Subregional	Estado	Aprobación	Formulación	Desfase (años)	Observaciones y Modificaciones
Aglomeración Urbana de Huelva	Trámite	Decreto 522/2008		Bloqueo	Información pública en 2010. Bloqueo tras el Informe de Sostenibilidad Ambiental de 2010
Almanzora (Almería)	Redacción	Decreto 240/2011		Bloqueo	Bloqueo en los trabajos iniciales tras el diagnóstico propositivo que no superan el procedimiento ambiental
Revisión: Bahía de Cádiz-Jerez	Redacción	Decreto 241/2011	DECRETO 241/2011, de 12 de julio, por el que se acuerda la formulación de la revisión	Bloqueo	Bloqueo en los trabajos iniciales que no superan el procedimiento ambiental
Aglomeración Urbana de Córdoba	Redacción	Decreto 242/2011		Bloqueo	Bloqueo en los trabajos iniciales que no superan el procedimiento ambiental
Costa del Sol Occidental	Redacción	Decreto 143/2017		Bloqueo	Bloqueo en los trabajos iniciales que no superan el procedimiento ambiental

Fuente: Elaboración propia

ANEXO II. LISTADO DE PLANES CON INCIDENCIA EN LA ORDENACIÓN DEL TERRITORIO IDENTIFICADOS

Planes	Información
Plan Director de las Dehesas de Andalucía	El Plan Director de las Dehesas de Andalucía es aprobado mediante Decreto 172/2017, de 24 de octubre de 2017
Estrategia Energética de Andalucía 2020. Consejería de Empleo, Empresa y Comercio	Acuerdo de 27 de octubre de 2015, del Consejo de Gobierno, por el que se aprueba la Estrategia Energética de Andalucía 2020
Estrategia Industrial de Andalucía 2020. Consejería de Empleo, Empresa y Comercio	Acuerdo de 19 de julio de 2016, del Consejo de Gobierno, por el que se aprueba la Estrategia Industrial de Andalucía 2020
Estrategia Minera Andalucía 2020. Consejería de Empleo, Empresa y Comercio	Acuerdo de 28 de junio de 2016, del Consejo de Gobierno, por el que se aprueba la Estrategia Minera de Andalucía 2020
Plan de Infraestructura para la Sostenibilidad del Transporte en Andalucía 2020. Consejería de Fomento y Vivienda	Decreto 191/2016, de 27 de diciembre, por el que se aprueba la revisión del Plan de Infraestructuras para la Sostenibilidad del Transporte en Andalucía
Plan Andaluz de la Bicicleta (2014-2020). Consejería de Fomento y Vivienda	Decreto 9/2014, de 21 de enero, por el que se aprueba el Plan Andaluz de la Bicicleta 2014-2020
Plan General de Turismo Sostenible de Andalucía (2014-2020). Consejería de Turismo y Deporte	Decreto 38/2013, de 19 de marzo, por el que se aprueba la formulación del Plan General del Turismo Sostenible de Andalucía 2014-2020
Estrategia Integral de Fomento del Turismo de Interior Sostenible de Andalucía (2014-2020). Consejería de Turismo y Deporte	Decreto 77/2016, de 22 de marzo, por el que se aprueba la Estrategia Integral de Fomento del Turismo de Interior Sostenible de Andalucía Horizonte 2020
Plan Director de Instalaciones Deportivas de Andalucía (2007-2016). Consejería de Turismo y Deporte	Acuerdo de 8 de mayo de 2007, del Consejo de Gobierno, por el que se aprueba el Plan Director de Instalaciones Deportivas de Andalucía

Planes	Información
Plan Director Territorial de Gestión de Residuos No Peligrosos de Andalucía (2010-2019)	DECRETO 397/2010 de 2 de noviembre, sustenta las medidas de prevención, gestión, seguimiento y control de los residuos no peligrosos
Plan de Prevención y Gestión de Residuos Peligrosos de Andalucía (2012-2020)	Decreto 7/2012, de 17 de enero, por el que se aprueba el Plan de Prevención y Gestión de Residuos Peligrosos de Andalucía 2012-2020
Plan Marco de Vivienda y Rehabilitación de Andalucía. Consejería de Fomento y Vivienda	Decreto 141/2016, de 2 de agosto, por el que se regula el Plan de Vivienda y Rehabilitación de Andalucía 2016-2020
Plan Director del Olivar. Consejería de Agricultura, Pesca y Desarrollo Rural	Decreto 103/2015, de 10 de marzo, por el que se aprueba el Plan Director del Olivar
Plan de Medio Ambiente de Andalucía	Acuerdo de Consejo de Gobierno de 14 de febrero de 2012
Plan Forestal Andaluz	Acuerdo de Consejo de Gobierno el 7 de febrero de 1989
Plan de Recuperación y Ordenación de las Vías Pecuarias de Andalucía	ACUERDO de 27 de marzo de 2001, del Consejo de Gobierno, por el que se aprueba el Plan para la Recuperación y Ordenación de la Red de Vías Pecuarias de la Comunidad Autónoma de Andalucía
Planes de gestión del riesgo de inundación: -Plan Hidrológico del Tinto, Odiel y Piedras (2015-2021) - Plan Hidrológico del Guadalete-Barbate (2015-2021) - Plan Hidrológico de las Cuencas Mediterráneas (2015-2021)	Real Decreto 21/2016, de 15 de enero, por el que se aprueban los Planes de gestión del riesgo de inundación de las cuencas internas de Andalucía
Planes de Ordenación de los Recursos Naturales (PORN) y Planes Rectores de Uso y Gestión (PRUG)	https://www.juntadeandalucia.es/organismos/sobre-junta/planes/detalle/60922.html

Planes	Información
Planes de Desarrollo Sostenible	http://www.juntadeandalucia.es/ medioambiente/site/portalweb/ menuitem.220de8226575045b25f09a 105510e1ca/?vgnextoid=5b5d74ee211f4310 VgnVCM1000001325e50aRCRD&vgnext channel=3bdd61ea5c0f4310Vgn VCM1000001325e50aRCRD

Capítulo 4

El procedimiento de la planificación territorial en Aragón

Itxaro Latasa Zaballos

Escuela Técnica Superior de Arquitectura, Urbanística y Ordenación del Territorio. Universidad del País Vasco

SUMARIO: 1. ANTECEDENTES. 2. NORMATIVA BASE. 3. ESQUEMA DE INSTRUMENTOS. 3.1. *Instrumentos de planeamiento territorial.* 3.1.1. Estrategia Territorial de Aragón. 3.1.2. Las Directrices de Ordenación Subregionales: zonales y especiales. 3.2. *Instrumentos de Gestión Territorial.* 3.2.1. Programas de Gestión Territorial. 3.3. *Instrumentos especiales de ordenación territorial.* 3.3.1. Planes y Proyectos de Interés General de Aragón (PIGAS). 4. ÓRGANOS. 4.1. *Comisión Delegada del Gobierno para la Política Territorial.* 4.2. *Consejo de Ordenación del Territorio de Aragón.* 4.3. *Instituto Geográfico de Aragón (IGEAR).* 4.4. *Observatorio Aragonés de Dinamización Demográfica y Poblacional.* 5. PROCEDIMIENTOS Y RESPONSABILIDADES FORMALES. 5.1. *Procedimiento de elaboración y aprobación de la EOTA.* 5.2. *Procedimiento de elaboración y aprobación de las Directrices Parciales Zonales y las Directrices Sectoriales.* 5.3. *Procedimiento de elaboración y aprobación de los Programas de Gestión Territorial.* 5.4. *Procedimiento de elaboración y aprobación de los Planes y Proyectos de Interés General de Aragón.* 5.5. *Procedimiento de la evaluación ambiental de planes y programas.* 6. EMBOTELLAMIENTOS Y CONDICIONES QUE ALTERAN EL FUNCIONAMIENTO. 7. SITUACIÓN RESULTANTE. 8. REFERENCIAS BIBLIOGRÁFICAS Y NORMATIVA.

1. ANTECEDENTES

La Comunidad Autónoma de Aragón se caracteriza por los numerosos intentos que ha realizado (fallidos casi en su totalidad), muy tempranamente para poner en marcha una política de ordenación territorial que permitiera abordar y hacer frente a los problemas de abandono rural, despoblación e desequilibrio intrarregional que obstaculizan el desarrollo de esta región y para disponer de un modelo territorial que guiara el desarrollo equilibrado y la realización de actuaciones con incidencia en el territorio.

Con anterioridad a la primera legislación territorial (Ley 11/1992) se utilizaron distintos instrumentos de planificación:

En la década de los ochenta del pasado siglo, se crearon los programas territoriales para el desarrollo comarcal (Ribagorza, Cuencas Mineras y Moncayo-campo de Borja. Se creó para ellos la figura del gestor, persona dedicada a la promoción socioeconómica en sus respectivas zonas de actuación.

En el marco de los Programas de Ordenación y Promoción de Recursos Agrarios de Montaña contemplados en la Ley 25/1982 de Agricultura de Montaña, se elaboró uno en la zona de Alta Ribagorza, pero no llegó a aprobarse. Estos programas pretendían el desarrollo social y económico de las zonas de montaña mediante una actuación conjunta entre el Estado y las Comunidades Autónomas.

El Programa de Ordenación Integral del Somontano del Moncayo, aprobado por la Ley 1/1992, de 17 de febrero, fue la primera regulación aragonesa que intentó impulsar un desarrollo integral de una comarca de montaña en esta Comunidad Autónoma (desarrollada por el programa aprobado por Decreto 15/1993 del Gobierno de Aragón). Preveía actuaciones en comunicación, aprovechamiento y calidad del agua, recuperación del patrimonio arquitectónico y urbanismo, medio ambiente, turismo y fomento de las actividades económicas" (Martínez García, 2010). Oliván de Cacho (1993), que matiza el alcance del programa por lo que este recuerda a los tradicionales planes de obras y servicios de la Diputación, descubre en él también un deseo de superar estos planteamientos cuando, por ejemplo, se plantea la elaboración de un plan estratégico de la comarca que movilice sus recursos económicos. Reconoce que del Programa no se derivan inmediatamente efectos territoriales vinculantes para la planificación urbanística y que hay que esperar a la aprobación del Plan de Ordenación de los Recursos Naturales y de las Directrices de la comarca. Este plan nunca llegó a iniciarse.

Finalmente, en 1992, se aprobó la primera ley marco de Ordenación del Territorio de Aragón (Ley 11/1992, de 24 de noviembre). Dos años más tarde, sin esperar a la aprobación del instrumento de ordenación regional (las futuras Directrices de Ordenación del Territorio de Aragón) la

Diputación General decidió iniciar el proceso de elaboración y aprobación de las Directrices Parciales de Ordenación Territorial y de sus correspondientes Programas de Actuación Comarcal. La Diputación se amparaba en la Disposición Transitoria Tercera de la Ley, según la cual, por razones de urgencia y causas de interés público debidamente justificadas apreciadas por el órgano competente para aprobarlas, podían elaborarse Directrices Parciales de Ordenación Territorial antes de la entrada en vigor de las Directrices Generales. En razón de las disparidades intercomarcales existentes y de los problemas específicos de cada zona, la Diputación General decidió iniciar, durante 1994, la elaboración de las Directrices Parciales de Ordenación Territorial y los Programas de Actuación Comarcal de Jacetania/Serrablo, Sobrarbe, Campo de Daroca, Cuencas Mineras, Matarraña, Maestrazgo y Gúdar/Javalambre, impulsar la ejecución del Programa del Somontano del Moncayo, y continuar el proceso durante 1995, en Ribagorza Occidental, Ribagorza Oriental, Ribera Baja/Monegros, Calatayud o Cinco Villas, Calamocha o Teruel y Albarracín (BOA, n.° 50 de 25/04/94). Las Directrices pasaron todo el proceso de elaboración y aprobación y, dos meses más tarde también se produjo su derogación.

Estos ejemplos son una prueba clara de los esfuerzos realizados tanto por la ordenación territorial del espacio regional así como por impulsar la comarca como unidad básica de la misma.

2. NORMATIVA BASE

Aragón promulgó por primera vez la Ley 11/1992, de 24 de noviembre de Ordenación del Territorio de Aragón, nueve años después de que lo hiciera la primera de las CC.AA. (Cataluña). Desde 1992 a la actualidad, la Ley ha sufrido numerosas e importantes reformas, difíciles de entender si tenemos en cuenta el escaso desarrollo posterior de los instrumentos de ordenación creados y reformados. La falta de consenso político, que Infante (2010) atribuye a la primera elaboración de la Ley, el intento constante de conseguir efectividad o de adaptarla al marco europeo de ordenación territorial y a los cambios socioeconómicos globales estarían detrás de este proceso reiterado de reformas. Las dos primeras se realizaron en 1999 y 2001. La más significativa se produjo en 2009. La siguiente se realizó en 2014 y en 2015 se promulgó el texto refundido. En 2017 la Ley se modificó por última vez.

Como decíamos, la modificación de la Ley realizada en 2009 fue la más importante de todas debido a la relevancia de los cambios que introdujo. Justificada por la necesidad de adaptar la Ley marco a los principios de la Estrategia Territorial Europea (ETE, Postdam, 1999) y a la Agenda Territorial Europea (ATE, Leipzig, 2007), esta reforma determinó la sustitución del instrumento regional marco establecido en 1998 –las Directrices Generales– por otro nuevo, denominado Estrategia de Ordenación Territorial de Aragón (EOTA). Supuso, igualmente, la eliminación de uno de los instrumentos creados por la Ley 11/1992 (los denominados Procedimientos de Gestión Coordinada) y la incorporación de una nueva figura: los Planes y Proyectos de Interés General. En ambos casos, se trató de medidas destinadas a facilitar los procedimientos de la ordenación territorial, modificando los instrumentos y flexibilizando los procedimientos para su tramitación. La última de las reformas, llevada a cabo en 2017, supuso exclusivamente la modificación de dos artículos de la Ley con el objetivo, en este caso también, de facilitar en todo lo posible la tramitación y puesta en marcha de los Planes y Proyectos de Interés General. Actualmente, salvo por los dos artículos modificados en 2017, sigue vigente el texto aprobado por Decreto Legislativo 2/2015, de 17 de noviembre, por el que se aprueba el texto refundido de la Ley de Ordenación del Territorio de Aragón.

Como se indica en la Tabla 1, el órgano competente en materia de OT del Gobierno de Aragón es el Departamento de Vertebración del Territorio, Movilidad y Vivienda, dentro del cual se ubica la Dirección General de Ordenación del Territorio. Esta estructura fue creada mediante el DECRETO 14-2016, de 26 de enero, del Gobierno de Aragón. A su vez, la Dirección General integra tres Servicios:

a) Servicio de Estrategias Territoriales.

b) Servicio de Coordinación Territorial.

c) Instituto Geográfico de Aragón (IGEAR).

La información básica sobre la legislación, los instrumentos de OT y el órgano gubernamental competente en la materia se resume en la siguiente tabla:

Tabla 1: Marco regulador e instrumental de la Ordenación del Territorio en Aragón

Comunidad Autónoma	Aragón
Antecedentes normativos	DECRETO 85/1990, de 5 de junio, de la Diputación General de Aragón, de medidas urgentes de protección urbanística en Aragón Ley 11/1992, de 24 de noviembre de Ordenación del Territorio de Aragón (LOTA)

Comunidad Autónoma	Aragón
	LEY 1/1992, de 17 de febrero, de medidas para la ordenación integral del Somontano del Moncayo. DECRETO 15/1993, de 9 de marzo, de la Diputación General de Aragón, por el que se aprueba el Programa de ordenación integral del Somontano del Moncayo previsto en la Ley 1/1992, de 17 de febrero, y se fija la participación de la Comunidad Autónoma en el mismo Ley 4/2009, de 22 de junio, de Ordenación del Territorio de Aragón (LOTA) Ley 7/1998, de 16 de julio, por la que se aprueban las Directrices Generales de Ordenación Territorial para Aragón
Legislación OT actual	Decreto Legislativo 2/2015, de 17 de noviembre, del Gobierno de Aragón, por el que se aprueba el texto refundido de la Ley de Ordenación del Territorio de Aragón
Departamento OT actual	Departamento de Vertebración del Territorio, Movilidad y Vivienda Dirección General de Ordenación del Territorio
Plan OT regional	Estrategia de Ordenación Territorial de la Comunidad Autónoma de Aragón
Entrada en vigor (año)	2014
Normativa de aprobación	DECRETO 202/2014, de 2 de diciembre, del Gobierno de Aragón, por el que se aprueba la Estrategia de Ordenación Territorial de Aragón.
Organismo impulsor	Comisión Delegada del Gobierno para la Política Territorial
Periodo tramitación	Inicio del procedimiento por acuerdo de 27 de diciembre de 2011. Aprobación definitiva mediante decreto el día 2 de diciembre de 2014
Otros planes OT	
Otros planes con incidencia en OT (Véase Anexo I)	Planes y Programas estratégicos y de gestión sectoriales Planificación y Gestión de Espacios Naturales Protegidos

Fuente: Elaboración propia a partir del Boletín Oficial de Aragón y del Gobierno de Aragón

3. ESQUEMA DE INSTRUMENTOS

Desde la primera ley de ordenación del territorio, promulgada en 1992, hasta la reforma de la misma en 2009, se han producido cambios significativos en los instrumentos de ordenación territorial. A escala regional, las Directrices de Ordenación del Territorio creadas por la LOTA de 1992 fueron sustituidas por la Estrategia de Ordenación Territorial, aprobada en 2014.

Los instrumentos de ordenación territorial de escala subregional vigentes en la actualidad son los que determinó la reforma de la Ley de 2009:

- Son instrumentos de planeamiento territorial la Estrategia de Ordenación Territorial de Aragón (EOTA) y las Directrices de Ordenación Territorial, que podrán tener carácter zonal o especial.

- Son instrumentos de gestión territorial los Programas de Gestión Territorial.

- Son instrumentos especiales de ordenación territorial los Planes y Proyectos de Interés General de Aragón.

- Son instrumentos de información territorial el Sistema de Información Territorial de Aragón y los Documentos Informativos Territoriales.

- Son instrumentos complementarios de ordenación del territorio el Dictamen Autonómico sobre los Planes y Proyectos del Estado con incidencia territorial y los Informes Territoriales sobre Planes, Programas y Proyectos con incidencia en la ordenación del territorio.

- Son instrumentos de protección, gestión y ordenación del paisaje los Mapas de Paisaje.

Tabla 1. Instrumentos de ordenación territorial

		Zonal	Especial
Instrumentos de Planificación	Regional	EOTA	
Instrumentos de Planificación	Subregional	Directrices Parciales Zonales	Directrices Parciales Especiales Planes y proyectos de Interés General
Instrumentos de Gestión		Programas de Gestión Territorial.	

Fuente: Elaboración propia

3.1. INSTRUMENTOS DE PLANEAMIENTO TERRITORIAL

3.1.1. Estrategia Territorial de Aragón

La Ley 4/2009 de Ordenación del Territorio de Aragón había previsto en los artículos 17 y siguientes la elaboración del instrumento de ordenación de escala regional que habría de sustituir a las Directrices de Ordenación del Territorio de Aragón aprobadas en 1998. Se trata de la Estrategia de Ordenación Territorial de Aragón (EOTA) cuya finalidad era determinar el modelo de ordenación y desarrollo territorial sostenible de la Comunidad Autónoma de Aragón, las estrategias para alcanzarlo y los indicadores para el seguimiento de la evolución de la estructura territorial y su aproximación al modelo establecido. Entre las determinaciones que la Ley fijaba para este instrumento estaba la de incluir un conjunto de reglas de aplicación directa o que incidieran en la previsión de desarrollo del planeamiento, información o gestión territorial, en el planeamiento urbanístico municipal y en las actuaciones sectoriales que la Comunidad Autónoma puede dictar para aplicar las estrategias propuestas, en el ámbito de su competencia.

Cinco años después de la aprobación de la Ley 4/2009 y con retraso respecto a los plazos que esta señalaba, en 2014 el Gobierno de Aragón aprobó la EOTA, cuyo documento final dista bastante de cumplir las estipulaciones que había establecido para ella la LOTA (y de las expectativas que había generado). La definición del modelo territorial quedó limitada a una identificación genérica de elementos y factores del sistema territorial y a la atribución, para cada uno de ellos, de un conjunto de objetivos: 20 generales que se desarrollan mediante 111 objetivos/estrategias específicos que, más que conformar un modelo territorial, constituyen un desiderátum. El modelo no definía los elementos estructurantes del sistema territorial ni ofrecía esa imagen simplificada del mismo, (Gómez Orea, 2008) que sería el marco general para el desarrollo del planeamiento. La EOTA recopila objetivos y estrategias de un carácter muy general, válidas casi para la ordenación ideal de cualquier territorio y, por supuesto, sin ninguna concreción física[1]. El propio legislador se sintió obligado a justificar la aplicación que hizo la EOTA del modelo territorial, al definirlo mediante objetivos. La explicación

---

1. La mayoría de los objetivos son tan genéricos como los que se incluyen, por ejemplo, en el objetivo general de Promover la implantación de actividades económicas, y se formulan en los siguientes términos: 1.2.E5. Desarrollo rural sostenible; 1.2.E6. Valorización de los recursos forestales; 1.2.E7. Valorización de los recursos cinegéticos; 1.2.E8. Planes de restitución y desarrollo territorial; 1.2.E.9. Promover la actividad industrial en el medio rural; 1.2.E10. Impulsar las actividades artesanas; 1.2.E11. Usos compatibles en el suelo dedicado a la actividad agrícola.

es que la expresión "Modelo Territorial" no está definida en la LOTA, ni tampoco la forma en que debe sustanciarse este concepto. Sin embargo, argumenta, la LOTA menciona la expresión "objetivos" en relación a las Directrices de Ordenación Territorial. Esta última asociación (Directrices-objetivos) explica que la EOTA haya optado por asimilar el concepto de modelo territorial a los objetivos que se pretenden alcanzar en cada uno de los ejes de desarrollo territorial. Cae así en el error señalado por Zoido Naranjo (1998), de confundir los resultados con el instrumento. El resultado, como decíamos, es una lista de buenas tareas, referidas a la globalidad del territorio, sin mención alguna a los subsistemas territoriales, mención que habría sido necesaria teniendo en cuenta que la Estrategia es el documento marco de referencia para la elaboración de las directrices subregionales. En este sentido, lo único que hizo la EOTA fue definir la existencia de cinco macrozonas, adjudicándole a cada de ellas una serie de comarcas. También se indicaba (una vez más) que la comarca era la escala de referencia para la ordenación subregional y, por tanto, la unidad administrativa que debía asumir este ámbito de la ordenación.

El *modus operandi* de la EOTA sugiere, en principio, que:

- El instrumento regional es más una herramienta de desarrollo de carácter sectorial que un instrumento de ordenación territorial.

- El gobierno regional deja completamente en manos de las comarcas la ordenación territorial.

- El gobierno regional limita sus funciones a las de coordinación de política territorial.

De todos modos, si fuera cierto que se pretende delegar en las comarcas la ordenación de sus territorios, entonces no se entiende que los intentos de planificación comarcal más recientes no hayan prosperado. Concretamente, en 2010 el proyecto de ocho planes comarcales de desarrollo sostenible llegó a la fase de exposición pública del Informe de Sostenibilidad Ambiental, momento a partir del cual se paralizó la tramitación y no se volvió a saber nada de ellos.

El objetivo de flexibilidad que ha presidido las reformas de la LOTA desde 2009, se ha plasmado claramente en determinadas características de la EOTA. Tal como determinó la Ley 11/1992, la Estrategia sigue teniendo el carácter marco y es jerárquicamente superior al resto de instrumentos de planificación. Sin embargo, tras la reforma no se requiere su aprobación previa para la aprobación de los demás instrumentos. Difícil encaje cuando es el instrumento regional el que establece el marco para la ordenación subregional y sectorial. Además, las determinaciones y normas de la EOTA podrán ser modificadas por instrumentos de rango inferior o por decisión gubernamental. Concretamente, el artículo 20.4 de la Ley 4/2009 establece que la Estrategia podrá ser modificada mediante la aprobación definitiva de un Plan o Proyecto de Interés General de Aragón en todos aquellos aspectos derivados de la inserción de dicho plan o proyecto en el modelo territorial de Aragón. Por último, el artículo 26, sobre los efectos de la EOTA, determina que el Gobierno de Aragón tiene la atribución para resolver, de forma motivada, la decisión sobre actuaciones concretas que supongan una desviación de los criterios establecidos por la Estrategia, previstas por los departamentos de la Administración de la CA, sus organismos públicos y demás entidades integrantes del sector público de la Comunidad Autónoma, o las entidades locales, en el ejercicio de sus competencias.

3.1.2. Las Directrices de Ordenación Subregionales: zonales y especiales

Las Directrices Zonales y Especiales son los instrumentos de ordenación vigentes de la escala subregional. Las directrices de escala subregional, como tales, fueron creadas por la Ley 11/1992 de Ordenación del Territorio, bajo el nombre genérico de Directrices Parciales, con dos modalidades: las Directrices Territoriales y las Directrices Sectoriales. La reforma de la Ley en 2009 modificó estas denominaciones, que pasaron a llamarse Directrices Zonales y Directrices Especiales. Al igual que en la Ley 11/1992, la finalidad de las Directrices Zonales es establecer la ordenación territorial de comarcas o zonas delimitadas por sus características homogéneas o funcionales, que no están obligadas a circunscribirse a límites administrativos. Las Directrices Especiales, que sustituyen a las de carácter sectorial, tratan de adecuar su denominación a sus funciones, puesto que pueden regular no solo la actividad sectorial sino también la de elementos relevantes del sistema territorial. De hecho, la primera de estas directrices, aprobada en 2017, es la Directriz Especial de Ordenación Territorial de Política Demográfica y contra la Despoblación. Por último, los Planes de Ordenación de los Recursos naturales (regulados por el Decreto Legislativo 1/2015) tienen el carácter de directrices especiales, pero se rigen por su normativa específica y tienen prevalencia sobre los instrumentos de ordenación territorial.

Las directrices zonales y especiales, como instrumentos subregionales, siguen debiendo adaptarse a las determinaciones del instrumento regional, tal como estableció la Ley 11/1992. Sin embargo, se pueden elaborar, tramitar y aprobar de forma previa a la aprobación de la EOTA. Esta fue otra de las novedades de la Ley 4/2009, creada con el fin de evitar los problemas que surgieron en la década de los noventa del pasado siglo, cuando el hecho de que no se hubieran aprobado las DOT condujo a la derogación de algunas directrices subregionales ya aprobadas (Directrices Parciales de Pirineos y de las comarcas de La Jacetania, Serrablo y Sobrarbe).

En cualquier caso y pese a los esfuerzos y reformas realizados para impulsar la ordenación subregional y facilitar su proceso de aprobación, casi se puede hablar en términos de fracaso al respecto. A día de hoy solo se han aprobado dos directrices zonales: las Directrices Parciales de Ordenación Territorial del Pirineo Aragonés (2005) y las Directrices Parciales de Ordenación Territorial de la Comarca del Matarraña/Matarranya (2008). En cuanto a las directrices especiales, hay que decir algo similar, ya que solo se han promulgado las Directrices Parciales Sectoriales sobre actividades e instalaciones ganaderas (aprobadas en 1997 y reformadas en 2009, y la Directriz Especial de Política Demográfica y Contra la Despoblación, aprobada en 2017, y la Directriz Especial de Ordenación Territorial del Camino de Santiago -Camino Francés a su paso por Aragón DECRETO 211/2018, de 3 de diciembre, del Gobierno de Aragón. (Boletín Oficial de Aragón, núm. 241, de 14 de diciembre de 2018).

Figura 1. Situación del planeamiento territorial de ámbito subregional

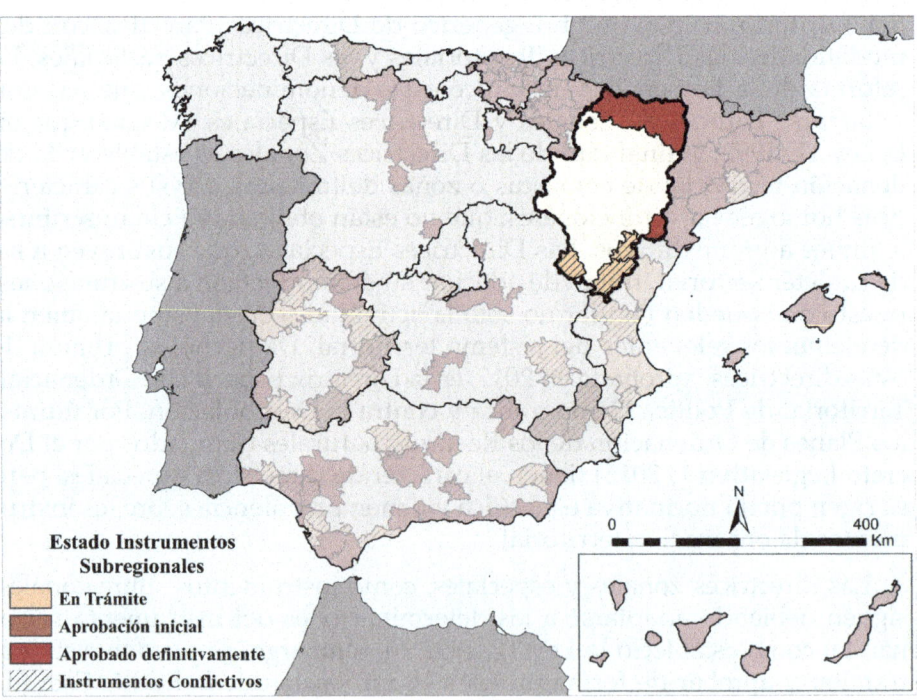

Fuente: Elaboración propia

Con respecto a las dos directrices zonales aprobadas, es preciso añadir que generan desconcierto en cuanto a su naturaleza y alcance. Las primeras que se aprobaron, en 2005, fueron las del área pirenaica (DECRETO 291/2005, de 13 de diciembre, de aprobación de las Directrices Parciales de Ordenación Territorial del Pirineo Aragonés). Puesto que el área regulada no se corresponde con ninguna entidad jurídico-administrativa, el documento remite frecuentemente a las futuras directrices comarcales, al planeamiento urbanístico, o, incluso a la administración sectorial, indicando lo que unos u otro deberán regular y determinar. Por lo demás, el apartado normativo del documento (las directrices propiamente dichas, de carácter vinculante) se mantiene en términos que apelan a la voluntad y al buen hacer de la administración. Por todo ello, no se entiende por qué estas directrices ordenan la elaboración un Programa de Gestión Territorial en el plazo de dos años tras la aprobación.

De carácter completamente diferente son las Directrices Parciales de la Comarca de Matarraña, aprobadas tres años más tarde, en 2008 (DECRETO 205/2008, de 21 de octubre, de aprobación de las Directrices Parciales de Ordenación Territorial de la Comarca del Matarraña/Matarranya). Se trata de las primeras y únicas directrices comarcales aprobadas en la región y, por ello, el único ejemplo del que disponemos para acercarnos al tipo de planificación subregional del que pretende dotarse esta CA. Aunque son casi coetáneas de las del Pirineo, su carácter y contenido es radicalmente diferente. Lo esencial de esta diferencia radica en la parte normativa. En caso de las Directrices de Matarraña/Matarranaya, las normas vinculantes, que ya no se denominan directrices, se agrupan en un apartado titulado "Normativa de Ordenación Territorial". Este capítulo, cuyo cambio de nombre es ya suficientemente significativo, incluye una larga batería de determinaciones, muchas de las cuales son normas de aplicación directa. Se abandona el lenguaje voluntarista y los mandatos se expresan de forma taxativa, abundando las determinaciones prohibitivas y las positivas. Estamos ante un documento destinado al uso directo por parte del planeamiento urbano y, consecuentemente, no demanda (como era el caso de las directrices pirenaicas) la elaboración de ningún Programa de Gestión Territorial. Los proyectos de ejecución corren a cargo del planeamiento local.

3.2. INSTRUMENTOS DE GESTIÓN TERRITORIAL

3.2.1. Programas de Gestión Territorial

Tal como los define la LOTA (texto refundido) los Programas de Gestión Territorial son instrumentos de ejecución de la Estrategia de Ordenación

Territorial de Aragón (en origen de las Directrices de Ordenación Territorial), mediante la definición de las actuaciones concretas a realizar en un determinado ámbito territorial, sector o sectores y período de tiempo, así como de la forma de financiación y organización de las mismas. Vemos que se trata de herramientas de gestión, a las que se les exigen contenidos muy precisos.

Concretamente, los Programas de Gestión que se lleven a cabo deben incluir, al menos, el siguiente contenido:

1) Delimitación de su ámbito material y territorial.

2) Enumeración y descripción técnica de las actuaciones.

3) Medidas para garantizar la coherencia de las actuaciones del Programa con otras actuaciones ejecutadas o previstas por cualesquiera poderes públicos.

4) Plazos para el desarrollo de las actuaciones.

5) Estudio económico-financiero en el que se valoren los costes de las actuaciones a realizar y se definan los recursos para su financiación.

6) Sistema de gestión, seguimiento y control del cumplimiento del Programa.

Los Programas de Gestión Territorial son instrumentos que se crearon ya con la Ley 11/1992 y han permanecido a lo largo de todas las reformas realizadas, mostrando con ello la firme voluntad del Gobierno de Aragón de contar con herramientas de gestión que garantizaran la ejecución de las determinaciones contenidas en las DOT/EOTA. La administración aragonesa parecía consciente de que "las directrices y las normas positivas, sólo operan si se actúa, es decir, si se ponen en marcha las actuaciones a que dichas normas suelen aludir." (Benabent, 2009:7). Ahora bien, tal firmeza y convencimiento no se han visto correspondidos en la realidad ya que, desde que en 1992 se crearan estos instrumentos, no se ha elaborado ni aprobado ninguno de ellos[2], hecho que ha convertido el tema en materia frecuente de los debates parlamentarios y de críticas severas. Por todo ello, no deja de resultar chocante que la Directriz Especial de Ordenación Territorial de Política Demográfica y contra la Despoblación (2017) haya incluido también la determinación de elaborar un Programa de Gestión Territorial.

---

2. Martínez García (2010) señala que sí se redactó un Programa de Gestión Territorial para ejecutar las Directrices del Pirineo pero que dicho programa no siguió adelante.

3.3. INSTRUMENTOS ESPECIALES DE ORDENACIÓN TERRITORIAL

3.3.1. Planes y Proyectos de Interés General de Aragón (PIGAS)

Estas figuras de ordenación fueron creadas por la reforma de la Ley de 2009. Los Planes y Proyectos de interés general son instrumentos especiales para la ordenación del territorio, directamente vinculados con el urbanismo. La Ley 5/1999, de 25 de marzo Urbanística de Aragón (actualmente derogada) los regulaba como Proyectos Supramunicipales, la regulación actual de la Ley Urbanística 1/2014 de 8 de julio (Texto refundido), también los contempla.

Se trata de una figura polémica y de gran relevancia debido, entre otras razones, a que abrió la puerta a la iniciativa privada como promotora de la actividad de ordenación. Estas figuras de ordenación vinieron a sustituir a los Procedimientos de Gestión Coordinada, que desaparecieron de la Ley. El nuevo instrumento mantiene el carácter territorial y sectorial y sus funciones en el ámbito supramunicipal y en la cobertura que proporciona a las actuaciones consideradas de interés. Aparte de esta naturaleza común, existen muchas diferencias entre los dos instrumentos, sobre todo, porque los nuevos planes y proyectos amplían de forma significativa las atribuciones de las actuaciones consideradas de interés general.

Desde su creación, es completamente evidente la importancia que la administración aragonesa concede a estas figuras de ordenación, como herramienta de impulso a la actividad socioeconómica. Muchos hechos lo prueban y, de forma particular, las reformas de la LOTA realizadas en 2014 y 2017, ambas destinadas casi exclusivamente (exclusivamente la de 2017) a regular aspectos y pormenorizar el alcance y los procedimientos de tramitación de Planes y Proyectos de Interés General. El texto del Decreto-ley 1/2017, de modificación de la LOTA de 2015 (texto refundido) es muy elocuente cuando señala que, siendo Aragón un lugar atractivo para la inversión y la implantación de empresas, la modificación del marco regulatorio que permite agilizar los trámites es cuestión de la mayor urgencia. Advierte de la trascendencia en la economía y del impacto territorial de las actuaciones ligadas a los Planes y Proyectos de Interés General, que resultan decisivas para el equilibrio territorial y el desarrollo de Aragón. El legislador va más allá cuando afirma que si no se facilitara la tramitación de este tipo de planes y proyectos, se podría poner en grave riesgo la capacidad efectiva de respuesta de la Administración ante las demandas empresariales.

Pese a la esperanza que ha depositado la Administración en este tipo de instrumentos, la realidad muestra que son pocos los que se han llevado a cabo –tres proyectos y un plan en total–, todos promovidos por la iniciativa privada. Los dos primeros fueron la ampliación de dos estaciones de esquí (Proyectos de Valdelinares, 2012 y de Cerler, 2010). Ya en 2018 se ha aprobado el plan la implantación de una Plataforma Agroalimentaria en el Término Municipal de Épila (Zaragoza) y el proyecto del parque eólico "El Águila II y El Águila III Unificado", en el término municipal de Pedrola (Zaragoza). Respecto a este tipo de instrumentos, es preciso mencionar la escasa preocupación del Departamento de Vertebración, Movilidad y Vivienda en lo que se refiere a la información pública. La página web del Departamento mantiene vacío el espacio donde se ubicaría la documentación relativa a estos planes y programas, de modo que su seguimiento hay que hacerlo directamente mediante rastreo del Boletín Oficial de Aragón.

4. ÓRGANOS

Además del Departamento competente en materia de ordenación del territorio, como órgano administrativo y ejecutivo general, existen otros tres órganos:

a) La Comisión Delegada del Gobierno para la Política Territorial, como órgano permanente de coordinación interdepartamental.

b) El Consejo de Ordenación del Territorio de Aragón, como órgano representativo de coordinación general y consultivo.

c) El Instituto Geográfico de Aragón, como servicio técnico.

4.1. COMISIÓN DELEGADA DEL GOBIERNO PARA LA POLÍTICA TERRITORIAL

La Comisión Delegada del Gobierno para la Política Territorial fue creada por el Decreto 101/1999, de 3 de septiembre y modificada por el Decreto 51/2002, de 19 de febrero. A esta Comisión le corresponde la deliberación y propuesta al Gobierno de Aragón de decisiones en materia de ordenación del territorio y, específicamente, en relación con las siguientes materias:

a) La coordinación de los asuntos que afecten a la competencia de dos o más Departamentos, a fin de asegurar la incardinación territorial de las actuaciones sectoriales.

b) La coordinación de las políticas de desarrollo rural y urbano con incidencia en el territorio.

c) La designación de los representantes de la Comunidad Autónoma en los órganos estatales cuyas competencias incidan sobre el territorio aragonés y de los que deban representar a aquélla en los órganos que puedan constituirse en materia de ordenación en otras Comunidades Autónomas.

d) La elaboración de directrices, programas o actuaciones de carácter interdepartamental.

e) Los instrumentos de planeamiento y gestión territorial previstos en esta Ley y los planes sectoriales con incidencia territorial cuando su aprobación corresponda al Gobierno de Aragón.

f) La declaración formal del interés general en los Planes y Proyectos de Interés General de Aragón.

4.2. CONSEJO DE ORDENACIÓN DEL TERRITORIO DE ARAGÓN

El Consejo de Ordenación del Territorio de Aragón es el órgano colegiado de tipo representativo y consultivo dispuesto para la coordinación de los intereses territoriales, públicos y privados, que confluyen en el territorio de la Comunidad Autónoma. Desde que la Ley 11/1992 consolidara el Consejo como órgano competente para la coordinación de acciones que incidan sobre la estructura territorial de Aragón a la actualidad, sus funciones han ido variando y también incrementándose. La reforma de la Ley realizada en 2009 separó las competencias en Urbanismo y Ordenación del Territorio, de modo que las funciones en materia de Urbanismo que tenía el Consejo de Ordenación pasaron a ser desarrolladas por el Consejo de Urbanismo y las Comisiones Provinciales dependientes de él. El nuevo Consejo de Ordenación del Territorio pasó a asumir sólo funciones en materia de ordenación del territorio y se configuró como órgano representativo destinado a coordinar los intereses territoriales (Martínez García, 2000). La reforma de la Ley de 2014 volvió a modificar las competencias del Consejo, ampliándolas y reforzando el papel institucional de este órgano. Se le asignaron nuevos contenidos estratégicos en materia de coordinación, evaluación, supervisión, sensibilización y otros aspectos siguiendo el modelo de la Agenda Territorial de la Unión Europea 2020.

El Consejo está formado por el Presidente, el Vicepresidente, los Vocales y el Secretario. El Presidente es la persona titular del departamento competente en materia de Ordenación del Territorio. El Vicepresidente es la persona que ostenta la Dirección de Ordenación del Territorio. Cuenta con 35 vocales que se distribuyen como sigue: once en representación de la Administración de la Comunidad Autónoma de Aragón, cuatro en representación de la Administración General del Estado, once en representación de las entidades locales, seis en representación de los intereses sociales, económicos y profesionales y tres expertos en la materia.

El Consejo de Ordenación del Territorio de Aragón tiene las siguientes competencias:

a) Emitir informe sobre los instrumentos de ordenación territorial elaborados por la Comunidad Autónoma, así como sobre todos los anteproyectos de ley del Gobierno de Aragón que incidan en la ordenación del territorio o en cualquiera de sus aspectos.

b) Emitir informe territorial en el procedimiento de declaración de interés general de Aragón de Planes y Proyectos.

c) Emitir dictamen sobre los planes y proyectos del Estado con incidencia territorial.

d) Emitir informe territorial sobre los planes, programas y proyectos con incidencia territorial.

e) Emitir informe territorial sobre los planes generales de ordenación urbana de los municipios capitales de provincia, los planes conjuntos de varios municipios de distintas provincias y los de aquellos otros municipios que, por su trascendencia territorial, determine el consejero competente en materia de ordenación del territorio.

f) Evacuar las consultas que le sean requeridas por las Cortes de Aragón, el Gobierno de Aragón, la Comisión Delegada del Gobierno para la Política Territorial, el consejero responsable en materia de ordenación del territorio u otros departamentos.

g) Promover la realización de investigaciones y reuniones científicas, estudios y actuaciones de divulgación en materia de ordenación del territorio y, en especial, módulos de formación sobre concepto y aplicación del impacto territorial.

El Consejo de Ordenación del Territorio de Aragón, a través de su presidencia, puede también recabar asistencia técnica especializada y solicitar, por vía del consejero competente por razón de la materia, la remisión, por cualesquiera entes, organismos y entidades integrantes del sector público de la Comunidad Autónoma, de cuantos informes técnicos y documentación considere necesarios para el adecuado ejercicio de sus competencias.

4.3.   INSTITUTO GEOGRÁFICO DE ARAGÓN (IGEAR)

El órgano responsable de la información territorial y de la cartografía ha tenido una larga trayectoria en Aragón, prueba del interés de las distintas administraciones y la importancia que se le concede a la cuestión.

-   El Instituto Geográfico de Aragón tiene su origen en el Centro de Documentación e Información Territorial de Aragón, creado por mandato de la Ley 11/1992 de Ordenación del Territorio, con el fin de reunir, sistematizar e investigar cuestiones relacionadas con la problemática territorial aragonesa, preparando los medios para que la información esté disponible y actualizada.

-   Las Directrices de Ordenación Territorial de 1998 modificaron sus funciones y cambiaron su denominación, que pasó a ser la de Centro de Información Territorial de Aragón (CINTA).

-   La reforma de la LOTA de 2009 redefinió el concepto del citado Centro y sus características, determinó las competencias básicas, así como los instrumentos de información territorial competencia del CINTA, y reguló el Sistema de Información Territorial de Aragón (SITAR) y otros instrumentos de información territorial.

-   Un año más tarde, tuvo lugar el desarrollo de la LOTA mediante el Decreto del Gobierno de Aragón 208/2010, de 16 de noviembre. Se aprobó el Reglamento de Ordenación de la Información Geográfica en Aragón y se enumeraron las funciones y actividades del Centro.

-   La reforma de la Lota de 2014 supuso un nuevo cambio de denominación, pasando a denominarse Instituto Geográfico de Aragón, la necesidad de un nuevo desarrollo reglamentario y la incorporación de nuevas competencias y funciones.

-   Finalmente, en Consejo de Gobierno de 5 de mayo de 2015, se promulgó el Decreto 81/2015, de 5 de mayo, del Gobierno de Aragón, por el que se aprobó el Reglamento del Instituto Geográfico de Aragón y del Sistema Cartográfico de Aragón (B.O.A. n.º 87 de 11/05/2015). El Decreto regula las funciones y actividades del Instituto. Se regulan también el Consejo de Cartografía de Aragón y la Comisión Técnica de Coordinación Cartográfica de Aragón, que se constituyen como órganos colegiados necesarios para su funcionamiento.

Aunque, en lo esencial, las funciones del Instituto son similares a las que dieron origen a la creación de este servicio, la revolución que se ha producido desde entonces en relación a la producción cartográfica y a su importancia como información pública y como herramienta estratégica para el desarrollo, así como los avances espectaculares en materia de captación, elaboración, procesamiento, transmisión y manipulación de la información espacial, han ido ampliando el listado de tareas y responsabilidades que debe cumplir este órgano, como responsable de:

- La programación y elaboración de la cartografía básica y derivada de la Comunidad Autónoma.

- La coordinación de la cartografía temática, la teledetección, las bases de datos geográficos, la red de Sistemas de Navegación Satelital y la información documental sobre ordenación del territorio aragonés.

- La gestión del soporte técnico y operativo del Sistema Cartográfico de Aragón.

- La prestación de asistencia técnica en materia de cartografía a organismos públicos.

- La organización, dirección, tutela, elaboración y desarrollo de programas de investigación, de innovación y de formación científica y técnica en los ámbitos de su actuación.

- El desarrollo de medidas que contribuyan al acceso de la sociedad, en términos de igualdad, a los productos y servicios cartográficos.

4.4. OBSERVATORIO ARAGONÉS DE DINAMIZACIÓN DEMOGRÁFICA Y POBLACIONAL

El Observatorio Aragonés de Dinamización Demográfica y Poblacional (DECRETO 71/2018, de 24 de abril, por el que se crea y regula el Observatorio Aragonés de Dinamización Demográfica y Poblacional) se creó en cumplimiento de la norma establecida por el DECRETO 165/2017, de 31 de octubre, del Gobierno de Aragón, por el que se aprueba la Directriz Especial de Ordenación Territorial de Política Demográfica y contra la Despoblación.

Se trata de un órgano colegiado de carácter consultivo, adscrito al departamento competente en materia de ordenación del territorio (actualmente el Departamento de Vertebración del Territorio, Movilidad y Vivienda). Cumple funciones de asesoría de las Administraciones Públicas de la CA de Aragón en las políticas globales, sectoriales y locales para la incorporación de la perspectiva demográfica y poblacional. Además, en aquellos asuntos que deban ser sometidos a la consideración del Consejo de Ordenación del Territorio de Aragón, el Observatorio Aragonés de Dinamización Demográfica y Poblacional actuará como Ponencia Técnica, elevando su propuesta al mencionado Consejo.

El Observatorio está compuesto por una presidencia, una vicepresidencia y 15 vocalías. La presidencia y la vicepresidencia las ostentan, respectivamente, la persona titular del departamento competente en materia de ordenación del territorio y la que ocupa la Dirección General de Ordenación del Territorio. El órgano cuenta con una amplia participación de los departamentos gubernamentales y de las entidades públicas y privadas. Tiene asignadas para ello las quince vocalías. Una de ellas está reservada a la persona comisionada para la lucha contra la despoblación, otra para los representantes de cada uno de los departamentos del Gobierno de Aragón y una tercera, para tres miembros competentes en materia de Ordenación del Territorio, designados por la persona titular del departamento competente. Las vocalías restantes integran a representantes de las diputaciones provinciales, las federaciones o asociaciones más representativas de las entidades locales, la Red Aragonesa de Desarrollo Rural, las organizaciones empresariales, las organizaciones sindicales, entre ellas las agrarias y la Confederación de Asociaciones Vecinales de Aragón.

5. PROCEDIMIENTOS Y RESPONSABILIDADES FORMALES

5.1. PROCEDIMIENTO DE ELABORACIÓN Y APROBACIÓN DE LA EOTA

La decisión de elaborar la Estrategia de Ordenación Territorial de Aragón corresponde al Gobierno de Aragón, a iniciativa de la Comisión Delegada del Gobierno para la Política Territorial. Tras la emisión de acuerdo por parte del Gobierno, se inicia el procedimiento de elaboración.

- El departamento competente en materia de ordenación del territorio elabora el proyecto que, inmediatamente se somete, durante un plazo de dos meses, al doble procedimiento de información pública y participación ciudadana. Para la elaboración de la Estrategia que se aprobó en 2014, se abrió también a consultas y sugerencias la web del Departamento de Política Territorial e Interior, con la finalidad de divulgar ampliamente sus contenidos y alcanzar el necesario consenso, dada su relevancia para la mejora de la calidad de vida de los aragoneses y el desarrollo sostenible de su territorio.

- Una vez finalizado el proceso de información pública y participación ciudadana e incluidas las sugerencias y observaciones que se consideraron procedentes, se elabora el proyecto final de la EOTA, que es sometido a informe del Consejo de Ordenación del Territorio.

- Compete a la Comisión Delegada del Gobierno para la Política Territorial la elevación del proyecto de Estrategia de Ordenación Territorial de Aragón al Consejo de Gobierno para su aprobación provisional.

- La Estrategia de Ordenación Territorial de Aragón, aprobada provisionalmente por el Gobierno de Aragón, se somete a las Cortes de Aragón para su examen.

- Tras incorporar las resoluciones que el parlamento pueda haber emitido, la Estrategia se aprueba definitivamente mediante decreto.

La publicación de la Estrategia de Ordenación Territorial de Aragón debe incluir el documento resumen y las normas, además de los documentos exigidos en la Ley 11/2014, de 4 de diciembre, de Prevención y Protección Ambiental de Aragón.

Con respecto a la vigencia, modificaciones y efectos de la Estrategia, cabe señalar las siguientes cuestiones:

- Para la revisión de la EOTA debe seguirse el mismo procedimiento que para su elaboración.

- La Estrategia de Ordenación Territorial de Aragón tendrá vigencia indefinida, sin perjuicio de la elaboración de informe de seguimiento en el plazo de cuatro años, o de su revisión o modificación siguiendo al efecto, el procedimiento regulado en el artículo 20 de la Ley 4/2009 de 22 de junio, de Ordenación del Territorio. Como ya se ha señalado, la EOTA puede ser modificada mediante la aprobación definitiva de un Plan o Proyecto de Interés General de Aragón.

- Las normas de las EOTA incluyen las reglas de aplicación directa o que incidan en la previsión de desarrollo del planeamiento, información o gestión territorial, en el planeamiento urbanístico municipal y en las actuaciones sectoriales que la CA puede dictar para ejecutar las estrategias propuestas.

Diagrama 1. Procedimiento de tramitación de la Estrategia de Ordenación Territorial de Aragón

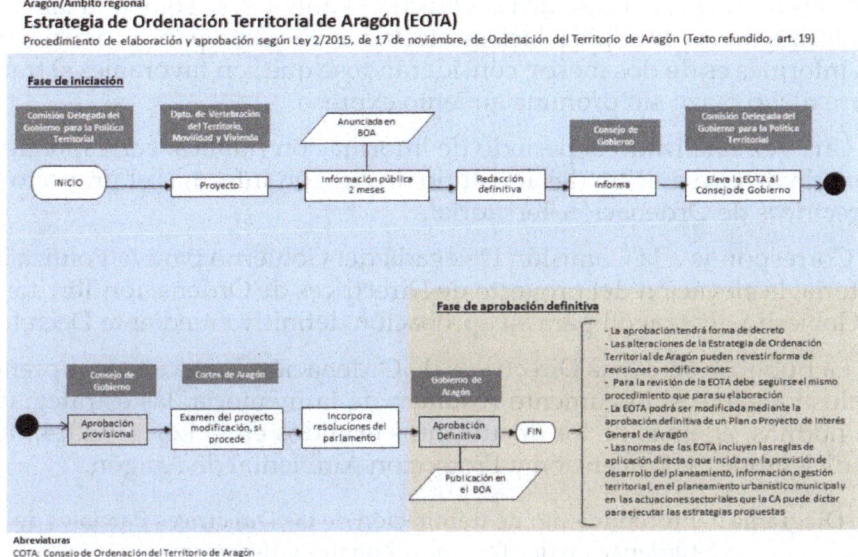

Fuente: Elaboración propia

5.2. PROCEDIMIENTO DE ELABORACIÓN Y APROBACIÓN DE LAS DIRECTRICES PARCIALES ZONALES Y LAS DIRECTRICES SECTORIALES

De acuerdo con el artículo 23 de la Ley 2/2015 de Ordenación del Territorio de Aragón (Texto refundido), la decisión de elaborar Directrices de Ordenación Territorial corresponde al Gobierno de Aragón, a propuesta de la Comisión Delegada del Gobierno para la Política Territorial, a iniciativa propia o del Departamento competente por razón de la materia. La elaboración del proyecto difiere en función de la modalidad: las Directrices zonales las elabora el Departamento competente en materia de ordenación del territorio, y las Directrices especiales las elabora el Departamento competente por razón de la actividad en cuestión. A su vez, la Comisión Delegada del Gobierno para la Política Territorial puede encargar la elaboración de cualesquiera Directrices a dos o más departamentos conjuntamente. Aunque la Ley 2/2015 no establece requisitos de participación en la fase de proyecto, la elaboración de las Directrices Parciales del Pirineo contó con la participación de las corporaciones locales (Asociación de Entidades Locales del Pirineo Aragonés –ADELPA–) y de los distintos departamentos del Gobierno de Aragón.

El proyecto de Directrices de Ordenación Territorial debe someterse a información pública durante un periodo de dos meses, mediante anuncio publicado en el "Boletín Oficial de Aragón", garantizando la participación ciudadana. En el caso de las Directrices zonales, se someterá también a informe de las entidades locales afectadas. El plazo para la emisión de los informes es de dos meses, considerándose que son favorables si transcurre dicho plazo sin pronunciamiento expreso.

Una vez finalizado el periodo de información pública, corresponde al Consejo de Ordenación del Territorio de Aragón informar el proyecto de Directrices de Ordenación Territorial.

Corresponde a la Comisión Delegada del Gobierno para la Política Territorial la elevación del proyecto de Directrices de Ordenación Territorial al Gobierno de Aragón para su aprobación definitiva mediante Decreto.

La publicación de las Directrices de Ordenación Territorial comprende exclusivamente el documento resumen de la memoria, las estrategias y las normas, además de los documentos exigidos en la Ley 11/2014, de 4 de diciembre, de Prevención y Protección Ambiental de Aragón.

Diagrama 2. Procedimiento de tramitación de las Directrices Parciales de Ordenación del Territorio Zonales y Especiales

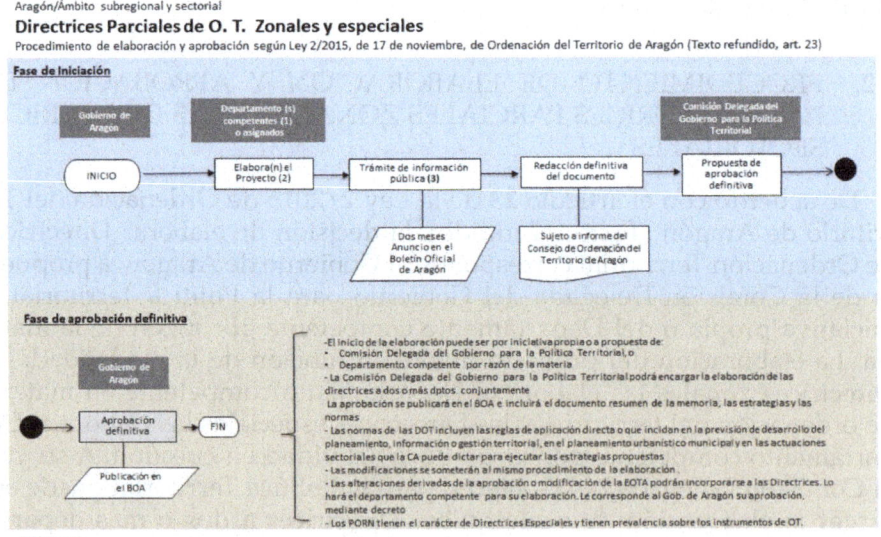

Fuente: Elaboración propia

5.3. PROCEDIMIENTO DE ELABORACIÓN Y APROBACIÓN DE LOS PROGRAMAS DE GESTIÓN TERRITORIAL

Los Programas de Gestión Territorial pertenecen a la categoría de Instrumentos Especiales de Ordenación Territorial y están regulados en el Título tercero de la Ley 2/2015.

La decisión de elaborar Programas de Gestión Territorial corresponde al Gobierno de Aragón, a propuesta de la Comisión Delegada del Gobierno para la Política Territorial, a iniciativa propia o del Departamento competente. El artículo 29 de la Ley establece las normas del procedimiento de elaboración, que se debe desarrollar como sigue:

- La elaboración del proyecto corresponde al Departamento o Departamentos competentes por razón de la materia. La Comisión Delegada del Gobierno para la Política Territorial podrá encargar la elaboración de Programas de Gestión Territorial a dos o más departamentos conjuntamente.

- Simultáneamente a la elaboración del Programa, se deben incluir en el anteproyecto de presupuestos de cada Departamento las previsiones necesarias para atender a la financiación de aquél o iniciarse la tramitación del procedimiento administrativo o legislativo que se considere necesario para garantizar su financiación.

- Una vez seguidos los procedimientos que correspondan, conforme a lo previsto en el apartado anterior, el proyecto de Programa debe someterse, durante el plazo de un mes, a información pública y a informe de las entidades locales en cuyo ámbito territorial se proyecten las actuaciones. Transcurrido el plazo para la emisión de los informes de las entidades locales sin pronunciamiento expreso, se considerará que son favorables.

- Una vez finalizado el periodo de información pública, corresponde al Consejo de Ordenación del Territorio de Aragón informar el proyecto de Programa de Gestión Territorial.

- La aprobación del Programa compete al Gobierno de Aragón mediante Decreto, a propuesta de la Comisión Delegada del Gobierno para la Política Territorial.

Cualquier alteración de los Programas de Gestión Territorial ha de justificarse en una memoria adecuada en función de su objeto, y su aprobación se sujetará a las reglas de procedimiento establecidas en el procedimiento general de elaboración.

Diagrama 3. Procedimiento de tramitación de los Instrumentos de Gestión Territorial. Programas de Gestión Territorial

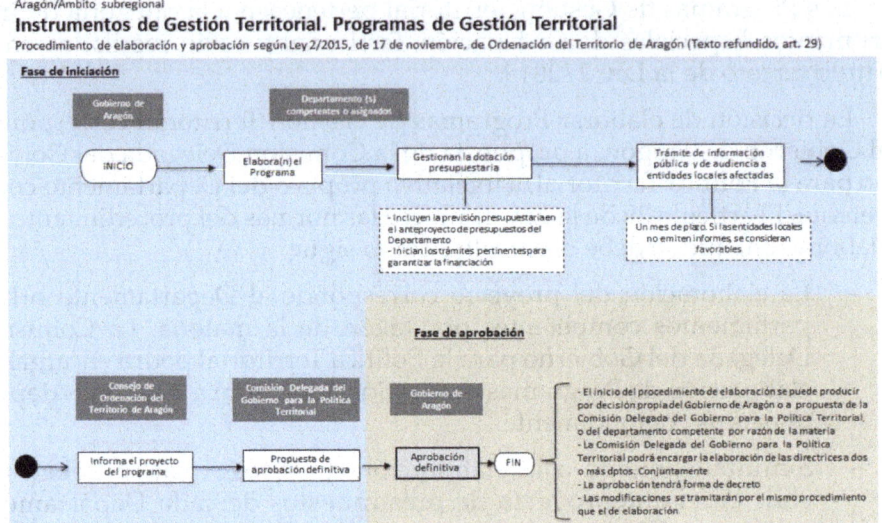

Fuente: Elaboración propia

5.4. PROCEDIMIENTO DE ELABORACIÓN Y APROBACIÓN DE LOS PLANES Y PROYECTOS DE INTERÉS GENERAL DE ARAGÓN

De todos los instrumentos de ordenación territorial regulados por el Decreto Legislativo 2/2015 (Texto refundido de la LOTA), son los Planes y Proyectos de Interés General los que cuentan con un proceso de tramitación más complejo, absolutamente detallado por la propia LOTA. El hecho de que las actuaciones que se propongan no estén avaladas o previstas por instrumentos de ordenación previos, la posibilidad de que planes y proyectos puedan ser impulsados y promovidos por la iniciativa privada, la diversidad de opciones posibles con respecto al promotor y las modalidades de consorcio, así como el hecho de que planes y proyectos puedan modificar la Estrategia de Ordenación Territorial, explican la pormenorización garantista para todas las partes y, fundamentalmente, para que el desarrollo de la actuación no se vea obstaculizado.

El procedimiento de aprobación se ajusta a los siguientes trámites:

1.- Promoción. Los planes y proyectos pueden ser promovidos:

a) Por iniciativa pública, que pueden ejercer tanto los departamentos de la Administración de la Comunidad Autónoma como los organismos públicos, empresas públicas y demás entidades integrantes del sector público de la Comunidad Autónoma.

b) Por iniciativa privada de cualquier persona natural o jurídica.

Con independencia de la forma de promoción, el Gobierno de Aragón puede reservar la condición definitiva de promotor a un consorcio de interés general de Aragón, a una sociedad urbanística o a una persona seleccionada en concurso público. Igualmente, puede vincular la promoción y ejecución de un plan o proyecto a los términos de un contrato de colaboración entre el sector público y el privado. Esta asignación se puede producir en cualquier momento de todo el proceso.

2.- Declaración de interés general. Con carácter previo a la aprobación se debe producir la declaración formal de interés general por parte del Gobierno de Aragón.

3. A continuación se da audiencia a las entidades locales afectadas por plazo máximo de un mes y se recaba el informe del Consejo Local de Aragón y de los departamentos colaboradores, que deben pronunciarse sobre el contenido de la documentación presentada.

4. Completado el proceso anterior, se somete la documentación a informe del Consejo de Ordenación del Territorio de Aragón por plazo de un mes.

5. La Comisión Delegada del Gobierno para la Política Territorial eleva la propuesta con los resultados de las consultas al Gobierno de Aragón para que realice la declaración de interés general del plan o proyecto. Los informes que incluye la propuesta no son vinculantes. La declaración es implícita cuando la actividad a la que se somete el plan o proyecto esté incluida en algún plan aprobado por el Gobierno de Aragón.

En caso de optarse por la creación de un consorcio de interés general se aplican las reglas siguientes:

a) En el consorcio tienen derecho a participar, exclusivamente, la Administración de la Comunidad Autónoma, las entidades locales afectadas, la Administración General del Estado y las entidades privadas sin ánimo de lucro que tengan finalidades de interés público concurrentes.

b) El consorcio debe constituirse en el plazo máximo de dos meses desde su designación como promotor definitivo. En caso de que los municipios afectados no constituyeran el consorcio o renunciaran a la participación, la Administración de la Comunidad Autónoma debe asumir directamente la totalidad de las competencias. Si la condición se confiere al promotor, este debe seleccionarse en concurso público.

6. La aprobación inicial corresponde al consejero del departamento competente.

A continuación, el plan o proyecto se somete a información y participación pública, por un plazo de dos meses mínimo.

7. La aprobación definitiva corresponde al Gobierno de Aragón. En el caso de que la aprobación exija la alteración de la estrategia de ordenación territorial de Aragón, debe proponerse el nuevo texto, tramitándose de forma paralela la modificación de ésta, con la salvedad de que el Gobierno puede aprobar la modificación sin necesidad de someterla a debate de las Cortes de Aragón, debiendo, en todo caso, remitirle la modificación aprobada.

Tras la aprobación definitiva, se inician los trámites para seleccionar la ubicación de la actividad (cuando no esté predeterminada en la propuesta de actuación), que deberá decidirla el consejero competente en materia de ordenación del territorio y, en caso de que se realice por concurso público, requiere informe de los ayuntamientos afectados y de los diversos departamentos del gobierno vinculados con las actuaciones.

En el caso de que la ubicación se determine en el acuerdo del Gobierno de Aragón de declaración de interés general, el ámbito correspondiente tendrá la consideración de reserva de terrenos para la constitución o ampliación de los patrimonios públicos de suelo y de área de tanteo y retracto para el destino especificado en la declaración de interés general. Transcurridos cinco años desde la determinación de la ubicación de un plan o proyecto de interés general sin que se haya aprobado definitivamente, los terrenos correspondientes dejan de estar sujetos a este régimen de tanteo y retracto.

El Gobierno de Aragón, una vez iniciado el procedimiento para la declaración de interés general de Aragón, mediante acuerdo adoptado en cualquier fase previa a la declaración de interés general, podrá declarar el ámbito previsto como reserva de terrenos para la constitución o ampliación de los patrimonios públicos de suelo y de área de tanteo y retracto, siempre que se trate de Planes o Proyectos de Interés General de iniciativa pública, la ubicación estuviera determinada y existiera acuerdo del municipio o municipios previstos para su ubicación. En este supuesto, los terrenos correspondientes dejarán de estar sujetos al régimen de reserva de terrenos si transcurrido un año no se hubiera declarado el interés general de la actuación.

Modificación de planes y proyectos. Las modificaciones pueden ser sustanciales o no sustanciales. Tras la solicitud de modificación por parte del promotor, el departamento competente debe determinar el carácter de la misma en función de:

a) El grado de alteración de los elementos que sustentaron la declaración de interés general del plan o proyecto.

b) La coherencia con los instrumentos de ordenación territorial y, en particular, con la estrategia de ordenación del territorio de Aragón.

c) La alteración del régimen urbanístico.

d) La modificación del régimen de cesiones.

Diagrama 4. Procedimiento de tramitación de los Planes y Proyectos de Interés General de Aragón

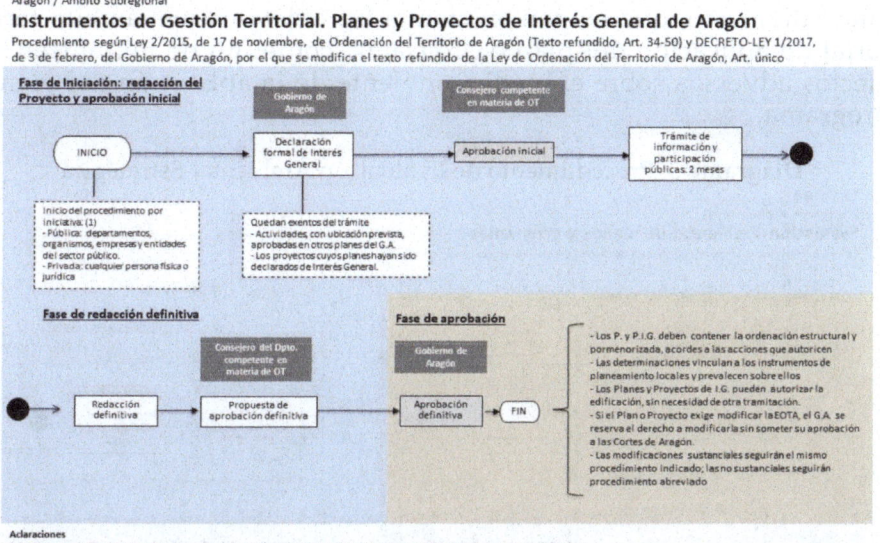

Aragón / Ámbito subregional
Instrumentos de Gestión Territorial. Planes y Proyectos de Interés General de Aragón
Procedimiento según Ley 2/2015, de 17 de noviembre, de Ordenación del Territorio de Aragón (Texto refundido, Art. 34-50) y DECRETO-LEY 1/2017, de 3 de febrero, del Gobierno de Aragón, por el que se modifica el texto refundido de la Ley de Ordenación del Territorio de Aragón, Art. único

Aclaraciones
(1) Quedan excluidos los proyectos derivados de P. y P. de I.G. que sean directamente ejecutables y suficientemente definidos
(2) El G.A. puede designar promotor en cualquier momento: Consorcio de Interés Gral., Sociedad Urbanística, Concurso Público, Contrato de Colaboración público-privada

Fuente: Elaboración propia

5.5. PROCEDIMIENTO DE LA EVALUACIÓN AMBIENTAL DE PLANES Y PROGRAMAS

La Evaluación Ambiental Estratégica de Planes y Proyectos está regulada por la Ley 11/2014, de 4 de diciembre, de Prevención y Protección Ambiental de Aragón, que sustituyó a la Ley 7/2006, de 22 de junio, de protección ambiental. Desde que se aprobó la Ley 7/2006 se produjeron importantes novedades en relación a las disposiciones de distinto ámbito (comunitario, estatal y autonómico), relacionadas con el medio ambiente, que demandaban la modificación. En particular, hay que citar la Ley 21/2013, de 9 de diciembre, reguladora de la evaluación ambiental de planes, programas y proyectos, que establece, en su disposición final undécima, un plazo de un año desde su entrada en vigor para que las Comunidades Autónomas con legislación propia en materia de evaluación ambiental adapten dicha legislación a lo dispuesto en la citada ley estatal.

La Evaluación Ambiental Estratégica es el tipo de evaluación ambiental que se aplica a planes y programas, consistente en la evaluación en base el estudio elaborado por el promotor que, siendo parte integrante del plan o programa, identifica, describe y evalúa los posibles efectos significativos sobre el medio ambiente que puedan derivarse de la aplicación del plan o programa, así como unas alternativas razonables, técnica y ambientalmente viables, incluida, entre otras, la alternativa cero, que tengan en cuenta los objetivos y el ámbito territorial de aplicación del plan o programa, con el fin de minimizar los efectos adversos sobre el medio ambiente de la aplicación del plan o programa.

Diagrama 5. Procedimiento de Evaluación Ambiental Estratégica

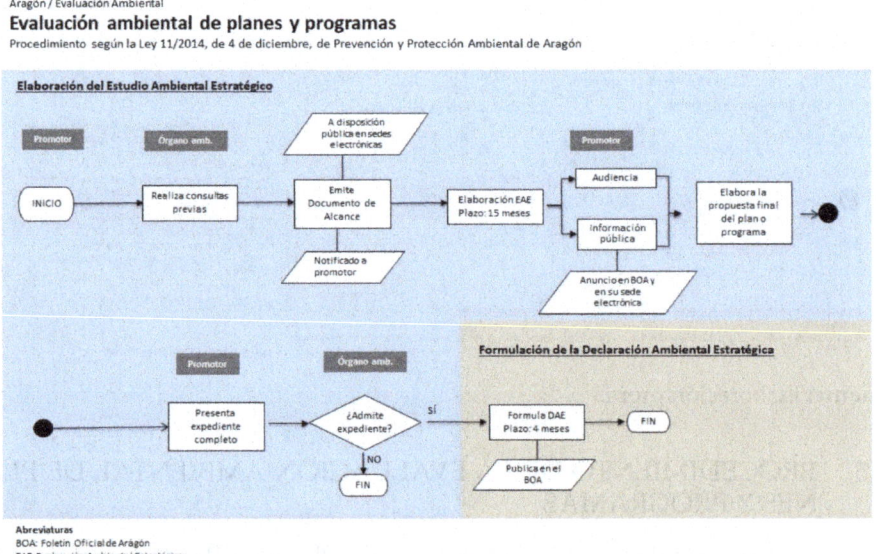

Fuente: Elaboración propia

Según la Ley 11/2014, los planes y programas y el planeamiento urbanístico deben someterse a Evaluación Ambiental Estratégica (ordinaria o simplificada), mientras que los proyectos deben someterse al trámite de Evaluación de Impacto Ambiental (ordinaria o simplificada). Según el artículo 13 de la Ley, la tramitación de la evaluación ambiental estratégica ordinaria consta de los siguientes trámites:

1. El Promotor solicita el inicio de la evaluación ambiental estratégica, para lo cual aporta el borrador del plan o programa y un documento inicial estratégico.

2. El Órgano Ambiental realiza consultas previas y determina el alcance del estudio ambiental estratégico. Somete el expediente a consultas de:

- Administraciones públicas titulares con competencias en medio ambiente.

- Consejo de Protección de la Naturaleza de Aragón.

- Dpto. competente en materia de ordenación del territorio.

- Entidades locales previsiblemente afectadas.

- Personas físicas o jurídicas, públicas y privadas, previsiblemente afectadas, previamente identificadas.

3. El Órgano Ambiental elabora y emite el Documento de Alcance (DA) y lo pone a disposición pública a través de sus sedes electrónicas. Dispone de un plazo máximo de tres meses desde la solicitud de inicio.

4. El promotor elabora el Estudio Ambiental Estratégico. Dispone de quince meses de plazo desde la recepción del Documento de Alcance. Presenta el expediente completo al Órgano ambiental y Somete la propuesta inicial del Plan o Programa y el EAE a información pública y a las consultas estipuladas en el DA. Anuncia el trámite en el BOA y expone públicamente la documentación en su sede electrónica durante 45 días.

5. Si el Órgano Ambiental admite el expediente, realiza el análisis técnico del mismo. Formula la Declaración Ambiental Estratégica (DAE) durante un plazo improrrogable de cuatro meses desde la recepción del expediente. En la DAE incluye Los resultados de la información pública y de las consultas y las determinaciones, medidas o condiciones finales que deban incorporarse en el Plan o Programa definitivamente aprobado.

6. El Promotor incorpora el contenido de la DAE en el Plan o Programa y lo somete a la aprobación del Órgano Sustantivo o lo remite a las Cortes de Aragón.

Una vez aprobado el plan o programa, el promotor o, en el caso de planes y programas de iniciativa privada, el órgano competente para su aprobación publica en el BOA la resolución, un resumen del expediente y las medidas adoptadas para el seguimiento de los efectos en el medio ambiente de la aplicación del Plan o Programa.

6. EMBOTELLAMIENTOS Y CONDICIONES QUE ALTERAN EL FUNCIONAMIENTO

Transcurridos 36 años desde la aprobación del Estatuto de Autonomía de Aragón (1982) y 26 desde que se promulgó la primera ley de ordenación del territorio (1992), la Comunidad Autónoma de Aragón cuenta con un número muy reducido de instrumentos de ordenación: dos directrices de ámbito zonal (Pirineos y comarca de Matarranya) y otras tres de ámbito sectorial. Las directrices zonales afectan a una superficie total de 8.813 km², lo que supone un 18,5% del territorio de la CA, habiéndose aprobado las últimas –las de la comarca de Matarranya– hace más de 10 años (21 de octubre de 2008). La aprobación de las directrices de Matarranya fue el segundo y último instrumento de ordenación dentro de lo que parecía una política prometedora con respecto a la creación de directrices de planificación comarcales: en 1995 se sometieron al trámite de información pública las directrices parciales de 14 comarcas[3]. Desde entonces, todos los proyectos de planificación a nivel comarcal no han progresado, manteniéndose un absoluto silencio al respecto por parte de la administración.

En lo que respecta a la actividad sectorial, hay que decir que se ejecuta directamente, mediante planes gestionados por las consejerías competentes en las distintas materias, en colaboración muchas veces con el sector privado. Planes directores, planes estratégicos, planes integrales y diferentes tipos de planes de acción son los instrumentos que el gobierno aragonés utiliza para la gestión de la actividad sectorial. Estos instrumentos no están pensados ni creados desde una perspectiva territorial, es decir, no tienen como objetivo la ordenación, gestión y repercusiones

---

3.   Directriz Parcial de Ordenación Territorial del Pirineo, Directriz Parcial de Ordenación Territorial de la Comarca de la Jacetania, Directriz Parcial de Ordenación Territorial de la Comarca de Serrablo, Directriz Parcial de Ordenación Territorial de la Comarca de Sobrarbe, Directriz Parcial de Ordenación Territorial de Ribagorza, Directriz Parcial de Ordenación Territorial de las Cinco Villas, Directriz Parcial de Ordenación Territorial de Hoya de Huesca, Directriz Parcial de Ordenación Territorial de La Litera, Directriz Parcial de Ordenación Territorial del entorno metropolitano de Zaragoza, Directriz Parcial de Ordenación Territorial de Calatayud, Directriz Parcial de Ordenación Territorial de Calamocha, Directriz Parcial de Ordenación Territorial de las Cuencas Mineras y Andorra, Directriz Parcial de Ordenación Territorial del Bajo Aragón y Directriz Parcial de Ordenación Territorial de Teruel.

territoriales de la actividad sectorial y, por tanto, no contienen directrices al respecto. Este tipo de planes se centran exclusivamente en cuestiones como la viabilidad de las actividades, su impacto en la economía, la capacidad de innovación del sector o la transferibilidad de la tecnología implicada. En definitiva, en la práctica ausencia de directrices territoriales y zonales, la ordenación territorial en Aragón se está produciendo mediante la planificación urbanística y los programas sectoriales.

A la vista de este estado de cosas, parece difícil hablar en términos de embotellamientos o de dificultades en la puesta en marcha de los instrumentos de ordenación del territorio. Más bien cabe concluir que, de momento, la autonomía aragonesa ha dejado de lado la política de planificación territorial y se ha centrado en la política económica. El silencio del gobierno regional en relación al tema hace muy difícil llegar a ninguna conclusión sobre las razones que explican por qué la clase política aragonesa no muestra el más mínimo interés por dotarse de instrumentos de ordenación que su propia ley marco prevé, regula y promete. La única hipótesis plausible es la falta de interés por abordar los instrumentos que crearían una visión global del territorio, establecerían directrices para potenciar un desarrollo equilibrado y la cohesión territorial pero, quizás, podrían revelar las debilidades de un desarrollo territorial en manos de la iniciativa privada.

En un intento por comprender las intenciones del gobierno aragonés en la materia y el futuro inmediato de esta política, quien firma estas líneas preguntó en marzo de 2019 a Joaquín Palacín Eltoro –Director General de Ordenación del Territorio– sobre las intenciones del gobierno con respecto a la transferencia de las competencias de planificación territorial a las comarcas[4], tal y como contemplaba Ley de Comarcalización de Aragón. El sr. Palacín contestó que no había ninguna previsión al respecto.

7. SITUACIÓN RESULTANTE

En la actualidad, Aragón no solo cuenta con escasos instrumentos de ordenación territorial, sino que, además, los existentes se caracterizan (si exceptuamos las Directrices Parciales de la Comarca de Matarraña/Matarranya) por su carácter directivo u orientativo y por la ausencia de concreción territorial. Este hecho resulta chocante por diversas razones. En primer lugar, porque esta CA ha desplegado una actividad importante en

---

4.   La pregunta se realizó el 13 de marzo de 2019, durante la celebración del IX Congreso Internacional de Ordenación del Territorio, celebrado en Santander del 13 al 15 de marzo. El señor Palacín intervino en la mesa redonda sobre Políticas territoriales, de medio ambiente y de paisaje en la escala regional.

materia de legislación básica sobre ordenación del territorio: la Ley de Ordenación del Territorio ha sido promulgada en seis ocasiones. En segundo lugar, porque en Aragón se llevó a cabo un proceso de comarcalización[5] que contó con un gran consenso político (Infante, 2010) y que dio cuenta de la importancia que se le concedía a la vertebración territorial. Hay que mencionar por último el largo listado de intentos realizados para aprobar distintos instrumentos de ordenación que no han llegado a término o los que han sido derogados tras su aprobación.

Durante los últimos años, especialmente desde que se promulgó la EOTA, la ordenación del territorio se ha convertido más en una política de impulso al desarrollo, de carácter sectorial. Se diría que la administración regional ha renunciado a disponer de un modelo territorial, del "armazón de cohesión" del que habla Zoido Naranjo (2006), de un conjunto de reglas claras que regulen la planificación. Los problemas más graves de la región se abordan desde la planificación sectorial, mediante las denominadas directrices especiales. De hecho, desde que en 2014 se promulgara la EOTA solo se han aprobado la Directriz Especial de Política Demográfica y contra la Despoblación y la Directriz del Camino de Santiago; no se tienen noticias de que se haya puesto en marcha ninguna otra. Queda por ver si el gobierno regional cumple la promesa de legislatura y decide abordar las directrices subregionales y dotar de concreción territorial a los objetivos que estableció la Estrategia. Los objetivos de desarrollo socioeconómico y territorial, el atender al aprovechamiento de las oportunidades Mediante Planes y Proyectos de Interés General o la necesidad de una planificación estratégica no significa que se deba renunciar a toda norma que regule la planificación y a un régimen común de actuación para el conjunto del territorio regional y de las diferentes zonas que lo estructuran.

Otro de los aspectos menos satisfactorios de la política territorial de Aragón es la gobernanza territorial, a todos los niveles. Falta coordinación entre los diferentes niveles de la administración (incluidas las comarcas) y entre departamentos gubernamentales y faltan órganos y mecanismos de participación para el caso concreto de la ordenación del territorio. Falta también información sobre la implementación de procedimientos y sobre la gestión en materia de ordenación. No es suficiente contar con un portal de transparencia; es imprescindible que "los órganos e instituciones públicas hagan visible a los ciudadanos la

---

5. Ley 10/1993, de 4 de noviembre, de Comarcalización de Aragón; Ley 8/1996, de 2 de diciembre, de Delimitación Comarcal de Aragón; Ley 23/2001, de 23 de diciembre, de Medidas de Comarcalización, completada en 2005 y 2006.

información sobre su gestión con rigor, veracidad y objetividad"[6] en las propias sedes electrónicas de órganos e instituciones, cosa que no ocurre en el caso del Departamento de Vertebración del Territorio, Movilidad y Vivienda, donde si algo falta es una comunicación efectiva sobre su gestión.

8. REFERENCIAS BIBLIOGRÁFICAS Y NORMATIVA

BIBLIOGRAFÍA

BENABENT F. DE CÓRDOBA, M. (2009). Los planes de ordenación del territorio en España. De la instrumentación a la gestión. En V Congreso Internacional de Ordenación del Territorio (pp. 143-158). FUNDICOT.

GÓMEZ OREA, D. (2008). *Ordenación territorial*. Madrid: Paraninfo.

MARTÍNEZ GARCÍA, S. (2010). La ordenación territorial. En C. Barroso Ara (Ed.), *Estatuto de Autonomía de Aragón de 2007: Políticas Públicas ante el nuevo marco estatutario* (pp. 583-619). Aragón: Vicepresidencia, Gobierno de Aragón.

OLIVAN DE CACHO, J. (1993). La Ley de medidas de ordenación integral del Somontano del Moncayo. *Reala*, 257, 129-140.

ZOIDO NARANJO, F. (1998). Geografía y Ordenación del Territorio. *Íber, Didáctica de las ciencias sociales. Geografía e Historia*, 16, 19-31.

ZOIDO NARANJO, F. (2006). Modelos de ordenación territorial. En V. Cabero Diéguez y L. E. Espinoza Guerra (Eds), *Sociedad y medio ambiente: ponencias presentadas en las segundas jornadas 'Sociedad y medio ambiente'* (pp. 251-286). Salamanca: Universidad de Salamanca.

NORMATIVA

Decreto 15/1993 del Gobierno de Aragón.

Decreto Legislativo 2/2015, de 17 de noviembre, por el que se aprueba el texto refundido de la Ley de Ordenación del Territorio de Aragón.

Decreto 14-2016, de 26 de enero, del Gobierno de Aragón.

Decreto 85/1990, de 5 de junio, de la Diputación General de Aragón, de medidas urgentes de protección urbanística en Aragón.

---

6.   https://transparencia.aragon.es/.

Decreto 15/1993, de 9 de marzo, de la Diputación General de Aragón, por el que se aprueba el Programa de ordenación integral del Somontano del Moncayo.

Decreto Legislativo 2/2015, de 17 de noviembre, del Gobierno de Aragón, por el que se aprueba el texto refundido de la Ley de Ordenación del Territorio de Aragón.

Decreto 202/2014, de 2 de diciembre, del Gobierno de Aragón, por el que se aprueba la Estrategia de Ordenación Territorial de Aragón.

Decreto 291/2005, de 13 de diciembre, de aprobación de las Directrices Parciales de Ordenación Territorial del Pirineo Aragonés.

Decreto 205/2008, de 21 de octubre, de aprobación de las Directrices Parciales de Ordenación Territorial de la Comarca del Matarraña/Matarranya.

Decreto-ley 1/2017, de modificación de la LOTA de 2015.

Decreto 101/1999, de 3 de septiembre y modificada por el Decreto 51/2002, de 19 de febrero.

Decreto 81/2015, de 5 de mayo, del Gobierno de Aragón, por el que se aprobó el Reglamento del Instituto Geográfico de Aragón y del Sistema Cartográfico de Aragón.

DECRETO 165/2017, de 31 de octubre, del Gobierno de Aragón, por el que se aprueba la Directriz Especial de Ordenación Territorial de Política Demográfica y contra la Despoblación.

Ley 25/1982 de Agricultura de Montaña.

Ley 11/1992, de 24 de noviembre de Ordenación del Territorio de Aragón.

Ley 11/1992, de 24 de noviembre de Ordenación del Territorio de Aragón (LOTA).

Ley 1/1992, de 17 de febrero, de medidas para la ordenación integral del Somontano del Moncayo.

Ley 1/1992, de 17 de febrero, y se fija la participación de la Comunidad Autónoma en el mismo.

Ley 4/2009, de 22 de junio, de Ordenación del Territorio de Aragón (LOTA).

Ley 7/1998, de 16 de julio, por la que se aprueban las Directrices Generales de Ordenación Territorial para Aragón.

Ley 11/2014, de 4 de diciembre, de Prevención y Protección Ambiental de Aragón.

Ley 11/2014, de 4 de diciembre, de Prevención y Protección Ambiental de Aragón.

Ley 7/2006, de 22 de junio, de protección ambiental.

Ley 21/2013, de 9 de diciembre, reguladora de la evaluación ambiental de planes, programas y proyectos.

Ley 10/1993, de 4 de noviembre, de Comarcalización de Aragón; Ley 8/1996, de 2 de diciembre, de Delimitación Comarcal de Aragón; Ley 23/2001, de 23 de diciembre, de Medidas de Comarcalización.

ANEXO I. LISTADO DE OTROS PLANES CON INCIDENCIA EN LA ORDENACIÓN DEL TERRITORIO IDENTIFICADOS

Planes	Información
Programa de Desarrollo Rural Sostenible (2010-2014)	Real Decreto 752/2010, de 4 de junio, por el que se aprueba el primer programa de desarrollo rural sostenible para el período 2010-2014 en aplicación de la Ley 45/2007, de 13 de diciembre, para el desarrollo sostenible del medio rural
Plan Aragonés de Estrategia Turística 2016-2020	Decreto Legislativo 1/2013, de 2 de abril, del Gobierno de Aragón
Tercer Plan Director del Hidrógeno para Aragón	-
Plan Energético de Aragón (PLEAR 2013-2020)	-
Plan Estratégico del Bajo Ebro Aragonés (PEBEA)	Acuerdo del Gobierno de Aragón de fecha 30 de julio de 1997
Plan de Gestión Integral de Residuos de Aragón (GIRA)	Orden DRS/1364/2018, de 27 de julio, por la que se da publicidad al Acuerdo del Gobierno de Aragón de fecha 24 de julio de 2018, por el que se aprueba el Plan de Gestión Integral de Residuos de Aragón (2018-2022)
Estrategia de Promoción Económica e Industrial de Aragón 2017-2019	-

Planes	Información
Plan General para el Equipamiento Comercial de Aragón	DECRETO 160/2014, de 6 de octubre, del Gobierno de Aragón, por el que se aprueba la segunda revisión del Plan General para el Equipamiento Comercial de Aragón
Plan de la minería del carbón y desarrollo alternativo de las comarcas mineras	-
Plan Estratégico de Suelo y Vivienda de Aragón 2017-2021	-
Planificación y Gestión de Espacios Naturales Protegidos	https://www.aragon.es/-/planificacion-y-gestion-de-los-espacios-naturales-protegidos

Capítulo 5

La planificación territorial en el Principado de Asturias[1]

Esther Rando Burgos

Profesora de Derecho Administrativo.
Universidad de Málaga

Enrique Peiró Sánchez-Manjavacas

Ambientólogo, Doctorando del IIDL. Investigador responsable e investigador del
GDLS-Grupo de Investigación consolidado. IIDL-Universitat de València

---

1. Los autores quieren agradecer los comentarios de Aladino Fernández García (Catedrático de Análisis Geográfico Regional de la Universidad de Oviedo) y de Felipe Fernández García (Catedrático de Análisis Geográfico Regional, Departamento de Geografía, Universidad de Oviedo. Director del Observatorio del Territorio).

5.2. *Procedimiento de elaboración y aprobación de los Programas de Actuación Territorial.* 5.3. *Procedimiento de elaboración y aprobación de los Planes Territoriales Especiales.* 5.4. *Procedimiento de elaboración y aprobación de los Planes Especiales y el PORNA.* 5.5. *Procedimiento de la evaluación ambiental de planes y programas.* 6. EMBOTELLA-MIENTOS Y CONDICIONES QUE ALTERAN EL FUNCIONAMIENTO DE LA ORDENACIÓN DEL TERRITORIO EN ASTURIAS. 7. SITUACIÓN RESULTANTE. 8. REFERENCIAS BIBLIOGRÁFICAS Y NORMATIVA.

1. ANTECEDENTES

El presente epígrafe recoge, de manera breve, la evolución de la Ordenación del Territorio y la política territorial en el Principado de Asturias. Se está ante una Comunidad Autónoma en la que los desequilibrios internos, la progresiva adquisición de competencias, de acuerdo con el artículo 148 de la Constitución Española (lo que reclama de una efectiva coordinación administrativa) y su configuración administrativa, han condicionado la evolución y desarrollo de la política de Ordenación del Territorio[2].

La organización administrativa del territorio asturiano ha permanecido constante desde largo tiempo atrás. Se trata de una Comunidad Autónoma uniprovincial, integrada por un modesto número de términos municipales (concejos) y donde no han tenido lugar intentos de comarcalización natural o histórica. Se trata de un contexto contrario al desarrollo de instrumentos de planificación territorial de carácter supramunicipal, dando lugar a un desajuste entre la tradicional configuración administrativa y las dinámicas territoriales actuales que cada vez responden menos a dichas divisiones administrativas. Lo contrario sucede con el planeamiento local vinculado al urbanismo, muy extendido ya en la década de los años ochenta cuando la amplia mayoría de entidades locales contaban con un planeamiento urbanístico aprobado. Si bien es cierto que muchos de estos instrumentos no se encuentran en su estadio definitivo y reclaman su actualización, o su sustitución por otras figuras de planeamiento más completas tales como los Planes Generales, resultan, a priori, un punto de partida ventajoso de cara al desarrollo del planeamiento supramunicipal. Y es que Asturias, al contrario de lo sucedido en otras Comunidades Autónomas, no precisó centrar muchos esfuerzos técnicos o económicos de las Administraciones públicas en suplir las carencias del planeamiento

---

2. De particular interés los estudios previos realizados que se toman como referentes, entre otros, por Arrojo Martínez, F. (1989), Benito del Pozo, P. (1999), Maurín Álvarez, M. (2013) y Rando Burgos, E. (2019).

urbanístico, pudiendo centrar la atención en la Ordenación del Territorio. Ello le ha convertido en una de las Comunidades Autónomas pioneras en desarrollar una figura de planificación de ámbito regional, así como una planificación territorial centrado en su ámbito litoral. Con todo, o tal vez por ello, los instrumentos de ordenación del territorio (OT) de carácter subregional han tenido un menor desarrollo efectivo.

Es cierto que se han producido algunos intentos, fallidos, de desarrollar una comarcalización desde la década de los ochenta; lo que ha constituido el único ejemplo de iniciativa en pro de la supramunicipalidad en el territorio asturiano. Tampoco las mancomunidades pueden suplir de manera efectiva los instrumentos de Ordenación del Territorio de ámbito subregional. La falta de una división territorial va a dificultar el desarrollo adecuado de la OT (áreas de ordenación), pues la realidad asturiana es muy compleja, como se describirá más adelante, y el desarrollo de instrumentos de planificación se ve dificultado a la hora de establecer ámbitos de actuación pertinentes.

Si bien la escala subregional es, en cierta medida, la gran olvidada de la política territorial asturiana, a pesar de algunos intentos recientes, a escala regional son varios los instrumentos con incidencia territorial que se han desarrollado, siguiendo una lectura de la planificación territorial marcadamente sectorial. Son las Directrices de Ordenación del Territorio (DOT), el instrumento regional encargado de establecer el modelo de referencia para el desarrollo de la política territorial. Aprobado por unanimidad, circunstancia que no siempre se da, no escapa de algunas críticas, particularmente las que se refieren a su incapacidad a la hora de establecer un renovado planteamiento de la configuración administrativa del territorio asturiano que estaría más próximo a las dinámicas territoriales (áreas funcionales) que a las divisiones político-administrativas.

En el ámbito del Principado de Asturias se reconocen dos grandes espacios diferenciados. En primer lugar, destaca la zona central, caracterizada por la presencia de los principales núcleos urbanos que concentran la mayor parte de la población (Gijón, Oviedo, Avilés, Mieres y Langreo). Área donde las actividades socioeconómicas han ido evolucionando hacia el sector terciario, en detrimento de las industriales, configurándose así un área que puede entenderse como policéntrica y homogénea, de carácter metropolitano, el mayor de la región. Es el espacio que ha protagonizado la mayor transformación territorial de la región, donde el medio rural se ha visto reducido notablemente objeto de especulación para su transformación urbanística. Es el espacio más dinámico en el que se han concentrado la mayor parte de las inversiones que han tenido lugar en la región. La consideración del área central asturiana como espacio metropolitano regional es objeto de críticas y debates. Se cuestiona su naturaleza como tal (vid. Carrero de Roa, 2016), al advertir los efectos negativos sobre un adecuado planeamiento del desarrollo territorial debido a la falta de coordinación supramunicipal.

El segundo de los ámbitos territoriales identificados en el instrumento regional corresponde a las zonas periféricas que envuelven la zona central. Una distinción demasiado simplificada ya que la realidad territorial presenta más matices. El sector costero y las sierras y valles interiores del oriente y del occidente ("alas" del área central), así como las tres zonas de montaña (oriental, central y occidental), presentan condiciones y características territoriales propias. En ocasiones contrapuestas: aglomeración demográfica versus despoblamiento; diferentes dotaciones de infraestructuras y servicios; diferencias en la accesibilidad; características socioeconómicas; incidencia de las figuras de protección, etc.

Más allá de estas Directrices de Ordenación del Territorio, vigentes pero consideradas una figura ya obsoleta, incapaz de dar respuestas a los retos territoriales a los que la región debe hacer frente, la política territorial en Asturias presenta un marcado enfoque sectorial. Se han desarrollado instrumentos vinculados a las políticas forestal, hidráulica, rural... que abordan retos del territorio concretos, pero de una manera descoordinada entre ellos; además, con la capacidad de desarrollar sus contenidos sin necesidad de ceñirse a lo establecido en el instrumento regional.

Y es que Asturias presenta un modelo de organización reticular, donde no existe jerarquía entre los diferentes instrumentos de planificación territorial o con impacto territorial. Dentro de estos instrumentos sectoriales, destaca el Plan de Ordenación de los Recursos Naturales del Principado de Asturias (PORNA). Una figura vinculada a la política ambiental que, en el caso asturiano, y acorde a lo establecido en su normativa de Ordenación del Territorio, adquiere el rango de instrumento de planificación territorial. El PORNA representa un instrumento destinado a la realización de una valoración y diagnóstico de la situación ambiental del territorio asturiano como base para la configuración de una red de espacios naturales protegidos representativa de la región, así como para el establecimiento de las diferentes medidas de gestión que deben desarrollarse en cada zona. Cabe destacar el hecho de que no se circunscribe exclusivamente a los espacios naturales protegidos, sino que abarca al total del territorio autonómico. Aunque la consideración de un PORN como un instrumento propio de la Ordenación del Territorio tiene sentido, ya que los PORN por su finalidad y características están estrechamente vinculados a los Planes de Ordenación del Territorio[3], el PORNA es un instrumento de carácter

---

3. Véase Rando (2018) y Vaquer (2018) para una aproximación a las relaciones entre ordenación del territorio y planes de ordenación de los recursos naturales.

sectorial, alejado de la finalidad y función de un instrumento de carácter subregional o regional de carácter integral. Y es que el punto de partida del PORNA es el contenido de las DOT en cuestión medioambiental, el cual adopta de manera íntegra, y al que complementa en materia de gestión. Si bien es cierto que este planteamiento es interesante, particularmente desde el punto de vista de la gestión, no representa un ejemplo de integración entre planificación territorial y planificación ambiental, sino más bien un claro ejemplo de la prevalencia del enfoque sectorial que ha marcado tradicionalmente la Ordenación del Territorio a nivel estatal.

2. NORMATIVA BASE

La información básica sobre la normativa y los instrumentos de OT se resume en la siguiente[4] tabla:

Tabla 1. Marco regulador e instrumental de la Ordenación del Territorio en Asturias

Comunidad Autónoma	Asturias
Antecedentes normativos	Ley 1/1987, de 30 de marzo, de Coordinación y Ordenación Territorial
Legislación de OT actual	- Decreto Legislativo 1/2004, de 22 de abril, por el que se aprueba el Texto Refundido de las disposiciones legales vigentes en materia de Ordenación del Territorio y Urbanismo. - Decreto 278/2007, de 4 de diciembre, por el que se aprueba el Reglamento de Ordenación del Territorio y Urbanismo del Principado de Asturias
Departamento OT actual	Consejería de Infraestructuras, Medio Ambiente y Cambio Climático
Plan OT regional	Directrices Regionales de Ordenación del Territorio (DROT)
Entrada en vigor (año)	15 de marzo de 1991 Fecha de aprobación (24 de enero de 1991)
Normativa de aprobación	Decreto 11/1991, de 24 de enero, por el que se aprueban las Directrices Regionales de Ordenación del Territorio de Asturias
Organismo impulsor	Consejo de Gobierno del Principado de Asturias

---

4. La normativa e instrumentos de planificación territorial en el Principado de Asturias, ya ha sido objeto de análisis en nuestro trabajo, Rando Burgos, E. (2019).

Comunidad Autónoma	Asturias
Período de tramitación	-Acuerdo de 26 de noviembre de 1987, del Consejo de Gobierno del Principado de Asturias sobre iniciación del procedimiento para la elaboración de unas DROT. - Aprobación provisional por el Pleno de la Comisión de Urbanismo y Ordenación del Territorio del Principado de Asturias, en sesión celebrada el 7 de junio de 1990.
Otros planes OT	Directrices de Ordenación de Ordenación Territorial Programas de Actuación Territorial Planes Territoriales Especiales Plan de Ordenación de Recursos Naturales de Asturias (PORNA)
Otros planes con incidencia en OT (Véase Anexo I)	Planes Territoriales Especiales

Fuente: Elaboración propia

3. ESQUEMA DE INSTRUMENTOS

La batería de instrumentos destinados a la Ordenación del Territorio en el ámbito asturiano se recoge en el artículo 25, enmarcado dentro el Título III "Instrumentos de Ordenación del Territorio y Urbanística" del Decreto Legislativo 1/2004, de 22 de abril, por el que se aprueba el Texto Refundido de las disposiciones legales vigentes en materia de Ordenación del Territorio y Urbanismo (TROTUA). Destaca la normativa asturiana por la inclusión en el citado precepto de diferentes categorías de instrumentos, englobados de la siguiente forma:

- Instrumentos territoriales de ámbito supramunicipal: Directrices de Ordenación de Ordenación Territorial, Programas de Actuación Territorial y Planes Territoriales Especiales.

- Instrumentos de evaluación: Evaluaciones de Impacto.

- Instrumentos vinculados a los recursos naturales: Planes de Ordenación de los Recursos Naturales de Asturias.

Únicamente los contemplados en la primera categoría forman parte de la batería de instrumentos de ámbito regional, subregional y sectorial que la OT aborda tradicionalmente en España. Junto a estos instrumentos, la normativa asturiana presenta como particularidad la inclusión de dos instrumentos que, aunque vinculados, no son instrumentos de OT en sentido propio. En primer lugar, se recogen las Evaluaciones de Impacto, una figura que está destinada a valorar las afecciones derivadas de una determinada intervención territorial. La generación de impactos territoriales se encuentra muy presente en el apartado introductorio de la normativa, en el cual se hace referencia continua a los impactos derivados de las políticas sectoriales. No cabe duda de que la OT representa el marco de referencia que debe guiar el desarrollo de las intervenciones territoriales, con su correspondiente impacto y efectos asociados, debidamente previstos gracias a los instrumentos de planificación cuya eficacia se pretenden evaluar. Sin embargo, las evaluaciones no son instrumentos de planificación como tales, sino parte de un proceso de seguimiento y evaluación que permite ajustar sus resultados según se va avanzando en su aplicación. En segundo lugar, se incluye expresamente como categoría de instrumento de ordenación territorial el Plan de Ordenación de los Recursos Naturales de Asturias (PORNA). Algunos matices son precisos respecto a esta opción del legislador asturiano. Se está ante la "inclusión de los planes de contenido medioambiental como instrumentos de planificación territorial en sentido propio", lo que sin duda constituye un aspecto singular, cuestión acogida únicamente por Asturias y Castilla y León (Rando, 2018). Pero a la vez, el propio precepto dedica el aptdo. 2 del citado artículo 25 a precisar que el PORNA se regulará por lo establecido en la normativa específica sobre conservación de los espacios naturales, coherente con el marco constitucional de distribución de competencias y la atribución al Estado de la legislación básica sobre protección del medio ambiente y las facultades a las Comunidades Autónomas de establecer normas adicionales de protección, como se pormenorizará al analizar este instrumento.

La vinculación de los PORN con la política territorial es evidente, en tanto representan instrumentos que por sus características, funciones y ámbitos de actuación podrían actuar como instrumentos subregionales integrales de OT (algo que de hecho sucede en el caso de Navarra, donde su OT subregional –sus cinco planes- respeta y se adapta a los dos ámbitos territoriales que contaban previamente con un PORN –el de Bárdenas Reales y el de Urbasa y Andía–, ordenando el territorio navarro restante).

Figura 1. Esquema de Instrumentos de Planificación Territorial en Asturias

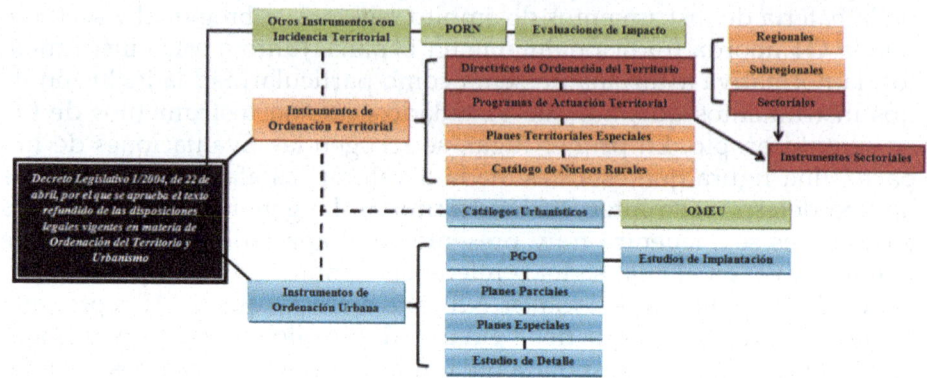

Fuente: Peiró (2017)

Particular mención merece, pese a no enumerarse en el artículo 25 del TROTUA como instrumento de ordenación territorial entre las tipologías de instrumentos de Ordenación del Territorio, en el capítulo I del propio título III del TROTUA, se incluye junto a las Directrices de Ordenación Territorial (sección 1.ª); los Programas de Actuación Territorial (sección 2.ª); y, los Planes Territoriales Especiales (sección 3.ª), un cuarto instrumento: los Catálogos de Núcleos Rurales del Principado de Asturias (sección 4.ª). Sin embargo, el Decreto 278/2007, de 4 de diciembre, por el que se aprueba el Reglamento de Ordenación del Territorio y Urbanismo del Principado de Asturias (ROTUA) sí incluye expresamente este instrumento al enumerar en el artículo 60, dedicado a los instrumentos de Ordenación del Territorio y planificación territorial, en su aptdo. 2, los instrumentos de planeamiento territorial con carácter normativo (Directrices de Ordenación Territorial, Planes Territoriales Especiales de carácter supramunicipal, Catálogos de Núcleos Rurales del Principado de Asturias y Plan de Ordenación de los Recursos Naturales de Asturias).

3.1. LAS DIRECTRICES DE ORDENACIÓN DEL TERRITORIO. PLANIFICACIÓN REGIONAL, SUBREGIONAL Y SECTORIAL EN UN MISMO INSTRUMENTO

La regulación de las Directrices de Ordenación del Territorio (DOT) se contiene en los arts. 28 a 33 del TROTUA. Concretamente, como se indicaba, dentro del título III "Instrumentos de Ordenación del

Territorio y Urbanística", capítulo I "Tipología de los instrumentos de ordenación del territorio", Sección I "Directrices de Ordenación Territorial". El objetivo general de las DOT se fija en el art 28 del TROTUA al señalar que "son el instrumento expresivo de los fines y objetivos de la política territorial del Principado de Asturias, constituyendo el principal elemento de planificación y coordinación territorial y la base para el desarrollo de las actuaciones con incidencia territorial que hayan de producirse en la Comunidad Autónoma". Se trata del instrumento jerárquicamente superior de OT (subordinado en cualquier caso, como se ha señalado con anterioridad, a los PORN) y destinado a la coordinación de las políticas que incidan en el territorio. Sin embargo, en el mismo documento de presentación de las DOT regionales se alude a que en su desarrollo se ha pretendido un enfoque estratégico, alejándose de jerarquías formales al estilo del planeamiento urbanístico, tratando de desarrollar un instrumento indicativo que sirva para la coordinación.

Un instrumento de carácter integral en su planteamiento, en tanto que debe recoger lo establecido en una normativa ambiental (y su instrumento de planificación predilecto, el PORN), así como establecer un marco de referencia para el desarrollo de planes y programas de carácter socioeconómico. En el propio artículo 24.4 del Estatuto de Autonomía del Principado de Asturias se indica que las previsiones de índole socioeconómica que la Comunidad Autónoma debe suministrar a la Administración General del Estado encontrarán en las DOT un marco a partir del que poder fijarlas.

Se trata de un instrumento que, tras su aprobación, condiciona al resto de los instrumentos de ordenación, tanto territorial como urbanística, ajustando así el conjunto de la planificación a su marco de referencia. No obstante, tal y como indica Benabent (2006), el caso asturiano se caracteriza por una relación entre instrumentos de OT de carácter jerárquico reticular. Esto implica que, aunque las DOT representen el marco de referencia para el resto de los instrumentos (tal y como reconoce la normativa), no se trate de un instrumento a desarrollar de forma vinculante, sino que actúa como una guía para el desarrollo del resto de figuras de planificación, las cuales pueden sobre imponerse a aquél en sus determinaciones. En el epígrafe siguiente se refieren los Programas Coordinados de Actuación, y se ejemplifica esta cuestión, ya que las DOT establecen un marco de referencia, pero no pretenden el desarrollo de determinadas intervenciones (centrándose más en la forma que en el contenido de la acción).

Las DOT resultan un instrumento complejo, por las diferentes tipologías de directrices que presenta (recogidas en el artículo 30 del TROTUA). En el mismo se diferencia entre:

- **DOT regionales**: abarcan al conjunto del territorio asturiano, representando el instrumento de referencia destinado a establecer el modelo territorial de la región.

- **DOT subregionales**: con un carácter general (integral) abordan un ámbito supramunicipal inferior al regional. A fecha de hoy no se han llevado a cabo, siendo el ámbito subregional, con un enfoque integral, el gran ausente en la política territorial asturiana.

- **DOT sectoriales**: planifican actividades sectoriales (incidiendo el texto legal en su afección sobre el territorio), a escalas que comprenden desde la regional a cualquier ámbito que se ajuste a la cuestión a tratar.

Aunque la normativa hace esta primera diferenciación tripartita, las DOT regionales y las subregionales se abordan de manera conjunta a la hora de establecer sus determinaciones (artículo 31 del TROTUA). Las DOT subregionales no tienen necesidad de desarrollar las regionales, duplicando su contenido, centrado esta vez en un ámbito territorial de menor escala. La única ventaja que representan, a priori, es la profundización en el diagnóstico de las DOT a una escala de mayor detalle, un trabajo analítico sin mayores consecuencias. Tampoco representa un marco para la planificación sectorial, que puede centrar su atención en la escala regional o incluso actuar de manera independiente.

Además, el artículo 49 de la citada normativa, precepto que cierra la sección destinada a la descripción del procedimiento de formulación y tramitación de las DOT (detallado más adelante en el presente documento), establece que lo dispuesto en los artículos precedentes se entenderá sin menoscabo de la potestad legislativa estatutariamente reservada a la Junta General del Principado de Asturias y a salvo la garantía institucional reconocida por la Constitución a las entidades locales. Algo que ha acabado por limitar las posibilidades de unos instrumentos de ordenación (Directrices) subregionales o supramunicipales.

En este sentido, la gran asignatura pendiente del territorio asturiano es la planificación subregional. El único intento de desarrollo de una figura de ámbito subregional, las Directrices Subregionales de Ordenación del Área Central de Asturias, iniciadas en 2016, quedaron en un documento de avance sometido a información pública, que hasta el momento no ha logrado culminar su tramitación y aprobación. Precisamente, el área central de Asturias ya fue objeto de un anterior intento de planificación territorial en el año 2006 cuando, con ocasión de la revisión de las DOT, se optó por incluir en las mismas un conjunto de directrices específicas para este ámbito tan relevante del territorio asturiano. Sin embargo, de análoga manera a lo acaecido en 2016, aquel intento se redujo a la publicación del avance de lo que se vino a denominar "Revisión de las Directrices Regionales de Ordenación del Territorio con Directrices específicas para el Área Central". Como único instrumento de planificación subregional cuenta, desde el año 2005, con el Plan de Ordenación del Litoral de Asturias (el primero a nivel español). Una figura que se enmarca en los Planes Territoriales Especiales (recogidos en el artículo 53 de la normativa en materia de OT); unos instrumentos encargados de detallar el ordenamiento territorial en un determinado ámbito supramunicipal.

Figura 2. Planificación subregional en el Principado de Asturias

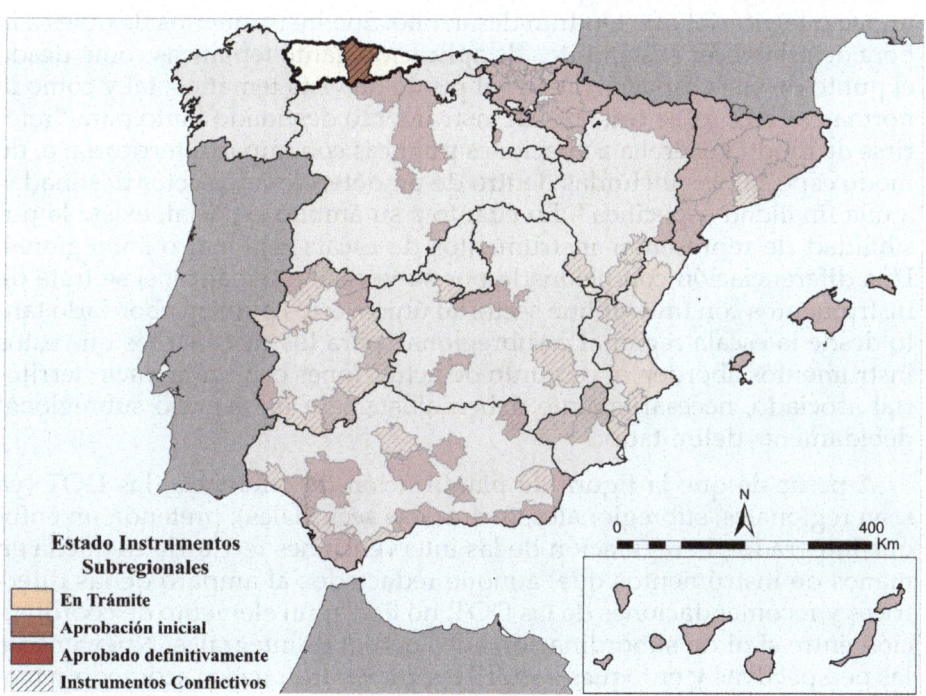

Fuente: Elaboración propia

3.2. LOS PROGRAMAS DE ACTUACIÓN TERRITORIAL. INSTRUMENTOS PARA LA PLANIFICACIÓN SECTORIAL

El TROTUA dedica sus arts. 34 a 37 a regular los Programas de Actuación Territorial. En concreto, este instrumento se encuadra en el título III

"Instrumentos de Ordenación del Territorio y Urbanística", capítulo I "Tipología de los instrumentos de ordenación del territorio", sección II "Programas de Actuación Territorial". De acuerdo con la normativa, se trata de instrumentos destinados a recoger las diferentes intervenciones con incidencia en el territorio que tengan su origen en los organismos y entidades de la Administración asturiana. Esto es, resultan instrumentos de coordinación para las políticas sectoriales con impacto territorial. Son, pues, junto con las DOT sectoriales, los instrumentos mediante los cuales se aborda la planificación sectorial de carácter territorial en Asturias.

En el planteamiento se indica que se trata de instrumentos elaborados para el desarrollo de las DOT. Entendiendo por desarrollo de las DOT, la incorporación de los preceptos y guías que marcan las DOT a un instrumento encargado de recoger de forma sistematizada las actuaciones con impacto territorial que tendrán desarrollo. Son instrumentos flexibles a la hora de establecer sus ámbitos de aplicación, tanto temáticas como desde el punto de vista espacial. Desde el punto de vista temático, tal y como la normativa recoge, se trata de un instrumento destinado tanto para "referirse de modo general a actuaciones públicas con impacto territorial o, de modo especial, las incluidas dentro de un determinado sector destinadas a una finalidad específica". En cuanto a su ámbito espacial, existe la posibilidad de representar instrumentos de escala regional o subregional. Una diferenciación condicionada por su vocación temática: si se trata de instrumentos con un enfoque sectorial único, éstos pueden abordarlo tanto desde la escala regional o subregional; para los casos en los que estos instrumentos aborden el conjunto de actuaciones con un impacto territorial asociado, necesariamente deben ajustarse a un espacio subregional debidamente delimitado.

A pesar de que la figura de planificación de referencia, las DOT (ya sean regionales, subregionales, incluso las sectoriales), pretenda un enfoque integrador, la regulación de las intervenciones territoriales queda en manos de instrumentos que, aunque redactados al amparo de las directrices y recomendaciones de las DOT, no tienen un elemento de coordinación entre sí ni de subordinación a los enfoques integrales. Nuevamente las perspectivas y enfoques sectoriales encuentran mejor acomodo y mayor desarrollo en los instrumentos de planificación territorial.

3.3. LOS PLANES TERRITORIALES ESPECIALES. EL PLAN DE ORDENACIÓN DEL LITORAL ASTURIANO

Una escueta regulación dedica el TROTUA a los Planes Territoriales Especiales, únicamente los artículos 38 y 39. Ambos encuadrados en el título III "Instrumentos de Ordenación del Territorio y Urbanística", capítulo I "Tipología de los instrumentos de ordenación del territorio", sección III "Planes Territoriales Especiales". Se trata de una figura de desarrollo de las DOT, bien para el establecimiento de preceptos materialmente urbanísticos directamente aplicables o bien para lograr un mayor nivel de detalle en la ordenación territorial prevista en la figura regional. Es la figura utilizada para la planificación del espacio litoral de Asturias, que se detalla más adelante este mismo epígrafe.

Desde el punto de vista de las interrelaciones con otras figuras de planeamiento, los Planes Territoriales Especiales prevalecen sobre el planeamiento urbanístico, que debe ajustarse a las determinaciones de aquéllos en los aspectos en los que exista contradicciones entre ambos. No obstante, prevalecerá el planeamiento urbanístico protector de los Bienes de Interés Cultural, de acuerdo con lo establecido en la normativa sectorial. Y, en cualquier caso, se subordinan a la política ambiental, jerárquicamente superior.

Destaca el Plan de Ordenación del Litoral Asturiano (POLA), un Plan Territorial Especial aprobado en 2005 que culmina una larga tradición en materia de planificación y protección del litoral, siendo Asturias pionera en la materia. Un Plan Especial que se recogía en las Directrices Subregionales de Ordenación del Territorio para la franja Costera aprobadas por el Decreto 107/1993, de 16 de diciembre, y que reclamaban un plan para este espacio que permitiera la concreción de las medidas previstas por las citadas directrices y que actuase como elemento vinculante (y de control) del planeamiento urbanístico al que subordina. Un instrumento que presenta una serie de recomendaciones que adquieren aplicabilidad cuando las normativas municipales las desarrollan como actuaciones jurídicamente vinculantes; por tanto, con una estrecha vinculación con el urbanismo, al cual subordinan y regulan.

3.4. OTROS INSTRUMENTOS DE SEGUNDO NIVEL. CATÁLOGOS DE NÚCLEOS RURALES DEL PRINCIPADO DE ASTURIAS Y PLAN DE ORDENACIÓN DE LOS RECURSOS NATURALES DE ASTURIAS (PORNA)

Pese al aparente silencio del TROTUA, el ROTUA incluye tanto los Catálogos de Núcleos Rurales del Principado de Asturias como el Plan de Ordenación de los Recursos Naturales de Asturias (junto a las Directrices de Ordenación Territorial y los Planes Territoriales Especiales), como categoría de instrumentos de planificación territorial de carácter normativo.

Los Catálogos de Núcleos Rurales tienen su marco regulatorio en los artículos 40 y 41 del TROTUA (Título III "Instrumentos de Ordenación del Territorio y Urbanística", Capítulo I "Tipología de los instrumentos de ordenación del territorio", Sección IV "Los Planes Especiales"). Se trata de un instrumento singular que parece responder a las propias características territoriales del territorio asturiano y cuyo objeto es la ordenación de las agrupaciones de población que, clasificadas como núcleos rurales por el planeamiento urbanístico vigente al momento de la entrada en vigor de la Ley 3/2002, de 19 de abril, de Régimen de Suelo y Ordenación Urbanística (04/08/2002)[5], ofrezcan en su conjunto un interés significativo en cuanto exponentes de asentamientos consolidados de edificación imbricados en el medio rural y merecedores de una particular preservación territorial y urbanística. Como particularidad, el TROTUA habilita al Principado a aprobar previamente los requisitos, características y condiciones que los hagan merecedores de tal carácter. Los Catálogos de Núcleos Rurales vinculan al planeamiento urbanístico municipal que no podrá alterar la clasificación ni calificación urbanística de los núcleos incluidos en el mismo.

Respecto al PORNA, representa un instrumento específico para la planificación de los recursos naturales, tal y como se establece en el artículo 25 del TROTUA cuando lo incluye en la categoría de instrumentos de planificación territorial. El reconocimiento del PORNA como tal, es la única referencia a esta figura en la legislación en ordenación territorial, remitiendo a la normativa específica sobre espacios naturales para conocer la regulación concreta del instrumento.

Como se adelantaba, es oportuno partir del marco legislativo estatal, cuya regulación en la actualidad se contempla en la Ley 42/2007, de 13 de diciembre, del Patrimonio Natural y de la Biodiversidad (LPNB). Como ya se ha dicho[6], esta ley, cuyo objeto es establecer el régimen jurídico básico de la conservación, uso sostenible, mejora y restauración del patrimonio natural y de la biodiversidad, como parte del deber de conservar y el derecho a disfrutar de un medio ambiente adecuado para el desarrollo de la persona establecido en el artículo 45.2 de la Constitución, establece, entre otros instrumentos para la planificación de los recursos naturales, los Planes de Ordenación de Recursos Naturales, en cuanto instrumento específico de las Comunidades Autónomas para la planificación de los recursos naturales que fijan las directrices básicas de los espacios naturales. De igual forma, hay que tener presente que "Si bien la elaboración y aprobación de los PORN viene atribuida por la LPNB a las Comunidades

---

5. Norma derogada por el TROTUA y refundida en el mismo.
6. Vid. Rando (2018).

Autónomas en sus respectivos ámbitos competenciales (artículo 22.1), la LPNB, precisamente por su carácter de legislación básica, establece un conjunto de reglas comunes y de obligada observancia para las Comunidades Autónomas". En este contexto, el artículo 19 regula los efectos de los PORN, en particular "el sistema de vinculación entre éstos y los instrumentos de ordenación territorial, urbanística, de recursos naturales y, en general, planificación física existentes cuando resulten contradictorios con los PORN, en cuyo caso habrán de adaptarse a éste y en tanto dicha adaptación tenga lugar, las determinaciones de los PORN prevalecen, en todo caso, sobre dichos instrumentos. A la par que en el aptdo. 3, el artículo 19 LPNB, precisa la jerarquía de los PORN con los instrumentos de planificación sectorial, señalando nuevamente la prevalencia de aquéllos sobre estos últimos".

Fijada la jerarquía y vinculación entre la planificación de ordenación de los recursos naturales, planificación territorial, planeamiento urbanístico y planificación sectorial, con la prevalencia de la primera sobre las restantes, es preciso acudir al marco autonómico. La primera de las normativas autonómica vinculada a la protección medioambiental es la Ley 5/1991, de 5 de abril, de Protección de los Espacios Naturales, texto legal que recoge las características de los PORN, su procedimiento de tramitación y elaboración, vigencia, etc. La segunda de las normativas autonómicas vinculada al PORNA viene representada por el Decreto 38/1994, de 19 de mayo, por el que se aprueba el Plan de Ordenación de los Recursos Naturales del Principado de Asturias. Un texto legal que recoge de manera detallada el contenido del PORNA, su encaje acorde a las normativas tanto regional como estatal y sus finalidades, destacando su rol como elemento de referencia regional. No sólo para el reconocimiento de la red de espacios naturales de mayor valor, para su protección, sino además para establecer las formas de gestión para todo el territorio desde el punto de vista medioambiental.

4. ÓRGANOS RESPONSABLES DE LA ORDENACIÓN DEL TERRITORIO EN ASTURIAS

Se detallan a continuación los diferentes órganos relacionados con la Ordenación del Territorio en el Principado de Asturias. Será el propio TROTUA, la normativa que enumera y fija el marco general de los diferentes órganos relacionados con la Ordenación del Territorio, en el artículo 9 "Órganos urbanísticos y de ordenación del territorio del Principado de Asturias", dentro de las disposiciones generales previstas en el título I "Organización y relaciones interadministrativas". Así, conforme establece el texto legal, conforman los órganos de Ordenación del Territorio (y urbanismo) asturianos:

- El Consejo de Gobierno
- La Consejería competente en materia de Urbanismo y Ordenación del Territorio
- La Comisión de Urbanismo y Ordenación del Territorio

Con carácter general, el titular de la Consejería competente en OT y Urbanismo será responsable de las materias que en su atribución a la Comunidad Autónoma carezcan de un órgano administrativo responsable específico. Así mismo, se reconoce la necesidad de llevar a cabo acuerdos y/o convenios entre las corporaciones de derecho público de las diferentes materias en aras de la eficiencia y el adecuado gobierno. Es el ROTUA, la norma que se encarga del desarrollo reglamentario de estas cuestiones previstas en el TROTUA.

4.1. EL CONSEJO DE GOBIERNO

La información relativa al Consejo de Gobierno se encuentra en el artículo 33 del Estatuto de Autonomía[7]. Se trata del órgano colegiado de la Comunidad Autónoma al que corresponden las funciones ejecutivas y administrativas, así como el ejercicio de la potestad reglamentaria. Responde políticamente ante la Junta General, sin perjuicio de la responsabilidad directa de cada uno de sus miembros por su gestión. Una Junta que, mediante ley, regulará el régimen de publicación de las normas y publicidad de las disposiciones y actos emanados del Consejo de Gobierno y de la Administración del Principado de Asturias. El Consejo de Gobierno debe ser informado de los convenios y tratados internacionales que puedan afectar a materias de su específico interés.

---

7. Aprobado por Ley Orgánica 7/1981, de 30 de diciembre, de Estatuto de Autonomía para Asturias. El artículo 33, dispone:
    "Uno. El Consejo de Gobierno es el órgano colegiado que dirige la política de la Comunidad Autónoma y al que corresponden las funciones ejecutiva y administrativa y el ejercicio de la potestad reglamentaria.
    Dos. Por ley del Principado, aprobada por mayoría absoluta, se regularán las atribuciones del Consejo de Gobierno, así como el Estatuto, forma de nombramiento y cese de sus componentes.
    Tres. Una ley de la Junta regulará al régimen de publicación de las normas y publicidad de las disposiciones y actos emanados del Consejo de Gobierno y de la Administración del Principado de Asturias.
    Cuatro. El Consejo de Gobierno será informado de los convenios y tratados internacionales que puedan afectar a materias de su específico interés".

En realidad, poco sentido tiene la inclusión expresa del Consejo de Gobierno como órgano de ordenación territorial y urbanística en la medida en que se está ante un órgano colegiado de la propia Administración territorial que ostenta y ejerce, en general, las funciones ejecutivas y administrativas del Principado de Asturias.

4.2. LA CONSEJERÍA COMPETENTE EN MATERIA DE ORDENACIÓN DEL TERRITORIO Y URBANISMO

La información relativa a la configuración de las consejerías asturianas queda recogida en el Decreto 13/2019, de 24 de julio, del Presidente del Principado de Asturias, de reestructuración de las Consejerías que integran la Administración de la Comunidad Autónoma. Así, la Consejería competente en materia de urbanismo y ordenación del territorio es en la actualidad la Consejería de Infraestructuras, Medio Ambiente y Cambio Climático, cuyas competencias y funciones atribuidas actualmente son la propuesta y ejecución de la política del Gobierno en materia de infraestructuras viarias y portuarias, transportes, ordenación del territorio, urbanismo y medio ambiente. Unas competencias y funciones, así como composición, detallados en el Decreto 78/2019, de 30 de agosto, por el que se establece la estructura orgánica básica de la Consejería de Infraestructuras, Medio Ambiente y Cambio Climático, desarrollando así la reestructuración iniciada por el Decreto 13/2019. La Consejería de Infraestructuras, Medio Ambiente y Cambio Climático, está conformada por:

- Órganos centrales:

  o Secretaría General Técnica.

  o Dirección General de la Vicepresidencia.

  o Dirección General de Infraestructuras.

  o Dirección General de Movilidad y Conectividad.

  o Dirección General de Ordenación del Territorio y Urbanismo.

  o Viceconsejería de Medio Ambiente y Cambio Climático.

    ▪ Dirección General de Calidad Ambiental y Cambio Climático.

- Órganos de asesoramiento y apoyo:

  o Comisión Cartográfica del Principado de Asturias.

  o Consejo de Transportes Terrestres del Principado de Asturias.

  o Comisión para Asuntos Medioambientales.

o Observatorio de la Sostenibilidad en el Principado de Asturias.

De los diferentes órganos centrales, destacar que la Secretaría General Técnica tiene por objeto la dirección de los servicios comunes de la Consejería, así como la asistencia a la persona titular de la Consejería en la elaboración y aprobación de los planes de actuación del departamento. Respecto de la Dirección General de Ordenación del Territorio y Urbanismo, ejerce las funciones de la Consejería en estas materias, promoviendo la coordinación e impulso de planes, programas y proyectos de incidencia territorial formulados en el Principado de Asturias. Dentro de esta Dirección General se encuentran el Servicio de Gestión y Disciplina Urbanística, el Servicio de Cartografía y la Secretaría de la Comisión de Urbanismo y Ordenación del Territorio del Principado de Asturias. A esta última le corresponde prestar asistencia técnica y administrativa a dicha Comisión o tramitar los asuntos que hayan de ser sometidos a la decisión de sus órganos, custodiando los correspondientes expedientes. Asimismo, llevará los registros públicos que el ordenamiento jurídico encomienda a la administración urbanística y, en particular, el Registro de Planeamiento y Gestión Urbanística de Asturias. También elaborará dictámenes técnicos y jurídicos que se le requieran relacionados con el ejercicio de competencias territoriales o urbanísticas regionales y locales. Le corresponde, asimismo, el apoyo a la elaboración y coordinación entre el planeamiento urbanístico local y los instrumentos de Ordenación del Territorio, y el seguimiento de sus contenidos en orden a la adecuada tutela de aspectos inherentes a la esfera de competencias propias del Principado de Asturias. En aras de asegurar la adecuada coordinación interadministrativa, desde esta Secretaría se desarrollará y promoverá la coordinación de planes, programas y proyectos de incidencia territorial formulados en el Principado de Asturias, integrando en los mismos los pronunciamientos ambientales que en su caso procedan. Le corresponde, por último, las tareas de impulso y coordinación de los instrumentos urbanísticos que se tramiten y aprueben en desarrollo de las actuaciones de rehabilitación, regeneración y renovación urbana.

4.3. LA COMISIÓN DE URBANISMO Y ORDENACIÓN DEL TERRITORIO DE ASTURIAS (CUOTA)

La Comisión de Urbanismo y Ordenación del Territorio del Principado de Asturias (CUOTA) acorde a lo establecido en la normativa vigente en materia de OT, representa el órgano colegiado adscrito a la Consejería competente en la materia con funciones asociadas de consulta o emisión de informes, coordinación e impulso y, en su caso, autorizaciones y resoluciones sobre cuestiones urbanísticas y de ordenación territorial. Si bien el TROTUA le asigna funciones concretas, entre otras, en relación a la tramitación de los instrumentos de ordenación territorial y urbanística, su desarrollo se contiene en el ROTUA. Marco normativo que se concreta en el Decreto 258/2011, de 26 de octubre, por el que se regula la composición, competencias y funcionamiento de la Comisión de Urbanismo y Ordenación del Territorio del Principado de Asturias.

Con un funcionamiento en pleno, comisión ejecutiva y comisión permanente, el Decreto 258/2011, distingue las funciones que atribuye a cada una de ellas. Conforme dispone en su artículo 2, en concreto al pleno, le son asignadas las siguientes funciones:

-   Aprobar inicialmente las Directrices de Ordenación del Territorio, así como su revisión y modificación, y proponer al Consejo de Gobierno el acuerdo que proceda, sobre la aprobación definitiva.

-   Proponer al Consejo de Gobierno el acuerdo que proceda sobre la modificación no sustancial y actualización de las Directrices de Ordenación del Territorio.

-   Emitir informe previo a la formulación o aprobación inicial de los Planes Territoriales Especiales, y aprobarlos definitivamente.

-   Informar los Programas de Actuación Territorial.

-   Aprobar inicial y definitivamente el Catálogo de Núcleos Rurales y sus modificaciones.

-   Emitir informe previo a la aprobación inicial y definitiva de los Planes Generales de Ordenación Intermunicipales.

-   Informar en trámite de audiencia sobre la suspensión de la vigencia de un instrumento de planeamiento urbanístico, en los supuestos del artículo 102.1 del Decreto Legislativo 1/2004, de 22 de abril, por el que se aprueba el Texto Refundido de las disposiciones legales vigentes en materia de Ordenación del Territorio y Urbanismo.

-   Emitir informe previo a la aprobación de normas provisionales en caso de suspensión del planeamiento por el Consejo de Gobierno.

-   Emitir informe previo a la aprobación definitiva de los Planes Generales de Ordenación de los ayuntamientos, con un número de habitantes igual o superior a 15.000, que tengan delegada la competencia de aprobación definitiva, así como en sus revisiones parciales o modificaciones de considerable trascendencia urbanística y territorial.

- Aprobar definitivamente los Planes Generales de Ordenación de los ayuntamientos, con un número de habitantes igual o superior a 15.000, que no tengan delegada la competencia, así como sus revisiones parciales o modificaciones de considerable trascendencia urbanística y territorial.

- Emitir el pronunciamiento que proceda sobre los asuntos que se eleven a su consideración al amparo de lo dispuesto en el artículo 3.2 y en el artículo 4.2 del Decreto Legislativo 1/2004, de 22 de abril, por el que se aprueba el Texto Refundido de las disposiciones legales vigentes en materia de ordenación del territorio y urbanismo.

Por su parte, son funciones de la comisión ejecutiva de la CUOTA, conforme a la regulación contenida en el artículo 3 del Decreto 258/2011, las que a continuación se señalan:

- Emitir informe en los Planes Generales de Ordenación de los ayuntamientos de menos de 15.000 habitantes que tengan delegada la competencia de aprobación definitiva previamente a ésta, así como en sus revisiones parciales o modificaciones de considerable trascendencia urbanística y territorial.

- Aprobar definitivamente los Planes Generales de Ordenación de los ayuntamientos de menos de 15.000 habitantes que no tengan delegada la competencia, así como sus revisiones parciales o modificaciones de considerable trascendencia urbanística y territorial.

- Delegar en los ayuntamientos o entidades supramunicipales, la competencia para el otorgamiento de las autorizaciones previas a la concesión de licencias que sean exigibles por la normativa urbanística en el suelo no urbanizable.

- Aprobar inicial y definitivamente, sin perjuicio de lo atribuido a la Comisión Permanente, los Planes Parciales y Especiales en Actuaciones Urbanísticas Concertadas.

- Aprobar definitivamente los Planes Especiales de los procedimientos de ordenación especial de áreas con destino a viviendas protegidas. En el supuesto previsto en el artículo 91 tercero del Decreto Legislativo 1/2004, de 22 de abril, por el que se aprueba el Texto Refundido de las disposiciones legales vigentes en materia de Ordenación del Territorio y Urbanismo, aprobar inicialmente el Plan Especial y el Proyecto de Urbanización.

- Aprobar los expedientes de expropiación forzosa por tasación conjunta.

- Informar la delimitación por el Principado de Asturias de áreas sujetas al ejercicio de los derechos de tanteo y retracto.

- Emitir el pronunciamiento que proceda sobre los asuntos que se eleven a su consideración al amparo de lo dispuesto en el artículo 4, apartado 2, del propio Decreto 258/2011.

Por último, el artículo 4 del Decreto 258/2011, atribuye a la comisión permanente de la CUOTA, las funciones relativas a:

- Emitir informe en las modificaciones de los Planes Generales de Ordenación de los ayuntamientos que tengan delegada la competencia de aprobación definitiva, cuando no esté atribuida su emisión al Pleno o a la Comisión Ejecutiva.

- Aprobar definitivamente las modificaciones de los planes generales de ordenación de los ayuntamientos que no tengan delegada la competencia, cuando no esté atribuida su aprobación al Pleno o a la Comisión Ejecutiva.

- Emitir informe en los Planes Parciales, Planes Especiales y Estudios de Implantación.

- Aprobar definitivamente los Planes Parciales y Especiales en las Actuaciones Urbanísticas Concertadas, cuando no experimenten modificaciones sustanciales respecto de la aprobación inicial.

- Emitir informe en Planes Rectores de Uso y Gestión de Parque Natural, cuando sea preceptivo.

- Otorgar las autorizaciones previas a la concesión de licencias que sean exigibles por la normativa urbanística para actuaciones en suelo no urbanizable.

- Informar previamente las autorizaciones de usos permitidos en la servidumbre de protección en el litoral, las instalaciones de servicios de temporada, los deslindes del dominio público marítimo-terrestre y las normas que vaya a dictar la Administración General del Estado para la protección de tramos de costa no deslindados; así como cualesquiera otros pronunciamientos que, sobre usos e instalaciones en el litoral asturiano, le atribuya la normativa existente.

- Informar los proyectos de obras con repercusión territorial promovidos por el Principado de Asturias, en caso de disconformidad con el planeamiento manifestada por el Ayuntamiento.

- Autorizar, previa información pública y a propuesta del respectivo Ayuntamiento, construcciones destinadas a fines industriales sobre suelos a los que el planeamiento en vigor asigne un destino industrial, pero que por no haber sido objeto de la necesaria gestión, mantengan las características del suelo no urbanizable en los términos establecidos en los artículos 120 y 129.2 del Texto Refundido de las disposiciones legales vigentes en materia de Ordenación del Territorio y Urbanismo.

- Emitir informes técnicos o jurídicos previos a la concesión de licencias en caso de carencia de servicios por la entidad otorgante, cuando el ayuntamiento no esté adscrito a una oficina urbanística territorial.

- Otorgar licencia urbanística en vía subrogatoria, si así se prevé en la legislación de régimen local.

- Resolver sobre la aprobación de los proyectos de reparcelación, en caso de inactividad municipal.

- Emitir informe, en los procedimientos sancionadores en materia urbanística, previo a la imposición de sanciones, tanto por el titular de la Consejería como por el Consejo de Gobierno.

- Rectificar los errores materiales, de hecho, o aritméticos existentes en los acuerdos adoptados por la Comisión en cualesquiera de sus instancias funcionales.

- Atender las consultas formuladas, y evacuar los informes solicitados por ayuntamientos u otros organismos públicos, sobre aplicación o interpretación de normativa urbanística, proyectos técnicos sometidos a licencia u otros supuestos específicos y concretos, siempre que el ente consultante plantee motivadamente la duda suscitada.

- El conocimiento y decisión de cualesquiera otros asuntos que siendo competencia de la CUOTA no se hallen expresamente atribuidos a una de sus instancias funcionales.

En el marco organizativo, la composición de la CUOTA también difiere en función de que actúe en pleno, en comisión ejecutiva o en comisión permanente, cuestión abordada en los artículos 6 a 8 del Decreto 258/2011. De esta forma, la composición del pleno de la CUOTA queda conformada por:

- Presidente: El Consejero competente en materia de Ordenación del Territorio y Urbanismo.

- Vicepresidente: El Director General competente en materia de Ordenación del Territorio y Urbanismo.

- Vocales:

  o El Director General competente en materia de Administración Local.

  o El Director General competente en materia de Vivienda.

  o El Director General competente en materia de Carreteras y Transportes Terrestres.

  o El Director General competente en materia de Recursos Naturales.

  o El Director General competente en materia de Medio Ambiente.

  o El Director General competente en materia de Industria y Energía.

  o El Director General competente en materia de Patrimonio Cultural.

  o El Jefe de Servicio competente en materia de Gestión y Disciplina Urbanística.

  o Un técnico de la Consejería competente en materia de ordenación del territorio y urbanismo designado por el titular de la Consejería.

  o Cuatro Alcaldes a designar por el Consejo de Gobierno, oída la Federación Asturiana de Concejos.

  o Un representante de la Federación Asturiana de Empresarios.

  o Un representante de la Universidad de Oviedo, con experiencia en temas urbanísticos y de ordenación territorial.

  o Un representante de cada uno de los Colegios Profesionales de Abogados, Ingenieros de Caminos, Canales y Puertos, Arquitectos y Arquitectos técnicos.

  o Un máximo de siete miembros a designar por el Consejo de Gobierno a propuesta de quien ostente la titularidad de la Consejería competente en materia de Fomento, Ordenación del Territorio y Medio Ambiente entre personas de reconocido prestigio y experiencia en materia de Urbanismo y Ordenación del Territorio.

- Secretaría: El Jefe de Servicio de la Secretaría de la Comisión de Urbanismo y Ordenación del Territorio del Principado de Asturias.

175

5. PROCEDIMIENTOS Y RESPONSABILIDADES FORMALES

La información relativa al procedimiento y responsabilidad formal de los diferentes instrumentos de OT se regula en el TROTUA, completado con la regulación que al efecto contiene el ROTUA.

5.1. PROCEDIMIENTO DE ELABORACIÓN Y APROBACIÓN DE LAS DOT

En los artículos del 46 al 49, el TROTUA regula la tramitación de las DOT, el instrumento regional de OT asturiano, cuya iniciativa para su formulación le corresponde al Consejo de Gobierno, encargando a la Consejería competente en Ordenación del Territorio su elaboración e involucrando, si se estima necesario, a otras Consejerías afectadas. Previo a la elaboración de las Directrices como tal, el Consejo de Gobierno debe emitir y someter a información pública un documento de avance en el que se señalen los objetivos pretendidos y las medidas a adoptar, que habrá de someterse a información pública por el plazo de un mes y cuyo anuncio deberá publicarse en el Boletín Oficial del Principado de Asturias (BOPA) y en, al menos, uno de los periódicos de más amplia difusión de Asturias. Tras este período y la elaboración de las DOT, deben presentarse a la CUOTA para su aprobación inicial. Tras la aprobación inicial de las DOT, se lleva a cabo, de forma simultánea, el procedimiento de información pública y consulta a diferentes Administraciones (Delegación de Gobierno, entidades locales afectadas y al Comité de Inversiones y planificación) para la formulación de observaciones, alegaciones y sugerencias, durante el plazo de un mes a partir de la recepción de la solicitud, transcurrido el cual, sin respuesta, continuará la tramitación.

Tras este período, y ante los resultados de consultas e información pública, decidirá el Consejo de Gobierno mediante decreto, y a propuesta de la CUOTA, la aprobación definitiva de las DOT y su consiguiente publicación en el Boletín Oficial.

Se trata de instrumentos de vigencia indefinida (salvo que en su propio contenido o en el Decreto de aprobación se indique lo contrario). La revisión de las DOT está sujeta a la modificación de los criterios y objetivos que hayan prevalecido en su redacción, así como por la transformación del contexto territorial y sus dinámicas, haciendo necesario adaptar la estructura territorial o alguno de sus elementos esenciales. Una revisión sujeta al procedimiento establecido para su formulación y aprobación. En caso de que la modificación sea puntual, y no conlleve una alteración sustancial de la estructura territorial, únicamente será necesario presentar una propuesta a la Comisión de Urbanismo y OT para su aprobación inicial y sometimiento a información pública, siendo responsabilidad del Consejo de Gobierno la aprobación definitiva.

Diagrama 2. Procedimiento de tramitación de las Directrices de Ordenación del Territorio de Asturias

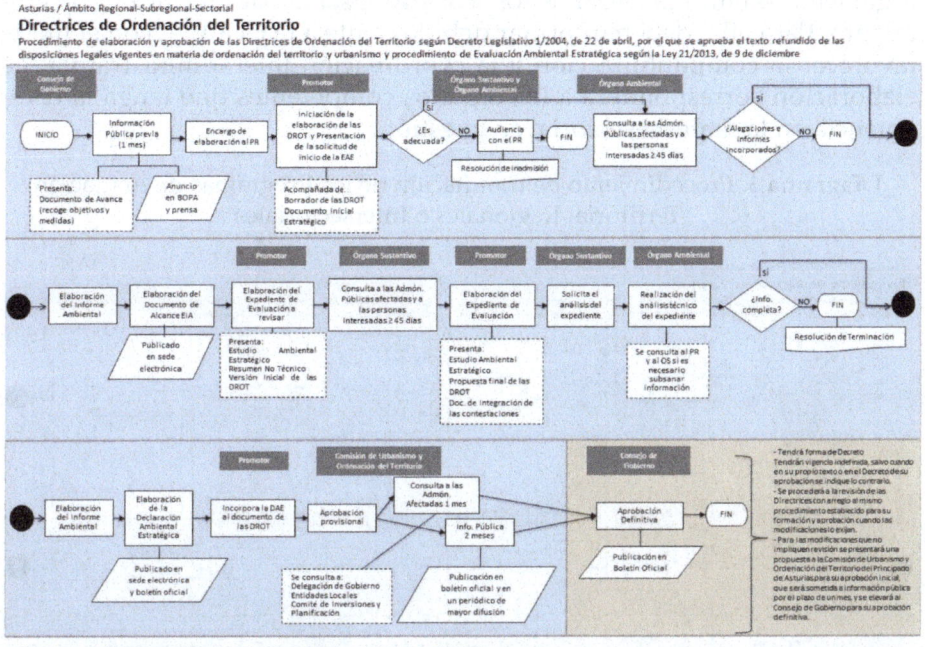

Fuente: Elaboración propia

5.2. PROCEDIMIENTO DE ELABORACIÓN Y APROBACIÓN DE LOS PROGRAMAS DE ACTUACIÓN TERRITORIAL

El procedimiento concreto de los Programas de Actuación Territorial se encuentra recogido en los artículos 50 a 52 del TROTUA, no es unitario, estando condicionado por la escala o la temática del instrumento.

Si se trata de un Programa de Actuación Territorial de ámbito regional, o que abarque a más de un sector concreto, corresponde al Consejo de Gobierno (bien por iniciativa propia, bien por iniciativa de cualquiera de las Consejerías que hayan de intervenir) la iniciación del procedimiento mediante acuerdo. En el mismo constarán los organismos que hayan de participar en la elaboración y ejecución del instrumento, plazos para su redacción y puesta en práctica y demás aspectos clave para orientar el procedimiento. La elaboración de los instrumentos es responsabilidad de los organismos designados por el Consejo de Gobierno a tal efecto.

En el caso de Programas de ámbito subregional o con vinculación exclusiva a un único sector, que pueden ser desarrollados por un único organismo o entidad, serán éstos los responsables de iniciar el procedimiento. Para ello, deben informar debidamente a la CUOTA, con el fin de favorecer la compatibilización y la coordinación interadministrativa. La elaboración corresponderá a los órganos competentes que tenga la competencia en la materia sectorial en cuestión.

Diagrama 3. Procedimiento de tramitación de los Programas de Actuación Territorial Regionales o Intersectoriales

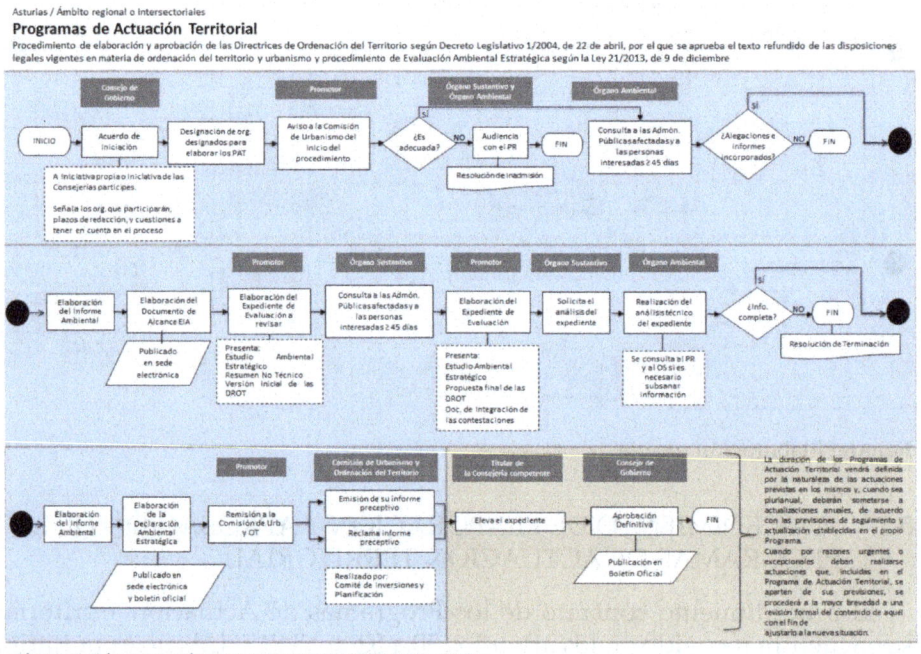

Fuente: Elaboración propia

En ambos casos, los encargados de la redacción deben poner en conocimiento de la CUOTA el inicio de su elaboración. Tras la cual, serán remitidos a la citada Comisión con el fin de que recabe, en el plazo de un mes, el informe preceptivo del Comité de Inversiones y Planificación y emita su propio informe, configurando el expediente para su elevación y aprobación por parte del Consejo de Gobierno.

Su vigencia está determinada por las actuaciones que contemple y su naturaleza. En cualquier caso, si presenta una duración superior al año deberá someterse a actualizaciones anuales, acorde con las previsiones de seguimiento y actualización establecida en el propio Programa. Existe la posibilidad de, si se estima necesario, realizar revisiones por razones urgentes o excepcionales que permitan ajustar el contenido.

Diagrama 4. Procedimiento de tramitación de los Programas de Actuación Territorial Subregionales y/o Sectoriales

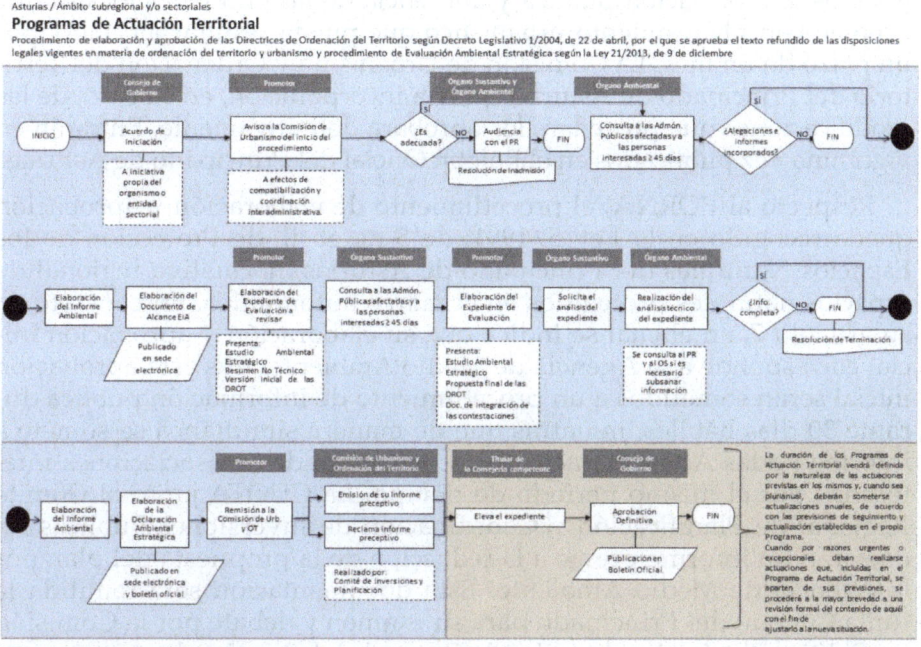

Fuente: Elaboración propia

5.3. PROCEDIMIENTO DE ELABORACIÓN Y APROBACIÓN DE LOS PLANES TERRITORIALES ESPECIALES

El procedimiento de elaboración y aprobación de los Planes Territoriales Especiales queda recogido en el artículo 53 del TROTUA. Un procedimiento en el que será la Consejería competente en materia de Ordenación del Territorio la responsable de su formulación. Tras su elaboración se lleva a cabo el procedimiento de información pública y audiencia a las entidades locales que cuenten con planeamiento urbanístico afectado, por plazo de un mes. Posteriormente, si es necesario, se realizarán las modificaciones pertinentes, tras lo cual la CUOTA realizará la aprobación definitiva. Su vigencia se inicia desde su publicación en el BOPA.

5.4. PROCEDIMIENTO DE ELABORACIÓN Y APROBACIÓN DE LOS PLANES ESPECIALES Y EL PORNA

Con una escueta regulación, la formulación de los Planes Territoriales Especiales supramunicipales corresponderá a la Consejería competente en materia de Ordenación del Territorio. Una vez elaborados, serán sometidos a información pública y audiencia de las entidades locales que cuenten con planeamiento urbanístico que pueda resultar afectado, por un plazo de un mes. La Comisión de Urbanismo y Ordenación del Territorio del Principado de Asturias, previa incorporación, en su caso, de las modificaciones que procedan, los aprobará definitivamente. Entrarán en vigor una vez publicados en el Boletín Oficial del Principado de Asturias.

Respecto al PORNA, el procedimiento de elaboración y aprobación queda recogido en la Ley 5/1991, de 5 de abril, de Protección de los Espacios Naturales del Principado de Asturias, normativa regional de espacios naturales protegidos en el marco autonómico. En concreto en su artículo 7, en el cual se indica que su elaboración y aprobación inicial corresponde a la Agencia de Medio Ambiente, tras esta aprobación inicial serán sometidos a un procedimiento de información pública durante 30 días hábiles, mientras que de manera simultánea se somete a informe de las Administraciones locales afectadas y asociaciones interesadas por el mismo período de tiempo. La CUOTA junto al Comité Regional de Planificación y Coordinación de Inversiones Públicas redactarán un informe previo a la redacción de la propuesta del plan por la Agencia de Medio Ambiente. Esta documentación será remitida la Junta General del Principado para su examen y debate por la Comisión de Política Territorial de la Junta General del Principado, tras lo cual será aprobado definitivamente por el Consejo de Gobierno. El PORNA fue aprobado mediante el Decreto 38/1994, de 19 de mayo, por el que se aprueba el Plan de Ordenación de los Recursos Naturales del Principado de Asturias.

5.5. PROCEDIMIENTO DE LA EVALUACIÓN AMBIENTAL DE PLANES Y PROGRAMAS

A nivel autonómico, Asturias viene tramitando la Ley de Sostenibilidad y Protección Ambiental del Principado de Asturias, por el momento, en fase de anteproyecto, que a principios de año fue sometido a información pública. Con este nuevo cuerpo legal, el Principado de Asturias, se dota, al fin, de un marco legislativo propio en la materia, al modo en que lo han hecho buena parte de las Comunidades Autónomas. La ley, con la cautela de un texto que aún no ha sido aprobado, parte de la normativa europea y de la legislación básica estatal. De esta forma, toma los antecedentes de la Directiva 2001/42/CE del Parlamento Europeo y del Consejo de 27 de junio de 2001, relativa a la evaluación de determinados planes y programas en el medio ambiente, la Directiva 2010/75/UE del Parlamento Europeo y del Consejo de 24 de noviembre de 2010 sobre las emisiones industriales (prevención y control integrados de la contaminación), así como la Directiva 2011/92/UE del Parlamento Europeo y del Consejo de 13 de diciembre de 2011, de evaluación de las repercusiones de determinados proyectos públicos y privados sobre el medio ambiente. A su vez, desarrolla, la normativa básica estatal, representada por la Ley 21/2013, de 9 de diciembre, de Evaluación Ambiental, LEA, y la Ley 16/2002, de 1 de julio, de Prevención y Control Integrados de la Contaminación, modificada por la Ley 5/2013, de 11 de junio, así como la Ley 42/2007, de 13 de diciembre, del Patrimonio Natural y de la Biodiversidad.

La Ley de Sostenibilidad y Protección Ambiental del Principado de Asturias, dotará del soporte jurídico preciso a los procedimientos ambientales a los que deben someterse los planes, programas, proyectos, instalaciones y actividades con incidencia sobre el medio ambiente, en particular: Evaluación ambiental estratégica de planes y programas; Evaluación de impacto ambiental de proyectos; Autorización ambiental integrada de instalaciones; Licencia ambiental municipal de actividades; Comunicación ambiental municipal de actividades; Autorización ambiental autonómica de actividades; Comunicación ambiental autonómica de actividades.

Todo ello, sin perjuicio, de la propia regulación que en relación a las Evaluaciones de Impacto contiene tanto el TROTUA, en particular en sus artículos 43 a 45, así como el ROTUA, en los artículos 88 a 91, detallando este último el procedimiento de evaluación ambiental del planeamiento territorial y urbanístico en la disposición adicional cuarta.

En tanto, el marco normativo de referencia ha venido dado por la legislación estatal básica dictada en la materia, distinguiendo a dichos efectos, lo que podrían denominarse "dos etapas". El procedimiento de evaluación ambiental de planes y programas previsto bajo la vigencia de la Ley 9/2006, de 28 de abril, sobre evaluación de los efectos de determinados planes y programas en el medio ambiente y tras su derogación, el representado por la vigente, también a nivel estatal, Ley 21/2013, de 9 de diciembre, de Evaluación Ambiental, LEA. Así pues, se plantea un doble marco normativo, atendiendo al momento de aprobación del instrumento de que se trate o, en su caso, de su actualización.

En este contexto, en el Principado de Asturias el procedimiento de evaluación ambiental en la actualidad, sigue los trámites, ya expuestos en otros apartados del presente trabajo, contemplados en la LEA de manera general en cuanto legislación estatal básica en la materia. A los cuales nos remitimos al objeto de evitar innecesarias reiteraciones.

6. EMBOTELLAMIENTOS Y CONDICIONES QUE ALTERAN EL FUNCIONAMIENTO DE LA ORDENACIÓN DEL TERRITORIO EN ASTURIAS

Uno de los principales retos a los que se enfrenta la política territorial asturiana es la falta de una lectura unánime e integral del propio territorio asturiano y la identificación de espacios subregionales a partir de los que desarrollar los respectivos instrumentos de planificación integral. Tal como indica Maurín (2013), las Directrices Ordenación del Territorio, en tanto instrumento de carácter regional deberían haber generado claridad sobre esta cuestión. Sin embargo, generaron más confusión que aportaron soluciones. La negativa a crear un ente metropolitano para atender a la realidad del área central asturiana de manera particularizada y la reconsideración de la división comarcal, que la alejaba de una propuesta funcional (aquejada de excesiva proliferación de niveles desde los que aplicar la política territorial), son claro ejemplo de la inestabilidad de las Directrices de Ordenación del Territorio como marco de referencia para la política territorial. A ello hay que añadir los efectos derivados de un modelo reticular del sistema de planificación territorial en el que el instrumento regional no es vinculante y que, ante la falta de tradición y voluntad por la política territorial, ha quedado sin mayor desarrollo efectivo.

Otro condicionante para el adecuado desarrollo de la política territorial en el ámbito asturiano es la prevalencia de espacios rurales. La política y planificación rural presenta un claro y notable impacto territorial, sin embargo, su planteamiento tradicional ha sido de carácter sectorial y vinculado a la obtención de ayudas y subvenciones. A su vez, la Ordenación del Territorio se ha alejado de su finalidad de construcción del territorio de manera sostenible e integrador, centrando su atención en los espacios más conflictivos, fruto de una dinámica de expansión antrópica notable.

Otro elemento a tener en cuenta es el enfoque mediante el cual el instrumento regional, DOT, ha planteado el desarrollo de la política de ordenación territorial, con una gran complejidad asociada a la necesidad de desarrollar varios niveles de planificación, pero sin un encaje con la configuración administrativa actual, circunstancia que dificulta la aplicación de las medidas propuestas.

De la escasa afortunada experiencia de las mancomunidades se extrae la conclusión de que la falta de mecanismos de cooperación y coordinación efectivos dificultan el desarrollo de cualquier iniciativa de carácter supramunicipal. Se trata de unos mecanismos fundamentales para evitar problemas de solapamientos, conflictos de intereses o generación de expectativas que quedan sin resolver; especialmente en un contexto en el que el localismo está muy arraigado y dificulta cualquier planteamiento supramunicipal que ven como un riesgo de pérdida de su poder[8]. Si bien es cierto que la valoración del procedimiento de tramitación de los instrumentos de planificación territorial está condicionada por la escasa tramitación de estas figuras que ha tenido lugar (únicamente las DOT), puede encontrarse en el caso de las Directrices Subregionales de Ordenación del Área Central de Asturias, un claro ejemplo de esta cuestión. Y es que en 2016 quedaron sin continuación en la etapa de información pública del documento de avance del instrumento y su documento inicial estratégico. Una etapa previa a la redacción y elaboración del instrumento como tal, donde se presenta el proyecto a los diferentes actores territoriales involucrados con el fin de incorporar las diferentes visiones sobre el territorio.

Desde el punto de vista del enfoque que ha guiado los escasos intentos de desarrollar instrumentos de planificación territorial, el enfoque

---

8. Cuestión que no es exclusiva del Principado de Asturias. Cada Comunidad Autónoma ha optado por dar mayor o menor prevalencia a las técnicas de coordinación y cooperación interadministrativas para la adecuada puesta en marcha de su política territorial. Sobre el particular, vid. Rando Burgos (2020).

reactivo de esta política, destinada a dar respuesta a situaciones territoriales marcadamente conflictivas (espacios litorales, entornos metropolitanos, entre otros) en etapas muy avanzadas que hacen difícil su reversión, ha dificultado su adecuado desarrollo y las nuevas prácticas de una gobernanza territorial más efectiva.

7. SITUACIÓN RESULTANTE

La aproximación al territorio asturiano (en su conjunto y en sus propuestas de organización interna a partir del reconocimiento de distintas áreas en su interior) ha presentado un marcado enfoque sectorial, ya que deriva de las lecturas que del territorio han hecho políticas como la de medio ambiente (protección de espacios naturales protegidos y litoral), de desarrollo rural, política forestal, política hidráulica... Un planteamiento que hace difícil la coherencia, algo que se ha visto agravado por un modelo de organización reticular del sistema de planificación que implica la ausencia total de relaciones jerárquicas entre los diferentes instrumentos de planificación con impacto territorial. Por tanto, las Directrices de Ordenación del Territorio presentan más bien carácter indicativo, sin necesidad de ser objeto de desarrollo por parte del resto de figuras de planificación derivadas y, por tanto, sin opción de poder establecer un adecuado marco o modelo a partir del que se produzca la necesaria coordinación entre todas ellas. Una forma de entender la política territorial que, aunque no exclusiva del territorio asturiano, es particularmente visible en esta Comunidad Autónoma[9].

En este contexto, la escala local adquiere un gran protagonismo. Por una parte, el urbanismo es la principal herramienta de construcción territorial. Una situación clásica en el Estado español, que ha carecido de una política de Ordenación del Territorio de ámbito supramunicipal efectiva y que ha acabado dejando en manos del urbanismo el modelo de desarrollo

---

9.   Las DOT, a partir de un análisis y diagnóstico del territorio regional, establecen una serie de indicaciones para el adecuado desarrollo de las intervenciones territoriales que se establecen en otras figuras de planeamiento (sectoriales).
     "Cabe matizar, en este contexto, que el objeto de la ordenación y planificación territorial no consiste en fijar documental y programáticamente la imagen o el "modelo" del territorio en un futuro dado...", pues considera que se trataría de una "concepción rígida y determinista." (DROT, 1991: 38).
     Únicamente se plantean la idea de modelo territorial desde un punto de vista descriptivo, se recogen los elementos básicos del Modelo Territorial clásico: sistema jerarquizado de asentamientos, sistema de infraestructuras y articulación, ámbitos subregionales de planificación y áreas naturales a proteger.

territorial. Además, en segundo lugar, la escala local se ve favorecida por los enfoques sectoriales predominantes en los instrumentos de planificación territorial asturianos que, aunque presenten ámbitos de planeamiento a gran escala (regionales) suelen priorizar ámbitos de desarrollo de detalle (de escala local).

Esta apuesta por el enfoque sectorial va en detrimento del desarrollo de instrumentos subregionales de carácter integral, dificultados, además, por la propia configuración administrativa de la región. Esto representa uno de los principales *hándicaps* para el desarrollo de una adecuada política de Ordenación del Territorio asturiana, haciendo más complejo su desarrollo.

Estas cuestiones se ejemplifican y hacen visibles al detallar algunas cuestiones del Plan de Ordenación del Litoral Asturiano (aprobado) y de las Directrices Subregionales de Ordenación del Área Central de Asturias (sin aprobación). Permiten además explicar el porqué de la consideración de la política territorial asturiana como un planteamiento de enfoque reactivo de la función pública, que centra la atención sobre los espacios más conflictivos haciendo de la política territorial una herramienta correctiva y no de carácter prospectivo, a futuro, de una manera coordinada y cooperativa. Ambos instrumentos se plantean como respuesta a la concentración antrópica y sus actividades asociadas con efectos negativos para los espacios receptores.

En el caso del Área Central, tal y como indica Carrero de Roa (2016), los desarrollos antrópicos han carecido de un enfoque supramunicipal, con lo que no han permitido aprovechar unas condiciones de partida muy interesantes tales como la existencia de red de espacios urbanos medios, que no están aquejados de los problemas de una excesiva concentración de la población, lo que permite una buena conectividad con transporte público en una matriz ambiental de gran calidad. Al contrario, éstas se han visto perjudicadas por desarrollos contraproducentes motivantes de la dispersión urbana y la consiguiente movilidad obligada y mayor dependencia del vehículo privado, con los consiguientes impactos ambientales (incremento de la contaminación); así como por la falta de coherencia a la hora de localizar las nuevas actividades económicas.

En el caso del POLA, la situación es similar a la de todos los espacios litorales españoles, que concentran la actividad residencial y sufren fuertes presiones derivadas del turismo. Para darles solución se ha planteado un instrumento de protección y gestión, que no puede ser considerado en sentido propio como un instrumento de planificación al carecer de componente prospectivo, que ha centrado sus esfuerzos en la corrección de la situación de las playas, entre otras a través de figuras como los parques-playas (véase García (2013), con la finalidad de poder compatibilizar usos pero sin una construcción (modelo) territorial asociada.

Es fundamental abordar la necesidad de reconsiderar los procedimientos de tramitación y aprobación de instrumentos de Ordenación del Territorio, que faciliten el desarrollo de instrumentos integrales que puedan llegar a dar cobertura y coherencia a las intervenciones puntuales vinculadas a planes especiales y al resto de instrumentos sectoriales y urbanísticos.

8. REFERENCIAS BIBLIOGRÁFICAS Y NORMATIVA

BIBLIOGRAFÍA

ARROJO MARTÍNEZ, F. (1989). La Ordenación en el Principado de Asturias. *Urbanismo: Revista Oficial del Colegio de Arquitectos de Madrid*, 8, 28-35.

BENABENT F. DE CÓRDOBA, M. (2006). *La ordenación del territorio en España: evolución del concepto y de su práctica en el siglo XX.* Sevilla: Universidad de Sevilla – Consejería de Obras Públicas y Transportes de la Junta de Andalucía.

BENITO DEL POZO, P. (1999). Administración y Territorio en Asturias. *Polígonos, Revista de Geografía*, 9, 31-48.

CARRERO DE ROA, M. (2016). Nuevas formas de gobernanza metropolitana: obstáculos y oportunidades para el área central de Asturias. *WPS Review International on Sustainable Housing and Urban Renewal*, 4, 97-109.

GARCÍA GARCÍA, M. (2013): La planificación territorial del litoral atlántico europeo. El paisaje como instrumento. *V Seminario Internacional de Investigación en Urbanismo*, Barcelona-Buenos Aires, pp. 1602-1617.

MAURÍN ÁLVAREZ, M. (2013). Un nuevo diseño territorial para Asturias". I Congreso ¿Territorios ante la crisis. Territorios en crisis? *ANTERRIT*, Barcelona.

RANDO BURGOS, E. (2018). La atención al medio ambiente desde la ordenación del territorio: una visión general desde el marco legislativo autonómico. *Actualidad Jurídica Ambiental*, 81, 121-156.

RANDO BURGOS, E. (2019). *Legislación e instrumentos de la ordenación del territorio en España.* Madrid: Editorial Iustel.

RANDO BURGOS, E. (2020). *Régimen Jurídico de la Gestión Territorial.* Valencia: Editorial Tirant lo Blanch.

VAQUER CABALLERÍA, M. (2018). Derecho del Territorio. Valencia: Editorial Tirant lo Blanch.

NORMATIVA

Ley 1/1987, de 30 de marzo, de Coordinación y Ordenación Territorial.

Ley 1/2001, de 6 de marzo, de Patrimonio Cultural del Principado de Asturias.

Ley 5/1991, de 5 de abril, de Protección de los Espacios Naturales.

Ley 42/2007, de 13 de diciembre, del Patrimonio Natural y de la Biodiversidad.

Ley 21/2013, de 9 de diciembre, de Evaluación Ambiental.

Decreto Legislativo 1/2004, de 22 de abril, por el que se aprueba el Texto Refundido de las disposiciones legales vigentes en materia de Ordenación del Territorio y Urbanismo.

Decreto 11/1991, de 24 de enero, por el que se aprueban las Directrices Regionales de Ordenación del Territorio de Asturias.

Decreto 38/1994, de 19 de mayo, por el que se aprueba el Plan de Ordenación de los Recursos Naturales del Principado de Asturias.

Decreto 278/2007, de 4 de diciembre, por el que se aprueba el Reglamento de Ordenación del Territorio y Urbanismo del Principado de Asturias.

Decreto 258/2011, de 26 de octubre, por el que se regula la composición, competencias y funcionamiento de la Comisión de Urbanismo y Ordenación del Territorio del Principado de Asturias.

Decreto 13/2019, de 24 de julio, del Presidente del Principado de Asturias, de reestructuración de las Consejerías que integran la Administración de la Comunidad Autónoma.

Decreto 78/2019, de 30 de agosto, por el que se establece la estructura orgánica básica de la Consejería de Infraestructuras, Medio Ambiente y Cambio Climático.

ANEXO I. LISTADO DE PLANES CON INCIDENCIA EN LA ORDENACIÓN DEL TERRITORIO

Planes	Información
Directrices Subregionales de la Franja Costera	Decreto 11/1991, de 24 de enero, en su redacción ya se contemplaba la futura elaboración, como instrumento de desarrollo, de unas Directrices Subregionales para la franja costera.
Directrices Sectoriales de Equipamiento Comercial	Decreto 119/2010, de 15 de septiembre, por el que se aprueba definitivamente la Revisión de las Directrices Sectoriales de Equipamiento Comercial.
Directrices Sectoriales de Ordenación del Territorio Energía Eólica	Decreto 42/2008, de 15 de mayo, por el que se aprueban definitivamente las Directrices Sectoriales de Ordenación del Territorio para el aprovechamiento de la energía eólica.
Directrices Sectoriales de Ordenación de los Recursos Turísticos	Ley 7/2001 del Principado de Asturias, de 22 de junio, de Turismo
Programas de Actuación Territorial de Carreteras	-
Programa de Actuación Territorial de las Áreas de Rehabilitación Integrada	-
Plan Territorial Especial de Ordenación del Litoral Asturiano	Acuerdo de 23 de mayo de 2005, adoptado por el Pleno de la Comisión de Urbanismo y Ordenación del Territorio de Asturias (CUOTA), relativo a la aprobación definitiva del Plan Territorial Especial de Ordenación del Litoral Asturiano (POLA).
Plan Territorial Especial de recuperación de los terrenos Hunosa en las cuencas mineras.	Acuerdo de 9 de mayo de 2007, adoptado por el Pleno de la Comisión de Urbanismo y Ordenación del Territorio del Principado de Asturias (CUOTA), relativo a la aprobación definitiva del Plan Territorial Especial de Recuperación de los Terrenos de Hunosa en las Cuencas Mineras.

Planes	Información
Plan Territorial Especial Estrategia Integrada para la Gestión Portuario-Litoral	El Pleno de la Comisión de Urbanismo y Ordenación del Territorio del Principado de Asturias (CUOTA), en su sesión de 17 de octubre de 2016, adoptó Acuerdo relativo a la segunda aprobación inicial
Plan Territorial Especial del Parque Periurbano del Naranco	Anulado
Plan Territorial Especial del Bajo Nalón	-
Plan Territorial Especial de los núcleos metropolitanos de Llanera y Siero	-
Plan Territorial Especial del Área de Tratamiento Centralizado de Residuos de Asturias	-
Plan Territorial Especial del Sistema de Espacios Libres del Área Central	-
Plan Territorial Especial del Suelo No Urbanizable de Costas	-
Plan Territorial Especial del Medio y Alto Nalón	-
Plan Territorial Especial del Narcea	-

Capítulo 6

La planificación territorial en les Illes Balears[1]

Enrique Peiró Sánchez-Manjavacas

Ambientólogo, Doctorando del IIDL. Investigador responsable e investigador del GDLS-Grupo de Investigación consolidado. IIDL-Universitat de València

Esther Rando Burgos

Profesora de Derecho Administrativo.

Universidad de Málaga

---

1. Queremos agradecer los comentarios a algunas de las partes de este texto que ha realizado el profesor Onofre Rullan, Catedrático de Análisis Regional de la Universitat
de les Illes Balears.

1. ANTECEDENTES

La ordenación del territorio en el archipiélago balear se ha constituido como el espejismo de una política consolidada y funcional al dotarse de una batería de figuras de planificación tanto regional como subregionales (incluyendo los de carácter sectorial) mediante unos procedimientos de tramitación sin incidencias reseñables asociadas. Sin embargo, la realidad es que la ordenación del territorio es una política fútil sin un claro deslinde con el urbanismo (más allá de la escala de actuación[2]) del cual recoge sus principios y técnicas. Encontrándose ambas subyugadas a la política económica y financiera que es la que verdaderamente ha marcado unas pautas de desarrollo y ocupación del archipiélago (Rullan, 2007). Y lo han hecho acorde al enfoque desarrollista, favorecedor del fenómeno turístico[3]. Este se iniciaba en la década de los 60, con un fulgurante ascenso, intermitente pero constante[4]. Un sector que hoy en día es la principal

---

2. Véase la Sentencia de la Sala de lo Contencioso Administrativo del Tribunal Superior de Justicia de las Islas Baleares (STSJIB) n.º 122/2003, de 14 de febrero, (rec. núm. 8/2001) a la cual recurre la magistrada Alicia Esther Ortuño para indicar el hecho de que *"toda la dificultad de deslindar los campos propios del urbanismo y de la ordenación territorial, se acrecienta en territorios espacialmente limitados, como el insular, en el que los ámbitos horizontales de las distintas competencias se superponen con mayor intensidad en atención a que se concentran sobre superficies más reducidas y acotadas"* https://elderecho.com/el-urbanismo-en-las-islas-baleares-peculiaridades-ante-la-ausencia-de-legislacion-urbanistica-propia.

3. Las peculiaridades del fenómeno turístico en el territorio Balear a partir de la década de los 60s y 70s ha motivado que se acuñe el concepto 'balearización' como sinónimo de desarrollo desordenado, superdimensionado y poco respetuoso con el medioambiente (Rullan, 1989, p. 626).

4. Alternándose periodos expansivos (denominados booms turísticos) con etapas de crisis en el sector. Véase los trabajos de Rullán (2004) o Valdivielso (2010) para una valoración de estas etapas; así como Rullan (1999) para una valoración del desigual desarrollo que ha tenido en las diferentes islas (donde el proceso tiende a ir en la misma dirección, pero a diferentes velocidades).

actividad económica del archipiélago, directa o indirectamente[5], y su principal agente de transformación socioterritorial (Salvà, 1989; Rullan, 1999; 2001, 2004, 2010; Dierssen, 2009; Valdivielso, 2010).

El resultado ha sido un modelo de crecimiento, en el marco de la lógica fordista primero y luego postfordista[6], que ha terminado fagocitando una lectura más de carácter ecologista que, en el mejor de los casos, actúa como contrapeso desde la que se aboga por la protección del patrimonio ambiental como elemento diferenciador de un turismo de calidad menos lesivo en su desarrollo (y ocupación) con el territorio (Rullan, 2010).

Una forma de desarrollo fuertemente arraigada en el territorio balear ante la cual, ni desde el urbanismo primero (Rullan, 1989, 1999) ni posteriormente desde la ordenación del territorio (Rullan, 2007, 2010), se ha pretendido reaccionar. El planeamiento territorial y urbanístico (según terminología de Benabent, 2014) ha resultado ser una herramienta pasiva ante la ocupación del territorio, a remolque de las demandas de crecimiento que ha ido (re)distribuyendo y legitimando[7]. Solo por parte de la política de protección ambiental se han encontrado intento de salvaguarda territorial; al menos de los entornos naturales más emblemáticos (Rullan, 2010)[8].

En este sentido, de igual manera que ha sido necesario retrotraerse a la década de 1960 para conocer las dinámicas territoriales que permiten comprender el estado actual del territorio y su evolución (que han dejado su impronta en la forma de entender y desarrollar la política territorial), para poder comprender el marco legal y procedimental de la política de ordenación del territorio es necesario remontarse a la llegada de la democracia en 1978. El nuevo modelo de Estado, el de las Autonomías, supone una reconfiguración tanto estructural como funcional de una Administración pública Balear que se ha manifestado como dinámica (con múltiples modificaciones) y compleja (con múltiples niveles administrativos) (Rullan,

---

5. Siendo recurrente el uso del término monocultivo para evidenciar no solo la prevalencia sino la alta dependencia que se genera entorno a una actividad económica, que en este caso es la turística.

6. Véase Cànoves et al. (2017) para profundizar en estos enfoques asociados al turismo, así como un recorrido por la historia de esta actividad en el Estado español.

7. De los diferentes enfoques mediante los cuales abordar el territorio, el caso del planeamiento territorial en Baleares encaja con el inactivo, que tal y como plantea Ackoff (1981), responde a los casos en los que las dinámicas predominantes no son cuestionadas ni se pretenden corregir.

8. Especialmente simbólico es el caso de la isla de la Dragonera, cuya defensa, siguiendo al citado autor, simboliza el nacimiento del moderno movimiento ecologista balear.

2001; Dierssen, 2009)[9]. En este nuevo contexto político-administrativo la ordenación del territorio se constituía como política pública con entidad propia, y como tal se incorporó al ordenamiento jurídico balear a través del Estatuto autonómico aprobado en el año 1983[10]; encontrando en la ley 8/1987, de 1 de abril, de Ordenación Territorial de las Illes Balears, en adelante LOTIB, el marco legal al amparo de la cual se conceptualizará el primer sistema de planeamiento en baleares el cual estuvo vigente hasta el año 2000. Momento en el que entró en vigor la actual Ley 14/2000, de 21 de diciembre, de Ordenación Territorial, para sucesivas menciones LOTB.

Al amparo de la LOTIB irán cogiendo forma unas Directrices de Ordenación del Territorio –DOTIB–, figura de ámbito regional basada en el proyecto de ordenación del archipiélago que se iniciara en 1984 (recién estrenada la autonomía) (Sastre, 2000). Unas DOTIB cuya aprobación definitiva con rango de Ley en 1999 sorprende desde el punto de vista procedimental[11]. Se hizo sin consenso político y ante unos inminentes comicios autonómicos[12]. En lo que a su contenido y finalidad se refiere, no encaja con lo que cabría esperar de un instrumento de planeamiento territorial de ámbito regional propiamente dicho (Cruz, 2018)[13], siendo

---

9.   Desde el punto de vista organizativo, la configuración administrativa se basa en la estructura planteada en el Real Decreto-ley 18/1978, de 13 de junio, por el que se aprueba el régimen preautonómico para el archipiélago Balear donde se presentan unos *Consells Insulars* de nueva creación (véase al respecto Rubí, 2000) que van a tener un notable protagonismo en la tramitación y aprobación de las figuras de OT, algunas todavía vigentes actualmente.
      Desde el punto de vista funcional, la Ley Orgánica 2/1983, de 25 de febrero, de Estatuto de Autonomía para las islas Baleares (Estatuto modificado en diversas ocasiones, hasta la última de ellas en el año 2007) reconoce la adquisición de competencias en materia de OT y urbanismo (separadas, al menos teóricamente, entre sí).

10.   Que desde el punto de vista del marco institucional representa el punto de inflexión en cuanto a las políticas territoriales (Rullan, 1999).
      https://www.boe.es/buscar/doc.php?id=BOE-A-1983-6316.

11.   Aspecto que es el que se va a manifestar como conflictivo también desde el punto de vista temporal, en tanto tal y como recoge el preámbulo de la LOTB: "A pesar de todo, la aprobación de las Directrices de Ordenación Territorial se retrasó mucho más allá de los plazos que fijaba la propia Ley y no se produjo hasta el año 1999". https://www.boe.es/buscar/pdf/1999/BOE-A-1999-11707-consolidado.pdf.

12.   Siguiendo lo indicado en el citado trabajo, las DOTIB nacen bajo la amenaza de directa modificación ante un posible cambio de gobierno regional ante unos inminentes comicios autonómicos, que hicieron imposible cualquier consenso.

13.   Siguiendo a la citada autora, las DOTIB no presentan documentación gráfica ni referencias a la idea de modelo territorial en las que se ha fundamentado la OT de ámbito regional en España, a pesar de que tanto la LOITB como la LOTB recogen la cuestión gráfica como parte de la documentación que debiera conformar las DOTIB.

más un instrumento de redistribución del crecimiento entre las islas. Esto ha conducido a la crítica de la ausencia, en el caso balear, de una política territorial de conjunto más allá de cada isla. A las DOTIB precedieron varios instrumentos de carácter sectorial, los Planes Directores Sectoriales (PDS)[14]. La política territorial se iniciaba pues con un marcado enfoque sectorial (Rullan, 1999), ya que no llegó a materializarse ninguno de los Planes Territoriales Parciales (PTP), planes de ámbito subregional[15]. Estos últimos finalmente, tras la entrada en vigor de la LOTB y sufrir un cambio de nombre, ahora Planes Territoriales Insulares (PTI), se desarrollarían y aprobarían entre 2003 y 2005[16]. Unos PTI de los que se ha destacado una tramitación que ha transcurrido con *"una celeridad inaudita"* (Rullan, 2007, p. 74-76) y que han venido a confirmar la realidad de una política territorial que actualmente se fundamenta en unos planes que, tal y como concluye el citado autor, han ordenado el crecimiento cuantitativo, pero que no lo han cuestionado ni contenido, evidenciando que la ordenación del territorio ha seguido la tónica de comportamiento (con matices) de la política urbanística preautonómica.

La reciente aprobación del Decreto Ley 9/2020, de 25 de mayo, de medidas urgentes de protección del territorio de las Illes Balears, es la antesala a la posible resolución de conflictos vinculada a la clasificación de usos del suelo existente, y paso previo a la actualización de las DOTIB. Una situación considerada como una ventana de oportunidad para la renovación de la política territorial balear en su conjunto.

2. NORMATIVA BASE DE LA ORDENACIÓN DEL TERRITORIO EN LAS ISLAS BALEARES

El presente epígrafe se enmarca en una obra dedicada al análisis del marco legal y procedimental de la política de ordenación del territorio, con el fin de identificar los conflictos y estrangulamientos que se producen

---

14. Como son los Planes de Ordenación de la Oferta Turística de Mallorca (1995) y de Ibiza y Formentera (1997) y el Plan Director Sectorial de Carreteras (1998); hasta un total de nueve, afectando además a sectores como los Residuos Sólidos Urbanos (1990-1994), Puertos Deportivos (1994), Comercio (1996) y Canteras.

15. PTP de la Serra de Tramuntana, PTP del Pla, PTP del Raiguer como PTP independientes, y los PTP para ámbitos litorales planteados en el avance de las DOT del año 1997, norte, sur-levante y bahía de Palma (Rullan, 2001, p. 147). De los que cabe destacar un primer ámbito para el ámbito subregional inferior al insular que terminará por establecerse.

16. Plan Territorial Insular de Menorca (2003), Plan Territorial Insular de Mallorca (2004) y Plan Territorial Insular de Ibiza y Formentera (2005).

en la tramitación de las figuras de planificación territorial, así como de las responsabilidades asociadas; en este caso en el caso de les Illes Balears (vid. tabla 1).

Tabla 1. Marco regulador e instrumental de la Ordenación del Territorio en las Islas Baleares

Comunidad Autónoma	Islas Baleares
Antecedentes legislativos	Ley 8/1987, de 1 de abril, de Ordenación Territorial de la Comunidad Autónoma de las Islas Baleares
Legislación OT actual	Ley 14/2000, de 21 de diciembre, de Ordenación Territorial
Plan OT regional	Directrices de Ordenación Territorial de las Islas Baleares
Entrada en vigor (año)	18/04/1999
Normativa de aprobación	Ley 6/1999, de 3 de abril, de las Directrices de Ordenación Territorial de las Illes Balears y de Medidas Tributarias
Organismo impulsor	Consejería competente, con aprobación definitiva del Parlamento
Periodo tramitación DOTIB	Previsión legislativa (Ley 8/1987, de 1 de abril, de Ordenación Territorial de las Illes Balears) Aprobación (Ley 6/1999, de 3 de abril, de las Directrices de Ordenación Territorial de las Illes Balears y de Medidas Tributarias)
Otros planes OT	-
Otros planes con incidencia en OT	Planes de Ordenación de los Recursos Naturales

Fuente: Elaboración propia

Para ello resulta obligatorio considerar tanto el marco legal vigente como los textos legales que le han precedido, al amparo de los cuales se han tramitado y, en su caso, aprobado figuras de planeamiento que siguen vigentes hoy en día (como es el caso de las DOTIB).

Esto va a permitir evidenciar las diferencias existentes entre las dos normativas en la materia, muy parejas entre sí, unos textos legales muy sencillos y de estructura simple que se centran en la regulación de los instrumentos de planificación territorial, con una estructura casi idéntica que aborda tres cuestiones: naturaleza, contenido y procedimiento de elaboración de los instrumentos de planificación[17].

3. ESQUEMA DE INSTRUMENTOS

La batería de instrumento que conforman el sistema de planificación en territorio balear responde a la lógica planteada por Vaquer (2018, p. 109), para quien, a consecuencia de la falta de tradición en materia de ordenación del territorio, esta política recogió las técnicas clásicas del urbanismo. De esta manera se creó un sistema triangular: figura regional –figura subregional– planeamiento sectorial, que recuerda la lógica urbanística de la trilogía plan general –plan parcial– plan especial. Se ha mantenido relativamente constante desde su concepción inicial en el año 1987 (véase la figura 1). Con una ligera modificación, que no afecta en lo sustancial, con la entrada en vigor de la normativa del año 2000 (vid. la figura 2), al amparo de la cual desaparecerá la figura de los Planes de Ordenación del Medio Natural; al entenderse que su función la pueden llevar a cabo los planes especiales regulados en la normativa urbanística, vinculados a la Administración competente en materia de medioambiente. Los nuevos Planes Territoriales Insulares, antes Planes Territoriales Parciales, pasarán a tener un ámbito de actuación insular, frente al planteamiento inicial en el que podían tener una escala inferior.

Una batería instrumentos cuyo sistema de vinculaciones responde, según la tipología de Benabent (2016), al de un modelo de estructura jerárquica piramidal abierta. Planes Territoriales Insulares y Planes Directores Sectoriales se subordinan en igualdad de condiciones a las Directrices de Ordenación del Territorio regionales. Es la organización administrativa, y su distribución de competencias asociada, la que acaba definiendo las relaciones entre planes integrales y sectoriales. Cuando la planificación sectorial esté elaborada por un Consell Insular, su contenido deberá someterse a sus Planes Territoriales Insulares (también de su competencia) (Benabent, 2016, p. 213-214), pero no si el plan sectorial es elaborado por el Govern de les Illes Balears (GOIB)[18].

---

17. La normativa e instrumentos de planificación territorial en Baleares, ha sido objeto de análisis en nuestro trabajo (Rando, 2019).
18. En el apartado 6 de este capítulo se vuelve a abordar la cuestión de las relaciones entre PDS en función de la escala y nivel competencial (regional o insular).

Figura 1. Esquema de Instrumentos de Planificación Territorial propuesto en la LOTIB

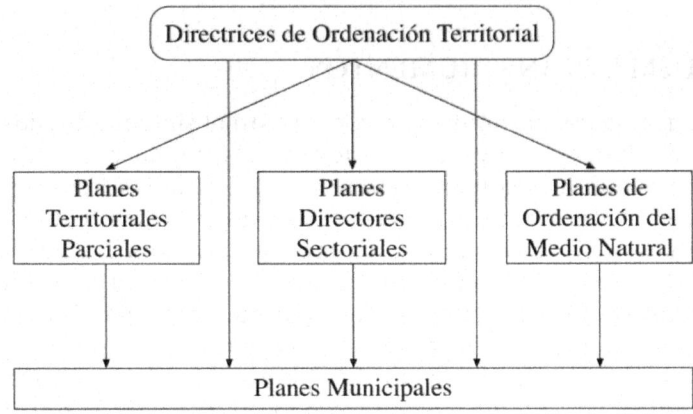

Fuente: Rullan (2010, p. 409)

Figura 2. Esquema de Instrumentos de Planificación Territorial propuesto en la LOTB

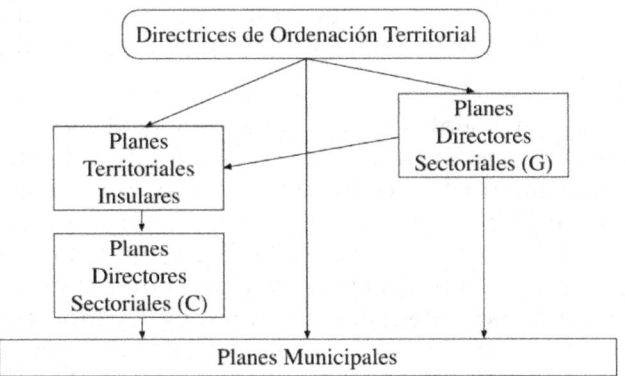

Fuente: Rullan (2010, p. 417)

Como rasgo distintivo, y a su vez definitorio del sistema de planificación balear y su funcionamiento, resulta llamativo la ausencia de proyectos estratégicos dentro de la batería de instrumentos de OT (Cruz, 2016)[19]. De igual manera, resulta llamativo, más aun teniendo en

---

19. Los planes estratégicos, figura presente en el territorio balear, no resulta equivalente en tanto no tiene la capacidad de motivar y ejecutar una intervención territorial,

cuenta la insularidad y la gran presión sobre el espacio litoral, que en Baleares no haya ninguna figura de planeamiento que tenga como objeto específico de regulación el ámbito litoral (Farinós et al. 2018, p. 1016). Es esta una tarea compartida entre los diferentes instrumentos de planeamiento ante la falta de desarrollo del Decreto 72/1994, de 26 de mayo, sobre los planes de ordenación del litoral en la que se preveía la formulación, tramitación y aprobación de planes o normas de ordenación del litoral[20].

3.1. LAS DIRECTRICES DE ORDENACIÓN TERRITORIAL DE LES ILLES BALEARES (DOTIB). EL INSTRUMENTO REGIONAL DE LAS ISLAS BALEARES

Son las DOTIB una figura muy peculiar, que nace con la vocación de ser la "Constitución del Territorio" (Rullan, 1999, p. 435), pero que cuyas formas y contenidos las alejan de tal objetivo.

Para comprender la figura de las DOTIB es necesario retroceder nuevamente a la década de los 60, momento en el que el planeamiento territorial al amparo de la Ley del Suelo del año 1956 era papel mojado tras promulgarse la Ley de Zonas y Centros de Interés Turístico Nacional de año 1963[21] al amparo de la cual se permitían intervenciones al margen de la ley de suelo y su planeamiento con el fin de potenciar el turismo (Cànovas et al. 2017, p. 251) Esta flexibilización en la intervención y transformación territorial puso en evidencia la necesidad de una mínima planificación de un fenómeno, y sus efectos, hasta el momento inauditos[22].

---

como si hacen los proyectos estratégicos, siendo precisamente su uso una forma de intervenir el territorio al margen de la lógica de la planificación territorial propia de la ordenación del territorio.

20. Cabe aclarar que el litoral adquiere especial protagonismo en el caso balear por razones obvias, como la insularidad, y por la vocación económica que adquiere ante el fenómeno turístico. Lo cual se ha traducido en que varios de los instrumentos se vinculen al espacio litoral como ámbito de actuación (claro ejemplo serán los Planes de Ordenación de la Oferta Turística –POOTs– de Mallorca y las Pitiusas, que eran eminentemente litorales). Sin embargo, a lo que se hace referencia es a la ausencia de una planificación al estilo de la realizada en otras autonomías que abordan el litoral como fenómeno territorial con entidad propia, y cuyo único intento sin mayor desarrollo se asocia al citado Decreto 72/1994, de 26 de mayo.

21. https://www.boe.es/buscar/doc.php?id=BOE-A-1963-22673.

22. Es muy significativo, siguiendo a Sastre (2000), el hecho de que estas primeras grandes urbanizaciones en territorio balear, con predilección por los entornos litorales y con crecimientos en altura, sean proyectos que no contemplaban las dotaciones e infraestructuras adecuadas, pues eran consideradas cuestiones secundarias, hasta que en la década de los 70 ya serían obligatorias (véase para más detalle a este respecto Rullan, 1999).

Ante esta situación se opta por un Plan Provincial, figura urbanística todavía amparada en la Ley del Suelo del año 1956, que inicia su andadura en 1970 y se aprueba en 1973[23]. No deja de ser un plan desarrollista encaminado a potenciar el crecimiento del fenómeno turístico-urbanizador, aunque introduce un mínimo de protección ambiental, límites al crecimiento y un mínimo de infraestructuras (Rullan, 1999; Sastre, 2000).

Paradójicamente, cuando en la década de los 1980 rebrota el crecimiento urbanístico, este no encuentra tanto problema dado que el planeamiento previo encaminado a potenciarlo había creado las condiciones idóneas. Es la génesis de los futuras DOTIB, figura a la que se llega tras fracasar varios intentos por desarrollar un proyecto de ordenación de ámbito regional y ante la evidencia de que era necesario afrontar un fenómeno que iba más allá de la escala local[24].

El recorrido hasta las DOTIB se inicia con el intento de desarrollar un Plan Director Territorial de Coordinación (figura de ámbito estatal que introdujo la Ley 19/1975, de 2 de mayo, de reforma de la Ley sobre Régimen del Suelo y Ordenación Urbana, para los ámbitos supramunicipales). No contaría sin embargo con el consenso suficiente para llegar a aprobarse, por las disputas generadas ante el enfoque de su componente económico y las discrepancias que provocó. Se pensó en su lugar en una posible actualización del Plan Provincial (con un mínimo reajuste que no entorpeciera el crecimiento urbano), también finalmente descartado (Rullan, 1999). Ambas tentativas se enmarcan en los primeros años 1980, dando paso poco después, ya en el nuevo estado de las autonomías, a un nuevo proyecto para la ordenación del territorio en el año 1984. Este proyecto será la base de unas DOTIB que se crean al amparo de la Ley 8/1987, de 1 de abril, de Ordenación Territorial de la Comunidad Autónoma de las Islas Baleares (Sastre, 2000).

En el capítulo II, su art. 3 define las DOTIB como el instrumento para ordenación conjunta de la totalidad del ámbito territorial de la Comunidad Autónoma de las islas Baleares. Tienen por finalidad la determinación de la normativa que se considere necesaria para conseguir los objetivos

---

23. Todo un hito, por ser de los pocos casos de aprobación de las figuras de planeamiento de ámbito supramunicipal contemplados en la Ley del Suelo de 1956 (véase de Elizalde, 1983), junto con los de Guipúzcoa y Barcelona (Benabent, 2006).

24. En la década de los 80 se produce un cambio en la ocupación territorial. Proliferan las segundas residencias vinculadas a la población local, enriquecida por el fenómeno turístico de los 60 (Salvá, 1989, Rullan, 1999). Quedará atrás el fenómeno litoral en altura para dar paso a las segundas residencias de carácter extensivo en zonas de interior.

fundamentales recogidos en el capítulo I; así como la definición de los criterios a los que habrán de ajustarse las Administraciones actuantes en las islas Baleares con incidencia territorial y para las que tenga competencias asumidas. En su capítulo III (artículos del 10 al 15) establece las responsabilidades y procedimientos a seguir para la tramitación de una figura que estaba prevista que tuviera un desarrollo inmediato, una vez la Ley entrara en vigor. Tal y como se recoge en su artículo 14, en un plazo máximo de ocho meses, contados a partir de la publicación de la Ley en el «Butlletí Oficial de la Comunitat Autònoma de les Illes Balears», se debía proceder a la redacción de un «Avance de las Directrices de Ordenación Territorial» que contendría la documentación gráfica y escrita justificativa y explicativa de los criterios seguidos, y una propuesta de directrices propiamente dichas. Sin embargo, hubo que esperar una década, hasta 1997, para que se este avance viera la luz y se aprobaran las DOTIB en el año 1999 (Ley 6/1999, de 3 de abril, de las Directrices de Ordenación Territorial de las Illes Balears). Un avance que, tal y como plantea Rullan (2011, p. 291-292), es una suerte de *"huida hacia adelante"* de un por aquel entonces recién constituido gobierno autonómico, que cambió el rumbo de unas DOTIB muy próximas en su planteamiento inicial a las Directrices de Ordenación del Territorio del País Vasco. Menos ejecutivas en sus contenidos y más estratégicas en su enfoque, dieron lugar a una figura que presentara el mayor contenido sustantivo de entre los diferentes instrumentos de ordenación del territorio promulgados hasta el momento (Benabent, 2006; citado en Rullan, 2011). Su aprobación, al borde de unos comicios autonómicos tras los cuales se aprobaría un nuevo texto legal en materia de ordenación del territorio, careció de consenso.

La entrada en vigor de la ley 14/2000, de 21 de diciembre, de Ordenación Territorial, no alterará el reconocimiento de las DOTIB como el instrumento superior y básico de la ordenación territorial de las Illes Balears (capítulo I, artículo 5). Pero sí va a reducir sustancialmente su articulado, que pasará a contar únicamente con 3 artículos (naturaleza, contenidos y procedimientos). Si la anterior legislación supuso un reforzamiento del ámbito regional, el nuevo marco legal va a apostar por la insularidad, reforzando los Consells Insulars como el ámbito predilecto para la política territorial, que ahora encuentra en los Planes Territoriales Insulares su herramienta de actuación predilecta.

Así pues, las DOTIB van a ver reducido su contenido; tal y como se recoge en la exposición de motivos de esta ley del año 2000 y se evidencia en su artículo 6, limitándolo a:

a) La determinación de los límites y los techos máximos de crecimiento de los diversos usos del suelo y los límites de su materialización.

b) El establecimiento de prescripciones para el desarrollo económico que incida en el territorio.

c) La protección del medio ambiente y el uso sostenible de los recursos naturales.

d) La fijación de los criterios que se han de observar en la redacción de los planes directores sectoriales que se prevean.

e) La localización y la ejecución de infraestructuras y de equipamientos[25].

A pesar de que se defiende que las DOTIB han establecido un modelo territorial para Baleares, este ha sido motivo de críticas en tanto no ha realizado un diagnóstico previo ni ha estado acompañado de una debida representación cartográfica que lo ilustre (Cruz, 2018, p. 940), algo que tanto la Ley del año 1987 como la del año 2000 plantean. Por ello la citada autora la aproxima más a una normativa urbanística de ámbito regional que a la OT. Así lo evidencia Rullan (2011, p. 291-293) indicando que la idea de modelo que presentaban las DOTIB se limitaba al diseño de un nuevo modelo para la implantación de la nueva urbanización, tratando de que el planeamiento de ámbito municipal se ajustara a las previsiones establecidas unas DOTIB.

En efecto, las DOTIB plantean una suerte de clasificación del suelo diferenciando, según lo establecido en el artículo 6 del capítulo II "Elementos básicos", entre:

1. Áreas homogéneas de carácter supramunicipal

2. Áreas sustraídas al desarrollo urbano

---

25. Más allá de lo establecido en las legislaciones en materia de ordenación del territorio, las DOTIB encuentran en su Ley 6/1999 (en tanto aprobadas con tal rango), el texto legal de referencia en cuanto a contenidos y competencias. Es una particularidad del caso balear, pues suele ser habitual encontrar leyes de ordenación del territorio de gran extensión y complejidad en las que no solo se establecen procedimientos y responsabilidades, sino que también establecen contenidos y competencias de manera detallada.
   Una ley que en su exposición de motivos justifica, a partir de varias Sentencias del Tribunal Constitucional, que las DOT se centran en la planificación de usos suelo (77/1984, fundamento jurídico 2, y 149/1991, fundamento jurídico 1.°; 36/1994, fundamento jurídico 3.° y 28/1997, fundamento jurídico 5.°; 36/1994, fundamento jurídico 3.° y 61/1997, fundamento jurídico 16, y 40/1998, fundamento jurídico 30; Sentencias del Tribunal Constitucional 149/1991, fundamento jurídico 1.° B y 40/1998, fundamento jurídico 30).
   Una cuestión generalizada en el conjunto del Estado español, (Cruz, 2018; Segura, 2019) pero que en el caso balear va a adquirir especial significación, en tanto se va a aproximar a lo que cabría esperar de una figura de índole más urbanístico (como lo fuera su predecesora, el Plan Provincial del año 1973). Y esto tiene mucho que ver con la idea de modelo territorial (véase Zoido, 2006 y Cruz, 2020); siendo su definición el objetivo identificado como fundamental para las DOTB (artículo 1 de la citada Ley).

3. Áreas de desarrollo urbano

4. Sistema de infraestructuras y equipamientos

Sobre ellas, y en función de sus características y objetivos asociados, las DOTIB establecen limitaciones a los crecimientos urbanísticos, sugieren los usos del suelo más apropiados, plantean la reclasificación de suelos urbanizables, y fijan el contenido de los instrumentos que deben concretar y materializar todas estas cuestiones. Siguiendo la lógica de los instrumentos que le han precedido, sin pretender evitar el crecimiento urbanístico del conjunto del territorio, aunque sí reubicarlo, blindando los primeros 500 metros del litoral y tratando de minimizar la dispersión territorial (para mayor detalle vid. Rullan, 2007 y 2010).

Según lo establecido en el artículo 3 del título preliminar (Conceptos Generales), capítulo I (Objeto, ámbito, vigencia y vinculación), las DOTIB tendrán vigencia indefinida, sin perjuicio de las innovaciones que resulten procedentes, que podrán llevarse a cabo a través de su revisión o modificación, en aras a adecuarlas a las circunstancias cambiantes que acaecen en el territorio. De hecho, dicho artículo 3 enumera las circunstancias por las cuales podrán ser objeto de revisión (apartado 2) o modificación (apartado 3)[26]. Pero no lo han sido, a pesar de estar prevista su revisión en el plazo de una década desde su entrada en vigor (plazo que culminó en 2009), en tanto las DOTIB proyectaban unos límites de crecimiento (Isla de Mallorca 10%, Isla de Menorca 12%, Islas de Eivissa y de Formentera 10%) que encomienda implementar a los Planes Territoriales Parciales (luego a

---

26. Las causas para proceder a la revisión de las DOTB, están enumeradas en el apartado 2, del artículo 3 de la Ley 6/1999, fijando un plazo de diez años de vigencia, transcurrido el cual el Gobierno de las Illes Balears analizará la oportunidad de proceder a su revisión que, no obstante, podrá llevarse a cabo en cualquier momento, anterior o posterior, si concurre alguna de las circunstancias siguientes:

a) Cuando circunstancias acaecidas alteren las hipótesis de las directrices de ordenación territorial en lo que se refiere a evolución demográfica, dinámica económica, problemática ambiental o mercado inmobiliario, de manera que obliguen a cambiar los criterios establecidos.

b) Si deben tramitarse modificaciones concretas de las determinaciones de las directrices de ordenación territorial que provoquen alteraciones que incidan en la estructura general del territorio.

c) Cuando el desarrollo de las directrices de ordenación territorial comporte la necesidad o la conveniencia de ampliar sus objetivos mediante posteriores desarrollos del mismo modelo de ordenación no previstos inicialmente.

d) Cuando la aprobación de alguna normativa estatal o de la Unión Europea establezca determinaciones para el territorio de las Illes Balears que impliquen una transformación del modelo territorial.

e) Cuando otras circunstancias acaecidas de análoga naturaleza o importancia semejante lo justifiquen, porque afecten a criterios determinantes del modelo territorial de las directrices de ordenación territorial y así lo acuerde el Consejo de Gobierno de las Illes Balears.

los Planes Territoriales Insulares) previstos para un horizonte temporal de diez años. No es de extrañar que, ante la pretensión de establecer estos límites de manera efectiva, en el artículo 84 del capítulo II (Redacción del planeamiento de desarrollo de las directrices), se estableciera un determinado plazo para la aprobación de los Planes Territoriales Insulares[27]: Menorca (cuatro años), Mallorca (seis años), Eivissa y Formentera (seis años).

Aprobados los PTI, y transcurridos más de diez años desde la entrada en vigor de las DOTIB, no se ha llevado a cabo una revisión de las mismas. Una opción que cobra actualidad con la entrada en vigor del Decreto Ley 9/2020, de 25 de mayo, de medidas urgentes de protección del territorio en el archipiélago, que pretende resolver una serie de conflictos de clasificación preexistentes, como posible paso previo que abre la opción a esta revisión[28].

3.2. LOS PLANES TERRITORIALES INSULARES. EL INSTRUMENTO SUBREGIONAL DE LAS ISLAS BALEARES

Si para comprender las DOTIB ha sido necesario remontarnos a lo ocurrido desde la década de los 60, pues en los intentos de organizar el fenómeno turístico radica el origen del actual planeamiento de ámbito regional, también lo es para comprender el planeamiento de ámbito subregional. En esta ocasión por un motivo diferente, ligado, siguiendo a Rullan, a la conceptualización que se hace del territorio balear. Es evidente que la actividad turística supuso una ruptura con la situación anterior, no solo en el modelo de desarrollo socioeconómico sino también sociocultural (véase Salvà, 1989; Valdivielso, 2010). Y esto ha condicionado también la conceptualización del espacio. En el año 1964, todavía en los albores del fenómeno, Vicenç María Roselló planteó una comarcalización del territorio; un interesante ejercicio entre lo político-administrativo y lo geográfico en el que la división puramente administrativa se impregna de las características territoriales para su configuración (Rullan, 2001). Sirvió de

---

27. Resulta llamativo el uso del término Planes Territoriales Insulares para aludir a los Planes Territoriales Parciales. Evidencia la voluntad de redenominar una figura que adquiere así una connotación vinculada a su ámbito de actuación, que con la entrada en vigor de las DOT pasaba a ser el insular (islas de Mallorca, Menorca y las Pitiusas), para las cuales las DOT preveían el desarrollo de los Planes Territoriales Parciales. Mención especial para unos Planes Directores Sectoriales que ya contaban con un desarrollo previo al desarrollo y aprobación de la figura de ámbito regional. Por ello, en lugar de establecer plazos de desarrollo, las DOTIB contemplan cómo deberían adaptarse estas figuras de acuerdo con lo establecido en el capítulo III (Adaptación del planeamiento territorial a las directrices de ordenación territorial), en su artículo 87.
28. Algunas ideas presentadas de manera sintética sobre este nuevo Decreto Ley 9/2020 pueden encontrarse en el siguiente enlace: https://www.inmodiario.com/167/29182/baleares-busca-reclasificar-como-urbanizables-suelos-urbanos-cuyo--desarrollo-necesario.html.

elemento de inspiración, sujeto a reinterpretaciones y adaptaciones, para las diferentes iniciativas vinculadas a espacios supralocales tales como la constitución de mancomunidades o la territorialización de los fondos provenientes de los programas europeos.

También sirvió de base para la primera propuesta de instrumentos de planeamiento territorial vinculados a la ordenación del territorio de ámbito subregional. No será hasta la entrada en vigor de la Ley 8/1987, cuando el planeamiento territorial de ámbito subregional se constituya como tal. Lo hará mediante la figura de los Planes Territoriales Parciales, con una propuesta de tres de estos instrumentos basados en aquella propuesta de división comarcal: los PTP de la Serra de Tramuntana, PTP del Pla y PTP del Raiguer (Rullan, 2001, p. 147). No tuvieron desarrollo en la práctica, a pesar de que el propio documento de avance de las DOTIB (de 1997) reconocía estos PTP y se apostaba por complementarlos con tres nuevos PTP de ámbito litoral (norte, sur-levante y bahía de Palma), cuyo ámbito evidencia la sustitución del interés por la cuestión comarcal en favor de lo turístico.

Sin embargo, ninguno de estos seis PTP verá la luz. La aprobación de las DOTIB supondría que el ámbito de actuación fuera el insular; lo que hace que los PTP, luego PTI, deban ajustarse a las áreas homogéneas de carácter supramunicipal que coinciden con la división insular. La Ley 14/2000, de 21 de diciembre, de Ordenación Territorial, remachará el protagonismo absoluto de las islas en la planificación subregional. En la exposición de motivos de la LOTB, y recogiendo el testigo de la Ley 6/1999, por las que fueron aprobadas las DOTIB, los recién renombrados PTI van a ser considerados la figura clave de una política territorial encargada de ordenar un crecimiento urbanístico que no podía superar los límites establecidos por unas DOTIB, ahora *"más tasadas o reducidas"*, como se comenta a continuación.

Esto va en paralelo con una reconsideración de la política territorial que pasa a tener en los Consells Insulars, en lugar del Gobierno Balear, el nivel administrativo predilecto para su desarrollo (vid. artículo 8 de la LOTB)[29]. Los PTI se tramitarán y aprobarán dentro de los plazos establecidos por las DOTIB, mediante procedimientos inusualmente rápidos y sin mayores incidencias (Rullan, 2007, p. 74). El interés por disponer de la herramienta que permitía gestionar el crecimiento, así como la simplificación del

---

29. Los PTIs son el resultado del reforzamiento de unos Consells Insulars que van adquiriendo un mayor protagonismo político gracias a las diferentes modificaciones del Estatuto de Autonomía del año 1983, y que encuentra en la ley de ordenación del territorio del año 2000 la consolidación de esta situación; y en los PTI su herramienta de planeamiento territorial predilecto (reconsiderado con respecto a su figura predecesora, los PTP, al contar ahora con mayor capacidad decisoria). No en vano recaerá sobre esa figura la tarea de establecer los submodelos territoriales que deben desarrollar cada isla (Rullan, 2011).

procedimiento gracias a la reducción de las Administraciones participantes (aunque solo fuera en el proceso de información y alegación), explican esta mayor celeridad. Con todo, y tal y como escribía (Rullán, 2007), afirmación que es extensible a las DOTIB y al planeamiento urbanístico, *"los planes no han supuesto ninguna contención al crecimiento, simplemente se han limitado a colocar la demanda de nuevo suelo residencial y turístico en las orlas periurbanas (áreas de transición) sin cuestionar el crecimiento en la ciudad ya urbanizada (suelo urbano). Los planes, en todas sus escalas, han ordenado el crecimiento cuantitativo, no lo han cuestionado, calmado ni contenido. En estas circunstancias ha sido la política económica y financiera la que ha dirigido la política urbana y territorial"*.

Al respecto del control del crecimiento urbanístico, cuyos límites fueron establecidos por las DOTIB, oscilando entre el 10% y el 12%, indicar que:

- El Plan Territorial Insular de Menorca resulta en su planteamiento el más restrictivo al crecimiento urbanístico, con una prohibición a la edificación residencial en suelo no urbanizable.

- Lo contrario, sucede en el caso del Plan Territorial Insular de Ibiza, el cual no solo asume la totalidad del crecimiento posible por el instrumento regional, sino que presenta un marcado componente desarrollista vinculado al desarrollo de grandes infraestructuras.

- En el caso del Plan Territorial de Mallorca, además de la apuesta por las grandes infraestructuras, es destacable la firme apuesta por las Áreas de Reconversión Territorial (ART), figura que daría lugar a múltiples polémicas y cuya consecuencia inmediata fue la significativa reducción en términos cuantitativos de estos ámbitos, lo que tendría lugar en el año 2011 con la modificación del plan.

Estos techos de crecimiento no se han alcanzado hoy en día, pero siguen vigentes[30]. Así lo evidencia lo establecido en el preámbulo del recientemente aprobado Decreto Ley 9/2020, de 25 de mayo, de medidas urgentes de protección del territorio de las Illes Balears, justificando la necesidad y urgencia de dicho texto legal para establecer moratorias en suelo clasificado como urbanizable pero no desarrollado en los plazos establecidos.

Finalmente, y respecto del contenido de los PTI, destacar dos cuestiones. La primera, como aspecto positivo, es que a diferencia de las DOTIB los PTI sí cuentan con un interesante diagnóstico territorial y una componente cartografía sustancial, en cumplimiento de lo que establece el artículo 9 de la Ley 14/2000[31]. En segundo lugar, y aunque es cierto que los

---

30. Estas expectativas de crecimientos que se 'almacenan' en el planeamiento urbanístico quedan latentes a la espera de coyunturas más favorables. Una situación que recuerda a la que se encontró en el caso valenciano (vid. Farinós, Peiró y Zornoza, 2019).

31. Véase como ejemplo el trabajo de Mata et al. (2002) sobre el PTI de Menorca.

PTI no han permanecido inalterados desde su aprobación, representan figuras que han estado sujetas solo a modificaciones puntuales, encontrando a partir de 2017 una tendencia generalizada a su revisión, las cuales se encuentran en desarrollo actualmente[32].

Figura 3. Situación del planeamiento subregional en las Islas Baleares

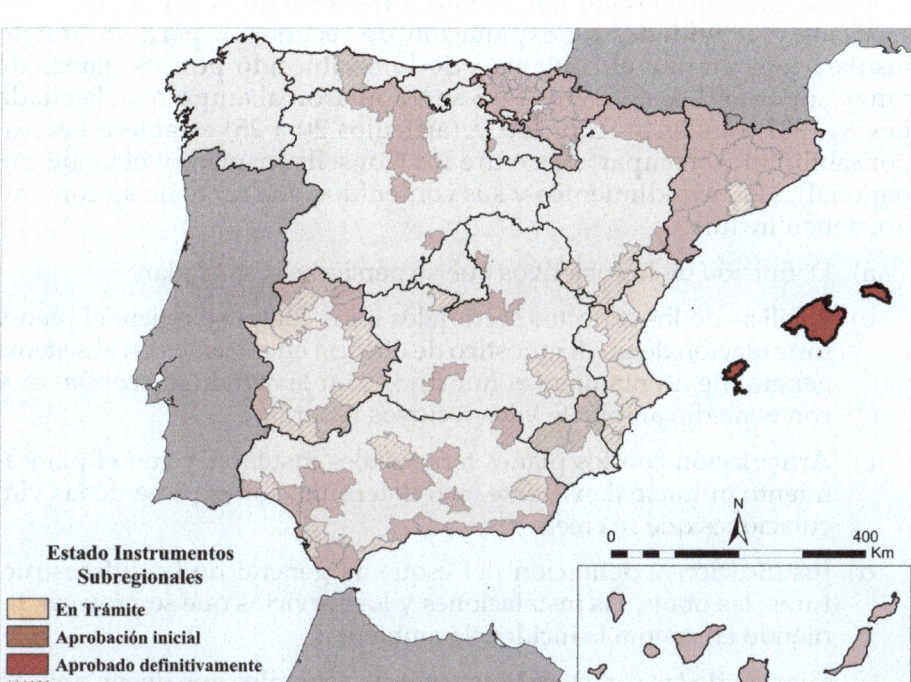

Estado Instrumentos Subregionales

- En Trámite
- Aprobación inicial
- Aprobado definitivamente
- Instrumentos Conflictivos

Fuente: Elaboración propia

---

32. Las diferencias entre modificación y revisión que aplican los instrumentos de ordenación del territorio es otra de las herencias de la política urbanística. Unas diferencias que responden a lo establecido por la Sentencia del Tribunal Supremo, de 22 de enero de 1988 –EDJ 1988/10298–, recogida en la de 29 de mayo de 2009 –EDJ 2009/112171–, indicando diferencias relativas a:
    - La revisión supone una reconsideración completa del instrumento, frente a un reajuste que no altera en lo sustancial la figura que conlleva su modificación.
    - Paradójicamente, la revisión puede concluirse sin alteración si se estima que lo establecido por el instrumento es correcto (situación que realmente sería anómala), mientras que a la modificación le es inherente la reconsideración de las cuestiones abordadas.
    - La revisión tiene una vocación más general, estratégica si se prefiere, frente a la modificación con una vocación más ejecutiva.
    Para más detalles al respecto de estas diferencias véase: https://elderecho.com/el-control-judicial-de-las-alteraciones-de-los-planes-urbanisticos-alcance-y-consecuencias.

3.3. LOS PLANES DIRECTORES SECTORIALES. LOS INSTRUMENTOS SECTORIALES TERRITORIALES DE LAS ISLAS BALEARES

Como instrumentos sectoriales encontramos los Planes Directores Sectoriales (PDS), recogidos en la Ley del año 1987 y que la actual normativa vigente también contempla. Se trata de figuras para el desarrollo de cuestiones sectoriales como infraestructuras, equipamientos, servicios y actividades de explotación de recursos... para un ámbito insular; concretando el contenido de lo establecido por los planes de rango superior. Los primeros PDS se tramitaron al amparo de la citada Ley 8/1987, que en su capítulo V (artículos 20 a 25) establece las responsabilidades (compartidas entre los Consells Insulars y el Gobierno regional), los procedimientos y sus contenidos. Respecto de su contenido, deben incluir:

a) Definición de los objetivos que se persiguen con el plan.

b) Análisis de los aspectos sectoriales a los cuales se refiere el plan y formulación de un diagnóstico de eficacia en relación con el sistema general de asentamientos humanos, con la actividad económica y con el medio ambiente y los recursos naturales.

c) Articulación con los planes territoriales insulares y con el planeamiento municipal existente, con determinación expresa de las vinculaciones que se creen.

d) Justificación y definición del esquema general de las infraestructuras, las obras, las instalaciones y los servicios que se prevean, teniendo en cuenta la incidencia ambiental.

e) Fijación de las características técnicas generales que deben aplicarse, debidamente clasificadas, en su caso, al llegar a la fase de proyecto de obra.

f) Relación y localización de las obras y actuaciones integradas en el plan.

g) Estudio económico-financiero que valore las obras y las actuaciones y establezca los recursos directos e indirectos con los que se pretenden financiar.

h) Fijación de los sistemas de ejecución, de las prioridades y de la programación de las actuaciones.

i) Medidas de apoyo encaminadas a promover las actuaciones que favorezcan la consecución de los objetivos señalados.

j)   Medidas encaminadas a minimizar el impacto de las infraestructuras sobre el medio y a conseguir un uso sostenible de los recursos naturales[33].

Respecto de los procedimientos, aunque los PDS contaban con un procedimiento de tramitación establecido por la LOTIB (artículo 24, puntos 1 y 2), dado que su tramitación precedió a las DOTIB esto obligó a que en 1989 el Parlamento balear estableciera unos criterios para la elaboración de estas figuras. Y es que van a ser los Planes de Ordenación de la Oferta Turística (POOT) para Mallorca (1995) y para Ibiza y Formentera (1997) los primeros instrumentos de ordenación del territorio como tal que van a tramitarse[34]. Se suman al listado de intentos por regular la cuestión turística, para lo cual su acción más emblemática será la creación de los mecanismos de reconversión en y entre zonas turísticas de cada una de las islas (vid. Rullan, 2010).

Para regularizar las relaciones entre las DOTIB, instrumento de rango superior, una vez éstas fueron aprobadas por la Ley 6/1999, con una planificación sectorial, de rango inferior pero que contaba ya con cierto desarrollo y con previsiones de desarrollo a futuro, se redacta el título II bajo la rúbrica "el sistema de infraestructuras y equipamientos" de las propias DOTIB. En dicho título II, además de un conjunto de disposiciones generales para la ordenación de las infraestructuras y equipamientos (artículos 56 a 59), se regulan de manera detallada para otros sectores y se enumeran los PDS que debían redactarse[35]. El artículo 57 de la citada Ley 6/1999 establece que los PDS que ordenan infraestructuras o equipamientos permanecerán

---

33.   Desapareciendo o modificando en la nueva legislación algunos apartados que sí consideraba la anterior, tales como:
   h) Prioridades de ejecución y programación de las actuaciones;
   i) Justificación y fijación del plazo de vigencia del plan;
   j) causas y procedimientos de actualización o revisión;
   l) regímenes transitorios.

34.   A pesar de recibir esta denominación, estos planes son considerados Planes Directores Sectoriales.

35.   Entre los PDS vigentes a la entrada en vigor de las DOTIB, el artículo 57 recoge los siguientes: Plan Director Sectorial de Equipamientos Comerciales, Plan Director Sectorial de Canteras, Plan Director Sectorial de Carreteras, Plan Director Sectorial de Residuos Sólidos de Mallorca, Plan Director Sectorial de Residuos Sólidos de Menorca, Plan Director Sectorial de Residuos Sólidos de Eivissa, Plan Director de Ordenación de la Oferta Turística de Mallorca, Plan Director de Ordenación de la Oferta Turística de Ibiza y Formentera. Inicialmente también se incluía el Plan Director Sectorial de Puertos Deportivos e Instalaciones Náuticas, posteriormente suprimido por el apartado 1 de la disposición adicional 2.1. de la Ley 10/2005, de 21 de junio, de Puertos de las Islas Baleares.

vigentes en su contenido, a excepción de que se produzcan contradicciones con lo establecido en esta nueva normativa. En una situación intermedia se encontrarán los Planes Directores que estaban todavía sin tramitar en el momento de aprobación de las DOTIB. Se concibieron de forma similar a los ya aprobados, pero a diferencia de ellos iban a tener que someterse al nuevo marco de referencia de las DOTIB.

En este sentido, el artículo 58 enumera los PDS que debían redactarse para la consecución de los propios objetivos de las DOTIB, en concreto: Plan Director Sectorial de Movilidad de las Islas Baleares, Planes Directores Sectoriales de Prevención y Gestión de Residuos No Peligrosos y Peligrosos de las Islas Baleares, Plan Director Sectorial Energético de las Islas Baleares, Plan Director Sectorial de Telecomunicaciones de las Islas Baleares, Plan Director Sectorial de Saneamiento de las Islas Baleares. No fueron desarrollados en su totalidad[36]. Por su parte, el artículo 59 deja abierta la posibilidad de la redacción de otros PDS no previstos expresamente en las DOTIB, para los cuales y en coherencia con lo señalado, remite a los mismos criterios y determinaciones reguladas para los PDS que sí recoge.

Los PDS deben adaptarse a las previsiones de las DOTIB y de los PTI. De manera singular, su finalidad es la de determinar las prioridades de actuación y el régimen normativo correspondiente de las diferentes políticas sectoriales. En virtud de lo cual ordenan:

- La dimensión territorial, ambiental y paisajística de la planificación sectorial.

- La definición de estándares y normas de distribución territorial de equipamientos, de infraestructuras, de sistemas generales, de servicios y de actividades de explotación de recursos.

- También contendrán una estimación o distribución territorializada de los recursos disponibles, de las necesidades existentes, de los déficits o superávits detectados y de las medidas correctoras a adoptar.

3.4. LOS PLANES DE ORDENACIÓN DEL MEDIO NATURAL Y LOS PLANES TERRITORIALES COMARCALES

Ambos aparecían ya recogidos en la LOTIB, eliminados por la vigente LOTB. Carecieron de cualquier desarrollo, ahora vinculado a los planes

---

36. En su redacción original, el artículo 58 únicamente hacía referencia a cuatro PDS: el PDS del Transporte de las Islas Baleares, el PDS de Gestión de Residuos de las Islas Baleares, el PDS Energético de las Islas Baleares y el PDS de Telecomunicaciones de las Islas Baleares. Tras diferentes modificaciones, quedó como se ha expuesto.

especiales, a los que se dedica el próximo epígrafe. Sobre ellos únicamente cabe mencionar algunas cuestiones muy puntuales.

Respecto a los Planes de Ordenación del Medio Natural, se trata de una figura que se incluye como parte de la batería de figuras de planeamiento vinculadas a la ordenación del territorio siguiendo una tónica general de comportamiento observada en otras legislaciones coetáneas a la balear por aquel entonces[37]. La LOTB, los suprime, dado que, tal y como se recoge en la exposición de motivos, su finalidad *"puede ser perfectamente ejercida por los planes especiales regulados en la legislación urbanística, sin perjuicio de las figuras de ordenación de los recursos naturales previstas en la legislación sectorial vigente"*.

Respecto de los Planes Territoriales Comarcales, simplemente indicar que, de acuerdo con el artículo 16.1 de la LOTIB, eran unas figuras que podrían ser elaboradas tanto por el Govern balear como por el Consell insular respectivo, según especificaciones de las Directrices de Ordenación Territorial. Careciendo de cualquier referencia tanto en las DOTIB como en su ley de aprobación (Ley 6/1999), esto se tradujo en su desaparición *de facto*, que vendrá a confirmarse *de iure* con la entrada en vigor de la nueva LOTB, donde cualquier referencia a la división comarcal desaparece.

3.5. LOS PLANES ESPECIALES EN LAS ISLAS BALEARES

Es a la legislación urbanística a la que se ha de acudir para conocer la regulación de los referidos Planes Especiales, a los que además se les atribuye, con carácter general, la función de desarrollo del planeamiento general (Plan General y Planes de Ordenación Detallada). Su regulación, en consecuencia, se encuentra en la vigente Ley 12/2017, de 29 de diciembre, de Urbanismo de las Islas Baleares, en adelante LUIB. Pese a lo anterior, la LUIB posibilita expresamente en su artículo 45 que a través de los Planes Especiales se desarrollen instrumentos de ordenación territorial o municipales, cuestión que singulariza en el artículo 45.2.h) al regular el objeto de este instrumento y referirse expresamente al "desarrollo de la ordenación territorial".

---

37. Desde el inicio del desarrollo legislativo en materia de ordenación territorial a nivel español, son varias las Comunidades Autónomas que optan por incluir como categoría de instrumentos de planificación, junto a los de escala regional y subregional (integrales y/o sectoriales), una cuarta categoría conformada por los instrumentos de planificación del medio físico o ambiental. Algunas de las Comunidades Autónomas que optaron por ello (Baleares, Cantabria o La Rioja) la irán abandonando paulatinamente, especialmente a partir de la Ley 4/1989, de conservación de espacios naturales protegidos; otras la intentarán mantener, expresa o implícitamente (Rando, 2018).

Se trata de instrumentos que deben concretar las determinaciones que les impongan los instrumentos de rango superior (tanto de ordenación territorial como urbanística). Se trata de instrumentos vinculados a los diferentes Consells Insulars. En el caso de los Planes Especiales vinculados al Consell de Mallorca, en primer lugar, destacar que se presenten como instrumentos derivados del PTI de la isla, que tienen una tramitación y aprobación calificadas por el Pleno del Consell Insular. Supletoriamente, en todo aquello no previsto en la legislación de ordenación del territorio, se podrá aplicar a estos tipos de planes las previsiones de la legislación urbanística; siempre que no se contradiga con las disposiciones de la LOTB, las DOTIB ni los PTI. Cuenta con los siguientes planes: Planes Especiales de las rutas de interés paisajístico (a) Plan Especial de Ordenación y de Protección de la ruta de Pedra en Sec; b) Plan Especial de Ordenación y de Protección de la ruta Artà-Lluc), Planes Especiales de les rutas de interés cultural, Planes Especiales de los Ámbitos de Intervención Paisajística (AIP), Planes de Reconversión Territorial y Proyectos de Mejora Territorial. En el caso del Consell de la Isla de Menorca, la información relativa a los Planes Especiales se encuentra menos accesible y más dispersa, detectando para su ámbito territorial la existencia de un Plan Especial de Protección del Conjunto Histórico Artístico de la Ciutadella de Menorca. Lo mismo sucede en el caso de Ibiza, donde se ha identificado la existencia de los planes siguientes: Plan Especial de Protección del conjunto histórico de Sant Carles de Peralta, Plan Especial de Protección del conjunto histórico de Santa Gertrudis, Plan Especial de Protección del Conjunt Històric de Jesús, Plan Especial de Ses Feixes del Prat de Ses Monges.

4. ÓRGANOS RESPONSABLES DE LA ORDENACIÓN DEL TERRITORIO EN LAS ISLAS BALEARES

A diferencia de otras Comunidades Autónomas, con una normativa específica para el reconocimiento y el establecimiento de las funciones atribuidas a los diferentes órganos vinculados a la ordenación del territorio, en el caso de las Islas Baleares no existe un texto normativo que actúe como marco de referencia. No será ésta la única de las peculiaridades de un caso de estudio en el que destaca el reconocimiento de "competencias propias" a los gobiernos insulares, sin perjuicio de la competencia exclusiva autonómica, a través de los Consells Insulars[38]. El resultado es un mar-

---

38. Sobre el Consells, como indica Dierssen (2009), tienen una organización similar a la de los municipios; pero cuentan con comisiones de carácter resolutorio (entre las que se encuentra la cuestión urbanística); con competencias para la asistencia y cooperación

co organizativo de la competencia en materia de ordenación del territorio que, de manera sintética, queda de la siguiente forma:

Ámbito regional:

- Consejería competente en materia de ordenación del territorio

  o Dirección General competente en materia de ordenación del territorio

Ámbitos insulares:

- Consell de Mallorca:

  o Departamento competente en materia de ordenación del territorio

    ▪ Dirección Insular competente en materia de ordenación del territorio

      • Servicio competente en materia de ordenación del territorio

- Consell de Ibiza:

  o Departamento competente en materia de ordenación del territorio

    ▪ Sección competente en materia de ordenación del territorio

- Consell de Menorca:

  o Departamento de Presidencia (competente en materia de ordenación del territorio)

    ▪ Dirección Insular competente en materia de ordenación del territorio

- Consell de Formentera:

  o Área de Urbanismo, Turismo y Actividades Económicas

    ▪ Urbanismo y Ordenación del Territorio

---

para los municipios, y con carácter de órganos de gobierno y de administración de las islas. Sobre la estructura de administrativa de les Illes Balears vid. Dierssen (2009, p. 81-84) que, como plantea Rullan (2001), y más allá de la simple cuestión competencial, se ve influenciada por la UE y el Estado español, también por el Gobierno de las Islas Baleares, los diferentes Consejos Insulares y, por último, la escala local (Mancomunidades, Ayuntamientos, Entidades locales menores, Consorcios y Empresas o entidades públicas).

4.1. COMISIÓN DE COORDINACIÓN DE POLÍTICA TERRITORIAL

La Comisión de Coordinación de Política Territorial fue creada por la Ley 8/1987, de 1 de abril, de Ordenación Territorial de las Islas Baleares "para garantizar la necesaria coordinación de las actuaciones territoriales de las distintas Consellerías". Este órgano se mantiene por la vigente LOTB, a cuya regulación dedica el artículo 4.

Con carácter general, mantiene su función dirigida a lograr la necesaria coordinación interadministrativa: "velar por la coordinación necesaria de las actuaciones territoriales de las distintas administraciones públicas".

Como funciones concretas, la LOTB le atribuye en su artículo 4.2, las siguientes:

- Participar en los procedimientos de elaboración de los instrumentos de ordenación territorial mediante la emisión de informes.

- Emitir informe, con carácter preceptivo, en relación con los anteproyectos de disposiciones reglamentarias que deban dictarse en ejecución de la LOTB.

- Formular recomendaciones y propuestas a los órganos competentes en la materia objeto de la LOTB.

- Facilitar la colaboración entre las Administraciones competentes y, especialmente, el intercambio de información técnica.

- Promover la elaboración de estudios.

- Cualquier otra determinada por la LOTB.

Respecto de su organización, el propio artículo 4.3 de la LOTB, determina su estructura, distinguiendo:

- Seis miembros en representación del Gobierno de las Islas Baleares.

- Dos miembros en representación del Consejo Insular de Mallorca.

- Dos miembros en representación del Consejo Insular de Menorca.

- Dos miembros en representación del Consejo Insular de Ibiza y Formentera.

A destacar que la propia composición de la Comisión de Coordinación de Política Territorial "evidencia la relevancia de los consejos insulares, representados de manera paritaria en el mismo, junto al gobierno autonómico" (Rando, 2020). Circunstancia que abunda en la idea, ya referida, del protagonismo que esta Comunidad Autónoma otorga a los gobiernos insulares.

El artículo 4.4. de la LOTB establece la necesidad de un desarrollo reglamentario para regular la organización y funcionamiento de este órgano. En cumplimiento de tal mandato, apenas unos meses después sería promulgado el Decreto 13/2001, de 2 de febrero, de Organización y Funcionamiento de la Comisión de Coordinación de Política Territorial. El Decreto mantiene las funciones previstas en la propia LOTB, siendo una de sus escasas aportaciones la concreción de los miembros que, en representación del Gobierno autonómico, forman parte de la Comisión, además de los representantes de los Consells Insulars. En este sentido, en su artículo 2.1 se refiere expresamente a los siguientes:

- El Consejero de Obras Públicas, Vivienda y Transportes, que ejercerá las funciones de presidente de la Comisión.

- El Director General de Ordenación del Territorio, que será el vicepresidente.

- Un representante de la Vicepresidencia.

- Un representante de la Consejería de Medio Ambiente.

- Un representante de la Consejería de Economía, Hacienda e Innovación.

- Un representante de la Consejería de Turismo.

5. PROCEDIMIENTOS Y RESPONSABILIDADES FORMALES

La LOTB regula el procedimiento de elaboración y tramitación de los diferentes instrumentos, sin que haya existido un posterior desarrollo reglamentario al respecto. Particular atención merece los PDS, en tanto, como ya se ha señalado, su desarrollo puede correr a cargo de dos niveles de la Administración diferentes, lo que determina que las fases del procedimiento presenten diferentes responsables.

5.1. PROCEDIMIENTO DE ELABORACIÓN Y APROBACIÓN DE LAS DOTIB

El marco jurídico de referencia del procedimiento para la elaboración y aprobación de las DOTIB se contiene en el artículo 7 de la LOT.

Diagrama 1. Procedimiento de tramitación de las Directrices de Ordenación del Territorio de las Islas Baleares

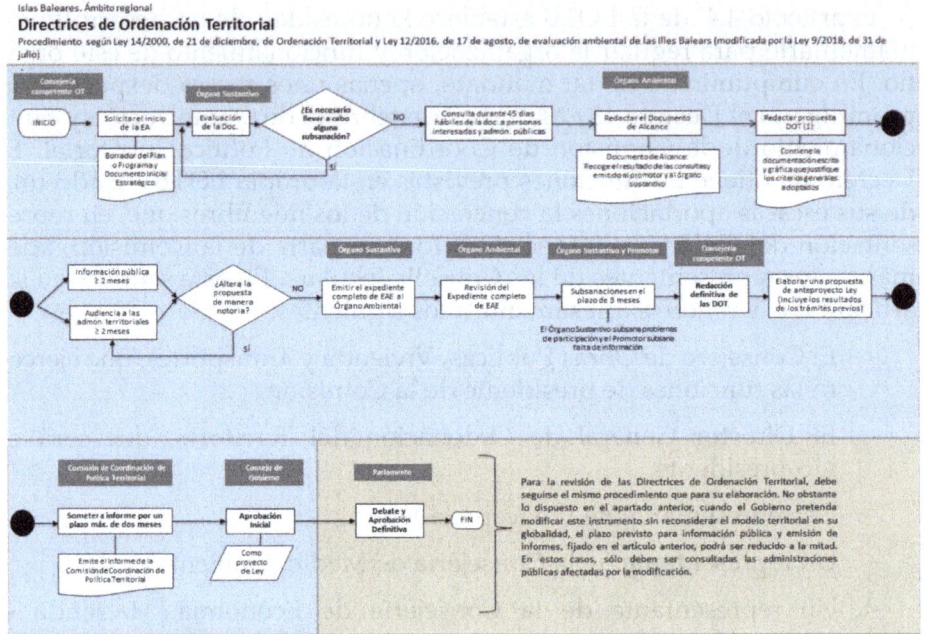

Islas Baleares. Ámbito regional
Directrices de Ordenación Territorial
Procedimiento según Ley 14/2000, de 21 de diciembre, de Ordenación Territorial y Ley 12/2016, de 17 de agosto, de evaluación ambiental de las Illes Balears (modificada por la Ley 9/2018, de 31 de julio)

(1) Debe ser elaborada en colaboración con los Consejos Insulares

Fuente: Elaboración propia

El procedimiento debe iniciarlo la Consejería competente en materia de OT, mediante la redacción de una propuesta de DOTIB de manera consensuada y participada con los Consells Insulars. La propuesta debe ser sometida tanto a información pública como a informe por parte de las diferentes Administraciones (desde la Administración General del Estado a las Administraciones locales, pasando por las Administraciones autonómicas e insulares), en ambos casos por período no inferior a dos meses.

Tras esta evaluación de la propuesta inicial se redactará una versión definitiva de propuesta de DOTIB, que se someterá nuevamente a información pública y consulta a las Administraciones afectadas en el caso de que se hayan producido modificaciones sustanciales con respecto a la propuesta inicial.

Con esta propuesta definitiva, la Consejería competente en materia de OT debe preparar una propuesta de anteproyecto de ley, en la cual se incorpora el resultado de los diferentes trámites realizados hasta el momento, que será objeto de informe por parte de la Comisión de Coordinación de Política Territorial en un máximo de dos meses. Tras lo cual, el ante-proyecto de ley será remitido al Consejo de Gobierno para su aprobación como proyecto de ley. La aprobación definitiva del proyecto de Ley de las DOTIB corresponde al Parlamento balear, siguiendo el correspondiente trámite parlamentario.

Un procedimiento equivalente prevé la LOTIB para su revisión; si el modelo territorial planteado en las DOTIB se mantiene, los plazos se re-ducen a la mitad, debiéndose consultar única y exclusivamente a las Ad-ministraciones territoriales afectadas por el cambio.

5.2. PROCEDIMIENTO DE ELABORACIÓN Y APROBACIÓN DE LOS PLANES TERRITORIALES INSULARES

El procedimiento para la elaboración y aprobación de los PTI queda regulado en el artículo 10 de la LOTB. Corresponde al órgano competente en materia territorial de cada Consell Insular, conforme a su reglamento orgánico, iniciar el procedimiento. Será el pleno del Consell Insular el res-ponsable de la aprobación inicial del PTI, momento en el que será someti-do al trámite de consulta e información pública por plazo no inferior a un mes. De manera simultánea al mismo, se debe acordar la suspensión del otorgamiento de licencias y autorizaciones que, pese a cumplir las deter-minaciones legales vigentes, se considere que puedan impedir o dificultar la viabilidad del futuro plan. De igual forma, se podrá acordar la suspen-sión de la aprobación de aquellos instrumentos de planeamiento urbanís-tico que se entiendan puedan impedir o dificultar la viabilidad del plan (salvo que hubiesen alcanzado la finalización del periodo de información pública en su tramitación). Para las referidas suspensiones es preceptiva la emisión de un informe favorable de la Comisión de Coordinación Polí-tica Territorial. La suspensión se mantendrá hasta la aprobación definitiva del PTI, con un máximo temporal de dos años.

Tras la aprobación inicial, tendrá lugar un nuevo trámite de informa-ción pública, simultáneo a la solicitud de informe de las diferentes Ad-ministraciones local, autonómica y estatal) competentes y, en su caso, consulta a los organismos y entidades supramunicipales considerados de relevancia. En caso de discrepancias sustanciales con respecto a su con-tenido y las objeciones planteadas, se habilitará un periodo de consulta entre estas Administraciones con el fin de resolver las diferencias.

Finalizada la consulta, se puede disponer de un nuevo periodo de in-formación y de consulta de la misma duración que el anterior si, como consecuencia de las alegaciones y de los informes recibidos, o por acuer-do propio, se han introducido modificaciones sustanciales respecto de la redacción inicial. Este acuerdo será sometido a nuevo periodo de información pública y deberá incorporar un nuevo informe favorable de la Comisión de Coordinación de Política Territorial. Tras lo cual se redacta la versión definitiva del texto de los PTI, sujeto a aprobación definitiva por parte del Pleno del Consejo Insular, previo informe de la Comisión de Coordinación de Política Territorial.

El procedimiento es el mismo para la revisión, pudiendo reducirse los plazos a la mitad en caso de que las modificaciones no afecten al total del instrumento, debiéndose consultar únicamente en este caso a las administraciones afectadas.

Diagrama 2. Procedimiento de tramitación de los Planes Territoriales Insulares

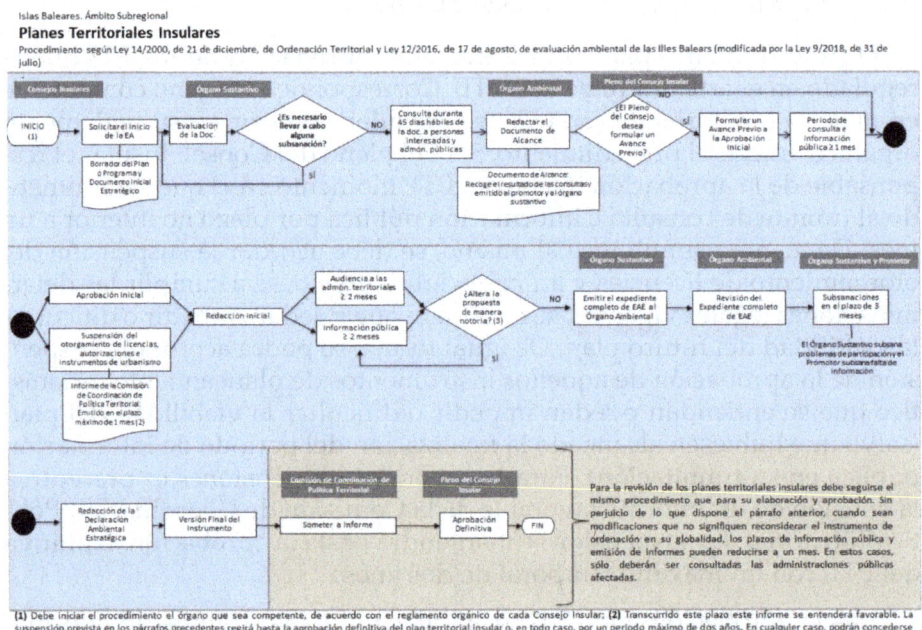

Fuente: Elaboración propia

5.3. PROCEDIMIENTO DE ELABORACIÓN Y APROBACIÓN DE LOS PLANES DIRECTORES SECTORIALES

A la regulación del procedimiento de elaboración y aprobación de los PDS, dedica la LOTB su artículo 13. A diferencia de los dos tipos de instrumentos anteriores, los PDS pueden ser desarrollados tanto por la Administración autonómica como por la insular. El procedimiento de elaboración y aprobación coincide en tiempos y formas con lo establecido para los PTI, pero se diferencian por las Administraciones partícipes en cada etapa. Cuando se desarrollan por los Consells Insulars, el órgano para iniciar el procedimiento será el que la ostente la competencia conforme al reglamento orgánico de cada Consell. Si lo desarrolla el Gobierno Regional, es la consejería competente en la materia objeto de ordenación la responsable de iniciar el procedimiento.

Con una primera redacción, los PDS desarrollos por los Consells Insulars se aprobarán inicialmente por el Pleno del Consell correspondiente, mientras que, en el caso de los PDS regionales, la aprobación inicial corresponde a la Consejería competente por razón de la materia sobre la que verse el plan. Simultáneamente a la aprobación inicial, y al igual que sucedía con los PTI, se acordará la suspensión del otorgamiento de licencias y autorizaciones, así como la de la tramitación y aprobación de instrumentos de planeamiento urbanístico, en los mismos términos previstos para la tramitación de los Planes Territoriales Insulares.

Una vez acordada la aprobación inicial, el PDS se someterá a información pública y consulta en los términos y condiciones previstos para los PTS, tanto si se trata de PDS propios del Gobierno regional como insulares.

Tras este trámite, tiene lugar la redacción del texto definitivo, que será aprobado, previo informe de la Comisión de Coordinación de Política Territorial, por parte del Pleno del Consell Insular (para los PDS de competencia insular) o bien será elevado por la Consejería competente, previo informe de la Comisión de Coordinación de Política Territorial, al Consejo de Gobierno que lo aprobará por Decreto.

Los procedimientos de revisión y modificación se ajustan a los seguidos para los PTI, es decir, el mismo procedimiento, salvo que no se produzca una modificación total de instrumento, en cuyo caso es posible reducir a la mitad los plazos y limitar las consultas a los afectados.

5.4. PROCEDIMIENTO DE ELABORACIÓN Y APROBACIÓN DE LOS PLANES ESPECIALES

La información relativa a los Planes Especiales se recoge en la Ley 12/2017, de 29 de diciembre, de Urbanismo de las Illes Balears, que en el artículo 45 regula los Planes Especiales. No se detalla el procedimiento de elaboración y aprobación del instrumento.

5.5. PROCEDIMIENTO DE LA EVALUACIÓN AMBIENTAL DE PLANES Y PROGRAMAS

El procedimiento que a continuación se describe tiene su fundamento en la normativa estatal de evaluación ambiental, la Ley 21/2013, de 9 de diciembre, de Evaluación Ambiental, LEA. Con una serie de matices y particularidades que incluye la normativa autonómica, la Ley 12/2016, de 17 de agosto, de Evaluación Ambiental de las Islas Baleares, en su título II "Evaluación ambiental de planes, programas y proyectos", capítulo I "Evaluación ambiental estratégica de planes y programas". Cuestiones todas ellas, que son objeto de análisis pormenorizado a continuación.

Están sujetos a Evaluación Ambiental, los planes y programas (por tanto, los instrumentos de OT), así como sus modificaciones, en la medida en la que, tal y como recoge la ley, estos instrumentos se encuentren dentro de los siguientes supuestos:

a) Que establezcan el marco para la autorización futura de proyectos legalmente sometidos a la evaluación de impacto ambiental y se refieran a la agricultura, la ganadería, la silvicultura, la acuicultura, la pesca, la energía, la minería, la industria, el transporte, la gestión de residuos, la gestión de recursos hídricos, la ocupación del dominio público marítimo-terrestre, la utilización del medio marino, las telecomunicaciones, el turismo, la ordenación del territorio urbano y rural o el uso del suelo.

b) Que requieran una evaluación porque afectan espacios de la Red Natura 2000 en los términos que prevé la legislación del patrimonio natural y de la biodiversidad.

No requerirán de Evaluación Ambiental Estratégica, EAE, las modificaciones que, a valoración del órgano ambiental, previo informe técnico, carezcan de impactos significativos; así como, de acuerdo con el artículo 3.5 de la Directiva 2001/42/CE, aquellas modificaciones de planes territoriales o urbanísticos que tengan como objeto exclusivo alguna o algunas finalidades concretas[39].

---

39. La Directiva reconoce las siguientes: i) Disminución de coeficientes de edificabilidad o de porcentajes de ocupación de los edificios. ii.) Disminución de la altura máxima de los edificios. iii)   Cambio de usos plurifamiliares a unifamiliares. iv) Aumento de la superficie, o reajuste por razones funcionales, de zonas de equipamientos, espacios libres públicos o infraestructuras, siempre que este cambio de calificación o clasificación no afecte a terrenos clasificados como suelo rústico. v) Aumento de la superficie de la parcela mínima para poder construir o implantar un uso urbanístico. vi) Cambios de la clasificación de suelo urbano, urbanizable o apto para la urbanización con la finalidad de reconvertirlo en suelo rústico. vii) Implementación o extensión

El procedimiento queda recogido en la propia LEA, en concreto en su título II "Evaluación ambiental", capítulo I "Evaluación ambiental estratégica", sección 1.ª "Procedimiento de la evaluación ambiental estratégica ordinaria para la formulación de la declaración ambiental estratégica". En el mismo se indica que dicho procedimiento consta de una solicitud de inicio a cargo del ente promotor ante el órgano sustantivo, acompañado de la documentación exigida por la normativa sectorial, un borrador del plan o programa, y un documento inicial estratégico (siendo una de las etapas en las que se produce una particularidad y es la alternativa de realizar la presentación telemática o en papel si así lo exige en el órgano ambiental). Corresponde al órgano ambiental evaluar la documentación presentada y estimar su admisión o inadmisión si así se estima oportuno (por inviabilidad ambiental, falta de calidad en el documento inicial estratégico o inviabilidad un instrumento previo de similares características). En caso de inadmisión y paso previo a la resolución final, el órgano ambiental debe dar audiencia al promotor informando debidamente al órgano sustantivo.

Para iniciar el procedimiento, el órgano ambiental establecerá modelos normalizados de solicitudes de inicio en su sede electrónica al alcance del público. Una solicitud que debe acompañarse de la documentación establecida por la normativa sectorial y la estatal en materia de EAE, así como el justificante del pago de la tasa para la evaluación ambiental correspondiente. La documentación indicada deberá presentarse en formato digital, a excepción de que el órgano ambiental estimo oportuno su presentación en formato papel. La presentación electrónica queda regulada en la propia normativa de EAE regional, cuyo artículo 6 se dedica a valorar las condiciones para el uso de medios telemáticos.

Se indica que en los procedimientos de información pública previstos en la normativa estatal que son de obligado cumplimiento, será debidamente anunciado tanto en el Boletín Oficial de la Comunidad Autónoma como en la sede electrónica del órgano sustantivo o promotor. Así mismo, y cuando la normativa sectorial prevea la información pública de los planes o programas, ésta se debe intentar realizar de manera simultánea al trámite de información pública del procedimiento ambiental.

La siguiente etapa en el procedimiento son las consultas previas y determinación del alcance del estudio ambiental estratégico. El órgano

---

de las medidas de protección del medio ambiente, de restauración o recuperación de hábitats o especies afectadas por incendios forestales u otros desastres naturales, en suelo rústico o respecto a bienes integrantes del patrimonio histórico. viii) Establecimiento o modificación de los índices de uso turístico o residencial siempre que representen una disminución de la capacidad de población. ix) Cambios del sistema de actuación de polígonos o unidades de actuación.

ambiental debe someter el borrador del instrumento junto al documento inicial estratégico a consultas de las Administraciones públicas afectadas, así como de las personas interesadas (por un plazo de 45 días). Una vez reunidos los elementos de juicio necesarios, el mismo órgano ambiental es el responsable de elaborar el documento de alcance del estudio ambiental estratégico. El documento de alcance será público, presentado a través de la sede electrónica del órgano ambiental y del órgano sustantivo y será remitido junto con los resultados de las consultas tanto al promotor como al órgano sustantivo.

A partir de lo establecido en este documento de alcance, es responsabilidad del promotor elaborar el estudio ambiental estratégico, donde se recogen los efectos significativos derivados del desarrollo del plan o programa. Deben contemplarse alternativas viables y ajustadas. Representa un documento que forma parte integrante del plan o programa. Un estudio ambiental estratégico, base a partir de la cual el promotor debe elaborar la versión inicial del plan o programa, debiendo presentarlos conjuntamente ante el órgano sustantivo, el cual lo someterá a información pública, debiendo incluir un resumen no técnico del Estudio Ambiental Estratégico. Existe la posibilidad de que sea el promotor el que lleve a cabo este proceso de información pública acorde con la normativa sectorial cuando corresponda al promotor la tramitación administrativa del instrumento.

Simultáneamente, el órgano sustantivo efectuará las consultas a las Administraciones y público afectado de la misma documentación que se somete a información pública, y nuevamente es posible su desarrollo por parte del órgano promotor en las mismas condiciones que en el caso de la información pública. A partir de los resultados obtenidos en esta etapa, el promotor adaptará, si resulta necesario, el estudio ambiental estratégico y elaborará una propuesta final del instrumento. Destacar la perspectiva suprarregional al hacer hincapié a la necesidad de realizar y contemplar consultas transfronterizas. La suma de la propuesta final del plan, el estudio ambiental estratégico, los resultados de información pública y consultas y un documento resumen del promotor, conforman el expediente de evaluación ambiental estratégico completo, que debe ser remitido por parte del órgano sustantivo al órgano ambiental para su análisis técnico, el cual debe valorar la adecuación de los trámites previos realizados.

A la hora de realizar el análisis técnico del expediente, el criterio es el que establece la normativa básica estatal, con particular incidencia en este caso a la integración paisajística; particularmente para asegurar el cumplimiento de las normas de aplicación directa en materia paisajística contempladas en la legislación territorial y urbanística autonómica.

Tanto para el análisis técnico del expediente como para la formulación de la declaración ambiental estratégica, el órgano ambiental dispondrá de un plazo de tres meses, prorrogable por un mes más, por razones justificadas debidamente motivadas desde la recepción del expediente completo.

Es cometido del órgano ambiental, una vez finalizado el análisis técnico del expediente, la formulación de la declaración ambiental estratégica, un informe preceptivo y determinante que contiene una presentación de los principales hitos, así como las consideraciones que estime necesarias para incluir en el plan que sea objeto de aprobación definitiva. El promotor debe incorporar como parte del plan o programas la declaración ambiental estratégica, de manera que siempre que sea acorde a lo establecido en la legislación sectorial, será objeto de aprobación por el órgano sustantivo. Tras su aprobación, debe ser remitido por el órgano sustantivo para su publicación en el Diario Oficial.

6. EMBOTELLAMIENTOS Y CONDICIONES QUE ALTERAN EL FUNCIONAMIENTO DE LA ORDENACIÓN DEL TERRITORIO EN LAS ISLAS BALEARES

La política territorial en el archipiélago balear presenta tres etapas diferenciadas, según las distintas legislaciones promulgadas.

La primera de las etapas abarca el periodo preautonómico, a partir de la Ley de Suelo del año 1956, hasta la constitución de la autonomía balear (en el año 1983), momento en el que la ordenación del territorio se reconoce como política pública con entidad propia y (aparentemente) diferenciada del urbanismo. Se trata de un periodo clave, en el que se va a consolidar la forma de entender y desarrollar una política territorial que adoptará las técnicas y formas de proceder propias del urbanismo[40]. Esto se ha manifestado de dos formas. La primera es común en todas las Comunidades Autónomas, y tiene que ver con el hecho de que la política de ordenación del territorio es una política de planificación integral de usos del suelo (Cruz, 2018, Segura, 2019), basada en la lógica de una racionalidad técnico-comprensiva (Benabent, 2016). La segunda es más específica del caso balear. Tiene que ver con el enfoque de actuación del planeamiento territorial que en el caso balear sería de "carácter inactivo" según lo planteado por Ackoff (1981)[41]. En este mismo sentido se

---

40. Algo habitual en todas las CCAA españolas (vid. Vaquer, 2018).
41. Acorde al citado trabajo se diferencian cuatro formas de abordar los retos territoriales:
     - Inactiva: Son las dinámicas predominantes las que marcan las pautas de desarrollo sin vocación por intervenir sobre estas.
     - Reactiva: Se fundamenta en acciones correctoras de la situación previa.

manifiesta Rullan (1989, p. 630): *"el planeamiento no tiene esquema propio, no cuenta con la fuerza necesaria como para dibujar una nueva estructura. Se ultradimensiona todo pero con los mismos patrones locacionales. No hay ordenación del territorio"*[42].

Esto va a condicionar una política territorial que se enfoca a una planificación física de usos del suelo (al ser el suelo un recurso más escaso por la condición insular), pero que se manifiesta incapaz de resolver otros conflictos territoriales (Albrechts, 2004). Pero no solo importa el qué, sino el cómo. La planificación se considera herramienta técnica y pretendidamente aséptica (basada en la lógica de la racionalidad comprehensiva de los técnicos) que sirve de base para la toma de decisiones de carácter político. Sin embargo, éstas se encuentran marcadas por intereses y valores particulares; una importante cuestión que requiere consensos. La dificultad de lograr consensos en torno a la política territorial en el caso balear se evidencia en este periodo cuando, a principios de los años 1980, a punto de aprobarse el estatuto de autonomía, se trata de reemplazar el Plan Provincial de Baleares de 1973 por la figura del Plan Director Territorial de Coordinación (que introdujera la Ley 19/1975, de 2 de mayo, de reforma de la Ley sobre Régimen del Suelo y Ordenación Urbana). No llego a materializarse. Que la componente económica condiciona la política territorial se evidenció rápido, y como se verá a continuación, será una constante, hasta el punto de ser el principal motivo de estrangulamiento en los procedimientos de tramitación de los instrumentos de OT.

Así, con la llegada de la democracia y el Estado de las autonomías, se va a inaugurar la siguiente etapa: desde la aprobación del primer Estatuto de Autonomía del año 1983 hasta la primera ley de ordenación del territorio, la Ley 8/1987, de 1 de abril, de Ordenación Territorial de la Comunidad Autónoma de las Islas Baleares (a la que sustituirá con posterioridad la del año 2000). Siguiendo con la práctica heredada, en este segundo periodo se pone el foco en dos cuestiones: la reconfiguración administrativa de las Islas Baleares y la tramitación (o, mejor, el intento de tramitar) los primeros instrumentos de OT. Respecto a lo primero, tal y como se ha comentado, las Administraciones con competencias directas en ordenación territorial, o responsables de competencias que inciden en el territorio son

---

- Preactiva: Construcción a futuro en basado a la elección entre opciones.
- Proactiva: Planteamiento de una imagen (visión) a futuro y como desarrollarse desde un enfoque adaptativo a los cambios.

42. Cabe aclarar que el texto se extrae de un trabajo que se realiza sobre la isla de Mallorca. Sin embargo, el mismo autor a posterior (Rullan, 2007) hará uso de esta cita para aludir a la situación del conjunto del archipiélago, motivo por el cual se utiliza para aludir a la situación del territorio balear en su conjunto.

múltiples[43]. Esto obliga a una coordinación interadministrativa e intersectorial, mediante órganos colegiados como la Comisión de Coordinación de Política Territorial. Por su composición y funcionamiento permite algunos avances (mejorables) en lo que a coordinación multinivel y horizontal se refiere, pero no favorece ni potencia otros aspectos vinculados con la gobernanza territorial como una participación pública efectiva[44]. De manera que una 'gobernanza territorial plena' (Farinós, 2017), todavía quedaría lejos.

La segunda de las cuestiones es la relativa a la tramitación de los instrumentos de OT, cobrando todo el protagonismo en estos años las DOTIB. Su procedimiento de tramitación, desde su inicio oficial a su aprobación final, resultó ser ágil y sin apenas complicaciones (las que hubo por defectos de forma en lo que a su contenido se refiere). De acuerdo con el artículo 14 la Ley 8/1987, en el plazo de 8 meses tras la entrada en vigor de la citada Ley correspondía a la Conselleria competente en materia territorial (entonces denominada de Obras Públicas y Ordenación del Territorio[45]) elaborar un avance de las directrices de ordenación territorial conformado por la documentación, gráfica, escrita y justificativa/explicativa como base de una propuesta en firme de lo que deberían ser las futuras DOTIB (artículo 9). No se cumplieron los plazos, y no será hasta 1997 que dicho avance empezaría a elaborarse, llegándose a aprobar dos años después, en 1999, con rango de Ley[46]. Lo haría con una serie de carencias, tales como la ausencia de materiales gráficos y cartográficos, lo que le supuso

---

43. Nuevamente es una cuestión que comparten el resto de las autonomías del Estado español, aunque en el caso balear (así como en el caso canario, donde existen los Cabildos) el ámbito insular (vinculado a los Consells Insulars) van a introducir un nivel administrativo exclusivo de los archipiélagos.

44. A estas cuestiones cabe añadir no solo la coordinación, sino la cooperación (véase al respecto, Farinós et al. 2018); también la integración efectiva de las cuestiones económicas (más allá del turismo) y ambientales.

45. La denominación de esta Conselleria es ilustrativa de la vocación de una política territorial, que como se indica en Farinós et al. (2017), ha estado subordinada a otras políticas consideradas prioritarias que daban el nombre principal a los departamentos responsables de la OT.

46. Al respecto del procedimiento de tramitación, en la propia Ley 6/1999 se indica: *"la Comisión de Coordinación de Política Territorial, que emitió su informe el 19 de marzo de 1998. A partir de aquí, empezó un largo proceso de clasificación, de análisis y de estudio de las diferentes alegaciones e informes recibidos en el período de exposición pública del avance. Como fruto de este esfuerzo sintetizador e integrador de la voluntad manifestada por parte de la sociedad civil balear surgió un instrumento útil y funcional para todas las personas e instituciones que deberán regirse por su contenido. Tratándose de una norma programática y de carácter eminentemente positivo, se hace necesaria una redacción más imperativa, para garantizar el principio de seguridad jurídica y la efectividad de los principios de las directrices, asegurándoles una aplicación eficaz a largo plazo".*

importantes críticas al entenderse que con tal carencia realmente no se llegaba a definir un modelo territorial.

Los intentos por tramitar una serie de Planes Territoriales Parciales no llegarán a concretarse. Sí van a desarrollarse en cambio una serie de instrumentos de planificación de carácter sectorial, recibiendo una atención muy especial los Planes de Ordenación de la Oferta Turística (POOT). Lo que evidencia la supeditación de los instrumentos de planificación (en pasiva) a la política económica, pues van a ser legislaciones sectoriales vinculadas al turismo los que van a marcar el porvenir del territorio balear (en activa); destacando los llamados decretos Cladera (I y II)[47].

La última de las etapas se inicia con la entrada en vigor de la vigente Ley 14/2000, de 21 de diciembre, de Ordenación Territorial. Un texto legal que, en líneas generales, es continuista de sus predecesoras. Una tercera etapa en la que los Consells Insulars se consolidan como el ámbito predilecto de una política de ordenación territorial que aminora las DOTIB, haciendo de las islas el ámbito de actuación subregional por excelencia.

A este respecto, como se ha comentado anteriormente, que los Consells Insulars pasen a ser las arenas políticas principales para la política territorial va a suponer una reestructuración de las relaciones de poder. El gobierno autonómico pierde parte de su capacidad decisoria en favor de las islas. Esto va a crear tensiones que se harán evidentes con la figura de los Planes Directores Sectoriales (PDS). Y es que los PDS pueden ser tramitados tanto por el gobierno autonómico como, indistintamente, por los Consells Insulars. Con unas DOTIB 'debilitadas' y un gobierno regional que cedía el testigo al ámbito insular, la figura de los PDS se erigía como la alternativa para intervenir en la política territorial desde el ámbito regional, en tanto estos no se subordinan a los contenidos de los PTIs como si lo hacen los PDS de competencia insular. Una situación que avoca a entender la organización del territorio regional a partir de enfoques sectoriales en lugar de hacerlo desde una lógica integrada y con una perspectiva de conjunto[48].

En esta etapa se tramitó sin mayores incidencias, y dentro de los plazos que las DOTIB establecieron, los Planes Territoriales Integrados (PTIs) que, a diferencia de ellas, sí incluían un detallado diagnóstico y un

---

47. Decreto 30/1984, de 10 de junio, de medidas de ordenación de establecimientos hoteleros y alojamientos turísticos y Decreto 103/1987, de 22 de octubre, de medidas transitorias de ordenación de establecimientos hoteleros y alojamientos turísticos.

48. Sobre esta lectura integral de conjunto, vale recordar que el territorio, concepto homologado al de suelo, a pesar de las sustanciales diferencias, por la influencia del urbanismo en la política de ordenación del territorio (que como se ha indicado, adquiere especial significación en el caso Balear), ha hecho que la lógica de la insularidad prevalezca, en lugar de hacer una lectura del archipiélago como conjunto.

material cartográfico sustancial. Si bien es cierto que estos planes han sido objeto de modificaciones puntuales, éstas no han alterado en lo sustancial sus contenidos ni objetivos, quedando más como meros procedimientos de corrección y reajuste. Evitar nuevas redacciones mediante actualizaciones y ajustes es la opción preferida en estos y otros instrumentos; aunque ello acabe por desvirtuar la lógica del planeamiento (Vaquer, 2018).

En cualquier caso, estos PTIs (denominación que adquieren los Planes Territoriales Parciales tras el cambio en la legislación en materia de ordenación del territorio producido en el año 2000) han mostrado una vocación continuista con la forma de entender y desarrollar la política territorial, que sin embargo parece encontrar a partir de 2017 un cambio de rumbo; por primera vez en tres décadas de política territorial. Y es que ese año se produce el primer intento de revisión (parcial, eso sí) del PTI de Mallorca[49]. Estaba previsto que se finalizara en 2018[50], lo que no sucedió. Entre los objetivos de la revisión se encuentran la racionalización del crecimiento urbanístico residencial, turístico o mixto, fomentar el equilibrio territorial, mejorar la eficiencia y eficacia del entorno y adecuar el plan a la normativa, así como restringir la urbanización de suelo rústico. En mejor situación parece encontrarse un PTI de Menorca, que cuenta con la aprobación inicial de su revisión (en esta ocasión del documento completo)[51]. En el caso del PTI de Ibiza y Formentera, se ha realizado un diagnóstico a partir del cual se pretende avanzar hacia su revisión[52].

Escapa a los objetivos de este texto hacer una valoración en detalle de estas revisiones, pero sí se pueden apuntar dos cuestiones. La primera es que, en comparación con las modificaciones, los procedimientos de la revisión son más complejos y dilatados en el tiempo. En segundo lugar, que la idea de revisión es bien acogida en algún caso como el del PTI de Menorca, pues denota aunque sea un mínimo de atención sobre la cuestión del planeamiento territorial. En este caso, de una primera lectura del resumen ejecutivo de la aprobación inicial, se observa un cambio en la forma de proceder en materia de OT con un enfoque más integral y participado (aunque todavía lejos de los estándares teóricos más actuales).

---

49. La entonces Consellera Insular de Territorio e Infraestructuras, Mercedes Garrido, lo reconoció como la herramienta que permitía definir cómo tenía que ser el crecimiento urbanístico de la isla; lo que evidencia el entendimiento que se hacía de la planificación territorial, el de la regulación de los usos del suelo.

50. https://www.elmundo.es/baleares/2017/11/02/59fb230de2704eae528b4618.html.

51. pimemenorca.org/documento/21115/revision-del-plan-territorial-insular-de-menorca-pti.

52. https://www.periodicodeibiza.es/pitiusas/ibiza/2019/06/28/1090813/consell-eivissa-concluye-diagnostico-para-revision-del-pti.html.

Esta voluntad de actualización va a alcanzar las DOTIB, o al menos eso parece. La entrada en vigor del Decreto Ley 9/2020, de 25 de mayo, de medidas urgentes de protección del territorio de las Illes Balears se ha considerado la antesala a la actualización; en tanto pretende revertir parte del planeamiento clasificado como suelo urbanizable (véase el artículo 3 de la citada norma) a suelo rústico[53]. Lo pretende hacer de manera previa, para evitar posteriores conflictos judiciales, que han sido más habituales de lo que a priori cabría esperar en el caso del PTI de Mallorca, en lugar de optar por fórmulas de diálogo y mediación para la resolución de los conflictos.

7. SITUACIÓN RESULTANTE Y OPCIONES DE FUTURO

Baleares presenta un desarrollo completo de su política territorial. Se afirma lo anterior en la medida en la que cuenta con un instrumento regional, y con la totalidad de su territorio planificado mediante instrumentos subregionales, así como un amplio inventario de planes sectoriales. Sin embargo, a la vista de lo expuesto a lo largo del presente capítulo, no puede considerarse como un caso de política exitosa. Y esto tiene que ver con que los fines y formas no han sido los más adecuados, siendo un ejemplo más de la diferencia existente entre lo normativo y lo real; lo que debería hacerse y lo que realmente se hace (vid. Farinós y Vera, 2016).

Que la política territorial en el caso balear se centrara en la regulación de los usos del suelo era lógico, no desentona con lo que sucede en el resto de CCAA. Y es que la ordenación del territorio es una política de planificación integral de usos del suelo (Cruz, 2018, Segura, 2019) heredera del urbanismo, del que adopta técnicas e instrumentos (Vaquer, 2018). No hay duda de que la cuestión del suelo adquiere especial significación en una autonomía marcada por la insularidad, en tanto se convierte en un recurso más escaso si cabe. Pero esto no es óbice para que la ordenación del territorio se pudiera desarrollar acorde con lo que cabría esperar de una política que cabe entender como política de síntesis, crisol de políticas sectoriales que debe coordinar, campo de aplicación predilecta de las nuevas formas de gobernanza territorial (Farinós, 2017; Harris, 2001; Koresawa, A. y Konvitz, J. 2001). Con un enfoque más estratégico y participado que podría convertirla en herramienta idónea para la adecuada gestión de los sistemas sociales-ecológicos[54].

---

53. En tanto el objetivo de esta normativa (artículo 1) es establecer medidas de protección y conservación de los valores ambientales, paisajísticos y urbanos del territorio de las Illes Balears, dirigidas a contener el crecimiento de la nueva urbanización y reforzar la protección del suelo rústico, con el fin de asegurar la rehabilitación y recuperación de este patrimonio.

54. Véase la teoría de los sistemas sociales-ecológicos de Berkes y Folkes (1999).

Esta forma de entender la política de ordenación del territorio parece todavía lejos de poder aplicarse de manera efectiva, ya no solo en Baleares, sino a nivel español en general. No obstante, las revisiones de los PTI y la potencial revisión de las DOTIB en un futuro no muy lejano, abren una interesante oportunidad de reconsiderar la política territorial en el sentido indicado. Una renovada forma de entender la política territorial que no pretende que ésta abandone su vocación de planificación de usos del suelo, cuestión necesaria y poco discutible, sino que se complemente con una planificación del desarrollo regional y la conservación ambiental de manera integrada. Ello implica algunos cambios:

- Del enfoque inactivo, debe pasarse a un enfoque proactivo, al menos a nivel regional. La idea de modelo territorial, a veces inconclusa, podría avanzar hacia la opción de apuntar hacia una 'visión/estrategia territorial' que vayan más allá del enfoque reactivo-preactivo que se intuye van a presentar la futura revisión de las DOTIB y los PTI para plantear sin complejos un modelo de desarrollo alternativo que sin tener que renunciar al turismo, no convierta al mismo en monocultivo del que dejar de depender[55].

- En materia de gobernanza, los principales avances se vienen produciendo en materia de coordinación horizontal y multinivel, pero esto es insuficiente. Debe potenciarse y asentarse una participación cada vez más efectiva; todavía insuficiente en formas y finalidades; dejando atrás su rol de legitimización de un proyecto político que únicamente puede reajustarse mediante alegaciones (con un escaso margen de maniobra)[56]. En su lugar, debería avanzarse en las ideas de la do-ocracy, la coproducción, así como nuevas formas de democracia que dejan atrás la lógica de la representatividad para favorecer lecturas más directas de intervención en la toma de decisiones (por ejemplo, en los órganos colegiados con tal finalidad). Y esto debe cobrar especial sentido para avanzar hacia la idea del

---

55. Sobre la idea de alternativas, cabe aclarar (siguiendo el significado que de este concepto se plantea en el diccionario María Moliner) que se hace un uso inadecuado del concepto. Cuando se habla de alternativas en materia de planificación, realmente se plantean opciones, en tanto la idea de alternativa alude a una cuestión diferente a la actual. En este sentido, la apuesta por un turismo vinculado a los espacios naturales como forma de desarrollo alternativa (que se han planteado en varios espacios donde la economía de ladrillo ha jugado un papel clave en el desarrollo pero también en el deterioro ambiental, como en el caso valenciano) debe ir más allá de una simple protección de espacios naturales desde la lógica de protección museística con posibilidad de visita. Requiere toda una reestructuración de formas de proceder y formas de entender el territorio.

56. Cuestión que se ha identificado de igual manera en varios de los capítulos que conforman la presente obra, como en el caso andaluz, a modo de ejemplo.

territorio como un proyecto colectivo, en un espacio muy particular en el que el capital extranjero va a condicionar las etapas iniciales de su transformación, pero posteriormente va a ser la población local la que continúe esta transformación del entorno (incidiendo en la ocupación dispersa); una transformación que también ha tenido incidencia en aspectos culturales. En este sentido, y recogiendo las reflexiones de Edward Soja, cabe entender que el sentimiento de pertenencia se origina en el conocimiento del territorio donde se vive en un momento dado, independientemente del origen o futuro destino de la ciudadanía[57]. El conflicto 'cultural' requiere de defensa de lo local sin ser por ello excluyente con una ciudadanía procedente de otros lugares, que deben ser parte activa del día a día del territorio balear.

- Cabe diferenciar entre territorio y suelo (vid. Vaquer, 2018), conceptos relacionados, pero no sinónimos. El primero alude a la matriz socioambiental en la que interaccionan los sistemas antrópicos (incluyendo aspectos culturales y socioeconómicos) y sistemas ambientales, delimitado tradicionalmente siguiendo criterios administrativos con el fin de establecer una división para el ejercicio del poder (jurisdicción). Por su parte, el suelo representa uno de los recursos que conforman el territorio, y que es objeto de ocupación transformación cuando se produce esta interacción entre sistemas antrópicos (transformadores) y ambientales (siendo el suelo la superficie en la que se desarrollan las actividades antrópicas). Por tanto, ordenar el territorio es efectivamente regular los usos del suelo, pero también tiene que ver con la forma mediante la cual se organiza la toma de decisiones (que nos lleva a la idea de gobernanza previamente expuesta) o se interacciona con el medioambiente de manera que se incide en la cuestión conductual de las personas (la idea de territorialidad como construcción del comportamiento planteada por Raffestin, 1999).

- Por último, no por ello menos importante, una breve consideración acerca de la constante falta de consenso en lo que a política territorial y modelo de desarrollo se refiere. La conflictividad es inherente a las sociedades democráticas, y no debe ser considerada negativa, sino un motor para el desarrollo de una efectiva gobernanza territorial como forma de avanzar hacia el desarrollo, necesariamente territorial y por ende sostenible (Torres, 2016).

---

57. Cuestión que se ha reiterado en otros trabajos como Farinós, Peiró y Quintanilla (2017) o Farinós, Peiró y Zornoza (2019).

230

8. REFERENCIAS BIBLIOGRÁFICAS Y NORMATIVA

BIBLIOGRAFÍA

ACKOFF, R. (1981). *Creating the Corporate Future*. Nueva York: John Willey.

ALBRECHTS, L. (2004). Strategic (spatial) planning reexamined. *Environment and Planning B: Planning and Design*, 31, 743-758.

BENABENT, M. (2006): *La ordenación del territorio en España: evolución del concepto y de su práctica en el siglo XX*. Sevilla: Universidad de Sevilla – Consejería de Obras Públicas de la Junta de Andalucía.

BENABENT, M. (2016). Teorías de la planificación territorial: métodos de decisión. *CyTET. Ciudad y Territorio: Estudios Territoriales*, 189, 353-368.

BLASCO, A. (2002). Planificación y gestión del territorio turístico de las Islas Baleares. En D. V. Blanquer (ed.), *Ordenación y gestión del territorio turístico* (pp. 213-284). España: Tirant lo Blanch.

CÀNOVES, G., BLANCO-ROMERO, A., VERA-REBOLLO, J. F. Y PRAT, J. M.ª. (2017). Caracterización y dinámicas de los sectores productivos en el territorio: evolución, cambios y nuevas realidades en el modelo turístico. En J. Farinós y J. Olcina (eds. y coords.), *Geografía Regional de España. Espacio y Comunidades* (pp. 233-290). Valencia: Tirant lo Blanch.

CRUZ, J. F. (2018). La Ordenación del Territorio en España en busca de su identidad. Estudio comparado del modelo territorial. En J. Farinós (coord.). J. Farinós y E. Peiró (eds.), *Territorios y Estados: Elementos para la coordinación de las políticas de Ordenación del Territorio en el siglo XXI/ Territory and States: Essentials for the Coordination of Spatial Planning Policies in the XXIst Century/Territoire et États: Éléments pour une coordination des politiques d'Aménagement du Territoire au XXIe siècle* (pp. 927-959). Valencia: Tirant Humanidades.

CRUZ, J. F. (2020). El modelo territorial. En J. Farinós (coord.). *Desafíos y oportunidades de un mundo en transición. Una interpretación desde la geografía* (pp. 503-524). Valencia: PUV-UV.

DIERSSEN, M. (2009). Política espacial ante el paradigma territorial de crecimiento urbanístico: evaluación de la ordenación territorial pública actual en la Isla de Mallorca. En J. L. Luzón (coord.), *Estudios de caso sobre planificación regional* (pp. 75-111).

ELIZALDE, P. (1985). Dictamen de la Dirección General de lo Contencioso del Estado sobre modificaciones de los Planes Provinciales de Urbanismo. *Revista de Administración Pública*, 108, 405-418.

Farinós, J. (2005). Nuevas formas de gobernanza para el desarrollo sostenible del espacio relacional, *Ería*. 67, 219-235.

Farinós, J. (2017). La gobernanza como elemento de transformación territorial, ambiental y urbana. ¿Una gobernanza territorial sin territorio? En A. Serrano (coord.), *Ordenación del territorio, urbanismo y medio ambiente en un mundo en cambio* (pp. 213-286). Valencia: Cátedra de Cultura Territorial Valenciana.

Farinós, J. y Vera, O. (2016). Planificación territorial fronética y ética. Acortando las distancias entre plan y poder (política). *Finisterra: Revista portuguesa de geografía*, 51(101), 45-69.

Farinós, J., Aldrey, J. A., del Río, D. y Peiró, E. (2017). Situación y evolución de la política de ordenación del territorio en los gobiernos y administraciones de las CCAA, en XXV Congreso AGE, Madrid.

Farinós. J., Peiró, E. y Quintanilla, P. (2017). Cultura Territorial: de la información al conocimiento y el compromiso para la acción ciudadana. La iniciativa de la Cátedra de Cultura Territorial Valenciana, *Proyección. Estudios geográficos y ordenamiento territorial*, XI (22), 131-153.

Farinós, J., Monteserín, O. y Escribano, J. (2018). Cooperación Territorial y Desarrollo. Una mirada desde la escala transregional y de los espacios metropolitanos, rurales y turísticos. *REDES: Revista do Desenvolvimento Regional*, 23(3), 35-65.

Farinós, J., Peiró, E. y Zornoza, C. (2019). Análisis del suelo y del planeamiento urbano y territorial en la Comunitat Valenciana en el periodo 2006-2017. En J. Farinós (coord.), *Informe sobre la evolución y la situación territorial de la Comunitat Valenciana* (pp. 269-354). Valencia: PUV-UV.

Harris, N. (2001). Spatial Development Policies and Territorial Governance in an Era of Globalisation and Localisation. En OCDE (ed.). *Towards a New Role for Spatial Planning* (pp. 33-58). París: OCDE.

Koresawa, A. y Konvitz, J. (2001). Towards a New Role for Spatial Planning. En OCDE (ed.), *Towards a New Role for Spatial Planning* (pp. 27-28). París: OCDE.

Mata, R., Rodríguez, J. A. y Sevilla, M. (2007). Un SIG para el plan de ordenación de Menorca. Aspectos ambientales y paisajísticos. En J. L. García, I. Molina y G. Andréz (coord.), *X Congreso del Grupo de Métodos Cuantitativos, Sistemas de Información Geográfica y Teledetección*.

Rando, E. (2018). La atención al medio ambiente desde la ordenación del territorio: una visión general desde el marco legislativo autonómico. *Actualidad Jurídica Ambiental*, 81, 121-156.

Rando, E. (2019). *Legislación e instrumentos de la ordenación del territorio en España*. Madrid: Iustel.

Rando, E. (2020). *Régimen Jurídico de la Gestión Territorial*. Valencia: Tirant lo Blanch.

Raffestin, C. (1999). Paysages construits et territorialités. Convegno Internazionale Disegnare paesaggi construiti, DIPRA. Turín. Politecnico di Torino.

Rubí, S. (2000). Una peculiaridad organizativa de la comunidad autónomas de las Islas Baleares: los Consells Insulars. *Dereito*. 2, 117-140.

Rullan, O. (1989). Estructuras territoriales planificadas estudiadas mediante análisis multivariado. *Norba: Revista de geografía*, 8-9, 623-638.

Rullan, O. (1999). Crecimiento y política territorial en las Islas Baleares (1955-2000). *Estudios Geográficos*, 60(236), 403-442.

Rullan, O. (2001). Similitudes paisajísticas y funcionamiento regional del archipiélago balear. *Boletín de la A.G.E.*, 23, 127-153.

Rullan, O. (2004). Una aproximación a la geografía histórica de Mallorca. *Treballs de la Societat Catalana de Geografía*, 57, 85-109.

Rullan, O. (2007). El horizonte de crecimiento posible según los planes urbanísticos y territoriales de las islas Baleares (España). *Revista de Geografía Norte Grande*, 38, 63-77.

Rullan, O. (2010). Las políticas territoriales en las Islas Baleares". *Cuadernos geográficos de la Universidad de Granada*, 47(2), 403-428.

Rullan, O. (2011). La regulación del crecimiento urbanístico en el litoral mediterráneo español, *CyTET, Estudios Territoriales*, 168, 279-297.

Salva, P. A. (1989). Turismo, medio ambiente y ordenación del territorio en las Islas Baleares, *Treballs de Geografía*, 42, 129-137.

Sastre, A. (2000). La planificación urbanística en el desarrollo turístico de las Islas Baleares. *Comunicaciones XIV Reunión ASEPELT España*.

Segura, S. (2019). Marco conceptual y componentes clave para el seguimiento y evaluación en la ordenación del territorio. *TERRA. Revista de Desarrollo Local*, 5, 83-104.

Torre, A. (2016). El rol de la gobernanza territorial y de los conflictos de uso en los procesos de desarrollo de los territorios, *Rev. Geogr. Valpso*, 53, 7-22.

Valdivielso, J. (2010). Les polítiques del lloc a les illes Balears: identitat, medi ambient i territori, *Journal os Catalan Studies*, 13.

Vaquer, M. (2018). *Derecho del territorio*. Valencia: Tirant lo Blanch.

Zoido, F. (2006). Modelos de Ordenación Territorial. En L.E. Espinosa y V. Cabero Diéguez (eds.), *Sociedad y Medio Ambiente* (pp. 251-285). Salamanca: Universidad de Salamanca.

NORMATIVA

Decreto 13/2001, de 2 de febrero, de organización y funcionamiento de la Comisión de Coordinación de Política Territorial.

Decreto 30/1984, de 10 de junio, de medidas de ordenación de establecimientos hoteleros y alojamientos turísticos.

Decreto 103/1987, de 22 de octubre, de medidas transitorias de ordenación de establecimientos hoteleros y alojamientos turísticos.

Decreto Ley 9/2020, de 25 de mayo, de medidas urgentes de protección del territorio de las Illes Balears.

Ley 8/1987, de 1 de abril, de Ordenación Territorial de la Comunidad Autónoma de las Islas Baleares.

Ley 19/1975, de 2 de mayo, de reforma de la Ley sobre Régimen del Suelo y Ordenación Urbana.

Ley 2/1999, de 24 de marzo, General Turística de las Islas Baleares.

Ley 6/1999, de 3 de abril, de las Directrices de Ordenación Territorial de las Islas Baleares y de Medidas Tributarias.

Ley 14/2000, de 21 de diciembre, de Ordenación Territorial de las Islas Baleares.

Ley 2/2001, de 7 de marzo, de atribución de competencias a los Consejos Insulares en materia de ordenación del territorio.

Ley 10/2005, de 21 de junio, de Puertos de las Islas Baleares.

Ley Orgánica 1/2007, de 28 de febrero, de reforma del Estatuto de Autonomía de las Islas Baleares.

Ley 8/2012, de 19 de julio, del Turismo de las Islas Baleares.

Ley 21/2013, de 9 de diciembre, de Evaluación Ambiental.

la Ley 12/2016, de 17 de agosto, de Evaluación Ambiental de las Islas Baleares.

Ley 12/2017, de 29 de diciembre, de Urbanismo de las Islas Baleares.

Real Decreto-ley 18/1978, de 13 de junio, por el que se aprueba el régimen preautonómico para el archipiélago.

Capítulo 7

El procedimiento en la planificación territorial en Canarias. Informe y valoración

Sergio Segura Calero

INGENIO (CSIC-UPV, Universitat Politècnica de València)

SUMARIO: 1. ANTECEDENTES. 2. NORMATIVA DE BASE E INSTRU-
MENTOS DE ORDENACIÓN DEL TERRITORIO EN CANA-
RIAS. 3. ESQUEMA DE INSTRUMENTOS DE ORDENACIÓN
DEL TERRITORIO DE CANARIAS. 3.1. *Las Directrices de Or-
denación General.* 3.2. *Los Planes Insulares de Ordenación.* 3.3. *Los
Planes Territoriales (Parciales y Sectoriales).* 4. ÓRGANOS RES-
PONSABLES DE LA ORDENACIÓN DEL TERRITORIO EN
CANARIAS. 5. PROCEDIMIENTOS DE ELABORACIÓN DE
INSTRUMENTOS DE ORDENACIÓN DEL TERRITORIO Y
RESPONSABILIDADES FORMALES. 5.1. *Procedimiento de elabo-
ración de las Directrices de Ordenación General.* 5.2. *Procedimiento de
elaboración de los Planes Insulares de Ordenación.* 5.3. *Procedimiento
de elaboración de los Planes Territoriales Parciales (y Sectoriales) de
Ordenación.* 5.4. *La integración con la evaluación ambiental estraté-
gica de planes y programas.* 6. EMBOTELLAMIENTOS Y CONDI-
CIONANTES QUE ALTERAN EL FUNCIONAMIENTO DE LA
OT. 7. SITUACIÓN RESULTANTE. 8. REFERENCIAS BIBLIO-
GRÁFICAS Y NORMATIVAS.

1. ANTECEDENTES

Las Islas Canarias presentan, a pesar de sus carencias, una amplia
trayectoria en materia de ordenación territorial. El primer hito en relación con los planes de ordenación del territorio en Canarias tiene lugar

en la isla de Lanzarote en la etapa preautonómica, donde en 1973 fue aprobado como norma complementaria y subsidiaria por el Ministerio de Vivienda el primer Plan Insular de Ordenación conforme a la primera Ley estatal del Suelo de 1956 (García Márquez, 2003). La primera normativa territorial surge en la segunda legislatura autonómica con la Ley 1/1987, de 13 de marzo, reguladora de los planes insulares de ordenación que dio lugar al inicio de los primeros planes insulares de ordenación del territorio y consolidó la isla como unidad de ordenación (Muñoz Sosa, 2010). Sin embargo, solo el plan de Lanzarote sería ratificado por esta normativa en 1991.

Por otra parte, el Decreto 35/1995, de 24 de febrero, constituye el Reglamento de contenido ambiental de los instrumentos de planeamiento. Un instrumento pionero que se adelanta incluso a la Directiva europea de evaluación ambiental de 2001 y a sus transposiciones en España. En esta misma época surge la necesidad de dotar a la comunidad autónoma de una ley propia que regule la ordenación del territorio de los usos del suelo en Canarias ante la "explosión económica y demográfica" experimentada en los territorios turísticos de las islas (García Márquez, 2007: 90). La nueva ley se consideraba más que necesaria por la inadecuación de la legislación urbanística estatal al caso Canario, debido principalmente, entre otras razones, a sus características físico-territoriales por su insularidad, a la diversidad geográfica y social existente, así como a las condiciones fiscales propias del archipiélago que definen a Canarias como región ultraperiférica en el contexto de la Unión Europea (Padrón, 2010). A todas estas razones, se unió el vacío jurídico generado tras la declaración de inconstitucionalidad de múltiples preceptos normativos de la Ley Estatal del Suelo de 1992 (RDL 1/1992) con la Sentencia 61/1997 del Tribunal Constitucional.

Finalmente, la ordenación del territorio en Canarias aparece fortalecida a finales de los años noventa, con la aprobación de la Ley de Ordenación del Territorio de Canarias de 1999. Una Ley que contó con un importante liderazgo y consenso político ante la necesidad de no depender de la visión estatal del fenómeno urbanístico (Santana, 2010b). La creación de una dirección general propia para la ordenación del territorio, que también asume las competencias de ordenación ambiental, corrobora la importancia de esta materia en la administración autonómica.

Este impulso de la ordenación del territorio se puso de manifiesto con las normativas aprobadas del Texto Refundido de las Leyes de Ordenación del Territorio de Canarias y de Espacios Naturales de Canarias del año 2000 y con las Directrices de Ordenación General de Canarias, en abril de 2003. Ambas normativas ya fueron previstas durante la elaboración de la Ley de Ordenación del Territorio de Canarias de 1999 (Parreño y Díaz, 2010), formando todo un conjunto normativo que perseguía un objetivo mayor que dar una mera respuesta al crecimiento, puesto que se requiere la implantación de un "modelo turístico duradero"[1] (García Márquez, 2007: 94). Como resultado, se aprueban de forma definitiva los Planes Insulares de Fuerteventura (2001), Tenerife (2002) y Gran Canaria (2003); y El Hierro de forma parcial en el año 2002. Más tarde serían aprobados de forma definitiva los Planes insulares de El Hierro (2008), de La Gomera (2011) y de la Palma (2011).

Esta etapa de desarrollo de instrumentos de ordenación del territorio se vería notablemente afectada a partir del impacto de la crisis económica mundial en Canarias. Desde el año 2007, se replantea la operatividad de la normativa de ordenación territorial y la necesidad de simplificarla y agilizarla, materializándose en la Ley 6/2009, de 6 de mayo, de medidas urgentes en materia de ordenación territorial para la dinamización sectorial y la ordenación del turismo. Esta modificación resulta más permisiva en las actividades del suelo rústico y en relación con el número de plazas alojativas en espacios turísticos. Se detectan por tanto lo que algunos expertos han reconocido como "nuevas orientaciones anti-cíclicas" (Parreño y Díaz, 2010: 429). Además, las autorizaciones y calificaciones territoriales previstas por la normativa anterior pasan de ser un instrumento de ordenación a ser meros actos administrativos locales, con lo que se busca agilizar su procedimiento (Parreño y Díaz, 2010). Asimismo, las competencias en materia de Medio Ambiente pasan a formar parte de otra consejería del gobierno autonómico quedando la ordenación del territorio junto al urbanismo y a la política de obras públicas y transporte. No será hasta 2015, con la nueva (y última) legislatura, que volverán a unirse las competencias territoriales y ambientales en la Consejería de Política Territorial, Sostenibilidad y Seguridad de Canarias.

---

1. "Las Directrices de Ordenación del Turismo de Canarias, aprobadas como Ley junto con las Directrices de Ordenación General, en abril de 2003, constituyeron, más que una reacción al crecimiento demográfico e inmobiliario explosivos de las zonas turísticas insulares, una herramienta para definir el marco territorial y sectorial de un modelo de turismo duradero basado en los principios del desarrollo territorial sostenible: la reducción y contención del consumo de suelo, la limitación del crecimiento de la oferta turística y el uso más eficiente y el reciclaje tanto de la ciudad turística, mediante la rehabilitación urbana, como de la planta alojativa, mediante la renovación edificatoria" (García Márquez, 2007).

Además, en esta etapa también marcada por los recortes administrativos, se establece la obligación de realizar un nuevo texto refundido de armonización de la normativa con incidencia territorial pero, por decisión política de gobierno se comienza a trabajar en una ley única que sustituya a las anteriores y que se materializa finalmente en la vigente Ley 4/2017, de 13 de julio, del Suelo y de los Espacios Naturales Protegidos de Canarias. Esta "Ley anti crisis" se caracteriza por favorecer las actividades económicas frente a las trabas administrativas siendo más permisiva con el uso del suelo rústico, ampliando la posibilidad de reservar suelo industrial por los municipios, así como, entre otras medidas, aumentando las compensaciones relacionadas con plazas alojativas turísticas por renovación de planta (Parreño y Díaz, 2010: 447-448). De esta misma manera, las autorizaciones de actuación y calificación territorial pasan de ser un instrumento de ordenación a ser meros actos administrativos que agilizan el procedimiento de intervención en el suelo rústico (Ibídem.).

Estas nuevas medidas y orientaciones, serán la tónica general desde entonces hasta la actualidad. Además se convierten en un claro precedente del gran traspaso de competencias de ordenación territorial y urbanística a las entidades municipales que supuso lo dispuesto en el anteproyecto de ley del suelo de Canarias. Lo que finalmente ha quedado constatado en los 408 artículos de la vigente Ley 4/2017, de 13 de julio, del Suelo y de los Espacios Naturales Protegidos de Canarias. Por tanto, se inicia una nueva etapa en la que la Consejería de Política Territorial, Sostenibilidad y Seguridad del Gobierno de Canarias, concretamente la Viceconsejería de Política Territorial y, dentro de esta, la Dirección General de Ordenación del Territorio es la responsable a escala regional en materia de ordenación del territorio.

Por último, es conveniente sintetizar que las Islas Canarias destacan entre otras comunidades autónomas españolas por haber completado la aprobación de todos sus Planes Insulares de Ordenación del Territorio, algunos de los cuales ya han sido revisados. A continuación se muestra una relación histórica de los instrumentos de ordenación territoriales integrales de Canarias, incluyendo los siete planes insulares vigentes (Tabla 1). Además, posteriormente se relaciona la situación de las nueve iniciativas excepcionales de planes territoriales parciales de ordenación existentes, entre las islas de Tenerife y de Gran Canaria (Figura 1). De ellos solamente uno logró ser aprobado definitivamente y la nueva normativa no examina estas figuras.

Tabla 1. Relación histórica y vigente de los Planes de Ordenación del Territorio en Canarias (noviembre 2017)

Planes de Ámbito Regional	Municipios (n.º)	Estado	Fecha de Aprobación	Decreto (Boletín Oficial Junta de Andalucía)
Directrices Generales de Ordenación de Canarias	88		14/04/2003	Ley 19/2003, de 14 de abril
Planes de Ámbito Subregional				
		Suspendido	Aprobado 29/11/1973; y suspendido 12/04/1988	Orden, 29 de noviembre de 1973 y Decreto 51/1988, de 12 de abril
		Aprobación definitiva	**09/04/1991**	**DECRETO 63/1991, de 9 de abril,**
Plan Insular de Ordenación del Territorio de Lanzarote	7	Aprobación Revisión Parcial	22/05/2000	Decreto 95/2000,de 22 de mayo
		Aprobación documento de avance	25/05/2010	Aprobación del Pleno del Cabildo de Lanzarote, en sesión extraordinaria, 25 mayo 2010
Plan Insular de Ordenación del Territorio de Fuerteventura	6	**Aprobación definitiva**	**Aprobado el 02/04/2001 y Revisión Parcial el 17/06/2010**	**Decreto 100/2001, de 2 de abril. Decreto 69/2010, de 17 de junio**
		Aprobación de forma parcial	17/06/2002	Decreto 82/2002, de 17 de junio
El Hierro	2	**Aprobación definitiva completa**	**01/07/2008**	**Decreto 149/2008, de 1 de julio,**

239

Planes de Ámbito Regional	Municipios (n.°)	Estado	Fecha de Aprobación	Decreto (Boletín Oficial Junta de Andalucía)
Tenerife	31	Aprobación definitiva	16/10/2002	Decreto 150/2002, de 16 de octubre
		Aprobación de revisión parcial	04/03/2011	Decreto 56/2011, de 4 de marzo,
Gran Canaria	21	Aprobación definitiva	11/11/2003	Decreto 277/2003, de 11 de noviembre
		Aprobación definitiva	11/03/2011	Decreto 71/2011, de 11 de marzo,
La Palma	14	Desestimado el avance de revisión parcial N.° 1	23/01/2015	ANUNCIO de 23 de enero de 2015, Desistimiento por anulación del Decreto 123/2008
		Avance de revisión parcial N.° 2	16/05/2017	ANUNCIO de 16 de mayo de 2017,
		Avance de revisión parcial N.° 3	05/02/2016	Acuerdo por el Pleno de Gobierno del Cabildo Insular de La Palma 05/02/2016
La Gomera	6	Aprobación definitiva	27/04/2011	Decreto 97/2011, de 27 de abril

Fuente: Elaboración propia

Figura 1. Situación de los Planes Territoriales Parciales de Ordenación de Canarias

---

Planes Territoriales Parciales de Tenerife

- **Plataforma Logística del Sur** (PTP):

Anulado 13/09/2013 (El Plan Territorial Parcial de Ordenación de la Plataforma Logística del Sur se encuentra anulado por Sentencia del Tribunal Supremo, Sala de lo Contencioso Administrativo, Sección Quinta, de fecha 13 de septiembre de 2013)

- **Complejo Ambiental de Tenerife y Ámbito Extractivo de Guama-El Grillo** (PTP):

Aprobación Provisional 30/10/2015 (ANUNCIO de 30 de octubre de 2015, relativo a la aprobación provisional del Plan Territorial Parcial de Ordenación del Complejo Ambiental de Tenerife y ámbito extractivo de Guama-El Grillo, así como del Informe de Sostenibilidad Ambiental)

- **Ycoden - Daute - Isla Baja** (PTP):

Aprobación Inicial 01/07/2010 (ANUNCIO de 1 de julio de 2010, relativo a la aprobación inicial del Plan Territorial Parcial de Ordenación de la Comarca Ycoden-Daute-Isla Baja así como a la toma en conocimiento de su Informe de Sostenibilidad Ambiental)

- **Comarca de Abona** (PTP):

Avance 27/05/2008 (ANUNCIO de 27 de mayo de 2008, relativo a la aprobación del Documento de Avance del Plan Territorial Parcial de Ordenación de la Comarca de Abona)

Planes Territoriales Parciales de Gran Canaria

- **Regeneración y estructuración del espacio consolidado de Playa del Inglés** (PTP):

Aprobación Definitiva 06/11/2012 (ORDEN de 6 de noviembre de 2012, por la que se aprueba definitivamente el Plan Territorial Parcial de Estructuración y Regeneración del Espacio consolidado de Playa del Inglés (PTP-8) en la isla de Gran Canaria)

- **Área de centralidad de Gáldar y Santa María de Guía** (PTP):

Aprobación Provisional – Suspensión de Procedimiento 25/02/2011 (Aprobación por el Pleno de Gobierno del Cabildo de Gran Canaria)

- **Ordenación del Litoral del Norte: Arucas - Moya - Santa María de Guía** (PTP):

Aprobación Inicial 31/03/2011 (ANUNCIO de 31 de marzo de 2011, por el que se somete a información pública la aprobación inicial del Plan Territorial Parcial de Ordenación del Litoral del Norte: Arucas-Moya-Santa María de Guía (PTP-15))

- **Regeneración y estructuración del sistema de asentamientos, plataforma litoral Este (Subámbito B/ Ámbito Arinaga-Bco Tirajana, limitado al W por GC1)** (PTP):

Aprobación Provisional 29/11/2013 (Aprobación por el Pleno de Gobierno del Cabildo de Gran Canaria)

- **Ordenación del Espacio entre la GC-1 y la GC-500 en San Bartolomé de Tirajana** (PTP):

Aprobación Provisional 29/01/2014

(Aprobación por el Pleno de Gobierno del Cabildo de Gran Canaria)

Fuente: Elaboración propia a partir de la sede electrónica de los cabildos insulares de Tenerife (http://www.tenerife.es/planes/) y de Gran Canaria (https://planesterritoriales.idegrancanaria.es/) (septiembre 2018)

2. NORMATIVA DE BASE E INSTRUMENTOS DE ORDENACIÓN DEL TERRITORIO EN CANARIAS

A fecha de 20 de noviembre de 2017, la principal normativa que rige los procedimientos y las responsabilidades formales de la ordenación del territorio en las Islas Canarias es la Ley 4/2017, de 13 de julio, del Suelo y de los Espacios Naturales Protegidos de Canarias (ver Tabla 3), que además deroga el antiguo Decreto Legislativo 1/2000, de 8 de mayo, por el que se aprueba el Texto Refundido de las Leyes de Ordenación del Territorio de Canarias y de Espacios Naturales de Canarias. Esta Ley 4/2017 además deroga las Directrices de Ordenación General de Canarias de 2003, permaneciendo sin embargo intactas las Directrices de Ordenación Turísticas en el mismo texto legal (Ley 19/2003). La nueva Ley 4/2017 asume, entre otros aspectos, la normativa relacionada con la ordenación territorial y ambiental, incluyendo la relativa a la evaluación ambiental de planes y programas.

Tabla 2. Legislación e instrumentos básicos de ordenación del territorio en Canarias

Comunidad Autónoma	Canarias
Antecedentes Normativos	Ley 1/1987, de 13 de marzo, reguladora de los planes insulares de ordenación Decreto 35/1995, de 24 de febrero, constituye el Reglamento de contenido ambiental de los instrumentos de planeamiento Ley de Ordenación del Territorio de Canarias de 1999 Decreto Legislativo 1/2000, de 8 de mayo, por el que se aprueba el Texto Refundido de las Leyes de Ordenación del Territorio de Canarias y de Espacios Naturales de Canarias. Ley 6/2009, de 6 de mayo, de medidas urgentes en materia de ordenación territorial para la dinamización sectorial y la ordenación del turismo. Ley 1/2013, de 25 de abril, de modificación del Texto Refundido (Decreto Legislativo1/2000)
Legislación de OT actual	Ley 4/2017, de 13 de julio, del Suelo y de los Espacios Naturales Protegidos de Canarias
Departamento de OT actual	Consejería de Política Territorial, Sostenibilidad y Seguridad del Gobierno de Canarias. Viceconsejería de Política Territorial: Dirección General de Ordenación del Territorio

Comunidad Autónoma	Canarias
Plan de OT regional	Directrices Generales de Ordenación de Canarias (*Derogadas*)
Entrada en vigor (año)	2003 (Derogación en 2017, por Ley 4/2017)
Normativa de aprobación	Ley 19/2003, de 14 de abril, por la que se aprueban las Directrices de Ordenación General y las Directrices de Ordenación del Turismo de Canarias
Organismo impulsor	Gobierno de Canarias
Periodo de tramitación	Inicio con Decreto 176/2001, de 6 de septiembre, de formulación. Aprobación definitiva publicada en BOC de 14 de abril de 2003 (Ley 19/2003)
Otros planes de OT	- Planes Insulares de Ordenación del Territorio (en todas las islas) - Planes Territoriales Parciales de Ordenación (en Tenerife y Gran Canaria)
Otros planes con incidencia en la OT	

Fuente: Elaboración propia

3. ESQUEMA DE INSTRUMENTOS DE ORDENACIÓN DEL TERRITORIO DE CANARIAS

La nueva Ley 4/2017 mantiene el sistema de ordenación territorial del anterior Texto Refundido del año 2000. Por tanto la normativa de las Islas Canarias en materia de planificación territorial mantiene un sistema jerárquico de vinculación entre instrumentos de ordenación de tipo piramidal abierto para el sistema de planificación territorial, donde los planes de ordenación del territorio insulares y los planes de ordenación sectoriales se someten a las directrices del plan regional pero los planes subregionales (planes insulares y planes parciales) no supeditan a la planificación sectorial (Benabent, 2006: 213-216).

De acuerdo con la Ley 4/2017 encontramos dos tipos de instrumentos de ordenación del territorio en Canarias: primero los instrumentos de ordenación general que incluyen las **(1)** Directrices de Ordenación Regionales y **(2)** los Planes Insulares de Ordenación; y en segundo lugar los instrumentos de ordenación territorial que incluyen, **(3)** los planes territoriales de ordenación de carácter parcial y sectorial, siendo los de carácter parcial los documentos con una visión integral estratégica subregional de menor rango y ámbito que los planes insulares.

Esquemáticamente los instrumentos de ordenación territorial según la Ley 4/2017 vigente son (siguiendo principios de jerarquía, competencia y especialidad; prevaleciendo las determinaciones ambientales):

1. *Instrumentos de ordenación general* de los recursos naturales y del territorio:

   a. Directrices de Ordenación General (y sectoriales), de ámbito regional.

   b. Planes insulares de ordenación, de ámbito insular.

2. *Instrumentos de ordenación territorial*:

   a. Planes territoriales parciales (y sectoriales), de ámbito comarcal.

3.1. LAS DIRECTRICES DE ORDENACIÓN GENERAL

Las Directrices de Ordenación General de Canarias han sido derogadas puesto que deben ser adaptadas a la nueva normativa. Siguiendo la Ley 4/2017 del Suelo de Canarias las directrices de ordenación constituyen el instrumento de ordenación territorial estratégica, siendo marco de referencia para los restantes instrumentos de ordenación. Las directrices tienen por objeto la ordenación de los recursos naturales y del territorio de la comunidad autónoma, articulando las actuaciones tendentes a garantizar el desarrollo sostenible y el equilibrio ambiental, territorial y paisajístico de Canarias.

Los contenidos del documento, deben ser (Ley 4/2017, artículo 89):

a) Articular las actuaciones tendentes a garantizar el desarrollo sostenible de Canarias.

b) Definir los criterios de carácter básico de ordenación y gestión de uno o varios recursos naturales.

c) Fijar los objetivos y estándares generales de las actuaciones y actividades con relevancia territorial de acuerdo con la legislación sectorial que corresponda.

d) Establecer estrategias de acción territorial para la definición del modelo territorial básico de Canarias.

e) Articular las actuaciones sobre la base del equilibrio interterritorial y la complementariedad de los instrumentos que conforman el sistema de ordenación territorial.

f) Formular estrategias y criterios generales que permitan la integración del paisaje en la planificación territorial, ambiental y urbanística, así como la adopción de medidas específicas con vistas a su ordenación, gestión y protección.

En relación con la documentación que conforman las Directrices de Ordenación la normativa establece que estarán integradas por los documentos siguientes:

a) Memoria de ordenación.

b) Normativa.

c) Documentación gráfica.

d) Documentación ambiental.

3.2. LOS PLANES INSULARES DE ORDENACIÓN

Figura 2. Situación del planeamiento de ámbito subregional

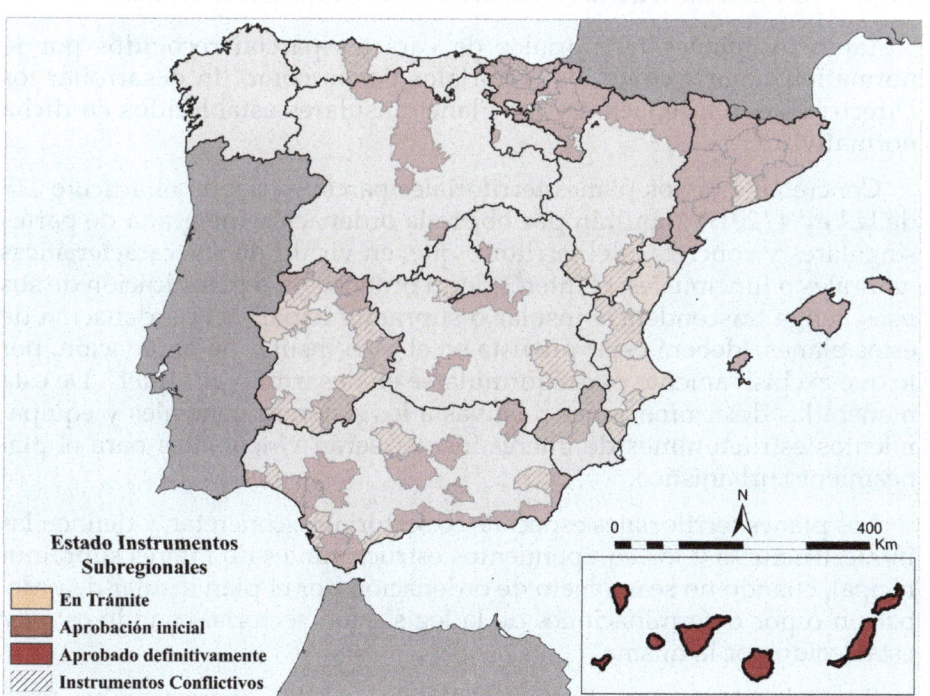

Estado Instrumentos Subregionales
- En Trámite
- Aprobación inicial
- Aprobado definitivamente
- Instrumentos Conflictivos

Fuente: Elaboración propia

Aparte de proteger y conservar el patrimonio natural y cultural de cada una de las islas, los Planes Insulares de Ordenación deben, según el artículo 95 de la Ley 4/2017 del Suelo de Canarias propiciar el desarrollo sostenible de la isla, a través de la distribución equilibrada de los usos y la previsión de los sistemas generales y equipamientos de transcendencia supramunicipal. La misma Ley desarrolla los contenidos de los planes que básicamente deben incorporar un completo diagnóstico territorial, ambiental y económico insular. Este diagnóstico debe ir acompañado de las pertinentes determinaciones del plan. Concretamente los Planes Insulares estarán compuestos al menos de los documentos siguientes:

a) Memoria de ordenación.

b) Normativa.

c) Documentación gráfica.

d) Documentación ambiental.

e) Estudio económico.

3.3. LOS PLANES TERRITORIALES (PARCIALES Y SECTORIALES)

Tanto los planes territoriales de carácter parcial recogidos por la normativa canaria como los sectoriales tienen como fin desarrollar los Directrices de Ordenación y los Planes Insulares establecidos en dicha normativa.

Concretamente los planes territoriales parciales, según el artículo 119 de la Ley 4/2017, "tendrán por objeto la ordenación integrada de partes singulares y concretas del territorio que, en virtud de sus características naturales o funcionales, el interés de su ordenación o planificación de sus usos, tenga trascendencia insular o supramunicipal" y la ordenación de estos planes "deberá estar prevista en el plan insular de ordenación, por lo que exclusivamente podrá formularse en desarrollo de aquel". De esta manera las determinaciones relativas a los sistemas generales y equipamientos estructurantes de interés insular serán vinculantes para el planeamiento urbanístico.

Los planes territoriales especiales o sectoriales, concretan y definen las infraestructuras y los equipamientos estructurantes de interés supramunicipal, cuando no sean objeto de ordenación por el plan insular de ordenación o por determinaciones de la legislación sectorial cuando esté así establecido por la misma.

Según la citada normativa esencial del suelo de Canarias, ambos tipos de planes estarán integrados, al menos, por los siguientes documentos:

a) Documentos de información: memoria y planos de información.

b) Documentos de ordenación: memoria justificativa de ordenación, planos de ordenación, la normativa, el programa de actuación y el estudio económico-financiero.

c) Documentación ambiental.

d) Informes de respuesta a las alegaciones presentadas en los trámites de participación pública y de consulta.

4. ÓRGANOS RESPONSABLES DE LA ORDENACIÓN DEL TERRITORIO EN CANARIAS

De acuerdo con el Decreto 137/2016, de 24 de octubre, por el que se aprueba el Reglamento Orgánico de la Consejería de Política Territorial, Sostenibilidad y Seguridad, la responsabilidad del gobierno autonómico de la política de ordenación del territorio la asume la Consejería de Política Territorial, Sostenibilidad y Seguridad del Gobierno de Canarias, concretamente la Viceconsejería de Política Territorial y, dentro de esta, la Dirección General de Ordenación del Territorio (Figura 1). Esto posiciona, en la actualidad, a la política de Ordenación del Territorio en un primer nivel de la administración autonómica de Canarias y compartiendo consejería con el órgano responsable de la cartera de medio ambiente (de Sostenibilidad).

Figura 3. Esquema de la Consejería de Política Territorial, Sostenibilidad y Seguridad del Gobierno de Canarias. Dirección, coordinación y control de actividades de los órganos directivos centrales

---

Consejería de Política Territorial, Sostenibilidad y Seguridad del Gobierno de Canarias

- Viceconsejería de Medio Ambiente:

    a) Dirección General de Protección de la Naturaleza

    b) Dirección General de Seguridad y Emergencias

- Viceconsejería de Política Territorial:

    a) Dirección General de Ordenación del Territorio

- Secretaría General Técnica

- Agencia de Protección del Medio Urbano y Natural (Órgano Público adscrito)

Fuente: A partir del Decreto 137/2016, de 24 de octubre, por el que se aprueba el Reglamento Orgánico de la Consejería de Política Territorial, Sostenibilidad y Seguridad del Gobierno de Canarias

5. PROCEDIMIENTOS DE ELABORACIÓN DE INSTRUMENTOS DE ORDENACIÓN DEL TERRITORIO Y RESPONSABILIDADES FORMALES

5.1. PROCEDIMIENTO DE ELABORACIÓN DE LAS DIRECTRICES DE ORDENACIÓN GENERAL

Las nuevas Directrices de Ordenación General de Canarias deben ser iniciativa del Gobierno de Canarias a propuesta de la consejería competente en ordenación del territorio. El acuerdo de iniciación deberá recoger las causas que la justifiquen, los objetivos que se persiguen y los plazos estimados para su elaboración. Asimismo, podrá incluir la medida cautelar de suspensión de la tramitación de los instrumentos de ordenación, y/o la suspensión de licencias. El nuevo procedimiento de elaboración conlleva el desarrollo de varios procesos participativos y de recogida de información a lo largo de todas las fases de elaboración de las Directrices que integran también el procedimiento de evaluación ambiental (Ver DIAGRAMA 1). Las anteriores directrices, actualmente derogadas, se vieron exentas del procedimiento ambiental como consecuencia directa de tratarse de un documento de ordenación con rango de Ley y no un "plan o programa" de ordenación.

En la última parte del completo procedimiento de elaboración descrito por la nueva normativa, tras la aprobación provisional de las directrices de ordenación por el titular de la consejería, establece que el documento debe ser remitido al Parlamento de Canarias para su debate. Además del documento de las directrices se remitirá la documentación ambiental y un documento-resumen de la participación pública e institucional. Este debate servirá para la redacción de la propuesta final de las Directrices que debe ser elaborada por el titular de la consejería competente en ordenación del territorio y que debe recibir el visto bueno final del órgano ambiental a través de la correspondiente declaración ambiental estratégica. Una vez publicada la declaración ambiental estratégica, y en el caso de que no existan discrepancias, el documento de las directrices aprobado de forma definitiva se publicará en el Boletín Oficial de Canarias y en la sede electrónica de la consejería competente, con la documentación prevista en la legislación básica en materia de evaluación ambiental.

Diagrama 1. Procedimientos de tramitación de las Directrices de Ordenación General

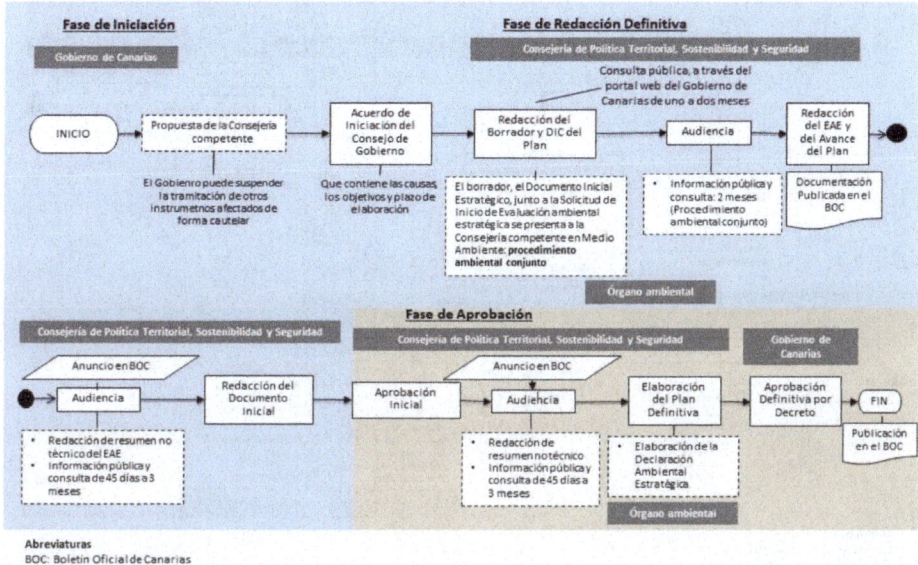

Canarias / Ámbito regional

Directrices de Ordenación General de Canarias
Procedimiento de elaboración y aprobación según la Ley 4/2017, de 13 de julio, del Suelo y Espacios Naturales Protegidos (Artículo 92º y 93º)

Abreviaturas
BOC: Boletín Oficial de Canarias
DIC: Documento Inicial Estratégico
EAE: Estudio Ambiental Estratégico

Fuente: Elaboración propia

5.2. PROCEDIMIENTO DE ELABORACIÓN DE LOS PLANES INSULARES DE ORDENACIÓN

De acuerdo con el artículo 102 de la Ley 4/2017 corresponde a los cabildos insulares la competencia para formular, elaborar y aprobar los planes insulares de ordenación. Siendo este procedimiento, donde coinciden el órgano promotor y el órgano sustantivo, uno de los grandes cambios de la nueva normativa (Ver DIAGRAMA 2).

Diagrama 2. Procedimientos de tramitación de los Planes Insulares de Ordenación

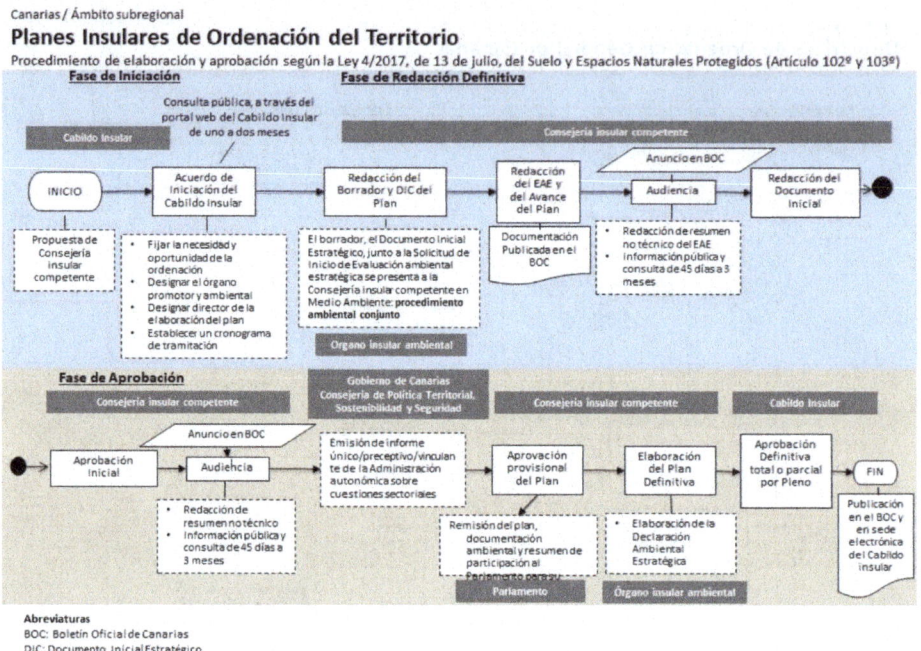

Fuente: Elaboración propia

5.3. PROCEDIMIENTO DE ELABORACIÓN DE LOS PLANES TERRITORIALES PARCIALES (Y SECTORIALES) DE ORDENACIÓN

Los planes territoriales, tanto parciales como sectoriales, deben ser formulados, elaborados y aprobados por el cabildo insular correspondiente. El Gobierno de Canarias también guarda, a través de la consejería competente, la capacidad de formular planes territoriales sectoriales. En relación con la iniciativa, elaboración y aprobación de estos planes territoriales, la Ley 4/2017 establece que el procedimiento de elaboración y aprobación será el previsto para los planes insulares de ordenación (Ver DIAGRAMA 3), cambiando en plazos participativos y de consulta más cortos que buscan la agilización y simplificación del proceso:

a) Plazo de consulta pública previa: un mes.

b) Plazo de información pública y de consulta del avance y del documento aprobado inicialmente: mínimo de cuarenta y cinco días hábiles y máximo de dos meses.

c) Plazo para la formulación de la declaración ambiental estratégica: dos meses.

d) Cuando la formulación no corresponda al cabildo insular, la declaración ambiental estratégica también se publicará en la sede electrónica del órgano ambiental.

Diagrama 3. Procedimiento de tramitación de los Planes Territoriales Parciales (y Sectoriales) de Ordenación

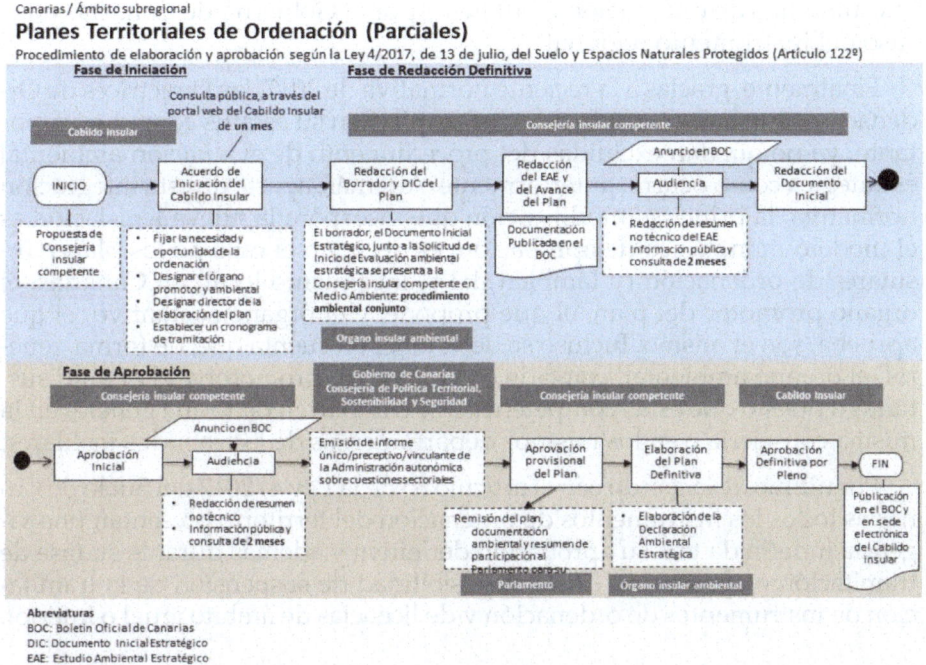

Canarias / Ámbito subregional
Planes Territoriales de Ordenación (Parciales)
Procedimiento de elaboración y aprobación según la Ley 4/2017, de 13 de julio, del Suelo y Espacios Naturales Protegidos (Artículo 122º)

Abreviaturas
BOC: Boletín Oficial de Canarias
DIC: Documento Inicial Estratégico
EAE: Estudio Ambiental Estratégico

Fuente: Elaboración propia

5.4. LA INTEGRACIÓN CON LA EVALUACIÓN AMBIENTAL ESTRATÉGICA DE PLANES Y PROGRAMAS

El procedimiento ambiental conjunto a través de la Ley única 4/2017 supone que el procedimiento de elaboración y revisión mayor de las Directrices de Ordenación, los planes insulares y planes territoriales parciales se inicia conjuntamente con la tramitación de la evaluación ambiental estratégica. Es este caso el borrador del plan de ordenación, el documento inicial estratégico y la solicitud de inicio de evaluación ambiental estratégica se presenta a la Consejería insular competente en Medio Ambiente.

Por tanto, la redacción del estudio ambiental estratégico y el avance del plan de ordenación deben ser aprobados de forma inicial por la consejería insular pertinente. Una vez sometidos a participación estos documentos iniciales, y tras la aprobación provisional del plan, el propio documento de ordenación provisional, la documentación ambiental y el resumen de participación deben ser remitidos al Parlamento para su debate y posterior elaboración definitiva del plan y de la Declaración Ambiental Estratégica. Finalmente la aprobación total o parcial debe ser realizada por el gobierno insular por Pleno del Cabildo insular pertinente en el caso de los instrumentos de ordenación insulares y por el Gobierno de Canarias en el caso del instrumento regional.

Finalmente, gracias a la reciente normativa de 2017, las Directrices de Ordenación, que han quedado derogadas, pierden su estatus como Ley y, por tanto, ya no quedan excluidas del procedimiento de evaluación ambiental estratégica como ocurría anteriormente. Además, aparte de esta integración normativa, la principal modificación que incorpora la nueva legislación es el modelo monofásico de aprobación, es decir, en el caso de los planes insulares de ordenación (y también del planeamiento local) en Canarias, el órgano promotor del plan, el que propone, y el órgano sustantivo, el que aprueba, son el mismo. Incluso se debe tener en cuenta que, de forma general, el órgano ambiental, coincide con el órgano promotor y el órgano sustantivo puesto que estas competencias se comparten de forma general en la misma consejería o en los mismos departamentos de los cabildos insulares.

Por último, de acuerdo con el artículo 85 de la Ley 4/2017 del Suelo de Canarias todos los instrumentos de ordenación del territorio presentan una vigencia indefinida tras su aprobación definitiva y además durante su fase de tramitación o aprobación existe la posibilidad de suspensión de la tramitación de instrumentos de ordenación y de licencias de ámbito igual o inferior.

6. EMBOTELLAMIENTOS Y CONDICIONANTES QUE ALTERAN EL FUNCIONAMIENTO DE LA OT

a) Problemas de implementación de los planes y aplicación de la normativa en la práctica

b) Excesivo proteccionismo sin los resultados esperados

c) Falta de coherencia y coordinación entre instrumentos de ordenación

d) Carencias en materia de coordinación y cooperación horizontal y vertical

e) Falta de visión a largo plazo

f) Retrasos de adaptación de los instrumentos a la normativa

Los principales embotellamientos o problemas históricos de la ordenación del territorio en Canarias y la elaboración de planes de ordenación del territorio se encuentran en la propia fase de implementación de los planes y la aplicación de la normativa en la práctica. Lo cierto es que la normativa de ordenación territorial de Canarias ha sido considerada como inoperante por prolija y compleja, en gran parte por su propia naturaleza integradora. Las más de dieciocho modificaciones del Texto Refundido del año 2000 demuestran este hecho. Además, hasta esta última etapa, se ha destacado el exceso de proteccionismo y de ordenación en detalle del suelo de los documentos. Más aún, cuando estas medidas no han impedido el desarrollo turístico y la autoconstrucción en algunas islas. Por otra parte, en relación con la inoperatividad del modelo territorial, también se ha destacado la mala coordinación de las políticas territoriales y ambientales o la mala coherencia y coordinación entre los distintos instrumentos de ordenación del territorio (autonómicos, insulares y municipales) (Parreño y Díaz, 2010; Risueño, 2016).

En la etapa más reciente, desde el inicio de la crisis económica de 2007 hasta la actualidad, se han destacado desmesuradamente las maldades normativas del sistema de planeamiento de Canarias que, realmente en relación con el contexto normativo de la ordenación del territorio español y europeo, podrían haberse considerado avanzadas y coherentes (ver capítulo "2. Ordenación del territorio en el contexto europeo" en Segura, 2017: 103-141). Sin embargo, se ha incidido poco desde la administración pública y la política en poner en crisis la aplicación de dicha normativa, así como la escasa visión a largo plazo motivada por los ciclos de gobierno político, que se reconocen como elementos fundamentales del verdadero problema existente. Esto queda en gran parte demostrado observando el retraso de la adaptación a la norma autonómica de 2000 y a las Directrices de Ordenación General de 2003 de los planes insulares de ordenación territorial por parte de los cabildos insulares. Asimismo, este desfase temporal casi sistemático también se detecta en la adaptación del planeamiento municipal a la citada normativa (Parreño y Díaz, 2010).

Por otro lado, el elevado desarrollo de instrumentos destinados a la protección de un entorno natural ha hecho que la protección formal de los recursos naturales eclipse los verdaderos problemas territoriales y urbanísticos de Canarias. Rafael Daranas (2010: 71-72) advirtió que para aplicar los fines y principios de la Ley 9/1999 de Ordenación del Territorio de Canarias era necesario "cuestionar el modelo territorial sin temor a poner en liza todos los problemas territoriales".

Por tanto, la Ley de Ordenación del Territorio de Canarias de 1999, el Texto Refundido de 2000 y las Directrices de Ordenación aprobadas en

2003, resultan condición *sine qua non* para la "implantación de un modelo turístico duradero" en Canarias pero no suficientes puesto que se requieren "programas de actuaciones positivos y de un fuerte liderazgo institucional" (García Márquez, 2007: 94).

Aunque la aprobación de las Directrices de Ordenación se consideraron un paso adelante en esta materia, no se trató de un proceso fácil. Faustino García Márquez (2003, p. 25) adelantó los posibles problemas de implementación desde sus inicios ya que las Directrices de 2003 estaban "enfrentadas a una voluntad de consenso más bien escasa, con sobrada probabilidad de que puedan terminar no siendo aprobadas en el tiempo de la legislatura, o que lo sean a costa de perder contenidos sustanciales". Además, la escasa aprobación de instrumentos de ordenación, especialmente las Directrices de Ordenación sectoriales previstas en las normativas de inicios del siglo XXI, es clave para entender la inoperatividad del sistema de planeamiento de Canarias. A esto se suma la falta de integración, la complejidad de la normativa que se aleja del ciudadano y donde la excepcionalidad de la norma, heredada de las leyes nacionales, se convierte muchas veces en la única forma de materializar sobre el territorio actuaciones tanto públicas como privadas (Risueño, 2010: 138). Además, el detalle y la concreción alcanzada por las determinaciones de las Directrices y los planes de ordenación territorial se ha considerado excesivo, llegando en algunos casos a detallar la ordenación pormenorizada de actividades que debería ser llevada acabo por el planeamiento local (Risueño, 2010) y, por tanto, entrando frecuentemente en conflicto con las competencias urbanísticas municipales.

En relación con la coordinación y cooperación administrativa, los planes insulares buscan una ordenación global, y la coordinación horizontal de políticas sectoriales y la coordinación vertical (relativa a los intereses de los municipios). Sin embargo, en la aplicación de la norma esto ha supuesto la imposición de las decisiones de las Administraciones de mayor ámbito territorial, es decir, la imposición autonómica e insular sobre la voluntad municipal. Y por otro lado las entidades locales han presionado para lograr el desarrollo de actuaciones territoriales a través de los planes de ordenación del territorio con un interés individual y no municipal. Además, la norma se presta a múltiples interpretaciones y criterios de aplicación variados que colapsan el sistema de servicios públicos de ordenación provocando el distanciamiento entre el plan y la realidad. Lo mismo ha ocurrido con la incorporación de la normativa de evaluación ambiental (Risueño, 2010).

7. SITUACIÓN RESULTANTE

Toda esta problemática ha derivado en la formulación y aprobación de una nueva normativa. Las anteriores leyes y normas quedan derogadas por la nueva Ley 4/2017, que se convierte así en la nueva norma única que deben asumir cabildos y ayuntamientos, con la ayuda de la administración autonómica, y a la que se deben adaptar los distintos instrumentos de ordenación territorial y ambiental insulares y el planeamiento municipal. La nueva legislación otorga potestad a los ayuntamientos para aprobar su planeamiento urbanístico, siendo los planes informados por las administraciones superiores. También importantes decisiones sobre actividades en el suelo rústico recaen sobre los ayuntamientos. Por ejemplo, según la disposición transitoria primera, los suelos urbanizables no sectorizados pasan a ser reclasificados en suelo rústico común con la vigente Ley 4/2017 del Suelo y Espacios Naturales Protegidos de Canarias; pero, en el plazo de un año tras su entrada en vigor, cualquier municipio, a través del pleno del ayuntamiento y "previo informe en el que se detallen las razones que concurran, podrá acordar la reclasificación de algunos de esos suelos como urbanizables sectorizados por resultar indispensables para atender las necesidades municipales". Además, únicamente los suelos urbanizables no sectorizados "turísticos" o "estratégicos" requerirán un informe favorable del cabildo insular, como entidad superior, para su reclasificación como urbanizable sectorizado en este periodo de un año (Ley 4/2017, Disposición Transitoria Primera).

Por último merece la pena recapitular que, como tema de mayor controversia, la nueva ley del suelo de 2017, unifica la normativa como gran parte de los autores recomiendan, pero descentraliza aún más las competencias autonómicas e insulares (cabildos) de ordenación del territorio y el litoral, así como de protección de la naturaleza y el medio ambiente; relegando en buena medida el desarrollo territorial a la discrecionalidad municipal. Se debe seguir con interés y preocupación esta nueva etapa de adaptación de instrumentos y evaluando los resultados e impacto territorial de las nuevas disposiciones normativas e instrumentos resultantes.

8. REFERENCIAS BIBLIOGRÁFICAS Y NORMATIVAS

REFERENCIAS BIBLIOGRÁFICAS

BENABENT FERNÁNDEZ DE CÓRDOBA, M. (2006). *La ordenación del territorio en España: evolución del concepto y de su práctica en el siglo XX*. Sevilla:

Universidad de Sevilla - Consejería de Obras Públicas y Transportes de la Junta de Andalucía.

Daranas Carballo, R. J. (2010). Argumentación y territorio en el proceso legislativo de la Ley 9/1999, de 13 de mayo, de Ordenación del Territorio de Canarias. En J. J. Santana Rodríguez (ed.), *Diez años de la Ley de Ordenación del territorio de Canarias* (pp. 53-74). Valencia: Tirant Lo Blanch.

García Márquez, F. (2003). Las Directrices desde Lanzarote. *Cuadernos del Sureste*, 11, 22-25.

García Márquez, F. (2007). La nueva generación de Directrices Territoriales/Turísticas y la Sostenibilidad: la experiencia Canaria. *Estudios Turísticos*, 172, 89-95.

Muñoz Sosa, J. C. (2010). Crónica resumen de la génesis de la Ley 9/1999 y de su desarrollo posterior. En J. J. Santana Rodríguez (ed.), *Diez años de la Ley de Ordenación del territorio de Canarias* (pp. 17-34). Valencia: Tirant Lo Blanch.

Parejo Alfonso, L. (dir.) (2007). *Veinte años de derecho urbanístico canario*. Madrid: Montecorvo.

Parreño Castellano, J. M., y Díaz Hernández, R. (2010). La ordenación territorial, urbanística y de los espacios naturales protegidos y el modelo territorial en la Comunidad Autónoma de Canarias (1982-2009). *Cuadernos Geográficos de la Universidad de Granada*, 47, 429-451.

Risueño Díaz, E. Á. (2010). Los planes insulares de ordenación: aspectos prácticos y crítica. En Santana Rodríguez, J. J. (Ed.). (2010). *Diez años de la Ley de Ordenación del territorio de Canarias* (Primera Edición). Valencia: Tirant Lo Blanch.

Risueño Díaz, E. Á. (2016). *Visión general del proyecto de la Ley del Suelo de Canarias*. Presentado en Jornadas sobre el proyecto de Ley del Suelo de Canarias, Salón de Actos de la MAC, Fundación Pedro García Cabrera (Santa Cruz de Tenerife). https://www.youtube.com/watch?v=OG-3vuZybXc (septiembre 2018).

Santana Rodríguez, J. J. (ed.) (2010a). *Diez años de la Ley de Ordenación del territorio de Canarias*. Valencia: Tirant Lo Blanch.

Santana Rodríguez, J. J. (2010b). Breves notas sobre el proceso de formulación del Anteproyecto de la Ley 9/1999, de 13 de mayo, de Ordenación del Territorio de Canarias. En (Ed.) *Diez años de la Ley de Ordenación del territorio de Canarias* (pp. 35-52). Valencia: Tirant Lo Blanch.

SEGURA CALERO, S. (2017, julio 21). *Mecanismos de evaluación, seguimiento y gestión de instrumentos de ordenación del territorio. Análisis internacional comparado.* (Tesis Doctoral). Universidad de Sevilla.

NORMATIVA

Ley de Regulación y Uso del suelo y Ordenación Urbana de 1956. Publicado en BOE núm. 1335, de 14 de Mayo de 1956.

Ley 1/1987, de 13 marzo, reguladora de los Planes Insulares de Ordenación. Publicado en BOC núm. 35, de 23 de Marzo de 1987.

Real Decreto Legislativo 1/1992, de 26 de junio, por el que se aprueba el texto refundido de la Ley sobre el Régimen del Suelo y Ordenación Urbana. Publicado en BOE núm. 156, de 30 de Junio de 1992.

Decreto 35/1995, de 24 febrero, por el que se aprueba el Reglamento de contenido ambiental de los instrumentos de planeamiento. Publicado en BOC núm. 36, de 24 de Marzo de 1995.

Ley 9/1999, de 13 de mayo, de Ordenación del Territorio de Canarias. Publicado en BOC núm. 140, de 12 de Junio de 1999.

Decreto Legislativo 1/2000, de 8 de mayo, por el que se aprueba el Texto Refundido de las Leyes de Ordenación del Territorio de Canarias y de Espacios Naturales de Canarias. Publicado en BOC núm. 60, de 15 de Mayo de 2000.

Directiva 2001/42/CE del Parlamento Europeo y del Consejo, de 27 de junio, relativa a la evaluación de los efectos de determinados planes y programas en el medio ambiente. Publicado en DOUE núm. 197, de 21 de Julio de 2001.

Decreto 176/2001, de 6 de septiembre, la formulación conjunta de las Directrices de Ordenación General y las Directrices de Ordenación del Turismo de Canarias. Publicado en BOC núm. 119, 10 de Septiembre de 2001.

Ley 19/2003, de 14 de abril, por la que se aprueban las Directrices de Ordenación General y las Directrices de Ordenación del Turismo de Canarias. Publicado en BOE núm. 162, de 8 de julio de 2003.

Ley 6/2009, de 6 de mayo, de medidas urgentes en materia de ordenación territorial para la dinamización sectorial y la ordenación del turismo. Publicado en BOIC núm. 89, de 12 de Mayo de 2009.

Ley 4/2017, de 13 de julio, del Suelo y de los Espacios Naturales Protegidos de Canarias. Publicado en BOIC núm. 138, de 19 de Julio de 2017.

Capítulo 8

La planificación territorial en Cantabria

Esther Rando Burgos

Profesora de Derecho Administrativo.
Universidad de Málaga

Enrique Peiró Sánchez-Manjavacas

Ambientólogo, Doctorando del IIDL. Investigador responsable e investigador del GDLS-Grupo de Investigación consolidado. IIDL-Universitat de València

QUE ALTERAN EL FUNCIONAMIENTO DE LA ORDE-
NACIÓN DEL TERRITORIO EN CANTABRIA. 7. SITUA-
CIÓN RESULTANTE. 8. REFERENCIAS BIBLIOGRÁFICAS Y
NORMATIVAS.

1. ANTECEDENTES

El presente epígrafe recoge, de manera breve, la evolución de la Ordenación del Territorio y la política territorial en Cantabria. Como señalaba
Delgado (2011), se trata de una Comunidad Autónoma caracterizada por
la demora en la aprobación de los principales instrumentos de ordenación
territorial, en particular la carencia de un instrumento de planificación
territorial de carácter regional, cuya redacción culminaba en 2018 pero sin
que hasta el momento se haya producido su esperada aprobación, donde
el urbanismo ha jugado un papel central en la construcción del territorio,
no exento de polémica y conflictos. Y es que, a pesar de la rápida tramitación de normativa en materia de ordenación territorial tras la adquisición
de las competencias exclusivas en esta materia, que se vería modificada
apenas diez años después por el actual y vigente texto legal que desarrolla
la competencia autonómica, la Ley 2/2001, de 25 de junio, de Ordenación
Territorial y Régimen Urbanístico del Suelo en Cantabria (LOTRUSCA),
la planificación territorial ha quedado relegada hasta la fecha a un segundo plano.

El territorio cántabro está conformado por un importante número de
términos municipales de pequeño tamaño, con una morfología propia
originaria del modelo de los "solares" medievales, dando lugar a un modelo de asentamientos caracterizado por un elemento edificado (la casa)
en torno al cual se encuentran los espacios abiertos y los cultivos. Como
sucede en el resto de Comunidades Autónomas (CCAA), la zona litoral
concentra buena parte de la población y actividades económicas. A esta
dinámica se le suma el desarrollo urbanístico masivo y especulativo que
caracterizará desde mediados de los 90 hasta la década de los 2000 de manera casi generalizada al territorio español. Un fenómeno que, más allá de
potenciar y concentrar la artificialización en las zonas del litoral, va a generar un grave impacto en las zonas de interior. Es aquí donde el modelo
tradicional de asentamientos se va a ver afectado. Existen términos municipales donde hay un mayor número de viviendas que de habitantes,
un hecho que responde tanto al despoblamiento como a la generación de
una importante oferta residencial de carácter vacacional (segundas residencias). Esta dinámica urbanística, generalizada en el estado español, va
a marcar notablemente el desarrollo de una política territorial cántabra,

caracterizada por la tardía aprobación y puesta en práctica de sus instrumentos de planificación territorial. Y es que los primeros retos a los que debe hacer frente el territorio cántabro se vinculan a los inadecuados desarrollos urbanísticos, que no atienden a una demanda real, sino a un típico proceso especulativo, no siempre al margen legal, amparado en muchas ocasiones por figuras de planeamiento local que lo justifican y potencian. Ello hace difícil, aunque así lo pretende el texto legal, dar solución a los retos del desequilibrio territorial, tanto económico como demográfico, al que se enfrenta Cantabria. Pero, en la práctica, la planificación territorial supramunicipal capaz de ejercer un control sobre el desarrollo del urbanismo ha quedado ausente. Serán las Normas Urbanísticas Regionales la primera figura, de entre las contempladas en la legislación de OT, que se apruebe, en el año 2010. Como rápidamente se deduce de su nombre, presenta una naturaleza y unas características más próximas al urbanismo que a la ordenación territorial. Previamente, en 2004, se tramitó y aprobó el Plan de Ordenación del Litoral cántabro (POL), uno de los pioneros a nivel nacional, cuya tramitación se consideró prioritaria para dar respuesta a una fuerte presión sobre el entorno litoral ante la carencia del plan regional.

Ante la falta de una adecuada planificación territorial que coordine y regule las intervenciones territoriales (entendido por tanto como planificación física de usos del suelo, en detrimento de lecturas integrales y de coordinación intersectorial), la situación de Cantabria en materia de OT se ha venido caracterizando hasta la fecha por la inseguridad jurídica y los conflictos judiciales. La tramitación del planeamiento supramunicipal (ya sea el POL como otras figuras de planificación como los Planes de Ordenación de los Recursos Naturales, PORN), de forma posterior a que se produjeran las intervenciones urbanísticas, ha generado numerosos conflictos: desde resoluciones de demolición a la regulación de la situación jurídica en que quedan las edificaciones ilegales transcurrido el plazo de demolición[1] (asumiendo y dando por irreversibles los efectos de la dejación de responsabilidades de las Administraciones). Es, por tanto, la

---

1. El artículo 208 de la LOTRUSCA establece un plazo de cuatro años desde la total terminación de obras de edificación o algún otro uso del suelo que requiriendo licencia no la hubiera obtenido o sin respetar las condiciones para su otorgamiento. Transcurrido el cual, sin incoación del oportuno procedimiento, aunque las obras realizadas no quedan legalizadas, quedan en una situación de fuera de ordenación, impidiendo con ello el ejercicio de las potestades tendentes al restablecimiento de la legalidad urbanística. La previsión contenida en este precepto responde a la necesidad de conjugar el principio de seguridad jurídica con la restitución del orden jurídico alterado a su estado originario, cuestión que contemplan, aún con diferentes plazos y sus matizaciones, de manera generalizada las diferentes legislaciones urbanísticas.

cuestión urbanística la que ha monopolizado la atención, a pesar de que las recientes actualizaciones tratan de avanzar hacia un criterio de actuación de tipo más territorial.

La nota positiva es la ventana de oportunidad abierta recientemente con la preparación desde 2017 del instrumento de planificación regional de OT. Del cual, y conforme a los datos publicados en la página web de la Consejería de Obras Públicas, Ordenación del Territorio y Urbanismo del Gobierno de Cantabria[2], el último documento publicado es el conocido como 'Proyecto de Plan Regional de Ordenación del Territorio de Cantabria' (el cual data de abril de 2018); y al que precede el Avance del Plan Regional de Ordenación del Territorio, sometido a un período de participación entre los meses de mayo y junio de 2017.

Constan datos en las actas publicadas por la Comisión Regional de Ordenación del Territorio y Urbanismo, CROTU, sobre la remisión a dicho órgano para su aprobación. En concreto, el Acta de la CROTU de 26 de enero de 2018 hace referencia a "En consecuencia, como quiera que el próximo lunes día 29 de enero vuelve a reunirse la Ponencia Técnica para debatir sobre la aprobación inicial del Plan Regional de Ordenación Territorial, será el momento de que se cree un grupo de trabajo al que cualquier miembro está invitado, para redactar una propuesta motivada respecto de la clasificación urbana de los suelos controvertidos"[3].

Se abría así la posibilidad de que Cantabria pudiera superar su asignatura pendiente, poder contar con una batería de instrumentos de planificación subregional, más allá de los instrumentos de carácter sectorial que hasta el momento, excepción hecha del citado POL, han sido la única planificación subregional llevado a cabo. Unas figuras de planificación, aquéllos, que sin embargo resultan fundamentales para una efectiva y aplicada ordenación del territorio, que debidamente planteados y aplicados, deben aportar una lectura territorial de carácter integral.

2. NORMATIVA BASE DE LA ORDENACIÓN DEL TERRITORIO EN CANTABRIA

En el cuadro siguiente se presenta la información básica relativa a normativa e instrumentos de OT en Cantabria:

---

2. Disponible en https://www.territoriodecantabria.es/participacion-ciudadana/protold (última consulta 15/02/2020).
3. Disponible en https://www.territoriodecantabria.es/crotu-cotu/crotu (última consulta 15/02/2020).

Tabla 1: Marco regulador e instrumental de la Ordenación del Territorio en Cantabria

Comunidad Autónoma	Cantabria
Antecedentes normativos	Ley 7/1990, de 30 de marzo, de Ordenación Territorial de Cantabria
Legislación OT actual	Ley 2/2001, de 25 de junio, de Ordenación Territorial y Régimen Urbanístico del Suelo de Cantabria
Departamento OT actual	Consejería de Obras Públicas, Ordenación del Territorio y Urbanismo
Plan OT regional	Plan Regional de Ordenación del Territorio (PROT)
Entrada en vigor (año)	En elaboración
Normativa de aprobación	Pendiente de aprobación
Organismo impulsor	Consejería de Obras Públicas, Ordenación del Territorio y Urbanismo a través de la Dirección General de Urbanismo y Ordenación del Territorio.
Período de tramitación	En tramitación
Otros planes de OT	Normas Urbanísticas Regionales Plan de Ordenación del Litoral Proyectos Singulares de Interés Regional
Otros planes con incidencia en OT (Véase Anexo I)	Planes Especiales (Sectoriales):

Fuente: Elaboración propia.

3. ESQUEMA DE INSTRUMENTOS

Tal y como se recoge en la Ley 2/2001, de 25 de junio, de Ordenación Territorial y Régimen Urbanístico del Suelo de Cantabria (LOTRUS-CA), los instrumentos de Ordenación del Territorio cántabros se caracterizan por la proximidad con el urbanismo (a su filosofía y forma de actuar clásica). Y es que, a excepción del Plan Regional de Ordenación del Territorio (PROT), el resto de los instrumentos que contempla el capítulo II de la LOTRUSCA, destinado a la planificación territorial, son únicamente dos: las Normas Urbanísticas Regionales y los Proyectos Singulares de Interés Regional. Las primeras "tienen por objeto establecer criterios y fijar pautas normativas en lo referente al uso del suelo y la edificación", mientras que las segundas son herramientas para la realización de intervenciones urbanísticas puntuales. Ambas muy alejadas ya no sólo de una planificación subregional de carácter territorial, sino que incluso se alejan de la tradicional planificación de carácter sectorial, en el que se enmarcan, que caracteriza la política territorial española, para trabajar directamente con mecanismos y lógicas propias del urbanismo[4].

Figura 1. Esquema de Instrumentos de Planificación Territorial en Cantabria

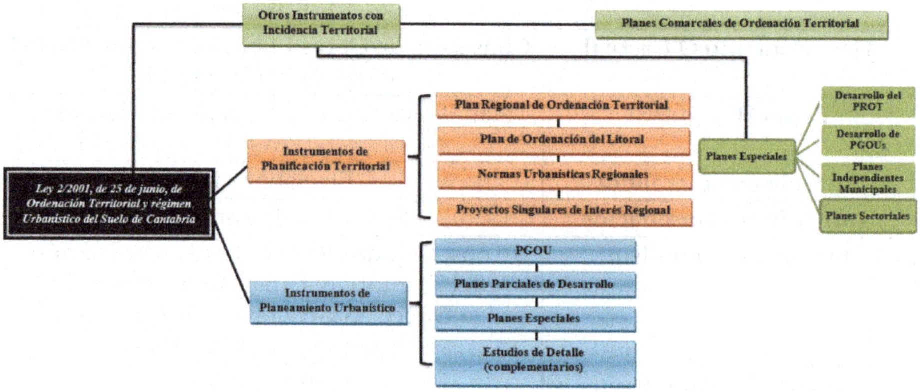

Fuente: Elaboración propia

Especial mención requiere el Plan de Ordenación del Litoral, que no forma parte de la batería de instrumentos presentes en el articulado de la LOTRUSCA pero que, de acuerdo con lo establecido en su disposición adicional cuarta, debe ser considerado como un instrumento "equiparado a todos los efectos al Plan Regional de Ordenación Territorial"; por tanto, instrumento de planificación jerárquicamente superior, jurídicamente al mismo nivel que el PROT. También los Planes Comarcales, instrumentos que no se consideran explícitamente instrumentos de planificación al amparo de la OT pero que, de acuerdo con lo que establezca el PROT, parecen ser la única alternativa a partir de la que poder desarrollar un instrumento de planeamiento de nivel subregional, que no contempla de otra forma la LOTRUSCA y del que carece Cantabria.

Particular referencia requiere una tercera figura caracterizada por su polivalencia y flexibilidad: los Planes Especiales, con la capacidad de

---

4. Sobre la legislación y los instrumentos de planificación territorial en Cantabria ya nos hemos referido en Rando Burgos, E. (2019): *Legislación e instrumentos de la ordenación del territorio en España*. Madrid, Editorial Iustel.

desarrollar tanto a los instrumentos de OT como a los urbanísticos (pudiendo incluso elaborarse en ausencia de estos últimos).

3.1. EL PLAN REGIONAL DE ORDENACIÓN TERRITORIAL

La regulación del Plan Regional de Ordenación Territorial (PROT) se recoge en los artículos 11 a 18 de la LOTRUSCA, preceptos ubicados en el título I "Planeamiento territorial y urbanístico: instrumentos de ordenación", capítulo II "Planeamiento territorial", sección 1.ª "El Plan Regional de Ordenación Territorial".

La exposición de motivos, aun sin conceptuarlo, da unas primeras notas que aproximan al papel que Cantabria asigna al PROT, fijando su carácter regional, pero sin excluir la posibilidad de que planifique ámbitos inferiores a aquél. Así señala "… puede abarcar todo el territorio de Cantabria o zonas concretas del mismo", idea en la que enfatiza cuando, a renglón seguido, establece que podrá "…plasmarse en uno o varios planes". Junto a éstos, destaca la flexibilidad de su contenido y la amplia participación con que el plan es concebido, así como su aprobación mediante ley[5].

Esta aparente imprecisión inicial se concreta en el artículo 15 LOTRUSCA, que sí lo delimita al conjunto del territorio de la Comunidad Autónoma, aunque posibilita que "con las mismas finalidades, contenidos, documentos y procedimientos de elaboración, el Gobierno podrá aprobar Planes Comarcales de Ordenación Territorial que, en el caso de concretar y desarrollar previsiones del Plan Regional, no podrán oponerse a éste". Esta figura de los Planes Comarcales parece aproximar a la idea de plan territorial de ámbito subregional previsto por la mayoría de Comunidades Autónomas y de la que Cantabria carece. Ni se incluyen como categoría propia de instrumento de planificación territorial ni contienen un régimen jurídico propio, únicamente se realizan concretas referencias a ellos al regular el propio PROT y las NUR.

Como se indicaba, la LOTRUSCA se centra en asignar un conjunto de funciones, generales y particulares al PROT, cuestión a la que dedica el artículo 11. Entre las primeras, al PROT se le asigna la función de identificar las pautas generales del desarrollo de la Comunidad Autónoma, fijar las directrices para la ordenación del territorio, establecer las prioridades de la acción económica gubernamental y la definición del modelo territorial

---

5.   Sobre el procedimiento de participación en el PROT, vid. Ibáñez Martínez, A. (2019): "La participación ciudadana en el PROT (Plan Regional de Ordenación Territorial de Cantabria)". *Actas IX Congreso Internacional de Ordenación del Territorio*, Santander, 13, 14 y 15 de marzo de 2019, pp. 308-310.

"deseable" a propiciar y al que deberán tender las demás Administraciones públicas en el ejercicio de sus respectivas competencias. En síntesis, se centra en dos cuestiones: una más relacionada con el desarrollo en su vertiente económica; otra más propiamente territorial (fijación de las directrices para la ordenación territorial y concreción del modelo territorial, propiciando con ello un escenario adecuado para la articulación con el mismo de otras políticas sectoriales).

Respecto de la primera, la introducción al PROT que hace la normativa destaca una función muy concreta: "establecer las prioridades de la acción económica gubernamental en el ámbito de las infraestructuras". Con ello se destaca una filosofía territorial muy concreta que parece alejarse de una concepción de la OT como política integral, mediante la que las cuestiones territoriales se abordan en su conjunto, prestando especial atención a las interacciones entre sus distintos elementos para compatibilizar el desarrollo territorial sostenible y la conservación efectiva del medio ambiente. No cabe duda de que las infraestructuras representan un aspecto de gran relevancia territorial, que permiten articular el territorio favoreciendo tanto nuevas funcionalidades como la cohesión territorial. Se trata de intervenciones con un gran impacto territorial asociado, tanto positivo (como se citaba anteriormente) como por sus efectos negativos sobre el medio ambiente (tales como la fragmentación de los ecosistemas y la afección consecuente sobre la biodiversidad). Precisamente por eso representa una de las políticas sectoriales más complejas, además de tratarse de una clara competencia concurrente entre los distintos niveles político-administrativos, en especial con la Administración General del Estado (AGE).

Al valorar más detalladamente sus funciones, la normativa continúa describiendo la finalidad y las características propias de este instrumento de ámbito regional, algo que no siempre se hace explícito en el resto de los instrumentos de planificación territorial regionales en España en sus respectivas legislaciones autonómicas. Se destaca su rol como:

- coordinador de las políticas sectoriales (que, siguiendo un modelo piramidal abierto ya citado, permite que sean capaces de desarrollar el instrumento regional, en detrimento de los enfoques subregionales).

- instrumento de coordinación interterritorial, al establecer criterios para actuaciones con Comunidades Autónomas colindantes con las que establecer acuerdos de cooperación y colaboración.

- coordinación con el Estado (algo fundamental teniendo en cuenta la distribución de competencias entre AGE y CCAA) para la aplicación de sus políticas sectoriales y adaptando las políticas territoriales europeas (de cohesión y desarrollo) a las políticas sociales y económicas regionales.

- elemento de coordinación para toda planificación, tanto territorial como urbana, asegurando la compatibilidad de las decisiones de escala local.

Asociado al PROT, la LOTRUSCA contempla una figura *sui generis:* los Planes Comarcales. Se trata de un instrumento muy particular por dos cuestiones. La primera y principal por ser la única figura con posibilidades de desarrollar la planificación subregional de carácter integral de otra forma inexistente en la Comunidad Autónoma. La segunda por su escaso tratamiento en la normativa, circunscrita a tres concretas menciones contenidas en los artículos 14, 15 y 20 de la LOTRUSCA. El primero, al describir el ámbito del PROT, se prevé que, con las mismas finalidades, contenidos, documentos y procedimiento de elaboración, el Gobierno podrá aprobar Planes Comarcales de Ordenación Territorial que, para el caso de concretar y desarrollar previsiones del PROT, no podrán oponerse a éste. Por su parte, el artículo 15, siguiendo la "filosofía" del artículo 14, establece para estos Planes idéntica vigencia indefinida a la prevista para el PROT, así como los casos en que procederá su revisión. Por último, en el artículo 20, al fijar el contenido de las NUR, señala entre sus determinaciones, la identificación y justificación de los fines y objetivos de su promulgación y de sus contenidos, que han de ser coherentes, en caso de existir, con el PROT o los Planes Comarcales.

No obstante, estos Planes Comarcales de OT no han tenido desarrollo alguno hasta la fecha, a pesar de que hubiera un texto legal, la Ley 8/1999, de 28 de abril, de Comarcas de la Comunidad Autónoma de Cantabria. Tampoco ha ayudado que Cantabria no haya aprobado hasta el momento el instrumento que está llamado a fijar el modelo territorial para el conjunto autonómico, lo que, sin duda, hubiese facilitado el desarrollo de los Planes Comarcales pese a que, siguiendo el tenor literal del artículo 14, nada parece impedir que se formulen de manera independiente al PROT, lo cierto es que su función primordial es concretar y desarrollar las previsiones del PROT.

3.2. EL PLAN DE ORDENACIÓN DEL LITORAL

El Plan de Ordenación del Litoral (POL) se regula en la LOTRUSCA en su disposición adicional cuarta, en la cual se justifica la necesidad de un instrumento específico para el ámbito litoral (atendiendo a sus peculiaridades y singularidades), con el fin de realizar una protección efectiva e integral de la misma, así como su ordenación. La LOTRUSCA equipara "a todos los efectos" el POL al PROT, tanto en su procedimiento de elaboración, vigencia y revisión, como vinculación y adaptación del planeamiento urbanístico. Además le atribuye una función concreta (fijar las directrices para la ordenación territorial de la zona costera de la Comunidad Autónoma) y un conjunto de funciones particulares, a modo de ejemplo: mejorar el conocimiento específico del litoral; establecer criterios para la protección de los elementos naturales, de las playas y, en general, del paisaje litoral; señalar los criterios globales para la ordenación de los usos del suelo y la regulación de actividades en el ámbito afectado; o, fijar los criterios generales de protección del medio litoral, orientando las estrategias de crecimiento urbanístico y de implantación de infraestructuras. De igual forma, fija el contenido que habrá de integrar el futuro POL.

Precisamente, por esta equiparación que realiza la LOTRUSCA, "a todos los efectos", sólo unos años más tardes sería aprobado el instrumento a través de una ley, la Ley 2/2004, de 24 de septiembre, del Plan de Ordenación del Litoral.

Responde a una cuestión común a varias Comunidades Autónomas, la necesidad de abordar un territorio de gran complejidad que concentra variadas actividades económicas y residenciales, a la par que un ecosistema cuya excepcionalidad y riqueza sólo es comparable con su fragilidad asociada. Es por tanto fundamental el establecimiento de marcos integrales para la adecuada integración antrópica en estos territorios. También en el caso del POL, como lo era en el de los Planes Comarcales, el PROT es su marco de referencia. Esto, unido a la idea de protección de la zona litoral, hace que su atención se centre en los suelos que no sean ni urbanos ni urbanizables con Plan Parcial aprobado, ni en espacios protegidos sujetos a la legislación ambiental (jerárquicamente superior a la OT)[6].

---

6.   Concretamente el artículo 2 de la Ley 2/2004, detalla el ámbito de aplicación del POL, fijando:
      "1. El ámbito de aplicación de la presente Ley es el territorio de los 37 municipios costeros existentes en la Comunidad Autónoma de Cantabria, excluyéndose los suelos clasificados como urbanos o urbanizables con Plan Parcial aprobado definitivamente a su entrada en vigor, así como aquellos que gocen ya de algún instrumento especial de protección por corresponder a zonas declaradas Espacios Naturales Protegidos o que dispongan de Planes de Ordenación de los Recursos Naturales en vigor.
      2. Igualmente quedarán excluidos del ámbito de aplicación de esta Ley los suelos respecto de los que se acredite en el momento de adaptación del planeamiento municipal al presente instrumento de ordenación del territorio que reúnen los requisitos legales para ser clasificados como urbanos.
      3. Los suelos respecto de los que, tras la entrada en vigor de la presente Ley, se acreditara que no contaban con los requisitos legales para ser clasificados como urbanos,

Resulta de particular interés valorar las relaciones entre el POL y la planificación ambiental, en tanto las zonas litorales se caracterizan por aglutinar en un mismo espacio las actividades antrópicas y la componente ambiental, con la presencia de un ecosistema de gran valor y marcada fragilidad. No cabe duda de que es fundamental que tenga lugar una adecuada y efectiva coordinación e integración entre políticas territoriales y ambientales en este ámbito. En este sentido, el POL, que presenta un marcado enfoque proteccionista, no altera la ordenación de los espacios protegidos que cuenten con un PORN aprobado (figura de la planificación ambiental que por sus contenidos y características se aproxima a un instrumento de planeamiento subregional de OT –un plan especial de OT de una zona protegida–).

---

bien en el momento de la adaptación del planeamiento a esta Ley, o bien por imperativo de sentencia judicial firme, quedarán comprendidos dentro del ámbito de aplicación del presente Plan. Esto mismo regirá para el caso de que se anulará un Plan Parcial definitivamente aprobado.

4. La aprobación sobrevenida de Planes de Ordenación de los Recursos Naturales o la ulterior declaración de un espacio natural como protegido determina la exclusión de los terrenos afectados del ámbito de aplicación de esta Ley.

Junto al ámbito de aplicación del POL, en su artículo 3, la Ley 2/2004, posibilita la actualización del mismo, regulando el procedimiento a tal fin. En este sentido, habilita a la Comisión de Regional de Ordenación del Territorio y Urbanismo para, con ocasión del procedimiento de adaptación del planeamiento urbanístico a la Ley 2/2004, advertir la inclusión y zonificación de suelos indebidamente excluidos de su ámbito de aplicación, sometiendo dicha propuesta de manera simultánea a información pública y audiencia singularizada a la Administración General del Estado y al Ayuntamiento interesado por plazo de un mes, transcurrido el cual, se emitirá informe por la dirección general competente en materia de ordenación del territorio y urbanismo y, previo acuerdo de la Comisión Regional, el consejero competente lo elevará al Consejo de Gobierno para su aprobación mediante decreto.

Si bien, se advertía que la tramitación del referido procedimiento suspendía el plazo para la aprobación definitiva del instrumento de planeamiento urbanístico, es preciso advertir la muy reciente modificación de este párrafo del artículo 3.1. de la Ley 2/2004, por la Ley de Cantabria 1/2020, de 28 de mayo, de Medidas Urgentes para el Desarrollo Urbanístico de Cantabria (publicada cuando el presente trabajo se encontraba ya en pruebas de imprenta). En este sentido, la modificación operada flexibiliza el procedimiento, atribuyendo a la Comisión Regional de Ordenación del Territorio y Urbanismo la posibilidad bien de suspender el plazo para aprobar definitivamente el instrumento de planeamiento (única previsión hasta la entrada en vigor de la Ley 1/2020, contemplada) o bien aprobarlo parcialmente, dejando en suspenso los ámbitos afectados cuando se cumplan el resto de los requisitos establecidos para ello en la LOTRUSCA.

La ampliación o reducción del ámbito de aplicación de un Plan de Ordenación de los Recursos Naturales o de un Espacio Natural Protegido supondrá la exclusión o inclusión, respectivamente, de los terrenos afectados en el ámbito de aplicación de la presente Ley".

Esta interrelación con la planificación y la protección ambiental, y el establecimiento de un modelo territorial para su ámbito de aplicación (espacios donde compatibilizar dinámicas antrópicas y litorales; espacios donde poder implantar las actuaciones estratégicas), tal y como se recoge en el título I de la Ley 2/2004, de 24 de septiembre, del Plan de Ordenación del Litoral, le otorgan un aparente carácter integrador y estratégico que podría resultar de gran interés.

Si bien utiliza el paisaje, tan sólo se aborda a efectos prácticos desde el impacto visual obviando su oportuno análisis funcional, para integrar objetivos concretos en los instrumentos de planificación.

En este sentido, la ausencia de una planificación temporal, o de un estudio económico de algún tipo que pudiera implicar la definición de un plan de seguimiento y evaluación que permita analizar la eficacia de las medidas que contempla, le resta la fuerza que, por su rango de ley, podría llegar a tener.

3.3. LAS NORMAS URBANÍSTICAS REGIONALES

El segundo instrumento que la LOTRUSCA incluye en la categoría de planes territoriales son las Normas Urbanísticas Regionales (NUR), reguladas en sus artículos 19 a 25, e igualmente integradas en el título I "Planeamiento territorial y urbanístico: instrumentos de ordenación", capítulo II "Planeamiento territorial", en concreto, en la sección 2.ª "Las Normas Urbanísticas Regionales".

Este instrumento fue redactado con la finalidad de solucionar el problema de los numerosos municipios sin planeamiento que aún había en Cantabria en el año 2004. Precisamente por este motivo, las NUR se limitan a aspectos de regulación de las condiciones de la edificación, donde han sido útiles en aquellos municipios que tenían déficits de regulación. Al no ser aplicable en los municipios con planes, tenían fecha de caducidad que llegará en el momento en que se adapten a la ley.

La propia LOTRUSCA al precisar en su artículo 19 este instrumento, evidencia su carácter propiamente urbanístico, que poco o nada tiene que ver con la planificación territorial. En este sentido, es clarificador el precepto cuando señala: "Las Normas Urbanísticas Regionales tienen por objeto establecer criterios y fijar pautas normativas en lo referente al uso del suelo y la edificación. En especial, establecen tipologías constructivas, volúmenes, alturas, plantas, ocupaciones, medianerías, distancias, revestidos, materiales, vegetación y demás circunstancias urbanísticas y de diseño, así como medidas de conservación de los recursos naturales, del medio ambiente y del patrimonio cultural" (en este último caso, clasificando como no urbanizables los suelos donde se localicen estos recursos territoriales), abundando en la idea anterior al asignarle una función supletoria respecto al planeamiento urbanístico general (Plan General de Ordenación), ya que para el caso de ausencia de este último, las NUR son de obligado cumplimiento. A mayor abundamiento, la propia exposición de motivos de la LOTRUSCA, lo reconoce expresamente[7].

A pesar de su escaso carácter territorial, presenta un particular potencial desde el punto de vista del paisaje urbano, al homogeneizar criterios para el desarrollo de edificaciones que permitan dotar de un carácter único a los espacios urbanos cántabros. Sin embargo, la regulación homogénea de las edificaciones en un territorio tan diverso como el cántabro donde, prácticamente, cada valle ha desarrollado una tipología edificatoria diferenciada e identitaria conlleva la pérdida de las características propias de los núcleos tradicionales, con especial problema en los protegidos por su valor arquitectónico o etnográfico.

Hay que recordar que se trata de un instrumento que en caso de ausencia de planeamiento urbanístico actúa como marco de referencia para la escala local, y como instrumento complementario al mismo si aquél existiese. Desde una perspectiva a escala regional, se deja abierta la posibilidad de desarrollar un instrumento equivalente a escala comarcal.

3.4. LOS PROYECTOS SINGULARES DE INTERÉS REGIONAL

Los Proyectos Singulares de Interés Regional (PSIR), figura incluida por la LOTRUSCA como instrumento de ordenación territorial, se regula

---

7.   Como señala Rando, "si bien la LOTRUSCA contempla expresamente este instrumento como instrumento de planificación territorial, no deja de reconocer abiertamente que se trata de una figura más próxima al urbanismo que propiamente a la ordenación del territorio. En este sentido, es significativo el tenor de la LOTRUSCA en su exposición de motivos cuando señala "En segundo lugar, y todavía ubicado en el capítulo de la ordenación territorial, pero con un contenido más concreto de carácter urbanístico (por prever tipologías, usos y contenidos precisos ...), están las Normas Urbanísticas Regionales (NUR), que, como el PROT, pueden eventualmente ser comarcales. Estas Normas no son de aplicación directa. Rigen en ausencia de planeamiento municipal. De manera que sus funciones son: Suplir la falta de planes municipales o completar, en su caso, las determinaciones de dichos planes. Las Normas Urbanísticas Regionales las aprueba el Gobierno". En Rando Burgos, E. (2019b): "La apuesta de Cantabria por la preservación y utilización de los ámbitos litorales en el marco de la planificación territorial". *Actualidad Jurídica Ambiental*, núm. 86 (enero 2019), pp. 4-47 (p. 15).

en los artículos 26 a 29, en concreto en la sección 3.ª "Los Proyectos Singulares de Interés Regional", encuadrada en el título I "Planeamiento territorial y urbanístico: instrumentos de ordenación", capítulo II "Planeamiento territorial", de la ley.

Se trata de instrumentos próximos a los enfoques urbanísticos, encargados de regular la implementación de las cuestiones sectoriales a nivel supramunicipal. Además, es un instrumento que abre las puertas a la iniciativa privada, algo que como sucede en el resto de Comunidades Autónomas es objeto de debate dado que, en tanto que política pública, cualquier instrumento de planificación (territorial y/o urbanístico) debe fundamentarse en la búsqueda del interés colectivo (algo que no siempre ha sucedido). Es la declaración de interés regional por parte de la Administración autonómica, independiente de la naturaleza del promotor del proyecto, el garante de que éste responda al interés general, independientemente de que se pueda contar con la financiación privada a la hora de llevar a cabo determinadas intervenciones territoriales.

Así mismo, un segundo aspecto que hace de estos instrumentos objeto de debate es la posibilidad que habilita la normativa de poder desarrollarse en cualquier clase de suelo, con independencia de su clasificación y calificación urbanística, sin perjuicio de lo establecido en el planeamiento territorial. Habilita la opción de que estos instrumentos se localicen en suelos no urbanizables, donde a priori no tienen cabida. Incluso en los casos donde existe un claro régimen de incompatibilidad, los PSIR pueden desarrollar intervenciones territoriales si se acredita su interés público o social y por su contribución a la ordenación y desarrollo rurales cuando deban emplazarse en el medio rural. Como única limitación figura la normativa ambiental de protección del patrimonio territorial, natural o cultural.

Unos instrumentos no por más extendidos menos peculiares, en un contexto de planificación territorial subregional que queda en manos de instrumentos complementarios con incidencia en la OT, que facilita más si cabe la apuesta por una intervención sectorial fundamentada en proyectos puntuales que carecen de unos adecuados marcos de regulación, más allá de la escala regional, en caso de que esta exista, que no es el caso excepción hecha de las Normas Urbanísticas Regionales, encargados de concretarlas de facto, por tanto con gran de capacidad de influir e impactar sobre el territorio.

Figura 2. Situación de la Ordenación del Territorio en Cantabria

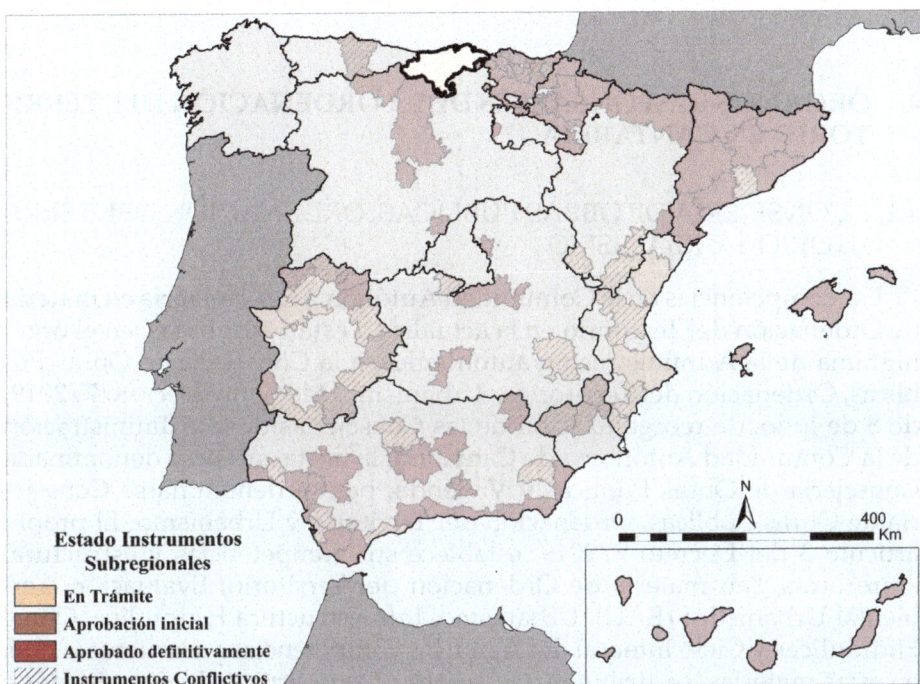

Fuente: Elaboración propia

3.5. OTROS INSTRUMENTOS DE SEGUNDO NIVEL. LOS PLANES ESPECIALES

La regulación relativa a los Planes Especiales se encuentra en los artículos 59 y 60 de la LOTRUSCA, dentro del propio título I "Planeamiento territorial y urbanístico: instrumentos de ordenación", pero en el capítulo II dedicado al "Planeamiento urbanístico", y dentro de éste en la sección 5.ª "Los Planes Especiales". Instrumentos de naturaleza múltiple, que comprende desde el desarrollo de los instrumentos de OT (PROT y NUR) al desarrollo de Planes y Normas Comarcales o el desarrollo de Planes Generales de Ordenación Urbana (a los que en caso de no existir pueden sustituir en sus funciones). En cualquier caso, se trata de instrumentos de carácter sectorial, en tanto abordan temáticas sectoriales a diversa escala, con una estrecha vinculación con el urbanismo, relacionados con la OT en la medida de su capacidad de actuación en ámbitos supramunicipales.

4. ÓRGANOS RESPONSABLES DE LA ORDENACIÓN DEL TERRITORIO EN CANTABRIA

4.1. CONSEJERÍA DE OBRAS PÚBLICAS, ORDENACIÓN DEL TERRITORIO Y URBANISMO

Las competencias de la Comunidad Autónoma de Cantabria en materia de Ordenación del Territorio en la actualidad están atribuidas, en el organigrama de la Administración autonómica, a la Consejería de Obras Públicas, Ordenación del Territorio y Urbanismo. Mediante Decreto 7/2019, de 8 de julio, de reorganización de las Consejerías de la Administración de la Comunidad Autónoma de Cantabria, la hasta entonces denominada Consejería de Obras Públicas y Vivienda, pasa a denominarse Consejería de Obras Públicas, Ordenación del Territorio y Urbanismo. El propio artículo 3 del Decreto 7/2019, establece sus competencias y estructura, entre otras, "en materia de Ordenación del Territorio, Evaluación Ambiental Urbanística (EAU), Urbanismo, Infraestructura Hidráulica, Obras Hidráulicas y Ciclo Integral del Agua, las competencias y estructuras que, en estas materias, se atribuían a la anterior Consejería de Universidades e Investigación, Medio Ambiente y Política Social".

Por su parte, el Decreto 106/2019, de 23 de julio, por el que se modifica parcialmente la estructura orgánica básica de las Consejerías del Gobierno de Cantabria, es la norma que actualmente regula la estructura básica de las diferentes Consejerías. En concreto, la Consejería de Obras Públicas, Ordenación del Territorio y Urbanismo, se conforma por los siguientes órganos directivos:

- Secretaría General de Obras Públicas, Ordenación del Territorio y Urbanismo.
- Dirección General de Obras Públicas.
- Dirección General de Urbanismo y Ordenación del Territorio.
- Subdirección General de Planificación Territorial y del Paisaje.
- Subdirección General de Urbanismo y Arquitectura.
- Dirección General de Obras Hidráulicas y Puertos.
- Subdirección General de Aguas.

4.2. DIRECCIÓN GENERAL DE URBANISMO Y ORDENACIÓN DEL TERRITORIO

La nueva Dirección General de Urbanismo y Ordenación del Territorio, creada por el Decreto 106/2019, adscrita como órgano directivo a la Consejería de Obras Públicas, Ordenación del Territorio y Urbanismo, ejercerá las competencias que le atribuye el apartado 3 del artículo segundo del citado Decreto. De esta forma, además de las competencias genéricas atribuidas por la Ley 5/2018, de 22 de noviembre, de Régimen Jurídico del Gobierno de la Administración y del Sector Público Institucional de la Comunidad Autónoma de Cantabria, así como las previstas en las demás disposiciones legales y reglamentarias vigentes, el Decreto 106/2019, le atribuye específicamente las siguientes:

- La definición y programación de la política de Ordenación del Territorio y Ordenación Urbana.

- Elaboración, tramitación y control de los instrumentos de la planificación y ordenación territorial.

- La supervisión, tutela y fomento del planeamiento y de la actividad urbanística en el territorio de la Comunidad Autónoma de Cantabria.

- La coordinación y colaboración con entidades urbanísticas, tanto públicas como privadas.

- Desarrollar la labor de inspección urbanística en el ámbito de las competencias de la Comunidad Autónoma de Cantabria.

- Concesión de autorizaciones de uso y tramitación de procedimientos sancionadores en la zona de servidumbre de protección del dominio público marítimo terrestre.

- Evaluación Ambiental de los Proyectos Singulares de Interés Regional; Planes Generales de Ordenación Urbana y, en su caso, sus modificaciones puntuales; Planes Parciales; Planes Especiales; y en general, cualquier otro instrumento de planeamiento y ordenación urbanística que deba someterse a evaluación ambiental.

- Elaboración y ejecución de proyectos de movilidad sostenible.

- La cartografía de la Comunidad Autónoma de Cantabria.

- El desarrollo las infraestructuras y los servicios de información geográfica, así como la infraestructura de uso interno de la cartografía e información geográfica, en coordinación con los servicios de informática y comunicaciones del Gobierno de Cantabria.

- Seguimiento y control de la correcta ejecución de todo tipo de viviendas y las condiciones mínimas de habitabilidad.

- Promoción y calidad de la edificación y de la arquitectura; registro de los informes de evaluación del edificio; y supervisión y control de laboratorios en materia de calidad de la edificación.

- Colaboración con programas de actuación en infraestructuras en materia de suelo y edificios de titularidad pública local.

- Supervisión y redacción de estudios, planes y proyectos.

4.3. SUBDIRECCIÓN GENERAL DE PLANIFICACIÓN TERRITORIAL Y DEL PAISAJE

La Subdirección General de Planificación Territorial y del Paisaje, dependiente orgánicamente de la Dirección General de Urbanismo y Ordenación del Territorio, ejercerá las competencias genéricas expresadas en la Ley 5/2018, de 22 de noviembre, de Régimen Jurídico del Gobierno, de la Administración y del Sector Público Institucional de la Comunidad Autónoma de Cantabria, así como las previstas en las demás disposiciones legales y reglamentarias.

Específicamente, el artículo 2.4 del Decreto 106/2019, le atribuye las siguientes competencias:

- La colaboración y planificación en el marco de actividades y recursos propios de las áreas de competencia de la Dirección General.

- La supervisión de la tramitación y seguimiento de la evaluación ambiental urbanística.

- La propuesta, redacción, tramitación y seguimiento de los instrumentos de planificación territorial y del paisaje previstos en el ordenamiento jurídico.

- El apoyo en la elaboración de proyectos propios de su área de competencia asignados por la Dirección General.

- La participación en las comisiones, reuniones y foros que le sean encomendados por el Director General.

- La supervisión de la tramitación y seguimiento, en su caso, de los convenios de colaboración de su área competencial.

- La realización de aquellos estudios e informes que le sean encomendados por la Dirección General.

- Las demás competencias que pueda encomendarle el Director General.

4.4. LA COMISIÓN REGIONAL DE ORDENACIÓN DEL TERRITORIO Y URBANISMO

La LOTRUSCA incorpora como órganos administrativos, la Comisión Regional de Ordenación del Territorio y la Comisión Regional de Urbanismo, si bien como órganos independientes, regulados inicialmente en sus artículos 253 y 254, a los que asigna las funciones consultivas y de gestión de las referidas materias a los efectos de las previsiones contenidas en la propia ley.

Apenas dos años después, con la aprobación de la Ley 2/2003, de 23 de julio, de establecimiento de medidas cautelares urbanísticas en el ámbito del litoral y creación de la Comisión Regional de Ordenación del Territorio y Urbanismo, Cantabria opta por unificar este órgano, derogando expresamente los citados artículos (disposición derogatoria única) y creando la denominada Comisión Regional de Ordenación del Territorio y Urbanismo de Cantabria (artículo 2).

Aunque la LOTRUSCA establece algunas reglas como su funcionamiento en pleno y en comisión permanente o su composición, delega a su desarrollo reglamentario la concreción de estas cuestiones. Da lugar así a la aprobación del Decreto 163/2003, de 18 de septiembre, por el que se regula la composición y el funcionamiento de la Comisión Regional de Ordenación del Territorio y Urbanismo. Con carácter general, el Decreto, en el artículo 1 se refiere a este órgano como "1. La Comisión Regional de Ordenación del Territorio y Urbanismo, órgano colegiado adscrito a la Consejería de Medio Ambiente, Ordenación del Territorio y Urbanismo, es el órgano consultivo y de gestión en las materias de Ordenación del Territorio y Urbanismo en el ámbito de la Administración de la Comunidad Autónoma de Cantabria. 2. Ejercerá sus funciones en el ámbito territorial de la Comunidad Autónoma de Cantabria y actuará en Pleno y en Comisión Permanente".

A nivel funcional, distingue según actúe en pleno o en comisión permanente. El pleno lo integran el Consejero de Medio Ambiente, Ordenación del Territorio y Urbanismo (referencia que en el marco organizativo actual de la Comunidad Autónoma ha de entenderse referida a la Consejería de Obras Públicas, Ordenación del Territorio y Urbanismo); los Directores Generales de Urbanismo y de Ordenación del Territorio y Evaluación Ambiental y Urbanística, junto a un representante de cada una de las Consejerías que enumera (Presidencia y Justicia; Obras Públicas y Vivienda; Medio Ambiente, Ordenación del Territorio y Urbanismo; Innovación, Industria, Turismo y Comercio; Educación, Cultura y Deporte; y, Ganadería, Pesca y Desarrollo Rural); un representante de diferentes Colegios Profesionales (Colegio de Ingenieros de Caminos, Canales y Puertos; Colegio de Arquitectos; Colegio de Geógrafos; y Colegio de Abogados); junto a un representante de la Universidad de Cantabria y otro de la Administración

General del Estado. Tiene como competencia general la de conocer, informar y llevar a cabo las funciones que, en relación con la planificación territorial y urbanística, le atribuye expresamente la LOTRUSCA. Además, se le atribuyen como competencias particulares, las siguientes:

- La aprobación inicial y provisional del Plan Regional de Ordenación del Territorio y sus instrumentos de desarrollo.

- La supervisión durante el período de tramitación y posterior desarrollo de los instrumentos de Planeamiento Urbanístico en cuanto al cumplimiento de las determinaciones del Plan Regional de Ordenación del Territorio, del Plan de Ordenación del Litoral, o de cualquier otro instrumento de carácter territorial.

- La aprobación inicial y provisional del Plan de Ordenación del Litoral y sus instrumentos de desarrollo.

- La aprobación inicial y provisional de los Planes Comarcales de Ordenación Territorial.

- La aprobación inicial y provisional de los Proyectos Singulares de Interés Regional.

- La aprobación inicial y provisional de los Planes Especiales previstos en los apartados 1 y 4 del artículo 59 de la Ley de Cantabria 2/2001, de 25 de junio, salvo en los casos en que esa aprobación corresponda a otro órgano en virtud de la normativa sectorial.

- Aprobar inicial y provisionalmente las Normas Urbanísticas Regionales.

- Aprobar definitivamente los Planes Generales de Ordenación Urbana.

- Informar los Planes Generales de Ordenación Urbana cuya aprobación definitiva, previa delegación del Gobierno, corresponda a los Ayuntamientos.

- Aprobar definitivamente los Planes Parciales de los municipios de menos de 2.500 habitantes.

- Informar los Planes Parciales cuya aprobación definitiva competa a los Ayuntamientos.

- Aprobar definitivamente los Planes Especiales cuya aprobación definitiva competa a la Comisión Regional de Ordenación del Territorio y Urbanismo.

- Informar los Planes Especiales previstos en el apartado segundo del artículo 59 de la Ley 2/2001, de 25 de junio, cuya competencia de aprobación definitiva se residencia en los Ayuntamientos.

- Avocar para sí las funciones de la Comisión Permanente cuando el pleno lo estime oportuno, bien a iniciativa de su presidente o de cualquiera de sus miembros.

- Aquellos asuntos que, aun siendo competencia de la Comisión Permanente, por decisión del presidente de la Comisión, bien a iniciativa propia o a instancia de cualquiera de los miembros, sean elevados al pleno.

- Emitir informe en los supuestos de Planes Especiales en materia de Patrimonio Cultural.

Por otro lado, la comisión permanente de la Comisión Regional de Ordenación del Territorio y Urbanismo, está compuesta por los Directores Generales de Urbanismo y Ordenación del Territorio y Evaluación Ambiental; representantes de diferentes Consejerías autonómicas (en concreto, las de Presidencia y Justicia; Obras Públicas y Vivienda; Ganadería, Pesca y Desarrollo Rural; Innovación, Industria, Turismo y Comercio), un representante de la Administración local y otro de la Administración General del Estado, así como dos representantes de los Colegios Profesionales integrantes del pleno. Tiene atribuida, con carácter general, las funciones relativas a la emisión de informes, autorizaciones y demás intervenciones en el ámbito de la ejecución, gestión y aplicación del planeamiento territorial y urbanístico. De manera particular, el Decreto 163/2003, le atribuye las siguientes competencias:

- Autorizar las construcciones y usos permitidos en el suelo rústico de especial protección.

- Autorizar las construcciones y usos permitidos en el suelo rústico de protección ordinaria en los municipios sin Plan General Adaptado.

- Informar las autorizaciones de construcciones y usos permitidos en el suelo rústico de protección ordinaria en los municipios con Plan General Adaptado.

- Ejercer las medidas de protección de la legalidad urbanística en los supuestos previstos en el artículo 209 de la Ley de Cantabria 2/2001, de 25 de junio (precepto que contempla la posibilidad de subrogación de la Comunidad Autónoma en materia de urbanismo en las competencias municipal).

5. PROCEDIMIENTOS Y RESPONSABILIDADES FORMALES

A nivel procedimental, cada uno de los instrumentos de planificación territorial analizados cuenta con sus propios trámites de elaboración y tramitación, cuyo marco de referencia se encuentra en la propia LOTRUSCA[8].

5.1. PROCEDIMIENTO DE ELABORACIÓN Y APROBACIÓN DEL PROT

La elaboración y aprobación del PROT se recoge en el artículo 16 de la LOTRUSCA. La competencia para la elaboración y formulación de este instrumento viene atribuida a la Consejería que ostente las competencias en materia de Ordenación del Territorio, previo acuerdo formal de elaboración y formulación del PROT por parte del Gobierno Autonómico. Un acuerdo que, en caso de ser necesario y de manera excepcional, puede incluir la suspensión correspondiente de licencias de parcelación, construcción y demolición en áreas concretas o para usos determinados en suelo rústico, en municipios sin planeamiento o, cuando exista plan, limitado a áreas concretas del suelo urbanizable residual y del suelo rústico. Recae sobre la Consejería competente, la elaboración y formulación del PROT para ello y, previamente, podrá recabar tanta información estime oportuna y necesaria de las Administraciones públicas, instituciones y entidades territoriales, en relación a las cuestiones a abordar en el plan.

Una vez elaborado el proyecto del PROT, debe ser trasladado a Comisión Regional de Ordenación del Territorio y Urbanismo, en cuanto competente para su aprobación inicial, tras la cual, se abrirá un período de información pública por plazo no inferior a dos meses y se dará audiencia a la Administración General del Estado, la Asociación de Entidades locales de ámbito autonómico con mayor implantación y todos los Ayuntamientos afectados. Concluidos ambos trámites, la Comisión solicitará a la Consejería autora del Plan, un informe de las alegaciones del citado trámite. Evacuado el mismo, la Comisión aprobará de manera provisional el PROT, dando traslado al Consejero competente en ordenación territorial para su aprobación como proyecto de ley por el Gobierno. Finalmente, el documento del PROT será remitido al Parlamento de Cantabria para su aprobación, tras lo cual el propio Presidente del Gobierno autonómico ordenará su publicación en el Boletín Oficial de Cantabria. Debe, en cualquier caso, asegurarse la máxima difusión del instrumento más allá de los canales convencionales, enviando una copia a los Ayuntamientos y a la Delegación de Gobierno de la Comunidad Autónoma.

---

8. Sobre el procedimiento de tramitación y aprobación de los instrumentos de planificación territorial en Cantabria, vid. Rando Burgos, E. (2019) *Legislación e instrumentos de la ordenación del territorio…* op. cit.

Diagrama 1. Procedimiento de tramitación del Plan Regional de
Ordenación Territorial

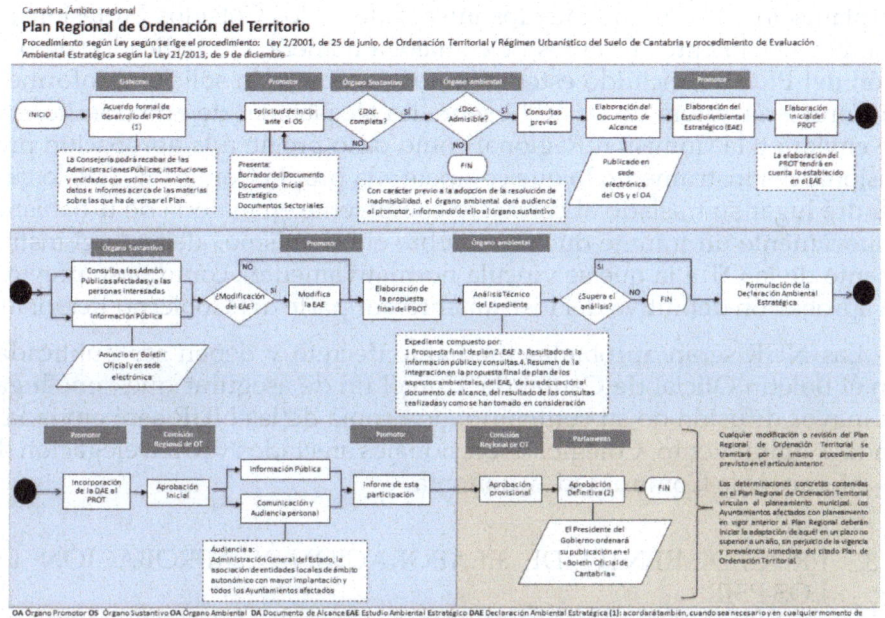

Fuente: Elaboración propia

5.2. PROCEDIMIENTO DE ELABORACIÓN Y APROBACIÓN DE LAS NUR

El procedimiento para la elaboración y aprobación de las NUR se contiene en el artículo 23 de la LOTRUSCA. Tanto la formulación como la elaboración del instrumento es responsabilidad de la Consejería competente en materia de urbanismo, lo cual, nuevamente, constata la idea ya apuntada a lo largo del presente trabajo de la incoherencia que supone la inclusión como instrumento de planificación territorial de las NUR cuando el verdadero carácter que le otorga la propia ley es la de un instrumento de planeamiento urbanístico. Para su elaboración, la citada Consejería puede recabar de las Administraciones, instituciones y entidades que estime conveniente, datos e informes en relación con las materias que abordarán las NUR.

Una vez redactado el documento serán trasladadas a la Comisión Regional de Ordenación del Territorio y Urbanismo para su aprobación inicial. Además de su aprobación inicial se responsabiliza del procedimiento de información pública y de forma simultánea de audiencia singularizada a diferentes Administraciones y entidades (la Administración General del Estado, la Asociación de Entidades Locales de ámbito autonómico con mayor implantación, los Ayuntamientos interesados y los Colegios Profesionales competencialmente afectados). De análoga manera a lo indicado con ocasión del PROT, concluido estos trámites, la Comisión solicitará informe a la Consejería autora de las NUR sobre las alegaciones de este trámite, que se enviará a la Comisión Regional como paso previo a la aprobación provisional del instrumento lo que compete a la propia Comisión. Tras lo cual tendrá lugar su traslado al consejero competente en materia de urbanismo (nuevamente un trámite que recae sobre el urbanismo, alejando el instrumento de la OT a la que se vincula normativamente), como paso previo a la aprobación definitiva del instrumento por parte del Gobierno Regional.

Las NUR serán aprobadas mediante decreto y deben ser publicadas en el Boletín Oficial de Cantabria. Con el fin de asegurar que tiene lugar la mayor difusión de su contenido, una copia de las NUR será enviada a cada Ayuntamiento, Colegios Profesionales afectados y a la Delegación de Gobierno de la Comunidad Autónoma.

5.3. PROCEDIMIENTO DE ELABORACIÓN Y APROBACIÓN DE LOS PSIR

La elaboración y aprobación de los PSIR se regula en los artículos 28 y 29 de la LOTRUSCA. Un procedimiento marcado por la necesidad de obtener con carácter previo a su aprobación, la declaración formal de interés regional, sin la cual no puede tramitarse el instrumento como tal. Esta declaración de interés regional corresponde al Gobierno autonómico a propuesta del consejero competente en materia de OT, previa audiencia de los Ayuntamientos afectados por el nuevo instrumento y su desarrollo. Es responsabilidad del promotor del proyecto (sean una o varias las entidades promotoras) presentar las propuestas de actuación, en las que quedarán recogidas las características fundamentales justificativas de su interés regional. Esencial en este procedimiento resultan dos cuestiones. Por un lado, el plazo de tres meses desde la presentación de la propuesta para resolver la misma, que en caso de no obtener resolución expresa el silencio tiene sentido negativo (ha de entenderse desestimada). Por otro, como se indicaba, su carácter de requisito previo para poder, formalmente, seguir el procedimiento de aprobación del PSIR.

Una vez declarado el interés regional del proyecto, se tramitará propiamente el procedimiento del PSIR que consta de tres fases de aprobación (inicial, provisional y definitiva). La aprobación inicial, corresponde a la actual, desde 2003, Comisión Regional de Ordenación del Territorio y

Urbanismo. Tras esto, lo someterá a información pública durante 15 días y, de forma simultánea, a audiencia de los municipios afectados. Con los resultados obtenidos de estos procedimientos y la recepción de cuantos informes se estimen convenientes, la Comisión procederá a la aprobación provisional del instrumento (antes de la cual deberá haberse obtenido el instrumento de evaluación de impacto ambiental conforme a la legislación sectorial). A partir de ese momento será trasladado al consejero competente en materia de OT, quien propondrá al Gobierno Regional su aprobación definitiva, siendo competencia de éste su aprobación definitiva, cuyo acuerdo será publicado en el Boletín Oficial de Cantabria.

El plazo de tramitación de este procedimiento es de seis meses contados a partir de la presentación del proyecto, transcurrido el cual sin resolución expresa se entenderá desestimado por silencio administrativo. De igual forma, relevante es destacar que, una vez aprobado, los PSIR vinculan y prevalecen sobre los instrumentos de planeamiento urbanístico del municipio o municipios a los que afecten, debiendo incorporarlos en la primera innovación que realicen del mismo, así como que su aprobación implica la declaración de utilidad pública y la necesidad de ocupación a efectos expropiatorios.

Diagrama 2. Procedimiento de tramitación de los Proyectos Singulares de Interés Regional

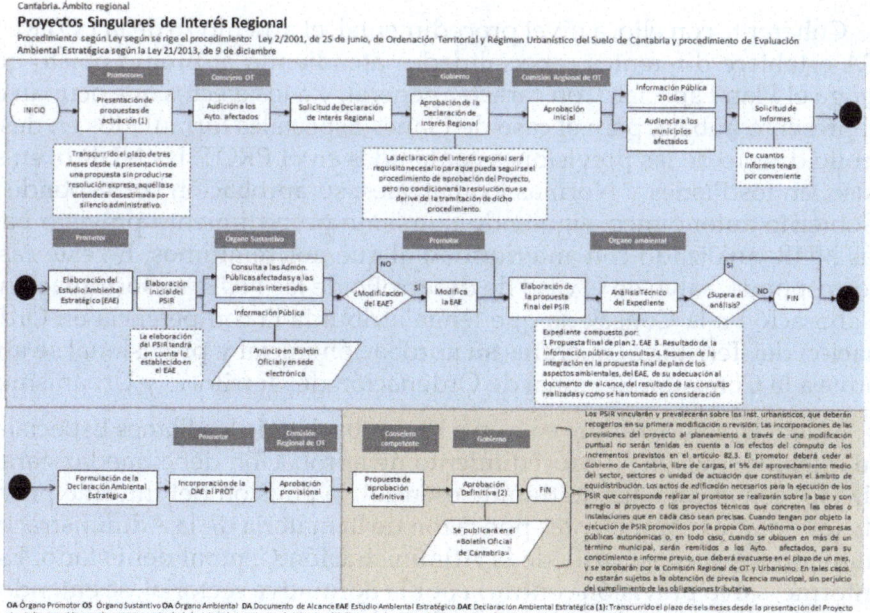

Fuente: Elaboración propia

5.4. PROCEDIMIENTO DE ELABORACIÓN Y APROBACIÓN DE LOS PLANES ESPECIALES

Con carácter general, los Planes Especiales se regulan en los artículos 59 y 60 de la LOTRUSCA, dedicados a concretar su contenido y determinaciones. Previsiones que han de complementarse con las dispuestas en los artículos 76 y 77 que regulan el procedimiento de elaboración y aprobación de este instrumento.

El artículo 59 de la LOTRUSCA diferencia, a efectos del contenido que habrán de integrarlos, según se trate de:

- Planes Especiales que tengan por objeto el desarrollo directo de las previsiones contenidas en el PROT, las NUR o, en su caso, en los Planes y Normas Comarcales;

- Planes Especiales redactados en desarrollo de las previsiones contenidas en los Planes Generales de Ordenación Urbana (PGOU); y

- Planes Especiales formulados en ausencia de PROT, NUR y PGOU.

Además, posibilita su formulación cuando los mismos vengan impuestos por la normativa sectorial, en particular la relativa a la protección ambiental, de los recursos naturales, piscícolas, cinegéticos, forestales o del patrimonio histórico y cultural.

Coherente con ello, a nivel procedimental, el artículo 76 de la LOTRUSCA establece diferentes especialidades atendiendo al propio objeto que tenga el Plan Especial. Con carácter general, y a los efectos que ocupan en el presente trabajo, para el caso de Planes Especiales formulados en desarrollo directo de las previsiones contenidas en el PROT, las NUR o, en su caso, en los Planes y Normas Comarcales, su aprobación corresponde al Gobierno autonómico, siguiendo el mismo procedimiento previsto para las NUR, analizado con anterioridad al que nos remitimos. En este caso, corresponde, salvo en el caso de desarrollo de las NUR, su formulación y elaboración a la Consejería que tenga atribuida la competencia en Ordenación del Territorio, mientras su aprobación inicial y provisional se atribuye a la Comisión Regional de Ordenación del Territorio y Urbanismo.

Además, como trámite común a la aprobación de los Planes Especiales, se establece que en su procedimiento de aprobación debe quedar garantizado, con el carácter de trámite esencial, la emisión del informe previo de los órganos competentes por razón de la materia de la Administración autonómica y, en su caso, de la Administración General del Estado. Este informe, salvo previsión contraria por la normativa sectorial, se entenderá favorable transcurrido un mes desde que se efectuó la comunicación sin haber obtenido oposición.

5.5. PROCEDIMIENTO DE LA EVALUACIÓN AMBIENTAL DE PLANES Y PROGRAMAS

La evaluación ambiental en la región de Cantabria ha evolucionado de forma paralela al desarrollo de las diferentes normativas desde la Unión Europea hasta su transposición en el ordenamiento jurídico de los diferentes países miembros. Así tras la aprobación de la Ley 9/2006, de 28 de abril, sobre evaluación de los efectos de determinados planes y programas en el medio ambiente (primera normativa estatal en la materia destinada a transponer en el ordenamiento jurídico español la directiva 20004/42/CE), Cantabria tramitaba y aprobaba la Ley 17/2006, de 11 de diciembre, de Control Ambiental Integrado y el Decreto 19/2010, 18 de marzo, por el que se aprueba el reglamento de la citada ley. Con la posterior modificación de la normativa nacional (Ley 21/2013, de 9 de diciembre, de Evaluación Ambiental, destinada a transponer la directiva 2011/92/UE), la región cántabra no tramitó una nueva normativa de carácter regional, sino que optó por acoger el contenido en la normativa estatal en la que se establece cuál es el procedimiento a seguir. No obstante, sí que es específico en la Ley 6/2015, de 28 de diciembre, de medidas fiscales y administrativas, cuál es el ámbito de aplicación de la evaluación ambiental estratégica incluyendo los instrumentos de ordenación territorial y urbanística.

El procedimiento se inicia cuando el promotor presenta al órgano sustantivo la solicitud de inicio para la evaluación de la evaluación, un borrador del plan, el documento inicial estratégico y la documentación establecida la legislación sectorial. Es tarea del órgano sustantivo la revisión de esta documentación y, si procede, reclamación de subsanación en caso de que no contenga toda la información correspondiente.

Una vez realizada está comprobación el órgano sustantivo remitirá al órgano ambiental la citada documentación, el cual puede resolver su inadmisibilidad en un plazo de 20 días hábiles, previa audiencia al promotor y aviso al órgano sustantivo. Una vez el órgano ambiental recibe la documentación de parte del órgano sustantivo comienza el plazo de tres meses para la elaboración del documento de alcance.

Es tarea del órgano ambiental someter esta documentación a consulta con las Administraciones públicas afectadas las personas interesadas. Siendo, además, su tarea la identificación de las Administraciones y las personas en cuestión. Transcurrido este período, el órgano ambiental decidirá si cuenta con elementos suficientes para poder elaborar el documento de alcance. En caso de considerar que no dispone de toda la información necesaria, éste requerirá la subsanación de la misma al órgano jerárquicamente superior que le corresponda que deberá facilitarla en el plazo de diez días hábiles. Este requerimiento de información debe comunicarse tanto al órgano sustantivo como al promotor.

Teniendo en cuenta las respuestas obtenidas durante las consultas, el órgano ambiental prepara y remite al promotor y al órgano sustantivo el documento de alcance. Este documento contiene tanto las contestaciones a las consultas como las características que tiene que presentar el estudio ambiental estratégico, y se hará público a través de la sede electrónica del órgano ambiental y del órgano sustantivo. Se trata del momento en el que finalizan los tres meses que el órgano ambiental tenía para tramitar dicho documento desde la recepción de la solicitud de inicio y se da paso a un período de 15 meses en los cuales debe elaborar el estudio ambiental estratégico junto con el proceso de información pública consultas.

Es responsabilidad del promotor elaborar el estudio ambiental estratégico en el cual se identifican y evalúan los efectos sobre el medio ambiente derivados del plan, así como las alternativas viables para tener en cuenta. Tras lo cual, elabora la versión inicial del plan objeto de evaluación que tendrá en cuenta lo establecido en el estudio ambiental estratégico. En este momento, el promotor además remite al órgano sustantivo la versión inicial del plan y el estudio ambiental estratégico acompañado de un resumen no técnico del mismo.

Esta documentación será sometida por parte del órgano sustantivo receptor a información pública previamente anunciada en el Boletín Oficial de Cantabria y en la sede electrónica durante 45 días. Simultáneamente, se llevan a cabo las consultas a las Administraciones públicas afectadas y personas interesadas que previamente han sido consultadas. Por último, se habrá de remitir por el órgano sustantivo al promotor el resultado tanto la información pública como de las consultas realizadas.

Corresponde, si procede, al promotor modificar el documento ambiental estratégico tomando en consideración las alegaciones formuladas en los trámites de información pública. En caso de ser necesario deberá reelaborar una propuesta final del plan que debe remitir al órgano sustantivo. Es en este momento en el que finalizan los 15 meses para elaborar el estudio ambiental estratégico iniciados desde la notificación del promotor el documento de alcance.

En este momento se lleva a cabo el análisis técnico del expediente para lo cual el órgano sustantivo debe remitir al órgano ambiental la documentación compuesta de la propuesta final del plan, el estudio ambiental estratégico, los resultados de información pública y consultas, así como un resumen de la integración en la propuesta final de todas las consideraciones que se han tenido en cuenta durante el procedimiento. Procederá a realizar el análisis técnico del expediente. Si estima que los procedimientos de información pública y consultas no se han llevado a cabo, según lo establecido en la normativa, exigirá al órgano sustantivo que lo subsane en un plazo máximo de tres meses. De igual forma, si estima que requiere información adicional para poder realizar la declaración ambiental estratégica, solicitará al promotor aquella información que estime oportuna informando de esta solicitud al órgano sustantivo.

Una vez completado el análisis técnico del expediente, el órgano ambiental elaborará la declaración ambiental estratégica (para lo cual cuenta con cuatro meses desde la recepción del expediente completo con la capacidad de ampliarlo dos meses más por causas justificadas y debidamente comunicado al promotor y órgano sustantivo). Esta declaración ambiental estratégica representa un informe preceptivo y determinante que concluye el proceso de evaluación ambiental estratégica y que tiene como fin integrar los aspectos ambientales en la propuesta del plan. El órgano ambiental debe remitir este informe para su publicación en el Boletín Oficial de Cantabria y en la sede electrónica del órgano ambiental.

Tras los trámites anteriores, el promotor incorporará la declaración ambiental estratégica como parte de la documentación del plan completado al expediente y la someterá a la adopción o aprobación por parte del órgano sustantivo. Tras su aprobación, el órgano sustantivo remitirá la declaración ambiental estratégica para su publicación en el Boletín Oficial de Cantabria. La declaración ambiental estratégica permanece vigente durante dos años, plazo en el cual debe aprobarse o adoptarse el plan en cuestión. En caso de que transcurra este período sin aprobación del plan debe bien reiniciarse el procedimiento de evaluación ambiental estratégica o bien acordar la prórroga de la vigencia de la declaración ambiental estratégica. Dicha prórroga puede ser solicitada por el promotor antes de la finalización de los dos años de plazo y está condicionada a que no se hayan producido cambios sustanciales en los elementos esenciales del plan dando pie a un nuevo período de dos años, tras el cual, necesariamente, si debe reiniciarse de nuevo el procedimiento de evaluación ambiental estratégica. Le corresponde al órgano ambiental resolver favorable o desfavorablemente la solicitud de prórroga, previa solicitud de informes a las Administraciones públicas afectadas a las que se consultó para realizar la evaluación ambiental estratégica.

En caso de necesidad de modificación de la declaración ambiental estratégica corresponde al órgano ambiental acordar el inicio del procedimiento en un plazo de 20 días tras la recepción de la solicitud por parte del promotor. Además, consultará tanto al promotor como a las Administraciones públicas afectadas y a las personas interesadas, con la finalidad de que emitan los correspondientes informes y realicen tantas alegaciones como estimen oportunas, así como la presentación de la documentación precisa. Desde el inicio del procedimiento cuenta con tres meses para resolver la modificación de la declaración ambiental estratégica. Dicha modificación tiene carácter determinante y debe notificarse tanto al promotor como al órgano sustantivo, así como publicitarse en el Boletín Oficial de la Comunidad Autónoma y publicarse en las sedes electrónicas de órgano ambiental.

Es tarea del órgano sustantivo llevar a cabo el seguimiento de los efectos de la aplicación del plan con el fin de identificar a la mayor brevedad efectos adversos no previstos y así plantear soluciones acordes a las necesidades. El promotor colabora mediante la realización de un informe de seguimiento. El órgano ambiental participará recabando información realizando las comprobaciones que estime oportunas.

6. EMBOTELLAMIENTOS Y CONDICIONES QUE ALTERAN EL FUNCIONAMIENTO DE LA ORDENACIÓN DEL TERRITORIO EN CANTABRIA

Cantabria se ha enfrentado a un reto que es común a varias Comunidades Autónomas españolas: los complejos y dilatados procedimientos para la revisión, actualización y tramitación de instrumentos. Si bien es cierto que esto ha afectado a los de carácter urbanístico, la situación de recursos limitados y la necesidad de priorizar atendiendo a las cuestiones de mayor inmediatez (fruto de una lectura electoralista que limita a períodos de cuatro años las acciones), hacen que la OT quede relegada a un segundo plano de manera continuada. Y es que gran parte de las modificaciones y medidas se asocian a cuestiones vinculadas las categorías de clasificación de los usos del suelo y similares.

La organización administrativa de Cantabria, dividida en 101 municipios, muchos de pequeño tamaño y escasos recursos, ha dificultado la gestión urbanística municipal. Esto ha producido una falta de interés por la adaptación de los planeamientos a la LOTRUSCA que obligaba a todos los municipios a redactar PGOU.

Si bien en el año 2001, cuando se aprobó la ley se paralizó la construcción de viviendas en suelo rústico en tanto en cuanto no se aprobará el PROT, sucesivas modificaciones de la ley han ido relajando este precepto, eliminando impedimentos hasta llegar a la situación actual, en la que desarrollar estas construcciones es prácticamente directo. Si a esto se añade que la crisis inmobiliaria actual ha eliminado la figura del promotor y que, actualmente, el número de viviendas unifamiliares que se construyen anualmente en Cantabria es equiparable al de viviendas colectivas, se explica la presión política municipal que ha logrado suspender la tramitación del PROT por establecer condiciones para la puesta en valor de los usos y elementos del suelo rustico, preservándolo del desarrollo y de la ocupación con modelos contrarios sus valores.

Esta presión hacia el suelo rústico se ve claramente reflejada en las modificaciones que se han llevado a cabo en la LOTRUSCA y que llevaron a la redacción de la Ley 3/2012, de 21 de junio, por la que se modifica la LOTRUSCA dedicada casi en exclusiva a posibilitar las viviendas en suelo rústico al amparo de las corolas en todo el territorio de Cantabria, litoral e interior.

Todo ello en un territorio caracterizado por la ausencia de un instrumento de planificación territorial de carácter regional que, como indica Delgado, ha dificultado el desarrollo y/o actualización del planeamiento urbanístico local. Y es que, en el contexto español, en el que el urbanismo se encuentra subordinado jurídicamente a las disposiciones de la política territorial y a la prevalente política ambiental, ha sido precisamente el urbanismo el que ha ido construyendo el territorio al calor de las dinámicas desarrollistas de las diferentes épocas, y que difícilmente tendrán adaptación efectiva. Se genera así una situación de inseguridad jurídica que dificulta la solución del problema.

A este respecto, siguiendo nuevamente a Delgado (2011)[9], la autora identifica una serie de conflictos que, aunque vinculados al desarrollo del urbanismo, van a tener una clara incidencia en el adecuado desarrollo de la política de OT: falta de voluntad política, uso instrumental del planeamiento como arma de confrontación partidista, elevado coste económico del proceso, excesiva duración temporal del mismo, descoordinación entre los Ayuntamientos y la CROTU e, incluso, falta de capacidad técnica y actuaciones excesivamente rigoristas de la citada Comisión. Una vinculación que se asocia tanto a la existencia de problemas similares en otros entornos territoriales, así como al hecho de compartir por parte de ambas funciones públicas una serie de Administraciones y departamentos comunes.

Existe un bloqueo administrativo tradicional y presiones políticas que ha dificultado el desarrollo de la política de OT, y es que como indica Delgado[10], la llegada del POL representó el primer instrumento

---

9. Ibídem, p. 473.
10. Ibídem, p. 477.

que ponía freno al desarrollo del urbanismo especulativo. Sin embargo, esto se tradujo en un desplazamiento hacia el interior de la presión urbanística, que encontraba en los municipios ajenos al entorno litoral un espacio sin limitaciones, y para estos municipios una oportunidad de desarrollo socioeconómico, siendo precisamente los instrumentos con mayor presión urbanística precisamente los más reticentes a actualizar su planeamiento y a contar un instrumento vinculado con la política de OT.

7. SITUACIÓN RESULTANTE

La ausencia de instrumentos de planificación territorial ha generado una situación de inseguridad jurídica, la cual responde a dos cuestiones. Por una parte, un planeamiento urbanístico que presenta, al amparo de las dinámicas desarrollistas, grandes cantidades de nuevo suelo urbano, que encuentra en sentencias judiciales el límite reactivo derivado de la masiva nulidad de planes urbanísticos, lo que no es exclusivo de esta Comunidad Autónoma pero a la que ha afectado de manera singular, con el referente de la anulación del propio Plan General de Ordenación Urbana de Santander por el Tribunal Supremo[11]. Entre los motivos aducidos por la demandante se reprocha lo que considera un excesivo e injustificado crecimiento de población, en la medida en que se preveía alcanzar los 261.000 habitantes en 2024, con la construcción de 35.316 nuevas viviendas y el consiguiente agotamiento de prácticamente todo el suelo urbanizable de la ciudad, aunque este motivo es rechazado al considerarse fundadas las previsiones de crecimiento poblacional sobre la evolución de datos del INE y tomando como referentes otras variables relativas a la evolución del empleo o la disminución de personas. No lo es, sin embargo, otro de los motivos que se alegan, la insuficiencia de recursos hídricos que lleva a la Sala a acogerlo y estimar el recurso de casación formulado con la consiguiente, como se indicaba, anulación del acuerdo de la Comisión Regional de Ordenación del Territorio y Urbanismo de Cantabria de 17 de septiembre de 2010 que aprobaba el citado plan urbanístico.

Cierto es que cientos de planes, tantos urbanísticos como territoriales, se han visto afectados por idéntico devenir cuyo germen se

---

11. Conforme a Sentencia del Tribunal Supremo, Sala de lo Contencioso-administrativo, de 8 de noviembre de 2016 (núm. rec. 2625/2015). Sobre la nulidad judicial de los planes, puede verse, entre otros, los trabajos de Santamaría Pastor (2016), González Sanfiel (2018) y Baño León (2019).

encuentra en la doctrina jurisprudencial que mantiene el carácter reglamentario de los planes, pero también lo es, en lo que aquí ocupa, que desde de la planificación territorial pueden instarse límites a ese crecimiento masivo. Paradójicamente, Cantabria es un ejemplo de ello, a través del POL, con la inclusión de criterios como la capacidad de acogida (máximo crecimiento urbanístico que un territorio puede soportar atendiendo a las dinámicas de población, actividad económica, disponibilidad de recursos, infraestructuras y equipamientos, todo ello conforme al modelo territorial propuesto, y que determina el umbral de crecimiento urbanístico para cada núcleo de población) o la capacidad de carga (aptitud de un territorio para soportar un nivel de intensidad de usos sin que, en ningún caso, se produzca un proceso de deterioro ambiental, social o cultural), si bien circunscrito al ámbito del POL, los municipios litorales.

Pese a ello, sigue siendo preciso una adecuada coordinación entre las diferentes políticas sectoriales que de manera efectiva tenga en cuenta la inclusión de las cuestiones ambientales pero que, a su vez, posibilite elaborar planes urbanísticos desde un marco predefinido por la planificación territorial de ámbito regional, adecuando de manera efectiva los modelos urbanos a las reales necesidades y dinámicas territoriales.

Ejemplo de ello, se encuentra en el propio POL, si bien puede entenderse que, por cuestiones competenciales, se decidiera dejar fuera de la ordenación integral del litoral la regulación de las infraestructuras generales, remitiéndolas a planificación sectorial específica, muchas veces de carácter suprarregional o nacional. Más difícil de explicar es que desde este instrumento, de carácter proteccionista, se delimitasen áreas integrales estratégicas repartidas por toda la costa para desarrollos industriales directos. Áreas que llegan a sumar un total de cinco millones seiscientos mil metros cuadrados para ser desarrollados a través de una figura como la del Proyecto Singular de Interés Regional, PSIRES.

El uso y abuso de estos instrumentos con fines políticos ha llevado a más de cinco modificaciones del capítulo de la LOTRUSCA que los regula para cambiar incluso el régimen jurídico del suelo sobre el que se pueden realizar. De los más de quince PSIRES que se han tramitado desde el año 2001, el 90% ha sido para desarrollar suelo industrial en un solo municipio sin necesidad de cumplir con el planeamiento municipal, saltándose así los controles municipales y sustrayendo la capacidad de participar del conjunto de la sociedad.

Pese a las cuestiones analizadas, la OT parece recobrar protagonismo recientemente gracias a la tramitación del futuro Plan Regional de Ordenación del Territorio (PROT). Sin embargo, y atendiendo a la batería de instrumentos previstos, la normativa no facilita un adecuado desarrollo de la planificación territorial, ante la carencia de instrumentos de ámbito subregional, figura y escala predilecta para el desarrollo de la OT. Y aquí surgen dos de los principales interrogantes, por un lado, se viene tramitando tanto una nueva ley reguladora de la ordenación territorial en Cantabria como el PROT de manera casi simultánea, por otro, por fin, el anteproyecto de ley modifica las categorías de instrumentos de planificación territorial, incorporando planes destinados al desarrollo de la planificación de escala subregional.

En este escenario, parece lógico seguir un orden secuencial que posibilite a la Comunidad Autónoma apostar de manera definitiva y efectiva por las políticas territoriales, priorizando la aprobación del nuevo marco legal y seguidamente la aprobación del PROT. Configurado el marco de referencia, Cantabria se encontrará en condiciones para desarrollar la planificación de escala subregional. Para ello, se entiende muy positivo la opción por la que opta la nueva ley que incorpora dos nuevos instrumentos destinados a tal fin: los Planes Territoriales Parciales y los Planes Territoriales Especiales. Precisamente los primeros son definidos como aquellos destinados a desarrollar de forma integral el PROT en las áreas o zonas supramunicipales que éste delimite, concretando para cada una de ellas los criterios específicos de ordenación establecidos. Lo que se complementa con los Planes Territoriales Especiales, instrumento destinado al desarrollo directo de las previsiones contenidas en el PROT o en los propios Planes Territoriales Parciales, así como para la planificación y ordenación de recursos con una problemática territorial común en ámbitos supramunicipales. Como ya señaláramos "Se trata, a grandes rasgos, de la creación de un instrumento de planificación territorial para, desde la ordenación territorial, atender a determinadas materias sectoriales con clara incidencia en el territorio, de manera análoga a los creados por otras Comunidades Autónomas"[12].

En suma, es preciso que Cantabria apueste de manera decidida por el definitivo impulso de su política territorial y el primer paso es la aprobación del PROT y del anteproyecto de ley para, a partir de los mismos, poder desarrollarla y dar respuesta a las nuevas dinámicas territoriales que lejos de seguir centrándose en lo local (prioridad casi absoluta hasta

---

12. Rando Burgos, E. (2019c).

el momento de Cantabria a través del planeamiento urbanístico) han de dar paso a la perspectiva supralocal del territorio.

8. REFERENCIAS BIBLIOGRÁFICAS Y NORMATIVAS

BIBLIOGRAFÍA

Baño León, J. M. (2019). La competencia jurisdiccional para concretar los efectos de la anulación de reglamentos y planes. *Revista de Administración Pública*, 210, 43-68. https://doi.org/10.18042/cepc/rap.210.02.

Benabent F. de Córdoba, M. (2006). *La ordenación del territorio en España: evolución del concepto y de su práctica en el siglo XX*. Sevilla: Universidad de Sevilla – Consejería de Obras Públicas de la Junta de Andalucía.

Delgado Viñas, C. (2011). La Ordenación Territorial en Cantabria: Normas, Planes, Proyectos y realidades. *Cuadernos Geográficos de la Universidad de Granada*, 47(2), 453-491.

González Sanfiel, A. M. (2018). Nulidad del planeamiento urbanístico e invalidez de los actos amparados en el mismo. Atención especial a las nuevas iniciativas legislativas al respecto. *Documentación Administrativa. Nueva Época*, 5, 46-68. https://doi.org/10.24965/da.v0i5.10607.

Ibáñez Martínez, A. (2019). La participación ciudadana en el PROT (Plan Regional de Ordenación Territorial de Cantabria). *Actas IX Congreso Internacional de Ordenación del Territorio*. Santander, 13, 14 y 15 de marzo de 2019, pp. 308-310. https://www.fundicot.org/9ciot2018.

Rando Burgos, E. (2019a). *Legislación e instrumentos de la ordenación del territorio en España*. Madrid: Editorial Iustel.

Rando Burgos, E. (2019b). La apuesta de Cantabria por la preservación y utilización de los ámbitos litorales en el marco de la planificación territorial. *Actualidad Jurídica Ambiental*, 86, 4-47. http://www.actualidadjuridicaambiental.com/wp-content/uploads/2012/01/2019_01_Recopilatorio_86_AJA_Enero.pdf.

Rando Burgos, E. (2019c). Tres cuestiones jurídicas de actualidad en las políticas territoriales cántabras. *Actas IX Congreso Internacional de Ordenación del Territorio*. Santander 13-15 de marzo de 2019, pp. 82-98. https://www.fundicot.org/9ciot2018.

SANTAMARÍA PASTOR, J.A. (2016). Una imprevista disfunción del sistema urbanístico: la mortalidad judicial de los planes. *Práctica urbanística: Revista mensual de urbanismo*, 141.

NORMATIVA

Ley 7/1990, de 30 de marzo, de Ordenación Territorial de Cantabria.

Ley 8/1999, de 28 de abril, de Comarcas de la Comunidad Autónoma de Cantabria.

Ley 2/2001, de 25 de junio, de Ordenación Territorial y Régimen Urbanístico del Suelo de Cantabria.

Ley 2/2004, de 27 de septiembre, del Plan de Ordenación del Litoral.

Ley 17/2006, de 11 de diciembre, de Control Ambiental Integrado.

Ley 21/2013, de 9 de diciembre, de Evaluación Ambiental.

Ley 6/2015, de 28 de diciembre, de Medidas Fiscales y Administrativas.

Ley 5/2018, de 22 de noviembre, de Régimen Jurídico del Gobierno, de la Administración y del Sector Público Institucional de la Comunidad Autónoma de Cantabria.

Decreto 19/2010, de 18 de marzo, por el que se aprueba el reglamento de la Ley 17/2006, de 11 de diciembre, de Control Ambiental Integrado.

Decreto 145/2011, de 11 de agosto, por el que se modifica el Decreto 163/2003, de 18 de septiembre, por el que se regula la composición y el funcionamiento de la Comisión Regional de Ordenación del Territorio y Urbanismo.

Decreto 7/2019, de 8 de julio, de reorganización de las Consejerías de la Administración de la Comunidad Autónoma de Cantabria.

Decreto 106/2019, de 23 de julio, por el que se modifica parcialmente la estructura orgánica básica de las Consejerías del Gobierno de Cantabria.

ANEXO I. LISTADO DE PLANES CON INCIDENCIA EN LA ORDENACIÓN DEL TERRITORIO

Planes	Información
Plan Especial de la Actuación Integral Estratégica de Reordenación de la Bahía de Santander	Decreto 32/2015, de 14 de mayo, por el que se aprueba definitivamente el Plan Especial de la Actuación Integral Estratégica de Reordenación de la Bahía de Santander.
Plan Especial de la Red de Sendas y Caminos del Litoral	Decreto 51/2010, de 26 de agosto, por el que se aprueba el Plan Especial de la Red de Sendas y Caminos del Litoral.
Plan Especial de Ordenación y Protección del Territorio Pasiego	Aprobación inicial

Capítulo 9

La planificación territorial en Castilla-La Mancha

Enrique Peiró Sánchez-Manjavacas

Ambientólogo, Doctorando del IIDL. Investigador responsable e investigador del GDLS-Grupo de Investigación consolidado. IIDL-Universitat de València

Esther Rando Burgos

Profesora de Derecho Administrativo.
Universidad de Málaga

POT. 5.2. Procedimiento de elaboración y aprobación de los Planes y Proyectos de Singular Interés. 5.3. Procedimiento de elaboración y aprobación de los instrumentos de OT de segundo orden. Planes Especiales y Planes Directores. 5.4. Procedimiento de la evaluación ambiental de planes y programas. 6. EMBOTELLAMIENTOS Y CONDICIONES QUE ALTERAN EL FUNCIONAMIENTO DE LA ORDENACIÓN DEL TERRITORIO EN CASTILLA-LA MANCHA. 7. SITUACIÓN RESULTANTE. 8. REFERENCIAS BIBLIOGRÁFICAS Y NORMATIVA.

1. ANTECEDENTES

El presente epígrafe recoge, de manera breve, la evolución de la ordenación del territorio en Castilla-La Mancha, con el fin de analizar una Comunidad Autónoma en la que es muy visible la apuesta por una política territorial fundamentada en intervenciones de carácter sectorial en detrimento de enfoques propios de Ordenación del Territorio de carácter integral[1].

Territorialmente, Castilla-La Mancha se caracteriza por una gran complejidad. Desde su configuración, se ha pretendido evitar desequilibrios territoriales derivados de la influencia de Madrid y otras capitales de las cuales se desvincula (el caso de Albacete desligándose del Reino de Murcia). No obstante, y a pesar de los esfuerzos, en el territorio manchego persisten marcadas relaciones de dependencia con capitales próximas (las citadas Madrid y Murcia), sin una capacidad de coordinación y cooperación efectiva, encontrándose estas zonas marcadas por la influencia de otros territorios donde, como se apuntará más adelante, se concentra la actividad planificadora de la Comunidad Autónoma ante un dinamismo territorial superior al del resto de un territorio en el que prevalece un sistema regional débil, sin jerarquización urbana y/o un modelo territorial concreto.

Así, la llegada del Estatuto de Autonomía abogó por desarrollar una identidad regional (esto es, un sentimiento de pertenencia como base para la involucración social en los procesos territoriales) y un modelo territorial que permitiera a la Comunidad Autónoma ajustar las políticas territoriales a la nueva realidad territorial a la que se enfrentaba. Sin embargo,

---

1. Existen trabajos previos que se han ocupado de analizar la ordenación del territorio en Castilla-La Mancha, entre otros, Plaza Tabasco, J., Martínez Sánchez-Mateos, H. S. & Gosálvez Rey, R. U. (2011): "La ordenación del territorio en Castilla-La Mancha". *Cuadernos geográficos de la Universidad de Granada*, 47 (2), pp. 493-522.

la política territorial en Castilla-La Mancha se ha caracterizado por un desarrollo de políticas sectoriales y de desarrollo regional que no han aportado solución al problema original y que generan nuevas situaciones conflictivas que reclaman atención. Así, la ordenación del territorio carece de enfoque prospectivo para ser aplicada con la finalidad de responder a cuestiones puntuales del sistema territorial que surgen como consecuencia de la falta de una apuesta por un modelo de planificación integrada.

Hablar del territorio manchego es hablar de un territorio predominantemente rural, y por tanto de un territorio marcado por la baja densidad demográfica, la problemática de la despoblación rural y el predominio del sector primario en el ámbito económico. Mención particular merece el desarrollo del sector de la construcción durante los años de la llamada "burbuja inmobiliaria", sin que haya tenido lugar una verdadera transformación socioeconómica para dejar de considerarse como un espacio rural. Breve inciso para recuperar la idea comentada con anterioridad acerca de determinados espacios del territorio (zona de Albacete, corredor de Puertollano y espacios próximos a Madrid), donde se concentra esta actividad urbanística con suficiente relevancia para que sea necesario plantear instrumentos de planificación territorial que permitan controlar y coordinar el crecimiento territorial.

Una de las grandes ventanas de oportunidad vinculadas a esta condición de ruralidad del territorio manchego es la presencia de excelentes espacios naturales de gran valor ecológico y, por tanto, con figuras de protección asociadas (Parques Nacionales, Parques Naturales...).

Surge, pues, un doble reto a la hora de abordar la realidad territorial de Castilla-La Mancha. Por una parte, el desequilibrio territorial interno (las zonas de influencia de Madrid o Valencia, con mayor heterogeneidad y dinamismo, frente las zonas rurales de interior, más deprimidas), que se une a un problema de desequilibrio externo, comparando el territorio manchego con otras Comunidades Autónomas españolas. Un reto claramente vinculado al territorio y las estrategias de desarrollo por las que se toma partido. Se centra la política territorial manchega en tratar de solucionar la cuestión de desequilibrio interno, apostando para ello por desarrollar políticas sectoriales de infraestructuras, equipamientos y de desarrollo económico.

Favorecido por la ruralidad predominante del territorio manchego y la figura del Fondo Europeo Agrícola de Desarrollo Rural (FEADER), la imagen sectorial encuentra alternativas mediante el establecimiento de ámbitos subregionales para el tratamiento integral de los territorios, configurando una potencial estructura para un modelo de ordenación del territorio autonómico. Una consideración muy reciente (2007) que rompe con una perspectiva que actuaba desde la escala regional mediante los Planes de Desarrollo Regional (PDR). Así, el territorio se construye mediante intervenciones con impacto territorial pero que no forman parte de la batería de instrumentos de ordenación del territorio acorde a la normativa autonómica. Una ordenación del territorio cuyo punto de partida es la Sentencia del Tribunal Constitucional 61/1997, que obliga a la Comunidad Autónoma a desarrollar la competencia que fuera otorgada plenamente en materia de urbanismo a las Comunidades Autónomas y en la que opta por dotarse conjuntamente de un marco legislativo en ordenación territorial del que hasta el momento carecía. Así, surge una normativa en materia de ordenación del territorio que se caracteriza por la proximidad de sus inicios a la disciplina urbanística, de mayor arraigo, en detrimento de perspectivas propiamente territoriales y que ha sido objeto de múltiples modificaciones y correcciones con el paso del tiempo. Una legislación marcada por la incertidumbre donde no se establece una batería jerarquizada de instrumentos de planeamiento, sino que facilitó el desarrollo sectorial mediante una apuesta por la resolución de los conflictos territoriales conforme iban surgiendo (de manera aislada y no con una perspectiva territorial de conjunto). Una política en materia de ordenación del territorio que parte con el hándicap de introducir en esta primera normativa un lenguaje y una serie de conceptos sin uso previo, que dificulta su interpretación y hacen más amable a un urbanismo con mayor tradición y con un funcionamiento conocido para abordar el territorio.

Esta prevalencia del urbanismo se manifiesta en la batería de instrumentos que contempla la normativa de ordenación del territorio (y urbanismo), donde únicamente los Planes de Ordenación Territorial (POT) representan un instrumento de planificación territorial entendido como tal. Y aun así se caracterizan por su heterogénea naturaleza, pues el instrumento se habilita tanto para la escala regional (como instrumento encargado de llevar a cabo la definición del modelo territorial autonómico) como para establecer la planificación integral a escala subregional para desarrollar el modelo territorial en determinados ámbitos. Así como la doble naturaleza en cuanto a su planteamiento integral o como instrumento de carácter sectorial. El resto de los instrumentos se vinculan o se asemejan al urbanismo, con el fin de regular intervenciones de escala local en el territorio o de carácter puntual. Todo ello en el marco de una estructura jerárquica reticular, siguiendo a Benabent[2], caracterizada precisamente por la ausencia de relaciones jerárquicas entre instrumentos, lo que permite una

---

2. Benabent Fernández de Córdoba, M. (2006): *La ordenación del territorio en España: evolución del concepto y de su práctica en el siglo XX*. Vol. 16, Universidad de Sevilla.

libertad absoluta de actuación a los mismos e imposibilitando la existencia de un marco común de desarrollo jerárquicamente superior. Se perfila así un modelo territorial a escala regional marcado por una perspectiva demasiado simplista que no permite recoger la complejidad de los componentes que conforman el territorio. No obstante, representa un avance con respecto a la situación de partida que, como se ha indicado, partía de una construcción territorial y de territorialidad desde cero.

La tónica general es de inestabilidad, lo que se refleja en la gran variedad de modificaciones del texto normativo, durante la primera década de vigencia en un contexto territorial de burbuja inmobiliaria, y auspiciado por la necesidad de trabajar en suelo no urbanizable y resolver los conflictos territoriales que iban produciéndose como consecuencia de aquélla. Con la llegada del año 2007 tiene lugar el planteamiento de un instrumento regional para la Comunidad Autónoma, marcado por el desarrollo europeo en materia territorial y, por tanto, con una apuesta por la cohesión territorial (y sus objetivos de policentrismo, acceso equitativo a infraestructuras de transporte y conocimiento, así como gestión prudente y creativa del patrimonio natural y cultural). Bajo el amparo de una futura (y hasta el momento sin aprobación) figura regional, comienza el desarrollo de una serie de instrumentos de planificación de carácter subregional caracterizados por la misma filosofía que ha guiado tradicionalmente el desarrollo de instrumentos territoriales en la Comunidad Autónoma; la búsqueda de soluciones que permitan atender cuestiones puntuales, en este caso, centrando la atención en aquellas partes del territorio de mayor complejidad por el crecimiento urbanístico y la necesidad de organizar (y reorganizar) las infraestructuras. Por una parte, la proximidad a Madrid, cuya área metropolitana y su dinámica socioeconómica superan los límites autonómicos para adentrarse en el territorio manchego, dando lugar a espacios de contraste con la tónica general. Así como las zonas de Albacete y alrededores, o Puertollano y Ciudad Real, por la dinámica asociada a dos grandes núcleos poblaciones entre los cuales ha tenido lugar un desarrollo de actividad minera e industrial que genera dinámicas particulares en esta zona, a pesar de la tendencia actual a la terciarización que no ha ido en detrimento de desarrollos de nueva industria.

Esta filosofía de actuación ha hecho que el resto del territorio carezca de una planificación integral y que predominen las actuaciones puntuales de impacto territorial (representadas en los Planes de Singular Interés y los Proyectos de Singular Interés). Tiene lugar una situación similar a la Comunidad Valenciana (Comunidad Autónoma con la que se establece una comparativa por similitudes en la incorporación de la OT en sus primeras normativas) en la que a escala regional se plantean una serie de áreas subregionales para las cuales debe desarrollarse una serie de instrumentos de ordenación del territorio integrales, atendiendo a criterios de homogeneidad y funcionalidad, que carecen de posterior desarrollo.

Se desarrolla a continuación una valoración de la legislación en materia de Ordenación del Territorio, para sucesivas menciones OT, para analizar los instrumentos de planificación territorial y sus procedimientos de desarrollo y aprobación, así como su evaluación ambiental estratégica como base para una valoración de posibles causas que dificulten el desarrollo de la disciplina.

2. NORMATIVA BASE DE LA ORDENACIÓN DEL TERRITORIO EN CASTILLA-LA MANCHA

La información básica sobre la legislación y los instrumentos de OT de Castilla-La Mancha se resume en la siguiente tabla:

Tabla 1. Marco regulador e instrumental de la Ordenación del Territorio en Castilla-La Mancha

Comunidad Autónoma	Castilla-La Mancha
Antecedentes normativos	Ley 2/1998, de 4 de junio, de Ordenación del Territorio y de la Actividad Urbanística de Castilla-La Mancha. Decreto Legislativo 1/2004, de 28 de diciembre, por el que se aprueba el texto refundido de la Ley de Ordenación del Territorio y de la Actividad Urbanística.
Legislación de OT actual	Decreto Legislativo 1/2010, de 18 de mayo, por el que se aprueba el Texto Refundido de la Ley de Ordenación del Territorio y de la Actividad Urbanística de Castilla-La Mancha (TRLOTUCM). Decreto 248/2004, de 14 de septiembre, por el que se aprueba el Reglamento de Planeamiento de la Ley 2/1998, de 4 de junio, de Ordenación del Territorio y de la Actividad Urbanística.
Departamento OT actual	Consejería de Fomento. Dirección General de Planificación Territorial y Sostenibilidad

Plan OT regional	Plan de Ordenación del Territorio "Estrategia Territorial" de Castilla-La Mancha
Entrada en vigor (año)	No vigente. En tramitación, con aprobación inicial en 2010.
Normativa de aprobación	Sin aprobación definitiva actualmente
Organismo impulsor	Gobierno de Castilla-La Mancha. Consejería de Fomento
Período de tramitación	-
Otros planes OT (tramitación/elaboración)	-
Otros planes con incidencia en OT	Planes Especiales Planes Directores

Fuente: Elaboración propia

3. ESQUEMA DE INSTRUMENTOS

El marco legislativo de referencia en Castilla-La Mancha viene dado por el vigente Decreto Legislativo 1/2010, de 18 de mayo, por el que se aprueba el texto refundido de la Ley de Ordenación del Territorio y de la Actividad Urbanística (TRLOTUCM). Es la Ley 2/2009, de 14 de mayo, de Medidas Urgentes en Materia de Vivienda y Suelo, la que en su disposición final segunda, autorizaba al Consejo de Gobierno para que, en el plazo de un año desde su entrada en vigor, elaborase y aprobase un texto único del Texto Refundido de la Ley de Ordenación del Territorio y de la Actividad Urbanística que incorporase las modificaciones que la misma introducía en el hasta entonces vigente Decreto Legislativo 1/2004, de 28 de diciembre, por el que se aprueba el Texto Refundido de la Ley de Ordenación del Territorio y de la Actividad Urbanística[3]. Así, los instrumentos, organizados mediante una estructura reticular, presentes en el territorio castellano-manchego son los siguientes:

---

3. Sobre la ordenación del territorio en Castilla-La Mancha, desde una perspectiva jurídica, tanto a nivel legislativo como instrumental y procedimental de los diferentes planes ya nos hemos referido en Rando Burgos, E. (2019): *Legislación e instrumentos de la ordenación del territorio en España*. Madrid, Editorial Iustel.

Figura 1: Esquema de Instrumentos de Planificación Territorial en Castilla-La Mancha

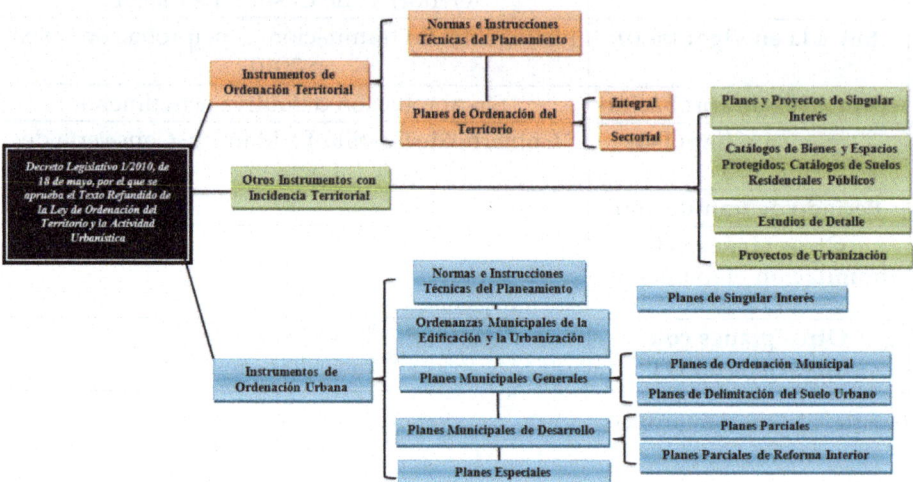

Fuente: Elaboración propia

El legislador manchego opta por regular conjuntamente los instrumentos de ordenación territorial y urbanística en el TRLOTUCM (cuestión a la que dedica su título III) fijando, incluso, un conjunto de disposiciones generales comunes para ambos y distinguiendo en primer término entre normas e instrucciones técnicas del planeamiento, ordenanzas municipales de la edificación y la urbanización, así como los planes e instrumentos de ordenación territorial y urbanística. Dentro de estos últimos, planes e instrumentos de ordenación territorial y urbanística, distingue entre los que denomina "planes e instrumentos supramunicipales" y "planes e instrumentos municipales". Propiamente los Planes de Ordenación del Territorio son una de las categorías previstas en el TRLOTUCM dentro de los planes e instrumentos supramunicipales, junto a otras que también prevé como los Planes de Singular Interés y los Proyectos de Singular Interés (éstos últimos categorizados como "otros instrumentos territoriales de apoyo al planificador" de carácter igualmente supramunicipal).

La regulación contenida en el TRLOTUCM, debe complementarse con el desarrollo contenido en el Decreto 248/2004, de 14 de septiembre de 2004, por el que aprueba el Reglamento de Planeamiento de la Ley 2/1998, de 4 de junio, de Ordenación del Territorio y de la Actividad Urbanística (Decreto 248/2004). Destacar que se trata de una de las pocas Comunidades Autónomas que han desarrollado reglamentariamente sus marcos legislativos en ordenación territorial, tendencia que propiamente se observa en Cataluña o Asturias, esta última, al igual que Castilla-La Mancha, opta por desarrollar conjuntamente su marco legal en ordenación del territorio y urbanismo.

A partir de este contexto general establecido por Castilla-La Mancha para clasificar los instrumentos, resaltar algunas cuestiones que resultan indicativas del desarrollo de esta función pública en la misma. El instrumento jerárquicamente superior son las normas y las instrucciones técnicas del planeamiento, reguladas en el artículo 15 del TRLOTUCM, con la finalidad de establecer el marco técnico básico para el posterior desarrollo de los instrumentos de planeamiento territorial y urbanístico. Este instrumento encuentra su equivalente para el caso del urbanismo en las ordenanzas municipales de la edificación y la urbanización. Son, por tanto, los Planes de Ordenación del Territorio los únicos instrumentos que realmente se encargan de la Ordenación del Territorio, en un modelo donde destaca la existencia de múltiples instrumentos para un desarrollo complementario, con un marcado enfoque sectorial y urbanístico.

3.1. LOS PLANES DE ORDENACIÓN DEL TERRITORIO. INSTRUMENTO REGIONAL E INSTRUMENTOS SUBREGIONALES EN UNA MISMA FIGURA, DE LO SECTORIAL A LO INTEGRAL

Hablar de los Planes de Ordenación del Territorio (POT) es hablar de los únicos instrumentos de OT, como tal, presentes en el caso de Castilla-La Mancha. Unos instrumentos a los que la TRLOTUCM dedica para su regulación los artículos 18 y 32. Esta somera regulación es desarrollada por diferentes preceptos del Decreto 248/2004.

Como se anticipaba en la presentación de la situación territorial castellano-manchega, la figura de los POT supone una figura de planificación que, en función de su finalidad, adquirirá una determinada forma y características. Esta dualidad permite que se aborde este instrumento en un único artículo (18 del TRLOTUCM), en el que se define y se deja abierta la posibilidad de su utilización para la totalidad o parte del territorio manchego, así como la vocación, tanto integral o sectorial, en función de los intereses prevalentes. Un instrumento que tiene por finalidad "la organización racional y equilibrada del territorio y, en general, de los recursos naturales, que procure la articulación, integración y cohesión de la Comunidad Autónoma tanto internamente como con el resto de España, así como la disposición de las actividades y usos que optimice las condiciones de vida en colectividad y armonice el desarrollo económico-social con el medio ambiente en general, la preservación de la naturaleza y la protección del patrimonio arquitectónico y del histórico y cultural". Una definición que encaja perfectamente con las necesidades y características del territorio a priori presentes en Castilla-La Mancha, en la que el medioambiente y sus recursos naturales son un elemento fundamental en una realidad territorial marcadamente rural donde la necesidad de cohesión territorial, tanto interna como externa, es fundamental.

No obstante, el plan territorial destinado a establecer el modelo territorial para el conjunto autonómico, el Plan de Ordenación del Territorio "Estrategia Territorial" de Castilla-La Mancha, hasta el momento no ha sido aprobado, lo que impide a esta Comunidad Autónoma contar con la definición de un modelo territorial de conjunto. Pese a ello, basado en la estructura reticular propia de Castilla-La Mancha, constan datos de que se viene trabajando en diferentes POT de ámbito subregional, algunos de ellos todavía pendiente de aprobación. Entre estos últimos, el criterio que parece seguir Castilla-La Mancha, dada su extensión superficial (cuestión a la que se enfrentan otras Comunidades Autónomas como Andalucía, lo que la ha llevado a optar, de igual forma, por centrar la planificación territorial de escala subregional de determinados ámbitos prioritarios para la misma[4]), ha sido focalizar su atención en los ámbitos que mayores conflictos, por diferentes motivos, presentan en el contexto autonómico. Así se decanta por dotar con instrumentos de planificación territorial ámbitos con un importante crecimiento en términos de población y consecuente desarrollo socioeconómico, principalmente por su proximidad con el área de influencia de la Comunidad de Madrid, bien ámbitos con una singular posición por el desarrollo de nuevas vías de comunicación.

En esta categoría de POT de ámbito subregional, Castilla-La Mancha viene trabajando en los siguientes ámbitos:

- POT del Corredor Ciudad Real-Puertollano
- POT Mesa de Ocaña y Corredor de la Autovía A-3
- POT del Corredor de Henares y zona colindante con la Comunidad de Madrid (Guadalajara)
- POT de La Sagra (Toledo)
- POT Zona de influencia de Albacete

---

4. En el caso de Andalucía, coincidente con las aglomeraciones urbanas y los ámbitos litorales. Sobre esta cuestión vid. Rando Burgos, E. (2019): *Perspectiva jurídica de la planificación territorial en la provincia de Huelva*. Servicio de Publicaciones de la Universidad de Huelva.

- POT del Corredor Ciudad Real-Puertollano

- POT Mesa de Ocaña y corredor de la Autovía A-3

- POT del Corredor de Henares y zona colindante con la Comunidad de Madrid

Figura 2. Situación del planeamiento subregional en Castilla-La Mancha

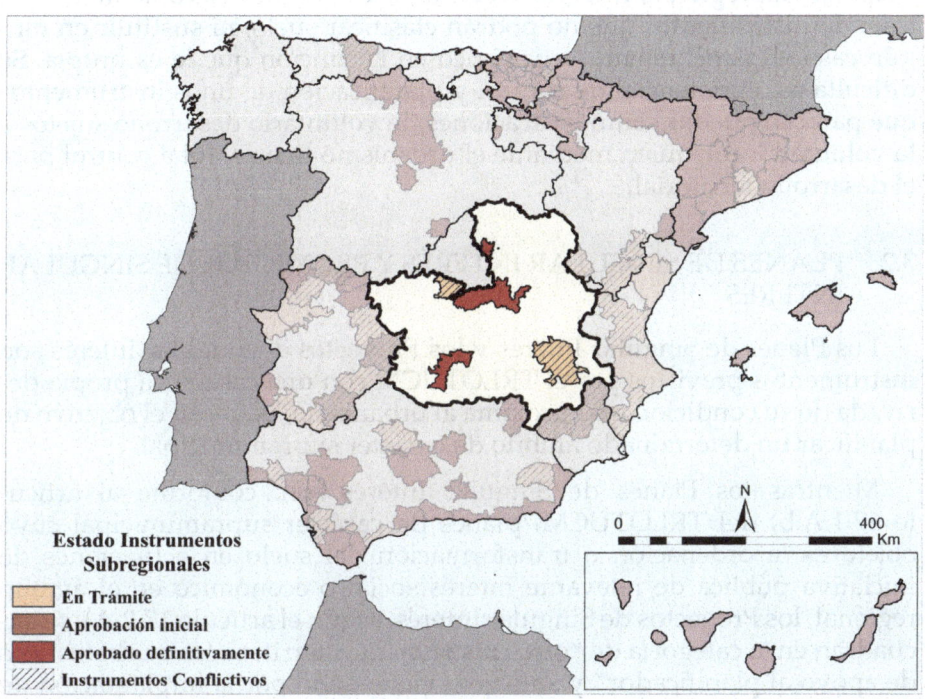

Estado Instrumentos Subregionales
- En Trámite
- Aprobación inicial
- Aprobado definitivamente
- Instrumentos Conflictivos

Fuente: Elaboración propia

Estos POT previstos por la Comunidad de Castilla-La Mancha, deben atender a la función que el TRLOTUCM les atribuye, esto es, definir un modelo territorial orientado al cumplimiento de alguna de las siguientes funciones:

- Establecer los objetivos y criterios de coordinación general para la formulación del planeamiento municipal.

- Determinar los objetivos de carácter territorial y los criterios de compatibilidad espacial que deban cumplir las actuaciones sectoriales de las diferentes Administraciones públicas.

- Establecer las previsiones espaciales precisas, incluso realizando reservas de suelo dotacional en cualquier clase de suelo, para actuaciones y proyectos de las Administraciones públicas o de interés regional.

Se observa una ambigüedad muy marcada en una breve presentación de los POT que deja las puertas abiertas a las diferentes posibilidades (regional-subregional, integral-sectorial) y que indica claramente que se trata de instrumentos que no podrán clasificar suelo, ni sustituir en ningún caso el planeamiento urbanístico en la función que le es propia. Se dificulta así el potencial de control y planificación de unos instrumentos que parecen quedar como indicaciones de voluntario desarrollo sujetos a la voluntad local, quien mediante el urbanismo tiene el total control para el desarrollo territorial.

3.2. PLANES DE SINGULAR INTERÉS Y PROYECTOS DE SINGULAR INTERÉS

Los Planes de Singular Interés y los Proyectos de Singular Interés son instrumentos previstos por el TRLOTUCM con una casuística propia derivada de su condición más próxima al urbanismo, pero con el objetivo de planificar un determinado ámbito de carácter supramunicipal.

Mientras los Planes de Singular Interés son, conforme al artículo 17.1.A.b) del TRLOTUCM, planes de carácter supramunicipal cuyo objeto es la ordenación o transformación del suelo en actuaciones de iniciativa pública de relevante interés social o económico en el ámbito regional, los Proyectos de Singular Interés, según el artículo 17.2.A), se encuadran en la categoría de "otros instrumentos territoriales o urbanísticos de apoyo al planificador" y su objeto viene dado por la implantación de infraestructuras, construcciones o instalaciones de relevante interés social o económico en el ámbito regional con el fin de definirlas y diseñarlas con carácter básico para su inmediata ejecución.

La regulación detallada de los Planes de Singular Interés se contiene en el artículo 18 bis del TRLOTUCM. El precepto, además de definirlos, se centra en concretar su ámbito, así como la clasificación y calificación del suelo en los que se podrá desarrollar este instrumento. De esta forma, su ámbito territorial puede abarcar terrenos situados en uno o varios términos municipales, desarrollarse en cualquier clase de suelo y referirse a actuaciones de uso global residencial, terciario, industrial o dotacional. Es con su aprobación definitiva cuando se determina, en su caso, la clasificación y la calificación urbanística de los terrenos a que afecten, conforme a los destinos que para los mismos se prevean. A tal fin, se establece que el planeamiento municipal debe adaptarse a dicha innovación, mediante su modificación o revisión, según los casos.

En referencia al contenido de los Planes de Singular Interés, el TRLOTUCM no lo detalla, sino que remite, por un lado, a las determinaciones previstas en el mismo para los Planes de Ordenación Municipal, adecuadas a su objeto y especificando, en todo caso, el resto de las determinaciones del planeamiento urbanístico vigente que resulten directamente alteradas por su aprobación definitiva. Por otro, los Planes de Singular Interés deben incluir el contenido que el TRLOTUCM contempla para los Proyectos de Urbanización. No obstante, se posibilita que cuando así lo establezca el instrumento, puedan desarrollar total o parcialmente las determinaciones de la ordenación detallada a través de Planes Parciales, Planes Especiales de Reforma Interior o Estudios de Detalles, así como diferir la definición de las obras de urbanización a la redacción del correspondiente Proyecto de Urbanización.

Por su parte, los Proyectos de Singular Interés, regulados en el artículo 19 del TRLOTUCM, tienen como objeto general, la ordenación y diseño, con carácter básico y para su inmediata ejecución, de actuaciones con relevante interés social o económico, pudiendo comprender terrenos situados en uno varios términos municipales y desarrollarse en cualquier clase de suelo. De igual forma a lo indicado para los Planes de Singular Interés, es en el momento de su aprobación definitiva cuando se determina la clasificación y calificación urbanística de los terrenos afectados y el destino previsto para los mismos para lo que, a tal fin, debe adaptarse el planeamiento municipal a dicha innovación, según proceda, mediante la modificación o revisión del instrumento urbanístico.

Pero además de este objeto general, el TRLOTUCM, señala otros objetos específicos a los que pueden responder los Proyectos de Singular Interés, en particular:

- Infraestructuras de cualquier tipo, comprendiendo las construcciones e instalaciones complementarias precisas o adecuadas a su más completa y eficaz gestión o explotación, destinadas a las comunicaciones terrestres y aéreas; telecomunicaciones; ejecución de planes y obras hidrológicas; producción, transformación, almacenamiento y distribución de gas; recogida, almacenamiento, conducción o transporte, tratamiento o saneamiento, así como depuración y nueva utilización de aguas de toda clase de residuos, tanto urbanos como industriales.

- Obras, construcciones o instalaciones, incluida la urbanización complementaria que precisen, que sirvan de soporte o sean precisas para la ejecución de la política o programación regional en materia de viviendas sujetas a protección pública, así como de dotaciones, equipamientos o establecimientos educativos, de ocio, salud, bienestar social, deporte o, en general, destinados a la provisión directa a los ciudadanos de bienes o prestaciones de naturaleza análoga.

- Instalaciones para el desarrollo de actividades industriales y terciarias, que tengan por objeto la producción, la distribución o la comercialización de bienes y servicios, incluida la urbanización complementaria que precisen, que no tengan previsión y acomodo en el planeamiento vigente.

Obras o servicios públicos y actuaciones conjuntas, concertadas o convenidas entre las Administraciones públicas o precisas, en todo caso, para el cumplimiento de tareas comunes o de competencias concurrentes, compartidas o complementarias.

Contrariamente a los Planes de Singular Interés, en el caso de los Proyectos de Singular Interés, el TRLOTUCM sí dedica un precepto, el artículo 20, a pormenorizar las determinaciones que deben integrarlos. Desde cuestiones relativas a la propia justificación de la procedencia del mismo (como la justificación del interés social o económico de carácter regional o la fundamentación de la utilidad pública o el interés social, según los casos) a aspectos centrados en el propio proyecto a realizar (entre otros, localización de las obras, con delimitación del ámbito y descripción de los terrenos; Administración, entidad o persona promotora del proyecto; memoria justificativa y descripción detallada de las características técnicas; plazos de inicio y terminación; estudio de impacto ambiental; o, estudio económico-financiero de la viabilidad del proyecto).

3.3. PLANES ESPECIALES Y PLANES DIRECTORES. OTROS INSTRUMENTOS DE SEGUNDO NIVEL CON INCIDENCIA EN LA ORDENACIÓN DEL TERRITORIO

Como se ha indicado, en Castilla-La Mancha es el urbanismo la principal alternativa a la hora de llevar a cabo la planificación territorial por diferentes motivos. A esta situación, en la que la OT queda relegada a un segundo plano, se le suma la existencia de una serie de instrumentos con incidencia en la OT que hacen prevalecer los enfoques sectoriales como principal alternativa para el desarrollo territorial. Es el caso de los Planes Especiales y los Planes Directores.

Los Planes Especiales representan una categoría propia de instrumentos enmarcados dentro de los planes e instrumentos de ordenación territorial y urbanística, conforme a la clasificación que hace el artículo 17 del

TRLOTUCM. El precepto distingue dentro de los planes de ordenación territorial urbanística tres categorías: supramunicipales, municipales y especiales. Se trata de instrumentos que, conforme se recoge en el texto legal, tienen como objeto el desarrollo, complementación, o incluso la modificación del planeamiento territorial o urbanístico para el cumplimiento de diferentes cometidos sectoriales considerados relevantes para la ordenación espacial. Instrumentos, por tanto, complementarios a la ordenación territorial, a la cual pueden condicionar, en particular en su planificación física de usos del suelo (ordenación espacial). No obstante, pese a este inicial carácter propio, lo cierto es que al llevar a cabo su regulación pormenorizada en el artículo 29, el TRLOTUCM atribuye a este instrumento una finalidad urbanística bien como desarrollo, complemento o mejora de los Planes de Ordenación Municipal, para lo que podrán formularse con diferentes finalidades; bien para llevar a cabo operaciones de renovación urbana o, en su caso, gestionar áreas de rehabilitación preferente. Este es otro dato significativo de la escasa relevancia de la OT como tal en la medida que en la que práctica no presenta ningún tipo de jerarquía. Castilla-La Mancha ha tramitado, sin carácter exhaustivo, los siguientes instrumentos en esta categoría:

- Plan Especial de Empleo en Zonas Rurales Deprimidas-PEEZRD.

- Plan Especial de Protección Civil ante el Riesgo de Inundaciones-PRICAM[5].

- Plan Especial por Riesgo Sísmico de Castilla-La Mancha (SISMICAM)[6].

- Plan Especial de Emergencia Exterior del Almacenamiento Subterráneo de Gas Yela (Guadalajara)[7].

- Plan Específico de Protección Civil ante el riesgo por fenómenos meteorológicos adversos en Castilla-La Mancha (METEOCAM)[8].

5. Aprobado por Orden de 28/04/2010, de la Consejería de Administraciones Públicas y Justicia, por la que se aprueba el Plan Especial de Protección Civil ante el Riesgo de Inundaciones de Castilla-La Mancha (PRICAM). Revisado mediante Orden de 08/06/2015, de la Consejería de Presidencia y Administraciones Públicas, por la que se aprueba la primera revisión del Plan Especial de Protección Civil ante el Riesgo por Inundaciones en Castilla-La Mancha.

6. Aprobado por Orden 196/2018, de 14 de diciembre, de la Consejería de Hacienda y Administraciones Públicas, por la que se aprueban, revisan y actualizan varios planes de protección civil.

7. Aprobado por Orden 196/2018, de 14 de diciembre, de la Consejería de Hacienda y Administraciones Públicas, por la que se aprueban, revisan y actualizan varios planes de protección civil.

8. Aprobado por la Orden de 21/04/2009, de la Consejería de Administraciones Públicas y Justicia, por la que se aprueba el Plan Específicos de Protección Civil ante el riesgo por fenómenos meteorológicos adversos en Castilla-La Mancha (METEOCAM).

- Plan Especial de Protección Civil ante el Riesgo Radiológico (RADIOCAM)[9].

- Plan Especial de Protección Civil de Transporte de Mercancías Peligrosas (PETCAM)[10].

- Plan Territorial de Emergencia de Castilla-La Mancha (PLATECAM)[11].

Un segundo instrumento que se incluye en esta categoría son los Planes Directores. Se trata de instrumentos sectoriales que condicionan las actuaciones de las Administraciones competentes en la materia sectorial en cuestión. Representan un elemento muy particular pues no se encuentran previstos en el TRLOTUCM que ni siquiera contiene referencia a los mismos. Es la correspondiente legislación sectorial la que se ocupa de su regulación específica. Su interés, al objeto del presente trabajo, reside en la posición de estos instrumentos conforme a determinadas legislaciones sectoriales en las que parece otorgarles un posicionamiento jerárquico superior a los instrumentos propios de la ordenación territorial. Nuevamente, la OT queda relegada a un segundo plano. Es el caso de lo establecido en la Ley 12/2002, de 27 de junio, Reguladora del Ciclo Integral del Agua, que en su título II, dedicado a la planificación, dedica el artículo 12 a los Planes Directores de Abastecimiento de Agua y de Depuración de Aguas Residuales Urbanas, a los que otorga la condición de instrumentos de planificación territorial e indica que se trata del marco de referencia al que se ajusta las Administraciones competentes.

Esta situación no es uniforme, pues el tratamiento de los Planes Directores no es igual en todas las normativas sectoriales. En el caso de la Ley 14/2005, de 29 de diciembre, de Ordenación del Transporte de Personas por Carretera en Castilla-La Mancha, se aborda en el capítulo II,

---

Revisado y actualizado por Orden 196/2018, de 14 de diciembre, de la Consejería de Hacienda y Administraciones Públicas, por la que se aprueban, revisan y actualizan varios planes de protección civil.

9. Aprobado por Orden de 08/06/2015, de la Consejería de Presidencia y Administraciones Públicas, por la que se aprueba el Plan Especial de Protección Civil ante el Riesgo Radiológico en Castilla-La Mancha (Radiocam).

10. Revisado y actualizado por Orden 196/2018, de 14 de diciembre, de la Consejería de Hacienda y Administraciones Públicas, por la que se aprueban, revisan y actualizan varios planes de protección civil.

11. Mediante Decreto 36/2013, de 4 de julio, se regula la planificación de emergencias en Castilla-La Mancha y se aprueba la revisión del Plan Territorial de Emergencia de Castilla-La Mancha. Revisado mediante Orden 130/2017, de 14 de julio, de la Consejería de Hacienda y Administraciones Públicas, por la que se revisa el Plan Territorial de Emergencia de Castilla-La Mancha y varios planes de emergencia exterior.

la planificación y gestión de los transportes públicos, y concretamente el artículo 8 regula la figura del Plan Director de Transportes de Castilla-La Mancha, del cual no se especifica su naturaleza como instrumento de planificación territorial como en el caso anterior.

Aparece una tercera forma de planificación a través de instrumentos complementarios a la OT. El ejemplo se encuentra en el Plan de Conservación del Medio Natural. Un instrumento cuya presencia en la normativa se limita a la disposición adicional octava (Plan de Conservación del Medio Natural) de la Ley 9/1999, de 26 de mayo, de Conservación de la Naturaleza. Se prevé que el Plan de Conservación del Medio Natural de Castilla-La Mancha es el instrumento de planificación general de la política de conservación de la naturaleza y de la diversidad biológica regional. Este plan tiene carácter plurianual y contiene las acciones y actuaciones encaminadas a la consecución de los objetivos en él previstos. Una definición ampliada por la Administración que indica que se trata de un documento director en el que se establecen los criterios y directrices a seguir en los próximos años, de manera que queden adecuadamente concretados en los Planes Básicos de Ordenación del Medio Natural de las nueve unidades naturales en que se ha dividido la Comunidad Autónoma.

Mención aparte para el caso de las infraestructuras de transporte, las cuales se organizan a través de los Planes Regionales de Carreteras (instrumento de ordenación general de la Red de Carreteras en el marco de la planificación general de la economía y del territorio de la Comunidad) que desde el año 1988 se han ido renovando (actualmente se encuentra en el período del III Plan Regional de Carreteras 2015-2026). Unos instrumentos que se plantean y recogen en la Ley 9/1990, de 28 de diciembre, de Carreteras y Caminos de Castilla-La Mancha, la cual en su capítulo II dedicado a la "Planificación y Proyectos", concretamente en el artículo 7, enumera los instrumentos destinados a la planificación de la Red de Carreteras de Castilla-La Mancha (Plan Regional de Carreteras de la Comunidad Autónoma de Castilla-La Mancha, Planes Provinciales de Carreteras y Programas Viarios). Destacamos los instrumentos regionales que actúan como marcos de referencia para posteriores desarrollos a escala provincial y mediante programas, y que marcan cual será la relación con el planeamiento territorial, con el cual se indica en el artículo 8 de la citada normativa que debe coordinarse. Si bien no representan un instrumento con capacidad de prevalecer al planeamiento, la ausencia del mismo de una manera generalizada hace que sean las infraestructuras de transporte uno de los elementos para la articulación y estructuración (y por tanto organización) del territorio, sin una visión integral.

4. ÓRGANOS RESPONSABLES DE LA ORDENACIÓN DEL TERRITORIO EN CASTILLA-LA MANCHA

Se detallan a continuación los diferentes órganos relacionados con la Ordenación del Territorio en Castilla-La Mancha. Como punto de partida es el Decreto 235/2010, de 30 de noviembre, de regulación de competencias y de fomento de la transparencia en la actividad urbanística de la Junta de Comunidades de Castilla-La Mancha, la norma que en su artículo 1 enumera los órganos en materia de ordenación del territorio y urbanismo de la Junta de Comunidades en Castilla-La Mancha. Tienen tal condición, conforme al citado precepto: el Consejo de Gobierno de Castilla-La Mancha, la persona titular de la Consejería competente en materia de ordenación territorial y urbanística, la persona titular de la Dirección General competente en materia de urbanismo, la persona titular de la Dirección General competente en materia de planificación territorial, la Comisión Regional de Ordenación del Territorio y Urbanismo, las Comisiones Provinciales de Ordenación del Territorio y Urbanismo, y las Comisiones de Concertación Interadministrativas.

4.1. EL CONSEJO DE GOBIERNO DE CASTILLA-LA MANCHA

Se trata del órgano colegiado responsable de la dirección de la acción política y administrativa de Castilla-La Mancha, bajo la dirección del Presidente de la Junta de Comunidades de Castilla-La Mancha. Compuesto por la presidencia y, potestativamente, por uno o varios vicepresentes/as, así como por los consejeros/as. En materia de ordenación del territorio y urbanismo, las competencias atribuidas al Consejo de Gobierno se regulan en el artículo 2 del citado Decreto 235/2010. En concreto, se le encomienda establecer las directrices conforme a las cuales ejercerán sus competencias en materia de ordenación territorial y urbanística los distintos órganos de la Administración de la Junta de Comunidades de Castilla-La Mancha. Vinculado a los instrumentos derivados de la normativa (valorados en epígrafes anteriores), destacar la competencia para la aprobación definitiva los Planes de Ordenación del Territorio, así como las innovaciones de los mismos (en tanto únicos instrumentos al uso de ordenación territorial presentes en la Comunidad Autónoma). De igual forma, le compete la aprobación de las Normas Técnicas del Planeamiento, condicionantes de los instrumentos de Ordenación del Territorio. Así mismo se le asigna la responsabilidad de otros instrumentos de índole urbanística, pero de marcada relevancia para el territorio en un modelo como el manchego en el que tal y como se ha indicado en diversas ocasiones, no existe una marcada delimitación entre ambas disciplinas. Se trata en cualquier caso de los instrumentos, tanto de OT como de urbanismo de carácter supramunicipal los que están dentro de la competencia de este órgano. Además, en lo referente a sus competencias relacionadas con instrumentos de planificación territorial, se le atribuya la relativa a la aprobación definitiva y disponer lo necesario para la ejecución, determinando, en su caso, la incoación de la modificación o revisión del planeamiento de ordenación territorial y urbanística, cuando con motivo del trámite de consulta sustitutoria de la licencia de obras, las operaciones objeto de consulta sean disconformes con el planeamiento urbanístico en vigor.

Se trata de un órgano con capacidad para ejercer la potestad reglamentaria en materia de ordenación territorial y urbanística y con capacidad para ratificar el texto definitivo de los convenios en materia de ordenación territorial y urbanística cuando se hayan suscrito inicialmente por otras Consejerías distintas de la Consejería competente en materia de ordenación territorial y urbanística u otros órganos de la Junta de Comunidades de Castilla-La Mancha. De igual modo, se le atribuye la solicitud de informe a la Comisión Regional de Ordenación del Territorio y Urbanismo o a las Comisiones Provinciales de Ordenación del Territorio y Urbanismo, según proceda, en cuantos asuntos lo estime necesario, por razones de oportunidad o conveniencia.

Estas competencias no tienen un carácter cerrado ya que el propio Decreto 235/2010, en la letra p) del artículo 2, posibilita que se le atribuyan otras mediante ley o disposiciones reglamentarias.

4.2. LA COMISIÓN REGIONAL DE ORDENACIÓN DEL TERRITORIO Y URBANISMO Y LAS COMISIONES PROVINCIALES DE ORDENACIÓN DEL TERRITORIO Y URBANISMO

La Comisión Regional de Ordenación del Territorio y Urbanismo de Castilla-La Mancha es el máximo órgano asesor en ordenación del territorio y urbanismo de la Comunidad Autónoma. De manera genérica se le atribuye el asesoramiento y la emisión de informes (relacionados en el artículo 9 del Decreto 235/2010) en materia de ordenación territorial y urbanística, cuando le sean solicitados por razones de oportunidad o conveniencia por alguno de los demás órganos competentes en materia de ordenación territorial y urbanística de la Junta de Comunidades, así como todas aquellas funciones que le vengan atribuidas por ley o reglamentariamente. Deben tener una reunión mensual mínima para el desarrollo de su actividad. Destacar que, enmarcada en la Dirección General de Vivienda y Urbanismo, la Comisión de Ordenación del Territorio y Urbanismo Regional presenta como finalidad la supervisión y control del desarrollo urbanístico de los municipios que superen los 20.000 habitantes o el tratamiento de materias específicas.

Además de las anteriores, con carácter más específico, el Decreto 235/2010 enumera en su artículo 9 las concretas funciones que le vienen atribuidas a la Comisión Regional de Ordenación del Territorio y Urbanismo. Dada la amplitud de funciones, únicamente se enumeran aquellas que, directa o indirectamente, guardan relación con la materia objeto del presente trabajo. En concreto, resultan de interés:

- Informar el texto definitivo de los convenios en materia de ordenación territorial y urbanística, previamente a su ratificación, cuando ésta corresponda al Consejo de Gobierno de Castilla-La Mancha.

- Informar los Planes de Ordenación del Territorio, previamente a su aprobación definitiva.

- Informar las Instrucciones y las Normas Técnicas del Planeamiento, previamente a su aprobación.

- Establecer las bases de coordinación interadministrativa en la tramitación de los Planes cuando los municipios afectados sean capitales de provincia o municipios de más de 20.000 habitantes de derecho, así como informar, previamente a su aprobación, las determinaciones urbanísticas de los Planes cuando los municipios afectados sean capitales de provincia o municipios de más de 20.000 habitantes de derecho, en caso de que exista desacuerdo entre las distintas Administraciones públicas.

- Informar, previamente a su adopción por parte de la persona titular de la Consejería en materia de Ordenación Territorial y Urbanística, la suspensión de los Planes de ordenación territorial y urbanística aprobados por la Comunidad Autónoma, así como las normas sustantivas de ordenación citadas en sustitución del planeamiento suspendido.

- Emitir informe favorable, en su caso, sobre las innovaciones de los Planes que comporten una diferente calificación o uso urbanístico de zonas verdes o espacios libres anteriormente previstos, previamente al dictamen del Consejo Consultivo de Castilla-La Mancha y a su aprobación definitiva, en cualquier municipio.

- Emitir informe favorable, en su caso, sobre las innovaciones de las Planes que legalicen actuaciones urbanizadoras irregulares, previamente a su aprobación definitiva en cualquier municipio.

Por otra parte, y en estrecha relación con la Comisión Regional de Ordenación del Territorio y Urbanismo, se encuentran las Comisiones Provinciales de Ordenación del Territorio y Urbanismo. El artículo 4 del Decreto 235/2010, las presenta como órganos colegiados de deliberación, consulta y decisión a escala provincial en cuestiones de ordenación territorial y urbanística. En concreto, este artículo se refiere expresamente a las Comisiones Provinciales de Ordenación del Territorio y Urbanismo de Albacete, Ciudad Real, Cuenca, Guadalajara y Toledo.

Nuevamente se les encomienda como función genérica el asesoramiento y la emisión de informes en materia de ordenación territorial y urbanística (detallados en el artículo 10 del Decreto 235/2010), limitados a su ámbito de actuación (provincial), en caso de solicitud por razones de oportunidad o conveniencia por parte de alguno de los demás órganos competentes en materia de ordenación territorial y urbanística de la Junta de Comunidades de Castilla-La Mancha, o bien cuando les venga atribuido por una norma legal o reglamentaria.

El artículo 10 del Decreto 235/2010 desarrolla las funciones específicas que atribuye a las Comisiones Provinciales de Ordenación del Territorio y Urbanismo. En relación a los instrumentos de ordenación territorial, señalar alguna, como la aprobación definitiva de planes e instrumentos en materia de ordenación territorial y urbanística en municipios de hasta 20.000 habitantes de derecho.

4.3. LAS COMISIONES DE CONCERTACIÓN INTERADMINISTRATIVA

Las Comisiones de Concertación Interadministrativa, conforme al artículo 5 del Decreto 235/2010, son órganos colegiados de deliberación, consulta y decisión para un ámbito de actuación provincial (Albacete, Ciudad Real, Cuenca, Guadalajara y Toledo), con el fin de favorecer la concertación interadministrativa de los planes e instrumentos de ordenación territorial y urbanística para municipios con menos de 10.000 habitantes de derecho.

Tal y como se recoge en el artículo 11 del Decreto 235/2010, les corresponde la deliberación y emisión, una vez llevado a cabo el trámite de consulta a las Administraciones públicas territoriales afectadas, del informe único de concertación interadministrativa, previsto en el artículo 10.6 del TRLOTUCM. Para ello, los Ayuntamientos de municipios de menos de 10.000 habitantes de derecho que tramiten un instrumento de planeamiento para la ordenación territorial y urbanística, su revisión o su modificación, que haya exigido su sometimiento al trámite de la concertación interadministrativa, remitirán copia del documento a la Comisión de Concertación Interadministrativa junto con los informes sectoriales emitidos por las Administraciones y organismos públicos afectados, para que emita informe único de concertación. Previa autorización de la persona titular de la Dirección General competente en materia de urbanismo, los informes de concertación interadministrativa de los instrumentos en materia de ordenación territorial y urbanística, en sus diferentes fases de tramitación, podrán ser emitidos a través de los Servicios Técnicos de la Consejería competente en materia de ordenación territorial y urbanística, dando debida cuenta de su contenido a la Comisión de Concertación Interadministrativa en la primera sesión que ésta celebre. Con carácter general, y salvo circunstancias excepcionales justificadas, las Comisiones de Concertación Interadministrativa se reunirán con una periodicidad mensual.

4.4. LA PERSONA TITULAR DE LA CONSEJERÍA COMPETENTE EN MATERIA DE ORDENACIÓN TERRITORIAL Y URBANÍSTICA Y LA PERSONA TITULAR DE LA DIRECCIÓN GENERAL COMPETENTE EN MATERIA DE PLANIFICACIÓN TERRITORIAL

Junto a los órganos colegiados analizados en los epígrafes precedentes, el Decreto 235/2010 contempla tres órganos unipersonales con responsabilidad en materia de ordenación territorial y urbanística en la Comunidad de Castilla-La Mancha: el titular de la Consejería competente en materia de ordenación territorial y urbanística, el titular de la Dirección General competente en materia de planificación territorial y el titular de la Dirección General competente en materia de urbanismo. Nos centraremos en el análisis de los dos primeros.

El titular de la Consejería competente en materia de ordenación territorial y urbanística tiene atribuida las funciones que se relacionan en el artículo 6 del Decreto 235/2010. Entre las cuales, se enumeran a continuación aquellas con mayor relevancia a los efectos que ocupan:

-   Definir y supervisar la política de ordenación del territorio y urbanismo de la Administración de la Junta de Comunidades de Castilla-La Mancha de acuerdo con las directrices establecidas por el Consejo de Gobierno de Castilla-La Mancha.

- La promoción de planes, tanto supramunicipales como municipales, así como de otros instrumentos urbanísticos, de conformidad con lo dispuesto en el TRLOTUCM. La referida promoción podrá encomendarla a cualquier persona jurídica de derecho público o privado perteneciente al sector público.

- Aprobar inicialmente los Planes de Ordenación del Territorio acordando, en su caso, la suspensión de licencias y calificaciones.

- Aprobar las Instrucciones Técnicas del Planeamiento.

- Suspender, total o parcialmente, cualquier Plan de ordenación territorial y urbanística aprobado por la Comunidad Autónoma, para su revisión o modificación, estableciendo, en todo caso, las normas sustantivas de ordenación aplicables transitoriamente en sustitución de las suspendidas.

- Establecer y aprobar las determinaciones urbanísticas de los planes, cuando los municipios afectados sean capitales de provincia o municipios de más de 20.000 habitantes de derecho, en caso de que exista desacuerdo entre las distintas Administraciones Públicas.

Por otro lado, es el artículo 8 del Decreto 235/2010 el encargado de detallar las funciones asignadas a la persona titular de la Dirección General competente en materia de planificación territorial. Siguiendo idéntico esquema, se relacionan aquellas de mayor interés en relación con la ordenación territorial de la Comunidad Autónoma:

- La ejecución, bajo la supervisión y alta dirección de la persona titular de la Consejería competente en materia de ordenación del territorio y urbanismo, de las directrices que en materia de ordenación territorial establezca el Consejo de Gobierno de Castilla-La Mancha.

- La formulación de la política regional en materia de fomento de suelo industrial o terciario.

- La programación, fomento, supervisión y seguimiento de los instrumentos de ordenación del territorio.

- La elaboración de estudios y planes para la definición de la estrategia territorial de la región, de zonas o de sectores específicos.

- La coordinación de los instrumentos de la ordenación territorial con el resto de las políticas públicas y, especialmente, con las políticas de infraestructuras, agua y transportes.

319

- La implementación de las políticas de ordenación del territorio desde la perspectiva del desarrollo sostenible.

- La preparación, elaboración, tramitación, gestión y seguimiento de los instrumentos de ordenación territorial, y de ejecución de los mismos, en actuaciones de iniciativa de la Junta de Comunidades de Castilla-La Mancha.

- La formulación y elevación de propuestas razonadas sobre las resoluciones en materia de ordenación territorial cuya competencia corresponda a la persona titular de la Consejería competente en materia de ordenación del territorio y urbanismo, así como las que ésta deba elevar al Consejo de Gobierno de Castilla-La Mancha.

- La formulación y elevación de propuestas razonadas tanto sobre la aprobación inicial como definitiva de los instrumentos de ordenación territorial cuya competencia corresponda a la persona titular de la Consejería competente en materia de ordenación del territorio y urbanismo y las que ésta deba elevar al Consejo de Gobierno de Castilla-La Mancha, así como propuestas razonadas relativas a la declaración de caducidad de los Proyectos de Singular Interés o declaración de incumplimiento de los Planes de Singular Interés.

- La solicitud de informe a la Comisión Regional de Ordenación del Territorio y Urbanismo o a las Comisiones Provinciales de Ordenación del Territorio y Urbanismo, según proceda, en cuantos asuntos lo estime necesario, por razones de oportunidad o conveniencia.

5. PROCEDIMIENTOS Y RESPONSABILIDADES FORMALES

El TRLOTUCM opta por regular, de manera análoga a otras Comunidades Autónomas, de manera autónoma lo que denomina "documentación, elaboración y aprobación de los planes", cuestión a la que dedica el capítulo V del título III "Los instrumentos de la ordenación territorial y urbanística".

Algunas cuestiones a destacar acerca de la descripción del procedimiento que se realiza en el TRLOTUCM, es su carácter escueto, justificado por la remisión a su desarrollo reglamentario, frente a una detallada regulación de toda la documentación y requisitos para el desarrollo del instrumento, así como una absoluta vinculación con el urbanismo, tanto en la concepción del instrumento, como en los casos en los que se estime necesario llevar a cabo una modificación del mismo.

Lo apuntado con anterioridad, hace adecuado que el análisis procedimental de los instrumentos se lleve a cabo partiendo de la regulación del TRLOTUCM, complementado con el desarrollo contenido en el Decreto 248/2004, de 14 de septiembre, por el que se aprueba el Reglamento de Planeamiento.

5.1. PROCEDIMIENTO DE ELABORACIÓN Y APROBACIÓN DE LOS POT

El único precepto del articulado del TRLOTUCM que se ocupa de regular la elaboración y aprobación de los Planes de Ordenación del Territorio es el artículo 32, como se adelantaba, con una escueta regulación limitada a indicar que la iniciativa y elaboración de los mismos corresponde a la Consejería competente en materia de ordenación territorial y urbanística, así como a los demás órganos y organismos de la Administración de la Junta de Comunidades y de otras Administraciones que se determinen reglamentariamente, así como a atribuir a dicha Consejería la función de tramitación y propuesta de aprobación de los mismos, previo informe de la Comisión Regional de Ordenación del Territorio y Urbanismo. También le atribuye al Consejo de Gobierno la competencia para la aprobación definitiva. En todo lo demás, y así lo establece expresamente el apartado 3 del artículo 32 del TRLOTUCM, el procedimiento se determinará reglamentariamente.

Por remisión legal, son los artículos 124 y 125 del Decreto 248/2004, los que se ocupan de regular la formulación y la elaboración, tramitación y aprobación de los POT, respectivamente.

Un proceso que recae mayoritariamente en la Consejería competente en materia de ordenación territorial, en la actualidad, la Consejería de Fomento (de conformidad con el vigente Decreto 56/2019, de 7 de julio, por el que se establece la estructura de la Administración Regional y el Decreto 85/2019, de 16 de julio, por el que se establece la estructura orgánica y las competencias de los distintos órganos de la Consejería de Fomento). Esto debería facilitar el procedimiento al concentrar toda la actividad de desarrollo de los instrumentos en un mismo nivel administrativo. En el caso de tratarse de instrumentos de carácter sectorial entra en juego la Administración competente en la materia sectorial para el inicio de la tramitación, aumentado levemente la complejidad del proceso.

Diagrama 1. Procedimiento de tramitación del Plan de Ordenación del Territorio "Estrategia Territorial" de Castilla-La Mancha

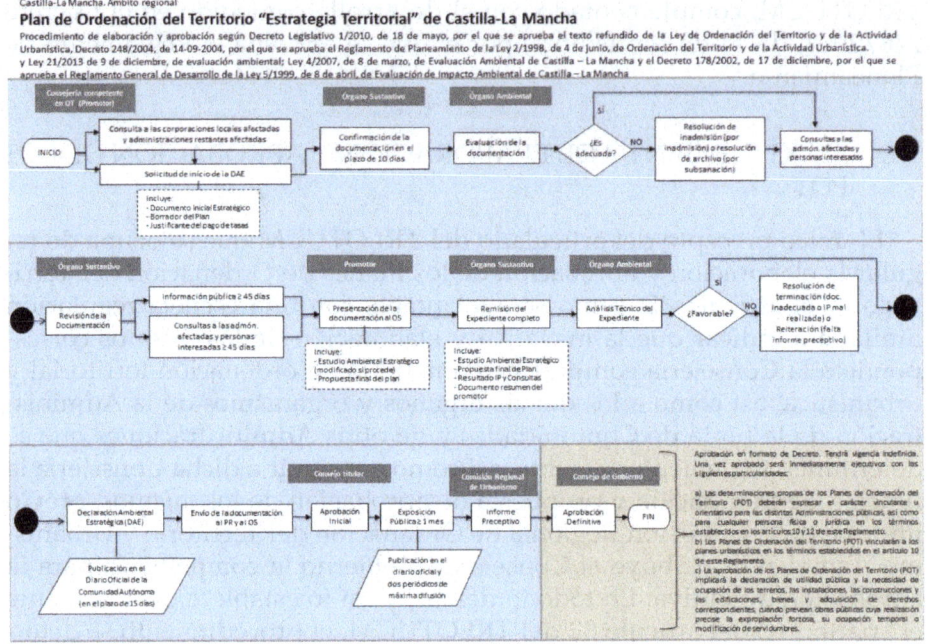

Fuente: Elaboración propia

Algunas cuestiones de interés contenidas en el Decreto 248/2004 relativas a la iniciativa son que, con carácter previo a la formulación definitiva del POT, la Administración promotora del mismo deberá evacuar consulta a las Corporaciones Locales, a la Consejería competente en materia de medio ambiente a los efectos de la evaluación del mismo en virtud de lo establecido en la legislación ambiental vigente, así como a las demás Administraciones territoriales que, en su caso, se puedan ver afectadas, por quedar su territorio, total o parcialmente, comprendido en el ámbito del POT.

En la fase de elaboración, tramitación y aprobación de los POT, a la luz del resultado de la consulta indicada, se procederá formalmente a la elaboración definitiva del plan, siendo el Consejero titular el competente para su aprobación inicial, tras lo que será expuesto a información pública. Finalizada la misma, la Consejería competente en ordenación territorial valorará las sugerencias, alternativas y reclamaciones formuladas, dando traslado a la Administración promotora del POT para su informe preceptivo. Una vez ultimado este proceso, la Consejería competente en materia de ordenación territorial procederá a introducir las rectificaciones que, en su caso, estime procedentes y previo informe preceptivo y no vinculante de la Comisión Regional de Ordenación del Territorio y Urbanismo, el Consejero titular de la citada Consejería elevará el POT a la consideración del Consejo de Gobierno de la Junta de Comunidades para su examen y, en su caso, aprobación definitiva.

Diagrama 2. Procedimiento de tramitación de los Planes de Ordenación del Territorio Subregionales-Sectoriales

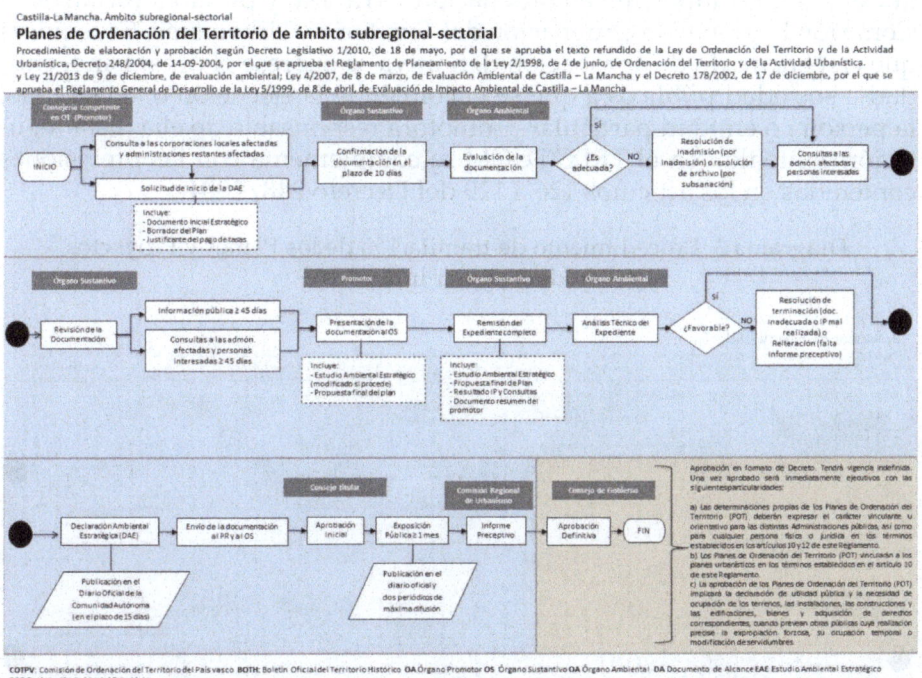

Fuente: Elaboración propia

5.2. PROCEDIMIENTO DE ELABORACIÓN Y APROBACIÓN DE LOS PLANES Y PROYECTOS DE SINGULAR INTERÉS

El artículo 18 bis, apartado 4 del TRLOTUCM, remite el procedimiento de tramitación y aprobación de los Planes de Singular Interés al previsto en el artículo 33.3 del mismo cuerpo legal, para los Proyectos de Singular Interés.

El precepto se encarga de atribuir la competencia para la aprobación inicial a la Consejería competente en ordenación territorial, con sometimiento a información pública y, simultáneamente, audiencia e informe del municipio o municipios afectados, cuando los mismos sean los promotores del proyecto, por un plazo de un mes. En dicho plazo también deberá llevarse a cabo la concertación interadministrativa. La aprobación definitiva es competencia del Consejo de Gobierno, lo que tendrá lugar a la luz de las alegaciones e informes presentados durante la fase de información pública y audiencia, así como del resultado obtenido en la fase de concertación interadministrativa, a propuesta de la persona titular de la Consejería competente en ordenación territorial y previo informe de la Comisión Regional de Ordenación del Territorio y Urbanismo. Se requiere que en el acuerdo de aprobación definitiva se exprese el organismo, entidad o sociedad públicos a que se encomiende la ejecución o, en su caso, la persona o entidad particular promotora responsable de ella. Esta regulación contenida en el TRLOTUCM se complementa con las previsiones contenidas en los artículos 126 a 129 del Decreto 248/2004.

Diagrama 3. Procedimiento de tramitación de los Planes y Proyectos de Singular Interés

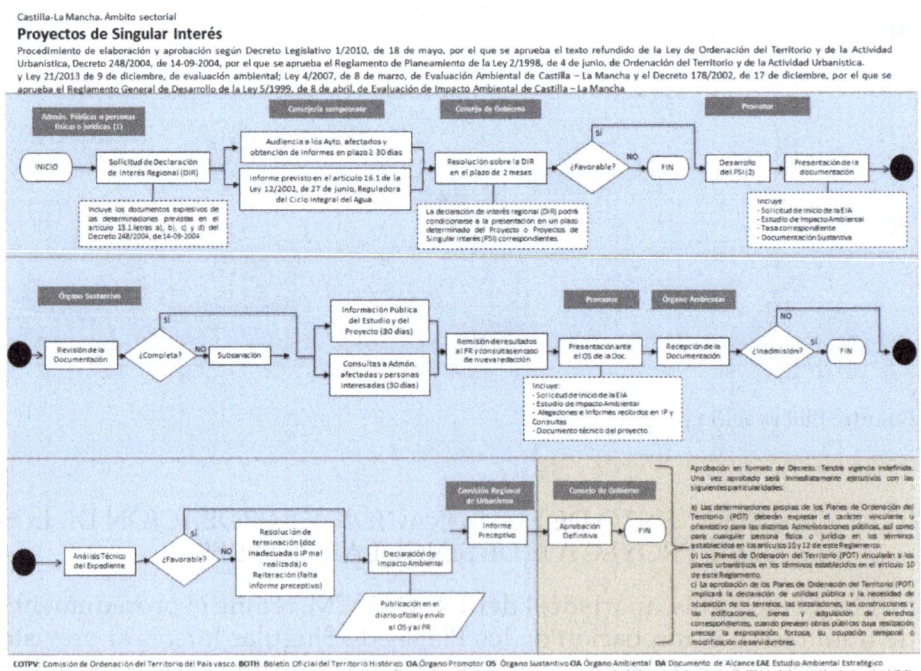

Fuente: Elaboración propia

5.3. PROCEDIMIENTO DE ELABORACIÓN Y APROBACIÓN DE LOS INSTRUMENTOS DE OT DE SEGUNDO ORDEN. PLANES ESPECIALES Y PLANES DIRECTORES

Para el caso de los Planes Especiales, el procedimiento se regula en los artículos 35 a 37 del TRLOTUCM. En los citados preceptos se alude a determinados planes especiales, en concreto a aquellos que no son de reforma interior. Esto es, aquellos que tienen una escala mínima no inferior a la municipal, afectando a la ordenación estructural.

En el caso de su redacción, se le otorgan competencias para la promoción y elaboración de estos instrumentos tanto a las diferentes Administraciones públicas (incluida, la Administración local) que en el ejercicio de sus competencias deban establecer nuevas determinaciones de ordenación territorial y urbanística. Mientras se realiza su redacción técnica, el instrumento será sometido a las consultas de Administraciones y entidades representativas de los colectivos ciudadanos particularmente afectados, cuyos resultados deben ser incorporados al documento. Seguidamente, la Administración promotora somete simultáneamente el instrumento a información pública (incluyendo además de la publicación en el Diario Oficial y la prensa de mayor difusión, la presentación del instrumento en los municipios afectados por la ordenación a establecer), a informe de los departamentos y órganos competentes de la Administración que indique la normativa (a excepción de que tenga lugar un acuerdo previo de carácter interadministrativo) y por último, a dictamen de los municipios colindantes (salvo previo acuerdo en el contenido a establecer).

Una cuestión a tener presente es que en caso de que entre los municipios colindantes exista desacuerdo en las determinaciones previstas, éstas deben solventarse mediante bases de coordinación interadministrativas establecidas por la Comisión Provincial de Ordenación del Territorio y Urbanismo o por la Comisión Regional de Ordenación del Territorio y Urbanismo. En caso de que continúe el desacuerdo, éste será dirimido mediante resolución del órgano competente.

La aprobación inicial le corresponde a la Administración promotora del instrumento. Momento a partir del cual se solicita a la Consejería competente en materia de ordenación del territorio, la aprobación definitiva, Administración que inicia un período consultivo y de análisis del instrumento. Atendidos los requerimientos y tras un período de 40 días desde la solicitud de la aprobación definitiva, podrá la Administración promotora solicitar la resolución o, en su defecto, pasados tres meses sin resolución podrá requerir a la Consejería el reconocimiento y publicación de la aprobación definitiva.

La aprobación definitiva corresponde a la Consejería competente en materia de ordenación del territorio y urbanismo, la cual queda sujeta a la inexistencia de infracciones de disposiciones generales o autonómicas.

En el caso de los Planes Directores, los mismos se rigen por la correspondiente normativa que los regula. A modo de ejemplo, en el caso de los Planes Directores Abastecimiento de Agua y Depuración de Aguas Residuales Urbanas, el procedimiento de elaboración, aprobación y revisión se contiene en el artículo 15 de la Ley 12/2002, de 27 de junio, reguladora del Ciclo Integral del Agua, en el cual se indica que Aguas de Castilla-La Mancha debe redactar una propuesta inicial sometida a informe de su consejo de dirección, tras lo cual llevará a cabo el trámite de información pública y su evaluación ambiental según la normativa autonómica, tras lo cual procederá a su aprobación inicial. Estos planes aprobados inicialmente se elevan por parte de la Consejería de Obras Públicas al Consejo de Gobierno, responsable de la aprobación definitiva y de dar a conocer el instrumento a las Cortes Regionales. Su revisión, quinquenal como plazo máximo, se ajustará al mismo procedimiento.

5.4. PROCEDIMIENTO DE LA EVALUACIÓN AMBIENTAL DE PLANES Y PROGRAMAS

El procedimiento de evaluación ambiental en el territorio manchego ha tenido una significativa evolución desde la primera normativa en la materia, la Ley 5/1999 de 8 de abril, de Evaluación de Impacto Ambiental y el Decreto 178/2002, de 17 de diciembre, por el que se aprueba el Reglamento General de Desarrollo de la Ley 5/1999, de 8 de abril, de Evaluación de Impacto Ambiental de Castilla-La Mancha. Una primera normativa en la que la Evaluación Ambiental de Planes y Programas presentaba un escueto contenido en comparación con el tratamiento que la norma hacía de la Evaluación de Impacto Ambiental, ampliándose en el citado reglamento de desarrollo de la misma. Situación que se corrige con la siguiente normativa en la materia, la Ley 4/2007, de 8 de marzo, de Evaluación Ambiental de Castilla-La Mancha, en la que la Evaluación Ambiental gana protagonismo en el texto legal y se detallan procedimientos sin necesidad de un desarrollo reglamentario posterior. La llegada de la Ley 21/2013, de 9 de diciembre, de Evaluación Ambiental, legislación estatal básica en materia de evaluación ambiental, y que tras su aprobación se inició un plazo temporal de un año para la adaptación de las normativas autonómicas en la materia (acorde a lo establecido en la disposición final undécima), conllevó el necesario replanteamiento del marco normativo. Así, para el caso castellano-manchego, se indica que las normativas autonómicas permanecerán vigentes a excepción de los contenidos en los que se produzcan conflictos entre la normativa estatal prevalente y la autonómica que debe adaptarse. En relación a los procedimientos administrativos de evaluación ambiental, de carácter básico, bajo la vigencia de la Ley 4/2007, se preveía su regulación por la normativa estatal, manteniéndose los plazos procedimentales establecidos en el marco autonómico de referencia.

No obstante, de manera muy reciente, ha entrado en vigor la Ley 2/2020, de 7 de febrero, de Evaluación Ambiental de Castilla-La Mancha, en lo sucesivo LEACM, marco normativo autonómico de referencia en la actualidad. La LEACM, vigente desde el 4 de marzo de 2020, deroga expresamente tanto la Ley 4/2007, de 8 de marzo, de Evaluación Ambiental en Castilla-La Mancha como el Decreto 178/2002, de 17 de diciembre, por el que se aprueba el Reglamento General de Desarrollo de la Ley 5/1999, de 8 de abril, de Evaluación del Impacto Ambiental de Castilla-La Mancha.

El título II de la LEACM es el encargado de regular los procedimientos de evaluación ambiental. En su primer capítulo, regula la evaluación ambiental estratégica de planes y programas, tanto ordinaria (sección 1.ª) como simplificada (sección 2.ª). En el segundo capítulo, regula de forma similar la evaluación de impacto ambiental de proyectos, distinguiendo de igual forma entre la ordinaria (regulada en la sección 1.ª) y la simplificada (a la que dedica la sección 2.ª del citado capítulo). Además, el propio capítulo segundo del título II de la LEACM, se encarga de incorporar la coordinación de los procedimientos de evaluación de impacto ambiental y de autorización ambiental integrada, cuestión regulada en el Real Decreto Legislativo 1/2016, de 16 de diciembre, por el que se aprueba el texto refundido de la Ley de Prevención y Control Integrados de la Contaminación (en su sección 3.ª), así como la coordinación de la evaluación de impacto ambiental con los trámites administrativos de las actividades potencialmente contaminadoras de la atmósfera, trámites todos ellos derivados de Ley 34/2007, de 15 de noviembre, de Calidad del Aire y Protección de la Atmósfera (lo que aborda en la sección 4.ª).

Cabe destacar que se establece la posibilidad de coordinar los trámites de consultas a las Administraciones públicas afectadas y a las personas interesadas y el de la información pública propios de la evaluación ambiental con los procedimientos sectoriales de elaboración y aprobación de los planes y programas, y en particular con los propios de la legislación de ordenación del territorio y urbanismo.

La LEACM apuesta por establecer mayores requisitos para la evaluación de impacto ambiental de proyectos, lo que se deriva de la Ley 9/2018, de 5 de diciembre, que vino a modificar, entre otras, la Ley 21/2013, de 9 de diciembre, de Evaluación Ambiental, en relación al necesario análisis de los impactos ambientales derivados de los proyectos en situaciones de accidentes graves o catástrofes, que se incorporan entre el contenido exigido a los documentos ambientales y a los estudios de impacto ambiental.

De manera detallada, regula la LEACM el procedimiento de evaluación de impacto ambiental, tanto ordinaria (detallada en los artículos 36 a 50), como simplificada (cuestión a la que dedica los artículos 51 a 58).

Algunas cuestiones de interés a destacar de la prolija regulación procedimental, y centrado en la evaluación de impacto ambiental ordinaria, son, por ejemplo, los trámites que la integran. Se distingue así entre la solicitud de inicio y presentación del estudio de impacto ambiental en el órgano sustantivo; el sometimiento del proyecto y del estudio de impacto ambiental a información pública y consultas a las Administraciones públicas afectadas y personas interesadas, por el órgano sustantivo; el análisis técnico del expediente por el órgano ambiental; la formulación de la declaración de impacto ambiental por el órgano ambiental; y la integración del contenido de la declaración de impacto ambiental en la autorización del proyecto y publicidad de la misma, por el órgano sustantivo.

Además, con carácter potestativo, el promotor podrá solicitar que el órgano ambiental elabore el documento de alcance del estudio de impacto ambiental, que habrá de elaborarse en un plazo máximo de tres meses contados desde la recepción de la solicitud del documento de alcance.

Por otra parte, y con carácter obligatorio, el órgano sustantivo, dentro del procedimiento sustantivo de autorización del proyecto, realizará los trámites de información pública y de consultas a las Administraciones públicas afectadas y a las personas interesadas, todo ello sin perjuicio de las funciones que sobre el particular corresponde al órgano ambiental en los supuestos previstos en los artículos 40.1 (información pública del proyecto y del estudio de impacto ambiental, durante un plazo no inferior a treinta días hábiles, previo anuncio en el Diario Oficial de Castilla La Mancha y en su sede electrónica) y 41.1 (consulta a las Administraciones públicas afectadas y a las personas interesadas, de manera simultánea al trámite de información pública, y en el que el órgano sustantivo consultará a las anteriores sobre los posibles efectos significativos del proyecto, incluyendo el análisis de los probables efectos adversos significativos sobre el medio ambiente derivados de la vulnerabilidad del proyecto ante riesgos de accidentes graves o de catástrofes que incidan en el proyecto), de la LEACM.

Tras la elaboración por el promotor del estudio de impacto ambiental, de conformidad con las previsiones contenidas en el artículo 38 de la

LEACM, su presentación ante el órgano sustantivo junto con la documentación exigida por la legislación sectorial y por la propia LEACM (solicitud de inicio de la evaluación de impacto ambiental ordinaria, documento técnico del proyecto, estudio de impacto ambiental y justificación del abono de la tasa que sea aplicable al procedimiento), el trámite de información pública del proyecto y del estudio de impacto ambiental y consulta a las Administraciones públicas afectadas y a las personas interesadas, en los términos ya apuntados y que desarrolla la LEACM en sus artículos 40 y 41, respectivamente, tiene lugar la remisión al promotor del resultado de dichos trámites, así como la revisión del expediente por el órgano sustantivo y su remisión al órgano ambiental.

Es en este momento procedimental, cuando propiamente, se inicia el procedimiento de evaluación de impacto ambiental que se produce con la recepción en el órgano ambiental del expediente completo de evaluación ambiental, pudiendo en un plazo de veinte días hábiles resolver sobre su inadmisión por causas tasadas (si estima de modo inequívoco que el proyecto es manifiestamente inviable por razones ambientales; si estima que el estudio de impacto ambiental no reúne condiciones de calidad suficientes; o si ya hubiese inadmitido o ya hubiese dictado una declaración de impacto ambiental desfavorable en un proyecto sustantivamente análogo al presentado), previa audiencia al promotor. De no concurrir causa de inadmisión, el órgano ambiental realizará un análisis formal del expediente de impacto ambiental y tras el cual un análisis técnico, finalizado el cual formulará la declaración de impacto ambiental en el plazo máximo de cuatro meses.

La declaración de impacto ambiental tiene naturaleza de informe preceptivo y determinante, pudiendo ser favorable o desfavorable una vez se concluya sobre los efectos significativos del proyecto en el medio ambiente. De resultar favorable, establecerá las condiciones en las que puede desarrollarse el proyecto para la adecuada protección de los factores regulados en el artículo 38.1.c) de la LEACM (entre otros, identificación, descripción, análisis y, si procede, cuantificación de los posibles efectos significativos directos o indirectos, secundarios, acumulativos y sinérgicos del proyecto sobre los siguientes factores: la población, la salud humana, la flora, la fauna, la biodiversidad, la geodiversidad, el suelo, el subsuelo, el aire, el agua, el clima, el cambio climático, el paisaje, los bienes materiales, el patrimonio cultural, y la interacción entre todos los factores mencionados, durante las fases de ejecución, explotación y en su caso durante la demolición o abandono del proyecto) durante la ejecución y la explotación y, en su caso, el ceses, el desmantelamiento o demolición del mismo, así como, en su caso, las medidas preventivas, correctoras y compensatorias. La declaración de impacto ambiental del proyecto o actividad perderá su vigencia y cesará en la producción de los efectos que le son propios si, una vez publicada en el Diario Oficial de Castilla-La Mancha, no se hubiera comenzado la ejecución del proyecto o actividad en el plazo de cuatro años, sin perjuicio, como posibilita el artículo 48.2 de la LEACM, de que por parte del promotor se solicite una prórroga de la vigencia de la misma antes de que transcurra el plazo anteriormente señalado de cuatro años, cuyo efecto es la suspensión del plazo.

6. EMBOTELLAMIENTOS Y CONDICIONES QUE ALTERAN EL FUNCIONAMIENTO DE LA ORDENACIÓN DEL TERRITORIO EN CASTILLA-LA MANCHA

En el caso de la política territorial de Castilla-La Mancha, uno de los condicionantes principales que dificultan el desarrollo de la OT y sus instrumentos es, tal y como se ha ido reflejando a lo largo del presente texto, la falta de voluntad política por desarrollar esta función pública. Mientras que los instrumentos de ordenación territorial apenas presentan desarrollo, el territorio se configura mediante el desarrollo de instrumentos urbanísticos y sectoriales, estos últimos sujetos a normativas sectoriales y que, en ocasiones, llegan a prevalecer sobre la planificación territorial. A diferencia del caso madrileño, también caracterizado por la falta de interés en la ordenación del territorio y su desarrollo, la normativa sí recoge de manera detallada cuál es el procedimiento y la funcionalidad de las figuras de planeamiento. Siendo la inestabilidad del texto legal manchego una constante, con múltiples revisiones asociadas. Consecuencia, lo que representa un conflicto añadido, de la prevalencia en el texto legal del urbanismo y los enfoques sectoriales como herramientas preferentes para la planificación de las intervenciones con impacto territorial que se llevan a cabo en el territorio.

A pesar de estas dificultades iniciales, una vez superada la aparente falta de interés, existe un marcado problema de coordinación vertical. Sirva de ejemplo el caso del POT de La Sagra (uno de los instrumentos tramitados y que hasta el momento no ha logrado su aprobación definitiva), donde tal y como recogía la prensa[12], existe una falta de comunicación entre la Administración regional y las Administraciones locales, hecho que por otra parte no es exclusivo de esta Comunidad Autónoma

---

12. https://www.abc.es/hemeroteca/historico-15-08-2005/abc/Toledo/los-municipios-de-la-sagra-dan-su-visto-bueno-a-la-creacion-de-un-plan-de-o-rdenacion-territorial_61202432222.html.

y que no hace sino reproducir el eterno debate en torno al límite entre las competencias municipales sobre urbanismo, con el consagrado principio de autonomía local y las competencias autonómicas sobre la ordenación territorial, esquema que se reproduce en la práctica totalidad de Comunidades Autónomas[13]. Esto genera dificultades notables tanto para el desarrollo de las diferentes etapas de consulta y participación de las Administraciones locales a lo largo del proceso de tramitación de instrumentos de OT y su EAE asociada, como para lograr consensos en cuestiones territoriales que permitan desarrollar un instrumento que no encuentre trabas. En este sentido, y vinculada a la misma, surge la cuestión de la distribución de competencias, principalmente en la escala local con una posición reticente desde el entendimiento de que la prevalencia de la planificación territorial es generadora de agravios en el ejercicio de su autonomía y competencias, lo que hace latente la necesidad de mecanismos efectivos dirigidos al desarrollo coordinado de las decisiones e intervenciones sobre el territorio. Lo anterior, atiende principalmente a dos razones. Por una parte, la prevalencia del urbanismo como competencia predominante a la hora de realizar planificación de usos del suelo de competencia local. Y, en segundo lugar, un desarrollo de instrumentos de OT como método de contención de procesos de crecimiento territorial, fruto de dinámicas territoriales puntuales e imprevistas (incluso por dinámicas territoriales ajenas a la región sobre las que no existe capacidad competencial para actuar más allá de una cooperación interregional). Una respuesta, por tanto, de carácter reactivo destinado a controlar y coordinar a una escala local que hasta el momento ha podido actuar sin un marco de referencia limitante en cuanto a la práctica urbanística. Prueba de este comportamiento es que a mediados de la primera década del presente siglo, se plantea en el territorio manchego cinco Planes de Ordenación Territorial de ámbito subregional, concretamente entre los años 2004 y 2007, en un momento en el que todavía no se había redactado, y consecuentemente no se tuvo en consideración un próximo Plan de Ordenación Territorial "Estrategia Territorial de Castilla-La Mancha" (ET-CLM). Este escaso interés por un desarrollo subregional de un modelo integral a nivel regional es claramente patente atendiendo

---

13. Sobre las competencias en ordenación del territorio y en urbanismo, vid. Menéndez Rexach, Á. (2016): "Ordenación del territorio supramunicipal y urbanismo municipal: una distinción imposible a la vista de las actuaciones de interés regional". En Gifreu i Font, J. (dir.), Bassols Coma, M., Menéndez Rexach, Á. (dirs.), Ballbé Prunés, M. (hom.) *El derecho de la ciudad y el territorio: estudios en homenaje a Manuel Ballbé Prunés*, pp. 337-350. Sobre las competencias en urbanismo, vid. López Benítez, M. y Vera Jurado, D. (2005): "La ordenación del territorio: algunos datos para la redefinición conceptual y competencial de la materia". *Revista Jurídica de Navarra*, núm. 40, pp. 163-202.

a las áreas en las que se centran los POT propuestos, caracterizadas por un mayor dinamismo socioeconómico (y que son más ajenas a las dinámicas rurales que prevalecen en la región) y muy vinculadas al área metropolitana de Madrid (tres de los cinco POT subregionales dan cobertura a áreas asociadas al espacio metropolitano madrileño).

En julio de 2007 da comienzo la redacción del POT "Estrategia Territorial de Castilla-La Mancha", llevándose a exposición pública en 2010. Se esperaba que este instrumento fuese dinamizador de la OT (facilitando la finalización de los dos POT subregionales ya tramitados y comenzando nuevos instrumentos). Sin embargo, transcurrida una década, aún se continúa a la espera de esa aprobación definitiva.

7. SITUACIÓN RESULTANTE

Castilla-La Mancha es una Comunidad Autónoma donde la ordenación del territorio no representa una política de primer orden, prevaleciendo el urbanismo y los enfoques sectoriales para la tramitación y desarrollo de intervenciones territoriales puntuales. La carencia de un modelo territorial de conjunto vigente responde a este aparente desinterés político-administrativo por una función pública que debidamente desarrollada rompería con el funcionamiento de la política territorial hasta el momento. Prueba de esta desidia hacia la ordenación del territorio es la falta de actualización en su espacio web sobre la situación de los instrumentos de planificación territorial, particularmente los subregionales, pues resulta complejo encontrar información actualizada.

El territorio manchego, marcado por su ruralidad, ha encontrado en las políticas de desarrollo rural la principal herramienta para lograr un desarrollo territorial sostenible, al ajustarse a su realidad territorial mayoritaria. Es por esto que se encuentra una magnífica ventana de oportunidad vinculada a sus espacios naturales protegidos, que permitan actuar como elementos articuladores del territorio y motores del desarrollo gracias a nuevos enfoques que tiendan a la conservación y no sólo a la protección, abriendo la posibilidad de aprovechar este capital territorial. Pero para ello se estima fundamental la consecución de nuevos enfoques supramunicipales que superen las acciones locales como manera de abordar el territorio, así como la constitución de un modelo territorial que actúe como marco de referencia y que no deje la creación del territorio en manos de intervenciones puntuales.

Así mismo, deben establecerse sinergias entre la política territorial y la política de conservación. Asociado a parte de los espacios naturales protegidos están los Planes de Ordenación de los Recursos Naturales, PORN, instrumentos que se asemejan por forma y contenido a los instrumentos de Ordenación del Territorio de carácter subregional. Destaca el caso de la parte central de Castilla–La Mancha como zona donde se produce un marcado solapamiento entre PORN. Esta situación se produce porque su ámbito de influencia va más allá de la propia delimitación de cada espacio natural protegido (en los PORN deben estar considerados e integrados los aspectos y dinámicas de los espacios colindantes a los límites de dichos espacios). De esta manera, y teniendo en cuenta que cada espacio natural protegido reclama diferentes acciones territoriales, la planificación ambiental acaba por enmarcarse en un enfoque más amplio que bien puede reconocerse como una OT integral. Ésta sirve de marco adecuado para la interrelación de unas dinámicas naturales y antrópicas que tienen unos tiempos de respuesta distintos pero que tienen que coexistir en un mismo territorio, el cual planifican y coordinan. Sin embargo, la tónica general es la falta de coordinación, siquiera, entre los mismos PORN; en no pocos casos ha proliferado su número sobre un mismo ámbito político administrativo local. Es uno de los motivos por el que se incita a la sinergia con la política de OT, ya que los planes subregionales de ordenación del territorio y, en su caso, los urbanísticos, debieran estar llamados a convertirse en la base que les procure coherencia; entre ellos y entre los PORN así como con el resto de las planificaciones y actuaciones sobre el mismo espacio. Todo ello en un contexto de prevalencia de la planificación ambiental sobre la territorial, siendo los PORN prevalentes en caso de contradicción a las determinaciones de los instrumentos territoriales.

En este sentido, es destacable el renovado enfoque con el que la Comunidad Autónoma está abordando la cuestión territorial, y que puede ser un interesante mecanismo que actúe como motor para el desarrollo de nuevas figuras de planeamiento territorial. En 2016, se plantea una Estrategia para el desarrollo de zonas con despoblamiento y declive socioeconómico en Castilla-La Mancha, que contempla 5 zonas de actuación, basada en las Inversiones Territoriales Estratégicas. Una interesante figura que permite no sólo la obtención de varios fondos vinculados a la política regional de la UE (incluido el FEADER para el desarrollo rural), sino que puede ayudar a la superación de uno de los grandes problemas de la región: la coordinación vertical. Y es que la ITI *"no predispone el modo de tomar las decisiones sobre las propias inversiones, ya que este proceso puede orientarse de forma ascendente o descendente, o bien puede ser una combinación de ambas"*. ¿Qué vinculación presenta esto con las figuras de planeamiento territorial? Uno de los requisitos para una ITI es *"una estrategia integrada de desarrollo intersectorial que se centre en las necesidades de desarrollo de la zona afectada. Se debe diseñar la estrategia de modo que las acciones puedan basarse en las sinergias producidas por la aplicación coordinada".* Y que mejor manera de presentar una estrategia integrada que la concebida en un modelo territorial a escala regional y desarrollada a escala subregional. En este sentido, se abre una interesante ventana de oportunidad para trabajar en ámbitos que hasta el momento no han estado incluidos en el foco de interés, por su naturaleza rural mayoritaria, con un planteamiento comarcal asociado[14].

Debe en este sentido evitar caer en una dinámica de desarrollo cero por los mismos motivos por los cuales Extremadura en la actualidad quiere cambiar su estrategia territorial para romper con la imagen de región subsidiada, tal y como ha sido abordado en el capítulo dedicado a esta Comunidad Autónoma.

8. REFERENCIAS BIBLIOGRÁFICAS Y NORMATIVA

BIBLIOGRAFÍA

BENABENT FERNÁNDEZ DE CÓRDOBA, M. (2006). *La ordenación del territorio en España: evolución del concepto y de su práctica en el siglo XX.* Sevilla: Universidad de Sevilla – Consejería de Obras Públicas de la Junta de Andalucía.

LÓPEZ BENÍTEZ, M. Y VERA JURADO, D. (2005). La ordenación del territorio: algunos datos para la redefinición conceptual y competencial de la materia. *Revista Jurídica de Navarra*, 40, 163-202.

MENÉNDEZ REXACH, Á. (2016). Ordenación del territorio supramunicipal y urbanismo municipal: una distinción imposible a la vista de las actuaciones de interés regional. En J. Gifreu i Font (dir.). M. Bassols Coma,

---

14. El ámbito geográfico definido comprende las siguientes zonas:
  - En la provincia de Toledo: Comarca de Talavera y Comarca de la Campana de Oropesa.
  - En la provincia de Ciudad Real: Comarca de Almadén y Comarca de Campo de Montiel.
  - En la provincia de Albacete: Comarca de Sierra de Alcaraz y Campo de Montiel y Sierra de Segura.
  - La provincia de Cuenca, con actuación preferente en núcleos de población de menos de 2.000 habitantes.
  - La provincia de Guadalajara, salvo el área de influencia del Corredor del Henares.

Á. Menéndez Rexach (dirs.). M. Ballbé Prunés (hom.), *El derecho de la ciudad y el territorio: estudios en homenaje a Manuel Ballbé Prunés* (pp. 337-350). Madrid: Instituto Nacional de Administración Pública.

RANDO BURGOS, E. (2019). *Perspectiva jurídica de la planificación territorial en la provincia de Huelva*. Huelva: Servicio de Publicaciones de la Universidad de Huelva.

RANDO BURGOS, E. (2019). *Legislación e instrumentos de la ordenación del territorio en España*. Madrid: Editorial Iustel.

PLAZA TABASCO, J., MARTÍNEZ SÁNCHEZ-MATEOS, H. S. Y GOSÁLVEZ REY, R. U. (2011). La ordenación del territorio en Castilla-La Mancha. *Cuadernos geográficos de la Universidad de Granada*, 47(2), 493-522.

NORMATIVA

Ley 9/1990, de 28 de diciembre, de Carreteras y Caminos de Castilla-La Mancha.

Ley 2/1998, de 4 de junio, de Ordenación del Territorio y de la Actividad Urbanística.

Ley 5/1999, de 8 de abril, de Evaluación del Impacto Ambiental

Ley 9/1999, de 26 de mayo, de Conservación de la Naturaleza.

Ley 12/2002, de 27 de junio, Reguladora del Ciclo Integral del Agua.

Ley 14/2005, de 29 de diciembre, de Ordenación del Transporte de Personas por Carretera en Castilla-La Mancha.

Ley 4/2007, de 8 de marzo, de Evaluación Ambiental en Castilla-La Mancha.

Decreto Legislativo 1/2010, de 18 de mayo, por el que se aprueba el Texto Refundido de la Ley de Ordenación del Territorio y de la Actividad Urbanística de Castilla-La Mancha.

Decreto 248/2004, de 14 de septiembre, por el que se aprueba el Reglamento de Planeamiento de la Ley 2/1998, de 4 de junio, de Ordenación del Territorio y de la Actividad Urbanística.

Decreto 167/2015, de 21 de julio, por el que se regula la estructura orgánica y las competencias de las Delegaciones Provinciales de la Junta de Comunidades de Castilla-La Mancha y de las Direcciones Provinciales de las Consejerías.

Decreto 51/2017, de 9 de agosto, por el que se establece la estructura de la Administración Regional.

Capítulo 10

El procedimiento de la planificación territorial en Castilla y León

ITXARO LATASA ZABALLOS

Escuela Técnica Superior de Arquitectura, Urbanística y Ordenación del Territorio. Universidad del País Vasco

SUMARIO: 1. ANTECEDENTES. 2. NORMATIVA BASE. 3. ESQUEMA DE INSTRUMENTOS. 3.1. *Las Directrices de Ordenación territorial de Castilla y León: Directrices Esenciales y Directrices Complementarias.* 3.2. *Directrices de Ordenación de Ámbito Subregional (DOAS).* 3.3. *Planes Regionales de Ámbito Territorial y Sectorial y Proyectos Regionales.* 4. ÓRGANOS. 4.1. *Consejo de Medio Ambiente, Urbanismo y Ordenación del Territorio de Castilla y León.* 4.2. *Comisiones Territoriales de Medio Ambiente y Urbanismo.* 4.3. *Centro de Información territorial.* 5. PROCEDIMIENTOS Y RESPONSABILIDADES FORMALES. 5.1. *Procedimiento de elaboración y aprobación del Instrumento Regional.* 5.2. *Procedimiento de elaboración y aprobación de los Instrumentos Subregionales.* 5.3. *Procedimiento de elaboración y aprobación de los Planes Regionales de Ámbito Territorial y Sectorial y Proyectos Regionales.* 5.4. *Procedimiento de Evaluación Ambiental Estratégica.* 6. EMBOTELLAMIENTOS Y CONDICIONES QUE ALTERAN EL FUNCIONAMIENTO. 7. BALANCE Y SITUACIÓN RESULTANTE. 8. BIBLIOGRAFÍA Y DOCUMENTACIÓN CONSULTADA.

1. ANTECEDENTES

Con respecto a la OT en la comunidad autónoma de Castilla y León, lo primero que hay que mencionar es el esfuerzo y dedicación que algunos de los gobiernos regionales le han dedicado a esta materia, bastante antes de que se promulgara una Ley de Ordenación del Territorio que estableciera las bases de la política territorial y los instrumentos para la planificación. El conocimiento profundo sobre las particularidades del territorio, sus problemas y carencias y, de forma particular, la necesidad de reforzar la estructura territorial y de abordar, entre otros, una situación tan crítica en la región como eran y son (entre otros) los problemas organizativos y de gestión del ámbito rural y de la prestación racional de los servicios, impulsaron distintas iniciativas/políticas institucionales en materia de ordenación territorial.

Durante la década de los ochenta del siglo pasado, se realizó una amplia serie de estudios que fueron la base posterior del que sería documento embrión de las Directrices de Ordenación Territorial. El trabajo pionero se llevó a cabo en los albores de la España autonómica, en 1985, cuando la Consejería de Presidencia y Administración del entonces gobierno socialista de Castilla y León Territorial, encargó el "Estudio y Propuesta de Comarcalización de Castilla y León". De dicho estudio surgirían los denominados Espacios Comarcales de Actuación, que habrían de servir –en sus 57 propuestas comarcales– como ámbitos de referencia para una adecuada prestación de servicios (Manero, 2012) La definición se hizo desde criterios fundamentalmente funcionales (áreas de influencia socioeconómica de unos núcleos previamente identificados como cabeceras) y territoriales y revisando, en ocasiones (comarca de Tierra de Campos), la importancia de la provincia. El resultado fue que una decena de los espacios comarcales traspasaba los límites provinciales, generando problemas de gestión (Santos y Peiret, 2001).

Unos años más tarde, la creación de la Base de Datos Municipal de la CA de Castilla y León (1987) y la encuesta municipal de 1990, proporcionaron abundante información estadística que le permitió a la Junta analizar el ámbito funcional de las ciudades y los centros comarcales de servicios (Santos y Peiret, 2001). En 1994 la Junta encargó un modelo funcional de territorialización de servicios, del que surgieron las denominadas "Comarcas Funcionales de Síntesis". En 1995, tres años antes de que se promulgara la Ley de Ordenación del Territorio de Castilla y León, la Junta licitó el Contrato de Asistencia Técnica para las Directrices de Ordenación Territorial de Castilla y León: exploraciones iniciales e hipótesis del modelo territorial (BOCyL de 28/04/1995) Este nuevo estudio, que marca el inicio de los trabajos de las Directrices de Ordenación, asumió las denominadas Comarcas Funcionales de Síntesis, con la denominación de "áreas funcionales" del territorio, "definidas claramente como territorios de escala comarcal que se constituyen en las piezas básicas para articular el 'territorio regional en ámbitos de escala abordable para corregir desequilibrios y aplicar programas de dinamización' (Junta de Castilla y León, 1996, 21)" (Santos y Peiret, 2001).

Desde finales de los años ochenta y durante la década de los noventa se instauraron medidas de gestión ambiental y de protección de áreas de singular relevancia ecológica. A principios de esta misma década vieron la luz el Plan Director Regional de Gestión de Residuos Sólidos Urbanos (decreto 90/1990 de 31 de mayo), la Ley 8/1991, de 10 mayo por la que se regula los Espacios Naturales Protegidos y la Ley 6/1992 sobre la Protección de los Ecosistemas Acuáticos y de Regulación de la Pesca y la 4/1996, sobre la caza. La sensibilidad hacia las cuestiones de urbanismo y ordenación territorial se vio también reflejada en una serie de medidas que permitieron sentar los cimientos de las iniciativas posteriores y que simbolizaron el sesgo de las preocupaciones institucionales al respecto. Con el fin de potenciar el desarrollo económico de la región, se promulgó la Ley 10/1990, de 28 de noviembre, de creación de la Empresa Pública "Parque Tecnológico de Boecillo, S.A". El mismo año se dictó la Ley 2/1990, de 16 de marzo, de Carreteras de la Comunidad de Castilla y León. Un año más tarde se llevó a término la Ley 1/1991, de 14 de marzo, por la que se crea y regula la Comarca de El Bierzo. De 1997 es la Ley 10/1997, de 19 de diciembre, de Turismo de Castilla y León.

La normativa de ordenación territorial se inició, formalmente en 1998, con la Ley 10/1998, de 5 de diciembre, de Ordenación del Territorio de Castilla y León. Como hemos podido comprobar, esta ley no nació en el vacío. Para entonces, el gobierno de Castilla y León había puesto en marcha numerosas iniciativas y contaba, además, con una más que abundante información sobre el territorio regional. Las particularidades, los problemas, las necesidades y las alternativas para abordarlos habían llenado muchas páginas de informes y estudios científicos. Así lo señalan López Trigal et al. cuando dicen que "todos sabemos que Castilla y León es un territorio ampliamente estudiado", aunque a renglón seguido añaden que "más parece que la región ha sido más descrita que comprendida[1]" (López Trigal et al., 2002, 108).

Mejor o peor conocidos, el hecho es que la Ley LOTCyL se enfrentó a los importantes desafíos que imponen dos rasgos que son propios de

---

1. El propio López Trigal realizó años más tarde una recopilación pormenorizada y exhaustiva de las "Contribuciones al análisis geográfico y diagnóstico de Castilla y León". Véase en *Polígonos. Revista de Geografía*, 19 (2009) 9-29.

una serie de CCAA, pero que, en el caso de Castilla y León, adquieren el carácter de hechos distintivos de esta Comunidad Autónoma. "De un lado, la magnitud y complejidad de un territorio fuertemente desequilibrado, con dificultades aún de cohesión y de insuficiente valorización de sus recursos; y, de otro, su preocupante debilitamiento demográfico, expresión de una crisis estructural, no resuelta, que [...] hace mella tanto en los espacios urbanos como en los rurales (Manero, 2012, 129). De forma muy expresiva habla Gutiérrez Plaza (2010) sobre la estructura poblacional de la región, que dibuja una pirámide de población descoyuntada, en un contexto lastrado por la excesiva atomización municipal, por la dispersión de la población, la marcada desigualdad entre provincias y una marcada dicotomía entre las áreas de dominante rural y las que concentran la actividad industrial, concentrada en pocos espacios bien delimitados.

2. NORMATIVA BASE

La legislación básica de Ordenación del Territorio en Castilla y León es una cuestión compleja y es, sobre todo, el resultado de un largo proceso de desencuentros políticos ocasionados por las diferencias e intereses en torno a las competencias. Este conflicto se ha producido precisamente en una CA de enorme extensión y muy desestructurada en la que existía –y sigue existiendo– la necesidad apremiante de una restructuración territorial que permita superar los problemas que acarrea el excesivo número de demarcaciones territoriales creadas con diferentes fines (Partidos Judiciales, Zonas Básicas de Salud o de Acción Social, Comarcas Agrarias, comarcas LEADER y PRODER). Los distintos gobiernos regionales fueron muy tempranamente conscientes del problema y de que era preciso crear unidades de ordenación intermedia entre los municipios y las provincias e identificar espacios funcionales cuyos centros puedan ejercer una verdadera dinamización territorial. Sin embargo, las propuestas de comarcalización y de definición de áreas funcionales que mencionábamos anteriormente no prosperaron; tampoco lo hicieron otras que se propusieron posteriormente y tanto el problema como el conflicto continuaron.

Como resultado de las desavenencias esta CA dispone actualmente de dos leyes de base que regulan la ordenación del territorio: Ley 1/2013, de 28 de febrero, de modificación de la Ley 10/1998, de 5 de diciembre, de Ordenación del Territorio de la Comunidad de Castilla y León y la Ley 7/2013, de 27 de septiembre, de Ordenación, Servicios y Gobierno del Territorio de la Comunidad de Castilla y León (LORSERGO o LOSGT). Sin que se hubieran cumplido los objetivos y las determinaciones que estableció la primera de ellas, es decir, sin que se hubiera conseguido crear las áreas funcionales, en 2013 se promulgó la segunda. El título de ambas leyes indica ámbitos diferentes, pero también solapamiento, en tanto que las dos se ocupan de la ordenación del territorio. Como señala Heredero (2014), ninguna de las materias que regula la Ley de Ordenación, Servicios y Gobierno del territorio de la Comunidad de Castilla y León son novedosas para el legislador autonómico de Castilla y León. Las cuestiones que regula encontraban antes su acomodo en la preexistente Ley de Ordenación del Territorio.

No cabe duda de que la Ley 7/2013 surge en el intento de atajar los problemas que se avecinaban con la inminente Ley de racionalización y sostenibilidad de la Administración Local (LRSAL, Ley 27/2013, de 27 de diciembre). La siempre necesaria agrupación de municipios en unidades de ordenación y gestión, la posibilidad de la gestión coordinada que proporciona la LRSAL y un objetivo más centrado en la provisión y organización racional de los servicios puede ser la justificación para crear este nuevo marco legal. De hecho, la propia Ley así lo justifica cuando señala que la LRSAL regula una serie de medidas preventivas, correctivas y coercitivas que pueden suponer en el caso de las corporaciones locales la disolución de los órganos de la Corporación Local incumplidora. Frente a esta situación, la LORSERGO pretende dotar a las corporaciones locales de un nuevo instrumento: las Mancomunidades de interés general. Según define la Ley 7/2013, estas nuevas unidades tienen la condición de entidad local de base asociativa y carácter voluntario, con personalidad jurídica propia y capacidad de obrar plena e independiente de los municipios que la integran, para el cumplimiento de sus fines específicos. Se considera que estas nuevas mancomunidades presentan importantes ventajas respecto de las numerosas ya existentes en este momento y permiten gestionar con eficiencia los recursos municipales a través de la generación de economías de escala.

Además de las Mancomunidades de interés general, la Ley 7/2013 creaba:

- El sistema de Unidades Básicas de la Ordenación y Servicios del Territorio (UBOST), definidas como espacios funcionales delimitados geográficamente, que constituyen la referencia espacial y el parámetro básico para el desarrollo de la ordenación del territorio de Castilla y León. Excepcionalmente, estas unidades podrán agrupar a municipios de más de una provincia (de nuevo se contempla el caso de Tierra de Campos).

- Las áreas funcionales, que se definen como espacios delimitados geográficamente para el desarrollo de la ordenación del territorio de Castilla y León y la aplicación de sus instrumentos y herramientas de planificación y gestión. Las áreas funcionales pueden ser estables (permanecen en el tiempo) o de duración determinada, con fines estratégicos temporales. Estas entidades se constituyen mediante la unión de Unidades Básicas y sus municipios colindantes o de varias Unidades Básicas. Su delimitación se realiza mediante el correspondiente instrumento de ordenación del territorio de ámbito subregional.

La Ley ordenaba igualmente que en los próximos años se realizara el mapa de UBOST de la CA, cuya aprobación se realizaría mediante una norma con fuerza de ley, y que precisaría el apoyo de dos tercios de las Cortes de Castilla y León.

La aprobación de la Ley parece que fue ya polémica, aunque finalmente los dos partidos principales del gobierno (PP y PSOE) llegaron a un acuerdo. Un año después de la aprobación, la Junta promulgó la Ley 9/2014, de 27 de noviembre, por la que se declaran las áreas funcionales estables en Castilla y León. Para 2014 también, ya estaba hecho el mapa de las UBOST y, durante 2015, la Junta lo sometió a información pública y alegaciones. En enero de 2017 la Junta aprobó el Proyecto de Ley por el que se aprobó el mapa de Unidades Básicas de Ordenación y Servicios del Territorio (UBOST) de la Comunidad. Todo este proceso de tramitación se ha llevado a cabo con un importante despliegue de participación institucional y ciudadana que, a su vez, ha tenido un importante eco mediático.

La nueva estructuración y sus unidades básicas parecían ya una realidad. Sin embargo, en un proceso de deriva y de desavenencias políticas cuyos detalles no tienen cabida en estas páginas, a finales de 2019 el gobierno de la Comunidad Autónoma todavía no ha conseguido sacar adelante la ley de las unidades básicas. Tras la aprobación del Proyecto de Ley, parece que la tramitación se ha paralizado nuevamente, a la vez que se ha reabierto e intensificado el conflicto político. El 21 de enero de 2018, pocos días antes de que se cumpliera el año desde la aprobación del mapa de UBOST, el periódico La Vanguardia[2] hacía el resumen de los desencuentros, declaraciones y enmiendas que habían producido por parte de los representantes políticos. La situación a finales de 2018 es tan incierta e insegura como lo ha venido siendo desde hace años.

---

2. https://www.lavanguardia.com/politica/20180121/44181522990/un-ano-de-atasco-en-ordenacion-de-aflorar-en-primavera-a-la-congelacion.html.

Tabla 1. Marco regulador e instrumental de la Ordenación del Territorio en Castilla y León

Comunidad Autónoma	Castilla y León
Antecedentes normativos	LEY 3/2010, de 26 de marzo, de modificación de la Ley 10/1998, de 5 de diciembre, de Ordenación del Territorio de la Comunidad de Castilla y León
Legislación OT actual	LEY 1/2013, de 28 de febrero, de modificación de la Ley 10/1998, de 5 de diciembre, de Ordenación del Territorio de la Comunidad de Castilla y León Ley 7/2013, de 27 de septiembre, de Ordenación, Servicios y Gobierno del Territorio de la Comunidad de Castilla y León
Departamento OT actual	Consejería de Fomento y Medio Ambiente. Dirección General de Vivienda, Arquitectura y Urbanismo
Plan OT regional	Directrices Esenciales de Ordenación del Territorio de Castilla y León
Entrada en vigor (año)	2008
Normativa de aprobación	LEY 3/2008, de 17 de junio, de aprobación de las Directrices Esenciales de Ordenación del Territorio de Castilla y León
Organismo impulsor	Inició la Consejería de Medio Ambiente y Ordenación del Territorio y posteriormente, tras una restructuración de consejerías, pasa a la de Fomento y Medio Ambiente
Realización técnica	Taller de Ideas. Contrato de Asistencia Técnica "UR-00-002/95-AT-C"
Periodo tramitación DOT	Febrero de 1999 – junio de 2008 ACUERDO de 4 de febrero de 1999, de la Junta de Castilla y León, por el que se inicia el procedimiento de elaboración de las directrices de Ordenación del Territorio de Castilla y León LEY 3/2008, de 17 de junio, de aprobación de las Directrices Esenciales de Ordenación del Territorio de Castilla y León
Otros planes OT	Directrices de Ordenación de Ámbito Subregional Planes Regionales de Ámbito Territorial y Sectorial y Proyectos Regionales Planes de Ordenación de Recursos Naturales

Fuente: Elaboración propia a partir del Boletín Oficial de Castilla y León y del Gobierno de Castilla y León

3. ESQUEMA DE INSTRUMENTOS

La LOTCyL creó un sistema de planeamiento territorial integrado por cuatro instrumentos que se configuran de forma independiente. No guardan relación jerárquica entre ellos, de modo que se pueden aprobar indistintamente sin necesidad de la aprobación previa de alguno de ellos. Pese a ello, sí existe un instrumento que debe actuar como marco referencia para los demás, en el sentido de que tiene como finalidad la definición del modelo territorial y la de fijar la política territorial de la Comunidad Autónoma. Se trata de las denominadas Directrices de Ordenación del Territorio (DOTCyL) de la Comunidad Autónoma de Castilla y León.

Para la ordenación del espacio subregional, la Ley creó otros tres grupos de instrumentos. Por un lado, las Directrices de Ordenación de Ámbito Subregional (DOAS), concebido como instrumento ordinario de ordenación territorial y, por otro, los Planes y Proyectos Subregionales. Estos últimos están destinados a la intervención directa en la Ordenación del Territorio de la Comunidad. Por último, están los Planes de Ordenación de los Recursos Naturales. Instrumentos de ordenación del territorio a los que la Ley dedica tan sólo el artículo 26, integrado en el capítulo V, que no aborda realmente su regulación, toda vez que se remite a lo establecido en la normativa específica sobre conservación de los espacios naturales y de la flora y fauna silvestre.

Los instrumentos de ordenación del territorio son vinculantes para los planes y programas con incidencia territorial, debiendo establecer ellos mismos, en cada caso, la eficacia vinculante. Las determinaciones que incluyan deberán calificarse en función de su alcance, como de aplicación plena (determinaciones vinculantes, que modifican directamente los planes y programas vigentes a los que resulten contrarias), de aplicación básica (también vinculantes, pero sólo en cuanto a sus fines) o bien de aplicación orientativa (con carácter de recomendaciones).

Tabla 2. Instrumentos de planificación territorial en Castilla y León

TIPO	CARÁCTER	INSTRUMENTO	ÁMBITO
Instrumentos de planificación	Territorial	Directrices de Ordenación Territorial DOT	Regional
		Directrices de Ordenación de Ámbito Subregional DOAS	Subregional
		Proyectos Regionales de Ámbito Territorial PRAS	
		Proyectos Regionales de Ámbito Sectorial PRAS	Regional
Instrumentos mixtos: planificación y gestión	Sectorial	Proyectos Regionales PYIC	Subregional

Fuente: Elaboración propia

3.1. LAS DIRECTRICES DE ORDENACIÓN TERRITORIAL DE CASTILLA Y LEÓN: DIRECTRICES ESENCIALES Y DIRECTRICES COMPLEMENTARIAS

La Ley 10/1998 de OT de Castilla y León atribuyó a las Directrices de Ordenación Territorial los objetivos fundamentales de definir el modelo territorial de la CA, establecer el marco de referencia para los demás instrumentos y orientar la política territorial de la Junta para garantizar los objetivos de la misma. La Ley también señala que el modelo territorial que se definiera debía ser capaz de promover la articulación e integración de su territorio y su conexión con el exterior de la CA, con especial atención a los núcleos que por sus características y posibilidades pudieran constituirse en centros de desarrollo comarcal. Los problemas organizativos y de gestión de los ámbitos rurales, el excesivo número de municipios, su dispersión e incapacidad para movilizar recursos propios, la compleja amalgama de demarcaciones diferentes, en función de cada plan o servicio público explican que la preocupación fundamental del gobierno regional fuera la aplicación de políticas que permitieran la racionalización de los servicios.

La particularidad más importante del instrumento regional de ordenación es el hecho de que se debe realizar y aprobar en lo que podemos considerar como dos fases, complementarias en sus funciones y contenidos pero independientes en su proceso de realización, denominación y aprobación. La primera fase se corresponde con las que se denominan Directrices Esenciales y la segunda con las denominadas Directrices Complementarias. La LOTCyL estableció que se realizarían en primer lugar las Directrices Esenciales, cuya aprobación, en forma de ley, debía ser realizada por las Cortes. Solo tras haber transcurrido dos años se podían aprobar las Directrices Complementarias, esta vez en forma de decreto y por parte de la Junta de Castilla y León. Independientemente de su diferente rango jurídico (legislativo el primero y reglamentario el segundo), ambas Directrices forman una unidad en su calidad de instrumento marco para la ordenación territorial.

La separación de fases en el procedimiento dio pie a lo que en realidad ocurrió, es decir, a que se aprobaran las Directrices Esenciales y no se llevaran a término las Directrices Complementarias, quedando el instrumento regional de ordenación sin completar. La consecuencia más notable fue que se quedaran sin definir las áreas funcionales, cuya demarcación era esencial para conseguir los objetivos de racionalización espacial de los servicios, dimensión esta de capital importancia para el reequilibrio funcional del territorio castellano-leonés. Lo más sorprendente del caso es que el documento de Avance de las DOTCyL, del año 2000, ya contenía tanto las Directrices Esenciales como las Complementarias y, como ya se ha señalado previamente, la identificación de 47 propuestas comarcales, definidas con criterios funcionales. Para Molina de la Torre (2012:47) se trata de un "hecho significativo de la escasa voluntad política para establecer los criterios sobre los que ha de asentar la ordenación territorial de Castilla y León".

Habrá que esperar hasta 2014 para que se cree y apruebe el mapa de áreas funcionales de la Comunidad Autónoma, que como ya se ha señalado se produjo dentro de un contexto de reforma de la ley de ordenación que se puede calificar de sorprendente y, sobre todo, de ruptura con la trayectoria previa de la ordenación del territorio en la Comunidad Autónoma.

En estricto cumplimiento de lo establecido por la Disposición Adicional Segunda de la Ley 10/1998, el 4 de febrero de 1999, la Junta de Castilla y León tomó el acuerdo por el que se iniciaba el procedimiento de elaboración de las Directrices. La tarea correspondía al órgano competente, que era entonces la Consejería de Medio Ambiente y Ordenación del Territorio. La Ley determinó también que la Junta disponía de un plazo no superior a un año para la elaboración de la documentación necesaria para iniciar el procedimiento de aprobación. Este último debía producirse en el plazo máximo de cinco años desde la entrada en vigor de la Ley. (Disposición Adicional Tercera, posteriormente derogada).

La Junta, que disponía de cinco años para elaborar toda la información necesaria para iniciar la aprobación, no tardó más que una semana en emitir la orden que anunciaba el inicio del procedimiento de aprobación de las Directrices (Orden de 11 de febrero de 1999). El proceso parecía seguir su curso cuando la Junta emitió, el 24 de noviembre de 2000, la Orden por la que se abría el período de información pública y audiencia a las Administraciones Públicas sobre las Directrices de Ordenación del Territorio de Castilla y León. El 8 de marzo de 2001 la Secretaría General de la Consejería de Fomento anunció la licitación por concurso del contrato de consultoría y asistencia para la elaboración del documento final de las Directrices. Sin embargo, la ampliación del período de información pública y audiencia[3] (ORDEN de 22 de marzo de 2001) obligó a emitir una resolución que dejaba sin efecto el anuncio de licitación (Resolución de 11 de julio de 2001).

---

3. De hecho, dicho período se había prolongado bastante ya que, en aquel momento, su duración era de tres meses. En 2010 el plazo se redujo a 45 días.

A partir de la Resolución que dejó sin efecto el procedimiento de licitación, el proceso de aprobación de las Directrices se interrumpió bruscamente y habrá que esperar hasta 2006, es decir, siete años desde la aprobación de la LOTCyL, para encontrar una nueva referencia a las mismas. Fue en agosto de 2006, cuando la Consejería de Fomento (BOCyL de 01/08/2006) hizo público un anuncio en el que se informaba de la apertura del trámite de información pública del anteproyecto de Ley para la aprobación de las Directrices Esenciales y su Informe Ambiental durante el plazo de un mes. Dos años más tarde, en 2008, se promulgó la Ley 3/2008 17 de junio, de aprobación de las Directrices Esenciales de Ordenación del Territorio de Castilla y León. Habían trascurrido, en total, no cinco años sino diez.

Hemos visto que, aunque el período de elaboración y aprobación de las DOT se prolongó durante más de una década, la elección del tipo de instrumento de ordenación regional se hizo muy tempranamente. Recordemos que ya en 1995 se realizó el Contrato de Asistencia Técnica para las Directrices de Ordenación Territorial de Castilla y León. Con esto queremos señalar que el gobierno regional optó por la figura de las directrices y no la de plan, como habían hecho otras comunidades autónomas como Andalucía, Cantabria, Cataluña o Valencia. En el caso de Castilla y León, se trataba de elaborar "no tanto un plan de ordenación del territorio específico, que no parece encontrarse reflejado en su formulación y en su planteamiento en ningún momento de la redacción del mismo, sino que más bien persiguen diseñar, en consecuencia también con la política de desarrollo y ordenación del territorio de la Unión Europea, un escenario voluntarista." (Gutiérrez Plaza, 2010, p. 544). Esta decisión hay que interpretarla a la vista de lo que ocurrió en otras administraciones, que aprobaron con carácter de plan documentos con un reducido nivel de precisión. La administración castellano-leonesa operó con la voluntad de llegar a materializar la aprobación del instrumento, pudiendo incorporar también el suficiente contenido en sus determinaciones, como para superar los contenidos de instrumentos de ordenación del territorio que habían sido calificados como planes (López Trigal et al., 2002, p. 97).

Sea como fuere, el hecho es que las DOT se caracterizan por ser un documento generalista, de escasa concreción, máxime teniendo en cuenta que no llegara a aprobarse la segunda parte, es decir, las Directrices Complementarias. El hecho de que estas últimas se postergaran o aplazaran y quedaran sin definir las áreas funcionales mostraba una vez más la incapacidad del gobierno autonómico, o su falta de energía, para llevar adelante una delimitación territorial que ponía en cuestión los bordes provinciales y que contaba con la oposición de los defensores a ultranza del hecho provincial.

Acorde con los objetivos fundamentales de la política territorial y de los instrumentos de ordenación, las Directrices dedican especial atención a las cuestiones de la estructura territorial como ejes de actuación prioritarios para la mejora socioeconómica y para hacer frente a los problemas de despoblación, envejecimiento y de desequilibrio interno/intrarregional. Lo que López Trigal et al. (2002) denominan las piezas de articulación –las infraestructuras y los corredores viarios– en algunos casos bastante olvidados por entonces. (corredor del Duero, Vía de la Plata, Camino de Santiago). Concretamente, las DOTCyL:

- Identifican los corredores territoriales que asegurarán la conexión con los territorios limítrofes y con Europa y que, por tanto, deberán ser objeto de acciones de mejora de las infraestructuras de comunicación y transportes.

- Definen las estrategias para salvar el aislamiento que generan los bordes montañosos y para potenciar la integración territorial y complementariedad con las Comunidades Autónomas vecinas.

- Establecen los criterios que definen la jerarquía de centros urbanos, como elementos estructuradores del territorio. En función del número de habitantes se definen los nodos de la red urbana y las funciones que deben cumplir. Señalan, igualmente, el criterio básico para la definición de las futuras áreas funcionales, que serán establecidas (de forma orientativa) por las Directrices Complementarias. (Artículo 10.1c de la Ley 3/1998, establece que las Directrices debían contener una "delimitación de los ámbitos geográficos funcionales de Castilla y León, como unidades elementales para la Ordenación del Territorio".

- Señalan la tipología de polos estratégicos, entendidos como lugares que concentran actividades de excelencia de rango regional, y que desempeñan una función complementaria de los centros urbanos de referencia, definen sus funciones y determinan que serán las Directrices Complementarias las que identifiquen los polos de forma concreta.

- Establecen las provincias que serán objeto de acción pública en materia de aeropuertos.

La vigencia de las Directrices es, en principio, indefinida, pero su revisión deberá iniciarse antes de que transcurran 8 años desde su entrada en vigor. Aunque el plazo para su revisión se habría cumplido en 2016, la Junta de Castilla y León no ha procedido a iniciar el trámite.

En lo que se refiere al seguimiento del cumplimento e implementación, la Ley de Ordenación 10/1998, establece que la Junta de Castilla y León, a través de la Consejería competente, informará anualmente a las Cortes de la aplicación de las DOT y del cumplimiento de sus previsiones.

3.2. DIRECTRICES DE ORDENACIÓN DE ÁMBITO SUBREGIONAL (DOAS)

Las denominadas DOAS son el instrumento de ordenación en esta escala. Pese a no existir una relación de tipo jerárquico entre los instrumentos, las DOAS se pueden considerar, a efectos prácticos, como herramientas de segundo nivel, en tanto que se apoyan en las DOT y desarrollan, con un mayor nivel de concreción las determinaciones de aquellas. Así lo determina la LOTCyL que, en este aspecto, resulta contradictoria, al permitir que se pueda aprobar cualquiera de los instrumentos de ordenación antes de que se aprueben las Directrices Generales. López Trigal et al. (2002) califican el hecho como una quiebra en la coherencia de la Ley, comentario este que hicieron a propósito de la aprobación en 2001 de las DOAS de Valladolid y entorno.

Esta figura de ordenación tiene como objetivo la planificación de las áreas de la Comunidad que precisen una consideración conjunta y coordinada de sus problemas territoriales. Cabría esperar que las directrices subregionales se apoyaran en las áreas funcionales que, según la propia LOTCyL en su art. 10, deberían ser delimitadas por las DOT. Por eso extraña que ya en la Exposición de Motivos de la Ley se afirme, literalmente, que serán las propias DOAS las que establezcan –y justifiquen– su ámbito de actuación, sin perjuicio de que las Directrices regionales establezcan una delimitación de referencia. Justifica la Ley que no se quieren prejuzgar las necesidades de ordenación futuras, ya que los problemas territoriales difícilmente se adaptan a los límites administrativos. De ahí que se considere que el rasgo fundamental de esta figura está en la flexibilidad de su delimitación que permitirá atender a las exigencias de la realidad territorial y sus problemas y oportunidades, según emerjan en cada momento. No pretendemos negar lo acertado de este planteamiento o el hecho de que puedan o deban existir unidades de ordenación de distinta escala o funciones, se trata simplemente de hacer notar que habría cabido esperar de las DOT un pronunciamiento más claro y una reflexión más elaborada al respecto con indicación de la función o especificidad de los distintos tipos de DOAS[4].

La LOTCyL otorgó también a las DOAS funciones que trataban de cubrir la debilidad del planeamiento a nivel local. El apartado 5. de la Exposición de motivos plantea como posibilidad, en cierto modo estratégica, la de incluir en estos instrumentos normas urbanísticas subsidiarias de los planes municipales. Con ello se pretendía suplir la inexistencia de ordenación urbanística a nivel municipal, considerado como uno de los más graves problemas territoriales de la región, especialmente en la periferia de las grandes ciudades. En principio, no se trataba de arrebatar competencias a los poderes locales, puesto que se señalaba explícitamente que la vigencia de las posibles normas municipales se extinguiría cuando el municipio afectado dispusiera de planeamiento propio. En cualquier caso, esta determinación quedó derogada por la Ley 7/2013, de 27 de septiembre, de Ordenación, Servicios y Gobierno del Territorio de la Comunidad de Castilla y León.

La importancia que la Ley concede a las DOAS se hace evidente al comprobar que, al igual que ocurre con las Directrices Generales, sus determinaciones son vinculantes para los planes, programas de actuación y proyectos de las Administraciones públicas y de los particulares. Sin embargo, a diferencia de aquellas, la LOTCyL otorga una dimensión diferente al permitir en este caso que su elaboración pueda ser promovida, de forma indistinta, por la Junta de Castilla y León, por los Consejos Comarcales en su ámbito territorial y por los Ayuntamientos que representen más de un 50% de población y superficie del ámbito que propongan. Se aplica aquí el criterio de flexibilidad comentado, no estableciendo de

---

4. Esto que no queda claro en las DOT, si parece estarlo en los pliegos de condiciones que la administración redacta. Así lo afirma Santos y Ganges (2009): La Junta de Castilla y León distingue acertadamente tres tipos de Directrices de Ordenación de ámbito Subregional en sus memorias y pliegos de contratación: las de ámbito provincial, las de área funcional del territorio y las de área urbana. Según el criterio del gobierno autonómico, las Directrices de Ordenación Provincial -DOP- son óptimas en principio para aquellos territorios "que poseen un carácter urbano-territorial menos complejo en su gestión", es decir, allí donde no hay razones urbanísticas de otra índole que aconsejen formar Directrices de escala comarcal o urbano-supramunicipal. [...] Por su parte, las Directrices de Ordenación de Área Urbana estarían destinadas a ordenar el "entorno metropolitano de los nodos urbanos", mientras que las Directrices de Ordenación de Áreas Funcionales, que planifican las Áreas Funcionales del Territorio propuestas en la información pública de las DOT de Castilla y León, tendrían por objeto centrarse en la ordenación de aquellas comarcas o espacios más o menos "funcionales" que exigen una actuación pública de articulación territorial del medio rural con sus centros de servicios.

antemano el ámbito de aplicación y abriendo la puerta a la iniciativa de las distintas instancias administrativas. Consecuentemente, deben ser las propias DOAS las que delimiten el ámbito geográfico objeto de ordenación, justificando las razones que avalen la selección realizada, especialmente cuando esta no se corresponda con los límites provinciales o comarcales establecidos. No obstante la necesaria flexibilidad, las DOAS pueden adoptar una delimitación de referencia. Señala en este momento que la comarca, por su dimensión funcional y, sobre todo, la provincia, bien consolidada social y administrativamente, son ámbitos idóneos para la articulación territorial.

Igualmente flexible se muestra la Ley con respecto a las determinaciones que deben incluir las DOAS. Sorprende en este sentido el artículo 17, que expone por una parte una lista pormenorizada de determinaciones, indicando por otra parte que los documentos podrán contener, optativamente, algunas de ellas o todas. Se seguirá para su elección un criterio de coherencia con respecto a los objetivos y funciones del instrumento en particular. Se puede decir por ello que más que determinaciones habría que hablar de sugerencias.

El hecho es que pese al destacado papel que se otorgó a esta figura de ordenación, la realidad muestra que su éxito ha sido más bien escaso. Se ha utilizado exclusivamente en cuatro ocasiones, con tres escalas distintas. En 2001 y 2005 se aprobaron las DOAS de las capitales y entorno de Valladolid y Segovia, respectivamente. En 2009 se promulgaron las DOAS de la provincia de Palencia y, en 2011, las correspondientes a la Montaña Cantábrica Central. Se habrían iniciado los trabajos para las DOAS de las provincias de Salamanca y Soria, las de las áreas urbanas de Burgos, León y Salamanca, las de las áreas funcionales de El Bierzo, Miranda de Ebro, Aranda de Duero, Ávila, Palencia, Zamora y las de las mancomunidades del Alto Águeda y Almazán. Todos estos trabajos sufrieron diversos avatares y, claro está, quedaron abortados. El escaso peso político de la ordenación del territorio y la consecuente escasez de medios serían los responsables (Santos y Ganges, 2007). Manero (2012) considera que esta figura se ha utilizado con cautela y con muchas intermitencias y frecuentes conflictos en su tramitación, que la trayectoria seguida tras su aplicación no ha estado a la altura de las necesidades de la Comunidad y que sus resultados distan mucho de corresponderse con los objetivos que las explicitan en el Capítulo III de la LOT. En cualquier caso, aunque la valoración del profesor Manero sea indiscutible, creemos que también lo es la gran calidad de los trabajos realizados. Plaza Gutiérrez (2010) fue especialmente crítico con las DOAS de la Montaña Central, cuya tramitación siguió los procedimientos de urgencia que fueron introducidos por la reforma de la LOTCyL de 2010[5]. El apoyo que habrían recibido estas Directrices por parte de la Junta de Castilla y León escondería los intereses en torno a la construcción de un complejo de esquí alpino en zonas de montaña y, por supuesto, sus impactos.

En relación al ámbito temporal, la Ley 3/1998 no señala ningún plazo de vigencia para las DOAS y encarga al propio instrumento la determinación de dicho plazo, salvo que concurra alguna situación extraordinaria que exija la modificación.

Figura 2. Situación del planeamiento subregional en Castilla y León

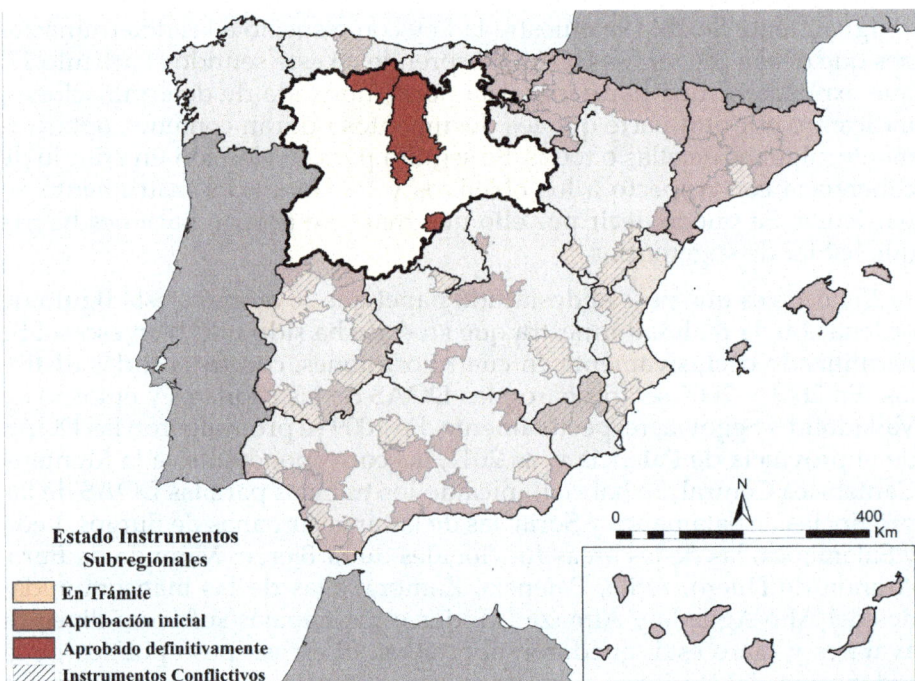

Fuente: Elaboración propia

3.3. PLANES REGIONALES DE ÁMBITO TERRITORIAL Y SECTORIAL Y PROYECTOS REGIONALES

Bajo el epígrafe de Planes y Proyectos Regionales, la Ley 10/1998 agrupa tres tipos de figuras, concebidas como instrumentos de intervención directa

---

5.   LEY 3-2010, de 26 de marzo, de modificación de la Ley 10-1998.

en la Ordenación del Territorio de la Comunidad Autónoma. Dos de estos instrumentos siguen la estructura que organiza la ordenación en ámbitos territoriales y sectoriales, habitual en muchas de las CCAA. Se trata de los Planes Regionales de ámbito territorial y de los Planes Regionales de ámbito sectorial. El tercero es un instrumento más novedoso, presente solo algunas de las CCAA que cuentan con herramientas a escala de proyecto. En el caso de Castilla y León, son los denominados Proyectos Regionales. De cualquier modo, se incluyeron los tres en un único apartado de la Ley (Capítulo IV) porque, para agilizar en lo posible el proceso de ejecución, en todos los casos las licencias y autorizaciones exigibles se deben tramitar por procedimientos de urgencia aplicables según legislación vigente o, en su defecto, con aplicación de criterios de prioridad y urgencia.

Tramitaciones y denominaciones similares –territorial/sectorial, esconden atribuciones muy distintas. En algunos casos, como ocurre en la Comunidad Autónoma del País Vasco, los instrumentos territoriales y sectoriales guardan una relación jerárquica (en ocasiones más teórica que real), siendo los primeros los de mayor orden de prelación. Esto es así cuando se pretende que la herramienta territorial garantice la coherencia y coordinación de las actividades sectoriales sobre el territorio. En el caso de Castilla y León, los planes territoriales no tienen esta función, siendo su objeto el de "planificar la ejecución de actuaciones industriales, residenciales, terciarias, dotacionales, de implantación de infraestructuras o de regeneración o renovación urbana, que se consideren de interés para la Comunidad". Por su parte, los Planes Regionales de ámbito sectorial tienen por objeto ordenar y regular las actividades sectoriales sobre el conjunto o partes de la Comunidad.

Los planes y proyectos son diferentes en lo que concierne a las entidades competentes para su promoción. Mientras los Planes Regionales pueden ser promovidos exclusivamente por la iniciativa pública, los Proyectos Regionales pueden ser promovidos indistintamente por la iniciativa pública o por la iniciativa privada.

Los Proyectos Regionales incorporan la escala de proyecto a los instrumentos de ordenación. La búsqueda de operatividad queda claramente expresada en el texto de la Ley 3/1998, cuando señala que estas figuras de ordenación tienen por objeto planificar y proyectar la ejecución inmediata de las infraestructuras, servicios, dotaciones e instalaciones de utilidad pública o interés social, que se consideren de interés para la Comunidad.

Con respecto a la vigencia de Planes y Proyectos, la Ley solo ha previsto la posibilidad de su caducidad, que queda regulada para el caso de incumplimiento por parte del promotor de las condiciones impuestas en el Decreto de aprobación. Si esto ocurre, la caducidad de un Plan o Proyecto se producirá mediante nuevo Decreto de la Junta de Castilla y León, que habilitará a la Junta para asumir directamente su gestión y ejecución.

El carácter estratégico que se les atribuyó a planes y proyectos condujo a las modificaciones de la LOTCyL en 2006 y 2010[6]. Ambas introdujeron condiciones de flexibilidad y trataron de facilitar el proceso de aprobación. La modificación sin duda más polémica es la que se realizó en 2006, cuando se cambió el apartado 6 del artículo 24, que modificó el procedimiento de aprobación en los siguientes términos: "Cuando se trate de un Plan o Proyecto Regional de excepcional relevancia para el desarrollo social o económico de Castilla y León, la Junta de Castilla y León podrá aprobarlo como Proyecto de Ley, remitiéndolo a las Cortes de Castilla y León para su tramitación parlamentaria". Ocho años más tarde, la Ley 7/2013, de 27 de septiembre, de Ordenación, Servicios y Gobierno del Territorio de la Comunidad de Castilla y León, derogó esta cláusula.

La vigencia de estos instrumentos de ordenación es indefinida, salvo en el caso mencionado de incumplimiento. La revisión y modificación de los Planes y Proyectos Regionales se ajustará al procedimiento establecido para su aprobación; no obstante, para las modificaciones el periodo de información pública y audiencia a las administraciones públicas será de un mes.

4. ÓRGANOS

4.1. CONSEJO DE MEDIO AMBIENTE, URBANISMO Y ORDENACIÓN DEL TERRITORIO DE CASTILLA Y LEÓN

Este órgano está regulado por el Decreto 24/2013 sobre funciones, composición y funcionamiento de las Comisiones Territoriales de Medio Ambiente y Urbanismo y del Consejo de Medio Ambiente, Urbanismo y Ordenación del Territorio de Castilla y León, y sus modificaciones parciales posteriores por Decreto 32/2014 de 24 de julio y Decreto 35/2017, de 16 de noviembre.

El Consejo de Medio Ambiente, Urbanismo y Ordenación del Territorio de Castilla y León está integrado en la Consejería de Fomento y Medio Ambiente. Es el órgano colegiado superior, de carácter deliberante y consultivo, destinado a asegurar la coordinación administrativa y la participación social en los procesos de elaboración, aprobación y ejecución del planeamiento urbanístico y territorial y en general en la actividad

---

6.   LEY 14-2006, de 4 de diciembre, de modificación de la Ley 10-1998 y LEY 3-2010, de 26 de marzo, de modificación de la Ley 10-1998.

urbanística en Castilla y León, así como en el ámbito de aplicación de la normativa sobre prevención ambiental. Con respecto a este último ámbito, la aprobación de la Ley de Prevención Ambiental de Castilla y León llevó a la modificación de las funciones del Consejo en la materia (DECRETO 35/2017, de 16 de noviembre).

El Consejo es competente para emitir informes:

- Sobre los planes y programas promovidos por la Administración del Estado que deban ser conocidos por la Administración de la Comunidad Autónoma a causa de su incidencia sobre el modelo territorial.

- Previos a la aprobación de los instrumentos de ordenación del territorio, incluidos los Planes de Ordenación de los Recursos Naturales.

- Previos a la aprobación definitiva de los instrumentos de planeamiento urbanístico cuya aprobación corresponda a la Administración de la Comunidad en los Municipios excepto aquellos con población comprendida entre 5.000 y 20.000 habitantes que no limiten con una capital de provincia.

Para el cumplimiento de sus funciones de asesoría y coordinación, se habilita a este órgano para emitir dictámenes de concertación y arbitraje para la resolución de las discrepancias que se susciten en materia de urbanismo y ordenación del territorio entre las administraciones públicas. Como órgano de coordinación, además de asesorar sobre la orientación y homogeneización de los criterios y actividades desarrolladas por las Comisiones Territoriales de Medio Ambiente y Urbanismo, puede proponer las instrucciones que se consideren más oportunas al respecto.

Composición del Consejo:

Presidente: la persona titular de la Secretaría General de la Consejería de Fomento y Medio Ambiente.

Vicepresidencias primera, segunda y tercera: personas titulares de los centros directivos competentes en materia de prevención ambiental, urbanismo y planificación de la gobernanza, administración y servicios en el territorio.

Las vocalías cuentan con una amplia representación de los distintos departamentos del gobierno regional y local, de las organizaciones profesionales y sindicales. Están integradas por representantes, designados por la Consejería de Fomento y Medio Ambiente, a propuesta de las siguientes entidades:

- Cada una de las Consejerías de la Junta de Castilla y León.

- La Administración General del Estado.

-   La Confederación Hidrográfica del Duero.
-   La Federación Regional de Municipios y Provincias (cuatro vocalías).
-   Las centrales sindicales más representativas en Castilla y León.
-   Las asociaciones empresariales más representativas en Castilla y León.
-   Las organizaciones profesionales agrarias más representativas en Castilla y León.
-   Las asociaciones y organizaciones no gubernamentales de ámbito regional que tengan por objeto la defensa del medio ambiente.
-   Los colegios profesionales cuyos colegiados sean competentes en materias afectadas por las funciones del Consejo.
-   El Consejo de los Colegios Profesionales de Secretarios, Interventores y Tesoreros de la Administración Local de Castilla y León.
-   Vocalías de libre designación (máximo de tres), personas designadas por la Consejería de Fomento y Medio Ambiente

4.2. COMISIONES TERRITORIALES DE MEDIO AMBIENTE Y URBANISMO

Este órgano está regulado por el Decreto 24/2013 sobre funciones, composición y funcionamiento de las Comisiones Territoriales de Medio Ambiente y Urbanismo y del Consejo de Medio Ambiente, Urbanismo y Ordenación del Territorio de Castilla y León, y sus modificaciones parciales posteriores por Decreto 32/2014 de 24 de julio y Decreto 35/2017, de 16 de noviembre.

Las Comisiones Territoriales de Medio Ambiente y Urbanismo son también órganos colegiados, de carácter deliberante y resolutorio. Ejercen funciones similares en lo relativo a la coordinación administrativa y la participación social en la actividad urbanística y en el ámbito de aplicación de la normativa sobre prevención ambiental, en cada una de las provincias de Castilla y León.

En el ámbito del planeamiento urbanístico, las competencias de estas Comisiones en sus respectivas provincias, son las siguientes:

-   Aprobar definitivamente los instrumentos de planeamiento urbanístico cuya aprobación corresponda a la Administración de la Comunidad en todos los municipios con población inferior a 5.000 habitantes, así como en los municipios con población comprendida entre 5.000 y 20.000 habitantes que no limiten con una capital de provincia.

- Autorizar los usos excepcionales en suelo rústico, así como los usos de carácter provisional, cuando dicha autorización corresponda a la Administración de la Comunidad.

- Ejercer las competencias urbanísticas que sean objeto de subrogación por la Administración de la Comunidad, en los términos que disponga la resolución de subrogación.

Composición de las Comisiones:

a) Presidencia: titular de la Delegación Territorial de la Junta de Castilla y León.

b) Vicepresidencia: titular de la Secretaría Territorial de la Delegación Territorial de la Junta de Castilla y León.

c) Las vocalías cuenta con una amplia representación de los distintos departamentos del gobierno regional, provincial y local, de las organizaciones profesionales y sindicales. Están integradas por representantes, designados por la Secretaría General de la Consejería de Fomento y Medio Ambiente, a propuesta de las siguientes entidades:

- Los servicios territoriales competentes en materias de: medio ambiente, urbanismo, agricultura y ganadería, industria y comercio, patrimonio cultural y sanidad.

- Los centros directivos competentes en materia de prevención ambiental y de urbanismo.

- La Administración General del Estado.

- La Diputación Provincial.

- La Federación Regional de Municipios y Provincias.

- Las centrales sindicales más representativas en la provincia (dos vocalías).

- Las asociaciones empresariales más representativas en la provincia (dos vocalías).

- Las organizaciones profesionales agrarias más representativas en la provincia.

- Las asociaciones y organizaciones no gubernamentales de ámbito en la respectiva provincia que tengan por objeto la defensa del medio ambiente.

- Los colegios profesionales cuyos colegiados sean competentes en materia de urbanismo (dos vocalías).

- Los colegios profesionales cuyos colegiados sean competentes en materia de prevención ambiental (dos vocalías).

- El Colegio de Secretarios, Interventores y Tesoreros de la Administración Local de la provincia.

- Vocalías de libre designación (máximo de dos), designadas por la Secretaría General de la Consejería de Fomento y Medio Ambiente.

4.3. CENTRO DE INFORMACIÓN TERRITORIAL

El Centro de Información Territorial, integrado en la Consejería competente en materia de Ordenación del Territorio, es el órgano encargado de producir, recopilar, actualizar y divulgar la información y documentación, escrita, fotográfica y cartográfica, sobre el territorio y el planeamiento de la Comunidad Autónoma, así como de llevar a cabo estadísticas, estudios y análisis territoriales. Es el responsable también de la dirección técnica y la coordinación de la Infraestructura de Datos Espaciales de Castilla y León, de acuerdo con los criterios de la Comisión Técnica de Cartografía de Castilla y León. Su estructura y funciones están reguladas por el Decreto 82/2008, de 4 de diciembre, de ordenación de la cartografía en Castilla y León.

5. PROCEDIMIENTOS Y RESPONSABILIDADES FORMALES

5.1. PROCEDIMIENTO DE ELABORACIÓN Y APROBACIÓN DEL INSTRUMENTO REGIONAL

El procedimiento para la elaboración y aprobación de las Directrices de Ordenación del Territorio está regulado por la Ley 10/1998, de 5 de diciembre, de Ordenación Territorial de la CA. de Castilla y León y su posterior modificación mediante la LEY 1-2013, de 28 de febrero, de modificación de la Ley 10-1998.

Le corresponde, exclusivamente, a la administración autonómica a través de la Junta de Castilla y León, adoptar el acuerdo de inicio de la fase de elaboración de las DOT. Como se verá más adelante, el resto de instrumentos dan cabida a otras entidades y actores. Una vez adoptado el acuerdo, se dará publicidad en el Boletín Oficial de Castilla y León

(BOCYL), e incluirá los objetivos, plazos y demás condiciones para llevar a cabo esta elaboración, así como los departamentos de la Administración regional que deban prestar ayuda al respecto.

La elaboración del documento le corresponde a la Consejería competente en Ordenación del Territorio (actualmente la Consejería de Fomento y Medio Ambiente. Bajo ella se ubica la Viceconsejería de Ordenación del Territorio y Relaciones Institucionales, de la que depende la Dirección de Ordenación del Territorio y Administración Local). La Consejería, para la elaboración del documento de las DOT, recaba cuanta información necesite de las administraciones públicas, entidades y personas que estime convenientes. Elabora de este modo el avance del documento e impulsa su tramitación, que comprende los siguientes procedimientos:

Diagrama 1. Procedimiento de tramitación de las Directrices de Ordenación del Territorio

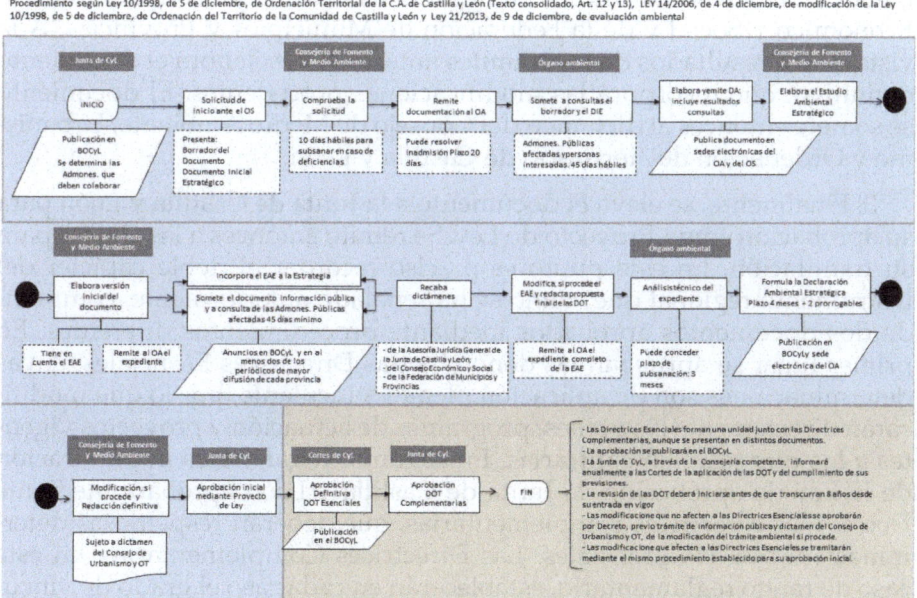

Fuente: Elaboración propia

1. Apertura de un periodo de información pública y de audiencia a las administraciones públicas. Este periodo que, según la Ley 10/1998, era de tres meses, se redujo a 45 días con la modificación de 2010 (Ley 3/2010, de 26 de marzo, de modificación de la Ley 10/1998). Esta reducción del plazo tiene por objeto hacerlo coincidir con el período que concede la normativa ambiental para la información pública. Indudablemente, esta modificación tiene el efecto de agilizar el trámite, cuestión que, por otro lado, está presente en toda la normativa de Ordenación del Territorio y Urbanismo de esta comunidad autónoma.

La apertura de información pública y audiencia debe publicitarse mediante anuncios en el BOCYL y en al menos dos periódicos de mayor difusión de cada provincia. Además, la documentación completa estará disponible para su consulta en las Delegaciones Territoriales de la Junta de Castilla y León. Durante este periodo, las Consejerías emiten informes sobre la incidencia de las DOT en materia de su competencia. Otras administraciones públicas y particulares pueden presentar informes, alegaciones y sugerencias.

2. Tras la información pública y audiencia, la Consejería recaba dictámenes de la Asesoría Jurídica de la Junta de Castilla y León, del Consejo Económico y Social y de la Federación de Municipios y Provincias. A la vista de los resultados de los trámites anteriores, se elabora el documento definitivo, que incorpora las modificaciones procedentes. El documento se somete entonces al dictamen del Consejo de Medio Ambiente, Urbanismo y Ordenación del Territorio de Castilla y León.

3. Finalmente, se eleva el documento a la Junta de Castilla y León para su aprobación como Proyecto de Ley. Se remite entonces a las Cortes para su tramitación. En este punto es preciso recordar el doble carácter del instrumento regional que, como se ha señalado anteriormente, comprende dos documentos aprobados mediante procedimientos diferentes. En primer lugar se aprueban las denominadas Directrices Esenciales, cuyas determinaciones son de aplicación plena y vinculante, por lo que modificarán directamente los planes, programas de actuación y proyectos vigentes a los que resulten contrarias. En segundo lugar y tras la publicación de la Ley de aprobación, la Junta de Castilla y León aprobará mediante Decreto las directrices complementarias, que deberán respetar las determinaciones de las Esenciales. Las Directrices Complementarias, en este caso de rango reglamentario, establecerán en cada caso el grado de vinculación de sus determinaciones, pudiendo ser de aplicación plena, básica (vinculante en sus fines) u orientativa.

5.2. PROCEDIMIENTO DE ELABORACIÓN Y APROBACIÓN DE LOS INSTRUMENTOS SUBREGIONALES

Como señalábamos anteriormente, la iniciativa para la elaboración de este instrumento sigue siendo pública, pero no exclusiva de la Junta, ya que la iniciativa puede proceder de las diputaciones, los consejos comarcales y los ayuntamientos. La consejería competente en materia de ordenación del territorio es la responsable del procedimiento de aprobación.

1. El procedimiento se inicia con la elaboración del Avance y la apertura de un periodo de información pública y audiencia a las Administraciones Públicas, de 45 días. El inicio debe anunciarse en el BOCyL y en uno de los periódicos de mayor difusión del ámbito territorial de aplicación del instrumento. Simultáneamente, se solicitan informes a la Delegación del Gobierno, Diputación Provincial, Consejo Comarcal y a los municipios afectados, salvo si se trata de entidades que promovieron su elaboración.

2. Tras las modificaciones oportunas del documento, en base a los resultados de las consultas y audiencia, este se somete a informe del Consejo de Medio Ambiente, Urbanismo y Ordenación del Territorio.

3. Cumplidos todos los requisitos y modificaciones, el documento se eleva a la Junta de Castilla y León, que lo aprueba por decreto, debiéndose publicar dicha aprobación en el BOCyL. Además, se deberá comunicar a las administraciones afectadas.

Al igual que en el caso de las Directrices Generales, las DOAS serán objeto de seguimiento. Para ello, se le encarga a la Junta de Castilla y León la tarea de informar anualmente a las Cortes acerca del cumplimiento de las previsiones contenidas en el instrumento y de las modificaciones realizadas.

La revisión de estos instrumentos deberá iniciarse en los plazos y circunstancias indicadas por las propias DOAS. Las modificaciones se tramitarán mediante el mismo procedimiento establecido para su aprobación inicial, reduciéndose el periodo de Información Pública y de Audiencia a un mes.

La aprobación de las Directrices de Ordenación de ámbito subregional comporta la declaración de utilidad pública e interés social y la necesidad de ocupación de los bienes y derechos que resulten necesarios para la ejecución de sus determinaciones, a efectos de su expropiación forzosa, ocupación temporal o modificación de servidumbres.

Diagrama 2. Procedimiento de tramitación de Directrices de Ordenación de Ámbito Subregional

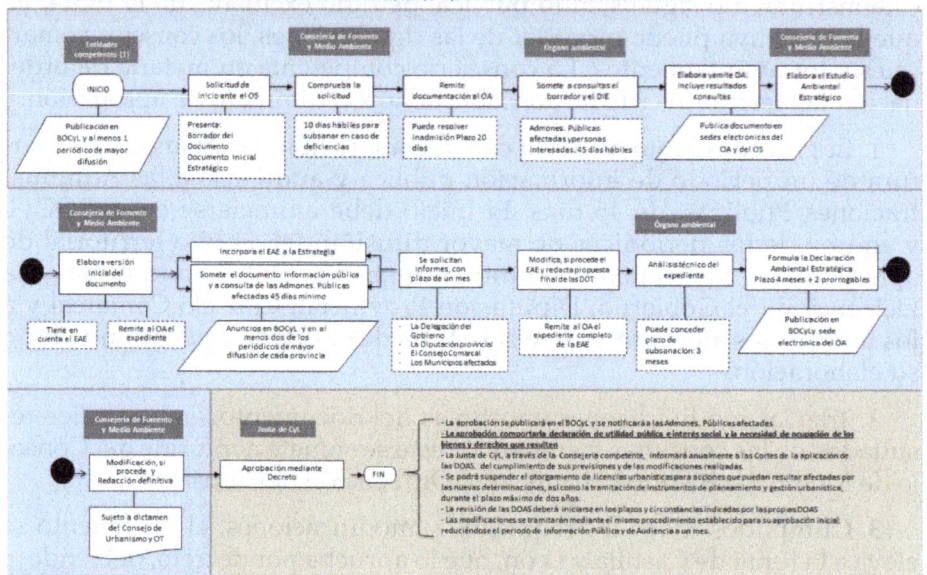

Fuente: Elaboración propia

5.3. PROCEDIMIENTO DE ELABORACIÓN Y APROBACIÓN DE LOS PLANES REGIONALES DE ÁMBITO TERRITORIAL Y SECTORIAL Y PROYECTOS REGIONALES

La Ley 10/1998 de OTCyL agrupa en el Capítulo IV tres figuras de naturaleza y objeto diferente con una característica común: los tres son instrumentos de intervención directa. Como se ha señalado anteriormente, dos de ellos tienen la categoría de planes y el tercero de proyectos, categoría esta que se diferencia porque abre la promoción a la iniciativa privada.

La tramitación de planes y proyectos regionales sigue pautas similares a las del resto de instrumentos, con la diferencia en este caso de que los requerimientos de unos y otros en materia de documentación a aportar son muy diferentes, en función de su ámbito (territorial o sectorial) y del organismo promotor. En el caso de los proyectos regionales promovidos por iniciativa privada, se deben aportar los compromisos del promotor en orden al cumplimiento de las obligaciones que se deriven del proyecto, en particular las garantías que se determinen reglamentariamente, referidas a la evaluación económica del propio proyecto.

1. El procedimiento de tramitación lo puede iniciar de oficio la consejería competente en materia de ordenación del territorio o a solicitud de las entidades autorizadas (solo públicas en el caso de planes y públicas o privadas en el caso de proyectos). Cuando la consejería recibe la solicitud de elaboración puede denegarla o, directamente, iniciar el trámite. En este último caso debe disponer la apertura de un período de cuarenta y cinco días de información pública y audiencia a las Administraciones públicas, que se anunciará en el BOCyL y en uno de los periódicos de mayor difusión del ámbito. Durante este período la documentación podrá consultarse en las Delegaciones Territoriales de la Junta de Castilla y León correspondientes al ámbito del Plan o Proyecto. Si transcurridos seis meses desde la presentación de un plan o proyecto para su aprobación como plan o proyecto regional, la consejería no ha dispuesto la apertura del período de información pública, se entenderá denegada la solicitud.

Simultáneamente al inicio del periodo de información pública, la consejería debe solicitar Informe de los municipios afectados por el plan o proyecto, salvo en el caso de los Planes Regionales de ámbito sectorial, en los que el informe corresponderá a la Federación Regional de Municipios y Provincias. En esta ocasión el silencio es positivo, de modo que los informes se entienden favorables si no se produce resolución expresa en el plazo de cuarenta y cinco días.

2. Tras las modificaciones oportunas en base a los resultados de las consultas y de los informes, el documento se somete a informe del Consejo de Medio Ambiente, Urbanismo y Ordenación del Territorio y, por último.

3. Se eleva el documento a la Junta de Castilla y León para su aprobación mediante decreto.

Diagrama 3. Procedimiento de tramitación de los Planes Regionales de Ámbito Territorial Sectorial y Proyectos Regionales

Castilla y León /Ámbito regional y sectorial

Planes Regionales de Ámbito Territorial y Sectorial y Proyectos Regionales

Procedimiento según Ley 10/1998, de 5 de diciembre, de Ordenación Territorial de la C.A. de Castilla y León (Texto consolidado, Art. 20-25) y Ley 14/2006, de 4 de diciembre, de modificación de la Ley 10/1998, de 5 de diciembre, de Ordenación del Territorio de la Comunidad de Castilla y León.) y Ley 21/2013, de 9 de diciembre, de evaluación ambiental

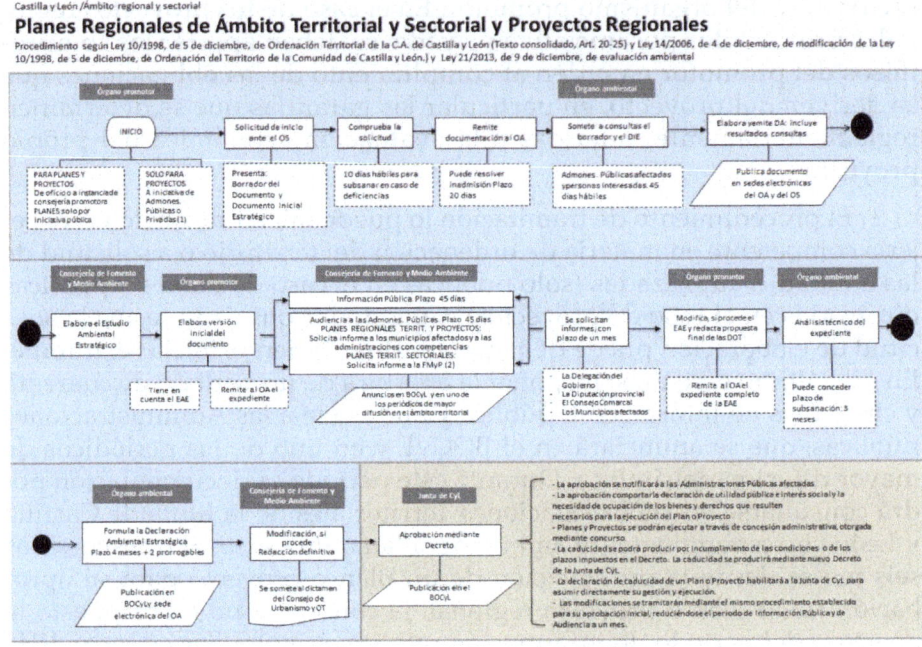

Fuente: Elaboración propia

La aprobación de los Planes y Proyectos Regionales comportará la declaración de utilidad pública e interés social y la necesidad de urgente ocupación de los bienes y derechos que resulten necesarios para la ejecución del Plan o Proyecto, incluidos los enlaces y conexiones con las redes de infraestructura previstas en los planes de ordenación urbanística o en la planificación sectorial, en su caso, a efectos de su expropiación forzosa, ocupación temporal o modificación de servidumbres.

5.4. PROCEDIMIENTO DE EVALUACIÓN AMBIENTAL ESTRATÉGICA

La Comunidad Autónoma de Castilla y León no cuenta con normativa específica para la Evaluación Ambiental Estratégica. El Decreto legislativo 1/2015, de 12 de noviembre, por el que se aprueba el texto refundido de la Ley de Prevención Ambiental de Castilla y León, en su disposición adicional segunda remite a los procedimientos y normas de la Ley 21/2013, de 9 de diciembre de Evaluación Ambiental.

6. EMBOTELLAMIENTOS Y CONDICIONES QUE ALTERAN EL FUNCIONAMIENTO

Según datos proporcionados por el propio gobierno regional[7], entre 1999 y 2016, se han aprobado en esta CA un total de 54 planes (más 3 modificaciones de los mismos), enmarcados en el ámbito de la ordenación territorial (Ver Anexo). Esta profusión no es tanto el resultado de una actividad ordenadora intensa sino más bien muy atomizada y del elevado número de Planes de Ordenación de Recursos Naturales[8]. En el ámbito sectorial, se han creado planes para la ordenación de la actividad forestal, bioenergía, equipamientos comerciales, residuos y carreteras. En el ámbito territorial, los 24 planes y proyectos aprobados se corresponden con actuaciones puntuales de diversa índole y no con un proceso de ordenación sistemática del territorio de la CA. En rigor, y como ya se ha apuntado, los planes y proyectos regionales están cumpliendo la función para la que fueron creados específicamente por la LOTCyL, es decir, para planificar la ejecución de actuaciones industriales, residenciales, terciarias, dotacionales, de implantación de infraestructuras o de regeneración o renovación urbana, que se consideren de interés para la Comunidad. El problema reside en que, de momento, no existe una planificación marco que integre y dé sentido a los planes y proyectos puntuales, dentro de un modelo territorial bien definido. Las Directrices de Ordenación Complementarias y las de ámbito subregional (DOAS) deberían haber cumplido esta función. A falta de las primeras y del escaso desarrollo de las segundas, la política de ordenación territorial en esta comunidad a día de hoy constituye una incógnita para los ciudadanos. El desencuentro político es una constante en el desarrollo de la política territorial de la CA de Castilla y León y el responsable de un largo proceso de estancamiento que ha sufrido –y sigue sufriendo– la tramitación de los instrumentos de planificación. En 2008 se aprobaron las Directrices Esenciales de Ordenación del Territorio, pero no llegaron a elaborarse la Directrices Complementarias, que habrían definido la estructura territorial de esta CA. La organización en áreas funcionales, que tanto trabajo costó identificar y delimitar, topó con la oposición frontal de quienes no estaban dispuestos a aceptar que dichas áreas traspasaran las fronteras de las demarcaciones provinciales. La nueva estructura

---

7. http://servicios.jcyl.es/PlanPublica/searchVPubAvanzDocPlauPrint. do?bInfoPublica=N&libroId=OT&instrumentoId=&provincia=&municipio=&fPublicacion1=&fPublicacion2=&fAcuerdo1=&fAcuerdo2=&titulo=&estadoId=&tipoTramitId=&Submit=Buscar&Reset=Limpiar&Imprimir=Vis%20-%20 listado.

8. 24 PORN en total, 15 de ellos aprobados entre las fechas indicadas; los otros 9 son de aprobación previa a la publicación de la LOTCyL de 1998.

territorial que instauró la LORSERGO y que creó las UBOST, las áreas funcionales estables y estratégicas y las mancomunidades de interés general tampoco se ha podido implantar por el enfrentamiento político que ha surgido en torno a las UBOST, de forma que no se ha conseguido el consenso necesario para sacar adelante la ley que aprobaría el mapa de estas unidades básicas. Como dato significativo, bastará decir que tenemos que remontarnos al año 2011 para encontrar la última aprobación de ámbito subregional (DOAS de la Montaña Cantábrica Central en Castilla y León).

7. BALANCE Y SITUACIÓN RESULTANTE

Insatisfacción podría ser uno de los términos idóneos para calificar el sentimiento que genera la trayectoria legislativa de la OT en Castilla y León. Esta es la expresión que utilizó Manero (2012) en su informe para el Consejo Económico y Social, cuando se refería a los resultados de las DOTCyL. En similares términos se refería a las DOAS y concluía que sus resultados distaban mucho de corresponderse con los objetivos que marcó la LOTCyL. Santos y Ganges (2009) se lamentaban del escaso papel realizado por las DOAS, que, en la fecha de publicación del artículo que referenciamos, solo se habían aplicado a los entornos metropolitanos de Valladolid y entorno. Su balance sigue siendo igual de válido en este sentido ya que, nueve años después solo se han añadido las DOAS de la provincia de Palencia y las de la Montaña Cantábrica Central.

Como hemos visto, mientras Castilla y León seguía sin ver los resultados de la LOTCyL, se empezó a gestar un nuevo marco legal. El proceso de reforma de la normativa de ordenación territorial se inició el con la presentación por parte de la Junta del documento *Propuesta para iniciar los trabajos sobre un nuevo modelo de Ordenación y Gobierno del Territorio* (Junta de Castilla y León, 2011). Se trató de una iniciativa, con pretensiones de novedad, destinada a reformar el modelo de ordenación del territorio y gobernanza de la región o, como señala literalmente en la página 10 del mencionado documento, una propuesta para implantar un nuevo modelo de Ordenación del Territorio, cuyos objetivos coincidían en buena medida con los de la LOTCyL. Fomentar un mayor equilibrio y cohesión territoriales, garantizar la prestación eficiente de servicios o mejorar la coordinación de la planificación sectorial eran ya fines comprendidos en la Ley 10/1989.

En este proceso de gestión y tramitación del nuevo marco legal –añadido–, no se justificó o explicó la completa ruptura, en diversos sentidos, con los principios y la trayectoria de la ordenación territorial en la

Comunidad Autónoma. No se explicó, por ejemplo, por qué se abandonó por completo el proyecto de las comarcas como unidades básicas de la ordenación territorial y de la provisión de servicios. Tampoco se entiende de ninguna manera por qué esta ley no buscó la continuidad y el engarce con la ya existente LOCyT y con el esquema de instrumentos de ordenación vigentes, por qué no se retomó y reformuló la LOCyT y se hizo *tabula rasa* de lo ya existente. La respuesta pasaría por un análisis y exégesis del "diálogo" político a través de la abundante información existente en los Diarios de las Cortes y en las declaraciones de prensa. Aunque la cuestión no sea tanto explicar lo ocurrido sino mirar hacia el futuro, que parece bastante incierto. El esquema de unidades/entidades es complejo, polémico y, por el momento, no se han desarrollado los instrumentos para su ordenación y gestión.

8. BIBLIOGRAFÍA Y DOCUMENTACIÓN CONSULTADA

BIBLIOGRAFÍA

Heredero Ortiz de la Tabla, L. (2014). Cuestiones iniciales en torno al modelo de ordenación, servicios y gobierno del territorio de la comunidad de Castilla y León de la Ley 7/2013, de 27 de septiembre. *Revista Jurídica de Castilla y León*, 34, 1-38.

Junta de Castilla y León-Taller de Ideas (1996). *Directrices de Ordenación Territorial. Castilla y León. Hipótesis de Modelo Territorial.* Madrid, Junta de Castilla y León, Consejería de Medio Ambiente y Ordenación del Territorio.

Junta de Castilla y León (2000). *Directrices de Ordenación Territorial. Castilla y León.* Salamanca: Junta de Castilla y León.

López Trigal, L. et al. (2002). *La ordenación del territorio en Castilla y León: documento técnico.* Valladolid: Consejo Económico y Social de Castilla y León.

Plaza Gutiérrez, J. I. (2010). Ordenación y desarrollo del territorio en Castilla y León; análisis y valoraciones. *Cuadernos Geográficos*, 47, 523-552.

Manero Miguel, F. (2012). La ordenación del territorio en Castilla y León: un complejo de decisiones sujetas a desafíos permanentes. En CONSEJO ECONÓMICO Y SOCIAL. Comunidad de Castilla y León. *Población y poblamiento en Castilla y León. Informe a Iniciativa Propia IIP 1/12.* Valladolid. Consejo Económico y Social de Castilla y León. www.cescyl.es/informes/iniciativapropia.php [Consulta: 18 feb. 2018].

Molina de la Torre, I. (2012). *Evolución y principios para una política de ordenación territorial en las áreas rurales de Castilla y León.* Valladolid: Fundación Perspectivas.

Santos y Ganges, L. y Peiret i Carrera, A. (2001). Articulación regional y comarcas en Castilla y León: las directrices de ordenación del territorio, *Boletín de la A.G.E.*, 32, 177-190.

Santos y Ganges, L. (2009). La provincia como ámbito de planificación territorial: las Directrices de Ordenación Provincial de Palencia (España). En L. Sánchez Pérez-Moneo y M. A. Troitiño Vinuesa. (coords), *Agua, territorio y paisaje: de los instrumentos programados a la planificación aplicada: V Congreso Internacional de Ordenación del Territorio.* Valencia: Universidad de Valencia.

NORMATIVA

Ley 2/1990, de 16 de marzo, de Carreteras de la Comunidad de Castilla y León.

Ley 10/1990, de 28 de noviembre, de creación de la Empresa Pública «Parque Tecnológico de Boecillo, S.A.».

DECRETO 90/1990 de 31 de mayo, de la Junta de Castilla y León, por el que se aprueba el Plan Director Regional de Gestión de Residuos Sólidos Urbanos de la Comunidad de Castilla y León.

Ley 1/1991, de 14 de marzo, por la que se crea y regula la Comarca de El Bierzo.

Ley 8/1991, de 10 de mayo, de espacios naturales de la Comunidad de Castilla y León.

Ley 6/1992, de 18 de diciembre, de Protección de los Ecosistemas Acuáticos y de Regulación de la Pesca en Castilla y León.

Ley 4/1996, de 12 de julio, de Caza de Castilla y León.

Ley 10/1997, de 19 de diciembre, de Turismo de Castilla y León.

Ley 10/1998, de 5 de diciembre, de Ordenación del Territorio de la Comunidad de Castilla y León.

Documento de Síntesis del Diagnóstico global de las DOT de Castilla y León, 1998.

Avance de las DOT de Castilla y León, 2000.

Ley 3/2008, de 17 de junio, de aprobación de las Directrices Esenciales de Ordenación del Territorio de Castilla y León.

Ley 14/2006, de 4 de diciembre, de modificación de la Ley 10/1998, de 5 de diciembre, de Ordenación del Territorio de la Comunidad de Castilla y León.

Decreto 82/2008, de 4 de diciembre, de Ordenación de la Cartografía en Castilla y León.

Ley 3/2010, de 26 de marzo, de modificación de la Ley 10/1998, de 5 de diciembre, de Ordenación del Territorio de la Comunidad de Castilla y León.

UGT (2011) UGT ante La Ordenación del Territorio en Castilla y León. http://www.ugtcyl.es/web/wp-content/uploads/2012/07/ugt-ante-la-ordenacion-del-territorio-en-castilla-y-leon.pdf [Consulta: 12 feb. 2018].

JUNTA DE CASTILLA Y LEÓN (2011). Propuesta para iniciar los trabajos sobre un nuevo modelo de Ordenación y Gobierno del Territorio. https://15maguilar.files.wordpress.com/2011/11/propuesta-de-la-junta-de-c-y-y-gobierno-del-territorio.pdf [Consulta: 16 enero 2018].

Ley 1/2013, de 28 de febrero, de modificación de la Ley 10/1998, de 5 de diciembre, de Ordenación del Territorio de la Comunidad de Castilla y León.

Decreto 24/2013, de 27 de junio, por el que se regulan las funciones, composición y funcionamiento de las Comisiones Territoriales de Medio Ambiente y Urbanismo y del Consejo de Medio Ambiente, Urbanismo y Ordenación del Territorio de Castilla y León.

Ley 7/2013, de 27 de septiembre, de Ordenación, Servicios y Gobierno del Territorio de la Comunidad de Castilla y León (LORSERGO o LOSGT).

Ley 21/2013, de 9 de diciembre de Evaluación Ambiental.

Ley 27/2013, de 27 de diciembre, de Racionalización y Sostenibilidad de la Administración Local.

Ley 9/2014, de 27 de noviembre, por la que se declaran las Áreas funcionales estables en Castilla y León.

Decreto 32/2014, de 24 de julio, por el que se modifica el Decreto 24/2013, de 27 de junio, por el que se regulan las funciones, composición y funcionamiento de las Comisiones Territoriales de Medio Ambiente y Urbanismo y del Consejo de Medio Ambiente, Urbanismo y Ordenación del Territorio de Castilla y León.

Decreto legislativo 1/2015, de 12 de noviembre, por el que se aprueba el texto refundido de la Ley de Prevención Ambiental de Castilla y León.

DECRETO 35/2017, de 16 de noviembre, por el que se modifica el Decreto 24/2013, de 27 de junio, por el que se regulan las funciones, composición y funcionamiento de las Comisiones Territoriales de Medio Ambiente y Urbanismo y del Consejo de Medio Ambiente, Urbanismo y Ordenación del Territorio de Castilla y León.

ANEXO PLANES DE ORDENACIÓN APROBADOS
DESDE 1999 A LA ACTUALIDAD

Instrumento	Fecha de publicación	Título
DOAS	08/08/2001	DIRECTRICES DE ORDENACIÓN DEL TERRITORIO DE ÁMBITO SUBREGIONAL DE VALLADOLID Y ENTORNO.
DOAS	26/10/2005	DIRECTRICES DE ORDENACIÓN DE ÁMBITO SUBREGIONAL DE SEGOVIA Y ENTORNO
DOAS	28/01/2009	DIRECTRICES DE ORDENACIÓN DE ÁMBITO SUBREGIONAL DE LA PROVINCIA DE PALENCIA
DOAS	14/04/2011	DIRECTRICES DE ORDENACIÓN DE ÁMBITO SUBREGIONAL DE LA MONTAÑA CANTÁBRICA CENTRAL EN CASTILLA Y LEÓN
DECYL	24/06/2008	LEY 3/2008, DE 17 DE JUNIO, DE APROBACIÓN DE LAS DIRECTRICES ESENCIALES DE ORDENACIÓN DEL TERRITORIO DE CASTILLA Y LEÓN.
PORN	29/11/2000	PLAN DE ORDENACIÓN DE LOS RECURSOS NATURALES DE RIBERAS DE CASTRONUÑO -VEGA DEL DUERO
PORN	13/06/2001	PLAN DE ORDENACIÓN DE LOS RECURSOS NATURALES ARRIBES DEL DUERO
PORN	06/08/2002	PLAN DE ORDENACIÓN DE LOS RECURSOS NATURALES DEL ESPACIO NATURAL DE LAS MÉDULAS

Instrumento	Fecha de publicación	Título
PORN	21/05/2003	PLAN DE ORDENACIÓN DE LOS RECURSOS NATURALES DEL ESPACIO NATURAL HOCES DEL RÍO RIAZA
PORN	19/01/2005	PLAN DE ORDENACIÓN DE LOS RECURSOS NATURALES DEL ESPACIO NATURAL DE LAS LAGUNAS DE VILLAFÁFILA
PORN	09/11/2005	PLAN DE ORDENACIÓN DE LOS RECURSOS NATURALES DEL ESPACIO NATURAL MONTES OBARENES
PORN	14/11/2007	PLAN DE ORDENACIÓN DE LOS RECURSOS NATURALES DE MIRANDA DEL CASTAÑAR DECLARADA COMO PARQUE NATURAL DE LAS BATUECAS-SIERRA DE FRANCIA
PORN	14/11/2007	PLAN DE ORDENACIÓN DE LOS RECURSOS NATURALES DEL ÁREA DE SAN MARTÍN DEL CASTAÑAR
PORN	14/11/2007	PLAN DE ORDENACIÓN DE LOS RECURSOS NATURALES DEL ESPACIO NATURAL HOCES DEL ALTO EBRO Y RUDRÓN
PORN	21/11/2007	PLAN DE ORDENACION DE LOS RECURSOS NATURALES DEL ESPACIO NATURAL DE ACEBAL DE GARAGUETA
PORN	21/11/2007	PLAN DE ORDENACIÓN DE LOS RECURSOS NATURALES DEL ESPACIO NATURAL DE LAS LAGUNAS GLACIARES DE NEILA
PORN	04/06/2008	PLAN DE ORDENACIÓN DE LOS RECURSOS NATURALES DE LAGUNA NEGRA Y CIRCOS GLACIARES DE URBIÓN
PORN	20/01/2010	PLAN DE ORDENACIÓN DE LOS RECURSOS NATURALES DEL ESPACIO NATURAL "SIERRA DE GUADARRAMA"
PORN	02/10/2013	PLAN DE ORDENACIÓN DE LOS RECURSOS NATURALES DEL ESPACIO NATURAL "LAGO DE SANABRIA Y ALREDEDORES"
PORN	24/02/2014	PLAN DE ORDENACIÓN DE LOS RECURSOS NATURALES DEL ESPACIO NATURAL "BABIA Y LUNA"
PRAS	06/02/2002	PLAN FORESTAL DE CASTILLA Y LEÓN

Instrumento	Fecha de publicación	Título
PRAS	18/07/2006	PLAN REGIONAL DE AMBITO SECTORIAL DE RESIDUOS INDUSTRIALES
PRAS	26/01/2011	PLAN REGIONAL DE ÁMBITO SECTORIAL DE LA BIOENERGÍA DE CASTILLA Y LEÓN.
PRAS	24/03/2014	PLAN REGIONAL DE ÁMBITO SECTORIAL: "PLAN INTEGRAL DE RESIDUOS DE CASTILLA Y LEÓN"
PRAS	20/09/2016	PLAN REGIONAL DE ÁMBITO SECTORIAL DENOMINADO: "PLAN INTEGRAL DE RESIDUOS DE CASTILLA Y LEÓN"
PRAT	23/12/2009	PLAN REGIONAL DE ACTUACIÓN DE URBANIZACIÓN. SECTOR DE LA ALDEHUELA I
PRAT	17/02/2010	PLAN REGIONAL DE ACTUACIÓN DE URBANIZACIÓN "CENTRO CÍVICO"
PRAT	17/03/2010	PLAN REGIONAL DE ACTUACIÓN DE URBANIZACIÓN "FLORES DEL SIL", Ponferrada
PRAT	08/08/2001	PLAN REGIONAL DE ÁMBITO TERRITORIAL DEL CANAL DE CASTILLA
PRAT	21/01/2004	PLAN REGIONAL DE ÁMBITO TERRITORIAL DEL PUERTO DE SAN ISIDRO
PRAT	12/05/2004	PLAN REGIONAL DE ÁMBITO TERRITORIAL DE LA ACTUACIÓN LOGÍSTICA INDUSTRIAL EN TORDESILLAS
PRAT	23/11/2005	PLAN REGIONAL DE ÁMBITO TERRITORIAL PARA EL DESARROYO DE SUELO INDUSTRIAL
PRAT	21/07/2006	PLAN REGIONAL DE ÁMBITO TERRITORIAL PARA EL DESARROLLO DEL PARQUE TECNOLÓGICO DE BURGOS
PRAT	21/07/2006	PLAN REGIONAL DE ÁMBITO TERRITORIAL PARA EL DESARROLLO INDUSTRIAL EN EL ENTORNO DE VALLADOLID
PRAT	14/11/2007	PLAN REGIONAL DE ÁMBITO TERRITORIAL DEL COMPLEJO DE ACTIVIDADES ECONÓMICAS BURGOS-RIOPICO

Instrumento	Fecha de publicación	Título
PRAT	21/01/2009	PLAN REGIONAL DE ÁMBITO TERRITORIAL PARA EL DESARROLLO DEL ENCLAVE LOGÍSTICO REGIONAL
PRAT	02/06/2010	PLAN REGIONAL DE ÁMBITO TERRITORIAL "VALLE DEL DUERO"
PRAT	28/07/2010	PLAN REGIONAL DE ÁMBITO TERRITORIAL PARA LA PLANIFICACIÓN DE LA ORDENACIÓN Y EJECUCIÓN DE LAS ACTUACIONES URBANÍSTICAS DERIVADAS DE LA IMPLANTACIÓN DE LAS NUEVAS INFRAESTRUCTURAS Y EQUIPAMIENTOS FERROVIARIOS
PRAT	08/09/2010	PLAN REGIONAL DE ÁMBITO TERRITORIAL ZAMORA-DUERO
PRAS	07/05/2003	PLAN REGIONAL SECTORIAL DE CARRETERAS 2002-2007.
PRAS	30/12/2005	PLAN REGIONAL SECTORIAL DE EQUIPAMIENTO COMERCIAL
PRAS	23/02/2005	PLAN REGIONAL SECTORIAL DE RESIDUOS URBANOS Y RESIDUOS DE ENVASES
PRAS	06/04/2009	PLAN REGIONAL SECTORIAL DE CARRETERAS 2008-2020
PRAT	21/02/2001	PROYECTO REGIONAL DE ÁMBITO TERRITORIAL DE UNA PLANTA DE RECICLAJE Y COMPOSTAJE EN EL MUNICIPIO DE SAN JUSTO DE LA VEGA, León
PYIC	19/09/2001	PROYECTO REGIONAL DE DEPÓSITO CONTROLADO DE RESIDUOS
PYIC	24/04/2002	PROYECTO REGIONAL PARA LA INSTALACIÓN DE UNA PLANTA DE BIOETANOL
PYIC	02/07/2004	PROYECTO REGIONAL PARA LA INSTALACIÓN DE UN CENTRO DE TRATAMIENTO DE RESIDUOS URBANOS
PYIC	26/10/2005	PROYECTO REGIONAL DE ORDENACIÓN DEL CAMPUS DE LA UNIVERSIDAD DE VALLADOLID EN SEGOVIA

Instrumento	Fecha de publicación	Título
PYIC	07/05/2007	PROYECTO REGIONAL PARA LA IMPLANTACIÓN Y PLANTA DE COGENERACIÓN DE ENERGÍA
PYIC	06/08/2008	PROYECTO REGIONAL DE ÁMBITO TERRITORIAL PARA LA EJECUCIÓN DE UN PARQUE DE OCIO
PYIC	26/11/2008	PROYECTO REGIONAL DEL NUEVO PUENTE DE ZAMORA.
PRAT	30/06/2014	PROYECTO REGIONAL PARA TRATAMIENTO DE INTEGRAL DE RESIDUOS INDUSTRIALES NO PELIGROSOS
PYIC	23/01/2015	PROYECTO REGIONAL DEL CENTRO DE TRATAMIENTO E INSTALACIÓN DE ELIMINACIÓN DE RESIDUOS PELIGROSOS
PYIC	02/03/2015	PROYECTO REGIONAL "PARQUE EMPRESARIAL DE MEDIO AMBIENTE"

Capítulo 11

El procedimiento de la Planificación Territorial en Cataluña

Berezi Elorrieta

Departamento de Geografía de la Universitat de Barcelona y Centro Universitario Internacional de Barcelona (UNIBA)

1. ANTECEDENTES

La ordenación del territorio en Cataluña tiene una larga trayectoria en comparación con otras Comunidades Autónomas, cuyos inicios se remon- tan a los años treinta del siglo XX (Nel·lo, 2010). Tras la restauración de la democracia, fue la primera Comunidad Autónoma, junto al País Vasco, en configurar el marco legal autonómico, con la aprobación en 1979 de su Estatuto de Autonomía, conocido como Estatut de Sau. También fue pionera en establecer el marco legal específico sobre ordenación territorial, con su Ley de Política Territorial de 1983, así como en aprobar su instrumento de planificación regional (ver Figura 1).

Las previsiones legislativas de la Ley 23/1983 de Política Territorial tuvieron un desarrollo extremadamente lento y tímido (Nel·lo, 2010), dado que el PTG no fue aprobado hasta doce años más tarde de la promulgación de la ley de política territorial. Así, el Plan Territorial General (PTG) de Cataluña se aprobó en 1995 mediante la Ley 1/1995, con un contenido normativo muy reducido y en un contexto de notable escepticismo del gobierno y la administración acerca de su utilidad práctica. En cualquier caso, mediante la da definición de un modelo territorial propio, el plan se convertiría en un instrumento político a través del cual esta Comunidad Autónoma conformaba su territorio, lo particularizaba y reafirmaba su territorialidad (Benabent, 2006).

Figura 1. Aprobación de la norma y el instrumento regional de ordenación del territorio en Cataluña

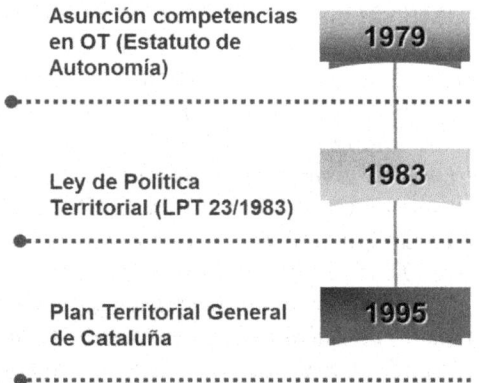

Asunción competencias en OT (Estatuto de Autonomía) — 1979

Ley de Política Territorial (LPT 23/1983) — 1983

Plan Territorial General de Cataluña — 1995

Fuente: elaboración propia

Según la ley de Política Territorial, el PTG debía ser desarrollado a través de los planes de escala subregional, llamados Planes Territoriales Parciales (PTP), y de la planificación sectorial, materializada en los Planes Territoriales Sectoriales (PTS). No obstante, la elaboración y aprobación de los Planes Territoriales Parciales también fue un proceso lento, pues veinte años más tarde de la aprobación de la ley de política territorial, sólo se encontraba vigente uno de los siete PTP previstos por la ley: el PTP de las Terres de l'Ebre, aprobado en 2001, en buena medida como respuesta a la presión política ejercida por el movimiento ciudadano que se oponía al trasvase del Ebro.

A partir de 2003 hubo un cambio de gobierno en la Generalitat de Catalunya, lo que provocó que la planificación recibiera un nuevo impulso. Para empezar, se produjo una reestructuración del Departamento de Política Territorial sobre la base de dos secretarías sectoriales: la Secretaría para la Movilidad y la Secretaría para la Planificación Territorial (donde quedarían enmarcadas las políticas de ordenación del territorio). Los próximos 7 años estarían caracterizados por un periodo muy activo para la planificación del territorio, con una apuesta por la intervención pública y por cambio respecto a las políticas implementadas en las décadas anteriores.

El programa de planeamiento territorial adoptado por el Govern como guía de su actuación propugnaba avanzar hacia un sistema de asentamientos más compacto, complejo en sus e integrado, para garantizar la preservación del suelo no urbanizable y del paisaje, lo cual se materializó en los Criterios para el Planeamiento Territorial (Secretaria per a la Planificació Territorial, 2006).

Como parte del compromiso adoptado para fortalecer la planificación territorial, se emprendió la elaboración de todos los PTP, aunque sin proceder a la revisión del Plan Territorial General. Entre 2006 y 2010 se sucedieron las aprobaciones de los correspondientes PTP para cada área funcional, que pretendían ser instrumentos innovadores, puesto que en buena medida nuevos eran los retos territoriales, y nuevos los planteamientos políticos que querían aplicarse (Nel·lo, 2012). En un principio se preveían siete ámbitos funcionales en los que se dividiría el territorio catalán (incluyendo el área metropolitana de Barcelona), aunque posteriormente se añadió el ámbito funcional del Penedés, único pendiente de aprobación en la actualidad.

Actualmente el PTG sigue en vigor como instrumento de ordenación regional, a pesar de que la Ley 1/1995 por la que se aprobó declaraba que el plan debía ser revisado como mínimo cada diez años. En 2009 se acordó el inicio de su revisión mediante Decreto 174/2009, del 10 de noviembre, pero aún no se ha aprobado el nuevo instrumento. La revisión es vista como una oportunidad de corregir la pobreza de los objetivos y la escasa capacidad normativa del antiguo Plan General, elaborando un documento con aptitud coordinadora e integradora de las propuestas territoriales y sectoriales (Capel y López, 2011).

En cuanto a la legislación de ordenación territorial, por el momento sigue vigente la Ley 23/1983, si bien existe un nuevo anteproyecto de

Ley de Territorio, que pretende integrar en una sola norma la legislación territorial, urbanística y de paisaje. Esto supondría la integración de estas tres políticas en un mismo cuerpo legislativo, que se han legislado tradicionalmente de forma separada. De hecho, Cataluña dispone desde el año 2005 de una ley específica de paisaje (Ley 8/2005, de 8 de junio, de protección, gestión y ordenación del paisaje), y es reconocida como una de las Comunidades Autónomas más avanzadas en materia de políticas paisajísticas.

Su texto legal está directamente inspirado en el Convenio Europeo del Paisaje y serviría después como modelo a otras regiones del Estado español (Elorrieta y Sánchez-Aguilera, 2011). La ley reconoce el derecho al paisaje de la ciudadanía y propone la integración del paisaje en todas las políticas públicas que tengan un impacto territorial. Así pues, pese a las dificultades por las que ha atravesado la planificación territorial en la Comunidad, lo cierto es que en materia paisajística Cataluña puede considerarse un referente, así como en la integración de las políticas de paisaje en la ordenación del territorio. Buen ejemplo de ello es el hecho de que los Planes Territoriales Parciales ya incluyen determinaciones relacionadas con la regulación del paisaje.

2. NORMATIVA BASE

La legislación actualmente vigente es la Ley 23/1983, de 21 de noviembre, de política territorial, aunque, tal y como se ha mencionado, existe un anteproyecto de una nueva ley de territorio. La información básica sobre la legislación y los instrumentos de OT se resume en la Tabla 1.

Tabla 1. Marco regulador e instrumental de la OT en Cataluña

Comunidad Autónoma	Cataluña
Antecedentes normativos	Ley 23/1983, de 21 de noviembre, de política territorial
Legislación OT actual	Ley 23/1983, de 21 de noviembre, de Política Territorial Decreto 142/2005, de 12 de julio, de aprobación del Reglamento por el cual se regula el procedimiento de elaboración, tramitación y aprobación de los planes territoriales parciales. Actualmente existe un anteproyecto de Ley de Territorio, que pretende integrar en una sola norma la legislación territorial, urbanística y de paisaje.

Comunidad Autónoma	Cataluña
Departamento OT actual	Departament de Territori i Sostenibilitat
Plan OT regional	Plan Territorial General de Cataluña
Entrada en vigor (año)	1995
Normativa de aprobación	Aprobada con rango de ley: Ley 1/1995, de 16 de marzo, per la cual se aprueba el Plan territorial general de Cataluña Revisión del PTG aprobada por Decreto 174/2009, de 10 de noviembre, por el cual se acuerda el inicio de la revisión del Plan territorial general
Organismo impulsor	Departamento de Política Territorial y Obras Públicas → Dirección General de Planificación y Acción Territorial → Servicio de Planificación Territorial Actualmente: Departamento de Territorio y Sostenibilidad
Periodo tramitación PTG	1984 (Decreto para su formulación) – 1995 (aprobación definitiva)
Otros planes OT	- Planes Territoriales Parciales - Planes Directores Territoriales
Otros planes con incidencia en OT	Planes Territoriales Sectoriales y Planes Directores Sectoriales

Fuente: Elaboración propia a partir de la Generalitat de Cataluña

3. ESQUEMA DE INSTRUMENTOS

En el modelo catalán, los instrumentos de ordenación territorial se vinculan mediante una estructura jerárquica piramidal cerrada, donde el instrumento de ámbito regional vincula al de ámbito subregional y ambos al planeamiento sectorial (Benabent, 2006). La actual ley de política territorial afecta también a la planificación sectorial, aunque ésta también dispone de su propia normativa. En cualquier caso, el planeamiento sectorial debe cumplir con las determinaciones de los instrumentos territoriales.

Concretamente, los instrumentos planificación que surgen a partir de la normativa territorial actual son (ver Figura 2):

1. El Plan Territorial General (PTG), que es el instrumento que define los objetivos de equilibrio territorial de interés general para

Cataluña, y constituye el marco orientador de las acciones que emprenden los poderes públicos.

2. Los Planes Territoriales Parciales (PTP), que son los instrumentos para definir los objetivos de equilibrio de una parte del territorio de Cataluña.

3. Los Planes Directores Territoriales (PDT), que son los planes que concretan las directrices generales del PTG o de los PTP.

4. Los Planes Territoriales Sectoriales (PTS), que son los planes de incidencia territorial que elaboran los departamentos en ámbitos temáticos de su competencia. Su ámbito de aplicación es todo el territorio de Cataluña.

Figura 2. Esquema de instrumentos de planificación territorial, sectorial y urbanística de Cataluña

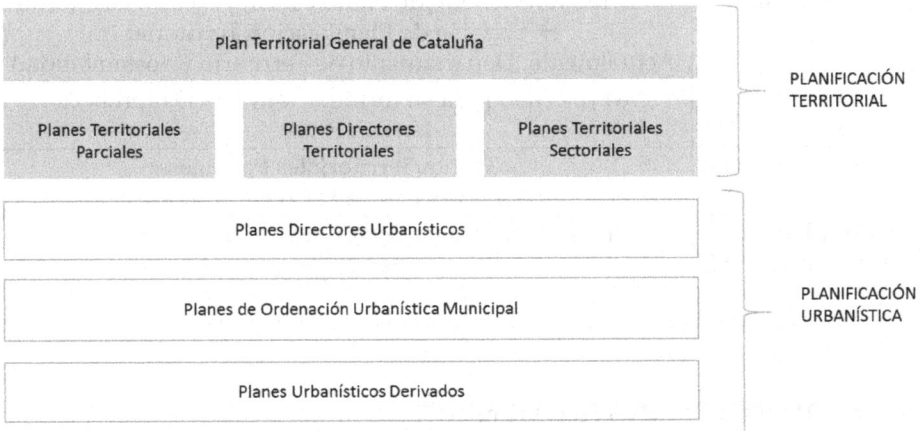

Fuente: Elaboración propia a partir de Generalitat de la Catalunya

3.1. EL PLAN TERRITORIAL GENERAL DE CATALUÑA

Según la Ley de política territorial, el Plan Territorial General es el encargado de definir los objetivos de equilibrio territorial de interés general para Cataluña y constituye el marco orientador de las acciones que se emprenderán para crear las condiciones adecuadas para atraer la actividad económica a los espacios territoriales idóneos. Su ámbito de aplicación es todo el territorio de Cataluña, y representa la cabecera del sistema de planificación catalán.

El plan se aprobó con rango legal (tal y como lo indicaba la Ley de política territorial) mediante la Ley 1/1995, del 16 de marzo. Posteriormente esta ley fue modificada por la Ley 24/2001, del 31 de diciembre, de reconocimiento del Alto Pirineo y el Arán como áreas funcionales de planificación y por la Ley 23/2010, del 22 de julio, para fijar el ámbito de planificación territorial del Penedés.

El PTG que se aprobó en 1995 por el momento sigue en vigor, y tiene por estrategias principales el equilibrio territorial y la redistribución de la población sobre el territorio (tanto a nivel de área metropolitana de Barcelona como de toda Cataluña), para lo cual dibuja una imagen-objetivo de distribución de la población y de asignación de funciones por áreas territoriales a largo plazo. No define usos del suelo o actuaciones, sino que esencialmente delimita áreas territoriales y les asigna políticas globales. Así, aunque no es un plan estratégico, adopta en cierta manera el formato de los planes estratégicos y propone tres líneas estratégicas sobre el territorio, la calidad de vida y la economía (Pujadas y Font, 1998).

Así, atendiendo a lo que dispone el artículo 5 de la Ley de Política Territorial, el PTG establece un marco global de referencia y de coordinación de las políticas sectoriales y unas directrices que tienen que ser concretadas por los planes de ámbito territorial inferior, teniendo en cuenta dos hechos muy concretos: la gran importancia de la región del arco mediterráneo como ámbito principal de las relaciones de Cataluña con los países de su entorno y el fenómeno creciente de la inmigración procedente de otros países con sus necesidades de servicios de todo tipo.

El PTG, dentro de este sistema complejo de planeamiento territorial, ha establecido:

- Zonas del territorio con características homogéneas por razón del potencial de desarrollo y de la situación socioeconómica.

- Núcleos de población que tendrán que ejercer una función impulsora y reequilibradora.

- Espacios y elementos naturales que hay que conservar.

- Tierras de uso agrícola o forestal de especial interés que hay que conservar o ampliar.

- Emplazamiento de grandes infraestructuras, especialmente de comunicación, de saneamiento y energéticas; así como de equipamientos de interés general.

- Áreas del territorio en las cuales hay que promover usos específicos.

- Ámbitos de aplicación de los PTP que se tendrán que adecuar a los ámbitos establecidos en la división territorial de Cataluña.

Las propuestas del PTG no tienen una aplicación directa sobre el territorio, sino que han de ser desarrolladas por el planeamiento parcial, sectorial y urbanístico. De hecho, contiene una serie de directrices para el planeamiento posterior que están destinadas a definir el contenido mínimo de los PTP, así como los ámbitos en los que se recomienda aprobar PTS (Pujadas y Font, 1998).

La vigencia del Plan Territorial General es indefinida, aunque la legislación dice que será considerado objeto de revisión cuando a criterio del Gobierno de la Generalitat se produzcan variaciones relevantes de las circunstancias socioeconómicas, medioambientales o funcionales de Cataluña o cuando así lo acuerde el Parlamento. Como mínimo, en todo caso, la ley establece que se debe revisar cada diez años. Dando cumplimiento a esta previsión (aunque con gran retraso), en otoño de 2009 se acordó por Decreto el inicio de la revisión del PTG. La revisión, que debería ser aprobada mediante ley del Parlamento de Cataluña, vendría a completar la estructura de la nueva planificación territorial en Cataluña.

3.2. LOS PLANES TERRITORIALES PARCIALES

Según la Ley de Política Territorial, los Planes Territoriales Parciales definen los objetivos de equilibrio de una parte del territorio de Cataluña y son el marco orientador de las acciones que se emprenden en esa parte del territorio. Se tienen que adaptar al Plan Territorial General, pero en este caso su ámbito de aplicación es como mínimo de extensión comarcal, y puede agrupar las unidades comarcales establecidas en la división territorial de Cataluña, pero en ningún caso las puede dividir.

El procedimiento de elaboración y de tramitación de los Planes Territoriales Parciales se tiene que realizar mediante reglamento. Como en 2005 todavía no se habían aprobado todos los reglamentos correspondientes a cada ámbito de planeamiento territorial parcial, se adoptó el Decreto 142/ 2005, del 12 de julio, que estableció el reglamento regulador del procedimiento de elaboración, tramitación y aprobación de estos planes.

Los PTP presentan un carácter eminentemente físico, con un horizonte temporal de 15-20 años, vinculantes para el planeamiento urbanístico y orientadores del planeamiento sectorial, elaborados con un marco de referencia común por lo que se refiere a sus criterios, escenarios socioeconómicos e interacción con la planificación sectorial (Nel·lo, 2010). Así, los PTP se redactaron en aplicación de unos criterios de planeamiento territorial previamente establecidos, y concentran su regulación en:

1) El sistema de espacios abiertos (que corresponde al suelo no urbanizable), para el que se crean 3 subcategorías: el suelo de protección

especial, el suelo de protección territorial, y el suelo de protección preventiva.

2) El sistema de asentamientos urbanos.

3) El sistema de infraestructuras de movilidad.

Estos instrumentos contienen normas tanto de planeamiento territorial como de paisaje. Sus determinaciones pueden ser de tres tipos, en función de su aplicación y grado de vinculación u obligatoriedad: normas de aplicación directa, directrices a incorporar por el planeamiento urbanístico o sectorial, y recomendaciones, que en general se tienen que cumplir, pero que permiten su no aplicación si así se justifica de forma razonada.

En cuanto a su contenido, los planes territoriales parciales incluyen:

a) La definición de los núcleos especialmente aptos para establecer equipamientos de interés comarcal.

b) El señalamiento de los espacios de interés natural.

c) La definición de las tierras de uso agrícola o forestal de especial interés que hay que conservar o ampliar por sus características de extensión, de situación y de fertilidad.

d) El emplazamiento de infraestructuras.

e) Las áreas de protección de construcciones y de espacios naturales de interés histórico-artístico.

f) Las previsiones de desarrollo socio-económico.

g) Las determinaciones para la planificación urbanística.

Entre los años 2006 y 2010 se aprobaron siete Planes Territoriales Parciales que en su momento cubrían todo el territorio catalán, concretamente correspondientes a los ámbitos territoriales de Alt Pirineu i Aran, Metropolitano de Barcelona, Camp de Tarragona, Comarcas Centrales, Ponent (Terres de l'Ebre) y Comarcas Gironines. Cada uno de estos PTP abarca varias comarcas catalanas. En el año 2010 se modificó la legislación territorial para incluir una nueva área funcional, la del Penedès, formada por comarcas que anteriormente se incluían en áreas funcionales colindantes. Cuatro años después se constituyó un grupo de trabajo de seguimiento entre la Generalitat y la administración local para elaborar el PTP correspondiente. Sin embargo, el plan aún no ha sido aprobado. En la actualidad es el único ámbito funcional de todo el territorio catalán no cubierto por un plan de escala subregional.

Figura 2. Situación del planeamiento subregional en Cataluña

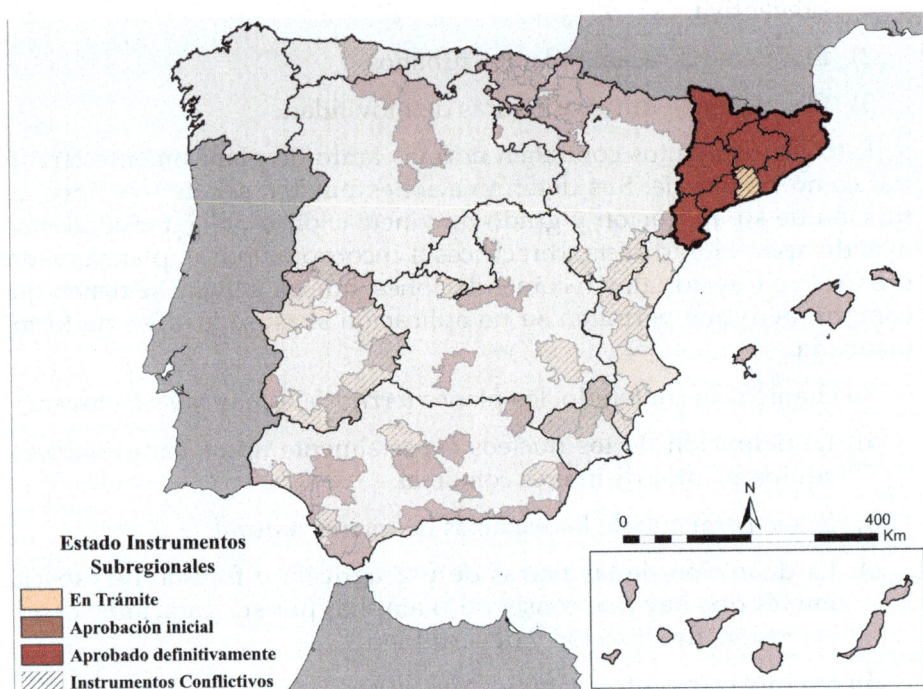

**Estado Instrumentos
Subregionales**

- En Trámite
- Aprobación inicial
- Aprobado definitivamente
- Instrumentos Conflictivos

Fuente: Elaboración propia

3.3.   LOS PLANES DIRECTORES TERRITORIALES

Los PDT concretan las directrices generales contenidas al Plan territorial general o a los Planes territoriales parciales en las áreas y para los aspectos sobre los cuales inciden. Los PDT fueron creados por la ley 31/2002, de 30 de diciembre, de medidas fiscales y administrativas, que introdujo un artículo que añadía un nuevo capítulo a la Ley de Política Territorial. Su ámbito territorial es inferior a los planes territoriales parciales y, como mínimo, tiene que tener carácter supramunicipal. Por el momento existe un único PDT vigente, el Plan Director del Alt Penedès, aprobado por Acuerdo del Gobierno de la Generalitat 155/2008, del 16 de septiembre. En cuanto a su contenido, los planes directores territoriales deben desarrollar, como mínimo, una de las siguientes determinaciones:

- La definición de los núcleos especialmente aptos para establecer equipamientos de interés comarcal.

- El señalamiento de los espacios de interés natural.

- La definición de las tierras de uso agrícola o forestal de especial interés que hay que conservar o ampliar por sus características de extensión, de situación y de fertilidad.

- El emplazamiento de infraestructuras.

- Las áreas de protección de construcciones y de espacios naturales de interés histórico-artístico.

- Las previsiones de desarrollo socio-económico.

- Las determinaciones para la planificación urbanística.

3.4. LOS PLANES TERRITORIALES SECTORIALES

Los Planes Territoriales Sectoriales son los planes de incidencia territorial que elaboran los Departamentos de la Generalitat en ámbitos temáticos de su competencia. Su ámbito de aplicación es todo el territorio de Cataluña. Así, la elaboración de los PTS corresponde a cada Departamento, aunque el Departamento de Territorio y Sostenibilidad tiene que colaborar con el Departamento responsable y emitir un informe preceptivo.

Hasta el momento se han aprobado numerosos PTS relacionados con materias como las infraestructuras de transporte, la energía o los espacios naturales. Podemos citar, por ejemplo: el Plan de espacios de interés natural (PEIN), el Plan de infraestructuras del transporte (2006-2026), el Plan de puertos de Cataluña (2007-2015), el Plan de transporte de viajeros de Cataluña (2008-2012), el Plan de aeropuertos, aeródromos y helipuertos de Cataluña, el Plan territorial sectorial de la implantación ambiental de la energía eólica en Cataluña o el más reciente Plan de la energía y cambio climático de Cataluña (2012-2020).

4. ÓRGANOS

4.1. COMISIÓN DE POLÍTICA TERRITORIAL Y DE URBANISMO DE CATALUÑA

La Comisión de Política Territorial y de Urbanismo de Cataluña (CPTUC) es el órgano superior de carácter consultivo, en materia de política territorial y de urbanismo, competente en todo el territorio catalán. Su principal función es emitir informes preceptivos en los supuestos determinados por la regulado por el Decreto 68/2014, de 20 de mayo, por el que se regula la composición y el funcionamiento interno de los órganos urbanísticos de la Generalidad de carácter colegiado.

Su composición general es la siguiente:

- Presidente: consejero o consejera del Departamento de Territorio y Sostenibilidad.

- Vicepresidente: el director o directora general de Ordenación del Territorio y Urbanismo.

- Vocales:

  o Una persona en representación de cada uno de los departamentos de la Generalitat de Cataluña.

  o Dieciséis personas, miembros de los entes locales, designadas por las organizaciones asociativas de entidades locales más representativas de Cataluña.

  o Una persona en representación de cada uno de los consejos de veguería.

  o Siete personas designadas a propuesta de los colegios profesionales relacionados.

  o Cinco personas de un reconocido prestigio profesional o académico en materia de urbanismo, de vivienda y de medio ambiente.

  o Una persona en representación del Instituto de Estudios Catalanes.

  o Una persona en representación del Ayuntamiento de Barcelona.

  o Una persona en representación del Área Metropolitana de Barcelona.

  o Una persona en representación del Consejo General de Cámaras de Cataluña.

- Secretaria: con voz y sin voto.

4.2. OBSERVATORIO DEL TERRITORIO

El Observatorio del territorio, que actualmente depende de la Dirección General de Urbanismo y Ordenación del Territorio, es el órgano de asesoramiento y participación especializado en temas territoriales. Su función es hacer un seguimiento de las dinámicas urbanísticas de Cataluña para facilitar datos objetivos y cuantificados a partir del tratamiento estadístico de los datos de la aplicación GEU (Gestión de expedientes de urbanismo) y del análisis mediante la aplicación de herramientas SIG de la información del Mapa Urbanístico de Cataluña. Asimismo, elabora estudios para conocer la situación actual del urbanismo en Cataluña, desarrolla programas de seguimiento del planeamiento territorial y urbanístico y establece mecanismos de cooperación con los entes de investigación, estudio y documentación territoriales, entre otras funciones.

4.3. OBSERVATORIO DEL PAISAJE

El Observatorio del paisaje es una entidad de asesoramiento de la administración catalana y de concienciación de la sociedad en general en materia de paisaje. Se constituyó legalmente en 2004, y su creación responde a la necesidad de estudiar el paisaje, elaborar propuestas e impulsar medidas de protección, gestión y ordenación del paisaje de Cataluña en el marco de un desarrollo sostenible.

El Observatorio se organiza en forma de consorcio y se incluye en la Ley de protección, gestión y ordenación del paisaje de Cataluña. El Consejo Rector es el órgano superior del Consorcio, y está presidido por el consejero del Departamento de Territorio y Sostenibilidad de la Generalitat de Catalunya. También cuenta con una Comisión Ejecutiva (como órgano permanente de administración, gestión y propuesta) y un Consejo Asesor (órgano consultivo y de asesoramiento).

4.4. COMITÉ DE EXPERTOS PARA LA REFORMA DE LAS POLÍTICAS DE ORDENACIÓN TERRITORIAL Y DE URBANISMO EN CATALUÑA

Este Comité fue creado con carácter temporal por la Orden TES/110/2013, de 4 de junio, adscrito al Departamento de Territorio y Sostenibilidad, precisamente con el fin de asesorar a dicho departamento en relación a la reforma de las políticas de ordenación territorial y urbanismo. El Comité está llamado a facilitar la participación de las entidades y de los expertos directamente implicados en el territorio, proporcionando elementos para el conocimiento y el debate sobre la implementación de las actuaciones necesarias para reorientar estratégicamente las políticas territoriales. Para desarrollar sus funciones, el Comité recibe el apoyo administrativo, técnico y logístico de la Dirección General de Ordenación del Territorio y Urbanismo.

El Comité de expertos se compone de miembros de la propia administración regional, representantes de los entes locales, y personas expertas en la materia (colegios profesionales, ámbito académico, etc.). Actualmente también tiene representación el Ayuntamiento de Barcelona.

5. PROCEDIMIENTOS Y RESPONSABILIDADES FORMALES

Los instrumentos de planeamiento son disposiciones de carácter general, con todo lo que esto comporta, como por ejemplo la vigencia indefinida, la vinculación y obligatoriedad tanto a las personas como las Administraciones, la capacidad de producir efectos jurídicos sobre las propiedades y sobre los derechos que se ejercen sobre ellas, etc.

Por eso, como todas las disposiciones de carácter general, además de los requisitos materiales y de contenido que tienen que cumplir necesariamente, también su proceso de aprobación se tiene que ajustar a la tramitación que la normativa aplicable establece, y, una vez efectuada esta tramitación, para que pueda producir efectos jurídicos, se tiene que publicar.

5.1. PROCEDIMIENTO DE ELABORACIÓN Y APROBACIÓN DEL PTG

El procedimiento de elaboración y tramitación del PTG viene recogido en la Ley 23/1983, de 21 de noviembre, de política territorial, concretamente en el Capítulo II, entre los Artículos 8 y 11. El proceso es el siguiente:

- El Consejo Ejecutivo, visto un informe de la Comisión de Coordinación de Política Territorial, adoptará un acuerdo sobre el proyecto del PTG, que tiene que indicar los plazos de iniciación y de realización de los trabajos y se tiene que publicar en el Diario Oficial de la Generalitat.

- La elaboración del proyecto del PTG corresponde al Departamento de Política Territorial y Obras Públicas (actualmente Departamento de Territorio y Sostenibilidad), de acuerdo con los otros Departamentos.

- El proyecto del PTG tiene que ser sometido a la consideración la Administración del Estado, las entidades locales supramunicipales con finalidades generales, y los municipios.

- Se crea la Comisión de Coordinación de la Política Territorial, dependiente del Presidente de la Generalitat de Cataluña, que se compone de un representante de diferentes Departamentos.

- El Departamento competente en materia territorial tiene que enviar el proyecto de PTG a la Comisión de Coordinación de la Política

Territorial, que tiene que elaborar un dictamen para el Consejo Ejecutivo.

- El Consejo Ejecutivo, mediante el proyecto de ley correspondiente, tiene que proponer en el Parlamento la aprobación del PTG.

- Corresponde al Parlamento la aprobación del PTG, así como la de los proyectos de modificación.

En cuanto a la implementación del PTG, la normativa dispone que el Consejo Ejecutivo tiene que redactar un programa anual o plurianual para la realización de sus principales determinaciones e incorporarlas en los presupuestos de la Generalitat.

La legislación también prevé el seguimiento y evaluación posterior del PTG. En teoría, cada dos años el Consejo Ejecutivo tiene que redactar una memoria sobre la aplicación del PTG y dar cuenta al Parlamento del desempeño de las previsiones del plan y de su desarrollo en Planes Territoriales Parciales.

Diagrama 1. Procedimiento de tramitación del PTG

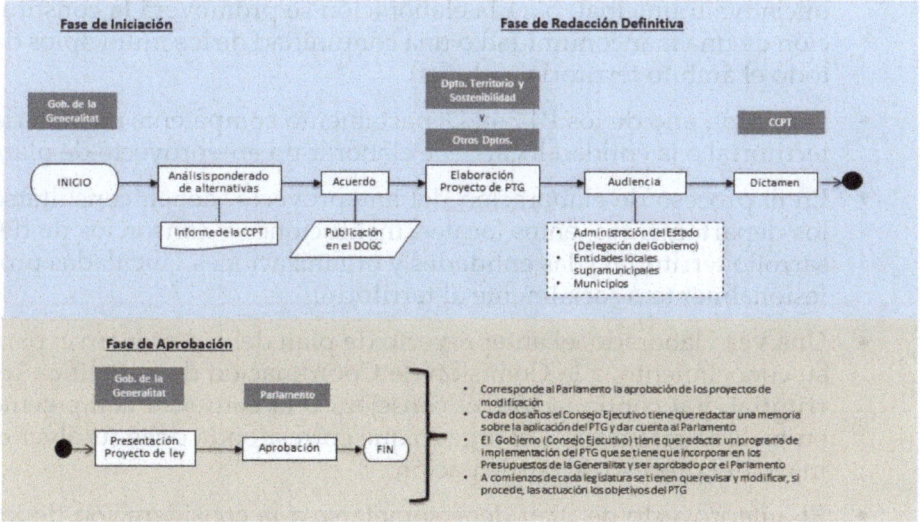

Fuente: Elaboración propia

5.2. PROCEDIMIENTO DE ELABORACIÓN Y APROBACIÓN DE LOS PTP

En el año 2005 se aprobó una normativa que establecía el nuevo procedimiento para la tramitación de los PTP: el Decreto 142/2005, de 12 de julio, de aprobación del Reglamento por el cual se regula el procedimiento de elaboración, tramitación y aprobación de los planes territoriales parciales. Esta normativa permitía la aprobación de planes de escalas inferiores sin que fuera necesario revisar antes el PTG.

Según el Decreto 142/2005 (Artículos 7 a 17) el procedimiento para la tramitación de los PTP es el siguiente:

- Corresponde al Gobierno adoptar el acuerdo de formulación de los PTP, de sus modificaciones y de sus adaptaciones al PTG.

- El Gobierno puede adoptar el acuerdo de formulación a iniciativa del Departamento de Política Territorial y Obras Públicas (actualmente Departamento de Territorio y Sostenibilidad) o de los entes locales.

- El desarrollo de los trabajos necesarios para la elaboración de los PTP se hace por el Departamento competente en materia territorial, en el caso de que este haya ejercido su iniciativa. En el caso de iniciativa municipal, para la elaboración se promoverá la constitución de una mancomunidad o una comunidad de los municipios de todo el ámbito territorial del Plan.

- Para cada uno de los PTP, el Departamento competente en materia territorial o la entidad local debe elaborar un anteproyecto de plan.

- En el proceso de elaboración del anteproyecto, deben consultarse los departamentos, entes locales, instituciones y consorcios de desarrollo territorial y las entidades y organizaciones vinculadas profesionalmente o socialmente al territorio.

- Una vez elaborado, el anteproyecto de plan debe presentarse, para su conocimiento, a la Comisión de Coordinación de la Política Territorial, y a continuación, el consejero o la consejera competente en materia territorial o el órgano que corresponda debe resolver el inicio del proceso de participación.

- El anteproyecto de plan debe someterse a la consideración de los entes locales, de los departamentos y, si procede, de la Administración del Estado, para que puedan expresar sus observaciones por un período no inferior a dos meses. También debe someterse a la consideración de los órganos de consulta y asesoramiento del

Gobierno, de las corporaciones, asociaciones y entidades interesadas en el desarrollo del territorio.

- Simultáneamente, el anteproyecto debe someterse a información pública por un período no inferior a dos meses, mediante anuncio publicado en el boletín oficial en un periódico.

- Una vez finalizado el proceso de participación deben valorarse las observaciones, y propuestas presentadas y debe elaborarse el proyecto de PTP, con la introducción de las modificaciones necesarias.

- La aprobación inicial de los proyectos de PTP corresponde al consejero o a la consejera competente en materia territorial, en el caso de planes elaborados por la Administración de la Generalidad, o al órgano competente de la entidad local u organismo que lo tramite.

- Del proyecto aprobado inicialmente debe darse audiencia a: los departamentos de la Generalidad, los entes locales del ámbito territorial del Plan, las corporaciones, asociaciones y entidades interesadas en el desarrollo del territorio, durante un mes. Asimismo, el proyecto debe someterse a audiencia, si procede, de la Administración del Estado.

- De manera simultánea, el proyecto de plan debe someterse a información pública por un período de un mes.

- Finalizado el trámite de audiencia e información pública, deben valorarse los escritos y alegaciones presentadas y, si procede, introducirse las enmiendas necesarias.

- El proyecto debe ser aprobado provisionalmente por el consejero competente en materia territorial en el caso de planes elaborados por la Generalidad, o por el órgano competente de la entidad local u organismo que lo tramite. En este último caso, el órgano que lo haya aprobado provisionalmente debe enviar el expediente completo del proyecto al Departamento competente en materia territorial para que éste emita un informe en el plazo de tres meses, en el que se propondrán las modificaciones oportunas.

- La aprobación definitiva de los PTP corresponde al Gobierno de la Generalidad, a propuesta del Departamento competente en materia territorial o de la entidad local u organismo que ha llevado a cabo los trabajos, visto el dictamen de la Comisión de Coordinación de Política Territorial.

- El acuerdo de aprobación y la normativa del Plan deben ser publicados mediante edicto en el DOGC.

Finalmente, cabe señalar que corresponde al Gobierno adoptar el acuerdo de formulación de la modificación o de la adaptación del Plan, a propuesta del Departamento competente en materia territorial o a iniciativa de las entidades locales. En caso de modificación, se siguen los mismos trámites que para su elaboración.

Diagrama 2. Procedimiento de tramitación de los PTP

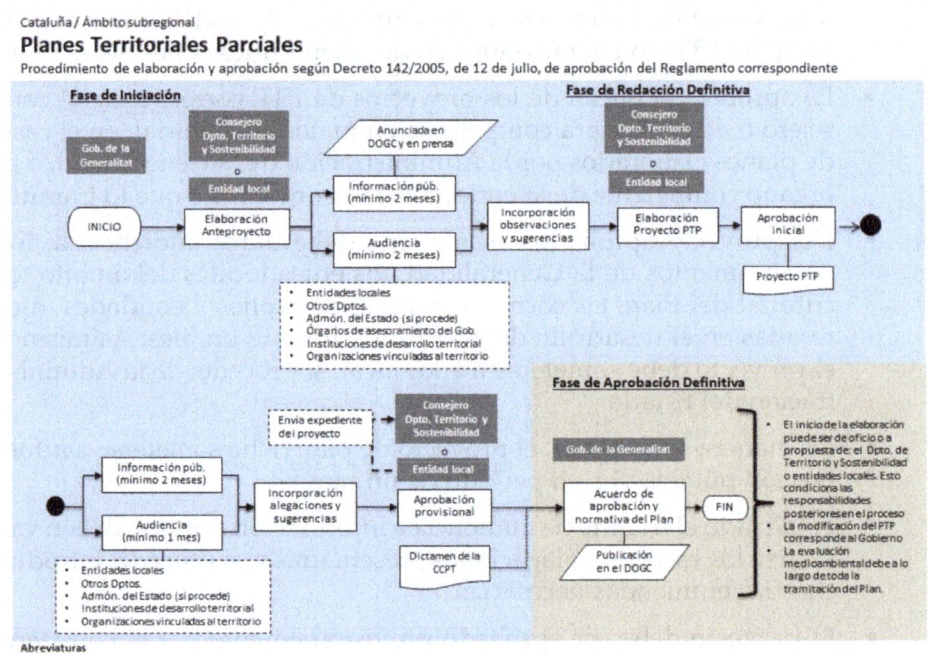

Cataluña / Ámbito subregional
Planes Territoriales Parciales
Procedimiento de elaboración y aprobación según Decreto 142/2005, de 12 de julio, de aprobación del Reglamento correspondiente

Abreviaturas
CCPT: Comisión de Coordinación de Política Territorial
DOGC: Diari Oficial de la Generalitata de Catalunya

Fuente: Elaboración propia

5.3. PROCEDIMIENTO DE ELABORACIÓN Y APROBACIÓN DE LOS PDT

Los PDT fueron creados por la Ley 31/2002, de 30 de diciembre, de medidas fiscales y administrativas, que introdujo un nuevo capítulo a la ley de Política Territorial de 1983 donde se contemplaba la elaboración y aprobación de estos planes. Aunque su articulado es muy somero, el posterior Decreto 142/2005 relativo a los PTP estableció que, aquellos PDT cuyo contenido sea asimilable a un PTP, deben elaborarse y tramitarse de acuerdo con las mismas disposiciones establecidas para los PTP, si bien se deben tener en cuenta ciertas especificidades que derivan de la

Ley 31/2002. Así pues, el procedimiento (recogido en el Artículo 19 quater de la Ley 23/1983) es el siguiente:

- El acuerdo de formulación de los PDT debe ser adoptado por el consejero o consejera de Política Territorial y Obras Públicas (actualmente Departamento de Territorio y Sostenibilidad), previo informe de la Comisión de Coordinación de Política Territorial, y debe determinar, como mínimo, el ámbito territorial, los aspectos que debe desarrollar y la unidad orgánica responsable de su tramitación.

- En su elaboración debe garantizarse la participación de todas las instituciones públicas afectadas.

- La aprobación inicial y provisional corresponde al consejero o consejera competente en materia territorial, y la aprobación definitiva, al Gobierno.

- Los PDT, una vez aprobados inicialmente, deben someterse a información pública.

Diagrama 3. Procedimiento de tramitación de los PTP

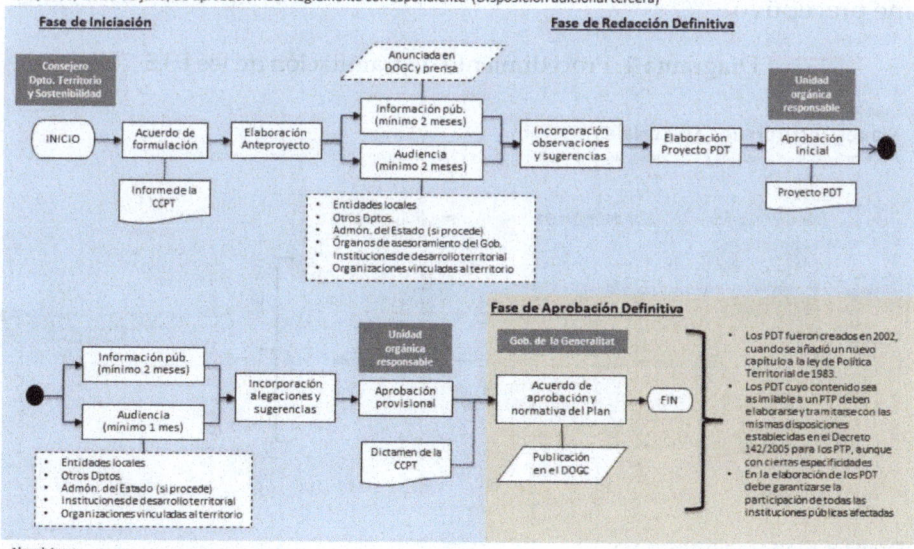

Fuente: Elaboración propia

5.4. PROCEDIMIENTO DE ELABORACIÓN Y APROBACIÓN DE LOS PLANES TERRITORIALES SECTORIALES

La Ley 23/1983, de 21 de noviembre, de política territorial es la que establece en su Artículo 19 el proceso de elaboración y aprobación de los PTS, aunque de forma bastante genérica. Dicho procedimiento es el que se explica a continuación:

- La aprobación de los PTS corresponde al Consejo Ejecutivo (Gobierno).

- Corresponde a cada Departamento:

    a) Elaborar los PTS de su competencia.

    b) Consultar los organismos adecuados sobre la idoneidad de los planes.

    c) Proponer al Consejo Ejecutivo la aprobación de los planes.

- El Departamento de Política Territorial y Obras Públicas (actualmente Departamento de Territorio y Sostenibilidad) tiene que colaborar con el Departamento responsable en la elaboración del PTS y emitir un informe preceptivo.

Así, vemos que en este caso la elaboración de los PTS puede recaer en otros Departamentos sectoriales diferentes al departamento competente en materia territorial, si bien éste último debe colaborar y emitir un informe preceptivo.

Diagrama 4. Procedimiento de tramitación de los PTS

Cataluña / Sectorial
Planes Territoriales Sectoriales
Procedimiento de elaboración y aprobación según la Ley 23/1983, de 21 de noviembre, de política territorial (Capítulo IV)

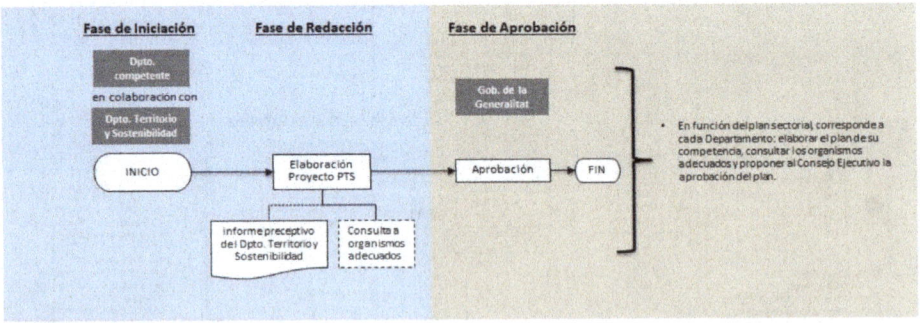

Fuente: Elaboración propia

5.5. PROCEDIMIENTO DE LA EVALUACIÓN AMBIENTAL DE PLANES

En este caso, la evaluación ambiental de los planes viene regulada por la Ley 6/2009, de 28 de abril, de evaluación ambiental de planes y programas, que en su articulado recoge el siguiente procedimiento:

Inicio del procedimiento de decisión previa de evaluación ambiental:

- El promotor de un plan o programa debe enviar al órgano ambiental, en la fase preliminar de elaboración, la documentación suficiente con relación al plan o programa y a su potencial incidencia ambiental.

- Si el promotor considera que es preciso someter el plan o programa a evaluación ambiental, puede sustituir la documentación por el informe de sostenibilidad ambiental preliminar, para que el órgano ambiental proceda directamente a emitir el documento de referencia.

- El órgano ambiental, en el plazo de quince días desde la recepción de la documentación, puede solicitar la compleción o concreción de la documentación.

- El promotor en cualquier fase del procedimiento puede contactar con el órgano ambiental para obtener los datos que considere relevantes.

- El órgano ambiental, una vez recibida la documentación, consulta a las administraciones públicas afectadas sobre los eventuales efectos sobre el medio ambiente. Asimismo, les solicita que se pronuncien sobre cuál debe ser el alcance y el grado de especificación aplicable en el informe de sostenibilidad ambiental. Las administraciones consultadas deben hacer llegar su parecer al órgano ambiental en el plazo de un mes.

Adopción de la decisión previa de evaluación ambiental:

- El órgano ambiental decide, en el plazo de un mes, sobre la necesidad de someter el plan o programa al procedimiento de evaluación ambiental.

- La decisión se notifica al promotor y se publica en el Diari Oficial de la Generalitat de Catalunya y en los medios telemáticos del órgano ambiental.

- En el supuesto de que el plan o programa deba someterse a evaluación ambiental, el órgano ambiental debe efectuar las siguientes
  actuaciones:

  a) Requerir al promotor para que aporte el informe de sostenibili-
     dad ambiental preliminar.

  b) Consultar, si es preciso, al público interesado sobre cuál debe
     ser el alcance y el grado de especificación del informe de soste-
     nibilidad ambiental.

  c) Elaborar el documento de referencia; determinar las modali-
     dades de información y consulta del informe de sostenibilidad
     ambiental, e identificar a las administraciones públicas afecta-
     das y al público interesado.

  d) Notificar al promotor el documento de referencia y demás de-
     terminaciones indicadas por la letra c), así como una copia de la
     documentación recibida en las consultas realizadas sobre el al-
     cance del informe de sostenibilidad ambiental. Esta notificación
     debe efectuarse en el plazo de un mes.

  e) Poner a disposición pública el documento de referencia, la iden-
     tificación de las administraciones públicas afectadas y del pú-
     blico interesado y las modalidades de información y consulta.

Inicio del procedimiento de evaluación ambiental de planes y
programas:

- El promotor debe enviar al órgano ambiental un informe de sostenibilidad ambiental preliminar.

Consultas e información pública sobre el informe de sostenibilidad
ambiental del plan o programa:

- La versión preliminar del plan o programa y el correspondiente informe de sostenibilidad ambiental deben ser sometidos a consulta
  de las administraciones públicas afectadas y del público interesado
  y a un trámite de información pública durante un plazo mínimo de
  cuarenta y cinco días.

- Ordinariamente debe aplicarse el siguiente procedimiento:

  a) Notificar la apertura del trámite de consultas a las administra-
     ciones públicas afectadas y al público interesado.

  b) Anunciar la información pública en el Diari Oficial de la Gene-
     ralitat de Catalunya, en un diario de gran tirada y en otro de
     ámbito local.

c) Los documentos que se someten a consulta deben estar disponibles en los medios telemáticos del órgano promotor, del órgano responsable de la tramitación y la aprobación, o del órgano ambiental.

Elaboración de la memoria ambiental:

- El promotor elabora la memoria ambiental, teniendo en cuenta la documentación presentada y las informaciones recibidas. Para ello cuenta con la asistencia y la colaboración del órgano ambiental.

Acuerdo del órgano ambiental sobre la memoria ambiental:

- El promotor debe entregar la memoria ambiental al órgano ambiental.

- El órgano ambiental examina la memoria ambiental y la documentación presentada por el promotor, para verificar si integra adecuadamente los contenidos. Si es así, el dicta una resolución en que manifiesta su acuerdo con la memoria ambiental. Si no, indica al promotor los aspectos concretos que considera que es preciso reflejar. La resolución se notifica al promotor en el plazo de tres meses.

- Corresponde al órgano competente para aprobar el plan o programa tomar en consideración el informe de sostenibilidad ambiental, la memoria ambiental del plan y el acuerdo del órgano ambiental, para adoptar la resolución que corresponda.

Respecto a la competencia para dictar el acuerdo sobre la memoria ambiental, la normativa indica que la resolución que contiene el acuerdo expreso sobre la memoria ambiental la debe dictar:

a) El consejero o consejera del departamento competente en materia de medio ambiente si la aprobación de los planes o programas es asignada al Parlamento, al Gobierno u a otro consejero o consejera.

b) El director o directora general competente en materia de evaluación ambiental de planes y programas, en los demás supuestos.

6. EMBOTELLAMIENTOS Y CONDICIONES QUE ALTERAN EL FUNCIONAMIENTO

Cataluña fue la primera Comunidad Autónoma española en aprobar el marco regulador de la ordenación territorial después de la transferencia de competencias, de manera que en aquellos inicios tuvo un papel precursor en las políticas territoriales. Sin embargo, paradójicamente, lo que inicialmente fueron iniciativas pioneras a nivel estatal se han convertido, actualmente, en un marco regulador prácticamente obsoleto.

Por un lado, la Ley 23/1983 de Política Territorial lleva ya más de 35 años de vigencia, y mientras en otras Comunidades Autónomas españolas se han ido aprobando nuevas legislaciones en materia territorial (que se adaptan mejor a la realidad político-administrativa y territorial), éste no ha sido el caso en Cataluña hasta el momento. En estos momentos se está tramitando una nueva ley de territorio, pero su aprobación definitiva no se ha consumado por ahora.

Por otro lado, la tramitación de los planes en Cataluña se ha producido con importantes desfases entre la aprobación de la legislación, el plan regional y los planes subregionales o sectoriales derivados. La aprobación de los planes de escala subregional en la década del 2000 creó incluso la necesidad de aprobar un reglamento específico previo, para facilitar el encaje en el sistema de planificación sin que se hubiera producido la revisión y actualización del Plan Territorial General de escala superior. También los Planes Directores fueron creados a partir de una legislación posterior, con lo cual el marco legal relacionado con el sistema de instrumentos de planificación territorial resulta manifiestamente complejo.

Así, hallamos instrumentos cuyo proceso de tramitación obedece a la regulación de textos legislativos distintos, por lo que el grado de complejidad de dicha tramitación es considerablemente diverso. Concretamente, el procedimiento de tramitación de los PTP (y también los PDT cuyo contenido sea asimilable a los PTP) es muy garantista, a lo largo del cual cada Departamento de la Generalitat y cada ayuntamiento son consultados directamente diversas veces sobre el contenido del proyecto y se crean diversas instancias de participación pública, lo que implica tramitaciones muy prolongadas en el tiempo (Nel·lo, 2010), que han requerido un período mínimo de dos años por cada plan. En contraposición, la tramitación de los Planes Territoriales Sectoriales está poco especificada en la Ley de Política Territorial, y se deduce que es un proceso más ágil y con menos espacios de consulta o participación. Además, el PTG y los PTS, a diferencia de los PTP y PDT, no prevén una aprobación provisional del documento previa a su aprobación definitiva.

Como ya se ha mencionado, a pesar de este proceso de tramitación más garantista, la mayoría de PTP fueron aprobados de forma escalonada en un periodo relativamente breve (2006-2010). Sin embargo, el PTP del Penedès (único que queda pendiente) está siguiendo un proceso de tramitación dilatado y, desde la creación del nuevo ámbito funcional en 2010, no ha llegado a aprobarse definitivamente. Este hecho es significativo en la medida en que constituye, en cierto modo, un reflejo del estancamiento de las propias políticas de ordenación del territorio, que, después del impulso de la primera década del 2000, han entrado en un cierto periodo de letargo donde los avances son tímidos y discontinuos.

7. SITUACIÓN RESULTANTE

El territorio catalán se ha hallado sometido desde hace varias décadas a importantes tensiones sobre los usos y la gestión del suelo, a caballo entre el ciclo expansivo del mercado inmobiliario y las consecuencias de la crisis financiera. Paralelamente, el desarrollo de políticas territoriales a diversas escalas ha puesto de relieve las carencias del acervo disciplinar con el que se contaba para elaborar instrumentos de planificación territorial y urbanística (Nel·lo, 2012). Aun así, cabe resaltar que Cataluña no sólo fue la primera en aprobar su plan regional sino que su territorio está casi completamente cubierto por instrumentos de escala subregional, y también han sido numerosos los planes sectoriales aprobados. Los avances en materia de ordenación territorial han sido aprovechados para integrar también el paisaje en las políticas territoriales.

Actualmente cuenta también con un sistema de gobernanza territorial que propicia el encuentro entre los diversos departamentos con incidencia sobre el territorio, así como observatorios que se encargan de la monitorización del territorio y el asesoramiento más técnico. Generalmente, el Departamento con competencias en ordenación del territorio es quien tiene un mayor peso en el proceso de elaboración y tramitación de los instrumentos de OT, actuando como promotor y como responsable de la redacción, así como la aprobación provisional en algunos casos.

No obstante, una de las debilidades del sistema de ordenación del territorio catalán es la dispersión y desactualización del marco legal y del instrumento de planificación regional. Respecto al PTG, en otoño de 2009 la Generalitat acordó iniciar el proceso de revisión de este instrumento (mediante el Decreto 174/2009), por lo que se creó una ponencia técnica en la que participaban todos los departamentos que integran la Comisión de Coordinación de Política Territorial. A finales de 2010 se disponía ya de un avance de los trabajos que incluía el refundido de los PTP, nuevas proyecciones estadísticas y las líneas metodológicas de lo que debería ser el nuevo PGT (Nel·lo, 2012). Dicha revisión debía ser aprobada mediante ley del Parlamento de Catalunya para completar la nueva estructura del planeamiento territorial en la comunidad autónoma; sin embargo, el cambio político en el gobierno regional hizo que la actualización del PTG no llegara a aprobarse.

Respecto al marco legal, cabe señalar que en el año 2017 se presentó el anteproyecto de la nueva ley de territorio, que tiene como finalidad configurar un marco normativo integral, coherente y estable en materia de ordenación del territorio, urbanismo, y paisaje. Esta nueva ley, por tanto, acabaría con la mencionada dispersión normativa e integraría, asimismo, la regulación del paisaje conjuntamente con la ordenación del territorio. La variable paisaje se integraría así de forma transversal en el conjunto de instrumentos de planificación, siguiendo la línea recomendada por el Convenio Europeo del Paisaje (al cual el Parlamento catalán se adhirió en el mismo año de aprobación del Convenio, el año 2000).

El propio anteproyecto de ley de territorio reconoce, aunque la aprobación de nuevas normativas de urbanismo y nuevos planes subregionales supuso avances importantes para la gestión sostenible del territorio, el modelo de ocupación de Cataluña sigue basándose en un consumo excesivo de suelo, por lo cual es necesario un marco legal que se adapte a la realidad territorial. Asimismo, declara que el planeamiento general ha pecado a menudo de rigidez excesiva, ocasionando largos plazos de implementación y ejecución y retrasando innecesariamente muchos proyectos (Generalitat de Catalunya, 2017). El propio gobierno regional admite, así, la necesidad de una reforma de los objetivos, instrumentos y procedimientos y apuesta por una ley integradora de carácter estratégico y con vocación de permanencia.

La nueva ley de territorio, sin embargo, ha pecado de los mismos vicios que pretende combatir, pues el inicio de su tramitación se remonta al año 2013 con la constitución del comité de expertos, y después de las fases de diagnóstico y de proceso participativo, la fase de redacción se demoró hasta el año 2017, mientras que la aprobación definitiva todavía no se ha producido.

Es evidente que la adecuación a la realidad actual del marco regulador legal e instrumental resulta imprescindible para una ordenación del territorio eficaz y sostenible, más aún si tenemos en cuenta la rapidez con la que tienen lugar los cambios en el territorio. Por ello, la asignatura pendiente más significativa de esta Comunidad Autónoma es, probablemente, la revisión de instrumentos y la simplificación de procedimientos que propicien el proceso de actualización.

8. REFERENCIAS BIBLIOGRÁFICAS Y NORMATIVA

BENABENT, M. (2006). *La Ordenación del Territorio en España*. Sevilla: Universidad de Sevilla – Consejería de Obras Públicas y Transportes de la Junta de Andalucía.

CAPEL, L. Y LÓPEZ, J. (2011). *Planejament territorial i reptes globals a Catalunya: canvi climàtic, subministrament energètic, canvi demogràfic i globalització*. Barcelona: Institut d'Estudis Territorials.

ELORRIETA, B. Y SÁNCHEZ-AGUILERA, D. (2011). Landscape regulation in regional territorial planning: A view from Spain. En M. Jones y M. Stenseke (eds.), *The European Landscape Convention: Challenges of participation* (p. 99-120). Dordrecht: Springer.

GENERALITAT DE CATALUNYA (2017). *Avantprojecte de la Llei de territori. DOGC 7377 de 25 de maig de 2017*. Barcelona: DOGC.

NEL·LO, O. (2010). El planeamiento territorial en Cataluña. *Cuadernos Geográficos*, 47, 131-167.

NEL·LO, O. (2012). *Ordenar el territorio. La experiencia de Barcelona y Cataluña*. València: Tirant Humanidades.

PUJADAS, R. Y FONT, J. (1998). *Ordenación y planificación territorial*. Madrid: Editorial Síntesis.

SECRETARIA PER A LA PLANIFICACIÓ TERRITORIAL (2006). *Planejament Territorial. Criteris*. Barcelona: Departament de Política Territorial y Obres Públiques.

LEGISLACIÓN

Decret 142/2005, de 12 de juliol, d'aprovació del Reglament pel qual es regula el procediment d'elaboració, tramitació i aprovació dels plans territorials parcials.

Decret 174/2009, de 10 de novembre, pel qual s'acorda l'inici de la revisió del Pla territorial general.

Decret 68/2014, de 20 de maig, pel qual es regula la composició i el funcionament intern dels òrgans urbanístics de la Generalitat de caràcter col·legiat.

Llei 23/1983, de 21 de novembre, de Política Territorial.

Llei 1/1995, de 16 de març, per la qual s'aprova el Pla territorial general de Catalunya.

Llei 24/2001, de 31 de desembre, de reconeixement de l'Alt Pirineu i Aran com a àrea funcional de planificació, mitjançant la modificació de l'article 2 de la Llei 1/1995, per la qual s'aprova el Pla territorial general de Catalunya.

Llei 31/2002, de 30 de desembre, de mesures fiscals i administratives.

Ley 8/2005, de 8 de junio, de protección, gestión y ordenación del paisaje.

Llei 6/2009, del 28 d'abril, d'avaluació ambiental de plans i programes.

Llei 23/2010, del 22 de juliol, de modificació de la Llei 1/1995 i de la Llei 23/1983 per a fixar l'àmbit de planificació territorial del Penedès.

Ordre TES/110/2013, de 4 de juny, per la qual es crea el Comitè d'experts per a la Reforma de les polítiques d'ordenació territorial i d'urbanisme a Catalunya.

ANEXO. LISTADO DE PLANES CON INCIDENCIA EN LA ORDENACIÓN DEL TERRITORIO

Planes	Información
Planes Territoriales Sectoriales de Movilidad	
Pla d'aeroports, aeròdroms i heliports de Catalunya	l'Acord de Govern de 26 d'agost de 2003 d'aprovació del Pla d'aeroports de Catalunya
Pla de transport de viatgers de Catalunya (2008-2012)	Aprovat definitivament el 7 de gener de 2009 (DOGC 20 de gener de 2009) per acord de govern.
Plan d'infraestructures del transport (2006-2026)	-
Planes Territoriales Sectoriales Ambientales	
Pla d'espais d'interès natural (PEIN)	Decret 328/1992, de 14 de desembre, pel qual s'aprova el Pla d'espais d'interès natural
Pla territorial sectorial de la implantació ambiental de l'energia eòlica a Catalunya	Aprobado por el Decreto 174/2002 de 11 de junio
Pla de l'energia i canvi climàtic de Catalunya 2012-2020	Aprobado por ACORD GOV/97/2012, de 9 de octubre
Pla general de política forestal 2014-2024	ACORD DE GOVERN GOV/92/2014, de 17 de juny, pel qual s'aprova el Pla general de política forestal 2014-2024.
Otros Planes Territoriales Sectoriales	
Pla director d'instal·lacions i equipaments esportius de Catalunya	Decret 95/2005, de 31 de maig, i en aquests moments el Consell Català de l'Esport redacta la seva actualització
Pla territorial sectorial d'equipaments comercials	-

Capítulo 12

El procedimiento de la planificación territorial en la Comunitat Valenciana

Enrique Antequera Terroso

Ingeniero de Caminos. Prof. Departamento de Urbanismo.
Universitat Politècnica de València

Mercedes Almenar-Muñoz

Abogado Urbanista y Ambiental. Prof. Dra. Departamento de Urbanismo.
Universitat Politècnica de València

SUMARIO: 1. ANTECEDENTES. 2. NORMATIVA BASE. 3. ESQUEMA DE INSTRUMENTOS. 3.1. *Instrumento Regional.* 3.2. *Instrumento Subregional.* 3.2.1. Los Planes de Acción Territorial (PAT). 3.2.2. Los Proyectos de Inversiones Estratégicas Sostenibles (PIES). 3.3. *Instrumentos Sectoriales.* 4. ÓRGANOS. 5. PROCEDIMIENTOS Y RESPONSABILIDADES FORMALES. 5.1. *Procedimiento de elaboración y aprobación del Instrumento Regional.* 5.2. *Procedimiento de elaboración y aprobación de los Instrumentos Subregionales.* 5.3. *Procedimiento de elaboración y aprobación de los Instrumentos Sectoriales.* 5.4. *Procedimiento de evaluación ambiental de planes.* 6. EMBOTELLAMIENTOS Y CONDICIONES QUE ALTERAN EL FUNCIONAMIENTO. 7. SITUACIÓN RESULTANTE. 8. REFERENCIAS BIBLIOGRÁFICAS Y NORMATIVA.

1. ANTECEDENTES

La Comunitat Valenciana (CV) tiene un amplio historial en materia de legislación sobre OT. El primer antecedente hay que buscarlo en la

Ley 6/1989, de 7 de julio, de Ordenación del Territorio de la CV[1], que establecía cuatro figuras de ordenación territorial: el Plan de OT, los Planes de Acción Territorial, los Programas de OT y los Proyectos de Ejecución.

Esta norma quedó derogada por la Ley 4/2004, de 30 de junio, de Ordenación del Territorio y Protección del Paisaje[2] (LOTPP), que introducía ex novo el paisaje como un elemento más del sistema territorial y, por tanto, objeto de análisis y de propuestas de conservación y mejora. Por otro lado, la ley dejaba reducidas a dos las figuras de planificación territorial: la Estrategia Territorial de la CV (ETCV) y los Planes de Acción Territorial (PATs), pero introducía, en correspondencia con la importancia dada el paisaje, para los PAT y para los planes generales urbanísticos, los estudios de paisaje, de carácter ejecutivo ya que en ellos se incluía la propuesta de medidas para su conservación y la delimitación de las unidades de paisaje de alto valor y el establecimiento del régimen jurídico para su protección.

Igualmente, el Título IV de la LOTPP, dedicado a la Gestión Territorial, incorporaba una serie de instrumentos de gestión, entre los que destacaban, desde el punto de vista territorial, los programas y proyectos para la sostenibilidad y para la calidad de vida, a desarrollar por los ayuntamientos o por la propia Generalitat. Esta ley se complementó en 2006 con el Reglamento de Ordenación y Gestión Territorial y Urbanística (Decreto 67/2006, de 19 de mayo)[3], que por primera vez aunaba en un mismo documento legal, disposiciones urbanísticas y territoriales.

Posteriormente, en 2014 se aprueba la Ley 5/2014, de 25 de julio, de OT, Urbanismo y Paisaje (LOTUP)[4], que deroga la amplia legislación territorial, urbanística y del paisaje anterior[5] y que ha sido recientemente modificada en muchos de sus preceptos por la Ley 1/2019, de 5 de febrero[6] y la Ley 9/2019, de 23 de diciembre[7].

---

1. DOCV núm. 1106 de 13 de Julio de 1989.
2. DOCV n.° 4788 Viernes, 2 de julio de 2004.
3. DOCV núm. 5264 de 23 de mayo de 2006.
4. DOCV núm. 7329 de 31 de julio de 2014.
5. Concretamente se derogaron: La disposición adicional tercera de la Ley 4/1992, de Suelo No Urbanizable; la Ley 4/2004, de Ordenación del Territorio y Protección del Paisaje; la Ley 10/2004, de Suelo No Urbanizable; la Ley 16/2005, Urbanística Valenciana; la Ley 9/2006, Reguladora de los Campos de Golf de la Comunitat Valenciana; la Ley 1/2012, de medidas urgentes de impulso a la implantación de actuaciones territoriales estratégicas (excepto la disposición final primera); el Reglamento de Ordenación y Gestión Territorial y Urbanística y el Reglamento de Paisaje de la Comunitat Valenciana.
6. DOCV núm. 8491 de 7 de febrero de 2019.
7. DOCV. Núm. 8707 de 30 de diciembre.

Esta primera reforma de 2019 de la LOTUP no altera los objetivos de la aprobada en 2014, que ciñéndonos a los de carácter territorial y según se indica en su exposición de motivos, son simplificar y reducir la complejidad y dispersión del vigente marco normativo; tratar el territorio de forma integral para la consecución de un desarrollo sostenible y racional e incrementar la transparencia, mediante mecanismos de información y participación pública. A estos objetivos, la primera modificación de 2019 (Ley 1/2019, de 5 de febrero) introduce los de favorecer la renovación, regeneración y rehabilitación urbana; reforzar la función y el control público sobre los procesos de empleo del territorio, favoreciendo por ejemplo, la gestión directa de los programas de actuación; dar solución a situaciones existentes en el territorio, como consecuencia de actuaciones realizadas sin ajustarse al planeamiento urbanístico y que tienen efectos perjudiciales desde un punto de vista territorial, paisajístico y ambiental[8] y, por último, modificar algunos aspectos en el régimen del suelo no urbanizable que se ha visto necesario cambiar a la vista de la práctica de los últimos años. Como se puede observar, el peso de los cambios introducidos, inciden sobre temas relacionados con el planeamiento y gestión urbanística.

Por eso mismo, la LOTUP mantiene sin apenas cambio alguno los dos instrumentos de OT previstos en la ley de 2004, la Estrategia Territorial y los Planes de Acción Territorial, incorporando un nuevo instrumento de ordenación, el plan general estructural mancomunado, de carácter fundamentalmente urbanístico, pero que al poder abarcar varios municipios ofrece una componente territorial que puede justificar su inclusión en la categoría de planes territoriales (Art. 14).

Posiblemente, el cambio más profundo en el articulado con incidencia sobre el territorio es el que afecta a las Actuaciones Territoriales Estratégicas (ATE), una figura novedosa creada por la Ley 1/2012, recogida en la LOTUP, que pasan a denominarse Proyectos de Inversiones Estratégicas Sostenibles (PIES). La reforma de la LOTUP de febrero de 2019 cambia sustancialmente los requisitos para su declaración, aunque no los fundamentos. Esta figura se inscribe dentro del grupo de otros instrumentos de ordenación, junto a los planes especiales y los catálogos de protección, ambos tradicionalmente considerados como planes de carácter urbanístico. Sin embargo, en la exposición de motivos de la LOTUP-2014, puede

---

8. Con el objetivo de acotar esta situación de indisciplina urbanística, la Ley 1/2019, de 5 de febrero, de modificación de la LOTUP, añade una nueva Disposición Adicional, la Decimotercera, por la que se crea la Agencia Valenciana de Protección del Territorio. Entidad de derecho público sobre la que los municipios podrán atribuir, mediante su adhesión a un convenio marco, sus competencias propias en materia de disciplina urbanística sobre suelo no urbanizable.

leerse que "A la estrategia territorial y a los planes de acción territorial, se añaden las Actuaciones Territoriales Estratégicas", por lo que se ha entendido que estos planes, deben incluirse claramente dentro del conjunto de planes territoriales.

En cualquier caso, la LOTUP dedica únicamente cinco artículos (del 14 al 18) de los 270 que la forman, a describir el objeto, funciones, contenido y documentación de los citados planes territoriales.

Por último, la LOTUP establece en su art. 6, en la redacción dada por la ley 1/2019, de 5 de febrero, tres instrumentos de paisaje como estudios complementarios que se integran en el procedimiento de aprobación de los planes, los estudios de paisaje (EP) y los estudios de integración paisajística (EIP) o que los concretan en su aplicación, los programas de paisaje (PdP).

Los dos primeros acompañan a los planes territoriales y urbanísticos. Concretamente, los estudios de paisaje se asocian a un nivel superior de ordenación como son los PATs; los planes generales estructurales y pormenorizados y, en su caso, los planes especiales y modificaciones de planes generales de amplio ámbito territorial. Los estudios de integración paisajística se reservan para una escala inferior, planes, proyectos y actuaciones con incidencia en el paisaje. En los instrumentos sometidos a Evaluación Ambiental y Territorial Estratégica (EATE) simplificada sin incidencia en el paisaje no resulta exigible el estudio de paisaje, si así lo determina el órgano ambiental y territorial competente y el departamento con competencias en paisaje[9].

---

9. Los EP deberán incluirse en todos los planes sometidos a EAE (Art. 6.2.a LOTUP):
    - Planes de Acción Territorial (Art. 16 establece su objeto, función y contenido).
    - Planes Generales Estructurales (Art. 21 fija las determinaciones de carácter estructural).
    - Planes de Ordenación Pormenorizada: Planes Parciales, Especiales y de Reforma Interior (si, de acuerdo con lo previsto en el art. 63.2, modifican determinaciones del Plan General Estructural, para ajustarlas al análisis más detallado del territorio propio de su escala).
    Deberán incluir:
    - Catalogación de los paisajes de mayor valor (Anexo I, h). 1.º), que deberán incluirse en el Catálogo de Protección del Plan General.
    - Definición de Programas de Paisaje prioritarios para la preservación, mejora o puesta en valor de los distintos paisajes (Anexo I, h). 1.º).
    Los PTP se reservan se reservan para establecer actuaciones para garantizar la preservación y puesta en valor de paisajes que requieran intervenciones específicas.
    Los planes de ordenación pormenorizada deberán ir acompañados de EIP cuando conlleven nuevos *crecimientos urbanos o en supuestos de implementación de infraestructuras* (Art. 6.2.b).

2. NORMATIVA BASE

La información básica sobre la legislación y los instrumentos de OT más relevantes, así como su estado de tramitación, se resume en la siguiente tabla:

Tabla 1

COMUNITAT VALENCIANA	
Legislación OT vigente	Ley 5/2014, de 25 de julio, de Ordenación del Territorio, Urbanismo y Paisaje de la Comunitat Valenciana (LOTUP) Ley 1/2019, de 5 de febrero, de la Generalitat, que modificación la LOTUP. Ley 9/2019, de 23 de diciembre, de la Generalitat, de medidas fiscales, de gestión administrativa y financiera y de organización de la Generalitat
Departamento OT actual	Conselleria de Política Territorial, Obras Públicas y Movilidad Secretaría Autonómica de Política Territorial, Urbanisme i Paisatge Dirección General de Política Territorial i Paisatge
Plan OT regional	Estrategia Territorial de la Comunitat Valenciana
Entrada en vigor	2011
Normativa de aprobación	Decreto 1/2011, de 13 de enero, por el que se aprueba la Estrategia Territorial de la Comunitat Valenciana (DOGV n.° 6441 de 19 de enero) Modificado por el Decreto 166/2011 (DOGV n.° 6645 de 7 de septiembre)
Organismo impulsor	Inicialmente: Conselleria de Infraestructuras, Territorio y Medio Ambiente Actualmente: Conselleria de Política Territorial, Obras Públicas y Movilidad
Realización técnica	Administración autonómica
Periodo tramitación PTG	El primer borrador se hace público en septiembre de 2007 (Preámbulo del Decreto 1/2011 de 13 de enero por el que se aprueba la ETCV). Se aprueba definitivamente en 2011.

COMUNITAT VALENCIANA	
Otros planes de OT(*)	- PAT de las áreas metropolitanas de Alicante y de Elche (PATEMAE) (en redacción) - PAT del Área Funcional de Castellón (PATECAS) (en participación pública) - PAT Metropolitano de Valencia (PATEVAL) (en redacción) - PAT de las Comarcas Centrales (en redacción) - PAT de la Vega Baja del Segura (en redacción)
Otros planes con incidencia en OT(**)	Planes de Acción Territorial (PAT) regionales y subregionales de carácter sectorial y otros planes sectoriales

(*) En este apartado se incluyen los planes de acción territorial (PAT) regionales y subregionales de carácter integrado.

(**) Detallados en el ANEXO 1.

3. ESQUEMA DE INSTRUMENTOS

El Capítulo I del Título II de la LOTUP establece los instrumentos de ordenación, diferenciando entre los de ámbito supramunicipal de los de carácter municipal (art. 14). El esquema básico de instrumentos es el que puede verse en la Figura 1, el de mayor jerarquía y ámbito territorial es la Estrategia Territorial de la Comunidad Valenciana (ETCV), para cuyo desarrollo se cuenta con los planes de acción territorial, que pueden ser de carácter integrado o sectorial. La ETCV es la fuente de inspiración sustantiva y procedimental del resto de los instrumentos de ordenación territorial y de planificación.

Figura 1. Esquema de las figuras de planificación territorial y urbana previstas en la LOTUP

Fuente: Elaboración propia a partir de la LOTUP

El Plan General Estructural (PGE) Mancomunado es una figura netamente urbanística, cuya única diferencia con el PGE convencional es que
su ámbito de actuación debe abarcar a dos o más términos municipales
completos. Precisamente por este carácter supramunicipal se han incluido
dentro de este apartado de instrumentos de ordenación, aunque a efectos
de determinaciones, son las específicas de un plan estructural (Art. 18).
Ese mismo art. 14 establece un tercer grupo de documentos de ordenación:
los catálogos de protección, los planes especiales, y los proyectos de inversiones estratégicas sostenibles. Respecto los primeros, el art. 42 determina
el carácter de instrumento de ordenación estrictamente municipal, por lo
que no se analizarán en este trabajo. En referencia a los planes especiales,
el art. 43 establece su carácter de planes complementarios de otros planes
de jerarquía superior, señalando que pueden formularse para establecer la
ordenación territorial y urbanística de actuaciones incluidas en otros instrumentos de ordenación. Por su carácter limitado a situaciones concretas
y básicamente de carácter urbanístico, tampoco serán objeto de estudio.

Por último, están los Proyectos de Inversiones Estratégicas Sostenibles
(PIES), sucesores de las antiguas Actuaciones Territoriales Estratégicas. El
PIES es una figura que encuentra su equivalente en las legislaciones de
la mayor parte de CCAA y que por sus características, presenta puntos
de contacto tanto con la planificación territorial como con la urbana. Los
PIES vienen regulados en el art. 17 LOTUP que establece que deberán
ser congruentes con la ETCV y localizarse en uno o varios términos municipales, pudiendo ser ajenas al planeamiento territorial y urbanístico
vigente sobre la zona objeto del PIES. Por tratarse de planes de carácter
subregional, también se estudiarán en este trabajo.

3.1. INSTRUMENTO REGIONAL

La ETCV es el instrumento marco de la ordenación del territorio en la
CV, a la que están supeditados el resto de los planes, que deberán ajustarse a sus fines y criterios. Su finalidad principal es la consecución de un territorio integrador en lo social, respetuoso en lo ambiental y competitivo
en lo económico (Art. 15).

Este mismo art. 15 establece las funciones de la ETCV, que a grandes
líneas, son las de identificar las oportunidades del territorio y proponer
las acciones para aprovecharlas, establecer los objetivos y principios que
constituyan el marco de referencia de la política territorial, integrando en
él las actuaciones, públicas y privadas con proyección territorial, orientar
la planificación territorial y urbanística hacia el modelo territorial deseado y establecer las estrategias para la ordenación y gestión de la infraestructura verde.

La Estrategia debe someterse a EATE (Art. 46) y dado su jerarquía normativa, sus objetivos y principios directores adquirieron naturaleza de vinculantes con la modificación de la LOTUP de 2015, por cuanto debían serlo dado que la administración autonómica competente en materia de urbanismo y OT, informa el planeamiento de su competencia en base a la ETCV y a los PATs.

En relación a su vigencia, el art. 67 LOTUP señala, por un lado, que los planes con contenidos normativos tienen una vigencia indefinida, salvo que en ellos se disponga cosa distinta y, por otro lado, que las condiciones para su revisión o modificación deberán ser reguladas por ellos mismos. En consonancia con lo anterior, la normativa de la ETCV establece:

- La Directriz 8 señala que la iniciativa de actualización y modificación (cambios en las directrices que no afecten a objetivos y principios directores) de la ETCV corresponde al conseller con competencias en OT. Las actualizaciones se realizarán periódicamente; sin periodos de tiempo establecidos previamente. Respecto a las modificaciones, la propuesta debe partir del Comité Estratégico de Política Territorial, que emitirá cada 2 años como mínimo un dictamen sobre la evolución de la ET. (Directriz 9).

- Por lo que se refiere a la revisión (cambios en sus objetivos y principios directores), la Directriz 10 señala que, como mínimo, cada cuatro años, el departamento competente en OT o el organismo en quien delegue, elaborará un informe de seguimiento del desarrollo y ejecución de la ETCV. De este informe se dará traslado al Comité Estratégico de Política Territorial, siendo este comité quien deberá dictaminar la conveniencia de la revisión. Consultada la Dirección General competente en materia de OT, hasta la fecha no se ha emitido el informe previsto sobre seguimiento del desarrollo y ejecución de la ETCV.

- La ETCV tiene una vigencia indefinida, sin perjuicio del horizonte final de sus determinaciones en el año 2030 (Directriz 11). No obstante, tras 10 años de aplicación debería revisarse su eficacia y grado de implementación.

3.2. INSTRUMENTO SUBREGIONAL

Como se puede ver en la Figura 1, la LOTUP establece tres tipos de instrumentos de carácter subregional: los Planes de Acción Territorial (PAT), los Proyectos de Inversiones Estratégicas Sostenibles (PIES) y los Planes Generales Estructurales Mancomunados (PGE-Mancomunado).

Ya se ha comentado que estos últimos, tienen un carácter exclusivamente urbanístico y que su inclusión como instrumento de carácter territorial sólo puede justificase por abarcar a más de un término municipal o porque es un proceso que debe liderar el gobierno regional. Por ello, la propia LOTUP sólo dedica a esta figura un artículo, el 18, remitiendo para el contenido de estos planes a los artículos que entran en la ordenación estructural municipal clásica, es decir, la no mancomunada. Tampoco establece la forma de precisa el esquema para el desarrollo de estos planes mancomunados, remitiendo a la legislación de régimen local relación de órganos competentes para la realización de los trámites a escala municipal.

3.2.1. Los Planes de Acción Territorial (PAT)

Los PATs deben desarrollar, en ámbitos territoriales concretos o en ámbitos sectoriales específicos, los objetivos principios y criterios de la ETCV. Estos planes pueden ser de carácter sectorial o integrado, según sus objetivos y estrategias estén vinculados a uno o a varios sectores de la acción pública y su ámbito puede abarcar, en todo o en parte, varios términos municipales (art. 16). En la figura 2 puede verse la situación de los planes integrales en la CV.

Figura 2. Situación de los PAT Integrales (2020)

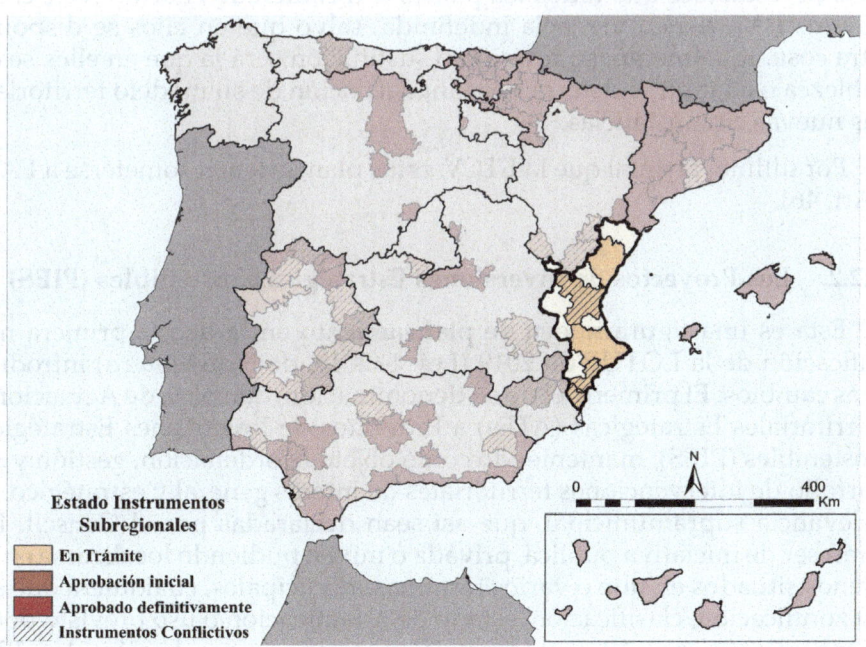

Fuente: Elaboración propia

Las funciones que la LOTUP asigna a los PATs están vinculadas fundamentalmente a la concreción de los objetivos y propuestas de la ETCV para el ámbito territorial o sector objeto del PAT, adaptándolos a la realidad territorial y a definir los objetivos y criterios para las actuaciones sectoriales supramunicipales de las administraciones.

En otro nivel, también son funciones de los PATs, la coordinación de la planificación urbanística municipal y la sectorial, la definición de la Infraestructura Verde en el ámbito del plan y proponer acciones, proyectos, directrices y fórmulas de gobernanza territorial (Art. 16).

Para que la función de coordinación urbanística municipal sea efectiva, los PAT pueden asumir unas competencias importantes, como son las de desarrollar e incluso modificar, aspectos de la ETCV como consecuencia de un análisis territorial de mayor detalle. También pueden reservar terrenos para dotaciones de interés supramunicipal, zonificar y clasificar terrenos directamente y articular la ordenación urbanística de centros o entornos de amplia influencia supramunicipal. Por último, pueden modificar las determinaciones de la ordenación estructural de los planes de ámbito municipal, así como ordenar la adaptación de éstos a sus nuevas previsiones, fijando plazos con este fin (Art. 16).

Como ya se indicó en el apartado anterior referido a la ETCV, el art. 67 LOTUP establece que todos los planes con contenidos normativos, como son los PAT, tienen vigencia indefinida, salvo que en ellos se disponga otra cosa. Igualmente, su revisión o sustitución será la que en ellos se establezca o cuando se determine la inadecuación de su modelo territorial a las nuevas circunstancias.

Por último, al igual que la ETCV, estos planes deben someterse a EATE (Art. 46).

3.2.2. Los Proyectos de Inversiones Estratégicas Sostenibles (PIES)

Esta es una figura nueva de planeamiento en la que la primera modificación de la LOTUP de 2019 (Ley 1/2019, de 5 de febrero) introduce más cambios. El primero, el de su denominación, que pasa de Actuaciones Territoriales Estratégicas (ATEs) a Proyectos de Inversiones Estratégicas Sostenibles (PIES), manteniendo como objeto la ordenación, gestión y desarrollo de intervenciones territoriales de interés general y estratégico, de relevancia supramunicipal, que así sean declaradas por el Consell. Podrán ser de iniciativa pública, privada o mixta, pudiendo localizarse en terrenos situados en uno o varios términos municipales, cualquiera que sea su zonificación, clasificación, estado de urbanización o uso previsto por el planeamiento urbanístico y territorial anterior a su aprobación (Art. 17).

Para que una actuación pueda considerarse como PIES deben concurrir una serie de requisitos que se desarrollan en el citado art. 17. En síntesis, se trata de que, sin contradecir los objetivos y directrices de la ETCV, la actuación genere unos impactos socioeconómicos y ambientales favorables, permanentes y de ámbito supramunicipal, para lo que deberá realizar el correspondiente estudio de viabilidad, de sostenibilidad económica y de impacto de género. El estudio de económico deberá incorporar un análisis de la posible repercusión en la ocupación preexistente en sectores iguales o similares a los previstos en el PIES y de la evolución del empleo de hombres y mujeres en el ámbito de influencia del proyecto.

Adicionalmente, la última modificación de la LOTUP incorpora nuevas condiciones:

- El ámbito del proyecto deberá constituir una única zona de ordenación urbanística y constituirse como una única parcela urbanística.

- Deberá justificarse la dificultad de llevar a cabo su desarrollo a través de algunos de los instrumentos tradicionales (planes parciales o de reforma interior).

- Respecto a los usos, únicamente serán de carácter terciario, industrial o logístico, debiendo contribuir a la excelencia y cualificación del territorio, con una proyección, al menos regional. No se permitirán los usos residenciales, comerciales o de ocio, excepto en aquellos porcentajes complementarios y minoritarios sirvan al uso principal y serán de ejecución inmediata.

- En relación a su integración territorial y localización, deberá ser compatible con la infraestructura verde, integrarse en la morfología del territorio y el paisaje, aprovechando singularidades del territorio que impliquen ventajas comparativas de localización, sea por accesibilidad, entorno ambiental o paisajístico o por la presencia y posición de equipamientos o infraestructuras de calidad, conectando adecuadamente con las redes de movilidad sostenible, ponderando positivamente las de transporte público y los sistemas no motorizados.

- Dada las características de este instrumento y las garantías que la administración exige en caso de ser de iniciativa privada, la legislación no prevé un plazo de vigencia ni de revisión, aunque el art. 62 LOTUP indica que el incumplimiento de los plazos de ejecución estipulados por parte del promotor determinará su sustitución o caducidad, plazos que debe entenderse establece el promotor en la propuesta del proyecto.

En la actualidad y acogiéndose a la anterior legislación, están aprobadas dos Actuaciones Territoriales Estratégicas, aunque ninguna está actualmente en desarrollo ni, lógicamente, en funcionamiento y alguna de ellas presentan problemas legales y de plazos de ejecución que pueden hacer complicado que alguna vez puedan estarlo. Estas actuaciones son:

- Valencia Dinamiza, presentada por el Valencia SAD y la mercantil Newcoval. Aprobada por Acuerdo de la Conselleria de Infraestructuras, Territorio y Medio Ambiente de 29 de junio de 2010[10].

- Proyecto Alcoinnova, Proyecto Industrial y Tecnológico. Aprobado por Acuerdo de la Conselleria de Infraestructuras, Territorio y Medio Ambiente de 22 de febrero de 2013.

Cuentan con declaración del Consell las siguientes actuaciones, cuya tramitación se encuentran paralizadas:

- Proyecto de Desarrollo Turístico y Deportivo del Valle del Río Mijares, presentado por la mercantil Mijares Resort SA. Declaración como ATE por Acuerdo del Consell de 14 de diciembre de 2012[11].

- Proyecto «Alicante Avanza-Innovation Park & Shopping Center», presentado por la mercantil Alicante Avanza, SL. Declaración por Acuerdo del Consell de 20 de junio de 2014[12].

Asimismo, ha sido denegada la ATE Puerto Mediterráneo, presentada por la mercantil Eurofunds Invest-Ment Puerto Ademuz, S.L, por Acuerdo de la Conselleria de Infraestructuras, Territorio y Medio Ambiente de 10 de octubre de 2016[13].

Desde la modificación de las ATES a PIES en febrero de 2019 no se ha presentado ningún proyecto acogiéndose a esta nueva figura. Lo mismo que la ETCV y los PAT, los PIES deben contar con una EATE (Art. 46).

3.3. INSTRUMENTOS SECTORIALES

Como se ha indicado en el apartado 3.2.1 precedente, como instrumentos de carácter territorial, la LOTUP únicamente establece los planes de acción territorial (PATs), y diferencia entre los de carácter integrado y de carácter sectorial. Según el art. 16 LOTUP, la función de los PATs

---

10. DOCV n.º 6830 de 31 de junio.
11. DOCV n.º 6927 de 20 de diciembre. Según noticia del diario Levante-EMV de fecha 31-3-2018, el proyecto ha sido sustituido por otro vinculado a la formación de personas en riesgo de exclusión y discapacitadas (Campus Diversia, http://campusdiversia.es/).
12. DOCV n.º 7301 de 23 de junio.
13. DOCV n.º 6960 de 7 de febrero.

sectoriales es desarrollar en ámbitos sectoriales específicos, los objetivos, principios y criterios de la ETCV, sin que por lo demás, exista diferencia alguna al respecto de los PATs integrados, siendo por tanto válido todo lo indicado en dicho apartado.

En el Anexo I se indican los planes con incidencia territorial aprobados o en redacción en la Comunitat Valenciana.

4. ÓRGANOS

La relación de órganos con competencias en materia de territorio y urbanismo son los que figuran en el Decreto 8/2016, de 5 de febrero, por el que se aprueba el Reglamento de los órganos territoriales y urbanísticos de la Generalitat[14]. Esta norma establece en su art. 1 los órganos y competencias en ambas materias:

a) **El Consell**. Le corresponde la aprobación definitiva por decreto de la ETCV y de los PAT (Art. 44 LOTUP y Art. 2 del Anexo del Decreto) y la declaración de las PIES (Art. 17 LOTUP).

b) **Conselleria** competente en materia de territorio y urbanismo. Es responsable de ordenar el inicio de la elaboración de los PIES y elevar para su aprobación por el Consell, los PAT y la declaración de los PIES, así como dictar la resolución aprobatoria del plan o proyecto en que se instrumenta un PIES (Art. 3 Decreto).

c) **Secretario autonómico** con competencias en materia de territorio y urbanismo. Dictar las disposiciones precisas para la mejor aplicación de la normativa y fomento de la participación pública en estas materias.

d) **Director General** con competencias en materia de territorio y urbanismo. Le corresponde formular y elevar las propuestas sobre la aprobación definitiva de planes territoriales a los órganos responsables.

e) **El Comité Estratégico de Política Territorial de la Comunitat Valenciana**. La composición y funciones del Comité se establecían en el art. 2 del Decreto 1/2011 de 13 de enero por el que se aprueba la ETCV. Posteriormente, el Decreto 166/2011 de 4 de noviembre[15] modifica su composición y el citado decreto 8/2016 fija en su art. 6 las nuevas funciones asignadas al Comité, siendo las más relevantes las de asesorar al Consell en materia de OT y urbanismo; efectuar el

---

14. DOCV n.° 7714 de 8 de febrero.
15. DOGV n.° 6645 de 7 de noviembre.

seguimiento de la ETCV y elaborar cada dos años un informe sobre su evolución[16].

Por lo expuesto, el Consell es el único órgano que puede aprobar planes territoriales.

Los otros dos órganos incluidos en el Decreto, las **Comisiones Territoriales de Urbanismo y las Comisiones Informativas de Urbanismo**, no tienen competencias sobre la planificación territorial. Lo mismo sucede con la **Agencia Valenciana de Protección del Territorio**, organismo cuya creación, organización y funciones aparecen reflejados en la Disposición adicional decimotercera de la LOTUP. Su puesta en marcha está prevista para el 31 de diciembre de 2021. Sus cometidos están centrados en el suelo no urbanizable, tal como se señala en el punto primero de dicha disposición adicional, que reserva para la agencia competencias administrativas de disciplina urbanística respecto de infracciones graves o muy graves cometidas en suelo no urbanizable, común o protegido, en el territorio de los municipios que adheridos al convenio marco, incluyendo "funciones de inspección, y el inicio, tramitación, resolución y ejecución de los procedimientos de restauración de la legalidad urbanística, los procedimientos sancionadores urbanísticos y la impugnación de licencias municipales, presuntamente ilegales, ante la jurisdicción contencioso-administrativa...".

Adicionalmente y dado que según dictan los arts. 20 y 25 de la Ley 21/2013, de 9 de diciembre, de Evaluación Ambiental, tanto el Estudio Ambiental y Territorial Estratégico como la Declaración Ambiental y Territorial Estratégica, forman parte integrante de los planes, se han incorporado a este apartado los órganos encargados de su gestión y aprobación. Desde 2015 el órgano ambiental autonómico se residencia en la Conselleria de Agricultura, Desarrollo Rural, Emergencia Climática y Transición Ecológica y el órgano sustantivo en la Conselleria con competencia en urbanismo.

En el caso de la CV, estos órganos vienen regulados por el Decreto 230/2015 de 4 de diciembre, por el que se aprueba el Reglamento del órgano ambiental de la Generalitat a los efectos de evaluación ambiental estratégica (planes y programas)[17], el que establece las figuras encargadas del proceso de evaluación estratégico, que tal como se indica en su artículo 1, son la Dirección General con competencia en materia de evaluación ambiental y la Comisión de Evaluación Ambiental[18].

---

16. Sin que por el momento se haya hecho público ninguno.
17. DOCV n.º 7676 de 11 de diciembre.
18. En la actualidad la dirección general con competencias en materia de evaluación ambiental es la DG de Medio Natural y de Evaluación Ambiental, integrada en la Conselleria de Agricultura, Desarrollo Rural, Emergencia Climática y Transición Ecológica. De esta DG depende la Comisión de Evaluación Ambiental.

a) **Dirección General** con competencia en materia de evaluación ambiental. Debe formular las propuestas sobre los documentos que integran el proceso de EAE y declarar la inadmisión de los procedimientos de EAE.

b) **Comisión de Evaluación Ambiental**. Tal como establece el Decreto, este es el órgano ambiental y territorial al que se refiere el art. 48.c LOTUP[19]. Sus funciones son realizar el análisis técnico de los expedientes de EATE, formular las declaraciones ambientales y territoriales estratégicas y, en colaboración con el órgano promotor y sustantivo, velar por la integración de los aspectos ambientales, junto a los territoriales y funcionales, en la elaboración del plan o del programa.

Por último, la fase de aprobación de los instrumentos de ordenación, que como se acaba de señalar se realiza mediante decreto del Consell, se rige según lo dispuesto en el Decreto 24/2009[20] que desarrolla los procedimientos de elaboración de los proyectos normativos de la Generalitat y la Ley 5/1983 de Gobierno Valenciano[21]. El procedimiento viene regulado en el Título III. Procedimientos de elaboración de los proyectos normativos del citado Decreto 24/2009 y se inicia con la resolución del conseller competente en la materia objeto del decreto y un nuevo informe de las consellerias en cuyo ámbito incida el plan, a presentar en un plazo de diez días. Igualmente se deben recabar los informes de la Abogacía de la Generalitat y del Consejo Asesor y de Participación en materia de Medio Ambiente[22].

El Consejo Asesor es un organismo integrado actualmente en la Conselleria de Agricultura, Desarrollo Rural, Emergencia Climática y Transición Ecológica. Como puede leerse en el art. 2 del citado decreto, sus funciones más destacadas son las de conocer e informar los programas de actuación de la Conselleria con competencias en medio ambiente, así como de los proyectos normativos que desde la Conselleria se someta al Consejo.

Por último, deben emitir los correspondientes dictámenes, el *Consell Juridic Consultiu* de la CV[23] y el Comité Económico y Social[24]. Ni el informe

---

19. Equivalente al órgano ambiental de la Ley 21/2013.
20. DOCV núm. 5956 de 17 de febrero.
21. La Ley 5/1983 ha sufrido numerosos cambios. Su versión consolidada puede verse en: http://www.dogv.gva.es/es/normes-basiques-de-la-generalitat.
22. Decreto 5/2016 de 22 de enero. Según puede leerse en los correspondientes decretos de aprobación, este Consejo emitió informe sobre el PAT de Infraestructura Verde del Litoral (Decreto 58/2018 de 4 de mayo) pero no sobre el PAT de Ordenación y Dinamización de la Huerta de València (Decreto 219/2018 de 30 de noviembre).
23. Ley 10/1994 de 19 de diciembre.
24. Ley 1/2014 de 28 de febrero.

del Consejo asesor ni los dictámenes de estos dos últimos organismos, tienen carácter vinculante.

5. PROCEDIMIENTOS Y RESPONSABILIDADES FORMALES

Como se ha señalado al principio de este capítulo, la LOTUP establece claramente en su Exposición de Motivos los tres objetivos que se plantea alcanzar: simplificación, articular el principio de integración ambiental y la participación pública. Esto afecta a los planes y programas, así como sus modificaciones, que se adopten o aprueben por una administración pública y cuya elaboración y aprobación venga exigida por una disposición legal o reglamentaria o por acuerdo del Consell, cuando se refieran a un amplio grupo de proyectos, entre los que se incluyen los planes de ordenación del territorio urbanizado o rural. En particular (Art. 46.1.c):

- La Estrategia Territorial de la CV y los planes de acción territorial,

- Los planes generales estructurales,

- Los proyectos de inversiones estratégicas sostenibles,

- Cualesquiera otros planes o programas y aquellas modificaciones de los antes enunciados que establezcan o modifiquen la ordenación estructural, y así lo establezca el órgano ambiental y territorial.

La LOTUP en los arts. 45 y ss., reproduciendo la legislación estatal, aúna en un mismo procedimiento la elaboración y la EAE del planeamiento desde la fase de inicial o de borrador hasta su la formulación y aprobación, en su caso, de la declaración ambiental y territorial estratégica (DATE). Todo ello independientemente de su carácter regional, subregional, integrado o sectorial. En cualquier caso, debe quedar claro, en la línea de lo ya escrito (Almenar-Muñoz, 2015,200) que:

> *"el procedimiento de EAE no suple por sí mismo al procedimiento sustantivo de aprobación del plan, dado que el procedimiento de evaluación ambiental es un procedimiento especial incardinado en el procedimiento principal de aprobación de los planes...*

> *Consiguientemente, la resolución que pone fin al procedimiento ambiental, la Declaración Ambiental y Territorial Estratégica (DATE) no puede equivaler ni asumir las funciones de la aprobación definitiva del plan".*

Por tanto, la aprobación del plan propiamente dicha no finaliza con su publicación una vez recogidas las exigencias que pudieran imponerse desde la DATE. A esta "conformidad ambiental del plan", le debe seguir la "aprobación administrativa", que como se ha visto para el caso de los planes territoriales y de la ETCV, debe hacerse mediante el correspondiente decreto del Consell.

El esquema que acompaña a este trabajo se ha desarrollado las distintas fases del proceso de evaluación ambiental y territorial, incluyendo un apartado para el proceso de aprobación administrativa por decreto.

En relación a la primera, intervienen cuatro actores fundamentales: el órgano promotor, el ambiental, el sustantivo y el órgano competente para la aprobación definitiva del plan que, como se acaba de señalar, es el propio Consell en el caso de los planes territoriales. A estos actores, se debería añadir las administraciones afectadas por el plan o programa y el público interesado[25], que participan en el proceso a través de la elaboración de informes en dos fases de participación pública, que pueden verse en el esquema y de las que se hablará a continuación.

Por otro lado, siguiendo lo indicado por la legislación estatal, la LOTUP establece dos procedimientos de EAE, el ordinario y el simplificado. Dentro de los planes territoriales, por al ordinario deben tramitarse, según establece el art. 46 LOTUP, la ETCV, los PAT y los PIES[26]. Por lo que respecta al procedimiento simplificado de EATE y siempre en referencia a los planes territoriales, el mismo art. 46, apartado 3, establece que el órgano ambiental y territorial resolverá entre la tramitación ordinaria o simplificada cuando se trate de modificaciones menores en los planes o cuando se trate de planes y programas que estableciendo un marco para

---

25. En relación al público interesado, la citada Ley 1/2019 que modifica algunos artículos de la LOTUP, amplía en el artículo 48 el concepto de "público interesado", añadiendo la posibilidad de considerar como tal a las plataformas o colectivos personadas en el expediente y que agrupen de manera estable o se hayan creado con ocasión del plan o programa de que se trate, que integren en ellas al menos a una persona jurídica que cumpla con los requisitos originales de la LOTUP:
    a) Tener acreditados en sus estatutos la protección del medio ambiente o de algunos de sus elementos o corregir las desigualdades por razón de género y que tales fines pudieran estar afectados por el plano programa de que se trate.
    b) Estar legalmente constituida y que se hayan personado en el expediente.
    c) Que, según los estatutos, desarrolle su actividad en el ámbito territorial afectado por el plan o programa.
    d) Las plataformas personadas en el expediente, que agrupen de forma estable o creadas con ocasión del plan, a personas físicas y jurídicas sin ánimo de lucro. En este caso, será suficiente para reconocer a la plataforma como público interesado, con que una de las personas jurídicas que la integran, cumpla las condiciones anteriores.
26. Ese mismo punto de la LOTUP incluye también a los PG Estructurales o cualesquiera otros planes o programas y aquellas modificaciones de los antes enunciados que establezcan o modifiquen la ordenación estructural, y así lo establezca el órgano ambiental y territorial.

la autorización en el futuro de proyectos, no cumplan los demás requisitos necesarios para que la evaluación sea la ordinaria.

Por todo ello, será en el apartado 5.5. donde de manera conjunta se desarrolle el procedimiento de elaboración y aprobación de los instrumentos de OT en la CV.

5.1. PROCEDIMIENTO DE ELABORACIÓN Y APROBACIÓN DEL INSTRUMENTO REGIONAL

Como se ha indicado anteriormente, entre las funciones del Consell de la Generalitat se encuentra la de aprobar por decreto el instrumento de regional de OT, es decir, la Estrategia Territorial de la Comunitat Valenciana. Ya se ha señalado en este mismo apartado 5, que el procedimiento consta en realidad de dos aprobaciones, la ambiental estratégica con un procedimiento específico y que lleva aparejada la propia elaboración del plan y la posterior aprobación administrativa por decreto. Ambas aparecen detalladas en el apartado 5.5. siguiente.

5.2. PROCEDIMIENTO DE ELABORACIÓN Y APROBACIÓN DE LOS INSTRUMENTOS SUBREGIONALES

Con respecto a los instrumentos subregionales, se han incluido en este grupo a los planes de acción territorial de carácter integrado. Se aprueban por decreto del Consell, siguiendo exactamente los mismos procedimientos de elaboración y aprobación que con la Estrategia Territorial CV, por lo que nuevamente nos remitimos al apartado 5.5.

5.3. PROCEDIMIENTO DE ELABORACIÓN Y APROBACIÓN DE LOS INSTRUMENTOS SECTORIALES

Vale lo indicado para la Estrategia Territorial CV y los instrumentos subregionales. Los instrumentos sectoriales, en tanto que planes de acción territorial, siguen el mismo procedimiento de elaboración y aprobación que la Estrategia Territorial y los planes de acción territorial integrados.

5.4. PROCEDIMIENTO DE EVALUACIÓN AMBIENTAL DE PLANES

En 1989 la Comunidad Valenciana fue pionera en España en promulgar normativa sectorial en materia de evaluación ambiental con la Ley 2/1989, de 3 de marzo, y desde esa fecha la totalidad del planeamiento ha sido sometido al proceso de Evaluación Ambiental (EA) (en realidad de impacto ambiental EIA hasta la transposición en 2006 de la Directiva EAE), lo que supuso un avance en la protección ambiental del territorio, aunque en los orígenes de la EIA no existía tanta normativa medioambiental.

En tanto se aprobó la normativa estatal de EAE prevista en la Directiva 2001/42/CE, de 27 de junio, la Ley 4/2004, de 30 de junio, de la Generalitat, de Ordenación del Territorio y Protección del Paisaje (LOTPP), estableció un régimen transitorio por el que determinados instrumentos de ordenación territorial y urbanística se evaluaban conforme a la normativa de evaluación de impacto ambiental (EIA), vigente hasta el 20 de agosto de 2014 con la entrada en vigor de la Ley 5/2014, de 25 de julio, de Ordenación del Territorio, Urbanismo y Paisaje (LOTUP).

Tras la LOTPP, se aplica un nuevo régimen con la Ley 16/2005, de 30 de diciembre, (LUV). Llama la atención que esta norma no hiciera referencia alguna a la Directiva EAE y, por ende, al procedimiento de la evaluación ambiental estratégica, haciendo mención, en relación con los instrumentos de ordenación del territorio y urbanísticos al proceso de EIA y a la clásica y obsoleta documentación de los estudios de impacto ambiental.

La entrada en vigor de la Ley 9/2006, de 28 de abril, sobre evaluación de los efectos de determinados planes y programas en el medio ambiente (LEAE), ocasionó un cambio sustancial en el planteamiento de las cuestiones urbanísticas y territoriales, incorporando ya en sus fases iniciales los aspectos ambientales, con el horizonte de la sostenibilidad como meta, que adquieren un carácter determinante y previo a la toma de decisiones. Sin embargo, este nuevo procedimiento tuvo un difícil encaje en la normativa urbanística valenciana vigente en aquel momento, provocando disfunciones en la tramitación y contenido documental de los planes. Además, la adaptación a este nuevo marco normativo supuso, incluso, la reorganización de la administración ambiental de la Generalitat.

La administración ambiental valenciana no contaba con estructura orgánica ni funcional que se adaptara a las nuevas exigencias de la EAE, lo que supuso la reestructuración del órgano ambiental autonómico, creándose en 2007 un Servicio específico denominado de Evaluación Ambiental Estratégica, y en septiembre de 2011 el órgano ambiental pasó de ser unipersonal a conformarse en un órgano colegiado denominado Comisión de Evaluación Ambiental (CEA).

Tras la promulgación de la Directiva EAE y la correlativa ley estatal de 2006, lo bien es cierto que la falta de marco normativo hasta 2014 en la Comunidad Valenciana generó desajustes y disfunciones tanto en la tramitación como en la suficiencia documental de los planes sometidos a EAE. Esto evidencia que la ausencia de normativa en la materia durante el periodo 2006-2014 produjo el efecto prácticamente paralizante en la tramitación del planeamiento.

Actualmente, rige la Ley 5/2014, de 25 de julio, LOTUP, que adapta *ex novo* el procedimiento sustantivo de aprobación del planeamiento al procedimiento instrumental de evaluación ambiental, recogiéndose así las determinaciones establecidas en la Ley 21/2013, de 9 de diciembre, dado que la Ley 9/2006, de 28 de abril, no fue incorporada a la legislación valenciana. No obstante, hay que decir que el nuevo procedimiento ambiental se aplicaba de facto por la administración autonómica con competencia material, pero a falta de regulación normativa expresa en la Comunidad Valenciana, lo que palmariamente produjo disfunciones en la aplicación de la EAE, en especial para el planificador.

La Ley 21/2013, de 9 de diciembre, de evaluación ambiental instaura acertadamente un marco único de EA para planes y proyectos y establece dos procedimientos de EA el ordinario y el simplificado y como se ha indicado, el art. 46 LOTUP regula la relación de planes que deben someterse ineludiblemente a evaluación ambiental y territorial estratégica (EATE) de carácter ordinario.

En referencia al resto de planes no recogidos de forma expresa en el citado art. 46, este mismo precepto deja a decisión del órgano ambiental si plan debe someterse al proceso de evaluación ordinaria o simplificada, teniendo en consideración los dos criterios siguientes que se desarrollan más pormenorizadamente en el Anexo VIII LOTUP:

- Las características de los planes y programas,

- Las características de los efectos y del área probablemente afectada.

Con todo, la principal novedad de la LOTUP ha sido la regulación de un mecanismo de elaboración y evaluación del planeamiento donde las variables ambiental, territorial, paisajística, económica y cultural confluyen en un mismo procedimiento administrativo, denominado de Evaluación Ambiental y Territorial Estratégica (EATE), desde una óptica unitaria y global de la planificación, que pretende contribuir a agilizar la tramitación de planes y dotar de seguridad jurídica a todos los operadores que intervienen en el campo del urbanismo y la OT. Igualmente, la LOTUP recoge en el proceso de EAE, el régimen previsto en la actual ley estatal de evaluación ambiental, Ley 21/2013, de 9 de diciembre.

La LOTUP ha supuesto un salto cualitativo y cuantitativo respecto al anterior marco normativo para atender con eficacia las reivindicaciones ciudadanas, dado que la demandas sociales exigen que el desarrollo urbano y la normativa de planificación estratégica, de ordenación territorial y ambiental vayan de la mano, y todo ello, desde un planificación consensuada con todos los agentes intervinientes en la ordenación del territorio y el urbanismo, evitando disfunciones en el procedimiento de aprobación de los planes.

Asimismo, la reforma de la LOTUP de diciembre de 2015[27] refuerza la tramitación y aprobación de los planes afectantes a la ordenación pormenorizada (de competencia exclusiva municipal), residenciando la condición de órgano ambiental en los Ayuntamientos, con la reserva en el caso de ámbitos de actuación previstos en planes generales que no fueron sometidos a evaluación ambiental, ya que fueron aprobados con anterioridad a la entrada en vigor de la normativa sectorial en la materia. También, dicha modificación de 2015 separa orgánicamente el órgano sustantivo (urbanismo) del órgano ambiental, con competencias atribuidas a distintas administraciones, lo que, supone un claro refuerzo y autonomía del proceso de EAE.

Ello por cuanto, en el supuesto de planes superados por la posterior aprobación de normas o figuras de protección ambiental (Lugares de Interés Comunitario, Red Natura 2000, Planes de Ordenación de Recursos Naturales, especies de fauna y flora protegidas, declaración de zonas húmedas, etc.), sea inviable desde la perspectiva ambiental la ejecución de ámbitos de planeamiento no sometidos a evaluación ambiental.

Con la LOTUP se solventa la ausencia de regulación de la EAE en la Comunidad Valenciana, y, por tanto, resuelta la inseguridad jurídica y disfunciones procedimentales generadas los primeros años de aplicación de la Directiva EAE en España, lo que sin duda ha mejorado de manera manifiesta para el planificador la elaboración y la tramitación de los planes.

El proceso que se desarrolla a continuación se estructura en ocho fases, según establecen los arts. 49 y 49.bis[28] LOTUP y hace referencia exclusivamente a la evaluación ordinaria, que es la que deben seguir las figuras de OT que aparecen en la LOTUP (Diagrama 1).

---

27. Ley 10/2015, de 29 de diciembre, de medidas fiscales, de gestión administrativa y financiera, y de organización de la Generalitat, (Ley de Acompañamiento de la Generalitat de 2016), DOCV de 31 de diciembre de 2015.
28. El art. 49.bis se añade con la Ley 1/2019, de 5 de febrero, modificativa de la LOTUP.

Diagrama 1. Procedimientos de tramitación

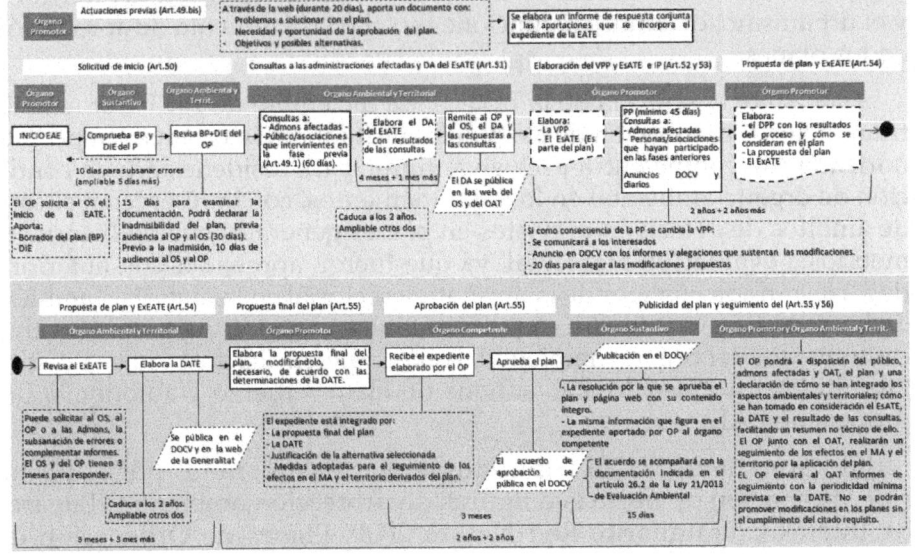

Fuente: Elaboración propia

a) FASE INICIAL. Actuaciones previas a la redacción del instrumento (Art. 49.bis)

La reforma de la LOTUP de 2019, Ley 1/2019, de 5 de febrero, añade el art. 49 bis, que refuerza la publicidad al inicio de la tramitación del plan, ya que establece la obligatoriedad de efectuar una consulta previa durante 20 DIAS con anterioridad a la elaboración del borrador del plan, por el departamento que lo promueva, con un documento en el que figurará de forma resumida:

- los problemas que se pretenden solucionar con la iniciativa,

- la necesidad y oportunidad de su aprobación,

- los objetivos del plan y las posibles soluciones alternativas.

La consulta pública previa tendrá efectos administrativos internos, preparatorios de la redacción del plan, no siendo necesario efectuar la consulta previa en los siguientes casos:

424

a) Cuando se trate de modificaciones puntuales que regulen aspectos parciales del plan que se modifique.

b) Cuando se trate de instrumentos de planeamiento de desarrollo parcial del planeamiento general que puedan ser promovidos por los particulares.

c) Cuando concurran graves razones de interés público que lo justifiquen.

Esta consulta dará lugar a la obligación de elaborar un informe de respuesta conjunta a las aportaciones recibidas. Deberá incorporarse al expediente de la evaluación el resultado de esta consulta, con indicación del número de participantes y de las opiniones emitidas, así como el informe de respuesta.

b) FASE 1. Solicitud de inicio de la evaluación ambiental y territorial estratégica (EATE) por el órgano promotor (OP). (Art. 50)

El órgano promotor (OP) presenta ante el órgano sustantivo (OS) la solicitud de inicio de la EATE, acompañada de un borrador del plan y el documento inicial estratégico (DIE)[29].

El OS comprobará que la documentación remitida por el OP se ajusta a lo indicado por la legislación de EAE y la sectorial y la remitirá al órgano ambiental (OA).

El OA examinará la documentación presentada durante un plazo de 15 DÍAS. SI apreciara que la solicitud no se acompaña de alguno de los documentos preceptivos, requerirá al OP e informará de OS, para que en el plazo de DIEZ DÍAS proceda a la subsanación de la documentación, interrumpiéndose el cómputo del plazo para la finalización de la evaluación. El plazo podrá ser ampliado hasta cinco días, a petición del interesado o a iniciativa del OA, cuando la aportación de los documentos requeridos presente dificultades especiales. Si el OP no resuelve las carencias de la documentación en plazo, se tendrá por desistido de su petición.

El OA podrá declarar la inadmisión del plan en un plazo de treinta días cuando estime de modo inequívoco que:

- el plan es manifiestamente inviable por razones ambientales o

- el DIE no reúne condiciones de calidad suficientes o

---

29. En el Anexo II al final de este trabajo, puede verse el contenido del Documento Inicial Estratégico y el resto de documentos que integran el proceso de EATE.

- cuando se hubiese inadmitido o se hubiere dictado una declaración ambiental y territorial estratégica (DATE) desfavorable en un plan análogo al presentado.

Previamente a la inadmisión deberá dar audiencia al OS y al OP, por un plazo de 10 DIAS, que suspenderá el plazo para declarar dicha inadmisión.

c) FASE 2. Consulta a las administraciones públicas afectadas y elaboración del DA[30] (Art. 51)

El OA someterá el borrador del plan y el DIE a consultas de las administraciones públicas afectadas y a las personas, asociaciones, plataformas o colectivos que se hayan pronunciado o aportado sugerencias en la fase previa a la redacción del plan o programa, por un plazo mínimo de 60 días hábiles[31]. Este es el mecanismo tradicional de alcance (*'scoping'* o conjunto de aspectos-campos-temas a evaluar).

Una vez recibidos los pronunciamientos de las administraciones públicas afectadas, personas interesadas y siempre siguiendo el procedimiento ordinario, el OAT elaborará y remitirá al OP y al OS, el documento de alcance (DA) del EATE, junto con las contestaciones recibidas a las consultas realizadas[32].

Se ha consultado al Ministerio para la Transición Ecológica y el Reto Demográfico (MITECO) y nos indican que se ha elaborado un registro de personas interesadas, pero todavía no se encuentra disponible. Asimismo, señalan que no disponen de una relación de las comunidades autónomas que hayan elaborado un registro de personas interesadas ni, en su caso, de las direcciones webs de dichos registros.

El OA dispone de un plazo de 4 MESES para emitir el documento de alcance. Este plazo será prorrogable por otros 2 MESES sólo en el caso de evaluación ordinaria o cuando la complejidad del documento lo requiera.

---

30. O resolución de Informe Ambiental y Territorial Estratégico (IATE) emitido por el OAT, en el procedimiento simplificado.
31. En este punto la LOTUP emplea una terminología claramente urbanística, estableciendo un plazo mínimo de treinta días hábiles desde la recepción de la solicitud de informe para los planes que afecten exclusivamente a la ordenación pormenorizada, o al suelo urbano que cuente con los servicios urbanísticos implantados sin modificación del uso dominante de la zona de ordenación estructural correspondiente, y por un plazo mínimo de sesenta días hábiles para los planes que afecten a las demás determinaciones comprendidas en la ordenación estructural. Como los planes territoriales pueden incidir sobre éste última, se ha entendido que el plazo mínimo de consultas debe ser de 60 días.

Un cambio sustantivo en la última modificación de la LOTUP es que limita la fase de consultas a las personas, asociaciones e instituciones que se hayan pronunciado en la fase previa.
32. Para la tramitación simplificada el documento sería la resolución de Impacto Ambiental y Territorial Estratégico.

Otra novedad introducida por la Ley 1/2019, de 5 de febrero, es la posibilidad de que los ciudadanos puedan realizar aportaciones al DA telemáticamente a través de un fórum o espacio habilitado a tal fin, sin que figure el plazo para realizar dichas aportaciones.

El DA se pondrá a disposición del público a través de la página web del OA y del OS y caducará si, transcurridos dos años desde su notificación al OP, este no hubiere remitido al OA una propuesta de plan que recoja las modificaciones derivadas del trámite de consulta y el expediente de EATE (Art. 54). Este plazo podrá prorrogarse justificadamente por otros dos años más.

d) FASE 3. Formulación por el OP de la versión preliminar del plan. (Art. 52)

Tras la remisión del DA del EATE al OP, éste elaborará simultáneamente la versión preliminar el plan, con todos los documentos que lo integran (Art. 15 a 18) y el EATE, que tendrá en consideración lo indicado en el DA.

La ley no establece plazo para la redacción de ambos documentos, aunque dado que el DA tiene una vigencia de DOS AÑOS, ampliable a otros dos, este será el plazo máximo para la redacción de los documentos señalados.

e) FASE 4. Sometimiento de la versión preliminar del plan y del EATE al proceso de participación e información pública y de consultas. (Art. 53)

La versión inicial del plan y del EATE, así como el resto de documentos exigibles por la normativa sectorial, serán sometidos por OP a participación pública y consultas con las administraciones afectadas y con las personas, asociaciones, plataformas o colectivos que se hayan pronunciado o aportado sugerencias en las fases previas a la redacción del plan o programa o de información del documento de alcance, mediante las acciones definidas en el plan de participación pública[33].

Como mínimo, además de lo anterior, se deberá publicar anuncios en el DOCV y en prensa escrita de gran difusión y poner a disposición del público los documentos mencionados indicando la dirección electrónica en donde se encuentran. La Conselleria competente para la aprobación de los instrumentos de planeamiento, realizará las funciones de coordinación necesarias para la obtención de los informes correspondientes a órganos de la Generalitat.

---

33. Este mismo art. 53 establece como preceptivas las consultas a las empresas suministradoras.

Asimismo, la citada Ley 1/2019, de 5 de febrero, modifica el apartado f) del art. 48[34] ampliando la definición de público interesado a cualquier persona jurídica sin ánimo de lucro que tenga entre sus fines corregir las desigualdades por razón de género y se vean afectados por el plan. También se añade un apartado IV al párrafo 2.° del art. 48: *"Las plataformas o colectivos que se personen en el expediente y que agrupen de manera estable –o creadas con ocasión del plan o programa de que se trate– a personas físicas y jurídicas sin ánimo de lucro, bastará para recibir el reconocimiento de la condición de público interesado de la plataforma o colectivo que al menos una de las personas jurídicas integrantes cumpla con los requisitos precedentes".*

En este punto, para facilitar el acceso a la información al público interesado, conforme al espíritu del Convenio de Aarhus, debería crearse un registro de personas y organizaciones cuyos fines estén relacionados con el campo de ordenación del territorio y del urbanismo, siguiendo el ejemplo del Ministerio competente en materia de Medio Ambiente que tiene reconocido como público interesado desde 2013, a efectos de consulta del OA, a varias asociaciones estatales en defensa de un medio ambiente adecuado, como son Amigos de la Tierra, Ecologistas en Acción, SEO/BirdLife y WWF.

La LOTUP especifica que este plazo de participación y consultas será el adecuado para difundir la documentación y facilitar su examen y que, como mínimo, será de 45 días hábiles o el que fije la normativa sectorial respectiva, transcurridos los cuales se continuará con el procedimiento.

También debemos referirnos al procedimiento que se arbitra en la modificación de la LOTUP de 2019, Ley 1/2019, de 5 de febrero, para agilizar la emisión de los informes sectoriales, a expensas de datos sobre su efectividad. Transcurrido el plazo de 45 días o el que fije la normativa sectorial respectiva, desde la solicitud de los informes sectoriales se continuará con el procedimiento. A los efectos de recabar los informes no emitidos en plazo que de acuerdo con esta normativa sean preceptivos, de forma previa a la aprobación provisional del instrumento de planeamiento, el ayuntamiento podrá requerir a la Generalitat Valenciana para que convoque

---

34. Art. 48 f) a los efectos de la LOTUP se entenderá por público interesado:

  Toda persona física o jurídica que tenga la consideración de interesado según la legislación vigente en materia de procedimiento administrativo común.

  Cualquier persona jurídica sin ánimo de lucro que cumpla los siguientes requisitos:

  a) Que tenga, entre los fines acreditados en sus estatutos, la protección del medio ambiente en general o la de alguno de sus elementos en particular, y que tales fines puedan resultar afectados por el plan o programa de que se trate.

  b) Que lleve, al menos, un año legalmente constituida y venga ejerciendo, de modo activo, las actividades necesarias para alcanzar los fines previstos en sus estatutos, y esté inscrita en el registro habilitado a tal efecto en la Conselleria competente.

  c) Que, según sus estatutos, desarrollen su actividad en un ámbito territorial que resulte afectado por el plan o programa.

de forma fehaciente a las administraciones con competencias afectadas a una comisión informativa de coordinación de la Dirección General de Urbanismo[35], adjuntando en la convocatoria nuevamente la documentación necesaria para emitir el correspondiente informe, que podrá evacuarse en la misma reunión de coordinación de forma verbal, siendo recogido de forma literal, según dispone el art. 53.4[36] LOTUP, en la nueva redacción de la Ley 1/2019, de 5 de febrero.

Si el informe no se emite de forma escrita en el plazo legalmente establecido, ni tampoco en la comisión informativa de coordinación de forma verbal, se considera favorable al contenido del plan a todos los efectos. Esta advertencia se pondrá de manifiesto en la convocatoria de la comisión informativa de coordinación que se mande a las diferentes administraciones.

Si la emisión de una sucesión de informes sectoriales contradictorios entre sí impidiera la aprobación del plan y la consecución de los intereses públicos que el mismo implica, los servicios técnicos de la comisión informativa de coordinación podrán adjuntar a la convocatoria de la comisión una solución técnica que armonice ambos informes sin entrar en contradicción con el contenido preceptivo de las respectivas normativas. La emisión del informe definitivo a la solución técnica final en este caso se efectuará con la misma forma y efectos indicados en el párrafo anterior.

No se considerará informe contradictorio al contenido del plan la incomparecencia a la comisión informativa de coordinación, el silencio o una manifestación contraria no justificada técnicamente. La oposición a la aprobación y entrada en vigor del plan deberá efectuarse a través de los requerimientos previstos en el art. 44 de la Ley 29/1998, de la jurisdicción contencioso-administrativa, a cuyos efectos la aprobación del plan se notificará de forma fehaciente a las administraciones que no hayan efectuado informe expreso al mismo.

Si, como consecuencia de informes y alegaciones, se pretenden introducir cambios sustanciales en la versión preliminar del plan, antes de adoptarlos se publicará un anuncio en el DOCV y en la web del OP con los informes y alegaciones que justifican los cambios, dándose 20 días de audiencia para presentar alegaciones a los cambios propuestos.

Una vez finalizado el plazo de participación pública y consultas, el OP elaborará el documento de participación pública, que sintetizará sus

---

35. Parece claro que en este punto la LOTUP únicamente piensa en planes urbanísticos. Aunque en la actualidad las competencias en urbanismo y ordenación corresponden a la misma Conselleria, en un futuro podrían corresponder a administraciones diferentes.

36. La Ley 9/2019, de 23 de diciembre, de Medidas Fiscales, de Gestión Administrativa y Financiera y de Organización de la Generalitat, el artículo 53.4 suprime la referencia al plazo de 45 días *por el plazo establecido en el apartado anterior*.

resultados y justificará cómo se toman en consideración en la propuesta de plan o programa.

f) FASE 5. Propuesta de plan y emisión de la DATE. (Art.54)

Tras el periodo de participación pública y consultas, el OP debe redactar una propuesta de plan, introduciendo las modificaciones derivadas de dicho trámite, creará con toda la documentación recogida el Expediente de Evaluación Ambiental y Territorial Estratégica (ExEATE) y remitirá ambos al OA.

El OA realizará un análisis técnico del expediente. Si una vez realizado concluyera que la información pública o las consultas no se han realizado conforme a esta ley o que se requiere información adicional para formular la DATE, solicitará la subsanación o cumplimentación al OP o al OS. Si, transcurridos TRES MESES, no hubiera recibido la subsanación del expediente o la documentación adicional requerida, o si, una vez presentada, fuera insuficiente, procederá al archivo de las actuaciones, dando por finalizada la EATE.

Si en el expediente no figura alguno de los informes de las administraciones públicas afectadas y el OA no dispusiera de los elementos de juicio suficientes para realizar la evaluación, actuará de acuerdo con lo establecido en la legislación estatal[37].

Una vez realizado el análisis técnico, el OA formulará la DATE. Esta declaración tendrá una exposición de los hechos, que resuma los principales hitos del procedimiento, incluyendo los resultados de las consultas, así como de la información pública, y las determinaciones, medidas o condiciones finales que deban incorporarse en el plan o programa, con carácter previo a su aprobación definitiva.

La DATE se emitirá en el plazo máximo de TRES MESES desde la presentación de toda la documentación ante el OA. Este mismo órgano podrá prorrogar el plazo por otros tres meses. La DATE se publicará en el DOCV y en la web de la Generalitat y perderá su vigencia si en dos años desde su publicación en el DOCV no se hubiese aprobado en plan. La declaración es prorrogable otros dos años a solicitud del OP (Art. 56.3).

g) FASE 6. Adecuación del plan a la DATE y aprobación del plan. (Arts. 55 y 56)

La DATE se remitirá al OP a los efectos de que incluya en el plan, si las hubiera, las determinaciones establecidas en ella, antes de la aprobación del plan.

---

37. Art. 19 Ley 21/2013.

Si el OP no fuera el competente para la aprobación definitiva del plan, deberá remitir al órgano que ostente dicha competencia[38] la propuesta de plan y la DATE.

El órgano competente resolverá sobre la aprobación el plan de acuerdo con la LOTUP o con la normativa sectorial aplicable. El plazo para la aprobación definitiva de los planes urbanísticos y territoriales es de TRES MESES desde la recepción de la documentación completa[39].

En este plazo, el órgano competente puede establecer objeciones al plan. Cuando las objeciones a la aprobación definitiva afecten a áreas o determinaciones tan concretas que, prescindiendo de ellas, el plan se pueda aplicar con coherencia, este se aprobará definitivamente salvo en la parte objeto de reparos, que quedará en suspenso hasta su rectificación en los términos precisados por la resolución aprobatoria. Si los reparos son de alcance limitado y pueden subsanarse con una corrección técnica específica consensuada con el órgano promotor, la aprobación definitiva se supeditará en su eficacia a la mera formalización documental de dicha corrección.

Se entiende por correcciones aquellas que tengan por objeto la incorporación de modificaciones, determinaciones o contenidos al instrumento de planeamiento en tramitación, en los términos que se indiquen en el acuerdo aprobatorio supeditado, sin implicar un nuevo acuerdo aprobatorio, o que se refieran a la forma de presentación del documento, como la elaboración de un texto refundido u otros supuestos análogos.

El proceso de aprobación de los planes territoriales

La LOTUP, una vez emitida la DATE, encomienda al órgano competente lo que en este trabajo se ha denominado "aprobación administrativa" del plan, a partir de la cual, éste tendrá vigencia efectiva. Como se ha indicado en el apartado 4. Órganos, la aprobación de la ETCV y de los PATs se formaliza mediante decreto del Consell de la Generalitat.

Este proceso se regula en el Decreto 24/2009 y la Ley 5/1983 de Gobierno Valenciano[40] y establece los siguientes pasos, todos ellos coordinados por la dirección general competente en el plan:

---

38. El que se indica en el Art. 44 o en la legislación sectorial específica directamente vinculada al plan.

39. El art. 28 la Ley 21/2013, establece el procedimiento para el caso de modificación de la DATE. El procedimiento podrá iniciarse de oficio por el OS o el OAT y por el OP. El OAT tiene 20 días para resolver sobre la inadmisión del procedimiento y 3 meses desde su inicio para resolver sobre la propuesta de modificación.

40. Respectivamente el Decreto 24/2009 de 13 de febrero del Consell, sobre la forma, estructura y el procedimiento de elaboración de los proyectos normativos de la Generalitat Valenciana. DOCV n.° 5956 de 17 de febrero. Ley 5/1983 de 30 de diciembre, de Gobierno Valenciano. DOCV n.° 138 de 30 de diciembre.

- Con la documentación recogida en la EATE, la Conselleria competente informa sobre la conveniencia y oportunidad del plan y solicita informe de la Abogacía de la Generalitat y la Conselleria de Hacienda, sobre aspectos ligados a sus respectivas competencias. (Art. 39.2. Decreto 24/2009).

- Se solicita informe a las consellerias en cuyo ámbito pudiera incidir el plan, que tendrán un plazo de 10 días para responder (Art. 40. Decreto 24/2009), así como informes sobre igualdad de género, de impacto sobre la infancia y las familias[41].

- Posteriormente se remite el expediente a los órganos consultivos del Consell para que emitan sus respectivos informes preceptivos y forma escalonada.

  - Consejo Asesor y de Participación Ciudadana en materia de Medio Ambiente (CAPMA).

  - Consejo Económico y Social.

  - *Consell Jurídic Consultiu.*

Ninguno de los tres informes es vinculante, aunque la Conselleria responsable debe responder a todos ellos y en el caso del que *el Consell Jurídic Consultiu* realice una observación de carácter esencial, se deberá justificar razonadamente su no cumplimiento.

El acuerdo de aprobación definitiva de los planes, junto con sus normas, se publica, para su entrada en vigor, en el DOCV, incluyendo:

a) La resolución por la que se aprueba el plan, y una dirección electrónica en la que el OS pondrá a disposición del público el contenido íntegro del plan.

b) Un extracto que incluya los siguientes aspectos:

   1.º De qué manera se han integrado en el plan los aspectos ambientales.

   2.º Cómo se ha tomado en consideración en el plan EsATE, los resultados de la información pública y de las consultas, incluyendo en su caso las consultas transfronterizas y la DATE, así como, cuando proceda, las discrepancias que hayan podido surgir en el proceso.

   3.º Las razones de la elección de la alternativa seleccionada, en relación con las alternativas consideradas.

---

41. Art. 22 y Disposición Adicional Décima de la Ley 26/2015 de modificación del sistema de protección a la infancia y a la adolescencia. BOE n° 180 de 29 de julio de 2015.

c) Las medidas adoptadas para el seguimiento de los efectos en el medio ambiente de la aplicación del plan.

La reforma de la LOTUP por la ley 1/2019, de 5 de febrero, suprime la previsión de publicar los planes a los 15 DÍAS de adoptarse el acuerdo aprobatorio, por imposibilidad de cumplimentar en plazo esta disposición, Almenar-Muñoz[42].

h) FASE 7. Seguimiento del plan. (Art. 56)

Otra novedad especialmente transcendente de la LOTUP, hasta entonces no regulada en el derecho valenciano en materia urbanística (sí en la anterior normativa estatal de evaluación de impacto ambiental de proyectos y en la vigente Ley 21/2013, de 9 de diciembre), para prevenir los posibles efectos adversos en el medio ambiente durante la ejecución del plan es la obligación de establecer en la Declaración Ambiental y Territorial Estratégica (DATE) la periodicidad de remisión al órgano ambiental de los informes de seguimiento y vigilancia del plan, cuando se trate de planes urbanísticos y de ordenación del territorio.

Con ese fin el OP elevará al OA informes de seguimiento con la periodicidad mínima prevista en la DATE. No se podrán promover modificaciones de dichos planes sin el cumplimiento del citado requisito.

Cuando se trate de planes municipales se establece un periodo cada cuatro años o una vez por mandato corporativo, para la remisión del citado informe de seguimiento. La falta de cumplimiento del deber de elaborar el informe de seguimiento de los planes impide promover modificaciones de dichos planes, trámite esencial, dado que obliga al órgano promotor (normalmente será un Ayuntamiento) a cumplir con el deber de actualizar y remitir determinada información urbanística y ambiental al órgano sustantivo. Consideramos que esta exigencia del deber de elaborar los informes de seguimiento ambiental también resulta exigible cuando se trate de planes de ordenación del territorio, recayendo las competencias del órgano promotor, sustantivo y ambiental en la misma administración, lo que puede debilitar la autonomía de cada órgano.

No obstante, en el supuesto de modificaciones de planes cuya competencia de aprobación definitiva corresponda a la administración local será difícil verificar la emisión del informe de seguimiento ambiental del plan estructural a no ser que los Ayuntamientos remitan esas modificaciones puntuales para su inscripción en el Registro Autonómico de Instrumentos de Planeamiento Urbanístico.

---

42. ALMENAR-MUÑOZ, M., *La tramitación de planes y programas......op.cit.* p. 223.

6. EMBOTELLAMIENTOS Y CONDICIONES QUE ALTERAN EL FUNCIONAMIENTO

En la actualidad no existen en la CV un número de planes, aprobados según la regulación vigente, lo suficientemente importante como para poder obtener conclusiones definitivas sobre los problemas que está conllevando la aplicación normativa.

En cualquier caso, la muestra de otros tipos de planes, fundamentalmente urbanísticos, sometidos a EATE, ya es lo suficientemente representativa como para establecer algunas conclusiones, aunque sean provisionales, en relación a los cuellos de botella que aparecen en el proceso de redacción y evaluación de los planes.

Parece evidente a la vista de las páginas anteriores, que puede establecerse dos problemas básicos que lastran todo el procedimiento. El primero es la propia duración del proceso. Según la legislación valenciana la aprobación de una EATE, en el peor de los casos en que todas las fases agoten los plazos establecidos, así como las posibles ampliaciones de éstos, estaríamos hablando de un periodo de entre 9 y 10 años de duración, claramente inasumible para los planes territoriales y mucho menos para los urbanísticos.

Otros de los problemas a los que se enfrenta el proceso de planificación territorial y que ponen en cuestión su efectividad real, son los vinculados a los aspectos procedimentales, entre ellos los derivados de la necesidad de incorporar multitud de informes sectoriales y de estudios complementarios (paisaje, acústico, disponibilidad de recursos hídricos, de género...) con el consiguiente alargamiento de todo el proceso de redacción y tramitación del plan. En esta línea, una queja generalizada por parte de los responsables de la administración es la insuficiencia de personal y de una estructura organizativa capaz de hacer frente a esta demanda de informes. Por otro lado, la multiplicidad de intereses que pueden verse afectados por un plan territorial o urbanístico hace que la propia administración otorgue un peso cada vez mayor a los aspectos puramente formales del plan y la necesidad de evitar cualquier tipo de error en su tramitación, errores que puedan traducirse en su nulidad total o parcial y que en ocasiones está dando lugar a que los propios responsables administrativos estén siendo objeto de demandas de carácter penal.

La inquietud que genera estos alargamientos de los trámites se ve reflejada en las propias exposiciones de motivos de algunas las leyes urbanísticas y territoriales en las que se aborda la necesidad de simplificar los procedimientos o de evitar una excesiva e innecesaria burocratización de los trámites.

Para hacer enfrentarse a estos problemas, una de las fórmulas por la que ha optado la legislación territorial y urbanística valenciana, ha sido la de simplificar, en la medida de lo posible, tanto la propia documentación del plan, como el marco normativo. Como ejemplo de lo primero, ya la originaria LOTUP (Ley 5/2014, de 25 de julio), evita la tradicional enumeración de documentos y cartografía integrantes de los planes territoriales (Estrategia y Planes de Acción Territorial) y urbanísticos, limitándose en el caso de los primeros a señalar que su documentación gráfica y escrita será la más adecuada para la definición de su contenido y para su evaluación ambiental y territorial. (Art. 15.5 y 16.6). Esta línea de pensamiento se ha reafirmado en la Ley 1/2019, de 5 de febrero, que modifica la LOTUP, que no sólo mantiene el texto citado, sino que incluye un nuevo apartado, art. 14.4, en el que puede leerse expresamente que tanto los documentos como el contenido de los instrumentos de ordenación, se ajustarán a los principios de mínimo contenido y máxima simplificación.

Sin embargo, posiblemente el problema principal y, por tanto, sobre el que más se debería incidir, es el derivado de la coordinación entre administraciones involucradas en el proceso, fundamentalmente el de los plazos de los informes sectoriales.

El procedimiento de evaluación ambiental estratégica (EAE) establecido en la ley estatal 21/2013, arbitra un procedimiento que en su momento supuso, además de la incorporación efectiva de los agentes sociales (público interesado) en varias etapas del proceso de elaboración del plan, que éste se elaborase y tramitase conjuntamente con el trámite ambiental. Esto supone, salvar unas de las debilidades de las primitivas evaluaciones de impacto, que se iniciaban sobre un proyecto que en gran medida presentaba ya un alto grado de definición. Como señala De la Villa Polo (2012; 11) en referencia a la EAE, *"sus métodos no se aplican sobre los planes o programas, sino que éstos son el resultado de la Evaluación"*. Esta idea es recogida por la LOTUP, de forma que como ya indicamos (Almenar-Muñoz, 2015), se crea un mecanismo de elaboración y evaluación del planeamiento en el que confluyen en un mismo procedimiento administrativo las todas variables (ambientales, territoriales, paisajísticas, económicas, etc.), con la pretensión de agilizar los trámites y dotar de seguridad jurídica todos los operadores intervinientes en los campos del urbanismo y de la ordenación territorial. Aunque el procedimiento no está exento de críticas no es menos cierto que plantea una solución que, al menos en potencia, puede hacer frente a algunos de sus problemas.

Sin embargo, la experiencia acumulada en los cinco años de aplicación de la LOTUP ha demostrado que se mantiene el problema de los largos plazos en la emisión de informes por parte de las administraciones afectadas.

Consciente de ello, la Ley 1/2019, de 5 de febrero, que modifica la LOTUP, altera sustancialmente una parte de la normativa referente a la emisión de informes. En primer lugar, suprime uno de los párrafos más problemáticos de la LOTUP de 2014, que literalmente señalaba que "*No se tendrán en cuenta los informes o alegaciones recibidos fuera de los plazos establecidos*" (art. 53.6), solución discutible y que de alguna forma la propia ley reconoce cuando poco después, el 55.5, establece la necesidad de abordar la carencia de informes atendiendo a lo establecido por la legislación estatal en este punto. En segundo lugar, posibilita la creación de una comisión informativa de coordinación con capacidad de convocar a las administraciones afectadas, de forma que aquellas que no hayan emitido el preceptivo informe, puedan hacerlo en el seno de dicha comisión incluso de forma verbal[43].

En cualquier caso, todavía no existen precedentes suficientes de aplicación de este procedimiento, como para establecer si resuelve el tema de los plazos en la emisión de los informes sectoriales. En principio, hay que pensar, por lo dicho anteriormente, en las reticencias de los responsables de la tramitación de los planes a continuar con el proceso sin contar con alguno de dichos informes y por parte de los responsables de su redacción, a las responsabilidades en las que pudieran incurrir en caso de error u olvido en su redacción. Pese a todo, la solución arbitrada en la CV, parecen a priori, más apropiada que las propuestas en la propia Ley 21/2013.

En cualquier caso y en referencia a los planes territoriales, no debe dejarse al margen el interés que en todo el proceso tiene el OP del plan, siempre perteneciente a una administración pública, de llevarlos a ejecución. Instrumentos territoriales de gestión complicada y/o conflictiva por los intereses a los que puede afectar, pueden llevar un proceso de gestión relativamente corto, si existe una decidida voluntad de las instituciones responsables, en que así sea. Este sería el caso, por ejemplo, del Plan de

---

43. El art. 53.4, dice textualmente en los párrafos que se refieren a la cuestión de los informes que:

"*4. Pasado, desde la solicitud del informe, el plazo de 45 días o el que fije la normativa sectorial respectiva, se continuará con el procedimiento. A los efectos de recabar los informes no emitidos en plazo que de acuerdo con esta normativa fueran preceptivos, de forma previa a la aprobación provisional del instrumento de planeamiento, el ayuntamiento requerirá a la Generalitat Valenciana para que convoque de forma fehaciente a las administraciones con competencias afectadas a una comisión informativa de coordinación de la dirección general competente en materia de urbanismo, adjuntando en la convocatoria nuevamente la documentación necesaria para emitir el correspondiente informe, que podrá evacuarse en la misma reunión de coordinación de forma verbal, siendo recogido de forma literal, y en apartado específico del acta, el contenido de dicho informe.*

Si el informe no se emite de forma escrita en el plazo legalmente establecido, ni tampoco en la comisión informativa de coordinación de forma verbal, se considerará favorable al contenido del plan a todos los efectos. Esta advertencia se pondrá de manifiesto en la convocatoria de la comisión informativa de coordinación que se mande a las diferentes administraciones".

Acción Territorial de la Infraestructura Verde del Litoral de la CV, cuya resolución de inicio está fechada en noviembre de 2015[44] y fue aprobado por decreto del Consell de 4 de mayo de 2018[45], dos años y medio después. Lógicamente, esta voluntad es el motor principal que puede posibilitar el desarrollo de cualquier instrumento y es independiente de cualquier otra.

Por último, la experiencia de EATE de los planes urbanísticos, mucho más amplia que la de los territoriales, no deja mucho lugar para el optimismo. Parece evidente que, al igual que sucedió con el inicio de las evaluaciones ambientales, es necesario un cierto periodo de adaptación y de experiencia de la maquinaria administrativa, tanto municipal como del resto de administraciones, que permita una más rápida tramitación.

A modo de conclusión, aunque la experiencia todavía es limitada, la integración en un mismo proceso de la tramitación ambiental y la propia del plan derivado de la Directiva 2001/42/CE, supone un cambio sustancial y en positivo, respecto la forma tradicional de elaborar y desarrollar los planes territoriales, que en el caso de la Comunidad Valenciana es todavía mayor al considerarse, además de los efectos ambientales, también los territoriales, si bien estos últimos, de una forma poco concreta.

Al final de este capítulo se han incluido tres fichas que sintetizan algunos de los problemas planteados, junto con algunas propuestas de actuación dirigidas a disminuir su peso en el procedimiento de tramitación de los planes.

7. SITUACIÓN RESULTANTE

En el apartado anterior, se han expuesto algunos de los problemas del procedimiento, sobre los que prácticamente hay una coincidencia plena por parte de los actores intervinientes.

Como se acaba de señalar, exclusivamente en referencia a los planes territoriales, la experiencia acumulada en la CV no permite obtener conclusiones definitivas. Los planes aprobados recientemente han llevado una tramitación relativamente rápida, producto del interés de la propia administración autonómica en ello y en la coincidencia en dicha administración de todos los órganos intervinientes (promotor, sustantivo, ambiental y competente para la aprobación del plan).

No sucede lo mismo con los planes urbanísticos, con periodos de aprobación sensiblemente más largos y que resultan claramente inasumibles en tanto que la práctica urbanística tiene un carácter de mayor inmediatez y de necesidad de responder a los cambios de coyuntura.

---

44. DOCV n.° 7658 de 16 de noviembre de 2015.
45. DOCV n.° 8293 de 11 de mayo de 2018.

El triple papel de la administración autonómica como promotor, órgano sustantivo y órgano medioambiental en la tramitación de planes territoriales, se traduce en, al menos en el caso de la CV, una tramitación de la EAE bastante más corta que la de los planes urbanísticos. En ese punto, con el espíritu de reforzar la autonomía del órgano ambiental y del órgano sustantivo, debería crearse un órgano medioambiental independiente, tal como dice el segundo informe sobre la ya citada Directiva de EAE (COM(2017) 234 final) que se ha hecho en algunos estados Miembros.

En definitiva, varias cuestiones apuntadas, ya sea por falta de regulación o de concreción, precisarían de desarrollo mediante un reglamento de la LOTUP, para garantizar la seguridad jurídica de todos los agentes intervinientes en la OT y el urbanismo.

8. REFERENCIAS BIBLIOGRÁFICAS Y NORMATIVA

ALMENAR MUÑOZ, M. (2015). *La Evaluación Ambiental Estratégica del Planeamiento Territorial y Urbanístico. Factores ambientales, riesgos y afecciones territoriales (en especial en la Comunidad Valenciana)* (Tesis Doctoral). Universitat Politècnica de València.

ALMENAR MUÑOZ, M. (2015). La tramitación de planes y programas. Especial referencia al procedimiento de evaluación ambiental. En J. Hervás (coord.), *Nuevo Régimen urbanístico de la Comunidad Valenciana. Ley 5/ 2014 de Ordenación del Territorio, Urbanismo y Paisaje. LOTUP* (pp. 229-283). Valencia: Tirant Lo Blanch.

DE LA VILLA POLO, E. (2012). Aspectos críticos en la evaluación ambiental de planes urbanísticos. El caso de la Comunidad de Madrid. *Rev. Cuadernos de Investigación Urbanística, 81.*

FARINÓS DASÍ, J. (ed.) (2011). *De la evaluación ambiental estratégica a la evaluación de impacto territorial: reflexiones acerca de la tarea de evaluación.* Valencia: PUV.

ANEXO I. LISTADO DE PLANES CON INCIDENCIA EN LA ORDENACIÓN DEL TERRITORIO

Planes	Información
PAT sobre prevención del riesgo de inundación en la Comunitat Valenciana	Aprobado por Decreto 210/2015
PAT de Ordenación y Dinamización de la Huerta de Valencia	Aprobado por Decreto 219/2018

Planes	Información
PAT de la Infraestructura Verde del Litoral de la Comunitat Valenciana	Aprobado por Decreto 58/2018
PAT Forestal de la Comunitat Valenciana	Aprobado por Decreto 85/2013
PAT del Comercio de la Comunitat Valenciana	En Redacción
Document estratègic per a la millora de la Mobilitat, Infraestructures i el Transport de la Comunitat Valenciana	Vigente
Plan de Movilidad Urbana Sostenible (ámbito municipal) - Valencia - Alicante - Castellón	Valencia: Aprobado 27 de diciembre de 2013 Alicante: En elaboración Castellón: Aprobado 4 de febrero de 2011
Planes de Movilidad Metropolitanas (ámbito supramunicipal) - Valencia - Alicante - Castellón	Todos en redacción

ANEXO II. CONTENIDO DE LOS DIFERENTES DOCUMENTOS QUE INTEGRAN LA EVALUACIÓN AMBIENTAL Y TERRITORIAL ESTRATÉGICA

- **Documento Inicial Estratégico (DIA)** Art.50

Responsable: OP

Contenido: De modo sucinto y esquemático incluirá:

a) Los objetivos de la planificación y descripción de la problemática sobre la que actúa.

b) El alcance, ámbito y posible contenido de las alternativas del plan que se propone.

c) El desarrollo previsible del plan.

d) Un diagnóstico de la situación del medio ambiente y del territorio antes de la aplicación del plan en el ámbito afectado.

e) Sus efectos previsibles sobre el medio ambiente y sobre los elementos estratégicos del territorio, tomando en consideración el cambio climático.

f) Su incardinación en la Estrategia Territorial de la CV y su incidencia en otros instrumentos de la planificación territorial o sectorial.

- Documento de Alcance (DA) del Estudio Ambiental y Territorial Estratégico (EsATE). Art. 51

Responsable: OA

Contenido:

a) El resultado de las consultas realizadas a las administraciones públicas afectadas.

b) El alcance y nivel de detalle con que deba redactarse el EsATE, con referencia a los objetivos ambientales y territoriales y sus indicadores, los principios de sostenibilidad aplicables, las afecciones legales, los criterios y condiciones ambientales, funcionales y territoriales estratégicos y los posibles efectos significativos sobre el medio ambiente y el territorio a considerar en la redacción del plan.

c) Plan de participación pública que identifique las administraciones públicas afectadas y al público interesado en el plan y las modalidades o amplitud de información y consulta.

- Estudio Ambiental y Territorial Estratégico (EsATE). ANEXO VII.

Responsable: OP

La información que deberá contener el EsATE será, como mínimo, la siguiente:

a) Un esbozo del contenido, objetivos principales del plan y relaciones con otros planes pertinentes.

b) Los aspectos relevantes de la situación actual del medio ambiente y del modelo territorial, así como su probable evolución en caso de no aplicación del plan.

c) Las características medioambientales y territoriales de las zonas que puedan verse afectadas de manera significativa y su evolución teniendo en cuenta el cambio climático esperado en el plazo de vigencia del plan.

d) Cualquier problema medioambiental o territorial existente que sea relevante para el plan, incluyendo en particular los problemas relacionados con cualquier zona de especial importancia medioambiental o territorial, como las zonas designadas de conformidad con la legislación aplicable sobre espacios naturales y especies protegidas.

e) Los objetivos de protección medioambiental y de sostenibilidad del modelo territorial fijados en los ámbitos internacional, comunitario o nacional que guarden relación con el plan y la manera en que tales objetivos y cualquier aspecto medioambiental se han tenido en cuenta durante su elaboración.

f) Los probables efectos significativos en el medio ambiente y en el modelo territorial, incluidos aspectos como la biodiversidad, la población, la salud humana, la fauna, la flora, la tierra, el agua, el aire, los factores climáticos, su incidencia en el cambio climático, en particular, una evaluación adecuada de la huella de carbono asociada al plan o programa, los bienes materiales, el patrimonio cultural, el paisaje y la interrelación entre estos factores. Estos efectos deben comprender los efectos secundarios, acumulativos, sinérgicos, a corto, medio y largo plazo, permanentes y temporales, positivos y negativos.

g) Incidencia de la actuación en el modelo territorial y sobre las determinaciones específicas para la zona en la Estrategia Territorial de la CV.

h) Las medidas previstas para prevenir, reducir y, en la medida de lo posible, compensar cualquier efecto negativo importante en el medio ambiente y en el territorio de la aplicación del plan o programa, incluyendo aquellas para mitigar su incidencia sobre el cambio climático y permitir su adaptación al mismo.

i) Un resumen de los motivos de la selección de las alternativas contempladas y una descripción de la manera en que se realizó la evaluación, incluidas las dificultades, como deficiencias técnicas o falta de conocimientos y experiencia que pudieran haberse encontrado a la hora de recabar la información requerida.

j) Una descripción de las medidas previstas para el seguimiento, de conformidad con el artículo 56 LOTUP.

k) Un resumen de carácter no técnico de la información facilitada en virtud de los epígrafes precedentes.

441

- **Expediente de Evaluación Ambiental y Territorial Estratégica (ExEATE)** (Art. 54)

<u>Responsable:</u> OP

El expediente debe contener:

a) El estudio ambiental y territorial estratégico.

b) Los resultados de las consultas, de la información pública y del plan de participación pública en los términos establecidos en el apartado 4.c) del art 54 LOTUP.

c) La descripción de cómo se han integrado en el plan o programa los aspectos ambientales, funcionales y territoriales, y de cómo se han tomado en consideración el documento de alcance, el estudio ambiental y territorial estratégico y el resultado de las consultas e información pública. También se describirá la previsión de los efectos significativos sobre el medio ambiente y el modelo territorial que se derivarán de la aplicación del plan o programa.

d) La justificación de que se han cumplido las previsiones legales propias del proceso de elaboración y evaluación ambiental y territorial estratégica del plan o programa, con las particularidades del plan de participación pública.

e) El análisis del cumplimiento de los parámetros, determinaciones y documentos exigibles para la formalización del plan, conforme a la legislación aplicable, proponiendo también medidas de seguimiento.

PROBLEMA: Inexistencia de un registro oficial de personas/público interesado

DESCRIPCIÓN/JUSTIFICACIÓN: El Convenio de Aarhus firmado en 1998 y ratificado por España en 2004, se tradujo en la aprobación por parte de la UE de dos Directivas: la 2003/4/CE sobre el acceso del público a la información ambiental y la 2003/35/CE que establece medidas para la participación del público en determinados planes y programas relacionados con el medio ambiente. Ambas directivas fueron traspuestas a la legislación española por la Ley 27/2006[46]. A efectos de este trabajo, lo más relevante aparece en el artículo 2 de la Directiva 2003/35 que, siguiendo lo establecido en Aarhus, establece que:

---

46. Ley 27/2006, de 18 de julio, que regula los derechos a la información, de participación pública y de acceso a la justicia en materia de medio ambiente. BOE n.º 171 de 19 de julio de 2006. La ley es de carácter básico, salvo una serie de artículos de relevancia menor, detallados en la Disposición Final 3.ª.

PROBLEMA: Inexistencia de un registro oficial de personas/público interesado

- informe al público[47], mediante cualquier medio apropiado, sobre las propuestas de planes y programas (PyP) o de sus modificaciones.
- el público tenga derecho a expresar observaciones y opiniones antes de adoptar decisiones sobre los PyP y que los resultados de esta participación sean tenidas en cuenta.
- la autoridad competente informe al público de las decisiones adoptadas y de su justificación.
- los estados miembros determinarán el público que tenga derecho a participar, así como las modalidades de participación y los plazos razonables para que esta participación sea efectiva.

El artículo 16.1 de la Ley 27/2006 recoge prácticamente de manera literal lo recogido en dicho artículo 2 de la Directiva, encargando en el apartado 2 de ese mismo art. 16 a las administraciones públicas competentes, que establezcan con la debida antelación que miembros del público tienen la condición de persona interesada para participar en los procedimientos de participación.

La condición de público o personas interesadas vienen recogidas por lo que a las EAE se refieren en el artículo 5 de la Ley 21/2013 de EA y no difieren de lo indicado los artículos 2 y 23 de esta ley 27/2006.

A la vista de todo lo anterior, parece claro que la legislación asigna a las administraciones actuantes un carácter pasivo en tanto que limita sus obligaciones a las de informar por cualquier medio apropiado de las propuestas de PyP, sin obligación alguna de articular una actuación de carácter proactivo, por ejemplo, informando de forma individual a aquellas instituciones o asociaciones que se ajusten a los requisitos para figurar como público o personas interesadas en el proceso de participación de un PyP concreto. Aunque cualquiera de dichas administraciones puede, de forma discrecional, convocar a las personas interesadas, lo más frecuente es que deban ser estas mismas, las que bajo un largo y trabajoso control de los canales de información de dichas administraciones (estatal, autonómica, provincial y municipal), se puedan personar en los procesos de participación de los PyP.

Consciente de esta debilidad, la propia Ley 21/2013 de EA recoge en la Disposición Adicional 14, la posibilidad (no obligación) de que las administraciones públicas creen registros para la inscripción como persona interesada de aquellas que cumplan con los requisitos que la ley establece. Además, propone que se establezcan los mecanismos necesarios para el intercambio de información sobre las personas interesadas entre los registros que se creen.

---

47. El art. 2.1 de la Directiva, define «el público» como a una o varias personas físicas o jurídicas y, de conformidad con el derecho o la práctica nacional, sus asociaciones, organizaciones o grupos.

PROBLEMA: Inexistencia de un registro oficial de personas/público interesado	
AGENTES IMPLICADOS: Todas aquellas administraciones públicas que, para determinados PyP, puedan actuar como Órgano Ambiental.	**INCIDENCIA:** Aunque la ausencia de una asociación en los procesos de participación pública de una EAE, aun cumpliendo los requisitos legales, no supone la invalidación del proceso, supone evidentemente, una depreciación del propio proceso, contrario al espíritu de transparencia y máxima participación pública posible.

PROPUESTAS DE SOLUCIÓN: La propuesta de solución pasa exclusivamente por la creación de dicho Registro, que bien podía articularse a partir del existente Registro de Asociaciones del Ministerio del Interior, en el que obligatoriamente deben figurar tanto el objetivo de la asociación como su ámbito de actuación.

En paralelo, se podía incorporar a los anuncios iniciales de los PyP la posibilidad de inscripción de las potenciales personas interesadas en un registro asociado al ámbito de afección del plan (estatal, regional o local) posibilitando el intercambio efectivo de información al que se refiere la citada Disposición Adicional de la Ley de EA.

PROBLEMA: Excesivo tiempo de tramitación de la EAE de determinados PyP
DESCRIPCIÓN/JUSTIFICACIÓN: Los tiempos de tramitación de las EAE de los planes suponen una debilidad importante del procedimiento de evaluación, difícilmente explicable en la mayoría de los casos, aunque cuando se trata de planes urbanístico, con incidencia directa sobre la vida y economía de los municipios, la situación resulta, si cabe, mucho menos justificable. En este mismo capítulo ya se puso de manifiesto como en 2010, el Comité de las Regiones señalaba un en informe el incremento de los plazos de aprobación de los PyP, que el propio Comité establecía entre un 20 y un 25% sobre el tiempo normal de aprobación. No son infrecuentes tramitaciones de planes generales urbanísticos con procesos de tramitación de ocho, diez y más años. Plazos que disminuyen sensiblemente cuando el promotor del PyP es la propia administración autonómica, en la que confluyen, en organismos diferentes los órganos responsables de la tramitación de la EAE: promotor, sustantivo y ambiental. La Ley 21/2013 de EA (LEA), señala en su Preámbulo unos plazos de tramitación que, en la mejor de las situaciones, son de 22 meses (prorrogable dos meses más por razones justificadas) para una EAE ordinaria y de cuatro meses para una evaluación simplificada, que en la práctica se han demostrado prácticamente imposibles de conseguir. En este sentido y en previsión de esto último, la propia ley en su Disposición Final Octava exceptúa del carácter básico, precisamente a los artículos que establecen los plazos de tramitación, debiendo ser las CCAA que desarrollen su propia legislación en esta materia, las que establezcan los plazos.

PROBLEMA: Excesivo tiempo de tramitación de la EAE de determinados PyP

Frente a este problema, se han arbitrado diferentes soluciones que se pueden clasificar en dos grupos: las dirigidas a simplificar el procedimiento de EAE y las dirigidas a evitar los alargamientos excesivos de los plazos de tramitación.

Dentro del primer grupo se tendría la división entre las EAE de carácter ordinarios y las de carácter simplificado[48], que suprimen trámites de la primera, acortando por tanto los plazos de aprobación (Art. 6 Ley 21/2013 EA).

En este grupo se debería incluir, por ejemplo, la normativa puesta en práctica en la Comunitat Valenciana, que en la Ley 10/2015[49], da un paso más en relación a la ley estatal, modificando el artículo 48.c LOTUP, posibilitando que en los ayuntamientos puedan confluir los tres órganos (promotor, sustantivo y ambiental) en la EAE de planes que entren en alguno de los tres supuestos señalados en dicho artículo.

Dentro del segundo grupo de propuestas, las dirigidas a evitar una tramitación excesivamente larga, parece claro que éstas se centran en el cumplimiento de los plazos de presentación de informes por parte de las administraciones afectadas. En esta línea, también la Ley 21/2013 EA introdujo cambios respecto a su antecesora (Ley 9/2006), estableciendo plazos más estrictos y requiriendo al órgano jerárquicamente superior a aquel que no ha emitido en informe en plazo, a que le ordene la entrega de dicho informe (Art. 19).

Como en el caso anterior, la normativa recientemente aprobada en la Comunitat Valenciana, puede servir como ejemplo en el intento de hacer realmente efectiva la reducción de plazos en la emisión de informes, de manera que el artículo 33 de la Ley 1/2019 que modifica el artículo 53 LOTUP, posibilita que la DG competente en Urbanismo convoque a las administraciones afectadas a una comisión informativa en la que hagan entrega de su informe, que podrá ser de forma literal o verbal y que deberá ser recogido en la correspondiente acta de la comisión.

---

48. Las evaluaciones simplificadas están reservadas a la evaluación de "las modificaciones menores de los planes y programas", a "los planes y programas que establezcan el uso, a nivel municipal, de zonas de reducida extensión" y a "los planes y programas que, estableciendo un marco para la autorización en el futuro de proyectos, no cumplan los demás requisitos mencionados en el apartado anterior", que son los reservados para las evaluaciones ordinarias (Art. 6). La facultad para establecer si un plan debe someterse a un tipo u otro de evaluación, corresponde al AO (Art. 29).

49. Ley 10/2015, de 29 de diciembre, de medidas fiscales, de gestión administrativa y financiera, y de organización de la Generalitat. DOGV n.º 7689 de 31 de diciembre de 2015.

PROBLEMA: Excesivo tiempo de tramitación de la EAE de determinados PyP	
AGENTES IMPLICADOS: Los órganos promotor, sustantivo y medioambiental sobre los que descansa la tramitación de los planes y especialmente las administraciones implicadas que deben elaborar los correspondientes informes a incorporar a la EAE. Igualmente, los ayuntamientos que ven notablemente ralentizadas las aprobaciones de sus planes, sobre todo los urbanísticos.	**INCIDENCIA:** La ralentización de la EAE supone una enorme dilapidación de esfuerzos y medios, sobre todo en el caso de los ayuntamientos: cambios en su composición que supongan una reorientación de la política urbanística y, por tanto, del modelo territorial propuesto; cambios derivados de planes territoriales subregionales que afecten al municipio; modificaciones legislativas o en la propia coyuntura económica que haga necesario replantear igualmente dicho modelo. Por otro lado, no se debe olvidar que el número de planes promovidos por los Ayuntamientos que deben someterse a EAE es sensiblemente superior a los promovidos por el resto de administraciones y que la mayoría de dichos ayuntamientos no disponen de los recursos ni técnicos ni fundamentalmente humanos, para hacerse cargo de la elaboración y tramitación de los documentos que la EATE les asigna.
PROPUESTAS DE SOLUCIÓN: Aunque la diferenciación entre EAE ordinaria y simplificada supone descargar a las órganos sustantivos y ambientales de trabajo; la práctica sigue siendo la de alargamientos en la aprobación de planes, sobre todo los promovidos por los ayuntamientos. En este punto la legislación básica estatal, aunque diferencia el tratamiento de la EAE según características y efectos del PyP (Anexo V de la Ley 21/2013), no establece diferenciación alguna en función de otros criterios, que en el caso de los planes urbanísticos e incluso en algunos casos de planes territoriales de ámbito subregional, podían ser la superficie y la población afectada por el plan. De esta forma, sobre el papel, el proceso de EAE de un plan promovido por un municipio de pequeño o muy pequeño tamaño superficial y/o poblacional, no difiere del tratamiento a seguir en un municipio de población y/o superficie notablemente superior. En esta línea se destaca que la Ley 21/2013 de EA no cite ni atribuya papel alguno a las Diputaciones, instituciones que forman parte del bagaje constitucional español y que incluso han visto ampliadas sus atribuciones tras la aprobación de la Ley 27/2013, de 27 de diciembre, de Racionalización y Sostenibilidad de la Administración Local. Tampoco se hace referencia a los organismos públicos dependientes de la administración e incluso a las universidades que podrían intervenir en la redacción de planes. En relación a la EAE, el art. 48 LOTUP cita a las diputaciones como órganos de ayuda a los ayuntamientos cuando, en los tres supuestos a los que ya se ha hecho referencia, éstos se pueden constituir como órgano ambiental.	

PROBLEMA: Excesivo tiempo de tramitación de la EAE de determinados PyP
Las CC.AA. podrán delegar competencias en las Diputaciones de acuerdo con sus propios estatutos de autonomía, por lo que en los casos en que esto sea posible y para el caso de pequeños municipios, se podría estudiar la posibilidad legal de que las Diputaciones ejercieran mayor protagonismo en la tramitación de un PyP sometido a una EAE (bien con medios propios o mediante concursos para la redacción de planes acordes a los honorarios profesionales del equipo redactor). Para ello, podían actuar directamente como OP, acelerando la redacción de los documentos de los que este órgano es responsable o como OA, con una doble tarea: la redacción de los documentos competencia de este órgano y asesoramiento al OP (el ayuntamiento) en la redacción de los documentos propios de este órgano cuando es el PROPIO ayuntamiento el que actúa como OA. También, para agilizar la tramitación de planes, deberían articularse ayudas públicas competitivas para la contratación de equipos redactores que lleven el impulso y seguimiento hasta la aprobación del plan.

PROBLEMA: Minusvaloración de los efectos territoriales en la evaluación de PyP
DESCRIPCIÓN/JUSTIFICACIÓN: En la línea de lo manifestado por Serrano Rodríguez, los problemas ambientales y las transformaciones territoriales "...*están intrínsecamente relacionados. La agresión al ambiente se produce en un territorio determinado y por circunstancias directamente ligadas a la transformación de ese territorio. La política ambiental es también una política intrínsecamente territorial...*"[50]. Pese que esta es una idea básica en el entramado conceptual sobre el que se asienta la Ordenación del Territorio, la valoración de los impactos que no son de carácter estrictamente ambiental no aparece representada en la Directiva 2001/42/CE de evaluación ambiental estratégica. Esta es una cuestión de especial relevancia en tanto que los efectos distintos de los ambientales, es decir, los sociales, económicos y urbanístico-territoriales, pueden tener un peso considerable en la selección final entre diferentes alternativas de un PyP, inclinado la balanza hacia una u otra, siempre que los efectos ambientales de la alternativa finalmente seleccionada no entren en el grupo de efectos críticos o irreversibles. Citando nuevamente a Serrano en el mismo trabajo, los efectos que no son estrictamente ambientales y que son los que deben ser tratados en una evaluación territorial o de impacto territorial, deben considerarse siempre en una evaluación de PyP, pudiendo integrase todos ellos en una EAE, donde métodos de carácter multicriterio deberían permitir establecer la prelación de alternativas según su grado de ajuste a los objetivos que el PyP establece. Lógicamente todo lo anterior, sería de aplicación a los PyP tanto de carácter territorial como a los de carácter estrictamente urbanístico.

---

50. SERRANO RODRÍGUEZ, A (2011). "*La Evaluación de las Políticas de Impacto Territorial. Una reflexión desde la toma de decisiones*". En J. Farinós Dasí (Ed.), De la evaluación

PROBLEMA: Minusvaloración de los efectos territoriales en la evaluación de PyP	
AGENTES IMPLICADOS: En este caso, los agentes directamente implicados son los responsables de establecer los mecanismos de evaluación; es decir, aquellos con competencias legislativas que posibiliten la consideración de otros efectos, distintos de los exclusivamente ambientales en la selección de alternativas de PyP.	**INCIDENCIA:** La no consideración de evaluaciones de PyP que tengan en cuenta además de los potenciales efectos ambientales, los urbanístico-territoriales, sociales y económicos, plantea tener que cuestionarse si la alternativa óptima en relación a su impacto sobre el medio es la que mejor se ajusta a los objetivos planteados por el PyP. Evidentemente, la respuesta en una parte importante de las ocasiones puede no resultar positiva. Por tanto, en este proceso de selección de alternativas, resulta necesario considerar tanto la valoración del impacto territorial de PyP con la del impacto ambiental y establecer, tal como se acaba de indicar, un procedimiento, que deberá ser de tipo multicriterio, que permita jerarquizar cada alternativa según su mayor o menor aproximación a los objetivos establecidos para el PyP, que lógicamente, sólo pueden ser modificados desde las mismas instancias que los establecieron, que son siempre políticas y no técnicas.
PROPUESTAS DE SOLUCIÓN: Actualmente existen varias CCAA en España que, con una u otra denominación, establecen la necesidad de elaborar una evaluación de impacto territorial para algunas de las figuras urbanísticas o territoriales que se establecen en su legislación. Este sería el caso, por ejemplo, Murcia, Madrid o de la Comunitat Valenciana[51], aunque entre ellas aparecen diferencias tanto en lo referente a los PyP que deben ser objeto de la evaluación territorial, como en su integración o no dentro del proceso de EAE.	

ambiental estratégica a la evaluación de impacto territorial: reflexiones acerca de la tarea de evaluación. p. 211-252. Servei de Publicacions. Universitat de València.

51. En el caso de Asturias, el art. 43 del Texto Refundido de Ordenación del Territorio y Urbanismo (BOPA n.º 97 de 27 de abril de 2004), recoge la figura de la Evaluación de Impacto Territorial, cuyo objetivo es el análisis de los costes y beneficios económicos y sociales, así como de la incidencia sobre el sistema de núcleos de población, infraestructuras, equipamientos y servicios, de actuaciones previstas en planes territoriales o urbanísticos. No se trata, por tanto, de una evaluación de los efectos territorial de los planes y programas, al estilo de las ambientales estratégicas, sino de una evaluación de estos efectos derivados de proyectos concretos de actuación.

PROBLEMA: Minusvaloración de los efectos territoriales en la evaluación de PyP

En el caso de la Región de Murcia, los Estudios de Impacto Territorial (Art. 43 de la Ley 13/2015, de 30 de marzo, de Ordenación del Territorio y Urbanismo de la Región de Murcia)[52], son documentos técnicos complementarios de prácticamente todas las figuras de ordenación territorial y urbanísticas que establece dicha ley. Se entiende, por tanto, que su redacción corresponde a la misma administración encargar de elaborar en plan que el Estudio de Impacto complementa Su objetivo es predecir, valorar y corregir el impacto de los planes considerados sobre la estructura territorial y sobre la población, la socioeconomía, el medio ambiente y los recursos naturales, el sistema de ciudades, las infraestructuras, dotaciones y equipamientos y sobre el patrimonio cultural. Se trata, por tanto, de un documento diferenciado de la EAE y según se indica en el citado art. 43, debe formularse coordinadamente con el plan que estudia, debiendo estar integrado en el mismo. Se trata, por tanto, de un documento que se elabora, lo mismo que la EAE, conjuntamente con la propia redacción del plan.

En el caso de la Comunidad de Madrid, los Informes de Impacto Territorial (art. 56 de la Ley 9/2001, de 17 de julio, del Suelo, de la Comunidad de Madrid)[53], sólo afectan a planes urbanísticos (generales y de sectorización) y también son un documento diferenciado de los de carácter ambiental. El Informe es preceptivo y vinculante, lo emite el Consejo de Gobierno de la Comunidad de Madrid a propuesta del consejero competente en ordenación del territorio y se elabora sobre el documento de Avance del plan. El Informe debe analizar la incidencia éste sobre el municipio afectado y los colindantes, sobre las dotaciones y equipamientos, las infraestructuras y servicios, las redes generales y supramunicipales de transporte, y cualesquiera otros aspectos que afecten directa o indirectamente a la estrategia territorial de la Comunidad de Madrid. El Informe positivo es preceptivo para la aprobación del Avance y se entenderá desfavorable si no se emite en un plazo de seis meses.

En la Comunidad Valenciana, como ya se ha indicado en este texto, la evaluación estratégica incorpora una componente territorial, que aparece reflejada tanto en el Documento Inicial Estratégico, como en el de Alcance y en el Estudio Ambiental Estratégico. Se trata por tanto y a diferencia de los casos anteriores, de una componente de la evaluación estratégica integrada en su mismo proceso de elaboración y tramitación.

De los ejemplos citados, sólo la legislación valenciana integra los procesos de evaluación ambiental estratégica y territorial en el Estudio Ambiental y Territorial Estratégico, cuyos contenidos se establecen en el Anexo VII de la Ley 5/2014, de 25 de julio, de Ordenación del Territorio, Urbanismo y Paisaje[54], reservado para los PyP territoriales y urbanísticos sometidos a EAE de carácter ordinario.

---

52. BORM n.° 77 de 6 de abril de 2015.
53. BOCM, n.° 177, de 27 de julio de 2001.
54. DOGV n.° 7329, de 31 de julio de 2014.

PROBLEMA: Minusvaloración de los efectos territoriales en la evaluación de PyP

Desde el punto de vista conceptual, entendemos que este es el esquema más apropiado, posiblemente por tratase de una ley aprobada tras la ley estatal 21/2013 de EA y que integra en su articulado las determinaciones de carácter básico de ésta, a diferencia de otras legislaciones anteriores que han optado por otras vías de transposición.

De esta forma, es posible en un mismo procedimiento determinar los impactos ambientales y territoriales de las diferentes alternativas planteadas de un PyP, sin orillar estos últimos efectos y permitiendo ampliar el contenido y, por tanto, de administraciones y de personas y público interesado en los procesos de consulta y participación, clave en todo el entramado que sustenta las EAE.

Capítulo 13
La planificación territorial en Extremadura

Esther Rando Burgos

Profesora de Derecho Administrativo.
Universidad de Málaga

Enrique Peiró Sánchez-Manjavacas

Ambientólogo, Doctorando del IIDL. Investigador responsable e investigador del
GDLS-Grupo de Investigación consolidado. IIDL-Universitat de València

1. ANTECEDENTES

La planificación territorial en Extremadura se encuentra en pleno auge gracias a un interés hasta el momento inédito en la materia, traducido en una intensa actividad normativa que culminó con la entrada en vigor de la ley 11/2018, de 21 de diciembre, de Ordenación Territorial y Urbanística Sostenible de Extremadura, en adelante LOTUSE, equiparándose así Extremadura al resto de las Comunidades Autónomas, representando este nuevo marco legal un ejercicio de concreción y puesta al día de la ordenación territorial que no se había producido hasta el momento.

Y es que la ordenación del territorio tuvo un tardío inicio en Extremadura, siendo la última Comunidad Autónoma en aprobar un cuerpo legal en la materia. Se trata de la Ley 15/2001 de 14 de diciembre, del Suelo y Ordenación Territorial de Extremadura, para sucesivas menciones LSOTEX, un texto legal que nace más como una imposición asociada a la STC 61/1997 que por una decidida apuesta por la ordenación del territorio como tal[1]. Siendo el resultado (no es el único ejemplo) de una adaptación realizada a partir de otras normativas y sistemas de planificación previamente desarrollados en otras Comunidades Autónomas[2], trasladando además a una incipiente ordenación del territorio, en lo sucesivo OT, (tanto en Extremadura como en otras Comunidades Autónomas) los principios y técnicas de un urbanismo con mayor recorrido y más asentado

---

1. Esta cuestión queda patente en la exposición de motivos de la LSOTEX donde además se observa como la ordenación del territorio es secundaria a la cuestión urbanística, principal preocupación de esta normativa autonómica, lo que, en el nuevo marco legal, la LOTUSE, tendrá un notable protagonismo.
2. En el caso extremeño, de inspiración valenciana y castellanomanchegas, textos legales que comparten autoría, como señala Campesino (2010, p. 569). Sin obviar, que esta forma de proceder fue habitual para el desarrollo de las primeras normativas de ordenación del territorio en el Estado español, como destaca Vaquer (2018, p. 109).

en la práctica (Vaquer, 2018, pág. 109). De esta manera se sentaron las bases conceptuales y procedimentales de una incipiente ordenación del territorio que, en la búsqueda de capacidad ejecutiva, pareció abandonar toda pretensión de lograr una adecuada integración y coordinación de políticas con impacto territorial.

No es extraño que el protagonismo durante la vigencia de la LSOTEX lo hayan tenido los Proyectos de Interés Regional (PIR), que aunque reconocidas como figuras de ordenación del territorio[3], responden más a la lógica de la práctica urbanística. Siendo motivo de crítica el dudoso uso de la idea de interés general como justificante para llevarlas a cabo, cuestión que no es exclusiva de Extremadura y que se repite, en análoga forma, en otras Comunidades Autónomas.

Mientras tanto, la planificación territorial, en sentido propio, ha tenido un tímido e intermitente desarrollo al amparo de la LSOTEX. Como cuestiones de interés, destacar la ausencia de un instrumento de planificación regional, asociado a la figura de las Directrices de Ordenación del Territorio, con un tardío (en 2013) e inconcluso (todavía en tramitación) desarrollo. Y una planificación territorial de ámbito subregional asociada a unos planes territoriales, en adelante PT, con un desarrollo intermitente a lo largo de la primera década de los 2000 (2004, 2007 y 2009) con múltiples tramitaciones iniciadas, muchas inconclusas todavía hoy día (véase anexo I). Se trata de unos planes que adolecen del enfoque mediante el cual se ha desarrollado la ordenación del territorio en Extremadura, de manera que se han desarrollado con prioridad a un planeamiento de escala regional al que deberían haberse ajustado en contenido y ámbitos de aplicación (que se postula como foco de conflictos a futuro) con el fin de favorecer determinados desarrollos territoriales en áreas específicas del territorio, careciendo así de un objetivo compartido tendente, basado en la búsqueda de la cohesión territorial en el marco de una política territorial de conjunto[4].

Resultando una política inoperativa en tanto ha sido incapaz de dar respuesta a los retos de un territorio como el extremeño, marcado por la ruralidad, donde es necesario reconsiderar las infraestructuras (tanto viarias como ferroviarias) y el sistema de asentamientos, revertir las dinámicas demográficas regresivas y tendentes a la concentración en los

---

3. Jiménez y Campesino (2016), trabajan el desarrollo de esta figura en detalle para el caso extremeño, mostrando como su comportamiento no encaja con el de un Plan Territorial Integral, en tanto estas figuras pretenden la planificación y ejecución de una intervención territorial concreta.
4. Sobre lo anterior, véanse los trabajos de Campesino (2004 y 2010); Jiménez (2017) y Campesino et al. (2018).

principales núcleos de población en detrimento de pequeños núcleos rurales condenados a la extinción (esto es, trabajando en nuevas formas de relación urbano-rurales), y avanzar hacia un renovado entendimiento de la idea de desarrollo socioeconómico en una Comunidad Autónoma con una gran cantidad de superficie protegida por motivos ambientales gracias a la ausencia de grandes transformaciones antrópicas asociadas la industrialización o el turismo (y su urbanismo asociado), que han hecho de Extremadura una región ambientalmente muy rica, pero vista como región subsidiada incapaz de generar un desarrollo socioeconómico propio (Campesino, 2004 y 2010; Jiménez, 2017 y Campesino et al, 2018).

La LSOTEX no resultó satisfactoria. Tampoco en el ámbito urbanístico, donde se pretendió la universalización de los Planes Generales Municipales (PGM) como única figura de planeamiento local, de mayor complejidad y coste (tanto económico como técnico) para su desarrollo que las normas subsidiarias o las delimitaciones de suelo urbano que venían utilizándose (Campesino, 2010). Acaparando atención y esfuerzos que no se han traducido en los resultados esperados, ni cuantitativa ni cualitativamente[5]. Siendo una cuestión que, al igual que en el resto del España, se ha manifestado como conflictiva por la existencia de un interés que no siempre responden al interés generales y las malas praxis asociadas.

La necesidad de una reconsideración del funcionamiento de la política territorial era necesaria. Y finalmente tuvo lugar con la entrada en vigor de la ya citada LOTUSE. Un texto legal que recoge la intensa actividad legislativa que se llevó a cabo durante el año 2018[6], en la que se presenta el diagnóstico sobre la situación de una política que adolecía de las incidencias

---

5. Desde el punto de vista cualitativo, la práctica urbanística se ha manifestado en reiteradas ocasiones, tal y como se plantea y desarrolla actualmente en el Estado español, como una práctica ineficaz para unos entornos rurales, mayoritarios en Extremadura, como destaca Feria (2009). A diferencia de lo ocurrido en otros países del entorno europea como el Reino Unido, en este sentido, véase, Hall (1996). Desde el punto de vista cuantitativo, para el periodo 2002-2014, desde un medio digital local (acceso mediante https://xurl.es/j6tm3) se ponía de manifiesto el escaso éxito a la hora de aprobar estas figuras (de los aproximadamente 250 PGM no se llegaron a aprobar ni el 10%. Cuestión que vendría a confirmarse cuando se aprobó la LOTUSE, donde en su exposición de motivos se recoge literalmente la siguiente afirmación: "... Es por ello que se hace necesaria una revisión en cuanto a los planteamientos de planificación y desarrollo, lo que se apoya, además en el hecho de que en Extremadura no haya sido posible alcanzar ni el 15% de planes generales que se ajusten a la Ley 15/2001, de 14 de diciembre, del Suelo y Ordenación Territorial de Extremadura...".

6. Ley 2/2018, de 14 de febrero, de coordinación intersectorial y de simplificación de los procedimientos urbanísticos y de ordenación del territorio de Extremadura y el posterior Decreto 128/2018, de 1 de agosto, por el que se regula la composición, organización y funcionamiento de la Comisión de Coordinación Intersectorial y el procedimiento de coordinación intersectorial.

de la legislación sectorial tanto en los plazos como en lo sustancial[7], agravado por la compleja trama de intervención administrativa (en constante crecimiento) donde cada vez más agentes y organismos reclaman ser actores en los procesos de ordenación urbanística y territorial. Para ello, en Extremadura se han planteado una serie de medidas entre las que se encuentran: las actuaciones tendentes a la simplificación, coordinación y cooperación entre Administraciones; la reconsideración del modelo de interacción administrativa para atenuar la conflictividad del existente, tratando de coordinar tanto intereses como competencias desde una lectura e interpretación integradoras y consensuadas de los instrumentos de ordenación urbanística y territorial; o la creación de un marco temporal cierto en el que pueda desarrollarse la técnica del diálogo interadministrativo.

Y si bien es cierto que es necesario un mayor recorrido del nuevo marco legal y sus medidas para poder evaluar sus resultados debidamente, es posible afirmar que en Extremadura se ha creado un contexto favorable para subsanar lo que venimos defendiendo como una de las grandes carencias de la ordenación del territorio, no solo en Extremadura, sino en España en general: su efectiva puesta en marcha y ejecución (Rando, 2020a). Cuestión que se va manifestando en la recuperación de tramitaciones de instrumentos que llevaban paralizadas al menos una década, así como el inicio de desarrollo de nuevas figuras de planeamiento. Pero a su vez, la LOTUSE tiene una componente continuista, en tanto no ha supuesto un punto de inflexión que permita romper con una situación predominante a nivel estatal: *"la planificación y la democracia aparecen como secuestradas, una por la racionalidad comprehensiva, otra por los procedimientos de regulación, y ambas por la tecnocracia"* (Farinós y Vera, 2016). Condenando a la ordenación del territorio a simple herramienta de intervención territorial, fin último de esta política previsto por una LOTUSE que todo hace indicar persigue facilitar intervenciones territoriales tendentes al desarrollo socioeconómico en un marco de seguridad jurídica, que responda al interés general y que facilite la participación tanto privada como de iniciativas públicas.

Quedando todavía lejos un entendimiento de la ordenación del territorio como una política pública de primer orden que debe jugar un papel fundamental como instrumento de apoyo normalizado y forma de proceder habitual en la toma de decisiones de toda acción de gobierno, y del planeamiento territorial, con un enfoque más estratégico y participado, como la herramienta idónea para el adecuado funcionamiento de los sistemas sociales-ecológicos. Se entiende precisa como la forma de avanzar hacia una gobernanza territorial plena.

---

7. Cuestión que afecta tanto a la OT como al urbanismo. Sobre el particular véase los trabajos de Mardones et al. (2019a), Aseguinolaza et al. (2019) y Mardones et al. (2019b).

2. NORMATIVA BASE DE LA ORDENACIÓN DEL TERRITORIO EN EXTREMADURA

Se analiza a continuación, el marco normativo y los instrumentos en materia de ordenación territorial con que se dota en la actualidad la Comunidad Autónoma de Extremadura. La información básica se resume en la siguiente tabla:

Tabla 1. Marco regulador e instrumental de la Ordenación del Territorio en Extremadura

Comunidad Autónoma	Extremadura
Antecedentes normativos	Ley 15/2001, de 14 de diciembre, del Suelo y Ordenación Territorial de Extremadura (LSOTEX)
Legislación OT actual	Ley 11/2018, de 21 de diciembre, de Ordenación Territorial y Urbanística Sostenible de Extremadura (LOTUSE)
Departamento OT actual	Consejería de Agricultura, Desarrollo Rural, Población y Territorio
Plan OT regional	Directrices de Ordenación Territorial de Extremadura; En tramitación
Entrada en vigor (año)	Sin aprobación
Normativa de aprobación	Sin aprobación
Organismo impulsor	Junta de Extremadura, a propuesta de la Consejería de Agricultura, Desarrollo Rural, Población y Territorio
Periodo tramitación DOT	En trámite desde 2013 (inconcluso a fecha de febrero de 2020)
Instrumentos de OT	**Instrumentos de OT general:** - Directrices de Ordenación Territorial. - Plan Territorial. **Instrumentos de OT de desarrollo:** - Planes de Suelo Rústico. - Plan Especial de Ordenación del Territorio. **Instrumentos de intervención directa:** - Proyectos de Interés Regional.
Otros planes con incidencia en OT	**Planes con Incidencia en la Ordenación del Territorio** (Planificación Sectorial)

Fuente: Elaboración propia

3. ESQUEMA DE INSTRUMENTOS

La actual batería de figuras de planeamiento territorial es el resultado de la reconsideración, adaptación y ampliación de la original establecida por la LSOTEX en el año 2001. Este primer texto legal, planteó[8] un esquema clásico de figuras de planeamiento comprendido por:

- Una figura de planificación territorial regional: **Directrices de Ordenación del Territorio**.

- Una figura de planificación territorial de ámbito subregional: **Planes Territoriales**.

- Los **Proyectos de Interés Regional**.

La actual normativa, la LOTUSE[9], recogerá, reconsiderará y ampliará este esquema inicial para conformar el actual, establecido en su título II, capítulo 2, sección 1°. Así, las actuales figuras de planificación, se presentan atendiendo a un criterio funcional, diferenciando entre:

- **Instrumentos de ordenación territorial general.** Categoría en la que se enmarcan las figuras de OT en sentido propio, encargadas del planeamiento integral, y que se heredan de la anterior normativa, ahora reconsideradas. En este sentido, se mantienen las **Directrices de Ordenación del Territorio** como figura de ámbito regional y los **Planes Territoriales** como figuras de ámbito subregional.

- **Instrumentos de ordenación territorial de desarrollo.** Incorpora dos nuevas figuras mediante las cuales la nueva ley amplía la batería de figuras de planeamiento territorial. Se trata de los **Planes de Suelo Rústico** y los **Planes Especiales de Ordenación del Territorio**.

- **Instrumentos de intervención directa.** Categoría en la que se enmarcan los **Proyectos de Interés Regional,** figura procedente de la anterior normativa, ahora reconsiderada y subordinada a la

---

8. Véase el título II (La ordenación territorial y urbanística), capítulo I (La ordenación del territorio), En particular, el artículo 47 dedicado a "Instrumentos de la ordenación del territorio" de la LSOTEX.

9. Sobre la ordenación del territorio en Extremadura, desde una perspectiva jurídica, tanto a nivel legislativo como procedimental de los diferentes instrumentos previstos tanto por la LSOTEX como por la LOTUSE, ya nos hemos referido en Rando (2019a).

ordenación prevista por las figuras de ordenación general, y que tiene como fin el desarrollo de acciones territoriales puntuales que debe ordenar.

Figura 1. Esquema de Instrumentos de Planificación Territorial en Extremadura

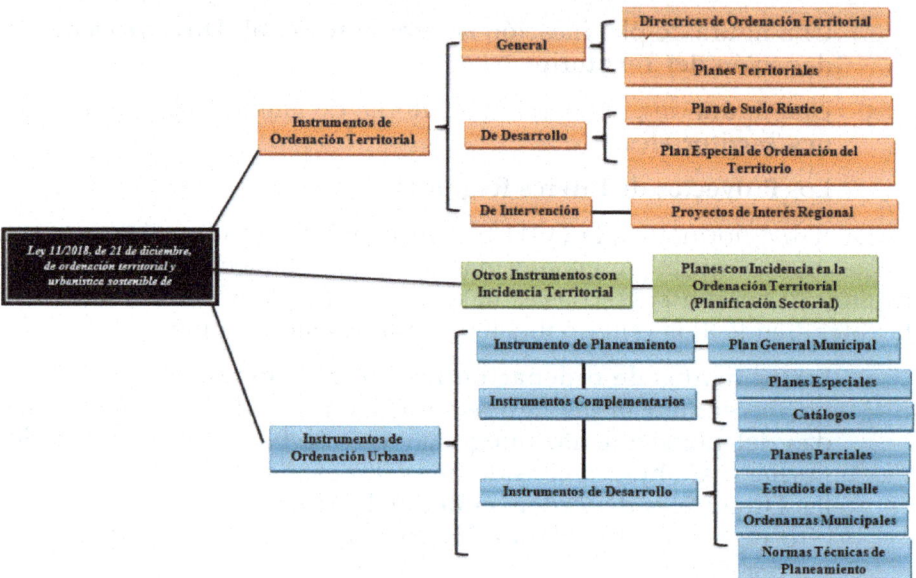

Fuente: Elaboración propia

Una batería de figuras de planificación de la que ya no forma parte la planificación sectorial (en materia de infraestructuras, industria, turismo, servicios, equipamientos, y otras, que afecten sustancialmente al territorio). En este sentido, la LOTUSE, crea la figura de los Planes con Incidencia en la Ordenación del Territorio que, en una aproximación al modelo andaluz, se incorpora expresamente al cuerpo legal, pero al margen de los instrumentos considerados genuinamente planificación territorial. Los Planes con Incidencia en la Ordenación del Territorio se presentan con una finalidad concreta dirigida a que determinada planificación sectorial (expresamente se refiere a la relativa a materia de infraestructuras, industria, turismo, servicios, equipamientos y otras, que afecten sustancialmente al territorio) se ajusten en sus previsiones a los instrumentos de ordenación territorial que constituyan su objeto.

3.1. LAS DIRECTRICES DE ORDENACIÓN TERRITORIAL

Las Directrices de Ordenación Territorial, en adelante DOT, son el instrumento previsto por Extremadura para llevar a cabo la planificación territorial a escala regional de la Comunidad Autónoma. Reguladas en los artículos 17 a 20 de la LOTUSE, son definidas como "el instrumento de ordenación territorial del conjunto de la comunidad autónoma. Definen los elementos de la organización y estructuración de la totalidad del territorio de Extremadura". Se precisa de esta forma el objeto de las DOT, frente a la anterior regulación en que se atribuía una doble naturaleza al distinguirse entre DOT de carácter general y DOT de carácter parcial, destinadas estas últimas a un área geográfica determinada o circunscritas en su objeto a uno o varios aspectos propios de su finalidad.

Las DOT tienen tres objetivos concretos que desarrollan el concepto proporcionado por la LOTUSE:

- Definir un modelo territorial que ordene y regule, con carácter estratégico, los procesos de ocupación del territorio por las actividades económicas y sociales.

- Fijar el marco de referencia de los demás instrumentos de ordenación territorial.

- Definir el marco territorial que permita y asegure la integración y la coordinación de las políticas sectoriales de la Administración pública.

Además, se detalla las determinaciones que, como contenido sustantivo, debe integrarlas. En concreto, el artículo 17.3 de la LOTUSE, distingue:

- Diagnóstico del territorio, su situación actual, tendencias y alternativas.

- Señalamiento, a la luz del diagnóstico anterior, de los criterios generales a los que habrá de acomodarse la acción de la Administración pública y de los objetivos a alcanzar.

- Definición del modelo territorial, mediante la definición de, al menos, los siguientes sistemas y ámbitos:

  - El sistema de asentamientos, el relacional, el de equipamientos y servicios, y el sistema productivo y de explotación de los recursos naturales.

- Delimitación de los ámbitos del planeamiento territorial: división de la totalidad del territorio de la comunidad autónoma para su ordenación con Planes Territoriales.

- Fijación de los criterios que deben seguir los Planes Territoriales y la acción directa de la Administración para conseguir el modelo territorial establecido, en lo relativo a:

  - Localización de infraestructuras vertebradoras y de equipamientos y servicios de ámbito regional.

  - Emplazamiento de acciones públicas de fomento del desarrollo.

  - Utilización y explotación del agua, de los recursos agrícolas y de otros recursos naturales.

  - Protección de los valores naturales y del patrimonio cultural y paisajístico.

  - Protección frente a riesgos naturales y tecnológicos.

- Definición de las normas de aplicación directa, directrices o recomendaciones que la acción de las Administraciones públicas y la iniciativa privada deba respetar.

- Programa de actuación y evaluación de la coherencia de sus determinaciones con los programas de la Comunidad Autónoma, de las restantes Administraciones y de la Unión Europea.

- Justificación del proceso de participación para la elaboración del documento.

- Plan didáctico de asesoramiento a los municipios del ámbito.

- Programa de seguimiento de su implantación y eficacia.

- Causas para su revisión o modificación, alcance y tramitación de las mismas.

- Cualesquiera otras determinaciones que se estimen pertinentes para lograr sus objetivos.

No obstante, con ocasión de la regulación de la documentación de las DOT, el artículo 18 de la LOTUSE, distingue entre Directrices de Ordenación Territorial y Directrices Complementarias de Ordenación Territorial. Las primeras comprenden el conjunto de determinaciones de aplicación directa, con carácter de directrices o recomendaciones que definen el modelo territorial autonómico, mientras las segundas están constituidas por el conjunto de determinaciones de aplicación directa, directrices o recomendaciones de desarrollo de las anteriores, pudiendo tener carácter general o limitarse a un área geográfica determinada o circunscribir su objeto a uno o varios aspectos concretos. También difiere su rango normativo, así mientras las primeras se aprobarán con rango legal, las segundas se formalizarán en una propuesta de ordenación con carácter reglamentario.

Una de las grandes insuficiencias que aún presenta la ordenación territorial en Extremadura, como ya se ha señalado, viene dada por la carencia hasta la fecha de las DOT. Sin embargo, la previsión contenida en la disposición transitoria decimocuarta de la LOTUSE anima a que lo anterior se solvente a corto plazo, toda vez que establece un plazo máximo de dos años desde la entrada en vigor de la misma para que tenga lugar la aprobación y publicación de las DOT, lo que en todo caso tendrá que tener lugar en junio de 2021. Idéntico plazo se establece para la aprobación y publicación de los Planes Territoriales previstos en la misma, lo cual no deja de ser todo un reto que tiene por delante Extremadura ya que si bien es cierto que un buen número de Planes Territoriales se encuentran ya en fase de elaboración o tramitación, el elevado número de los mismos y el relativo escaso plazo que se establece, atendiendo a la envergadura que conlleva la tramitación procedimental de estos instrumentos, hace adecuada la cautela en este sentido.

3.2. LOS PLANES TERRITORIALES

Los Planes Territoriales tienen su referente legislativo en los artículos 21 a 26 de la LOTUSE. Se trata del instrumento de planificación territorial subregional previsto por Extremadura, a diferencia de su regulación anterior en la Ley 15/2001, de 14 de diciembre, del Suelo y Ordenación Territorial de Extremadura (LSOTEX) en que tenían un doble carácter, como instrumentos de planificación territorial subregional pero también como instrumento de planificación sectorial de elementos básicos estructuradores de un ámbito determinado. Por su parte, la LOTUSE le asigna únicamente la primera función, definiéndolo como el instrumento de planificación y ordenación del territorio de ámbitos supramunicipales que desarrolla, en su caso, los criterios establecidos en las DOT. Como novedad, se establece la subordinación de los Planes Territoriales frente a las DOT, cuestión no prevista con anterioridad.

Figura 2. Situación del planeamiento subregional en Extremadura

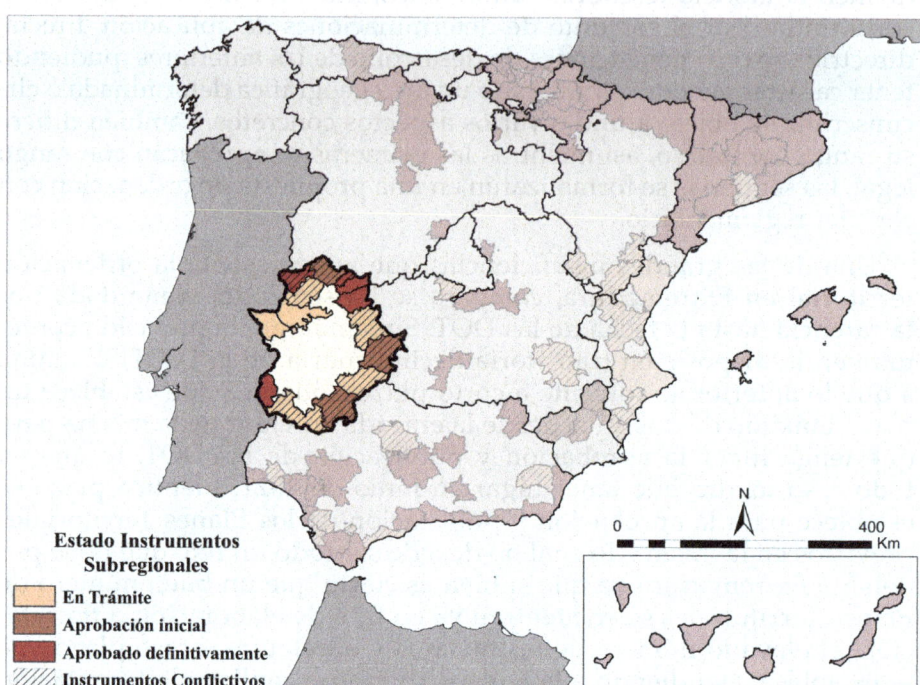

Fuente: Elaboración propia

En coherencia con ello, puede afirmarse que si bien con la LSOTEX, Extremadura presentaba, siguiendo la clasificación en su día realizada por Benabent (2006), una estructura jerárquica piramidal abierta en la que el instrumento regional establecía el marco de referencia para el desarrollo de manera independiente por instrumentos de carácter subregional o sectorial, esta jerarquía y subordinación que ahora predica la LOTUSE de los planes territoriales subregionales frente a las DOT, la aproximan a una estructura jerárquica piramidal cerrada. Esta cuestión y el nuevo rumbo por el que parece optar el legislador extremeño hacen si cabe más necesaria y urgente la aprobación de las DOT. Extremadura sigue así un itinerario similar al llevado a cabo, en su momento, por la comunidad vecina de Andalucía. Como ya señalamos, cuando Andalucía aprueba su instrumento de ámbito regional, el Plan de Ordenación del Territorio de Andalucía, POTA, "… un total de ocho instrumentos de ámbito subregional ya venían desplegando su eficacia en los que territorios que planifican y todo ello sin un instrumento que desde la escala regional le dote de cobertura"

(Rando, 2020b). En este sentido, Extremadura cuenta ya con cinco instrumentos de ámbito subregional aprobados (3 de los cuales se aprueban sin conflictos procedimentales, mientras que los otros 2 restantes han sido aprobados tras la recuperación de unos trámites que se encontraban paralizados) y otros tantos en tramitación, sin embargo, las DOT continúan sin estar vigentes.

La LOTUSE asigna un objeto concreto al Plan Territorial, establecer los elementos básicos de la organización y estructura del territorio en sus respectivas áreas y constituir el marco de referencia territorial para el desarrollo y coordinación de las políticas, planes, programas y proyectos de la Administración y entidades públicas, así como para las actividades de las personas. Para su consecución establece el contenido sustantivo que debe integrarlo, distinguiendo las siguientes determinaciones:

- Diagnóstico del territorio, situación actual, tendencias, alternativas y definición de objetivos; y evaluación de localización y sostenibilidad, de los siguientes servicios:

  - Movilidad y transporte público relacionado con la frecuencia y proximidad a las dotaciones y servicios públicos.

  - Infraestructuras urbanas e infraestructuras vertebradoras.

  - Dotaciones públicas y servicios supramunicipales.

  - Telecomunicaciones.

  - Gestión de residuos.

  - Análisis y diagnóstico del potencial de explotación de energías renovables.

- Definición pormenorizada del sistema de asentamientos, que distinguirá los núcleos de población de base del sistema territorial y los de relevancia territorial. Además, identificará los asentamientos en suelo rústico.

- Condiciones objetivas que determinan riesgo de formación de nuevo tejido urbano.

- Cuantificación, localización y criterios de diseño de los siguientes sistemas de estructura territorial:

  - Infraestructuras vertebradoras.

  - Dotaciones públicas y servicios supramunicipales.

  - Suelo para actividades productivas.

- Normas para protección del paisaje, del cielo, de los recursos naturales y del patrimonio histórico y cultural; criterios y medidas a desarrollar por la Administración para tal fin.

- Criterios, normas e indicadores de sostenibilidad a los que deberán ajustarse los instrumentos de ordenación urbanística de su ámbito. A tal efecto, justificará en base a una memoria específica los estándares de sostenibilidad definidos en su ámbito.

- Definición, en su caso, de Normas Técnicas de Planeamiento susceptibles de empleo en la planificación urbanística del ámbito.

- Definición de criterios de ordenación territorial y urbanística con perspectiva de género, que favorezca el equilibrio territorial y la autonomía.

- Definición de los ámbitos, objetivos y criterios de carácter general que hayan de guiar la eventual redacción de Planes Especiales de Ordenación del Territorio.

- Criterios para la redacción del plan, o planes, de suelo rústico a redactar en desarrollo del Plan Territorial y, en caso de división del territorio del plan, a estos efectos, en más de un ámbito, delimitación de éstos.

- Normas, recomendaciones, incompatibilidades y alternativas concretas que deberán seguir la Administración y las personas en su actividad con incidencia territorial.

- Diagnóstico de incompatibilidades con relación de las determinaciones de planes o programas en vigor que se vean modificados directamente por la aprobación del Plan Territorial o requieran de adaptación, y su justificación. A tal efecto se incluirá una comparativa con la normativa de aplicación en vigor y la propuesta por el Plan Territorial, especialmente en las determinaciones que afecten al suelo rústico. Se incluirá también la tabla con la programación temporal de adaptación de los distintos municipios.

- Programa de seguimiento de su implantación y eficacia.

- Causas para su revisión o modificación, distinguiendo las sustanciales y las que son objeto de procedimiento ordinario o abreviado.

La nueva regulación, al igual que se indicaba con las DOT, es más pormenorizada y concreta que la prevista en la ya derogada LSOTEX, apostando, en sintonía con el propio texto legal, por una visión tendente a la búsqueda de la sostenibilidad y la previsión de criterios concretos para su logro.

El artículo 22 de la LOTUSE se encarga de establecer las reglas para la delimitación de los ámbitos de los Planes Territoriales. No obstante, ha de señalarse que ya con anterioridad a la entrada en vigor del nuevo texto, Extremadura tenía delimitados dichos ámbitos y venía, como también se ha apuntado, desarrollando su planificación territorial subregional siguiendo un esquema coincidente con la propia estructura de áreas funcionales de la Comunidad Autónoma. Como previsiones para la delimitación de los ámbitos de planificación subregional, la LOTUSE establece tres reglas. En primer lugar, el ámbito del Plan Territorial comprenderá un conjunto de términos municipales contiguos y preferentemente completos cuyas características físicas, funcionales y socioeconómicas conformen un área coherente de planificación territorial. Tan sólo excepcionalmente, se podrá incluir algún municipio que no sea contiguo con el resto en el ámbito de un Plan Territorial, siempre que previamente se emita informe favorable en este sentido por la Comisión de Urbanismo y Ordenación del Territorio de Extremadura. En segundo lugar, se establece que cada municipio, o cada parte de un municipio, sólo podrán formar parte de un único Plan Territorial. En tercer y último lugar, la LOTUSE deja "la puerta abierta" a la aprobación de las DOT y trato de conjugarlo con la previa determinación de los ámbitos sobre la que viene trabajando, para ello establece que la entrada en vigor de las mismas, implicará el ajuste de los ámbitos de los Planes Territoriales en vigor y de los que estuvieran en redacción conforme a la delimitación que a estos efectos establezcan las propias Directrices, en el momento de su adaptación. Esta cuestión, prevista en el art. 22.3 de la LOTUSE, puede generar cierta inconcreción e incluso incoherencia, toda vez que se está ante una Comunidad Autónoma con un amplio territorio en términos superficiales y que viene desde hace más de una década trabajando en su planificación territorial subregional. La posibilidad que abre la LOTUSE a que dichos ámbitos se reajusten puede paralizar o ralentizar, fruto de los necesarios ajustes que, en su caso, serán necesarios, el desarrollo de la planificación territorial subregional. Para ello, se entiende hubiese sido más adecuado haber aprobado en primer lugar las DOT y a partir de las mismas desarrollar los ámbitos subregionales o, como hiciera Andalucía, pese al inicial "desfase temporal" en la aprobación de los planes, que el instrumento de planificación territorial regional mantuviese, sin entrar a un posible reajuste, los ámbitos previamente identificados e incorporarlos como tales en las propias DOT.

Por su parte, atendiendo a la vinculación que los Planes Territoriales generan sobre el planeamiento urbanístico, la LOTUSE no duda en ir un paso más allá y establecer reglas concretas para ello. Pues bien, en este contexto, el artículo 23 de la LOTUSE fija tres reglas que se establecen como bases de la regulación de los instrumentos de ordenación urbanística:

- El Plan Territorial contendrá criterios y normas de carácter urbanístico que tendrán como finalidad garantizar la coherencia de la ordenación urbana con la territorial que éstos definen y asegurar un desarrollo urbano sostenible.

- Entre las determinaciones de carácter urbanístico que los Planes Territoriales han de contemplar se incluye el ajuste, para cada localidad, de los indicadores y estándares urbanísticos fijados en la LOTUSE. Así mismo habrán de delimitar las zonas de suelo rústico en las que podrán localizarse, en su caso, nuevos desarrollos urbanísticos.

- Las determinaciones de carácter urbanístico de los Planes Territoriales prevalecerán, en todo caso, sobre las del planeamiento urbanístico y serán de directa aplicación desde la entrada en vigor de aquéllos.

3.3. INSTRUMENTOS DE ORDENACIÓN TERRITORIAL DE DESARROLLO

3.3.1. Planes de Suelo Rústico

Los Planes de Suelo Rústico son una de las novedades que en materia de ordenación territorial incorpora la LOTUSE. El simple hecho de categorizarlo como instrumento para el desarrollo de la planificación territorial es significativo de este aparente propósito de Extremadura de no sólo desarrollar su planificación territorial sino ir un paso más allá, orientándola hacia su puesta en marcha o ejecución, como venimos defendiendo una de las grandes carencias que hasta el momento presenta, en general, en nuestro país la ordenación del territorio (Rando, 2020a).

En este sentido, Extremadura apuesta por un tercer escalón en el desarrollo de la planificación territorial, instaurando el Plan de Suelo Rústico, regulado en los artículos 27 a 30, como el instrumento de desarrollo de los Planes Territoriales para la ordenación pormenorizada del suelo rústico de todos o parte de los municipios de un Plan Territorial por ámbitos contiguos, con la finalidad de asegurar la protección de interés supramunicipal en la conservación del paisaje, de los recursos naturales, de los bienes de dominio público y del patrimonio cultural.

Este instrumento tendrá un ámbito territorial coincidente con el Plan Territorial para cuyo desarrollo se formula o parte del mismo, conforme se establezca en el propio Plan Territorial.

Son los municipios los que tomarán la iniciativa para la redacción del Plan de Suelo Rústico, instrumento al que la LOTUSE le atribuye la inclusión de unas determinaciones concretas:

- Categorización de la totalidad del suelo del ámbito del plan.

- Regulación general de cada categoría, que deberá contener, como mínimo:

  - Características morfológicas y tipológicas de las edificaciones y las construcciones.

  - Regulación de usos y actividades.

- Identificación y delimitación aproximada de las áreas sujetas a servidumbre para protección del dominio público y la funcionalidad de las infraestructuras públicas.

De particular interés, las previsiones de la LOTUSE para la interacción entre el Plan de Suelo Rústico y el planeamiento urbanístico. En principio, las determinaciones del Plan de Suelo Rústico prevalecen a las previstas en los instrumentos de ordenación urbanística en los municipios que hayan asumido, mediante solicitud de redacción o acuerdo plenario, la eficacia del Plan de Suelo Rústico en su término municipal. La aprobación de nuevos Planes Generales Municipales en municipios que con anterioridad asumieron un Plan de Suelo Rústico no implica de facto la supresión de éste, pudiendo mantener su vigencia en sus respectivos ámbitos. En el caso de los municipios que carezcan de planeamiento o aquellos que sólo tengan Proyecto de Delimitación de Suelo Urbano y no hayan solicitado su inclusión en el ámbito del Plan de Suelo Rústico, las determinaciones de éste serán aplicables, al menos, hasta la aprobación de su Plan General Municipal.

3.3.2. Plan Especial de Ordenación del Territorio

De igual forma, categorizado como instrumento de desarrollo de la planificación territorial, el Plan Especial de Ordenación del Territorio está regulado en los artículos 31 a 34 de la LOTUSE.

Su objeto viene, de análoga manera, dado por el desarrollo de los Planes Territoriales, pero en este caso orientado a ampliar, regular detalladamente o complementar incluso, en su caso, modificar las determinaciones de los Planes Territoriales que se establezcan reglamentariamente. Se está ante lo que bien podría llamarse una tercera fase en el desarrollo de la planificación territorial, si bien a diferencia del Plan de Suelo Rústico, en esta ocasión destinado al desarrollo del propio Plan Territorial. Para su logro, se prevé que las determinaciones serán las adecuadas a la finalidad concreta que presente la redacción del Plan Especial de Ordenación del Territorio, que se ejecutará mediante proyectos de obras y planes de gestión y servicios.

De manera singular, se posibilita que se apruebe un Plan Especial de Ordenación del Territorio, en desarrollo de las determinaciones sobre los asentamientos rústicos previstos o identificados en los Planes Territoriales, a fin de ordenarlos y definir su gestión.

3.4. INSTRUMENTOS DE INTERVENCIÓN DIRECTA: PROYECTOS DE INTERÉS REGIONAL

Los Proyectos de Interés Regional, a diferencia de los dos últimos instrumentos analizados, sí se encontraban ya previstos por la LSOTEX que los incluía como una categoría propia de instrumento de ordenación territorial, dentro de la clasificación prevista en el ya derogado artículo 47. De esta forma, junto a las Directrices de Ordenación Territorial y los Planes Territoriales, Extremadura incorporaba los Proyectos de Interés Regional.

Acertada la distinción que lleva a cabo el nuevo cuerpo legal al incorporarlos como una categoría destinada, como señala la propia LOTUSE, a la intervención directa de la Comunidad Autónoma. Este escenario, como se ha tenido ocasión de analizar en otras Comunidades Autónomas no es exclusivo de Extremadura ya que, como ya ha sido señalado, buena parte de Comunidades Autónomas ha optado por ello, con la particularidad de tratarse de instrumentos que se identifican bajo el paraguas de la planificación territorial y, por tanto, enmarcados en las actuaciones autonómicas legitimadas por la ordenación territorial para su ejecución, pero más próximas al urbanismo (Rando, 2019a)[10].

La LOTUSE regula pormenorizadamente los Proyectos de Interés Regional en los artículos 35 a 42, definiéndolos como el instrumento de

---

10.   Para una visión de conjunto de instrumentos similares en el marco de las diferentes Comunidades Autónomas, véase Cruz (2016).

intervención directa en la ordenación territorial que diseña, con carácter básico, para su inmediata ejecución, obras de infraestructura, servicios, dotaciones e instalaciones que se declaren de interés regional debido a su particular utilidad pública o interés social. Además, se establece que el proyecto debe incluir las obras de urbanización y conexión que sean necesarias para asegurar el correcto funcionamiento de las instalaciones que sean su objeto. Se trata, como apuntábamos, de instrumentos dirigidos a la ejecución de actuaciones concretas de manera directa por parte de la Administración autonómica sustentada, principalmente, en el carácter de interés regional de la misma.

Los Proyectos de Interés Regional podrán desarrollarse en cualquier clase de suelo y comprender terrenos situados en uno o varios términos municipales, con excepción de suelo no urbanizable protegido que tenga algún tipo de protección especial o posea valores ambientales que sean incompatibles con el desarrollo del proyecto. Extremadura sí concreta que estos proyectos deben ser de promoción pública a diferencia de otras Comunidades Autónomas que posibilitan también la promoción privada de actuaciones análogas.

De similar manera a lo apuntado para otros instrumentos destinados al desarrollo de la planificación territorial, la LOTUSE se ocupa de regular, consciente de su incidencia (el simple hecho de posibilitarse en cualquier clase de suelo con independencia de su clasificación, es bastante significativo), la vinculación de los Proyectos de Interés Regional y el planeamiento urbanístico, fijando la vinculación directa de los Proyectos de Interés Regional no sólo sobre los Planes Generales Municipales, sino también sobre los Planes de Suelo Rústico, los Planes Especiales de Ordenación del Territorio y los Planes con Incidencia en la Ordenación del Territorio, pudiendo ejecutarse y siendo directamente aplicables sobre los mismos, sin que sea precisa la previa adaptación de aquéllos. De igual forma, los Proyectos de Interés Regional son vinculantes en su ámbito de aplicación para los planes, programas y proyectos tanto públicos como privados. Únicamente se encuentran subordinados a las Directrices de Ordenación Territorial y a los Planes Territoriales.

Entre las determinaciones que la LOTUSE establece en el artículo 38 que deben incluir los Proyectos de Interés Regional, se encuentran:

- Identificación y justificación de la necesidad de su objeto y de su adecuación a los principios y fines de la actuación pública con relación al territorio.

- Identificación de la Administración o entidad pública promotora del proyecto.

- Justificación de su interés regional, utilidad pública e interés social.

- Localización de las obras, delimitación de su ámbito y descripción de los terrenos en él comprendidos, en todos sus aspectos; comprensiva del término o términos municipales en que se sitúen y de sus características tanto físicas como jurídicas.

- Descripción y características técnicas del proyecto y del impacto medioambiental y socioeconómico de su ejecución.

- Estudio paisajístico de los terrenos objeto del proyecto y de su entorno. Afección y propuestas de mitigación o corrección.

- Estudio de la adecuación del proyecto a los instrumentos de ordenación del territorio y de planeamiento urbanístico en vigor que le afecten e identificación de las determinaciones de éstos que hayan de modificarse.

- Plazos de inicio y de ejecución de las obras y supuestos de caducidad.

- Estudio económico financiero justificativo de su viabilidad.

- Previsiones que resulten de los estudios de carácter técnico que sean exigibles.

3.5. PLANIFICACIÓN SECTORIAL CON INCIDENCIA TERRITORIAL: PLANES CON INCIDENCIA EN LA ORDENACIÓN DEL TERRITORIO

Con la finalidad de garantizar la adecuada coherencia entre la planificación territorial y la planificación sectorial, fundamentalmente aquella con una incidencia más directa en la ordenación territorial, la LOTUSE establece en el artículo 43 que la planificación de la Administración en materias como infraestructuras, industria, turismo, servicios, equipamientos u otras que afecten sustancialmente al territorio, tendrán la consideración de Planes con Incidencia en la Ordenación del Territorio. Para lograr una adecuación de los referidos planes sectoriales a la ordenación territorial, se establece que deben ajustarse a las previsiones de los instrumentos de planificación territorial en la materia que constituya su objeto.

Como reglas para lograr lo anterior, se enumera el contenido específico que deben incorporar, en concreto:

- Análisis y diagnóstico en sus aspectos territoriales.

- Definición de los objetivos de índole territorial.

- Justificación de la coherencia del plan con los instrumentos de ordenación territorial en vigor.

También se establece como requisito previo a la aprobación de los Planes con Incidencia en la Ordenación del Territorio y para lograr de manera efectiva el objetivo pretendido, que deberá realizarse una consulta y constar informe de la Comisión de Urbanismo y Ordenación del Territorio de Extremadura que se pronunciará sobre los aspectos territoriales del plan. Si dicho informe fuese negativo, se convocará una mesa de concertación en el seno de la Comisión Intersectorial para lograr acuerdos sobre el interés prevalente.

4. ÓRGANOS RESPONSABLES DE LA ORDENACIÓN DEL TERRITORIO EN EXTREMADURA

Son objeto de análisis a continuación, los órganos con competencias en ordenación territorial en la Comunidad Autónoma de Extremadura. Su regulación se recoge principalmente en el Decreto 50/2016, de 26 de abril, de atribuciones de los órganos urbanísticos y de ordenación del territorio, y de organización y funcionamiento de la Comisión de Urbanismo y Ordenación del Territorio de Extremadura, para sucesivas menciones Decreto 50/2016.

El Decreto 50/2016, relaciona en su artículo 3 como órganos urbanísticos y de ordenación del territorio, los siguientes:

- La Junta de Extremadura.
- La Consejería competente en materia urbanismo y ordenación del territorio.
- La Dirección General competente en materia de urbanismo y ordenación del territorio.
- La Comisión de Urbanismo y Ordenación del Territorio de Extremadura.

4.1. JUNTA DE EXTREMADURA

La Junta de Extremadura se compone de la presidencia de la Junta, la vicepresidencia, portavocía y consejerías. Le corresponde dictar los reglamentos de desarrollo y ejecución de la LOTUSE, así como las atribuciones acordes a su naturaleza de órgano colegiado del Gobierno y de Administración de la Comunidad Autónoma. El artículo 4 del Decreto 50/2016 es el encargado de regular las atribuciones que, en su condición de órgano urbanístico y de ordenación territorial, se le asignan de manera concreta a la Junta de Extremadura. Algunas de las más significativas, siguiendo el objeto del presente trabajo, son las que a continuación se enumeran:

- Acordar, mediante decreto, la formulación de las Directrices de Ordenación Territorial de Extremadura, así como aprobar los proyectos relativos a las mismas y, en su caso, las adaptaciones que la Asamblea de Extremadura requiera.

- Acordar la formulación y resolver sobre la aprobación definitiva de los Planes Territoriales.

- Acordar la modificación o revisión de cualesquiera instrumentos de ordenación del territorio.

- Resolver sobre la suspensión, en todo o en parte, de planes de ordenación urbana cuando, estando afectados por determinaciones de los instrumentos de ordenación del territorio, no hayan sido adaptados a ellos en los plazos fijados a tal efecto.

- Resolver sobre la aprobación definitiva de los Planes Especiales de Ordenación Territorial cuya aprobación inicial corresponda a la Administración autonómica.

- Sancionar las infracciones en materia urbanística y de ordenación del territorio atribuidas a su competencia.

4.2. CONSEJERÍA COMPETENTE EN MATERIA URBANISMO Y ORDENACIÓN DEL TERRITORIO

En la actualidad, las competencias en urbanismo y ordenación del territorio de la Comunidad Autónoma de Extremadura están atribuidas a la Consejería de Agricultura, Desarrollo Rural, Población y Territorio. El recién promulgado Decreto del Presidente 16/2019, de 1 de julio, por el que se modifican la denominación, el número y las competencias de las Consejerías que conforman la Administración de la Comunidad Autónoma de Extremadura, atribuye a esta Consejería las funciones que anteriormente correspondían a la ya extinta Consejería de Medio Ambiente y Rural, Políticas Agrarias y Territorio, en materia de agricultura y ganadería, desarrollo rural, ordenación y gestión forestal, cinegética y piscícola, prevención y extinción de incendios forestales, ordenación del territorio, urbanismo y las competencias en materia de interior; así como las competencias en materia de sociedades cooperativas y sociedades laborales anteriormente ejercidas por la Consejería de Economía e Infraestructuras. También se le asignan las competencias en materia de política demográfica y poblacional.

El propio Decreto 50/2016 es el encargado de enumerar las competencias que le vienen atribuidas a la persona titular de la Consejería competente en materia de urbanismo y ordenación del territorio. Del extenso listado de atribuciones contenidos en el artículo 5, se destacan aquellas más relevantes desde el punto de vista de la ordenación territorial:

- Resolver sobre la aprobación de los avances y anteproyectos de Directrices de Ordenación Territorial.

- Dar audiencia a las corporaciones locales afectadas por los Planes Territoriales cuya formulación se pretenda, así como resolver sobre su aprobación inicial.

- Resolver sobre la aprobación inicial de los Proyectos de Interés Regional y, en su caso, aprobar definitivamente cuantos proyectos e instrumentos los complementen con posterioridad a la aprobación definitiva de aquéllos.

- Resolver sobre la aprobación inicial de los Planes Especiales de Ordenación Territorial cuya aprobación definitiva corresponda a la Administración autonómica.

4.3. LA DIRECCIÓN GENERAL COMPETENTE EN MATERIA DE URBANISMO Y ORDENACIÓN DEL TERRITORIO

Enmarcada en la Consejería de Agricultura, Desarrollo Rural, Población y Territorio, a la Dirección General de Urbanismo y Ordenación del Territorio, en cuanto órgano con competencias en la materia, le vienen encomendadas determinadas atribuciones que se relacionan en el artículo 6 del Decreto 50/2016, entre las cuales destacamos por su interés para la ordenación territorial, las siguientes:

- La dirección técnica de la redacción de las Directrices de Ordenación Territorial, su sometimiento a información pública y cualesquiera atribuciones necesarias para su tramitación.

- La dirección técnica de la redacción de las Directrices de los Planes Territoriales, su sometimiento a información pública del documento de aprobación inicial y cualesquiera atribuciones necesarias para su tramitación

- Gestionar el Registro de Explotación del Patrimonio Público de Suelo de la Comunidad Autónoma de Extremadura.

- Sancionar las infracciones a la legalidad urbanística y territorial que correspondan a la competencia de la Comunidad Autónoma y no se hallen atribuidas a la de la Junta de Extremadura o a la del Consejero de Fomento.

4.4. COMISIÓN DE URBANISMO Y ORDENACIÓN DEL TERRITORIO DE EXTREMADURA

La Comisión de Urbanismo y Ordenación del Territorio de Extremadura, en tanto órgano colegiado de naturaleza mixta adscrito a la Dirección General de Urbanismo y Ordenación del Territorio y en relación a lo establecido en el Decreto 50/2016, de 26 de abril, de atribuciones de los órganos urbanísticos y de ordenación del territorio, y de organización y funcionamiento de la Comisión de Urbanismo y Ordenación del Territorio de Extremadura, le corresponde, entre otras, las siguientes funciones:

- Emisión del informe previo a la aprobación del proyecto de Directrices de Ordenación Territorial.

- Emitir el informe previo a la adopción de la iniciativa en orden a la aprobación definitiva de los Planes Territoriales.

- Informar sobre la aprobación definitiva de los Planes y sus innovaciones cuando dicha competencia corresponda a la Junta de Extremadura o al Consejero de Fomento.

Se compone de la presidencia (cargo correspondiente al Director/a General de Urbanismo y Ordenación del Territorio) con competencia para dirimir en caso de empate y que en caso de fuerza mayor será sustituido por el vicepresidente de la Comisión. Además del presidente, la Comisión de Urbanismo y Ordenación del Territorio de Extremadura, se conforma por:

- Los titulares de los siguientes órganos directivos de la Consejería de Fomento:

  - Secretaría General.

  - Dirección General de Arquitectura y Programas Especiales de Vivienda, cuyo titular ostentará la Vicepresidencia.

  - Dirección General de Vivienda.

  - Dirección General de Infraestructuras y Aguas.

- Los titulares de los siguientes otros órganos directivos de la Administración de la Comunidad Autónoma de Extremadura:

  - Dirección General de Evaluación y Calidad Ambiental.

  - Dirección General de Turismo.

- ▪ Dirección General de Estructuras Agrarias.
- ▪ Dirección General de Patrimonio Cultural.
- ▪ Dirección General de Administración Local.
- ▪ Dirección General de Desarrollo e Infraestructuras Rurales.
- Un representante del Ministerio de Fomento.
- Un miembro de cada una de las Diputaciones Provinciales de Extremadura.
- Un representante de cada una de las Confederaciones Hidrográficas de Extremadura.
- Dos expertos urbanistas, por designación del Consejero de Fomento.
- Tres representantes de la Federación Extremeña de Municipios y Provincias.
- Un representante de cada uno de los Colegios profesionales siguientes:
  - ▪ Arquitectos.
  - ▪ Ingenieros de Caminos, Canales y Puertos.
  - ▪ Secretarios e Interventores de la Administración Local.
- Un representante de la Gerencia Regional de Extremadura de la Dirección General del Catastro.

4.5. COMISIÓN DE COORDINACIÓN INTERSECTORIAL

La Comisión de Coordinación Intersectorial es un órgano de reciente creación, al amparo de la Ley 2/2018, de 14 de febrero, de coordinación intersectorial y de simplificación de los procedimientos urbanísticos y de ordenación del territorio de Extremadura, y desarrollada por el Decreto 128/2018, de 1 de agosto, por el que se regula la composición, organización y funcionamiento de la Comisión de Coordinación Intersectorial y el procedimiento de coordinación intersectorial.

Una comisión que nace como la herramienta para la coordinación de los diferentes informes sectoriales que se emiten en el procedimiento de tramitación de las diferentes figuras de planeamiento territorial. Siendo una comisión dependiente de la consejería competente en materia de urbanismo y ordenación del territorio. Una búsqueda de coordinación que además pretende la agilización de unos procedimientos, pues la comisión tiene la capacidad de establecer las medidas que estime necesarias para superar las discrepancias y situaciones de bloqueo que dilatan los procedimientos. Este procedimiento de coordinación queda recogido en la normativa y desarrollado reglamentariamente por el citado Decreto 128/2018, que además recoge la composición de la misma.

La Comisión de Coordinación Intersectorial estará presidida por la persona titular de la Dirección General competente en materia de urbanismo y ordenación del territorio o persona en quien delegue, y estará integrada por los miembros que se designen de acuerdo con el propio Decreto, y asistida por personal adscrito a la referida Dirección General de entre los cuales se designará el secretario y el resto actuará como ponentes de los asuntos a tratar.

Deberá contar al menos con un miembro designado por cada uno de los órganos de la Junta de Extremadura que deban emitir informes, dictámenes u otro tipo de pronunciamientos, en relación con las siguientes materias:

— Urbanismo.

— Ordenación del territorio.

— Medio ambiente.

— Vías pecuarias.

— Regadíos.

— Vivienda.

— Patrimonio cultural.

— Salud.

— Carreteras.

— Las demás materias con incidencia territorial que establezcan las leyes.

Se puede designar más de un miembro perteneciente a una misma Dirección General cuando, según su estructura orgánica, deba emitirse más de un informe desde distintas unidades administrativas.

En cuanto a las demás Administraciones, formarán parte de la comisión los siguientes miembros:

- Por parte de la Administración General del Estado, un representante de la Demarcación de Carreteras del Estado en Extremadura, un representante del Ministerio competente en materia ferroviaria, un representante del Ministerio competente en materia de telecomunicaciones y de redes públicas de comunicaciones electrónicas y un representante de cada Confederación Hidrográfica afectada por el orden del día.

- Por parte de la Administración Local, un representante de cada una de las Diputaciones Provinciales de Extremadura.

Podrá, de igual forma, designarse un representante de cualquier otro órgano administrativo que, de acuerdo con la legislación aplicable, deba emitir informe en los procedimientos de aprobación de los instrumentos de ordenación territorial o urbanística y que no se encuentre dentro de los señalados anteriormente.

En la designación de los miembros de la Comisión de Coordinación Intersectorial habrán de preverse las personas que hayan de sustituirles en caso de ausencia o de enfermedad. Así mismo, deberá garantizarse la presencia y representación equilibrada entre mujeres y hombres en los términos previstos en el artículo 29 de la Ley 8/2001, de 23 de marzo, de Igualdad entre Mujeres y Hombres y contra la Violencia de Género en Extremadura.

Ejercerá, como secretario, con voz, pero sin voto, el empleado público designado por la Presidencia de la Comisión de Coordinación Intersectorial entre el personal adscrito a la Dirección General competente en materia de ordenación territorial y urbanística, que tendrá atribuida las funciones del artículo 16.2 de la Ley 40/2015, de 1 de octubre, de Régimen Jurídico del Sector Público.

5. PROCEDIMIENTOS Y RESPONSABILIDADES FORMALES

El procedimiento de elaboración, tramitación y aprobación de los diferentes instrumentos que para el desarrollo de la ordenación territorial en Extremadura establece la LOTUSE, se regulan con ocasión de cada uno de ellos, por lo que se está ante procedimientos propios dependiendo del instrumento de que se trate.

5.1. PROCEDIMIENTO DE ELABORACIÓN Y APROBACIÓN DE LAS DOT

El procedimiento para la aprobación de las DOT se encuentra regulado en el artículo 19 de la LOTUSE. Siguiendo el propio carácter de las DOT expuesto con ocasión del análisis de las mismas (DOT y DOT complementarias), el precepto distingue el procedimiento a seguir en cada una de ellas.

De esta forma, para las Directrices de Ordenación Territorial se requerirá el acuerdo de redacción mediante decreto de la Junta de Extremadura, a propuesta de quien ostente la titularidad de la Consejería competente en materia de ordenación del territorio, que expresará los objetivos y plazos para la redacción y designará su dirección técnica, que radicará en la Consejería que ostente la competencia en ordenación territorial y urbanística (Consejería de Agricultura, Desarrollo Rural, Población y Territorio). Será preciso informe no vinculante de la Comisión de Urbanismo y Ordenación del Territorio de Extremadura sobre el avance de las DOT, el cual será aprobado por la persona que ostente la titularidad de la Consejería competente en materia de ordenación del territorio. Tras el trámite de información pública del avance, las consultas sectoriales y las acciones del proceso participativo, lo que tendrá lugar por un plazo no inferior a dos meses, el anteproyecto de las DOT será aprobado por la persona que ostente la titularidad de la Consejería competente en materia de ordenación del territorio.

La aprobación del proyecto de DOT compete al Consejo de Gobierno de la Junta de Extremadura que lo remitirá a la Asamblea de Extremadura para su aprobación como DOT, con rango legal.

Por su parte, en el caso de las DOT complementarias, que se tramitarán y aprobarán en desarrollo de las DOT, el procedimiento para su aprobación comenzará con el correspondiente acuerdo de redacción por resolución de la persona que ostente la titularidad de la Consejería competente en materia de ordenación del territorio, quien también será competente para su aprobación inicial. Tras ello, se someterá a información pública por plazo no inferior a dos meses y a las correspondientes consultas sectoriales y se obtendrá el informe no vinculante de la Comisión de Urbanismo y Ordenación Territorial de Extremadura. La aprobación definitiva corresponde, dado su carácter reglamentario, al Consejo de Gobierno de la Junta de Extremadura.

Diagrama 1. Procedimiento de tramitación de las Directrices de Ordenación del Territorio

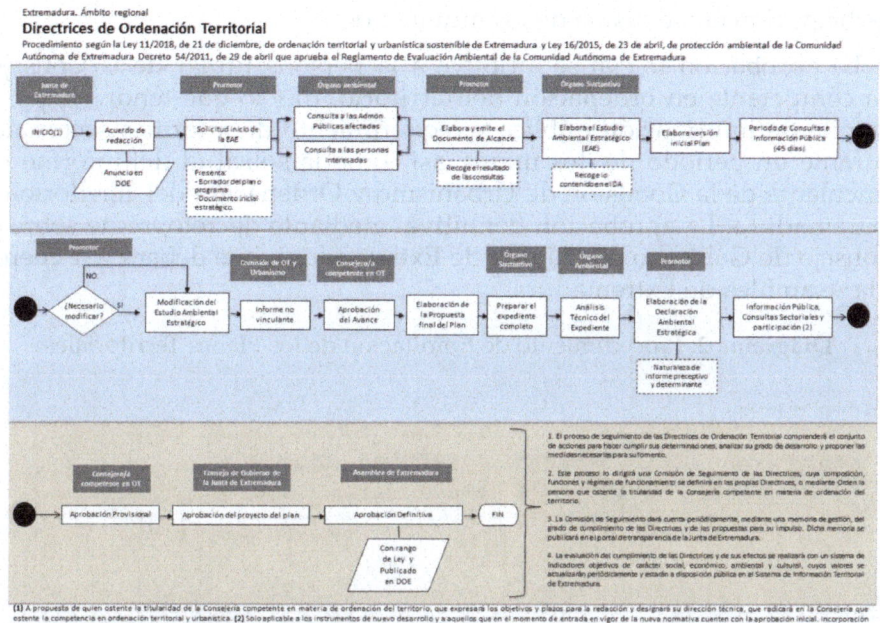

Fuente: Elaboración propia

5.2. PROCEDIMIENTO DE ELABORACIÓN Y APROBACIÓN DE LOS PLANES TERRITORIALES

El procedimiento de elaboración y aprobación de los Planes Territoriales extremeños tiene su amparo legal en el artículo 25 de la LOTUSE. En general, y aras a la simplificación que predica la ley, puede afirmarse que los diferentes instrumentos cuentan con unos procedimientos precisos y concretos.

En el caso de los Planes Territoriales, el procedimiento se inicia por acuerdo de redacción mediante resolución de la persona que ostente la titularidad de la Consejería competente en materia de ordenación del territorio, bien de oficio o a instancia de las corporaciones locales del ámbito del plan, pero, en todo caso, previa audiencia de las mismas. Dicho acuerdo habrá de determinar el ámbito del plan, sus objetivos generales y los plazos previstos para su redacción, así como la composición de la comisión de redacción que, en el seno de la Consejería competente en ordenación del territorio, será la que asuma la dirección técnica del plan con participación en la misma de los municipios.

La aprobación inicial se atribuye a la persona titular de la Consejería competente en ordenación del territorio, tras lo que tendrá lugar el trámite de información pública y requerimiento de informes sectoriales durante un período de dos meses, así como la solicitud del informe no vinculante de la Comisión de Urbanismo y Ordenación del Territorio de Extremadura. La aprobación definitiva, mediante decreto, recae sobre el Consejo de Gobierno de la Junta de Extremadura, que deberá dar cuenta a la Asamblea de Extremadura.

Diagrama 2. Procedimiento de tramitación de los Planes Territoriales

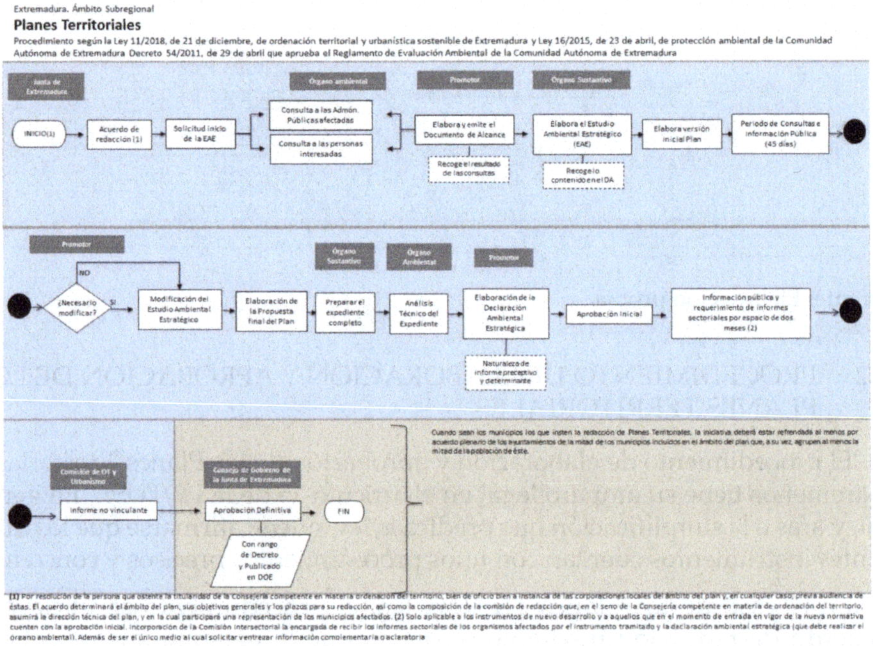

Fuente: Elaboración propia

5.3. PROCEDIMIENTO DE ELABORACIÓN Y APROBACIÓN DE LOS PLANES DE SUELO RÚSTICO

Los trámites concretos a realizar en el procedimiento de elaboración y aprobación de los Planes de Suelo Rústico se encuentran regulado en el artículo 29 de la LOTUSE. El acuerdo de redacción tendrá lugar mediante resolución de la persona que ostente la Consejería competente en materia de ordenación del territorio a instancia de las corporaciones locales del ámbito del plan, sin embargo, los municipios que inicialmente no soliciten la redacción del Plan de Suelo Rústico pueden posteriormente decidir que se aplique en su término municipal, para lo que será preciso acuerdo plenario al efecto y publicación de dicho acuerdo en el Diario Oficial de Extremadura.

La aprobación inicial corresponde a la persona titular de la Consejería competente en materia de ordenación del territorio, tras la que se llevará a cabo la información pública y el trámite de audiencia a los municipios del ámbito del plan durante dos meses (si la tramitación es abreviada se reducen ambos a un mes). Tras el referido trámite, se emitirá informe de la Comisión de Urbanismo y Ordenación del Territorio de Extremadura y tendrá lugar, en su caso, aprobación definitiva mediante resolución de la persona titular de la Consejería competente en materia de ordenación del territorio. A efectos de su eficacia, el plan será publicado en el Diario Oficial de Extremadura.

Diagrama 3. Procedimiento de tramitación de los Planes de Suelo Rústico

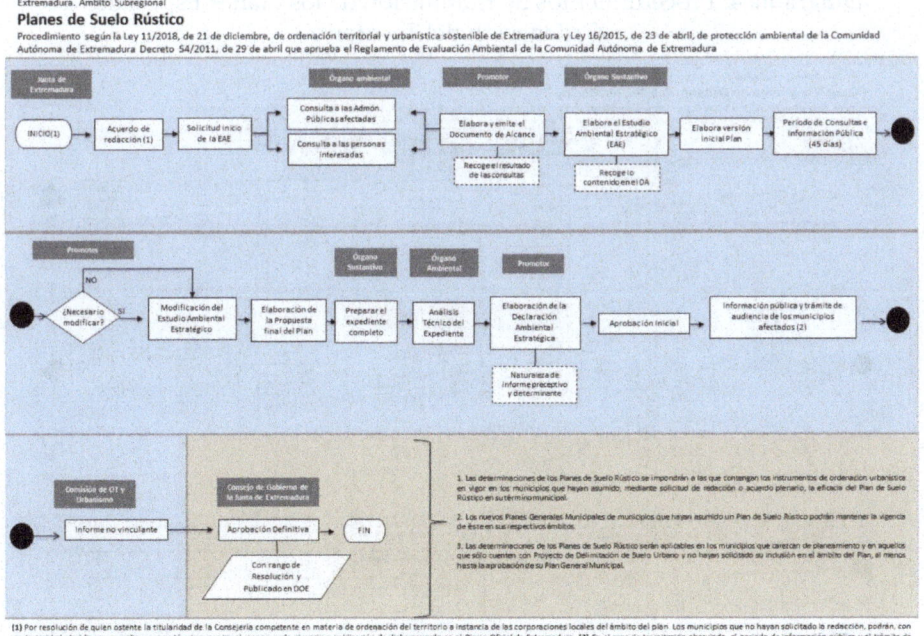

Fuente: Elaboración propia

5.4. PROCEDIMIENTO DE ELABORACIÓN Y APROBACIÓN DEL PLAN ESPECIAL DE ORDENACIÓN DEL TERRITORIO

De análoga manera a lo indicado con los procedimientos de tramitación de otros instrumentos, también el previsto en el artículo 34 de la LOTUSE se caracteriza por su carácter esquemático y conciso. La tramitación del Plan Especial de Ordenación del Territorio se inicia con el acuerdo de redacción por resolución de quien ostente la titularidad de la Consejería competente en materia de ordenación del territorio que será objeto de publicación de en el Diario Oficial de Extremadura. Esta misma persona ostenta la competencia para la aprobación inicial, que se publicará de igual forma en el Diario Oficial de Extremadura. Acordada ésta, se efectuará la información pública y, simultáneamente, el trámite de audiencia de los municipios del ámbito del plan por plazo de dos meses (el plazo se reduce a un mes en caso de tramitación abreviado, al igual que en el Plan de Suelo Rústico). En este momento procedimental corresponde solicitar el informe vinculante de la Comisión de Urbanismo y Ordenación del Territorio de Extremadura sobre su adecuación a la ordenación territorial, previa a la aprobación mediante orden de la persona que ostente la titularidad de la Consejería competente en materia de ordenación del territorio y ulterior publicación en el Diario Oficial de Extremadura.

Diagrama 4. Procedimientos de tramitación de los Planes Especiales de Ordenación del Territorio

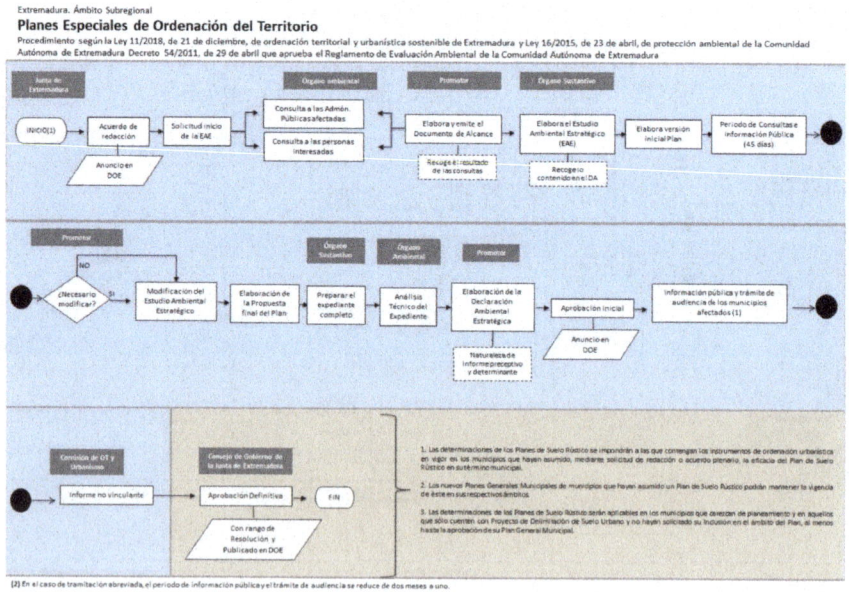

Fuente: Elaboración propia

5.5. PROCEDIMIENTO DE ELABORACIÓN Y APROBACIÓN DE LOS PROYECTOS DE INTERÉS REGIONAL

El procedimiento concreto regulado en el artículo 40 de la LOTUSE para la aprobación, así como los efectos de la misma en el caso de los Proyectos de Interés Regional, establece su tramitación por la Administración competente en razón de la materia de su objeto.

Para ello, habrá de presentarse la solicitud para su tramitación y aprobación ante la Consejería competente en razón de la materia que constituya su objeto, acompañada de la documentación que se detalla en el artículo 38 de la LOTUSE, así como de la que, en su caso, se establezca reglamentariamente. Esta documentación es aquella en la que se contengan las determinaciones que requiere este plan y que han sido detalladas con objeto del análisis del mismo. La aprobación inicial por la persona que ostente la titularidad de la Consejería competente en razón de la materia de su objeto, con ulterior sometimiento información pública e informe de los municipios afectados por plazo de dos meses. Previamente a la apertura del período de información pública, debe estar publicado el expediente y la documentación anexa del Proyecto de Interés Regional en el Portal de Transparencia de la Junta de Extremadura. A la luz de estos trámites, la Consejería competente valorará las alegaciones e informes recibidos y, en su caso, introducirá las rectificaciones que estime procedentes, para someterlo con posterioridad a informe de la Comisión de Urbanismo y Ordenación del Territorio de Extremadura, que será vinculante en relación con su adecuación a los principios y fines de la actuación pública con relación al territorio, estudio paisajístico de los terrenos y de su entorno y adecuación a los instrumentos de ordenación territorial y urbanística en vigor que resulten afectados, así como identificación de las determinaciones de éstos que hayan de modificarse.

Como particularidad, y atendiendo al carácter esencial que en estas actuaciones tiene el interés regional, será preciso obtener la declaración de la misma y la aprobación definitiva, previa presentación de la documentación complementaria (referida a las obligaciones que asume la entidad promotora)[11], por el Consejo de Gobierno de la Junta de Extremadura y publicación en el Diario Oficial de Extremadura.

---

11. Detallada en el artículo 39 de la LOTUSE, que establece:
    - Las que correspondan a los deberes legales derivados de la clase de suelo afectado por el proyecto.
    - La de integrar los terrenos en una sola propiedad, que deberá mantenerse como tal hasta la conclusión del proyecto y afectarla al destino prescrito por el proyecto.
    - En los proyectos de entidades públicas se añadirán los compromisos que garanticen el cumplimiento de las obligaciones que se deriven de su aprobación.

Especial atención presta la LOTUSE al contenido del acuerdo de aprobación que deberá contener:

- El objeto del Proyecto de Interés Regional, el alcance de la declaración de interés regional, las condiciones para su desarrollo y las obligaciones que deberá asumir la persona o entidad promotora.

- El organismo de la Administración o entidad pública encargada de la ejecución del proyecto.

- Acuerdo de redacción de la modificación del planeamiento territorial precisado de adaptación como consecuencia de la aprobación del Proyecto de Interés Regional.

- El plazo y, eventualmente, las ayudas de la Comunidad Autónoma, para la modificación del planeamiento urbanístico precisado de adaptación.

El carácter de estos proyectos destinados a la ejecución de actuaciones más próximas al ámbito urbanístico que al territorial, se recoge implícitamente en la LOTUSE que remite en cuanto a los efectos que tienen una vez aprobado, a los propios de los planes urbanísticos. De igual forma, para su ejecución, y sin perjuicio del seguimiento del desarrollo de las obras que se reserva la Consejería, será precisa previa licencia municipal.

5.6. PROCEDIMIENTOS DERIVADOS DE LA RENOVADA LEGISLACIÓN EXTREMEÑA EN MATERIA DE COORDINACIÓN INTERSECTORIAL

La entrada en vigor de la Ley 2/2018, de 14 de febrero, de coordinación intersectorial y de simplificación de los procedimientos urbanísticos y de ordenación del territorio de Extremadura y el Decreto 128/2018, de 1 de agosto, por el que se regula la composición, organización y funcionamiento de la Comisión de Coordinación Intersectorial y el procedimiento de coordinación intersectorial, que la desarrolla, vinieron a incorporar a los procedimientos anteriores una serie de novedades que afectan particularmente a los planes urbanísticos (planes generales municipales de nuevo desarrollo y aquellas modificaciones que afecten a la ordenación estructural del plan) y a los planes territoriales (instrumentos subregionales de OT). Tal y como se recoge en el artículo 10 del citado Decreto 128/2018, este renovado planteamiento del procedimiento sólo afectará a los instrumentos de nuevo desarrollo y a aquellos que en el momento de entrada en vigor de la nueva normativa cuenten con la aprobación inicial.

Es precisamente este punto, el de la aprobación inicial, en el que se incorporan las novedades, pues es el momento en el que, con carácter previo al período de información pública, se comunica a la Comisión de Coordinación Intersectorial la efectiva aprobación inicial con el fin de que comience la coordinación intersectorial. Un proceso que parte con la recepción del instrumento en cuestión aprobado inicialmente y el estudio ambiental estratégico (ambos completos y diligenciados).

El punto de inflexión con respecto al procedimiento anterior es que será esta Comisión de Coordinación Intersectorial, la encargada de recibir los informes sectoriales de los organismos afectados por el instrumento tramitado y la declaración ambiental estratégica (que debe realizar el órgano ambiental), además de ser el único medio al cual solicitar y entregar información complementaria o aclaratoria. Así, mediante las reuniones que la Comisión tendrá, se genera un espacio de debate donde participan representantes de los diferentes elementos sectoriales afectados (partiendo de una composición base de la Comisión Intersectorial regulada en el artículo 3 del Decreto 128/2018) y que dan lugar a un informe de coordinación base para el desarrollo de los diferentes informes sectoriales definitivos.

Tanto el informe de coordinación como los informes sectoriales se suman a la documentación del procedimiento, en un momento en el que ya se dispone de una versión aprobada inicialmente del instrumento, y en el que se deben recabar las alegaciones realizadas durante el período de información pública (realizado tras reunirse la Comisión de Coordinación Intersectorial) y la declaración ambiental estratégica.

Estas cuestiones, sin perjuicio de la regulación prevista en la LOTUSE, marco legislativo posterior que mantiene su vigencia en la disposición transitoria decimosegunda "aplicación complementaria de la Ley 2/2018, de 14 de febrero, de coordinación intersectorial y de simplificación de los procedimientos urbanísticos y de ordenación del territorio de Extremadura". A tal fin, dispone el citado cuerpo legal que para los procedimientos de aprobación de Planes Territoriales y de los Planes Generales o sus modificaciones, será de aplicación complementaria la Ley 2/2018, de 14 de febrero.

5.7. PROCEDIMIENTO DE LA EVALUACIÓN AMBIENTAL DE PLANES Y PROGRAMAS

El caso extremeño destaca en materia de evaluación ambiental de planes y programas por su detallado desarrollo normativo en esta materia. A partir de la normativa nacional, desarrolla un marco legal formado por la Ley 16/2015, de 23 de abril, de Protección Ambiental de la Comunidad Autónoma de Extremadura, en lo sucesivo LPAEX, y el Decreto 54/2011, de 29 de abril, por el que se aprueba el Reglamento de Evaluación Ambiental de la Comunidad Autónoma de Extremadura. En la LPAEX, además de presentar el procedimiento genérico de la evaluación ambiental para planes y programas, dedica un apartado específico a regular el procedimiento de evaluación ambiental estratégica de los instrumentos de ordenación territorial o urbanística, concretamente en los artículos 55 a 61[12].

Es el artículo 55 de LPAEX, el encargado de concretar la particularidad de la evaluación ambiental para los instrumentos de ordenación territorial o urbanística, de forma que establece que, si bien se aplicará a los mismos, con carácter general, el procedimiento regulado en su articulado, con las especialidades previstas en los artículos 56 a 61, sin perjuicio de lo dispuesto en la legislación sectorial aplicable. Estas especialidades procedimentales se regulan en la LPAEX de manera singularizada para cada instrumento, distinguiendo la regulación dedicada a las DOT (artículo 56), a los Planes Territoriales (artículo 57), a los Planes Generales Municipales (artículo 58), a los Planes Parciales de Ordenación (artículo 59) y a los Planes Especiales de Ordenación (artículo 60). Por su parte, el artículo 61 establece el criterio para determinar la necesidad de someter un instrumento de ordenación territorial o urbanística a evaluación ambiental.

A los efectos que ocupan, en el caso de las DOT, el artículo 56 identifica como órgano promotor en el procedimiento de evaluación ambiental a la Consejería con competencias en ordenación territorial. Así pues, y a partir del acuerdo de formulación de las DOT por parte de la Junta de Extremadura, el procedimiento comienza con la solicitud de inicio de la evaluación ambiental estratégica, en adelante EAE, por parte del promotor al órgano sustantivo, el cual, tras las comprobaciones pertinentes sobre la adecuación tanto en forma como en contenido sobre la solicitud y su documentación asociada (que incluirá el documento inicial estratégico[13]) remitirá el documento de avance al órgano ambiental. Tras la aprobación anteproyecto técnico de las DOT aprobado, se someterá por parte del órgano ambiental a información pública y consultas, por un plazo no

---

12. Incorporados en el título I "Prevención ambiental", capítulo VII "Evaluación ambiental", Sección 1.ª "Evaluación Ambiental Estratégica", Subsección 3.ª "Procedimiento de evaluación ambiental estratégica de los instrumentos de ordenación territorial o urbanística".

13. Cuyo contenido incluye objetivos de la planificación, alcance y contenido del plan y de sus alternativas técnica y ambientalmente viables, un diagnóstico de la zona, el desarrollo previsible del plan, los potenciales impactos ambientales –entre los que incluirá la cuestión del cambio climático– y las incidencias sobre los elementos estratégicos del territorio, y la incidencia sobre el resto de las planificaciones y normas aplicables.

inferior a dos meses. A la vista de los resultados obtenidos, se desarrolla el documento de alcance del estudio ambiental estratégico, el cual será remitido al promotor y al órgano sustantivo, con el objeto de delimitar la amplitud, nivel de detalle y grado de especificación que debe terne el estudio ambiental estratégico.

La declaración estratégica tendrá la naturaleza de informe preceptivo, determinante y debe contener una exposición de los hechos que resuma los principales hitos del procedimiento que debe incluir los resultados de la información pública, de las consultas, en su caso, los resultados de las consultas transfronterizas, así como las determinaciones, medidas o condiciones finales que deban incorporarse en el plan o programa que finalmente se adopte o apruebe.

Las especialidades contempladas en la LPAEX para el procedimiento previsto para los Planes Territoriales se contienen en el artículo 57, nuevamente indicando que el órgano promotor en el procedimiento de evaluación ambiental de un Plan Territorial es la Consejería competente en materia de ordenación territorial. Una vez acordada la formulación del mismo por parte de la Junta de Extremadura, el órgano sustantivo remitirá el avance del Plan Territorial, que incluirá el documento inicial estratégico, al órgano ambiental para que elabore el documento de alcance del estudio ambiental estratégico. El Plan Territorial aprobado inicialmente, que incluirá el estudio ambiental estratégico, se someterá a información pública y consultas conforme al procedimiento establecido para la evaluación ambiental por un plazo no inferior a dos meses. La declaración ambiental estratégica, que habrá de formularse en un plazo no superior a cuatro meses desde la solicitud realizada por la Comisión de Coordinación Intersectorial, tendrá la naturaleza de informe preceptivo, determinante, y contendrá una exposición de los hechos que resuma los principales hitos del procedimiento. Incluyendo, al igual que lo previsto para las DOT, los resultados de la información pública, de las consultas, en su caso, los de las consultas transfronterizas, así como de las determinaciones, medidas o condiciones finales que deban incorporarse en el plan o programa que finalmente se apruebe o adopte.

6. EMBOTELLAMIENTOS Y CONDICIONES QUE ALTERAN EL FUNCIONAMIENTO DE LA ORDENACIÓN DEL TERRITORIO EN EXTREMADURA

En el presente epígrafe se aborda el marco procedimental, normativamente previsto, con el objetivo de identificar qué aspectos vinculados con la tramitación de las figuras de planificación resultan conflictivas y se traducen en demora, cuando no directamente en paralizaciones, de las figuras de planificación (véase Anexo I para una síntesis de los resultados).

Extremadura comienza a tramitar las primeras figuras de planeamiento en el año 2004; un total de tres planes territoriales (el PT del área de Influencia del Embalse de Alqueva, el PT de la Vera y el PT Campo Arañuelo) que tendrán una tramitación sin incidencias que terminará con la aprobación definitiva de estas figuras. Una segunda ronda de figuras de planeamiento inicia su tramitación en el año 2007, donde comienzan a manifestarse las primeras incidencias vinculadas a la tramitación de las figuras de planeamiento, ya que, de un total de cuatro PT, únicamente dos llegan a tener una aprobación definitiva tras más de una década (el PT de Sierra de Gata, en 2017 y el PT Valle del Jerte, en 2019). Los otros dos tuvieron que esperar hasta 2016 (PT del Valle de Ambroz Tierras de Granadilla y las Hurdes) y 2019 (PT de la Serena) para contar con la aprobación inicial. Lo anterior, pone de manifiesto que es durante los trabajos técnicos de elaboración de los planes (comprendidos entre el acuerdo de formulación y la aprobación inicial, momento en el que toda la documentación ha sido desarrollada), donde se comienzan a producir incidencias que se traducen en dilaciones temporales. Situación que se viene a repetir con los Planes Territoriales que inician su tramitación en 2009, un total de cinco de las cuales ninguno ha llegado a ser aprobado definitivamente; únicamente tres han llegado a ser aprobados inicialmente (el PT de La Siberia, en 2015 y los PT Territorial de la Campiña y PT de Villuercas-Ibores-Jara, ambos en 2019) quedando los dos restantes sin ningún desarrollo tras la aprobación del acuerdo de formulación en 2010 (los PT de Tentudía-Sierra Suroeste y PT de Rivera de Fresnedosa-Valle del Alagón).

Esta situación no ha pasado desapercibida para la Administración autonómica, que en la exposición de motivos de la Ley 2/2018, de 14 de febrero, de coordinación intersectorial y de simplificación de los procedimientos urbanísticos y de ordenación del territorio de Extremadura indica que esto se deriva de la incidencia de la legislación sectorial que interfiere en el planeamiento urbanístico y territorial tanto en los plazos como en lo sustancial, agravado por la compleja trama de intervención administrativa, en constante crecimiento, donde cada vez más agentes y organismos reclaman ser actores en los procesos de ordenación urbanística y territorial. Siendo esto una consecuencia directa de la entrada en vigor de la Ley 9/2006, de 28 de abril sobre evaluación de los efectos de determinados planes y programas en el medio ambiente, con posteriores actualizaciones normativas tanto nacionales como regionales[14].

---

14. Véase el capítulo sobre evaluación ambiental estratégica presente al principio del presente libro.

Así, mientras que los PT iniciados en 2004, que no tuvieron que someterse a una evaluación ambiental acorde a lo establecido en la ley 9/2006 necesitaron de únicamente de dos a tres años para el desarrollo de la documentación técnica de los instrumentos, los iniciados en 2007 y 2009 han necesitado entre cinco y nueve años para elaborar toda la documentación técnica requerida por el mismo, que ya debía incluir los trámites y documentación asociada a la EAE. Siendo esta la etapa de mayor conflictiva para el procedimiento de tramitación de las figuras de planeamiento, a la que sigue el segundo momento que se ha manifestado como conflictivo: la consecución del informe favorable por parte de la Comisión de Urbanismo y Ordenación del Territorio de Extremadura, CUOTEX, que va precedido por una segunda ronda de participación y consultas, con la consiguiente incorporación de modificaciones y correcciones en la documentación. Esto ha causado dilaciones de hasta tres años hasta que finalmente se contó con la aprobación definitiva (caso de los PT de Sierra de Gata y PT del Valle del Jerte, ambos del año 2007), a la vez que es el punto en el que se encuentran paralizados los procedimientos de los PT del Vallle de Ambroz Tierras de Granadilla y las Hurdes (iniciado en 2007, con aprobación inicial en 2016) y el PT de La Siberia (iniciado en 2009 y con aprobación inicial en 2015), los cuales, una vez cuenten con su aprobación definitiva, todo apunta que presentarán dilaciones consecuencia de lo anterior, superiores a los tres años. Mención especial requieren los PT iniciados en 2009 y que no han tenido mayor desarrollo tras su acuerdo de formulación (los PT de Tentudía-Sierra Suroeste y PT de Rivera de Fresnedosa-Valle del Alagón) y los nuevos PT iniciados en 2018 (PT Tajo-Salor) y 2019 (PT Sierra de San Pedro), ya al amparo de la LOTUSE y que por su bisoñez no pueden ser objeto de valoración actual, aunque si adquirir la consideración de indicadores para poder valorar los efectos de las medidas que el nuevo marco legal ha introducido.

A la vista de los resultados cabe aclarar que no se considera a la evaluación ambiental como una cuestión negativa per sé. Al contrario, tal y como plantea Almenar-Muñoz (2017)[15], supuso un avance positivo para una planificación que aumentaba la participación y el contenido del planeamiento (más alternativas e inclusión de la cuestión ambiental). No obstante, es evidente que esto se ha traducido en dilaciones que ponen de manifiesto que la forma de proceder ha sido conflictiva.

Una segunda cuestión que requiere aclaración es el hecho de que los Planes Territoriales iniciados en 2004 no tuvieran que someterse a los

---

15. Véase el capítulo sobre EAE en este libro del que también es coautora.

procedimientos de evaluación ambiental acorde lo establecido por la ley 9/2006[16], lo que facilitó que tuvieran una tramitación sin conflictos. Esta normativa en materia de evaluación ambiental, aunque prevista para ser traspuesta de la Directiva Europea en 2004, fue finalmente aprobada en 2006, cuando la tramitación de los Planes Territoriales se encontraba en desarrollo (sin aprobación inicial por entonces). Para estas situaciones, la disposición transitoria primera de la citada ley 9/2006 se plantea que para los planes y programas iniciados con anterioridad a la entrada en vigor de la ley:

> "1. La obligación a que hace referencia el artículo 7[17] se aplicará a los planes y programas cuyo primer acto preparatorio formal sea posterior al 21 de julio de 2004". **En el caso que nos ocupa los acuerdos de formulación que dan comienzo al procedimiento y sus trabajos técnicos tuvieron lugar el 2 de septiembre de 2004.**

> "2. La obligación a que hace referencia el artículo 7 se aplicará a los planes y programas cuyo primer acto preparatorio formal sea anterior al 21 de julio de 2004 y cuya aprobación, ya sea con carácter definitivo, ya sea como requisito previo para su remisión a las Cortes Generales o, en su caso, a las asambleas legislativas de las comunidades autónomas, se produzca con posterioridad al 21 de julio de 2006, salvo que la Administración pública competente decida, caso por caso y de forma motivada, que ello es inviable". **En el caso que nos ocupa, las aprobaciones iniciales que son la condición previa para que la tramitación llegue a la asamblea para su aprobación definitiva, tuvieron lugar en mayo de 2007 y julio de 2008.**

Todo apunta a que estos instrumentos deberían haberse sometido a un procedimiento de evaluación ambiental. No obstante, no ha sido posible verificar si se justificó la inviabilidad de realizar tal evaluación ya que la documentación de estos planes aun siendo pública[18], no puede ser consultada. En cualquier caso, todos estos planes iniciados en 2004 han sido sometidos a modificaciones que ya han contado con procedimientos de evaluación acorde a la normativa.

---

16. No existe constancia de documentación vinculada a la EAE para estos procedimientos en los registros oficiales disponibles online mediante el siguiente enlace: (http://extremambiente.juntaex.es/index.php?option=com_content&view=article&id=739 &Itemid=420).

17. El artículo 7 alude a la obligación de la realizar la evaluación ambiental en planes y programas.

18. Disponible en http://sitex.gobex.es/sias/Territorial/Inicio.asp (última consulta 01/06/2020).

Una última cuestión respecto de la evaluación ambiental, que ya no afecta a los Planes Territoriales de 2004 pues para entonces ya contaban con una aprobación definitiva, es que con la entrada en vigor de Ley 9/2010, de 18 de octubre, de modificación de la Ley 15/2001, de 14 de diciembre, del Suelo y Ordenación Territorial de Extremadura, que si bien no alteró en lo sustancial la ordenación del territorio, se vino a reconocer la EAE como parte del procedimiento y documentación para el desarrollo de los Planes Territoriales.

A los Planes Territoriales se sumarán unas Directrices de Ordenación del Territorio, figura de planificación de ámbito regional, cuya tramitación se inicia en 2013 (Decreto 91/2013, de 4 de junio, por el que se acuerda la formulación de las Directrices de Ordenación Territorial de Extremadura) y cuya tramitación ya manifiesta síntomas de conflictividad al continuar todavía inconclusa, encontrándose el procedimiento sin resolver tras la elaboración del documento de alcance del estudio ambiental estratégico en el año 2017. Por tanto, la redacción técnica del documento, a diferencia de los Planes Territoriales se ha desarrollado sin incidencias reseñables (en un plazo de cuatro años). Siendo la consecución del informe favorable por parte de la CUOTEX, que va precedido por una segunda ronda de participación y consultas, y la consecuente incorporación de modificaciones y correcciones en la documentación, lo que está causando en esta ocasión las dilaciones del procedimiento.

Ante esta situación, es innegable que la cuestión procedimental ha sido uno de los grandes condicionantes para el adecuado desarrollo de la ordenación del territorio en Extremadura ya que implica que la ordenación del territorio no ha llegado, o ha tardado mucho tiempo en poderse materializar de manera efectiva. Condicionando el adecuado desarrollo de esta política en tanto las políticas de desarrollo territorial se vienen planteando y aplicación sin los correspondientes y adecuados marcos de referencia[19]. Así mismo, estas dilaciones temporales están agravando una situación que Jiménez (2017) ya planteaba como potencial fuente de conflictos para el adecuado funcionamiento a futuro de la ordenación del territorio en Extremadura; y es que mientras que se van sumando nuevos Planes Territoriales de ámbito subregional (Plan Territorial Tajo-Salor y Plan Territorial Sierra de San Pedro), ahora al amparo de la LOTUSE, la planificación regional a la que debería acatarse y responder continúa siendo la gran ausente con una tramitación inconclusa.

---

19. No es objeto de valoración del presente trabajo los efectos derivados de la ausencia de una efectiva planificación territorial. Se recomiendo la lectura del trabajo de Vaquer (2018) para profundizar sobre estas cuestiones.

Pero más allá de consideraciones temporales, los procedimientos de tramitación han puesto de manifiesto otros conflictos que vienen reproduciéndose recurrentemente en la ordenación del territorio.

Una de estas cuestiones tiene que ver con la actual configuración y funcionamiento de la Administración pública e instituciones vinculadas al planeamiento territorial que como indica Vaquer (2018), nacieron en un contexto económico, político y cultura muy diferente al actual y, sin embargo, no se han reconsiderado a pesar de los cambios político-administrativos y socioeconómicos que han tenido lugar. Con incidencia en los procedimientos administrativos en tanto se ha carecido de mecanismos de coordinación efectivos en un marco de configuraciones administrativas sectoriales con lecturas demasiado rígidas de unos territorios que ya no responden en su funcionamiento con los límites administrativos (fronteras) clásicos, nuevamente careciendo de una adecuada coordinación interadministrativa entre las diferentes Administraciones con competencias territoriales o con incidencias en la misma, ahora inclusive más allá de las fronteras nacionales (vid. Farinós et al, 2020 y Jiménez, 2017). Cuestiones que pretenden resolverse en el caso extremeño mediante la creación de la Comisión de Coordinación Intersectorial (véase el punto 4.5 del presente texto), de la que cabe esperar un mínimo recorrido para valorar sus efectos, entre los que resulta especialmente positiva la participación como parte de la Comisión de Coordinación Intersectorial de representantes de la Administración General del Estado en aquellas materias que siendo competencia exclusiva del Estado tiene un impacto en el territorio de las Comunidades Autónomas, y que como indica Vaquer (2018), puede llevar a una desordenación más que a una ordenación del territorio, fruto de intervenciones no consensuadas por diferentes administraciones, que ahora encuentran un espacio de diálogo para evitar estos conflictos.

Una segunda cuestión tiene que ver con la prevalencia de los enfoques sectoriales. Éstos se han manifestado abiertamente al ser los instrumentos de planificación sectorial los de uso más recurrente, lo que iba especialmente en detrimento de los planes de ámbito subregional que quedan sin desarrollo, como destacan Peiró y Farinós (2019). Situación que en el caso extremeño se relaciona con el hecho de que hayan sido los PIR los instrumentos más utilizados en este periodo. Viéndose agravada esta situación por unos instrumentos, los planes territoriales (y los urbanísticos) a los que se asocia la idea de integralidad en su enfoque (vid. Farinós y Elorrieta, 2017) y que, sin embargo, se han visto afectados por visiones parciales y sesgadas del territorio que han desvirtuado la ordenación estratégica global y transversal propia de los instrumentos de ordenación territorial y urbanística. Un problema crucial, el de los enfoques sectoriales ya que Extremadura presenta una gran cantidad de superficie protegida que únicamente si se integra debidamente en el modelo de desarrollo (tarea pendiente) podrá ser preservada como hasta el momento[20], siendo ésta una responsabilidad de la ordenación del territorio. Esto tiene una estrecha relación con la forma mediante la cual se planteó e implementó la ordenación del territorio durante el periodo de vigencia de la LSOTEX, y que con la entrada en vigor de la LOTUSE no ha sido objeto de reconsideración. Y es que el desarrollo de la ordenación del territorio en el caso extremeño (no será el único a nivel estatal) encaja con lo que Albrechts (2006) identifica como planificación tradicional, encaminada a la localización, intensidad, forma y superficies de usos del suelo. Tanto a nivel urbanístico como de ordenación del territorio, que lejos de responder a una política territorial de conjunto ha sido empleada para atender a fines determinados en algunas partes del territorio[21] desde esta lógica más sectorial que realmente integral. Desarrollada además bajo la lógica de la racionalidad comprehensiva[22], que mediante procedimientos formales secuenciales, de carácter lineal e iterativos[23], pretendidamente asépticos y basados en la rigurosidad técnica, busca dotarse de una planificación de vocación instrumental para la posterior toma de decisiones política; ésta sí, marcada por un sistema de valores, relaciones de poder e intereses (Benabent, 2016), que son los que finalmente impregnarán a la planificación. Condicionando el adecuado desarrollo de la ordenación del territorio al incorporar únicamente la racionalidad instrumental (Albrechts, 2004). Esto ha motivado un doble reproche, incluso algunos recogidos en prensa digital

---

20. Acorde a Campesino (2010), Extremadura presenta la mayor cantidad de espacios protegidos, lo que el autor ha considerado, no sin ironía, la riqueza de las regiones pobres. Una crítica interesante que pone de manifiesto que tal nivel de preservación ambiental en Extremadura ha sido posible ya que la Comunidad Autónoma ha carecido de grandes transformaciones territoriales vinculadas a la industrialización o al turismo de las zonas litorales, y los procesos urbanizadores asociados a ambas cuestiones. Pero que, ante la actual relación entre medioambiente y economía, esto supone, aunque no debiera, un hándicap negativo para el desarrollo de una región como la extremeña. Lo que pone de manifiesto la necesidad de reconsiderar las relaciones entre medioambiente y economía de cara al futuro inmediato para evitar lo que Salcedo y Campesino plantean como una hibernación social y económica (en Salcedo y Campesino, 2015).

21. En Jiménez y Campesino (2016) se ejemplifica el uso de los PIR para el desarrollo de la política sectorial de vivienda.

22. Algunos autores hablan de racionalidad neo-comprehensiva, como Farinós y Midler (2007), pero que no altera en lo sustancial la cuestión.

23. Véase los organigramas al final del capítulo para una aproximación gráfica a la cuestión.

local[24], en la que se ha criticado por un lado, que el contenido de los planes, aunque técnicamente correctos, no parecía responder a la realidad a la que debía dar respuesta, y por otro, un escaso e inadecuado proceso de participación. Y si bien es cierto que en materia de participación e inclusión de enfoques tradicionalmente ajenos al planeamiento, Extremadura también viene trabajando (vid. Moreno, 2020), no rompen con la lógica indicada anteriormente[25]. Esto genera en la sociedad civil desapego por una política territorial que no consideran efectiva y resolutiva, y agravan un localismo que hace complejo enfoques supramunicipales que son entendidos como pérdidas de poder por parte de unas Administraciones locales que no están siempre satisfechas con los enfoques supramunicipales[26], su papel en el desarrollo de la planificación territorial subregional y con una política de ordenación del territorio de la que no se sienten partícipes y que aquejan su interpretación como una invasión a sus competencias.

En efecto, la participación ciudadana, por un lado, y la efectiva implicación de las Administraciones implicadas (principalmente en el caso señalado de los planes territoriales subregionales), es esencial para el logro de una efectiva y real ordenación territorial. Ya nos hemos reiterado en ambas cuestiones. En relación a la participación ciudadana, señalábamos que "... la elevada repercusión que la elección de un u otro modelo va a tener sobre la ciudadanía, hace adecuado y preciso que la misma forme parte del proceso previo en el que se decide, se dibuja y se concreta el modelo de ciudad" (Rando, 2020c), pero aún más se está ante una necesidad latente que es urgente solventar "tan importante... resulta una efectiva y real participación pública, es fundamental que tanto los agentes sociales y económicos implicados, como la ciudadanía en general sean parte y, sobre todo, se sientan parte, del proyecto que representa la ordenación del territorio. Al fin y al cabo, hay una realidad latente que a menudo parece olvidarse, serán ellos los destinatarios y protagonistas finales de las propuestas y actuaciones que allí se contienen, quienes disfruten y se beneficien de su éxito o padezcan su fracaso y conforman un elemento fundamental en el modelo territorial previsto: la población del instrumento"

---

24. Entre otras, veáse la noticia "Plan Territorial de Sierra de Gata: El urbanismo, responsabilidad de políticos, técnicos y ¿ciudadanos?", publicada en el Digital Sierra de Gata. Disponible https://sierradegatadigital.opennemas.com/articulo/sierra-de-gata/plan-territorial-sierra-gata-urbanismo-responsabilidad-politicos-tecnicos-y-ciudadanos/20141215095439015856.html (último acceso 06/06/2020).

25. Sobre la inclusión de criterios de sostenibilidad y su concreción en la perspectiva de género como reto por el que apuesta la nueva LOTUSE, ya nos referimos en Rando (2019b).

26. Sirva de ejemplo el caso del proyecto de comarcalización funcional de Extremadura del año 1992 (Campesino et al, 2018).

(Rando, 2020a, pág. 64). De igual forma, es preciso articular mecanismos dirigidos a una efectiva participación de los municipios en la concreción y definición de los modelos territoriales y, por supuesto, en su ulterior elaboración y tramitación. En ocasiones, este nivel territorial, el municipal, se aqueja de falta de transparencia lo que deriva en que su respuesta a la ordenación del territorio provoque "reacciones adversas y el rechazo de los municipios" (Rando, 2020a, pág. 72).

Condicionando así el adecuado desarrollo de una ordenación del territorio que se ha fundamentado en el desarrollo de instrumentos de planificación como una mera herramienta de intervención territorial, siendo un planteamiento que se ha manifestado como ineficaz a la hora de afrontar los retos del territorio extremeño, y que viene a confirmar lo que ya viene siendo una crítica tradicional a la planificación territorial, y es que simplemente mediante la planificación física para la regulación de usos del suelo no es posible afrontar una adecuada gestión territorial (Albrechts, 2004). Poniendo, con ello, de manifiesto el impulso que motiva al desarrollo efectivo de la ordenación del territorio es la resolución de los problemas derivados precisamente de la ausencia de una efectiva planificación, condenándola a un enfoque correctivo-reactivo (Ackoff, 1981).

Escapa a los fines y pretensiones del presente texto abordar la cuestión del urbanismo en detalle cómo se ha hecho con la ordenación del territorio, pero es inevitable hacer algunas breves reflexiones por la incidencia que tiene sobre el tema que nos ocupa. Y es que parece que los avances en materia de ordenación del territorio derivan de las obligaciones que en materia de urbanismo han ido apareciendo. La LSOTEX no responde tanto a la voluntad por desarrollar una política de ordenación del territorio como de dar respuesta a la citada STC 61/1997 que obligaba al desarrollo autonómico de las competencias en materia de suelo. Cuestión similar sucede con la ya citada Ley 9/2010, de 18 de octubre, de modificación de la Ley 15/2001, de 14 de diciembre, del Suelo y Ordenación Territorial de Extremadura, que si bien consolidó el tema de la evaluación ambiental estratégica como parte fundamental del planeamiento territorial, es un texto legal que responde a la necesidad de adaptación nuevamente a una ley estatal en materia de suelo. Y por último, todas las normativas tramitadas a partir del año 2018, que finalizan con la entrada en vigor de la LOTUSE ponen en evidencia que la cuestión urbanística continúa estando muy presente en la política territorial extremeña, casi con más protagonismo que la ordenación del territorio[27]. Encontrando que mediante la práctica urbanística se busca la regulación de los usos del suelo de manera constante desde la entrada en

---

27. La redacción de las ya citadas LOTUSE y el propio Decreto 128/2018, de 1 de agosto, resultan muy ilustrativos en este sentido.

vigor de la LSOTEX, que pretendió homogeneizar la práctica mediante la universalización de los Planes Generales Municipales (PGM) como única figura de planeamiento local, de mayor complejidad y coste (tanto económico como técnico) para su desarrollo que las normas subsidiarias o las delimitaciones de suelo urbano que venían utilizándose (Campesino, 2010). Adoleciendo de problemas similares a los expuesto para el caso de la ordenación del territorio, y que como señalara Feria (2009), el urbanismo resulta ineficaz para unos entornos rurales mayoritarios en Extremadura, en contraposición a la forma de entender estas cuestiones en otros países del entorno europea como el Reino Unido (vid. Hall, 1996).

7. SITUACIÓN RESULTANTE

Extremadura se encuentra en un proceso de remodelación y trabajo de actualización de su política en ordenación territorial, realizando así un ejercicio de concreción y puesta al día del planeamiento territorial que no se había producido hasta el momento, con el objetivo de crear un contexto favorable para subsanar lo que venimos defendiendo como una de las grandes carencias de la ordenación del territorio (no solo en Extremadura, sino en el conjunto español en general): su efectiva puesta en marcha. Lo que responde a la búsqueda de una aprobación de instrumentos de planeamiento tanto urbanísticos (de ámbito local) como de ordenación del territorio (de ámbito subregional) que permitan facilitar intervenciones territoriales tendentes al desarrollo socioeconómico en un marco de seguridad jurídica, que responda al interés general y que facilite la participación tanto privada como de iniciativas públicas.

Todo ello, en el marco de un renovado discurso sobre la idea de desarrollo, pues tal y como se recoge en la propia exposición de motivos de la LOTUSE, se pretende "... emprender la transición hacia un referente propio de una economía verde y circular extremeña, que configure un nuevo modelo productivo regional, capaz de generar riqueza y empleo a través de nuestras enormes fortalezas ligadas a nuestros recursos naturales y nuestra especial situación en relación con los graves problemas a los que se enfrenta la humanidad, como son el cambio climático, la pérdida de biodiversidad, la escasez de agua y alimentos de calidad o la imperiosa necesidad de buscar fuentes alternativas de producción de energías". Una cuestión que solo será posible si logra una efectiva aplicación de la OT capaz de conjugar planificación de usos del suelo con desarrollo económico (enfoques de desarrollo regional); siendo fundamental dar cabida al medioambiente, en tanto Extremadura presenta una elevada cantidad de superficie protegida, que va más allá de los grandes espacios naturales más simbólicos para dar cabida a más entornos, todos ellos fundamentales como proveedores de servicios ecosistémicos, y necesariamente una oportunidad para el desarrollo socioeconómico en lugar de un elemento de freno o merma de oportunidades.

Siendo una cuestión más aceptada nominalmente que a nivel pragmático. Queda todavía lejos un entendimiento de la ordenación del territorio como una política pública de primer orden que debe jugar un papel fundamental como instrumento de apoyo normalizado y forma de proceder habitual en la toma de decisiones de toda acción de gobierno, y del planeamiento territorial, con un enfoque más estratégico y participado, como la herramienta idónea para el adecuado funcionamiento de los sistemas sociales-ecológicos. Todo ello, base para el desarrollo de una gobernanza territorial plena.

Bien es cierto que la reciente aprobación de la LOTUSE y el incipiente desarrollo de nuevos instrumentos de planificación territorial no permite una valoración todavía de los resultados obtenidos, los cuales aún están por producirse. Sin embargo, desde un plano teórico, los cambios introducidos por la LOTUSE no parecen pretender una transformación de la forma de proceder en materia de ordenación del territorio tanto como tratar de hacer más eficiente una tramitación de instrumentos que sirvan de base para poder llevar a cabo las transformaciones territoriales que se estimen oportunas en un marco de seguridad jurídica. En este sentido, siguiendo a Healey (2006), un adecuado desarrollo de la ordenación del territorio supondría cambios en cuatro direcciones:

- **Avances hacia una planificación integrada que asegurase la debida coordinación de todas las estrategias y políticas públicas.** Cuestión que si se ha tratado de mejorar mediante la reconsideración de una batería de figuras de planeamiento que ahora ya no contempla la planificación sectorial en su seno, y que hace explícita la necesidad de subordinar el desarrollo de los proyectos estratégicos a un plan territorial. Además, se pretende la mejor coordinación intersectorial gracias a la creación de la Comisión de Coordinación Intersectorial. No tan claro es el hecho de que el territorio sea una cuestión transversal presente en el desarrollo de todas las políticas sectoriales en el sentido que plantea la citada autora.

- **Una reformulación del marco institucional, adecuando las políticas a las necesidades de cada espacio.** No se ha producido una reconsideración, manifestando además como conflictivo el encaje entre ámbitos subregionales y futuro planeamiento regional.

- **Evaluación y seguimiento territorial como mecanismo de mejora de la aplicación de las políticas.** Cuestión que sí tiene lugar y viene produciéndose en los últimos tiempos.

- Facilitación de mecanismos de cooperación entre actores mediante la participación y negociación de conflictos, superando la visión tecnocrática de la planificación, legitimándola a partir del empoderamiento ciudadano y la participación efectiva de una sociedad concienciada. Ésta es, sin duda, la gran ausente de un nuevo marco legal que continúa pensando en una planificación más centrada en la localización, intensidad, forma y superficies de usos del suelo. Tanto a nivel urbanístico como de ordenación del territorio, desarrollada además bajo la lógica de la racionalidad comprehensiva, que mediante procedimientos formales secuenciales, de carácter lineal e iterativos, pretendidamente asépticos y basados en la rigurosidad técnica, con una participación pública mejorable, busca dotarse de una planificación de vocación instrumental para la posterior toma de decisiones política; ésta sí, marcada por un sistema de valores, relaciones de poder e intereses, que son los que finalmente impregnarán la planificación. Condicionando de nuevo el adecuado desarrollo de la ordenación del territorio al incorporar únicamente la racionalidad instrumental.

8. REFERENCIAS BIBLIOGRÁFICAS Y NORMATIVA

BIBLIOGRAFÍA

ACKOFF, R. (1981): *Creating the Corporate Future*. Nueva York: John Wiley.

ALBRECHTS, L. (2004). Strategic (spatial) planning reexamined. *Environment and Planning B: Planning and Design*, 31, 743-758.

ALBRECHTS, L. (2006). Shifts in strategic spatial planning? Some evidence from Europe and Australia. *Environment and Planning A*, 38, 1149-1170.

ALMENAR-MUÑOZ, M. (2017). Análisis evolutivo de la evaluación ambiental estratégica: 10 años de aplicación. El caso de la Comunidad Valenciana, *Revista de Derecho Urbanístico y Medio Ambiente*, 313.

ASEGUINOLAZA BRAGA, I., LUQUE VALDIVIA, J. Y MARDONES FERNÁNDEZ DE VALDERRAMA, N. (2019). Incidencia de los informes sectoriales autonómicos en el planeamiento I. Previsiones de la legislación urbanística y ambiental. *CyTET. Ciudad y Territorio Estudios Territoriales*, LI (201), 603-622.

BENABENT FERNÁNDEZ DE CÓRDOBA, M. (2006): *La Ordenación del Territorio en España: evolución del concepto y de su práctica en el siglo XX*. Sevilla: Universidad de Sevilla y Consejería de Obras Públicas y Transportes de la Junta de Andalucía.

BENABENT FERNÁNDEZ DE CÓRDOBA, M. (2016). Teorías de la planificación territorial: métodos de decisión. *CyTET. Ciudad y Territorio: Estudios Territoriales*, 189, 353-368.

CAMPESINO FERNÁNDEZ, A. (2004). La ordenación territorial de la Extremadura del siglo XXI. *Territoris: Revista del Departament de Ciències de la Terra*, 4, 43-60.

CAMPESINO FERNÁNDEZ, A. (2010). Ordenación territorial de la Extremadura democrática. *Cuadernos Geográficos de la Universidad de Granada*, 47(2), 553-581.

CAMPESINO FERNÁNDEZ, A., SALCEDO HERNÁNDEZ, J.C. Y JIMÉNEZ BARRADO, V. (2018). Extremadura: tres décadas de autogobierno sin Directrices de Ordenación Territorial. *Revista de Estudios Extremeños*, 74(1), 517-552.

CRUZ VILLALÓN, J. (2016). La intervención directa de la administración autonómica en la transformación urbanística del suelo. *Práctica Urbanística, Revista mensual de urbanismo*, 139.

FARINÓS DASÍ, J. Y MILDER, J. (2006). Spatial Planning in ESPON: a new Physiognomy. En J. Farinós (ed. y coord.), *Governance of Territorial and Urban policies from UE to local level. Informe final del Proyect ESPON 2.3.2.* (pp. 172-204).

FARINÓS DASÍ, J. Y ELORRIETA SANZ, B. (2017). La articulación territorial de España. Cohesión a partir de una nueva gobernanza. En J. Farinós i Dasí y J. Olcina Cantos (eds. y coords.), *Geografía regional de España. Espacio y Comunidades* (pp. 563-622). Valencia: Tirant humanidades.

FARINÓS DASÍ, J. Y VERA PASTOR, O. (2016). Planificación territorial fronética y ética. Acortando las distancias entre plan y poder (política). *Finisterra: Revista Portuguesa de Geografía*, 51(101), 45-69.

FARINÓS DASÍ, J., PEIRÓ, E. Y ANTEQUERA TERROSO, E. (2020). Retos para la planificación y gestión territorial en España: las ineficiencias en el proceso de aprobación de los planes y sus causas. En Prensa.

FERIA, J. (2009). Modelos para la gestión sostenible del espacio metropolitano: el papel del espacio libre y el paisaje. En J. Farinós i Dasí, J. Romero González y J. Salom Carrasco (coords.), *Cohesión e inteligencia territorial: Dinámicas y procesos para una mejor planificación y toma de decisiones* (pp. 311-335). Valencia: Universitat de Valencia – PUV.

HALL, P. (1996): *Ciudades del mañana. Historia del urbanismo en el siglo XX*. España: Ediciones del Serbal.

HEALEY, P. (2006). Transforming governance: challenges of institutional adaptation and a new politics of Europe. *European Planning Studies*, 14(3), 299-320.

JIMÉNEZ BARRADO, V. Y CAMPESINO FERNÁNDEZ, A. (2016). Proyectos de (dudoso) interés regional. Intromisión en la política municipal de vivienda en Extremadura. *Boletín de la Asociación de Geógrafos Españoles*, 72, 327-347.

JIMÉNEZ BARRADO, V. (2017). La ordenación territorial de Extremadura en el ámbito de la EUROACE. *Polígonos. Revista de Geografía*, 29, 269-300.

MARDONES FERNÁNDEZ DE VALDERRAMA, N., LUQUE VALDIVIA, J. Y ASEGUINOLAZA BRAGA, I. (2019a). Incidencia de los informes sectoriales autonómicos en el planeamiento. *CyTET. Ciudad y Territorio Estudios Territoriales*, LI (200), 375-392.

MARDONES FERNÁNDEZ DE VALDERRAMA, N., LUQUE VALDIVIA, J. Y ASEGUINOLAZA BRAGA, I. (2019b). Incidencia de los informes sectoriales autonómicos en el planeamiento II. Previsiones de la legislación urbanística y sectorial, *CyTET. Ciudad y Territorio Estudios Territoriales*, LI (202), 799-822.

MORENO DE ACEVEDO-YAGÜE, E. E. (2020). La incorporación de la dimensión de género en la Ley de Ordenación del Territorio y Urbanismo Sostenible de Extremadura. De la retórica a la práctica ética, *CyTET. Ciudad y Territorio Estudios Territoriales*, LII (203), 79-88.

PEIRÓ, E. Y FARINÓS DASÍ, J. (2019). La planificación territorial de carácter sectorial en España: diagnóstico y propuesta de clasificación regional. *CyTET. Ciudad y Territorio Estudios Territoriales*, LI (200), 249-265.

RANDO BURGOS, E. (2019a). *Legislación e instrumentos de la ordenación del territorio en España*. Madrid: Editorial Iustel.

RANDO BURGOS, E. (2019b). Urbanismo y género: del informe de impacto de género al principio de igualdad de trato como inspirador de la nueva concepción del desarrollo urbano. *REALA, Revista de Estudios de la Administración Local y Autonómica: Nueva Época*, 12, 52-71.

RANDO BURGOS, E. (2020a). *Régimen Jurídico de la Gestión Territorial*. Valencia: Editorial Tirant lo Blanch.

RANDO BURGOS, E. (2020b). *Áreas de Oportunidad y Ordenación del Territorio en Andalucía*. Andalucía: Junta de Andalucía - Instituto Andaluz de Administración Pública.

Rando Burgos, E. (2020c). Participación ciudadana y urbanismo: de los principios a la implementación. *Revista Española de la Transparencia*, 10, 65-96.

Salcedo Hernández, J.C. y Campesino Fernández, A. (2015). Marina Isla de Valdecañas (Cáceres): de proyectos de interés regional a liquidación por derribo. *Ería: Revista Cuatrimestral de Geografía*, 97, 173-188.

Vaquer Caballería, M. (2018): *Derecho del territorio*. Valencia: Tirant lo Blanch.

NORMATIVA

Ley 15/2001, de 14 de diciembre, del Suelo y Ordenación Territorial de Extremadura.

Ley 9/2006, de 28 de abril, sobre evaluación de los efectos de determinados planes y programas sobre el medio ambiente.

Ley 9/2010, de 18 de octubre, de modificación de la Ley 15/2001, de 14 de diciembre, del Suelo y Ordenación Territorial de Extremadura.

Ley 16/2015, de 23 de abril, de Protección Ambiental de la Comunidad Autónoma de Extremadura.

Ley 2/2018, de 14 de febrero, de coordinación intersectorial y de simplificación de los procedimientos urbanísticos y de ordenación del territorio de Extremadura.

Ley 11/2018, de 21 de diciembre, de Ordenación Territorial y Urbanística Sostenible de Extremadura.

Decreto 54/2011, de 29 de abril, por el que se aprueba el Reglamento de Evaluación Ambiental de la Comunidad Autónoma de Extremadura.

Decreto 50/2016, de 26 de abril, de atribuciones de los órganos urbanísticos y de ordenación del territorio, y de organización y funcionamiento de la Comisión de Urbanismo y Ordenación del Territorio de Extremadura.

Decreto 128/2018, de 1 de agosto, por el que se regula la composición, organización y funcionamiento de la Comisión de Coordinación Intersectorial y el procedimiento de coordinación intersectorial.

Decreto 16/2019, de 1 de julio, por el que se modifican la denominación, el número y las competencias de las Consejerías que conforman la Administración de la Comunidad Autónoma de Extremadura.

ANEXO I. SITUACIÓN DE LOS PLANES TERRITORIALES

Instrumento	Inicio	Fin	Estado	Duración*	Incidencias
PT del Área de Influencia del Embalse de Alqueva	2004	2009	Aprobación definitiva	5 años	La redacción** ocupó la mayor parte del tiempo sin ser un condicionante
PT Campo Arañuelo	2004	2008	Aprobación definitiva	4 años	La redacción ocupó la mayor parte del tiempo sin ser un condicionante
PT de la Vera	2004	2008	Aprobación definitiva	4 años	La redacción ocupó la mayor parte del tiempo sin ser un condicionante
PT de la Serena	2007	-	Información pública de la aprobación inicial (2019)	> 10 años	La redacción
PT de Sierra de Gata	2007	2017	Aprobación definitiva	> 10 años	La redacción dilató el procedimiento 7 años, siendo necesarios 3 años para alcanzar la aprobación definitiva***
PT del Valle de Ambroz, Tierras de Granadilla y las Hurdes	2007	-	Información pública de la aprobación inicial (2019)	> 10 años	La redacción dilató el procedimiento 9 años, ahora pendiente de informe favorable para aprobación definitiva desde 2016 (4 años).
PT Valle del Jerte	2007	2019	Aprobado definitivamente	> 10 años	La redacción dilató el procedimiento 8 años, y el acuerdo de la CUOTEX 3 años
PT de Villuercas-Ibores-Jara	2009	-	Información pública de la aprobación inicial (2019)	> 10 años	La redacción dilató el procedimiento 9 años, ahora pendiente de informe favorable para aprobación definitiva

Instrumento	Inicio	Fin	Estado	Duración*	Incidencias
PT de Tentudía-Sierra Suroeste	2009	-	Acuerdo de formación publicado en 2010	> 10 años	La redacción (no ha llegado a producirse/finalizarse)
PT de La Siberia	2009	-	Información pública de la aprobación inicial (2015)	> 10 años	La redacción dilató el procedimiento 5 años, ahora paralizado tras la aprobación inicial
PT Territorial de la Campiña	2009	-	Información pública de la aprobación inicial (2019)	> 10 años	La redacción dilató el procedimiento 9 años, ahora pendiente de informe favorable para aprobación definitiva
PT de Rivera de Fresnedosa-Valle del Alagón	2009	-	Acuerdo de formación publicado en 2010	> 10 años	La redacción (no ha llegado a producirse/finalizarse)
PT Tajo-Salor	2018	-	Informe favorable CUOTEX (2019)	-	Instrumento de nueva generación
PT Sierra de San Pedro	2019	-	Acuerdo de formación publicado en 2019	-	Instrumento de nueva generación

* La duración alude al tiempo requerido para tramitar los instrumentos. En el caso da planes inconclusos, se indica si superan o no la década en sus tramitaciones.

** La redacción es el trámite comprendido entre el acuerdo de formulación y la aprobación inicial

*** La aprobación definitiva requiere del acuerdo favorable de la CUOTEX

Capítulo 14

La planificación territorial en Galicia

Enrique Peiró Sánchez-Manjavacas

Ambientólogo, Doctorando del IIDL. Investigador responsable e investigador del GDLS-Grupo de Investigación consolidado. IIDL-Universitat de València

Manuel Borobio Sanchiz

Arquitecto. Departamento de Geografía de la Universidad de Santiago de Compostela

Esther Rando Burgos

Profesora de Derecho Administrativo. Universidad de Málaga

SUMARIO: 1. ANTECEDENTES. 2. NORMATIVA BASE DE LA ORDE-NACIÓN DEL TERRITORIO EN GALICIA. 3. ESQUEMA DE INSTRUMENTOS. 3.1. *Las Directrices de Ordenación del Territorio.* 3.2. *Los Planes Territoriales Integrados.* 3.3. *Los Programas Coordinados de Actuación.* 3.4. *La planificación sectorial en Galicia. De los Planes y Proyectos Sectoriales como figura única, a los Planes Sectoriales y los Proyectos de Interés Autonómico como figuras independientes.* 3.5. *Otros instrumentos de segundo nivel. Planes de Ordenación del Medio Físico y Planes de Desarrollo Comarcal.* 4. ÓRGANOS RESPONSABLES DE LA ORDENACIÓN DEL TERRITORIO EN GALICIA. 4.1. *La Consellería de Medio Ambiente, Territorio y Vivienda.* 4.2. *El/la Conselleiro/a.* 4.3. *La Secretaría General Técnica.* 4.4. *La Dirección General de Ordenación del Territorio y Urbanismo.* 4.5. *Comisión de seguimiento de las DOT.*

1. ANTECEDENTES[1]

La ordenación del territorio en Galicia se encuentra en plena revisión (no exenta de críticas[2]) de la todavía vigente Ley 10/1995, de 23 de noviembre, de Ordenación del Territorio de Galicia (en adelante LOTG). Texto legal, la LOTG, al amparo del cual se produjeron los principales avances en la materia; especialmente en el periodo comprendido entre 2007 y 2013, a la par que se evidenciaron la existencia de las tensiones existentes entre lo normativo y lo real, entre lo que se debería hacer y lo que realmente se hace (véase Farinós y Vera, 2016). Siendo la cuestión territorial y su ordenación un tema que requiere de una comprensión (aunque sea mediante una presentación muy sintética) del modelo territorial (entendido en las tres dimensiones del concepto que plantea Cruz, 2020) del territorio gallego[3].

El primer aspecto a destacar es el modelo de organización político-administrativa de un territorio como el gallego, una de las nacionalidades históricas del Estado español, en la que los debates acerca de su identidad están marcados por un regionalismo unitario que entiende el espacio

---

1. Queremos agradecer los comentarios y aportaciones, a partir de su trabajo, de Martín Agrelo (2017).
2. Son varios los colectivos que han presentado alegaciones al anteproyecto de ley. Tales como el colegio oficial de arquitectos de Galicia, la sociedade galega de historia natural o el consello económico e social de Galicia.
3. Por territorio debe entenderse la matriz socioambiental en la que interaccionan los sistemas antrópicos (incluyendo aspectos culturales y socioeconómicos) y sistemas ambientales; una interacción que se puede organizar a través de la planificación territorial; haciendo de la ordenación del territorio (política pública) una forma de meta-gobernanza y a la planificación territorial (más estratégica) el ámbito predilecto para la gobernanza para avanzar hacia una gobernanza territorial plena (Farinós, 2017).

regional como una única realidad en el que la reforma de los concellos de 1812 y la reforma provincial de 1833 que establecerán la actual división provincial y municipal de Galicia (Paredes, 2015, Olcina y Farinós, 2017) no fueron bien recibidas por un pensamiento galeguista más favorable a la comarca como ámbito subregional de organización e intermediario entre las parroquias (freguesias –entidad local–)[4] y el gobierno regional (véase Barbosa, 2011 citado en Paredes, 2015 y García Álvarez, 2002, citado en Lois y Aldrey, 2011). Sin un acuerdo sobre la mejor alternativa para la creación de escalas intermedias (de ámbito subregional) que permitan una coordinación efectiva para el desarrollo de las políticas territoriales más allá de la configuración de un espacio mediante la agrupación en ayuntamientos de gran extensión superficial asociada (no menos de 30 km²) y una población que mayoritariamente supera los 1.000 habitantes, como resultado de la aglomeración de entidades locales con el fin de lograr una funcionalidad administrativa básica más operativa[5].

Una segunda cuestión tiene que ver con el modo en el que la sociedad transforma el territorio (y que se relaciona estrechamente con su evolución tendencial[6]), y que en el caso gallego se manifiesta especialmente disruptivo a partir del siglo XX (con especial incidencia a partir de la década de los 60, Sánchez, 2013). Mediante la política del Instituto Nacional de Industria –INI– desarrollado en la posguerra, y los posteriores I y II Planes de Desarrollo, a los que se unirán en la década de los 70 el III Plan de

---

4. Véase el artículo de Sánchez (2013) titulado: "Bases para el análisis geohistórico del poblamiento rural tradicional en Galicia" para una valoración detallada de la cuestión, al sintetizar la principal biografía en la materia. Destacando del citado trabajo la siguiente reflexión: "*el espacio rural en Galicia es un tema muy complejo y discutido debido a su peculiar morfología y distribución, que se resiste a los numerosos intentos de ordenación y clasificación*". Así mismo, en el citado trabajo se indica que para la comprensión de la delimitación de escala local, y siguiendo los trabajos de Fariña (1990) y Pazo (2005) es la parroquia el elemento fundamental para el entender y favorecer la articulación territorial gallega.

5. Resulta interesante la reflexión que realiza Boix (2018) (que en el citado trabajo centra la atención sobre el caso valenciano), sobre una escala local a la que se asocia un fuerte sentimiento de pertenencia y que, en el ejercicio de la acción de gobierno, representan un espacio que permite dar voz y ser un medio para la interlocución. Motivo por el cual el autor considera inadecuada la fusión forzosa de entidades locales en la búsqueda de la eficiencia administrativa. En este sentido, para el caso gallego, los concellos, tal y como recogen Máiz (1997) y Veiga (1999a y b) (ambos citados en Paredes, 2015) son bien recibidos en tanto permiten la creación de un órgano de gobierno, que en su división administrativa no se ajusta a un espacio de vida asociado a las freguerias, de menor tamaño que los municipios pero que permitirían si tuvieran el adecuado reconocimiento jurídica y una efectiva articulación mejorar la democracia directa y participada, según plantea Evans (2014, citado en Paredes, 2015).

6. La evolución tendencial que plantea Zoido (2006) al hablar de modelos territoriales, alude al recorrido que sigue un territorio ante la ausencia de intervenciones (voluntad de corrección de la inercia territorial).

Desarrollo[7] se pretendía lograr una cohesión interregional (que permitiera a Galicia equipararse socioeconómicamente al resto de Comunidades Autónomas); sin embargo terminó generando desigualdades territoriales intrarregionales entre las zonas del rural alejado y de montaña que han mantenido (en términos generales) la estructura general del poblamiento y del hábitat rural gallego tradicional frente a una Galicia occidental y litoral donde se localizan las principales áreas metropolitanas y entornos urbanos industriales que ha devenido en un espacio marcadamente atomizado y complejo (Doval, 2009; Lois y Aldrey, 2011; Sánchez, 2013). Dando lugar a una reconfiguración conceptual y funcional del territorio gallego (O'Flanagan, 1996, citado en Paredes, 2015). En este sentido, cabe destacar como uno de los fenómenos más extendidos y con mayor incidencia territorial, el de la autoconstrucción[8], al que se asocia el *feísmo* que, junto a otras cuestiones que han deteriorado el territorio gallego (claro ejemplo el del Prestige), han potenciado la consolidación del paisaje como una política de primer orden en el territorio gallego (Lois y Aldrey, 2011).

Estas dos cuestiones previas van a tener su reflejo en la tercera de las dimensiones vinculadas con la idea de modelo territorial, y que tiene que ver con las propuestas de organización territorial[9]. Será a través de la política Comarcal desde la que inicialmente se traten de abordar los retos de desequilibro territorial y organización del territorio (Doval, 2002; 2009); y se hará a través del Plan de Desarrollo Comarcal[10] (1990-2008), la Ley 7/1996, de 10 de julio, de desarrollo comarcal, y el Mapa Comarcal de Galicia de 1997 (aprobado por el Decreto 65/1997, de 20 de febrero, por el que se

---

7. Este III Plan representa junto al Plan de Ordenación Territorial regional redactado al amparo de la Ley del Suelo de 1976 (sin aplicación efectiva) (Precedo, 1987, citado en el Lois y Aldrey, 2011) el primer conato, fallido, de llevar a cabo una ordenación del territorio en Galicia.

8. Véase Suárez, Tubío y Crecente (2016), estudio en el que se compara el fenómeno urbanístico entre dos entornos con similitudes (como son Galicia y Asturias, autonomías colindantes), evidencia la importancia del contexto sociocultural en el desarrollo territorial. Al respecto del fenómeno de la autoconstrucción, destacar el papel de un urbanismo que ha potenciado y a la par tratado de solventar esta dinámica muy extendida en Galicia; y es que la Ley 11/1985 –conocida como la LASGA, y la Ley 1/1997 potenciaron una práctica urbanística muy flexible y sin apenas limitaciones, que tampoco encontró control en una OT ausente (más allá del caso del litoral) y de un tímido intento de regulación para los ámbito rurales mediante la creación del Suelo de Núcleo Rural (en la Ley del año 85, y ratificado en 1997 y 2002) que pretendía ajustar las dinámicas de crecimiento en esto entornos sin demasiado éxito (Lois y Aldrey, 2011). Un urbanismo que se ha manifestado como conflictivo en tanto se han sucedido 8 textos legales en la materia, desde 1985 hasta el más reciente en 2016.

9. Nuevamente siguiendo a Zoido (2006), esta idea alude a la propuesta territorial que se pretende alcanzar.

10. Una estrategia regional para el desarrollo local (Doval, 2009), que inclusive se va a considera un "modelo de desarrollo territorial integrado, complementario de la política regional existente" (Precedo Ledo, 1996: 311, citado en Doval, 2009).

aprueba definitivamente el mapa comarcal de Galicia. Los resultados no fueron tan positivos como se esperaba, siendo una de las críticas la falta de soporte y financiación hacia esta iniciativa (problema del que adolecerá también la posterior política de ordenación del territorio). Con la entrada en vigor de la LOTG se inicia el recorrido de la política de ordenación del territorio en Galicia, caracterizada por una apuesta tradicional de la Xunta por el uso mayoritario de la planificación sectorial, con especial desarrollo de intervenciones territoriales puntuales; siendo esta una forma de entender la política territorial[11] que la reduce a simple herramienta de carácter ejecutivo mediante la cual justificar y llevar a cabo transformaciones territoriales tendentes al crecimiento (no cohesivo) en base a criterios económicos principalmente. Siendo el periodo comprendido entre 2007 y 2013 "la excepción pone a prueba la regla", ya que en este momento tiene lugar la aprobación de las Directrices de Ordenación del Territorio (en adelante DOT) tras un dilatado procedimiento[12] de 15 años, incorporando además en su contenido las Directrices Estratégicas Territoriales de Ordenación Rural en un esfuerzo por aglutinar en dicho documento todas las políticas territoriales dando respuesta a la Ley 45/2007, de 13 de diciembre, para el desarrollo sostenible del medio rural. Ese mismo año, un día después de la aprobación definitiva de las DOT, se aprobó el único plan territorial integrado de ámbito subregional desarrollado con aprobación definitiva en Galicia, el Plan de Ordenación del Litoral (en adelante POL), con un trámite en esta ocasión sin mayores incidencias[13]. Ambos documentos se sometieron a sendas comisiones parlamentarias y mesas de debate con la intención de buscar el máximo consenso y acuerdo político.

2. NORMATIVA BASE DE LA ORDENACIÓN DEL TERRITORIO EN GALICIA

La legislación básica y las figuras de planificación en materia de Ordenación del Territorio en la Comunidad Autónoma gallega[14] se presentan

---

11. Tal y como plantea Aldrey (2007) las ideas de política territorial y ordenación del territorio en el caso gallego representan conceptos prácticamente sinónimos.
12. Véase el análisis detallado del procedimiento que realiza Baluja (2009).
13. Para una aproximación al POL se recomienda la lectura de
    http://urban-e.aq.upm.es/articulos/ver/la-gesti-n-integrada-del-litoral-el-plan-de-ordenaci-n-del-litoral-de-galicia-pol-/completo (artículo publicado en urban-e)
    https://www.xunta.gal/dog/Publicados/2011/20110223/Anuncio8142_es.html (DOGA
    http://www.xunta.es/litoral/web/index.php/introduccion (Web Xunta POL)
14. La legislación y los instrumentos de planificación territorial en el ámbito de la Comunidad Autónoma de Galicia ya han sido objeto de análisis pormenorizado en nuestro trabajo, Rando Burgos, E. (2019): *Legislación e instrumentos de la ordenación del territorio en España*. Madrid, Editorial Iustel.

en la siguiente tabla. Actualizando la información sobre la legislación y los instrumentos de planificación territorial en el ámbito de la Comunidad Autónoma de Galicia que ya han sido objeto de análisis pormenorizado en trabajos previos (véase Peiró, 2017; Farinós et al. 2018; Peiró y Farinós, 2019; Rando Burgos, 2019).

En el caso de Galicia que nos ocupa, la redacción del capítulo tiene lugar mientras se produce la tramitación de un nuevo marco legal que se encuentra desde desarrollo en 2018. Por tanto el/la lector/a encontrará la información relativa a un Anteproyecto que se espera se materialice a lo largo del año 2020, sin certezas de los plazos para su aprobación definitiva.

Tabla 1. Marco regulador e instrumental de la Ordenación del Territorio en Galicia

Comunidad Autónoma	Galicia
Antecedentes normativos	Ley 10/1995, de 23 de noviembre, de Ordenación del Territorio de Galicia
Legislación OT actual	Ley 10/1995, de 23 de noviembre, de Ordenación del Territorio de Galicia Anteproyecto de la Ley de Ordenación del Territorio de Galicia
Departamento OT actual	Conselleria de Medio Ambiente, Territorio y Vivienda
Plan OT regional	Directrices de Ordenación Territorial
Entrada en vigor (año)	2011
Normativa de aprobación	Decreto 19/2011, de 10 de febrero, por el que se aprueban definitivamente las Directrices de Ordenación del Territorio
Organismo impulsor	Consejo de la Xunta de Galicia
Periodo de tramitación	14 de febrero de 1996. Propuesta de acuerdo del Consejo de la Xunta de Galicia por lo que se inicia el procedimiento de elaboración de las DOT Decreto 19/2011, de 10 de febrero, por el que se aprueban definitivamente las Directrices de Ordenación del Territorio

Comunidad Autónoma	Galicia
Otros planes OT	Planes Territoriales Integrados Programas Coordinados de Actuación Planes y Proyectos Sectoriales Planes de Ordenación del Medio Físico
Otros planes con incidencia en OT	Plan de Ordenación del Litoral Planes de Desarrollo Comarcal Plan de seguimiento de las Directrices de ordenación del territorio de Galicia y de la sostenibilidad territorial

Fuente: Elaboración propia

3. ESQUEMA DE INSTRUMENTOS

Tal y como se recoge en la LOTG, en su capítulo I (disposiciones generales), artículo 4 (instrumentos de Ordenación del Territorio), el sistema de ordenación territorial se organiza en base a cinco instrumentos:

- Las Directrices de Ordenación del Territorio

- Los Planes Territoriales Integrados

- Los Programas Coordinados de Actuación

- Los Planes y Proyectos Sectoriales de Incidencia Supramunicipal

- Los Planes de Ordenación del Medio Físico

Este sistema de planificación territorial diseñado por la LOTG combina la planificación en cascada y la horizontal, mostrando así la necesaria relación jerárquica entre los instrumentos derivados de las diferentes escalas de aproximación al territorio, y la relación transversal entre instrumentos de políticas convergentes. Una conceptualización que ha sido desvirtuada en su aplicación práctica, incluso tras la aprobación de las Directrices de Ordenación del Territorio, que hace que las relaciones entre las figuras de planificación sean de tipo piramidal abierto (acorde a lo establecido por Benabent, 2006). Lo que ha permitido que el instrumento regional sea desarrollado tanto por el planeamiento sectorial como por el planeamiento subregional, y consecuentemente se ha mantenido la prevalencia de los enfoques sectoriales frente a los integrales y la apuesta mayoritaria por la escala local como ámbito de actuación.

Figura 1. Esquema de Instrumentos de Planificación Territorial en Galicia
(Normativa vigente)

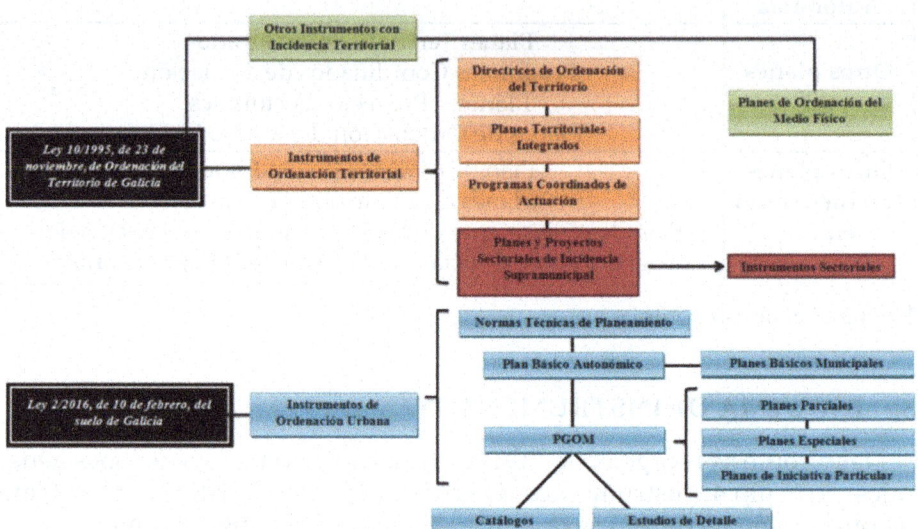

Fuente: Peiró (2017)

Este modelo ha estado vigente durante más de 20 años. Sin embargo, el anteproyecto de Ley de Ordenación del Territorio de Galicia plantea una modificación parcial de la batería de instrumentos destinados a la Ordenación del Territorio. En el Título I (La ordenación del territorio), Capítulo II (Instrumentos de ordenación del territorio) del anteproyecto de Ley de Ordenación del Territorio de Galicia se recoge la nueva propuesta de figuras de planeamiento ahora conformada por:

- Las **Directrices de Ordenación del Territorio**, que se mantienen como figura de planeamiento de ámbito regional.

- Los **Planes Territoriales Integrados,** que se mantienen como figuras de planeamiento de ámbitos subregionales.

- Los **Planes Sectoriales**, primera de las figuras en las que se disocian los antiguos los Planes y Proyectos Sectoriales de Incidencia Supramunicipal.

- Los **Proyectos de Interés Autonómico,** segunda y renombrada figura en la que se disocian los Planes y Proyectos Sectoriales de Incidencia Supramunicipal.

Una modificación en la que se destaca la desaparición de los Planes de Ordenación del Medio Físico, siguiendo una tendencia generalizada a nivel estatal, a la que se sumaría de esta manera Galicia[15]; y se concretan y detallan unos instrumentos sectoriales (Planes y Proyectos) que son los claros protagonistas de este renovado marco legal.

Figura 2. Esquema de Instrumentos de Planificación Territorial en Galicia
(Recogido en el nuevo anteproyecto de ley)

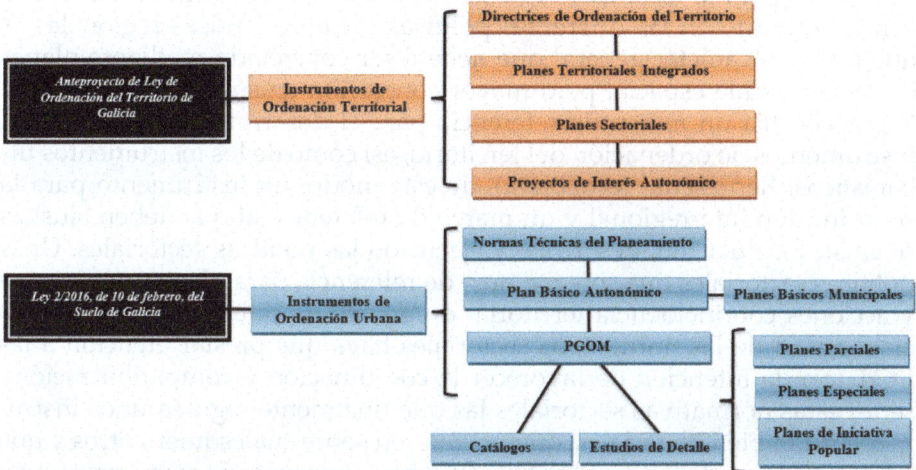

Fuente: Elaboración propia

3.1. LAS DIRECTRICES DE ORDENACIÓN DEL TERRITORIO

La figura de las Directrices de Ordenación del Territorio en Galicia encaja a la perfección con la definición que de estas figuras hace Zoido (2006).

---

15. Ya hemos hecho referencia a como desde el inicio del desarrollo legislativo de la ordenación territorial son varias las Comunidades Autónomas que optan por incluir como categoría de instrumentos de planificación, junto a la escala regional y subregional (en algunos casos, como observamos en Galicia, también instrumentos sectoriales con incidencia territorial), una cuarta categoría conformada por aquellas que incluyen de forma expresa la planificación ambiental como instrumento de planificación territorial. Por contra, la evolución de las legislaciones muestra como algunas de las Comunidades Autónomas que optaron por ello, paulatinamente la abandonan (Baleares, Cantabria o La Rioja), mientas otras, expresa o implícitamente, los mantienen. En Rando Burgos, E. (2018) "La atención al medio ambiente desde la ordenación del territorio: una visión general desde el marco legislativo autonómico". Actualidad Jurídica Ambiental, núm. 81, julio 2018, pp. 121-156.

Siendo unas figuras normativas, y por tanto sus competencias son las que se le atribuyen en los artículos 6 a 11 de la Ley 10/1995, de 23 de noviembre, de Ordenación del Territorio de Galicia, en adelante LOTG. Desde el punto de vista funcional, son utilizadas para expresar un modelo de ordenación territorial general, siendo efectivamente las DOT el principal instrumento de escala regional en tanto responsable de la definición de pautas espaciales de asentamiento, las cuales se vinculan al sistema urbano policéntrico, con el objetivo de corregir los desequilibrios territoriales), como punto de partida para la localización de las actividades socioeconómicas acorde con lo indicado en las diferentes políticas socioeconómicas regionales. Y que tiene un carácter general que deberá ser concretado mediante planes de menor escala espacial pero mayor concreción en sus determinaciones. Y por ello fija un marco de referencia para el desarrollo de los restantes instrumentos de ordenación del territorio, así como de los instrumentos urbanísticos. Representa (o debiera), de este modo, un instrumento para la coordinación interregional y un marco de referencia al que deben ajustarse en su formulación, desarrollo y ejecución las políticas sectoriales. Unas políticas sectoriales que son el marco de referencia para planes, programas y acciones con incidencia territorial de desarrollo público. Aunque en la elaboración de las normativas sectoriales haya que prestar atención a las DOT (con la intención de favorecer la coordinación y compatibilización), serán estas normativas sectoriales las que finalmente regulen unos instrumentos, también sectoriales, que prevalecen sobre cualesquiera otros y que construyen/producen territorio en muchas ocasiones sin una perspectiva integral subregional. Lo que ha causado que las DOT se hayan visto desvirtuadas a pesar de su vocación de unión entre la planificación física de usos del suelo y la planificación socioeconómica (al estilo francés del *Aménagement du Territoire*) a favor de una figura que va a establecer un marco regional de planificación de usos del suelo que se subordina o, al menos, no contradice, a la política socioeconómica, tendente a la concentración de la actividad socioeconómica en determinados espacios del territorio, siendo la ordenación del territorio incapaz de avanzar por el momento hacia una mayor cohesión y articulación del territorio gallego.

Un marco de referencia que, a efectos prácticos, de las tres opciones planteadas en la legislación vigente, ha expresado sus determinaciones de dos

- De manera excluyente para otros criterios, localizaciones, usos o diseños territoriales/urbanísticos que obligan a su aplicación de forma directa y, por lo tanto, han de recogerse de forma íntegra en los instrumentos que las desarrollen.

- Orientativas para un posterior desarrollo y concreción, atendiendo a lo establecido de forma vinculante por las DOT, debiéndose justificar por parte de los instrumentos que las desarrollan la forma en que, finalmente se concretan.

Unas DOT que en el nuevo anteproyecto de ley de ordenación del territorio se reafirman como la figura de planificación territorial regional. Pero lo van a hacer con una relectura de estas (todavía por concretar), en las que el aparente refuerzo de la lectura orientativa de muchas de sus determinadas en realidad enmascara una voluntad por flexibilizar su incumplimiento[16]. Cuestión que se evidencia contradictoria con un pretendido renovado enfoque de las DOT que aparenta reforzar una jerarquía más estricta en la aplicación de sus determinaciones, tal y como se plantea en su articulado provisional cuando se habla de la eficacia de las DOT indicando que *"las determinaciones contenidas en las directrices de ordenación del territorio tendrán, en todo caso, la fuerza vinculante que sea congruente con su función de instrumento directriz"*.

3.2. LOS PLANES TERRITORIALES INTEGRADOS

A la regulación de los Planes Territoriales Integrados se dedican los artículos del 12 al 15 de la LOTG. Se trata del instrumento destinado a la planificación subregional (de carácter integral), y el gran ausente de un sistema de planeamiento que únicamente cuenta con el Plan del Litoral como único representante aprobado de este tipo de figuras (el cual terminó siendo un PTI a pesar de que inicialmente iba a ser un instrumento de planeamiento sectorial). Unos instrumentos que nuevamente encajan con la definición que de los planes territoriales plantea Zoido (2006), y que se caracterizan por un ámbito de menor extensión y nivel competencial expresamente atribuido (subregional, comarcal, local[17]). Dicho ámbito intermedio, entre lo regional y lo local, debe de concretar el contenido de las DOT creando un marco para la coordinación de las políticas sectoriales que en el caso de los PTI, es de áreas geográficas supramunicipales. Una definición laxa para lo cual, el art. 12 de la LOTG contempla las siguientes opciones:

- Áreas de características homogéneas.

- Áreas en las que por sus dinámicas internas y características propias reclamen de una planificación de carácter integrado para abordar las infraestructuras, equipamientos y recursos comarcales.

---

16. Véase al respecto el documento de alegaciones presentado por el colegio de arquitectos de Galicia al respecto.

17. El plan como figura se utiliza también a escalas regionales, como marco de referencia del planeamiento territorial de la autonomía como en los casos catalán o andaluz, por ejemplo.

Además de estos dos supuestos, según la LOTG, existe la posibilidad, por circunstancias excepcionales no contempladas en el instrumento regional, de desarrollar PTI para ámbitos territoriales *ad hoc* (en cualquier caso, supramunicipales) y con objetivos propios. Deben ser desarrollados por el gobierno regional, entendiendo que de esta manera se pretende conservar un enfoque de conjunto regional que las DOT representan; no obstante, y acorde a la determinación 1.3.2 recogida en las DOT, y con un desarrollo siempre por parte de la Xunta, existe la posibilidad de que un grupo de municipios participe en su elaboración, pudiendo incluso llegar a reclamar su elaboración en base a la determinación 10.1.3 que permite a cualquier organismo, local o autonómico instar el desarrollo de un PTI, motivándose el inicio del procedimiento de tramitación. Una delimitación del ámbito subregional la planteada desde la política de ordenación del territorio, basad en la funcionalidad del territorio, que no entra en conflictividad con la apuesta que a estas cuestiones ya se planteara a finales de la década de los 1990 desde la política comarcal asociado a la figura de las áreas funcionales (Doval, 2009).

Los PTI se subordinan a las DOT y a su vez actúan como marcos de obligado cumplimiento para la planificación sectorial y el urbanismo. Sin embargo, el hecho de que la planificación sectorial pueda desarrollarse sin necesidad de un PTI previo al que acogerse hace que ambos instrumentos se sitúen, *de facto*, en un plano de igualdad; propio de un modelo piramidal abierto, que las DOT pretenden subsanar con la regulación por medio del llamado "Análisis de Compatibilidad Estratégica" en su determinación 10.1.18. Esto hace que se establezca una competencia instrumental para el desarrollo de las DOT que ha acabado beneficiando los enfoques sectoriales (verdadero motivo por el cual el planeamiento subregional no tiene un desarrollo efectivo).

Situación que se puede ver agravada con el nuevo anteproyecto de ley en materia de Ordenación del Territorio, que si bien mantiene la filosofía de la normativa vigente en cuanto las características y finalidades del instrumento, va a introducir una reconsideración en la definición sobre responsabilidad en la elaboración de la figura de planeamiento: *"sólo podrán ser promovidos por la iniciativa pública, entendiendo por tal, a efectos de lo establecido en esta ley, las administraciones públicas, las entidades de derecho público de ellas dependientes, las sociedades de capital que les pertenezcan íntegra o mayoritariamente y los consorcios con participación de alguna de las anteriores".*

Consecuentemente, se eliminaría la capacidad de participación a cualquier organismo, local o autonómico (que introdujeran las DOT, como ya se ha comentado en el epígrafe anterior, a través de su disposición 10.1.3), lo que va en detrimento de la gobernanza y la coproducción que le son inherentes, al menos así se defiende desde la teoría (y se evidencia en el POL), a los instrumentos integrales.

3.3. LOS PROGRAMAS COORDINADOS DE ACTUACIÓN

Mención especial requiere la figura de los Programas Coordinados de Actuación. La información relativa a esta figura se encuentra en la LOTG en el capítulo IV (de los Programas Coordinados de Actuación), art. 16 al 21. Se trata de un instrumento destinado a la coordinación de actuaciones sectoriales a escala supramunicipal. Se trata de instrumentos plurianuales con un ámbito de actuación mayor al ámbito local, con el fin de integrar intervenciones sectoriales o intersectoriales derivadas de diversas Administraciones públicas, para así facilitar un tratamiento conjunto y una ejecución coordinada de las intervenciones territoriales, lo que, en caso de haberse desarrollado, les hubiera convertido en una posible herramienta para la coordinación de las inversiones públicas para la puesta en práctica del contenido de los instrumentos de ordenación territorial. Una lectura posibilista fundamentada en la interpretación de lo establecido en la determinación 10.1.7 de las DOT, así como en el contenido del art. 19 de la LOTG en el que se recalca su función de marco de referencia para las actuaciones derivadas de las Administraciones y organismos públicos de ejecución y gestión de obras y actuaciones contempladas al poder actuar como:

- Marco de referencia para la elaboración (en ámbitos regionales) de los proyectos de presupuestos.

- Base para los convenios y acuerdos de cooperación entre las entidades locales y urbanísticas especiales, así como para convenios y acuerdos con la Administración General del Estado u otras Comunidades Autónomas.

Con todo, los PCA, se convierten en una herramienta fútil al tener solo la capacidad de coordinar a unos planes y proyectos sectoriales (art. 16 y 19 de la LOTG) que por ley ya están obligados a disponer de una programación temporal y económica para su desarrollo (art. 23.4 de la LOTG); que entre otras cuestiones dota a la planificación sectorial del grado de autonomía necesario para ser la herramienta de construcción territorial más recurrente (que no de territorialización en la línea que ya apuntara Raffestin, 1999) en detrimento de una genuina ordenación del territorio.

Una figura cuya entidad propia está en vías de extinción conforme al proyecto de ley que está en tramitación, ya que plantea su desaparición *"dado su carácter netamente inversor"*.

3.4. LA PLANIFICACIÓN SECTORIAL EN GALICIA. DE LOS PLANES Y PROYECTOS SECTORIALES COMO FIGURA ÚNICA, A LOS PLANES SECTORIALES Y LOS PROYECTOS DE INTERÉS AUTONÓMICO COMO FIGURAS INDEPENDIENTES

El planeamiento sectorial es el que mayor dinamismo asociado presenta ante el cambio de normativa previsto. A la reconsideración de las figuras de planeamiento que estableciera la LOTG hay que sumarle la decidida apuesta que existe actualmente por continuar haciendo del planeamiento sectorial la principal herramienta de planificación en detrimento de enfoques integrales.

La LOTG planteaba dos figuras de planeamiento sectorial, subsumidas en una misma categoría denominada Planes y Proyectos Sectoriales (PSIS y PrSIS), recogida en la LOTG en el capítulo V (de los Planes y Proyectos Sectoriales), art. 22 al 25. Se trata de un instrumento sectorial típico que responde a la clásica interpretación de la OT como simple planificación física de usos del suelo ya que se trata de instrumentos destinados a regular la implementación territorial de aspectos sectoriales (infraestructuras, dotaciones, instalaciones sociales) que tengan una incidencia territorial supramunicipal. Se incluyen así dentro de la OT instrumentos de estilo urbanístico (en tanto son responsables de intervenciones territoriales puntuales para las que se justifica su ámbito y localización) produciendo el territorio a partir de estas múltiples actuaciones cuya relación con un enfoque integral no queda clara. Tratándose del instrumento más profusamente utilizado en el territorio gallego en detrimento de unos PTI a los que se han equiparado como instrumentos de desarrollo de las DOT, construyendo a través de intervenciones puntuales el territorio en detrimento de los enfoques integrales.

Un elemento de particular interés en el caso de estos instrumentos (equivalentes a los proyectos de interés regional de otras CCAA) es la incorporación de la iniciativa privada como actor promotor de los mismos.

Una entrada del capital privado que suele servir como alternativa, más que como complemento, a una financiación pública a la hora de desarrollar determinadas actuaciones. Con ello se abre la posibilidad de que sea el capital privado el que inicie una transformación territorial que, bajo la apariencia del interés público, responda a finalidades privadas encontrando en la idea de interés general (véase Antequera, 2012 para una valoración de la aplicación de este concepto asociado a la OT) la justificación para realizar estas intervenciones territoriales que pretendían realmente un beneficio económico sin mayor repercusión colectiva. Cuestión que si bien es cierto se asocia mayoritariamente a este tipo de figuras, existen casos (como el gallego que nos ocupa, o el extremeño) en el que esta filosofía de actuación impregnaba a unas figuras de planeamiento a priori integrales que tenían la posibilidad de desarrollarse por privados, y que los recientes cambios legislativos tienden a restringir para que sean únicamente promovidos y desarrollos por la Administración pública.

El nuevo anteproyecto plantea una separación de esta figura en dos que, aunque mantienen una filosofía similar, en tanto los nuevos planes sectoriales serán el marco de referencia para el desarrollo de una serie de proyectos sectoriales, se han llevado a cabo importantes matizaciones para ambos instrumentos con respecto a la normativa vigente. Ahora los Planes Sectoriales se reconocen con una mayor vocación transversal que su antecesora, en tanto *se refiera al conjunto de actuaciones que por su función o destino requieran de una planificación conjunta*", abarcando así todas las actuaciones asociadas a una cuestión sectorial que desarrollen los contenidos de las DOT, con una escala por tanto (a excepción de que las necesidades requieran mayores niveles de detalle) regional con el fin de dotar un marco general de referencia. Serán por tanto la figura de referencia para el desarrollo de la nueva figura para las intervenciones puntuales sobre el territorio, los Proyectos de Interés Regional. Unos Proyectos que para su tramitación ahora deberán contar una tramitación de declaración de interés regional previa para poder desarrollarse.

3.5. OTROS INSTRUMENTOS DE SEGUNDO NIVEL. PLANES DE ORDENACIÓN DEL MEDIO FÍSICO Y PLANES DE DESARROLLO COMARCAL

Los Planes de Ordenación del Medio Físico (POMF), incluidos en la propia LOTG como categoría de instrumentos de ordenación territorial, están sujetos a la normativa ambiental, lo que los convierte en instrumentos jerárquicamente superiores. Los Planes de Desarrollo Comarcal (PDC) tienen su propia normativa, con una constante referencia a las interrelaciones entre estas figuras y las de planeamiento territorial, con las que guardan una estrecha relación compartiendo funciones o sustituyéndose mutuamente en ausencia de alguna de ambas figuras.

La LOTG no se limita, como otras legislaciones autonómicas en ordenación territorial, a categorizar los POMF como instrumentos de planificación territorial, sino que, además, precisa algunas cuestiones de éstos. De esta forma, los artículos 26 a 30 de la LOTG están dedicados a regularlos. Se trata de instrumentos de desarrollo de las DOT específicos para ámbitos territoriales que no se delimiten por razones administrativas sino por razones funcionales de carácter ambiental: características morfológicas, agrícolas, ganaderas, forestales, paisajísticas o ecológicas de excepcionalidad. No obstante, se prevé expresamente en el artículo 26.4 de la LOTG, que las determinaciones de los POMF que regulen materias contempladas en la legislación sobre espacios naturales se adecuarán a la misma[18]. Un instrumento que, además de plantearse para los espacios recogidos en la normativa citada, pueden desarrollarse para atender a los espacios que, debidamente justificados, reclamen de una planificación acorde con sus particularidades ambientales concretas.

El segundo de los instrumentos, los Planes de Desarrollo Comarcal, se regulan en su propia normativa, la Ley 7/1996, de 10 de julio, de Desarrollo Comarcal. Ya en sus artículos 4, 5 y 6, reconoce la comarca como ámbito de actuación para los PDC. Instrumentos a partir de los que coordinar la legislación de OT con el Plan Económico y Social con la finalidad de asegurar la cohesión territorial. Esto podría haberse hecho a través de los planes subregionales (PTI), pero la fórmula decidida fue la de los PDC. Según la citada normativa, los principios que guían los PDC, y que los hacen un instrumento de carácter más estratégico

---

18. Pese a que el citado precepto hace mención expresa a la Ley 4/1989, de 27 de marzo, de conservación de los espacios naturales y de la flora y fauna silvestres, dicha referencia debe entenderse referida a la norma vigente en la materia. En consecuencia, es la Ley 42/2007, de 13 de diciembre, del Patrimonio Natural y de la Biodiversidad, la norma a la que debe entenderse se realiza esta remisión legislativa.

que vinculante, a diferencia de otros instrumentos territoriales y urbanísticos, son:

- Voluntariedad en la incorporación al proceso de desarrollo comarcal.

- Participación, mediante la colaboración activa y voluntaria, de los agentes económicos y sociales de cada comarca.

- Coordinación de las acciones de las distintas Administraciones en el territorio comarcal.

- Subsidiariedad, como principio destinado a alcanzar la mayor eficacia en la distribución de las acciones de desarrollo entre las diferentes Administraciones territoriales.

- Adicionalidad, mediante la suma de esfuerzos financieros de las distintas Administraciones y agentes socioeconómicos implicados.

- Complementariedad entre las iniciativas de desarrollo local a través de los planes de desarrollo integrado de cada comarca.

- Flexibilidad, tanto en el diseño y aplicación de los planes como en el sistema de evaluación abierta y seguimiento continuo.

En principio, la finalidad última de estos instrumentos es la cohesión territorial, presentada en detalle en la normativa. Se trata de generar un sistema urbano policéntrico capaz de mejorar la prestación de servicios e infraestructuras y el desarrollo territorial del conjunto del territorio. Todo ello materializado, tal y como recoge la Ley 7/1996 en instrumentos específicos de planificación (de ámbito comarcal), que se equipararán a los Programas Coordinados de Actuación previstos en la LOTG, quedando por tanto subordinados al resto de instrumentos de planeamiento territorial de orden superior.

Nuevamente una situación en vía de extinción en tanto los Planes de Ordenación del Medio Físico (POMF) desaparecen como instrumento en el nuevo anteproyecto de ley *"al considerar que existen otras figuras de ordenación que ya están contempladas en la legislación vigente en materia de espacios naturales o cualquier otra materia sectorial relativa al ámbito afectado, o bien podría acudirse a un plan territorial integrado o un plan sectorial para conseguir sus fines, según sus objetivos".*

En cuanto a los Planes de Desarrollo Comarcal, la desaparición de los Programas Coordinados de Actuación implica de facto la desaparición de estos PDC como parte de la batería de figuras relacionadas directa o indirectamente con la OT en tanto eran instrumentos que, aunque con su propia normativa sectorial, tenían por objeto desarrollar a los PCA de ámbito comarcal.

Figura 3. Instrumentos de Ordenación del Territorio de planificación integral en Galicia

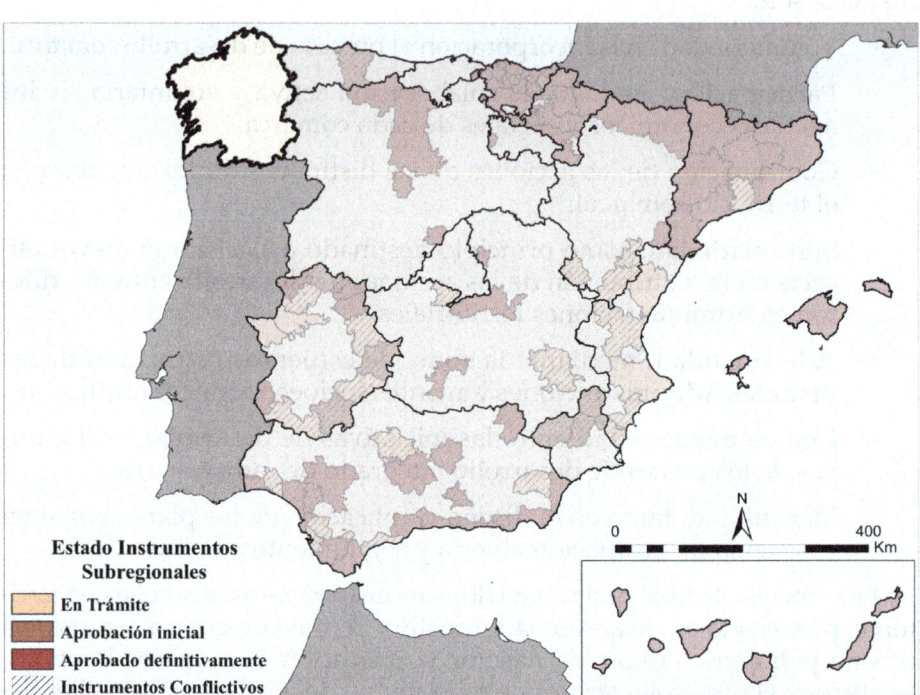

Fuente: Elaboración propia

4. ÓRGANOS RESPONSABLES DE LA ORDENACIÓN DEL TERRITORIO EN GALICIA

Se detallan a continuación los diferentes órganos con competencias en ordenación territorial en Galicia. Se parte del Decreto 88/2018, de 26 de septiembre, por el que se establece la estructura orgánica de la Xunta de Galicia y el Decreto 42/2019, de 28 de marzo, por el que se establece la estructura orgánica de la Consellería de Medio Ambiente, Territorio y Vivienda.

4.1. LA CONSELLERÍA DE MEDIO AMBIENTE, TERRITORIO Y VIVIENDA

De conformidad con el vigente Decreto 42/2019, de 28 de marzo, por el que se establece la estructura orgánica de la Consellería de Medio Ambiente, Territorio y Vivienda, la misma es el órgano de la Administración de la Comunidad Autónoma al que le corresponden las competencias y funciones en materia de ambiente, ordenación del territorio y urbanismo, conservación del patrimonio natural, paisaje y vivienda (artículo 1), remitiendo a la previsión contenida en el Estatuto de Autonomía. En efecto, la Ley Orgánica 1/1981, de 6 de abril, de Estatuto de Autonomía de Galicia, atribuye en su artículo 27.3 a la Comunidad Autónoma la competencia exclusiva en ordenación del territorio y del litoral, urbanismo y vivienda.

De manera más precisa, el artículo 2 del Decreto 42/2019 establece la estructura de la citada Consellería, distinguiendo a tal efecto:

- El/la Conselleiro/a
- La Secretaría General Técnica
- La Dirección General de Calidad Ambiental y Cambio Climático
- La Dirección General de Patrimonio Natural.
- La Dirección General de Ordenación del Territorio y Urbanismo.

4.2. EL/LA CONSELLEIRO/A

El artículo 4 del Decreto 42/2019, recoge la figura del conselleiro/a como la autoridad superior de la Consellería, atribuida de las atribuciones enumeradas en el artículo 24 de la Ley 1/1983, de 22 de febrero, de normas reguladoras de la Xunta y de su Presidencia, norma a la que remite. El artículo 34 de la citada norma legal es la encargada de precisar sus atribuciones, entre las que cabe destacar:

- Ejercer la iniciativa, dirección e inspección de todos los servicios de la Consellería y la alta inspección y demás funciones que les correspondan respecto de los organismos autónomos adscritos a la misma.
- Proponer al Consello los proyectos de ley o de decretos relativos a las competencias atribuidas a su Consellería.
- Ejercer la potestad reglamentaria en las materias de su Consellería.
- Resolver los conflictos de atribuciones entre autoridades dependientes de su Consellería.

4.3. LA SECRETARÍA GENERAL TÉCNICA

De análoga manera, el Decreto 42/2019, en el artículo 5, al regular las atribuciones de la Secretaría general Técnica, establece que ejercerá las funciones y competencias establecidas en el artículo 29 de la Ley 16/2010, de 17 de diciembre, de organización y funcionamiento de la Administración General y del Sector Público autonómico de Galicia, a la que remite. El citado precepto, señala la existencia de este órgano en cada Consellería con una relación jerárquica directa con el Consellero. Destacan entre sus funciones:

- Representar a la Consellería por orden de su titular.

- Coordinar, bajo la dirección de la persona titular de la Consellería, los programas y actuaciones de las diferentes direcciones generales y entes del sector público adscritos a la Consellería.

- Prestar asistencia técnica y administrativa la persona titular de la Consellería en cuantos asuntos ésta considere conveniente.

- Actuar como órgano de comunicación con las demás Consellerías.

- Dirigir y gestionar los servicios comunes del departamento, así como los órganos y unidades administrativas que estén bajo su dependencia.

- Velar por la organización, simplificación y racionalización de la actividad administrativa, y proponer las modificaciones encaminadas a mejorar y perfeccionar los servicios.

- Elaborar los proyectos de planes generales de actuación de la Consellería.

- Emitir informe sobre los anteproyectos de ley y proyectos de reglamentos de la Consellería y tramitarlos.

- Emitir informe sobre los anteproyectos de ley y de reglamentos de otras Consellerías.

- Gestionar los medios materiales adscritos al funcionamiento de la Consellería.

- Resolver los conflictos de atribuciones que surjan entre órganos dependientes de ella.

- Proponerle la persona titular de la consejería la resolución que considere procedente en los asuntos de su competencia cuya tramitación le esté encomendada.

- Responsabilizarse de los servicios de legislación, documentación y publicación de la Consellería.

Además, figurarán, adscritas orgánicamente a las Secretarías Generales Técnicas, con nivel de subdirección general, la/s asesoría/s jurídica/s de la Consellería y la intervención delegada, que dependerán funcionalmente de la Asesoría Jurídica General de la Xunta de Galicia y de la Intervención General de la Comunidad Autónoma, respectivamente.

4.4. LA DIRECCIÓN GENERAL DE ORDENACIÓN DEL TERRITORIO Y URBANISMO

El artículo 13 del Decreto 42/2019 es el precepto encargado de regular detalladamente las funciones y atribuciones que corresponden a la Dirección General de Ordenación del Territorio y Urbanismo. A este órgano le compete ejercer las funciones inherentes a la dirección, planificación, impulso, gestión y coordinación de las competencias que, en materia de urbanismo, ordenación del territorio y del litoral, así como las autorizaciones y los informes de la zona de servidumbre de protección del dominio público marítimo-terrestre y en el suelo rústico que tiene atribuida la Consellería. Además, con carácter general, le compete:

- La materialización y puesta en práctica de la política territorial y de utilización racional del suelo con la finalidad de favorecer el desarrollo equilibrado y sostenible del territorio; contribuir a elevar la calidad de vida y la cohesión social de la población y proteger y potenciar el patrimonio natural y cultural, sin perjuicio de las competencias atribuidas a otros órganos.

- El ejercicio de las funciones que la Ley 2/2016, de 10 de febrero, del Suelo de Galicia, o norma que la sustituya, le atribuye a la persona titular de la dirección general competente en materia de urbanismo.

- El fomento de la formación y de la investigación, y la elaboración y divulgación de estudios y proyectos en materia de urbanismo, ordenación del territorio y litoral.

- El fomento, seguimiento y control de la actividad urbanística, sin perjuicio de las competencias de los municipios y el requerimiento de anulación de actos de aprobación de instrumentos de plan y gestión urbanística.

- El fomento de la participación ciudadana en la formulación, tramitación y gestión del plan territorial y urbanístico.

- El apoyo y asesoramiento necesario a la Comisión Superior de Urbanismo de Galicia.

- La elaboración de proyectos y anteproyectos de disposiciones normativas en materia de urbanismo, ordenación del territorio y litoral.

- La coordinación de los servicios territoriales de urbanismo.

- La tramitación y propuesta de resolución de los procedimientos de responsabilidad patrimonial en el ámbito de sus competencias.

- Las funciones inherentes a la gestión económica, ejecución, seguimiento, control y gestión de la ejecución de los contratos administrativos y actividades de fomento en el ámbito de su competencia por razón de la materia.

- La gestión de los expedientes de contratación menores de competencia de la dirección general por razón de la materia.

- El ejercicio de cualquier competencia en materia de urbanismo que la legislación vigente atribuya a la Administración autonómica, sin especificar el órgano que deba ejercerla.

- La realización de actuaciones de mejora de entornos urbanos, de accesibilidad y supresión de barreras arquitectónicas y de equipamientos públicos que tengan por finalidad la revitalización del territorio y el reequilibrio territorial.

- La emisión de informes preceptivos en materia de costas, en los supuestos previstos por el artículo 24 del Decreto 158/2005, de 2 de junio, por el que se regulan las competencias autonómicas en la zona de servidumbre de protección del dominio público marítimo-terrestre, así como el otorgamiento de autorizaciones administrativas en la zona de servidumbre de protección del dominio público marítimo-terrestre según lo establecido en la Ley 22/1988, de 28 de julio, de Costas, con excepción de lo establecido en la Ley 7/2012, de 28 de junio, de Montes de Galicia, para las talas de árboles.

- La preparación de los informes que conforme a la legislación de carácter sectorial le corresponda emitir al órgano autonómico competente en materia de ordenación del territorio y urbanismo.

- El análisis y la propuesta de informe de los expedientes de solicitud de autorización de ejecución de grandes establecimientos comerciales sobre su adaptación al plan vigente y en tramitación, para la puesta en conocimiento de su viabilidad a la Comisión Consultiva de Equipamientos Comerciales.

- Informe de recursos interpuestos contra resoluciones dictadas por la persona titular de la Dirección General de Ordenación del Territorio y Urbanismo en las materias de su competencia.

- El asesoramiento y la emisión de informes sobre la aplicación e interpretación de la normativa vigente en materia de urbanismo.

Además de las anteriores, se concretan, entre otras, las atribuciones que en materia de ordenación del territorio y del litoral le vienen asignadas, en concreto se relacionan las siguientes:

- Impulso de la cooperación con todas las Administraciones públicas con competencia en el territorio, especialmente con las Administraciones locales, con el fin de promover el desarrollo de políticas comunes, debidamente coordinadas y programadas, que aseguren el cumplimiento de los fines de protección, gestión y ordenación del territorio.

- La programación, dirección y control de la política de ordenación del territorio y del litoral.

- La elaboración y tramitación administrativa de los instrumentos previstos en la Ley 10/1995, de 23 de noviembre, de Ordenación del Territorio, que se formulen por iniciativa de esta consellería.

- La coordinación con las restantes consellerías u otros organismos o entidades para la formulación de sus correspondientes planes o programas de carácter sectorial con incidencia sobre el territorio, así como el seguimiento, archivo y registro de los instrumentos de ordenación del territorio aprobados.

- La elaboración de informes respecto de los demás instrumentos de ordenación del territorio previstos en la Ley 10/1995, de 23 de noviembre, de Ordenación del Territorio, cuando así se exija de acuerdo con dicha ley y la normativa e instrumentos que la desarrollen.

4.5. COMISIÓN DE SEGUIMIENTO DE LAS DOT

Acorde a lo establecido en el art. 10 de las DOT, por Decreto del Consejo de la Xunta de Galicia se determinará el procedimiento que regule el seguimiento y puesta al día de los objetivos y determinaciones de las directrices de ordenación del territorio. Cuestión que tiene lugar mediante el Decreto 156/2012, del 12 de julio, se crea la Comisión de Seguimiento de las Directrices de Ordenación del Territorio de Galicia, que, además de la descrita, tiene asignadas las funciones de: identificar la contribución de las propuestas y planes estratégicos de Galicia para la sostenibilidad territorial; proponer medidas para corregir las posibles desviaciones, así como posibles efectos no considerados inicialmente;

hacer valoraciones globales y particularizadas a través de informes de la integración efectivamente conseguida; fijar las pautas y los criterios de interpretación precisos para la elaboración de la memoria prevista en el artículo 11 de la Ley 10/1995, del 23 de noviembre, de Ordenación del Territorio de Galicia; establecer la composición y funcionamiento de los grupos técnicos de trabajo, por propuesta del Instituto de Estudos do Territorio y cualquier otra función que pudiera tener relación con la naturaleza de la Comisión de Seguimiento de las Directrices de Ordenación del Territorio de Galicia.

La Comisión de Seguimiento de las Directrices de Ordenación del Territorio de Galicia está compuesta por los/las siguientes miembros:

1. Presidente/a: la persona titular de la consellería competente en materia de ordenación del territorio.

2. Vicepresidente/a: el/la director/a del Instituto de Estudos do Territorio.

3. Vocales:

    3.a) Un/una representante designado/la por la secretaría general competente en materia de evaluación ambiental.

    3.b) Un/una representante designado/la por la secretaría general competente en materia de ordenación del territorio.

    3.c) Un/una representante del órgano central de estadística de la Comunidad Autónoma.

    3.d) Un/una representante designado/a por la secretaría general competente en materia de urbanismo.

    3.e) Un/una representante designado/a por la consellería competente en materia de Administración local.

4.6. INSTITUTO DE ESTUDIOS DEL TERRITORIO

El Instituto de Estudios del Territorio (IET), en la actualidad, adscrito a la Consellería de Medio Ambiente, Territorio y Vivienda, fue creado por la Ley 6/2007, de 11 de mayo, de medidas urgentes en materia de Ordenación del Territorio y del Litoral de Galicia, en virtud del mandato recogido en la LOTG. Su regulación se concreta en el Decreto 244/2011, de 29 de diciembre, por el que se aprueban los estatutos del organismo autónomo Instituto de Estudios del Territorio. Sus principales tareas se centran en el análisis, estudio y asesoramiento en materia de urbanismo y ordenación del territorio, así como también en paisaje.

Otras funciones que también desarrolla son las de asistencia y asesoramiento respecto a la gestión y ejecución del planeamiento urbanístico en los ayuntamientos. También asesora a la Consejería, como responsable directa de la ordenación del territorio y de su desarrollo en instrumentos. Finalmente, tiene asignada la tarea de producción y recopilación de información cartográfica y territorial para los distintos departamentos de la Administración gallega.

A nivel organizativo, el IET se estructura en dos unidades: el Departamento de gestión jurídico-administrativa y el Departamento técnico de estudios.

4.7. ÓRGANOS COLEGIADOS DE TEMÁTICAS AFINES A LA OT Y VINCULADAS A SU PRÁCTICA

Quedan adscritos a la Consellería de Medio Ambiente, Territorio y Vivienda, con el carácter, labores y funciones establecidos en sus respectivas normas reguladoras, los siguientes órganos colegiados vinculados a la ordenación territorial:

- La Comisión de Seguimiento de las Directrices de Ordenación del Territorio de Galicia, creada por el Decreto 156/2012, de 12 de julio. Siendo un órgano de coordinación técnica de los departamentos, organismos y entes de la Administración General de la Comunidad Autónoma de Galicia en sus actuaciones, que será la responsable de desarrollar y adaptar el sistema de indicadores o métodos para el seguimiento que permiten conocer la evolución de las variables de sostenibilidad, aplicándolo proporcionalmente al grado de desarrollo de las DOT[19].

- La Comisión de Coordinación de Sistemas de Información Geográfica y Cartográfica, regulada por el Decreto 172/2012, de 1 de agosto. Siendo un órgano de coordinación técnica de los departamentos, organismos y entes de la Administración pública de Galicia en sus actuaciones en materia de sistema de información geográfica, cartográfica y geomática.

---

19. Sobre la Comisión de Seguimiento de las Directrices de Ordenación del Territorio de Galicia, vid. Rando Burgos (2020).

4.8. REGISTRO DE ORDENACIÓN TERRITORIAL Y PLANEAMIEN-TO URBANÍSTICO[20]

Representa un órgano creado por el Decreto 143/2016, de 22 de septiembre, por el que se aprueba el Reglamento de la Ley del Suelo de Galicia y que ahora además de sus funciones asociadas con las figuras urbanística, se hará cargo de las de planeamiento territorial en las mismas condiciones (acorde lo establecido en artículo 65 "Registro de los instrumentos de ordenación territorial" del anteproyecto de Ley de Ordenación del Territorio).

Acorde a lo establecido en el Decreto 143/2016, este registro es público y de carácter administrativo, adscrito a la Conselleria competente en materia de urbanismo y ordenación del territorio, que tiene por objeto garantizar la transparencia y la publicidad en el ejercicio de la función pública urbanística, mediante la inscripción de los acuerdos de aprobación definitiva así como los acuerdos de modificación de los instrumentos de planeamiento urbanístico (a los que ahora se suman los de planeamiento territorial). Deberá ser igualmente objeto de inscripción cualquier resolución posterior, administrativa o judicial, que afecte a su contenido. Funcionará bajo la dependencia directa del órgano directivo superior en materia de urbanismo, sin perjuicio de la alta dirección que puede ejercer el titular de la Conselleria competente en la que se integra.

Podrá acceder al registro de planeamiento cualquier persona o entidad, pública o privada, interesada en el conocimiento de los correspondientes datos, sin perjuicio de las exacciones que procedan por dicho acceso.

5. PROCEDIMIENTOS Y RESPONSABILIDADES FORMALES

5.1. PROCEDIMIENTO DE ELABORACIÓN Y APROBACIÓN DE LAS DOT

El procedimiento relativo a la tramitación de las DOT se regula en el artículo 10 de la LOTG. Un procedimiento cuya iniciación le corresponde al Consejo de la Xunta de Galicia, debiendo publicarse dicho acuerdo en el Diario Oficial de la Comunidad Autónoma, motivando y justificando

---

20. Es de reciente creación este órgano en otras Comunidades Autónomas como la Navarra, que ha lo ha creado a finales de 2019, a través del Decreto Foral 253/2019, de 16 de octubre.

sus causas y los plazos del avance. El avance es responsabilidad de la Consejería competente en materia de OT. Asimismo, están involucradas las consejerías con competencias de proyección territorial, con el fin de formular previsiones y determinaciones sectoriales para su inclusión e integración efectiva desde el documento de avance. De igual forma, esta primera versión del instrumento cuenta con la participación de la Administración General del Estado y las Administraciones locales, a través de informes sobre las previsiones de sus propias competencias, para lo cual la consejería responsable del procedimiento recabará además tanto información como se estime oportuna para la adecuada redacción de las DOT.

Tanto el documento de avance como los informes evacuados han de remitirse a las diferentes Administraciones y las entidades (públicas o privadas) que se estime necesario, con el fin de que aporten observaciones, alternativas y propuestas. Éstas serán analizadas por parte de la Consejería que llevará a cabo las modificaciones que se estimen procedentes, previo informe de la Consejería de Economía y Hacienda, y tramitará su aprobación inicial. El acuerdo de aprobación inicial debe publicarse en el Diario Oficial de la Comunidad Autónoma y en el Boletín Oficial del Estado, así como en la prensa. Además, el texto íntegro debe remitirse a la Delegación de Gobierno, Diputaciones provinciales y Ayuntamientos. De manera inmediata a la aprobación inicial, tendrá lugar un período de audiencia para que las diferentes Administraciones y entidades expongan observaciones y sugerencias convenientes. Tras este proceso, realizándose las modificaciones oportunas al caso, el Consejero competente de la consejería directora del procedimiento, previo informe de la Consejería de Economía y Hacienda, aprobará provisionalmente las DOT. Momento en que se elevan la Consejo de la Xunta para su traslado al Parlamento donde se realizará su tramitación.

Por último, se remiten a la Xunta de Galicia, encargada de la aprobación definitiva en forma de decreto, y que se publicará tanto en Diario Oficial autonómico como en el Boletín Oficial del Estado.

El nuevo anteproyecto no altera en lo sustancial el procedimiento de tramitación y aprobación, en referencia a los trámites y responsabilidades, de las DOT. No obstante, incorpora de manera detallada la forma en la que el procedimiento de Evaluación Ambiental Estratégica se integra en la tramitación de esta figura de planeamiento, de manera que se presenta como un procedimiento único e integrado, lo que se entiende como una muy positiva e interesante innovación procedimental.

Diagrama 1. Procedimiento de tramitación de las Directrices de Ordenación del Territorio

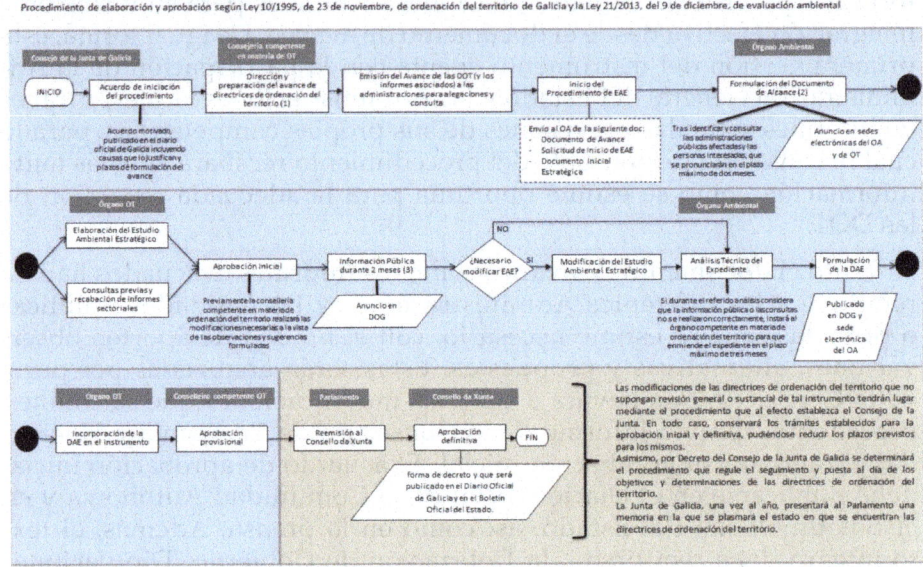

Fuente: Elaboración propia

5.2. PROCEDIMIENTO DE ELABORACIÓN Y APROBACIÓN DE LOS PTI

El procedimiento de elaboración y aprobación de los PTI se recoge en el artículo 15 de la LOTG. Un procedimiento iniciado por el Consejo de la Xunta mediante acuerdo motivado, señalando las causas que lo justifican e indicando la consejería competente para su elaboración y dirección, así como los demás departamentos que deban participar en el proceso. El acuerdo se publicará en el Diario Oficial de la Comunidad Autónoma y en la prensa escrita, y será notificado a los Ayuntamientos y Diputaciones provinciales correspondientes.

Diagrama 2. Procedimiento de tramitación de los Planes
Territoriales Integrados

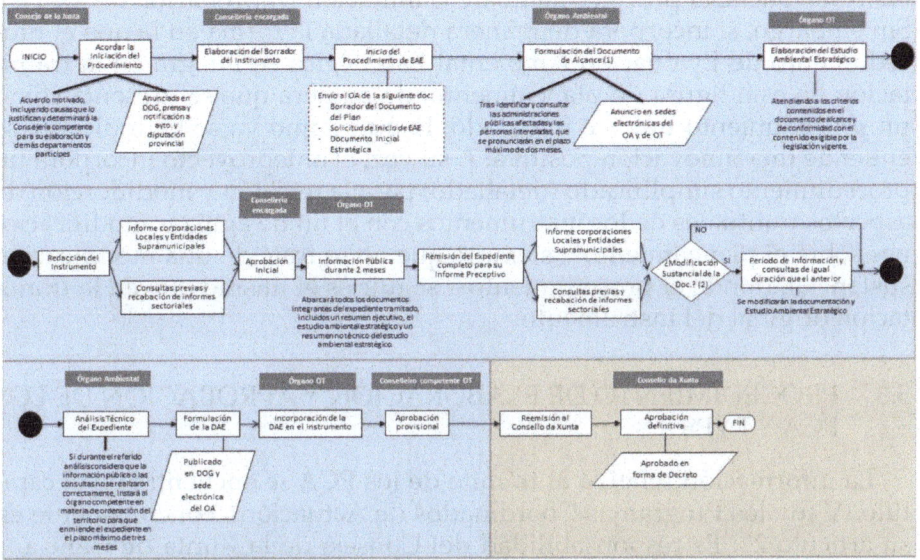

Fuente: Elaboración propia

Se realiza la redacción del instrumento y se somete a informe de las corporaciones locales y supramunicipales indicadas con anterioridad. Tras este trámite, tiene lugar su aprobación inicial por parte del departamento director del procedimiento, momento en el que se inicia el trámite de información pública y, de manera simultánea, se solicita informe de la Delegación de Gobierno. A la vista de estos dos trámites, el responsable de la aprobación inicial acordará la aprobación provisional incorporando si es necesario modificaciones en el documento. En caso de que las modificaciones supongan un cambio muy notable en el documento deberá realizarse un nuevo período de información pública y consulta de iguales características que el descrito anteriormente.

En última instancia, corresponde al departamento que ha aprobado provisionalmente el documento elevarlo al Consejo de la Xunta para su aprobación definitiva mediante decreto.

Al igual que en el caso de las DOT, el nuevo anteproyecto no altera en lo sustancial el procedimiento de tramitación y aprobación de los PTI. Sin embargo, sí incorpora de manera detallada la forma en la que el procedimiento de Evaluación Ambiental Estratégica se integra en la tramitación de esta figura de planeamiento, de manera que se presenta como un procedimiento único e integrado, lo que, como ya se ha indicado, se entiende una innovación positiva. A su vez, el anteproyecto incorpora un procedimiento simplificado (detallado) para la revisión y modificación de aspectos puntuales de los instrumentos con el fin de agilizar modificaciones sobre el planeamiento[21], siempre que no se traté de una modificación sustancial, donde el procedimiento a seguir es el mismo que en la tramitación original del instrumento.

5.3. PROCEDIMIENTO DE ELABORACIÓN Y APROBACIÓN DE LOS PCA Y PYPS

La información relativa al trámite de los PCA se encuentra en el capítulo IV (de los Programas Coordinados de Actuación), concretamente en su artículo 21. Es responsabilidad del Consejo de la Xunta de Galicia, a propuesta de una o varias Consejerías (por iniciativa propia o a instancia de una entidad local o urbanística especial) acordar la formulación del instrumento. El acuerdo publicado en el Diario Oficial de la Comunidad Autónoma, que debe ser motivado y señalando las causas que lo justifican, así como las finalidades que se persiguen. Además, determinará la Consejería encargada del procedimiento y las restantes consejerías, así como entidades u organismos que han de colaborar y los plazos a seguir. Tras el acuerdo inicial, se debe redactar un documento previo donde se expongan objetivos y propuestas básicas a desarrollar por el instrumento. Éste será remitido por la Consejería responsable a las corporaciones locales afectadas por el instrumento con el fin de que puedan tanto realizar las propuestas de programación y/o observaciones como las alternativas

---

21. La existencia de un procedimiento simplificado para la revisión y modificación de los instrumentos de planeamiento, aunque planteada como mecanismo para agilizar los trámites y procedimientos asociados a la planificación territorial, deben tomarse con cautela para no incurrir en un conflicto que autores como Vaquer Caballería detalla en el caso de los planes urbanísticos, que dan respuesta a los nuevos retos territoriales mediante modificaciones puntuales (de tramitación más ágil), dando lugar a un instrumento que se aleja progresivamente del modelo territorial planteado en origen. Véase Vaquer Caballería (2018).

convenientes, remitiendo los programas de actuación o actividades que desarrollen sus instrumentos de ordenación general. Igualmente, se debe remitir a las corporaciones, organismos públicos y empresas prestadoras de servicios públicos estimados necesarios, con el fin de que aporten los proyectos o programas cuya ejecución tengan prevista.

Tras ello, la Consejería que ha elaborado el instrumento acordará la aprobación inicial que se publicará en el Diario Oficial de la Comunidad Autónoma, en el Boletín Oficial del Estado y en la prensa, a la vez que se realizan los trámites de información pública y la audiencia a Ayuntamientos, entidades, corporaciones y organismos públicos afectados.

El instrumento será objeto de modificaciones a partir de los resultados obtenidos del proceso anterior y se aprobará provisionalmente, tras lo cual se elevará al Consejo de la Xunta de Galicia, para que tenga lugar su aprobación definitiva. Una aprobación definitiva en forma de decreto y que se publicará tanto en Diario Oficial de Galicia como en el Boletín Oficial del Estado.

De manera excepcional, en el caso de que existan circunstancias no previsibles en el momento de la aprobación del instrumento, que requieran de obras o actuaciones no previstas inicialmente, mediante decreto, el Consejo de la Xunta dispondrá la inclusión de éstas en el programa.

En cuanto a los PyPS, su regulación se contiene en el artículo 25 de la LOTG. La iniciativa corresponde al promotor del instrumento, ya sea directamente la Consejería competente en materia sectorial o bien el organismo o entidad promotor que debe remitirlo a la Consejería correspondiente. A propuesta del Consejero competente, el Consejo de la Xunta de Galicia debe declarar la incidencia supramunicipal del Plan o Proyecto, momento en el que será sometido a información pública mediante la correspondiente publicación en el Diario Oficial, así como al trámite de audiencia a las entidades locales afectadas. De los resultados de ambos trámites resultará el informe de la Consejería competente que presentará al Consejo de la Xunta de Galicia, para la aprobación del Plan o Proyecto definitivo con la correspondiente publicación en el Diario Oficial. Con la aprobación definitiva por el Consejo de la Xunta podrá acordarse, en su caso, la declaración de utilidad pública a efectos expropiatorios.

El procedimiento de los Programas Coordinados de Actuación dejará de tener sentido en el momento en el que desaparezca la figura con la futura legislación en la materia. Los PyPS, en tanto figuras disgregadas, presentarán nuevos procedimientos, destacando que los nuevos Planes Sectoriales serán tramitados conforme el procedimiento establecido para el caso de los Planes Territoriales Integrados. Un interesante planteamiento pues equipara, en cuanto a su tramitación se refiere, el planeamiento sectorial a la integral. De esta manera, se rompe una de las principales cuestiones que se han utilizado como argumento a favor de la planificación sectorial en detrimento de la integral, un procedimiento más reducido y por tanto más eficiente (Peiró y Farinós, 2019). Sobre el que nuevamente se produce la situación descrita en el caso de los PTI en los que el anteproyecto incorpora un procedimiento simplificado (detallado) para la revisión y modificación de aspectos puntuales de los instrumentos con el fin de agilizar modificaciones sobre el planeamiento[22], siempre que no se trate de una modificación sustancial, donde el procedimiento a seguir es el mismo que en la tramitación original del instrumento.

Respecto a la tramitación de los proyectos, la principal novedad es la necesidad de realizar una declaración de interés regional, como procedimiento que forma parte del procedimiento de tramitación del instrumento. Es responsabilidad del/los promotor/es solicitar la declaración de interés autonómico (presentando toda la documentación requerida por la normativa), para que la consellería competente por razón de la materia inicie, de oficio o a instancia de quien formule la propuesta, del procedimiento para la declaración de interés autonómico. A partir de la valoración de la documentación recibida, se establece la procedencia de la DIC. Debe elaborarse un informe por parte de la consellería competente en materia de OT sobre la coherencia del proyecto con lo contenido en las figuras de planeamiento (DOT, PIT y restantes) que compartan ámbito de actuación con el proyecto. Una vez obtenido el consentimiento de procedencia y adecuación, se realiza la consulta a las Administraciones públicas (tanto locales como regionales) afectadas, tras lo cual, se emitirán los informes correspondientes. En última instancia, el proyecto se remitirá a la Xunta para que proceda, si corresponde, a la declaración de interés autonómico y establezca a qué consellería le corresponde impulsar el proyecto y cuales deben colaborar en el mismo. Dicho acuerdo se publicará en el Diario Oficial de Galicia.

5.4. PROCEDIMIENTO DE ELABORACIÓN Y APROBACIÓN DE LOS POMF Y LOS PDC

La regulación de los POMF se contiene en el artículo 30 de la LOTG. Corresponde a la Xunta de Galicia, el inicio del procedimiento mediante

---

22. La existencia de un procedimiento simplificado para la revisión y modificación de los instrumentos de planeamiento, aunque planteada como mecanismo para agilizar los trámites y procedimientos asociados a la planificación territorial, deben tomarse con cautela para no incurrir en un conflicto que Vaquer (2018) detallada en el caso de los planes urbanísticos, que dan respuesta a los nuevos retos territoriales mediante modificaciones puntuales (de tramitación más ágil), dando lugar a un instrumento que se aleja progresivamente del modelo territorial planteado en origen.

acuerdo motivado en el que se señalen las causas que lo justifiquen y se determine la consejería competente para su desarrollo, así como los departamentos partícipes. Un acuerdo que se publicará en el Diario Oficial de la Comunidad Autónoma y en la prensa escrita, notificándose a los Ayuntamientos afectados y a la Diputación provincial correspondiente.

Tras ello se redacta el plan, el cual se somete a informe de las corporaciones locales y entidades supramunicipales con carácter previo a su aprobación inicial. Una aprobación inicial que tiene lugar mediante acuerdo que se someterá a información pública y de manera simultánea se solicitará informe de la Delegación del Gobierno. De los resultados de estos trámites, se realiza las modificaciones pertinentes que procedan, que en caso de que alteren sustancialmente el instrumento será nuevamente sometido a los trámites de información pública y audiencias al mismo criterio que el realizado con anterioridad. Tras esto, se realizará la aprobación provisional y se elevará al Consejo de la Xunta de Galicia para su aprobación definitiva mediante decreto.

En cuanto a los PDC, el procedimiento queda recogido la Ley 7/1996, de 10 de julio, de Desarrollo Comarcal, concretamente en su artículo 14. El procedimiento parte de las sugerencias emitidas por parte del Consejo Comarcal y del informe de la Comisión de Comarcalización, a partir de las cuales se redacta un proyecto de instrumento. Dicho proyecto será sometido a informe de manera simultánea de diferentes Consejerías (Economía y Hacienda, verificando su adecuación al Plan Económico y Social; Consejería competente en política territorial para valorar su adecuación a los instrumentos de OT de rango superior; Consejería competente en materia de Administración Local, la de Agricultura y las de Pesca en el caso de que se trate de comarcas pesqueras). El informe de las citadas Consejerías es obligatorio, sin perjuicio de que se incluyan otras que se consideren de interés.

Los resultados obtenidos mediante los citados informes serán incorporados al proyecto de instrumento y se remitirá a los Ayuntamientos y Diputaciones provinciales afectadas a fin de que efectúen las alegaciones que consideren procedentes. De manera simultánea, se enviará a la Delegación de Gobierno para que, si se estima oportuno, los órganos sectoriales de la Administración General del Estado interesados emitan informe.

En el mismo plazo temporal debe iniciarse un trámite de información pública. Tras esto, y modificando el instrumento según necesidad ante los resultados obtenidos, se elevará al Consello de la Xunta de Galicia para su aprobación definitiva, la cual será publicada en el Diario Oficial de la Comunidad Autónoma y en el Boletín Oficial del Estado, formalizándose como decreto.

La entrada en vigor del actual anteproyecto de Ley de Ordenación del Territorio implicará de facto la desaparición de estos instrumentos y, por tanto, no habrá un procedimiento de tramitación asociado a los mismos.

5.5. PROCEDIMIENTO DE LA EVALUACIÓN AMBIENTAL DE PLANES Y PROGRAMAS

Resulta excepcional el caso gallego al representar una Comunidad Autónoma que no ha desarrollado una normativa propia en materia de evaluación ambiental estratégica. Acogiéndose en primer lugar al texto legal del año 2006 (Ley 9/2006, de 28 de abril, sobre evaluación de los efectos de determinados planes y programas en el medio ambiente); posteriormente al actual y vigente texto legal del año 2013 (Ley 21/2013, de 9 de diciembre, de Evaluación Ambiental, LEA). Por tanto, el procedimiento de evaluación ambiental estratégico aplicable en el caso gallego es el regulado en la normativa estatal, en su capítulo uno del título segundo sección primera de la LEA, donde se describe el procedimiento administrativo aplicable a la evaluación ambiental estratégica ordinaria de planes y programas. Y que parece que de cara a al futuro va a continuar en esta línea, en tanto el anteproyecto de Ley de Ordenación del Territorio en trámite indica que: *"con el fin de clarificar el procedimiento de tramitación de los instrumentos de ordenación del territorio, la presente ley integra en el mismo el procedimiento de evaluación ambiental estratégica. De este modo incorpora la nueva tramitación derivada de la Ley estatal 21/2013, de 9 de diciembre, de evaluación ambiental, lo que responde a la necesidad de adecuar la normativa autonómica al marco normativo común europeo y estatal, garantizando así la unidad de mercado interior y la competitividad"*.

El procedimiento se inicia con la presentación por parte del promotor ante el órgano sustantivo de la solicitud de inicio y la documentación que asociada acorde lo establecido en la legislación sectorial. En este momento ya se presenta un borrador del plan o programa objeto de evaluación y el documento inicial estratégico. Es función del órgano sustantivo dar conformidad a la documentación que ha recibido, qué será remitido al órgano ambiental.

Corresponde a este órgano ambiental, una vez recibida la documentación, realizar las consultas previas a las Administraciones afectadas y al público interesado, exponiendo además el documento inicial estratégico en su página web, para que el público en general pueda participar. A su vez, es el órgano ambiental el encargado de elaborar el documento de alcance en el cual se establece las características que debe presentar el estudio ambiental estratégico. Toda esta documentación se remitirá al órgano promotor y al órgano sustantivo, incluyendo las respuestas recibidas en las consultas previas.

Es el promotor el encargado de elaborar el estudio ambiental estratégico, el cual acatará el contenido del documento de alcance en el que se identifican, describen y evalúan los efectos ambientales significativos derivados de la aplicación del instrumento objeto de evaluación, así como las alternativas técnicas y ambientalmente viables. Una vez elaborado el estudio ambiental estratégico, el propio promotor debe elaborar la versión inicial del plan enviando ambos documentos al órgano sustantivo.

Es misión del órgano sustantivo someter a información pública y consultas esta versión inicial del plan y el estudio ambiental estratégico que lo acompaña. Es viable que la información pública la lleve a cabo el promotor acorde a la legislación sectorial en el caso de que el promotor sea el que inicie la tramitación administrativa del instrumento el instrumento.

Tras este proceso, y teniendo en cuenta los resultados de la participación, es obligación del promotor modificar, si se estima necesario, el estudio ambiental estratégico y elaborar acorde a éste, la propuesta final de plan. A su vez, debe redactar un informe de participación y consulta y un documento resumen, en el cual se recoge todo el procedimiento de manera sintética. Toda esta documentación deberá remitirse por parte del promotor al órgano sustantivo.

El órgano ambiental, tras recibir el expediente evaluación ambiental completo por parte del órgano sustantivo, realizará la declaración ambiental estratégica, la cual consiste en un informe preceptivo y determinante que recoge los principales hitos, resultados, información, consultas, determinaciones, medidas y acciones que deban incorporarse en el plan antes de su aprobación y adopción definitiva. Corresponde al órgano sustantivo, si procede, la aprobación definitiva del plan y su publicación en el Diario Oficial de la Comunidad Autónoma. A su vez, le corresponde el seguimiento de los efectos de la aplicación y desarrollo del plan, para lo cual el promotor debe remitir al órgano sustantivo los informes de seguimiento. Son esenciales los siguientes:

- El órgano ambiental: lo representa la Consejería de Medio Ambiente, Territorio y Vivienda, a través de la Dirección General de Calidad Ambiental y Cambio Climático.

- El promotor: lo representa cualquier persona física jurídica pública personal encargada de la evaluación del plan o programa independientemente de la Administración que en su momento será competente para su aprobación.

- El órgano sustantivo: representa el órgano de la Administración pública competente para adoptar a aprobar un plan o programa.

Especial atención requiere en el caso gallego los procedimientos de evaluación ambiental, tanto la de impacto como la estratégica, sobre las que Baluja (2009) ha realizado una serie de críticas que si bien no han motivado dilaciones en los procedimientos de tramitación, no han respondido a su finalidad de evaluación al ser utilizadas como *"un mero instrumentos justificativo para la aprobación de proyectos [...] siguiendo el mismo camino una EAE, una ficción que sirve de coartada para la aprobación de planes y programas"*[23].

6. EMBOTELLAMIENTOS Y CONDICIONES QUE ALTERAN EL FUNCIONAMIENTO DE LA ORDENACIÓN DEL TERRITORIO EN GALICIA

En el momento de redacción de este capítulo, se plantea la renovación del marco legal en materia de ordenación del territorio tras un recorrido de 25 años de la LOTG. Un nuevo marco legal en ciernes que, a la luz de los textos revisados, evidencia el abandono de toda pretensión de avanzar hacia otras formas de entender y desarrollar la política de ordenación del territorio[24], confirmando la renuncia a la ordenación territorial para entregar la política territorial al modelo de respuesta fácil y compartimentación sectorial que hace del territorio el soporte (un punto de encuentro, pero no de coordinación e integración) de políticas sectoriales[25] (llegando este planteamiento al suelo rústico del planeamiento municipal, que será categorizado en todo caso por las afecciones sectoriales derivadas de la trasposición legislativa de otras Administraciones en el Plan Básico Autonómico). Forma de proceder muy consolidada, hasta el punto de prevalecer a los intentos de reconversión de la política territorial en Galicia, siendo el primero el vinculado con la comarcalización y el Plan de Desarrollo Comarcal (con vocación de complementariedad,

---

23. Véase Baluja (2009) p. 365.
24. Tendente a su consideración como el instrumento de apoyo normalizado y forma de proceder habitual en la toma de decisiones de toda acción de gobierno, y del planeamiento territorial estratégico como la herramienta idónea para el adecuado funcionamiento de los sistemas socio-ecológicos (Farinós, 2017).
25. Aspecto que alcanza su máxima expresión en el Decreto 83/2018, de 26 de julio, por el que se aprueba el Plan básico autonómico de Galicia, plan desarrollado al amparo de lo dispuesto en los artículos 49 y 50 de la Ley 2/2016, del 10 de febrero, del Suelo de Galicia, y 90 y siguientes del Decreto 143/2016, del 22 de septiembre, por el que se aprueba su Reglamento.

más que transformativa)[26]; y especialmente con los cambios que en la propia política de ordenación del territorio se produjeron en el periodo comprendido entre 2007 y 2013.

Y es que, en este periodo además de la aprobación de los dos únicos instrumentos de planificación territorial asociados a una genuina ordenación del territorio con los que cuenta todavía hoy en día Galicia (las DOT y el POL), se realizó una reforma de la Administración con la creación de la Dirección General de Sostenibilidad y Paisaje en el año 2009, a la que se le encomendó el desarrollo de las políticas territoriales dotándola de presupuesto y personal propio. A lo que añadir como acción destacada la aprobación del plan de seguimiento de las DOT[27] (dando respuesta así a lo establecido en el art. 10 de la LOTG) con una triple finalidad:

- La evaluación continua del cumplimiento de lo establecido en las DOT.

- La evaluación de los efectos derivados de estas acciones y como inciden en la sostenibilidad.

- Generar un retorno con la ciudadanía acerca de su percepción del desarrollo de las DOT.

Avances que fueron posibles gracias a acuerdos políticos puntuales (véase Vera y Farinós, 2015 donde se aborda la cuestión de las ventanas de oportunidad), lo que evidencia que esta es una política carente de consenso y aceptación social generalizada y consolidada; cuestiones fundamentales sin las cuales no es posible el cambio de rumbo (comportamiento) de un territorio (como indica Zoido, 2006), ni consecuentemente de la política que debiera ser la que guiara este cambio. Y es que todas estas cuestiones que se han considerado como los avances más significativos en la materia, o bien se han reconsiderado o bien han desaparecido directamente.

---

26. El cual, siguiendo al profesor Precedo Ledo (citado en Doval, 2009) representaba un modelo de desarrollo territorial integrado, complementario de la política regional existente" (Precedo Ledo, A., 1996: 311).

27. Decreto 176/2013, de 21 de noviembre, por el que se aprueba el Plan de seguimiento de las Directrices de Ordenación del Territorio de Galicia y de la sostenibilidad territorial. Un plan de seguimiento que cuenta con un sistema de indicadores, y asociado al cual se crea la Comisión de Seguimiento de las DOT (Decreto 156/2012, de 12 de julio), y que representa el órgano de coordinación técnica de los departamentos, organismos y entes de la Administración General de la Comunidad Autónoma de Galicia. Siendo, acorde al citado Decreto 156/2012 el Instituto de Estudos do Territorio (IET) el soporte técnico para el desarrollo de las funciones de esta Comisión, que nace no sin complicaciones y oposiciones a su desarrollo.

En el año 2012 desaparece la Dirección General de Sostenibilidad y Paisaje y sus competencias regresan a la Secretaría General de Ordenación del Territorio y Urbanismo, hoy Dirección General de Ordenación del Territorio y Urbanismo, con el planeamiento urbanístico como primera preocupación; y la reconsideración del sistema de planeamiento iniciada con la aprobación del Plan Básico Autonómico por un lado y, por otro planteada con el nuevo anteproyecto de ley en que las DOT han sido objeto de flexibilización y los instrumentos y proyectos sectoriales reforzados.

Esto evidencia la falta de voluntad por hacer de la ordenación territorial una política pública de primer orden, y en general por hacer una reconsideración del modelo de desarrollo territorial, adoleciendo tanto la cuestión comarcal como la ordenación del territorio de una falta de continuidad y dotación económica para su desarrollo adecuado (Doval, 2009), inclusive de lograr una nueva forma de entender y actuar en el territorio gallego. Lo que aboca a continuar con una situación en la que se favorece una intervención, que no ordenación, territorial. Y que ha dado lugar, tal y como recoge Paredes (2015, p.104-105)[28], a un modelo de desarrollo basado en una transformación territorial caótica que lejos de avanzar hacia la cohesión, ha aumentado las dicotomías entre las zonas urbano-industriales (localizadas en los espacios litorales y áreas metropolitanas) y las rurales de interior. Considerando el citado autor que más allá del impacto económico inmediato asociado a estas intervenciones territoriales, no se ha obtenido todo el potencial de las iniciativas desarrolladas; como tampoco se ha obtenido el máximo beneficio de estas transformaciones, el sistema de planeamiento no ha permitido obtener todo el potencial de estas intervenciones territoriales, como tampoco maximizar el rendimiento de las inversiones procedentes de fondos europeos (especialmente las vinculadas al desarrollo rural). Una cuestión que se ve agravada por las entidades locales marcadas por prácticas clientelares en el desarrollo de actividades socioeconómicas y su localización espacial, que chocan continuadamente con cualquier intento de acción supramunicipal dónde la jerarquía y el modelo de asentamientos de las DOT cobraría su sentido; y donde tiene lugar una dinámica social particular, conocida como *"tu vai faziendo"*, que permitió (con la complicidad permisiva de la sociedad y Administración pública)

---

28. A partir de Ferrás (1996, 1998), Ameixeiras (1999), Pino (2001), (Souto (1995), Crecente (2002), Paredes (2007), Carreras y Carral (2014).

una ocupación y dispersión territorial al margen, en muchas ocasiones, de la legalidad[29] (Lois y Aldrey, 2011).

Siendo un territorio en el que se evidencia una escala regional fuerte (asociada a un gobierno regional) y una escala local marcada por la existencia de un gran número de términos municipales mayoritariamente de pequeño tamaño y de población escasa y dispersa (parroquias y ayuntamientos rurales escasamente funcionales). Un contexto que ha resultado muy complejo para el desarrollo de cualquier planteamiento de carácter supramunicipal, que es visto desde la escala regional como un posible contrapoder (claro caso de las áreas metropolitanas); como también sucede con las comarcas, que se ven como una amenaza por parte de las entidades locales (municipios y provincias). El resultado, en última instancia, es la dejación de la escala subregional en el territorio gallego. Consorcios y mancomunidades (Doval, 2009) van a ser los intentos mayoritarios para abordar los problemas de coordinación a escalas subregionales ya que representaba una alternativa para la creación de empresas públicas destinadas a la prestación de determinados servicios concretos, que no implicaba la pérdida de incidencia territorial de las entidades municipales y, por tanto, de los espacios de poder de intereses particulares, ha parecido prevalecer a los diferentes intentos de regulación del ámbito supramunicipal. Esto tiene una estrecha relación la lectura distorsionada que de esta política parece haberse generalizado y que como plantean Lois y Aldrey (2011), es considerada más un freno para el desarrollo económico que la herramienta adecuada para lograr un desarrollo territorial y sostenible tendente a la cohesión mediante prácticas basadas en la gobernanza.

En cualquier caso, y aunque sean escasos, son objeto de valoración los procedimientos de tramitación de las figuras de planeamiento con el fin de detectar los motivos por los cuales se han producido (o no) estrangulamientos. En primer lugar, se aborda el procedimiento de tramitación de unas DOT[30] dilatada durante 15 años, marcada por las irregularidades

---

29. En este sentido, y tal y como recoge Roma (2008), *"la realidad gallega ha puesto de manifiesto algunos supuestos más complejos que van más allá de la falta de observancia o mera vigilancia en el campo de este estudio [tipo penal del delito de prevaricación urbanística del artículo 319.1 del Código penal asociado a la prevaricación por omisión]"*.

30. Y que sintetizó Baluja (2009) cuando el procedimiento ya andaba próximo a su finalización, y se puede consultar tanto el resumen como el detalle del mismo en la web de la Consellería de medio ambiente, territorio y vivienda del gobierno gallego (https://cmatv.xunta.gal/seccion-organizacion/c/CMAOT_Instituto_Estudos_Territorio?content=Direccion_Xeral_Sostibilidade_Paisaxe/Directrices_Ordenacion_Territorio/seccion.html&sub=Historia_dot/).

y conflictos. Iniciado el trámite en 1996, rápidamente apareció la primera causa embotellamiento en el procedimiento, la licitación de los trabajos de redacción del documento de avance (véase Aldrey, 2007 para una valoración del contenido de este avance) demoró el inicio de desarrollo de esta figura 4 años (momento en el que comienza la redacción de unas DOT, que requerirán otros 4 años (hasta 2004) para finalizar este trabajo.

Finalmente y tras 8 años desde que se iniciara el procedimiento, se dispone de un documento de avance de las DOT que en 2004 se somete a información pública y consultas (véase figura 4), cuestión que aunque no causó dilaciones temporales, ha sido motivo de críticas, ya que de acuerdo con Baluja (2009, p. 379) no se respondieron parte de las alegaciones presentadas en este trámite, además de considerar que no fueron lo suficientemente amplias, y no se contó con todas las personas y colectivos que deberían participar.

A partir del documento de avance y a la vista de los resultados del procedimiento de información y participación, en 2005 se inicia la redacción del documento de las DOT que se someterá a aprobación inicial cuya redacción finaliza en 2008 (nuevamente un dilatado procedimiento de redacción como ocurriera con el documento de avance). Encontrando en este momento un procedimiento que había carecido de un proceso de evaluación ambiental, a pesar de que el 27 de junio de 2001 se aprobó la Directiva 2001/42/CE[31], y posteriormente en el ámbito nacional entrada en vigor la ley 9/2006 de evaluación ambiental (que transpone la directiva indicada 2001/42/CE).

Por ello, en agosto de 2008, a petición de la Conselleria de Política Territorial, se inicia un procedimiento de evaluación ambiental que fue analizado en detalle en el trabajo de Baluja (2009), cuya conclusión es que el documento de las DOT de 2008-2009 se tramitan sin una EAE efectiva, cometiéndose una serie de errores e irregularidades[32] que vienen a mostrar que, por la proximidad del calendario electoral prevalecen las prisas frente a una verdadera intención de hacer una EAE como tal, siendo aprobado inicialmente

---

31. Del Parlamento Europeo y del Consejo, de 27 de junio de 2001, relativa a la evaluación de los efectos de determinados planes y programas en el medio ambiente.

32. Cuestiones como la falta de comunicación entre las diferentes Administraciones involucradas en el procedimiento, tramitándose en este caso la EAE sin comunicación efectiva entre departamentos de la Conselleria. Unos procedimientos de participación que no abarcaban a todas las personas y entidades que deberían ser partícipes. La documentación técnica elaborada solo cumple los mínimos con el fin de minimizar impactos negativos en el procedimiento...

el documento de las DOT por la Dirección General de Urbanismo (PSOE) el de octubre de 2008[33] sin el necesario documento de referencia ambiental de la Dirección General de Evaluación Ambiental (BNG). Esto implicó la necesaria anulación del trámite y el reinicio del procedimiento publicada el 9 de noviembre de 2009, por la que se acuerda retrotraer el expediente de tramitación de las DOT al inicio del proceso de tramitación ambiental-evaluación ambiental estratégica. Con todo, las DOT son aprobadas provisionalmente en el año 2010, y finalmente cuenta con la aprobación definitiva en 2011 (Decreto 19/2011, de 10 de febrero, por el que se aprueban definitivamente las Directrices de Ordenación del Territorio).

A diferencia de las DOT, el procedimiento mediante el cual se desarrolló y aprobó el POL[34] se caracterizó por la ausencia de dilaciones temporales, siendo únicamente necesarios 4 años para la tramitación de una figura que se inicia en 2007, tras el acuerdo del Consejo de la Xunta de Galicia de 24 de mayo. Iniciado dos años después el procedimiento de EAE, en 2009, el cual y a diferencia de las DOT, se tramita sin irregularidades (véase figura 7). Realizándose en 2010 los trámites de audiencia y exposición que preceden a la aprobación inicial del POL, tras la cual se realizan los trámites de participación pública y consultas, que nuevamente no han sido motivo de críticas. Llevándose a cabo la aprobación provisional a finales de 2010 y seguidamente a principios de 2011 la aprobación definitiva del POL mediante el Decreto 20/2011, de 10 febrero.

Pese a todo, es necesario realizar algunas consideraciones respecto del procedimiento. La primera es que este instrumento no era la alternativa inicial para afrontar la planificación del litoral, ya que esta tarea la encomendaba la Ley 9/2002, de 30 de diciembre, de ordenación urbanística y protección del medio rural de Galicia, acorde a lo establecido en su disposición transitoria octava (Directrices de ordenación del territorio y planes sectoriales) a un plan sectorial que debería haberse tramitado en el plazo de dos años, y por tanto debería haber entrado en vigor en 2004. Sin embargo, la ausencia de cualquier tipo de planificación en un espacio litoral que como se ha indicado, concentra población y actividades socioeconómicas que venían transformando el territorio sin planificación asociada, sumado a las malas praxis urbanísticas comentadas, dio lugar a una situación marcada por la insostenibilidad. Motivando que se tramitara y aprobara la Ley 6/2007, de medidas urgentes en materia

---

33. Publicación en el DOG de la Orden del 15 de septiembre de 2008, por la que se aprueban inicialmente las directrices de ordenación (18 de Septiembre de 2008).

34. Resumido en: http://www.xunta.es/litoral/web/index.php/cronograma.

de ordenación del territorio y del litoral de Galicia, ante la imperiosa necesidad de frenar una ocupación irracional del litoral, haciendo que el plan previsto para el litoral no fuera sectorial, sino que adquiriese la consideración, tal y como establece en el artículo 2 de la indica Ley la consideración de PTI.

Una segunda cuestión a tener en cuenta es la necesaria suspensión de los trámites urbanísticos, permitiendo centrarse en la elaboración del documento rebajando la presión sobre el territorio, que no sobre el equipo redactor del documento.

Una tercera cuestión, fue el consenso, el hecho de que este trabajo se iniciara por un gobierno de coalición PSOE-BNG y se continuara por el gobierno de mayoría absoluta del PP, manteniendo el equipo técnico redactor y dando continuidad a todos los trabajos iniciados bajo otras siglas políticas hacía entrever que, al menos, a nivel regional las discusiones se centrarían en aspectos propios del debate político sin entorpecer la acción planificadora del equipo redactor.

En otro orden de cosas, las DOT establecieron la necesaria elaboración de una serie de PTI, de cuencas hidrográficas y de los caminos, sin que finalmente ninguno vaya a tener una aprobación definitiva. Tras la exitosa experiencia del POL se puso en marcha la elaboración del PTI de la Cuenca hidrográfica del río Eume, cuyo inicio se acordó por resolución del 10 de octubre de 2012, y hoy en día no ha tenido aparente avance significativo a pesar de estar elaborado prácticamente desde 2014 (tal y como se deduce de algunos artículos y revistas; vid. Díaz et al, 2018).

7. SITUACIÓN RESULTANTE

Tras 25 años de recorrido la OT en Galicia, más que un problema de estrangulamiento en los procedimientos de tramitación de sus figuras de planeamiento que dilate la puesta en marcha de la política de ordenación del territorio, se enfrenta un problema de desinterés político por estas cuestiones. Por tanto, aunque Galicia ha desarrollo una gran cantidad de figuras reconocidas como parte de la OT (los planes y proyectos sectoriales), no se puede hablar de una genuina OT en Galicia que tuvo en el año 2011 su momento más álgido tras aprobar unas DOT que no lograron transformar unas dinámicas y comportamientos muy asentados volviéndose a la visión urbanística sectorial con la promoción del citado Plan Básico Autonómico; siendo el planeamiento subregional integral el gran ausente, más allá de un plan litoral que, a pesar de haber sido concebido originalmente como plan sectorial, se le otorgó el rango de PTI.

Tabla 2. Situación del planeamiento territorial en Galicia

Instrumento	Anterior	Previsto	Realizados	SIOTUGA
Planes Territoriales Integrados				
Litoral	0	1	1	
Sistemas de asentamientos	0	29	0	
Caminos de Santiago	0	1-6	0	
Cuencas hidrográficas	0	20 o más	0	1 (Litoral)
Planes coordinados de acción	0	1/año	0	0
Planes sectoriales de incidencia supramunicipal	20	9	2 + 3 no previstos	21
Proyectos sectoriales de incidencia supramunicipal	348	0	69	372
Planes de Ordenación del Medio Físico	0	2	0	-

Fuente: Informes de alegación al anteproyecto de Ley de Ordenación del Territorio presentados por el COAG y el SGHN, así como el SIOTUGA

Esta situación se ve agravada con el nuevo anteproyecto de ley, actualmente en trámite, pues lejos de avanzar para subsanar las deficiencias actuales, como pueda ser la falta de materialización efectiva del contenido de las DOT tras 9 años de recorrido[35]; va a introducir modificaciones (refuerzo del planeamiento sectorial y flexibilización de las DOT) que van a banalizar la ordenación del territorio, vaciándola de contenido y sentido.

Que la ordenación del territorio ha recibido escasa o nula atención por parte del gobierno y el parlamento gallego, es una realidad. Y efectivamente el nuevo anteproyecto de ley no se ha promovido con objeto de procurar un desarrollo efectivo del sistema de planeamiento que estableciera la LOTG, introduciendo las mejoras oportunas. Son muy ilustrativas, en este sentido, las palabras del presidente regional que reconoce que el nuevo texto legal es un *"documento que aporta mayor seguridad a la figura de plan sectorial –el instrumento que ordena y regula la implantación de actividades sectoriales en el territorio– [...] una garantía para la inversión, para el*

---

35. Tal y como se puede desprender de los datos contenidos en los informes remitidos al Parlamento de Galicia en los años 2013 y 2015. Teniendo en cuenta que están pendientes, entre otras, las determinaciones excluyentes 10.1.2, relativa a los PTI; 10.1.9 y 10.1.12 relativas a los Planes Sectoriales, o las determinaciones 3.3.2 y 3.3.8 relativas a la consideración de las DOT como Directrices del Medio Rural establecidas en la Ley 45/2007; o la 3.3.22, para hacer un Plan específico de ordenación de la acuicultura en tierra, entre otras.

crecimiento ordenado, para un urbanismo con principios y para que todo el mundo sepa exactamente qué se puede hacer"[36].

Toda una declaración de intenciones que resume perfectamente los cambios que se han introducido en este anteproyecto de ley con respecto a la LOTG y que van en esta línea. No es de extrañar que la batería de instrumentos de planeamiento haya sido reconsiderada para hacer de los planes sectoriales la herramienta predilecta para el desarrollo de una ordenación del territorio en Galicia que tiene por finalidad última el control sobre la irregular práctica urbanística (una lectura reactiva de la misma) y la creación de las condiciones de seguridad jurídica que permitan el desarrollo de unos proyectos, ahora denominados de interés autonómico, para el desarrollo económico. Unos planes sectoriales que han visto reconsiderado su procedimiento de tramitación, ahora idéntico al de los PTI[37], y que al igual que todas las figuras de planeamiento y urbanismo, incorporan la EAE (que ha sido motivo de conflicto en el territorio gallego) como parte de los procedimientos. Cuestión ésta que representa más el reconocimiento de la necesidad de llevar a cabo un trámite obligatorio por ley que una propuesta de mejora de los procedimientos con el fin de mejorar la coordinación intersectorial e interadministrativa, sobre lo que no se ha hecho ninguna reconsideración. Como tampoco de unos procedimientos participativos que en nada cambian en lo formal, ya que continúan basados en las alegaciones y procesos de información pública. Únicamente la creación del registro de planeamiento territorial y urbanismo (véase el punto 4.7 del presente trabajo) ha supuesto una novedad como punto de referencia para el acceso a la información en materia de planeamiento territorial y sus trámites asociados.

Situación que va en detrimento (aunque no explícito) de unos PTI (planeamiento de ámbito subregional de carácter integral) que ahora deben incluir en su contenido lo que en la LOTG designaba como tarea de unos PCA que desaparecerán con la entrada en vigor del nuevo marco legal (y que van a aumentar la complejidad y requisitos para el desarrollo de unos PTI que parecen complicar para justificar la elección de una planificación sectorial más eficiente).

---

36. Texto procedente de https://www.xunta.gal/notas-de-prensa/-/nova/45457/feijoo-avanza-aprobacion-ley-ordenacion-del-territorio-que-culmina-proceso-regulacion.

37. Tal y como se recoge en el artículo 41. Procedimiento de elaboración y aprobación de los planes sectoriales: Los planes sectoriales se tramitarán de acuerdo con el procedimiento establecido en el artículo 34 para los planes territoriales integrados.

También se echa en falta una propuesta real que vaya más allá de un vago reconocimiento de la necesidad de ajustar la acción administrativa al principio de cooperación[38] en un territorio en el que tanto el gobierno regional como el local se han mostrado reacios a la construcción de escalas subregionales al considerar el primero (asociado a las áreas metropolitanas, sobre las que se habla en Lois y Aldrey, 2011) que supone la aparición de contrapoderes; y los segundos que esto supone una pérdida de capacidad de gobierno. Continuando pendiente de resolución el debate sobre la necesidad de realizar una reestructuración y un funcionamiento administrativos en el que el gobierno regional no concentre de manera excluyente la toma de decisiones, sino que se creen los medios y mecanismos de participación efectiva para una gobernanza conjunta de todo el territorio. Siendo este un debate que no solo hay que contemplar en el ámbito subregional, sino que cabe actualizar para dar respuestas a una realidad en la que la organización y división administrativa tradicional ya no encaja con unas dinámicas y necesidades territoriales que llegan a trascender lo nacional como en el caso de Galicia con Portugal (Fernández, 2010), y que requieren de una relectura (Romero, 2009) que hasta el momento solo se ha contemplado desde iniciativas vinculadas a la planificación estratégica.

Por tanto, todo apunta a una futura situación esperable de la OT en Galicia que como venimos indicando, fruto de estos cambios presentara una continuidad, si no directamente un reforzamiento, de sus características actuales. Es decir, ausencia de planeamiento subregional, prevalencia de los enfoques sectoriales y total y absoluto protagonismo de la escala (que no de la población) local. El reto para el futuro será trascender las sucesivas normativas impuestas desde el ejecutivo y, por fin, alcanzar un consenso político necesario para llevar a cabo una verdadera OT socialmente aceptada e integrable en los procedimientos de transformación cotidiana.

---

38. Artículo 10. La cooperación entre administraciones 1. Las administraciones competentes en materia de ordenación del territorio adoptarán como principio rector de su actuación el de cooperación interadministrativa, arbitrando cuándo proceda para que las demás administraciones puedan participar en las decisiones propias, en los términos establecidos en la legislación básica estatal y en el artículo 2 de esta ley. 2. Sin perjuicio de lo previsto en la legislación estatal de carácter sectorial, en la aprobación de los instrumentos, planes y proyectos que correspondan a aquellas administraciones cuyas competencias tengan incidencia en el territorio de la Comunidad de Galicia se procurará la debida coordinación con las atribuidas en el ámbito territorial a la Administración Autonómica.

8. REFERENCIAS BIBLIOGRÁFICAS Y NORMATIVA

BIBLIOGRAFÍA

AGRELO L. M. (2017). *Os instrumentos previstos na Lei 10/1995 de Ordenación do Territorio de Galicia. Planificación modélica ou expectativas frustradas?* (Trabajo de fin de máster) Universidade de Santiago de Compostela.

ALDREY, J. A. (2007). A ordenación do territorio en Galicia e o Norte de Portugal: competencias e desenvolemento. *Eixo Atlántico: revista da Eurorrexión Galicia-Norte de Portugal*, 11, 37-53.

ANTEQUERA, A. (2012). Sobre el uso de los términos Bienestar y Calidad de Vida en la Ordenación del Territorio. *Cuadernos de Ordenación del Territorio*, 2, 11-14.

BALUJA, E. G. (2009). Ordenación territorial e avaliación ambiental en Galicia: ficción e coartada A propósito das Directrices de Ordenación do Territorio. *Boletín IEV*, 14, 365-392.

BARBOSA, J. M. (2011): *Sobre uma possível reforma territorial. Desperta do Teu Sono.* http://despertadoteusono.blogspot.com.es/2011/05/sobre-uma-possivel-reformaterritorial.html.

BENABENT, M. (2006): *La ordenación del territorio en España. Evolución del concepto y de su práctica en el siglo XX.* Sevilla: Universidad de Sevilla – Consejería de Obras Públicas y Transporte de la Junta de Andalucía.

BOIX, A. (2018). La redefinició del mapa territorial i de gestió per a fer front al repte del despoblament al País Valencià. En J. Farinós (coord.), *Hacia una nueva inteligencia territorial en la Comunitat Valenciana* (pp. 177-187). Valencia: PUV.

CRUZ, J. (2020). El modelo territorial. En J. Farinós (coord.), *Desafíos y oportunidades de un mundo en transición. Una interpretación desde la geografía* (pp. 503-524). Valencia: PUV.

DÍAZ, J. M., SANTÉ, I., y NIETO, E. (2018). A aptitude do solo na avaliación de terras para a planificación territorial. *Revista Galega De Economía*, 27(2), 155-170.

DOVAL, A. (2002). La implantación territorial del plan de desarrollo comarcal en Galicia durante el período 1990-2000. En: C. Fernández Cortizo., D. L. González Lopo y E. Martínez Rodríguez (eds.), *Universitas: Homenaje a Antonio Eiras Roel.* Tomo II (pp. 339-352).

Santiago de Compostela: Servizio de Publicacións e Intercambio Científico.

Doval, A. (2009). Desarrollo comarcal, ordenación y cooperación territorial en Galicia. En IVIE (ed.), *El desarrollo regional en períodos de cambio*. Congreso de la Asociación Española de Ciencia Regional – XXXV Reunión de estudios regionales – IV Jornades valencianes d'estudis regionals.

Lois, R. C. y Aldrey, J. A. (2011). El problemático recorrido de la Ordenación del Territorio en Galicia. *Cuadernos geográficos de la Universidad de Granada*, 47 (2), 583-610.

Evans, J. (2014): *Uma Europa das paróquias*. Diário Liberdade. http://www.diarioliberdade.org/galiza/institucional/46387-uma-europa-daspar%C3%B3quias.html.

Farinós, J. y Vera, O. (2016). Planificación Territorial Fronética y Ética Práctica. Acortando las distancias entre plan y poder (política). *Finisterra*, 51(101), 45-69.

Farinós, J. (2017). La gobernanza como elemento de transformación territorial, ambiental y urbana. ¿Una gobernanza territorial sin territorio? En A. Serrano (coord.), *Ordenación del territorio, urbanismo y medio ambiente en un mundo en cambio* (pp. 213-286). Valencia: Cátedra de Cultura Territorial Valenciana.

Fariña, X. (1996): *La parroquia rural en Galicia*. Santiago de Compostela: EGAP.

Fernández, M. (2010). El eixo atlántico como agente activo en la ordenación del territorio en Galicia. *Eixo Atlántico. Revista da Eurorrexión Galicia-Norte de Portugal*, 17, 27-43.

García, J. (2002). *Territorio y nacionalismo. La construcción geográfica de la identidad gallega*. Galicia: Consellería de Cultura, Comunicación Social e Turismo, Xunta de Galicia.

Máiz, R. (1997). Desconfianza e poder persoal, os mecanismo elementais do clientelismo político, *A Trabe de Ouro*, 31, 299-317.

O'Flanagan, P. (1996): *Xeografía Histórica de Galicia*. Xerais: Vigo.

Olcina, J. y Farinós, J. (2017). Revisión de propuestas de clasificación y organización territorial de España: el papel de la geografía regional. En J. Farinós y J. Olcina (eds. y coords.), *Geografía Regional de España. Espacio y Comunidades* (pp. 81-144). Valencia: Tirant lo Blanch.

PAREDES, X. M. (2015). Nem ordem nem progresso para o nosso territorio. O (des)ordenamento territorial na Galiza. *INTERthesis*, 12(2).

PAZO, A. J. (2005). La parroquia rural en Galicia. De espacio vivido a contenedor de habitantes. En S. Reboreda Morillo (coord.), *Homenaxe á Profesora Lola F. Ferro: estudios de historia, arte e xeografía* (pp. 377-400). Vigo: Universidade de Vigo – Servizo de Publicacións.

PEIRÓ, E. (2017). *Análisis de los planes territoriales sectoriales en España. Diagnóstico y tipificación por Comunidades Autónomas*. Valencia: PUV.

PRECEDO, A. (1987). *Galicia: estructura del territorio y organización comarcal*. Santiago de Compostela: Xunta de Galicia.

PRECEDO, A. (1996). El plan comarcal de Galicia: un modelo de desarrollo territorial integrado. *Papeles de Economía Española. Economía de las Comunidades Autónomas*, 16, 311-322.

RAFFESTIN, C. (1999): "Paysages construits et territorialités", Convegno Internazionale Disegnare paesaggi construiti, DIPRA. Turín. Politecnico di Torino.

RANDO, E. (2019): *Legislación e instrumentos de la ordenación del territorio en España*. Madrid: Editorial Iustel.

RANDO, E. (2020): *Régimen Jurídico de la Gestión Territorial*. Valencia: Editorial Tirant lo Blanch.

ROMA, A. (2008). El alcance del delito contra la ordenación del territorio en supuestos complejos. Algunos ejemplos en Galicia. *Estudios penales y criminológicos*, 28, 397-440.

ROMERO, J. (2009). *Geopolítica y gobierno del territorio en España*. Valencia: Tirant lo Blanch.

SÁNCHEZ, J. C. (2013). Bases para el análisis geohistórico del poblamiento rural tradicional en Galicia. *Boletín de la Asociación de Geógrafos Españoles*, 62, 75-99.

SUÁREZ, B., TUBÍO, J. M.ª Y CRECENTE, R. (2016). La ordenación del territorio en Asturias y Galicia. ¿Por qué la divergencia? En U. Fra y F.J. López (eds.), *Territorios a examen III. Análisis comparado de la gestión territorial – Territorios a exame III. Análise comparada da xestión territorial* (pp. 31-52). Santiago de Compostela: Universidade de Santiago de Compostela, Servizo de Publicacións e Intercambio Científico.

VAQUER, M. (2018). *Derecho del Territorio*. Valencia: Tirant lo Blanch.

VEIGA, X. R. (1999a). Do 'candidato oficial' ao 'gobierno amigo', ou a permanente actualidade do clientelismo político, unha análise desde a historia. *A Trabe de Ouro*, 40, 493-511.

VEIGA, X. R. (1999b). Tradución do clientelismo: historia dos parentes e dos amgos, *Tempos Novos*, 24, 38-41.

ZOIDO, F. (2006). Modelos de ordenación territorial. En L. E. Espinosa y V. Cabero Diéguez (eds.), *Sociedad y Medio Ambiente* (pp. 251-285). Salamanca: Universidad de Salamanca.

NORMATIVA

Ley Orgánica 1/1981, de 6 de abril, de Estatuto de Autonomía para Galicia.

Ley de Galicia 1/1983, de 22 de febrero, de normas reguladoras de la Xunta y de su Presidencia.

Ley 22/1988, de 28 de julio, de Costas.

Ley 10/1995, de 23 de noviembre, de Ordenación del Territorio.

Ley 7/1996, de 10 de julio, de Desarrollo Comarcal.

Ley 9/2006, de 28 de abril, sobre evaluación de los efectos de determinados planes y programas en el medio ambiente.

la Ley 6/2007, de 11 de mayo, de medidas urgentes en materia de Ordenación del Territorio y del Litoral de Galicia.

Ley 45/2007, de 13 de diciembre, para el desarrollo sostenible del medio rural.

Ley 16/2010, de 17 de diciembre, de organización y funcionamiento de la Administración General y del Sector Público autonómico de Galicia.

Ley 7/2012, de 28 de junio, de montes de Galicia, para las talas de árboles.

Ley 21/2013, del 9 de diciembre, de Evaluación Ambiental.

Decreto 65/1997, de 20 de febrero, por el que se aprueba definitivamente el mapa comarcal de Galicia.

Decreto 158/2005, de 2 de junio, por el que se regulan las competencias autonómicas en la zona de servidumbre de protección del dominio público marítimo-terrestre.

Decreto 19/2011, de 10 de febrero, por el que se aprueban definitivamente las Directrices de Ordenación del Territorio.

Decreto 244/2011, de 29 de diciembre, por el que se aprueban los estatutos del organismo autónomo Instituto de Estudios del Territorio.

Decreto 156/2012, del 12 de julio, se crea la Comisión de Seguimiento de las Directrices de Ordenación del Territorio de Galicia.

Decreto 88/2018, de 26 de septiembre, por el que se establece la estructura orgánica de la Xunta de Galicia.

Decreto 42/2019, de 28 de marzo, por el que se establece la estructura orgánica de la Consellería de Medio Ambiente, Territorio y Vivienda.

Capítulo 15

La planificación territorial en Madrid

Esther Rando Burgos

Profesora de Derecho Administrativo.
Universidad de Málaga

Enrique Peiró Sánchez-Manjavacas

Ambientólogo, Doctorando del IIDL. Investigador responsable e investigador del
GDLS-Grupo de Investigación consolidado. IIDL-Universitat de València

1. ANTECEDENTES

La evolución de la ordenación del territorio, en adelante OT, y de las propias políticas territoriales en la Comunidad de Madrid presenta, sin duda, un particular escenario[1]. Se trata de un caso muy singular, en el que los límites del fenómeno a ordenar, de marcado carácter urbano, van más allá de los límites administrativos de la Comunidad Autónoma, en un espacio que ha evolucionado desde gran ciudad a región metropolitana tras la expansión como etapa intermedia de área metropolitana. Esto hace particularmente necesario el establecimiento de medidas de cooperación y coordinación en un ámbito en el que la ordenación del territorio es inexistente en su aplicación práctica. En efecto, nos encontramos ante una de las Comunidades Autónomas que menor atención ha dedicado a esta función pública y que, sin embargo, más precisada se encuentra de una adecuada planificación territorial.

La política territorial de la Comunidad de Madrid se caracterizó por una rápida promulgación de un texto legal (siendo la segunda Comunidad Autónoma en establecer un marco normativo en esta materia después de Cataluña), la Ley 10/1984, de 30 de mayo, de Ordenación del Territorio de la Comunidad de Madrid, al que seguiría una pronta revisión del mismo. Sin embargo, a lo anterior no siguió, como hubiera sido esperable (y deseable), el desarrollo y consolidación de esta función pública, hasta el punto de que nos encontramos ante una de las Comunidades Autónomas que carece de instrumentos destinados a la ordenación territorial a día de hoy. Una de las posibles causas que se apuntan como responsables de la ausencia de desarrollo de esta función pública hasta el momento es la falta de una adecuada correlación entre las dinámicas territoriales y los niveles administrativos clásicos, de manera que la necesidad de abordar el territorio de manera flexible, con vocación integral y adaptativa a la realidad y a unas dinámicas vinculadas a una región funcional que va más allá de la propia Comunidad Autónoma, han sido considerados como el principal hándicap a superar, hasta el momento (sin éxito). Así mismo, la dinámica expansiva continuada ha representado una oportunidad para apostar por una dinámica edificatoria de índole especulativa que encontraba mayor oportunidad de desarrollo en un marco de desregulación territorial, motivo añadido a la situación de complejidad territorial.

Ahora bien, la cuestión estriba en cómo abordar la cuestión territorial en el ámbito madrileño. En primer lugar, no puede obviarse que el contexto en el que se enmarca el funcionamiento y desarrollo diario del

---

1. Como antecedentes de los estudios que han abordado la cuestión véase el trabajo de Valenzuela Rubio (2011).

territorio madrileño es el de un área metropolitana. La falta de atención y la carencia de una adecuada articulación para estos ámbitos por parte de nuestro ordenamiento, es la piedra angular en torno a la que gira la cuestión. Como se indica, algo generalizado pero cuyas consecuencias se intensifican de forma particular en ámbitos como el madrileño, lo que insiste en la necesidad de apostar por fórmulas capaces de gestionar estas realidades territoriales.

La instrumentación en materia territorial, más allá del urbanismo, no ha tenido lugar. Únicamente las Directrices de Ordenación Territorial, al amparo de la primera normativa en materia de OT tuvieron redacción, sin llegar a posteriores fases, y el planteamiento de un instrumento regional, el Plan Regional de Estrategia Territorial, que en 1995 contaría con un documento preparatorio que quedaría en 1996 sin mayor desarrollo como documento de bases. El resto de los instrumentos previstos por la normativa careció ni siquiera de planteamiento para su desarrollo. La contextualización temporal en la que se realizó la redacción de estas Directrices (a partir de 1985) y su marcado carácter regulatorio y coordinatorio de un urbanismo voraz, parecen los principales argumentos en contra de este instrumento que representaba un freno para las perspectivas iniciadas en la década de los 90 de carácter especulatorio de índole urbanístico.

Así, la OT canónica, omnicomprensiva que abordaba la complejidad territorial daba paso a nuevos enfoques estratégicos para la planificación territorial. Sin embargo, las razones que llevaban a este cambio no parecen fundamentarse en la necesidad de coordinación y cooperación o la participación de los actores locales, sino la flexibilidad, pragmatismo y rapidez para elaborar este tipo de instrumentos, resultando particularmente llamativo el hecho de que su redacción no se fundamentaba en un diagnóstico de la situación y contexto territorial de la época. Una respuesta rápida y pragmática que permitía centrar la atención sobre determinados aspectos territoriales en detrimento de una visión de conjunto. Será por tanto la planificación sectorial, junto con el urbanismo, la encargada de configurar el territorio madrileño. Sin embargo, la normativa territorial del año 84 no daba cobertura legal a los nuevos instrumentos estratégicos, por tanto, era necesario dar paso a un nuevo texto legal que reflejase la realidad de la política territorial, materializado por imperativo legal en la Ley 9/1995, de 28 de marzo, de Medidas de Política Territorial, Suelo y Urbanismo. Esta ley recupera a su vez la necesidad de una OT integral, fundamentada en un instrumento regional desarrollado posteriormente por instrumentos a escala subregional, siendo fundamental la figura del Plan Regional de Estrategia Territorial (PRET), instrumento marco de referencia tanto para el desarrollo de la OT como del Urbanismo, que además favorecía que la

Administración regional coordinase tanto la OT como la política sectorial y las acciones estratégicas. Esta primera aproximación, no obstante, se centraba más en la figura de las Actuaciones de Interés Regional, abandonando toda perspectiva de coordinación y perspectiva de territorio conjunto para focalizar la atención en intervenciones urbanísticas puntuales.

El cambio de color político en el gobierno regional en el año 95 implicó modificaciones en el planteamiento regional, que abandonó cualquier perspectiva integral de planificación estratégica para centrar su atención en proyectos concretos. La política territorial sectorial continúa como único enfoque de planificación asimilable a la Ordenación del Territorio, pero carente de capacidad de coordinación, siendo el único ejemplo de planificación territorial de ámbito supramunicipal el PORN del Parque Nacional del Guadarrama, instrumento previsto en la normativa medioambiental que presenta un enfoque integral en la medida en la que aborda la totalidad del territorio y sus dinámicas (y las vincula a un espacio natural digno de protección). Se carecía por tanto de un marco de coordinación que guiase la actividad territorial de carácter local.

2. NORMATIVA BASE DE LA ORDENACIÓN DEL TERRITORIO EN MADRID

Recopilación de la normativa en materia de OT y los instrumentos que engloba y elabora. La información básica sobre la normativa y los instrumentos de OT se resume en la siguiente tabla:

Tabla 1. Marco regulador e instrumental de la Ordenación del Territorio en Madrid

Comunidad Autónoma	Madrid
Antecedentes normativos	Ley 10/1984, de 30 de mayo, de Ordenación Territorial de la Comunidad de Madrid
Legislación OT actual	Ley 9/1995, de 28 de marzo, de Medidas de Política Territorial, Suelo y Urbanismo
Departamento OT actual	Consejería de Medio Ambiente y Ordenación del Territorio
Plan OT regional	Plan Regional de Estrategia Territorial (Sin desarrollo)
Entrada en vigor (año)	Sin aprobación definitiva
Normativa de aprobación	Sin normativa de aprobación

Comunidad Autónoma	Madrid
Organismo impulsor	Sin desarrollo
Otros planes OT	Programas Coordinados de la Acción Territorial Planes de Ordenación del Medio Natural y Rural
Otros planes con incidencia en OT	Actuaciones de Interés Regional Proyectos de Alcance Regional

Fuente: Elaboración propia

3. ESQUEMA DE INSTRUMENTOS

La Ley 9/1995, de 28 de marzo, de Medidas de Política Territorial, Suelo y Urbanismo de Madrid (LMPTSUM), dedica su título III "Ordenación del Territorio y Planes que la definen" a los instrumentos de ordenación territorial previstos en esta Comunidad Autónoma. Enumerados en el artículo 14, la Comunidad de Madrid se dota de tres instrumentos: el Plan Regional de Estrategia Territorial; los Programas Coordinados de la Acción Territorial; y los Planes de Ordenación del Medio Natural.

La falta de desarrollo de la ordenación del territorio hace que las valoraciones y los comentarios relativos a las interrelaciones entre instrumentos presenten un marcado componente teórico. Siguiendo a Benabent (2006), el modelo de la Comunidad de Madrid sigue una estructura jerárquica entre instrumentos de pirámide abierta, caracterizada por la prevalencia de un instrumento regional que puede desarrollarse de manera independiente y sin ninguna relación de prevalencia jerárquica entre ellos por instrumentos subregionales y sectoriales. La posibilidad de desarrollar un modelo territorial de manera independiente por instrumentos integrales o sectoriales no representa la mejor alternativa por la prevalencia de los segundos. Agravado en el caso madrileño por la ausencia, incluso de su planteamiento, de un modelo territorial a desarrollar. Así pues, son la planificación sectorial y el urbanismo los responsables de la construcción del territorio. Así, los instrumentos, presentes en la normativa para el territorio madrileño[2] son los siguientes:

---

2. En relación al análisis de los diferentes marcos legislativos, los instrumentos de planificación territorial y los procedimientos de elaboración y tramitación de los mismos en las diferentes Comunidades Autónomas, ya ha sido objeto de análisis en nuestro trabajo, Rando Burgos (2019a).

Figura 1. Esquema de Instrumentos de Planificación Territorial en Madrid

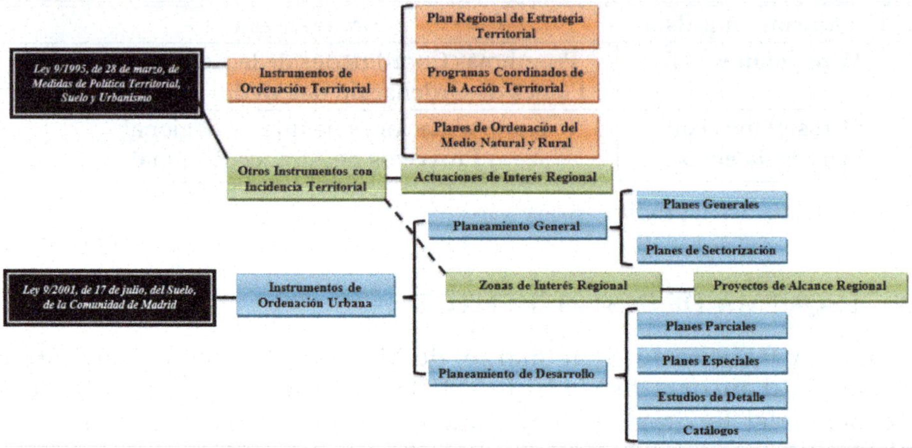

Fuente: Peiró (2017)

3.1. PLAN REGIONAL DE ESTRATEGIA TERRITORIAL

El marco de referencia del Plan Regional de Estrategia Territorial (PRET) se encuentra en los artículos 14 a 18 de la LMPTSUM. Este articulado se ubica en el texto legal en su título III "Ordenación del Territorio y Planes que la definen". Con el antecedente del artículo 14 dedicado a los instrumentos o planes de la ordenación del territorio, las concretas cuestiones que son objeto de regulación jurídica en relación al PRET, y siguiendo el propio orden de los preceptos indicados, son: los objetivos (artículo 15), el contenido y formalización (artículo 16), los efectos (artículo 17), y el procedimiento para la elaboración, tramitación y aprobación (artículo 18).

El PRET es el instrumento de carácter regional de la Comunidad de Madrid (a día de hoy sin desarrollo ni aprobación efectiva) destinado a establecer los elementos básicos para la organización y estructura del conjunto del territorio autonómico, sus objetivos estratégicos y el marco de referencia para el resto de los instrumentos de ordenación territorial. En el artículo 17 de la LMPTSUM, se establece los efectos del PRET, distinguiendo entre las determinaciones que, aprobadas por la Asamblea de Madrid y revistiendo carácter legal, prevalecen en cualquier caso sobre cualesquiera otras de la planificación territorial urbanística, y las restantes determinaciones, de carácter reglamentario, que tendrán el alcance concreto que en las mismas se determine conforme a lo dispuesto en el propio artículo 16.2.b) de la LMPTSUM. El citado precepto clasifica estas segundas determinaciones, según revistan carácter de normas, directrices o recomendaciones, lo que habrá de precisarse en el plan, así como el grado de vinculación que impliquen para los planes de las distintas Administraciones públicas y la adaptación que, en su caso, demanden.

Significativa también la previsión contenida en el artículo 14.5 de la LMPTSUM, conforme a la cual, todos los instrumentos de ordenación del territorio (incluido, por tanto, el instrumento regional) pueden ser desarrollados por las Actuaciones de Interés Regional y por los planes urbanísticos, marcando una filosofía territorial muy particular en la que no se apuesta por un desarrollo de la OT subregional, e incluso la propiamente regional ve dificultado su desarrollo por intereses urbanísticos especulativos (económicos) que encontrarían en este instrumento un límite a sus intereses.

En su artículo 15, la LMPTSUM indica cuáles son los objetivos vinculados a este instrumento:

- Establecimiento de los objetivos y la estrategia para la organización y estructura del territorio de la Comunidad de Madrid. Esto es, el establecimiento de un modelo territorial.

- Ordenación de la actividad urbanística directa y propia autonómica con el fin de conseguir el objetivo relativo a la determinación de la organización y estructura del territorio autonómico. Nuevamente subrayando, ya en su concepción, que la ordenación del territorio representa una política de "segundo orden" para la Administración madrileña que deja en manos del urbanismo un desarrollo territorial fundamentado en intervenciones sectoriales y puntuales en el territorio. Indicativo también de qué tipo de modelo territorial es el que puede esperarse que se desarrolle.

- Establecimiento de directrices para la armonización y compatibilización con el planeamiento municipal, así como con los planes, programas y acciones sectoriales con incidencia territorial.

El contenido del instrumento, indicado en el artículo 16, incluye el diagnóstico territorial de los problemas y las oportunidades, acorde a los objetivos estratégicos previstos y las propuestas para conseguirlo. Parece un proceso a la inversa del deseado, en la medida en la que los objetivos y las propuestas no se adaptan al diagnóstico y por tanto no buscan un encaje en el contexto territorial, sino que buscan imponer al contexto territorial una serie de objetivos. Debe además establecer la ordenación de los diferentes sistemas de escala o función regional y/o subregional y, en general, los estructurantes del territorio, atendiendo, al menos, a aspectos como:

- Un esquema de articulación territorial integrado por el sistema de asentamientos, infraestructuras y la estructura espacial de las actividades económicas.

- Delimitación de los espacios naturales y rurales que debe quedar preservados de futuros desarrollos urbanísticos.

- Esquema de movilidad a escala regional.

- Política de vivienda a escala regional.

- Infraestructuras regionales básicas, en particular, las referidas al sistema de telecomunicaciones, los pasillos para líneas de alta tensión, oleoductos y gaseoductos.

- Dotaciones, equipamientos y servicios.

- Conjuntos de interés arquitectónico y cultural sujetos a protección.

Todos estos aspectos citados se corresponden a las diferentes temáticas sectoriales que se abordan desde la planificación sectorial, y que en el caso de Madrid son el claro ejemplo de una subordinación de la OT integral que priva al territorio de un marco de actuación y coordinación para todos estos aspectos sectoriales y con clara incidencia territorial. Además, debe establecer la ubicación de las Zonas de Interés Regional, a las que dotar de objetivos territoriales y contenido urbanístico básico, así como clasificarlas debidamente de cara a la programación de su ejecución temporal.

En su rol de instrumento de carácter regional y por tanto marco de referencia, debe establecer las directrices de coordinación del planeamiento municipal con el PRET. Como cuestiones mínimas a tal fin, la LMPTSUM señala los siguientes aspectos:

- Magnitudes de referencia para el crecimiento poblacional y la ocupación de suelo en función de infraestructuras y servicios programados.

- Cohesión territorial basada en un justo reparto de la vivienda social, actividades económicas, infraestructuras, equipamientos y servicios entre los diversos municipios.

- Establecer orientaciones para el desarrollo de los asentamientos, con el fin de adecuar su adaptación al contexto territorial y sus valores y características ambientales asociados.

Por último, debe determinar las áreas o temáticas prioritarios para la formulación de los Programas de Coordinación de la Acción Territorial o los Planes de Ordenación del Medio Natural y Rural.

Todo el contenido indicado que habrá de integrar el PRET se formulará mediante determinaciones, expresadas en los documentos escritos y gráficos que resulten adecuados para el cumplimiento de su función. Como ya se ha indicado, estas determinaciones pueden tener carácter un doble carácter, en función de lo cual, la LMPTSUM distingue entre:

- Determinaciones básicas o esenciales de carácter normativo y las de ordenación sustantiva de aplicación directa que comprenden, en todo caso: los criterios de solidaridad y compatibilidad territorial; el esquema de articulación territorial; la delimitación de espacios naturales y rurales protegidos; la localización, objetivos y contenido urbanístico básico de las Zonas de Interés Regional; los sistemas regionales de infraestructuras básicas y de transporte.

- Restantes determinaciones, con expresa indicación de su carácter como normas, directrices o recomendaciones.

3.2. LOS PROGRAMAS COORDINADOS DE LA ACCIÓN TERRITORIAL Y LOS PLANES DE ORDENACIÓN DEL MEDIO NATURAL Y RURAL

Un caso de particular interés por su excepcionalidad lo constituye el tratamiento que la LMPTSUM confiere a estos instrumentos. Conforme a lo establecido en su propio artículo 14 se presentan y describen brevemente como instrumentos para llevar a cabo la ordenación del territorio en la Comunidad de Madrid, junto al ya analizado PRET.

En relación a los Programas Coordinados de la Acción Territorial es muy ilustrativo que pese a su condición, reconocida expresamente, de instrumento de planificación territorial, la única mención de que se contiene se limita a indicar en el artículo 14.3 que "establecerán, en el marco de las determinaciones del Plan Regional de Estrategia Territorial, la articulación de las acciones de las Administraciones públicas que requieran la ocupación o uso del suelo y tengan una relevante repercusión territorial"[3].

Por su parte, una situación casi idéntica se da con los Planes de Ordenación del Medio Natural y Rural, definidos por el artículo 14.4 como aquellos que "tienen por objeto la protección, conservación y mejora de

---

3.   Sobre este particular, vid. Rando Burgos (2019b).

ámbitos territoriales supramunicipales de manifiesto interés por su valor y características geográficas, morfológicas, agrícolas, ganaderas, forestales, paisajísticas o ecológicas, en desarrollo de las determinaciones medioambientales del Plan Regional de Estrategia Territorial".

Ninguno encaja exactamente con la definición de instrumento subregional de OT, y se carece de un desarrollo de sus contenidos, procedimientos de formulación y aprobación, algo que parece mostrar claramente la falta de voluntad que en su momento había por desarrollar la disciplina en el momento del cambio de la normativa.

En el caso de los Planes de Ordenación del Medio Natural y Rural, se trata de instrumentos que se aproximan a la figura de los PORN, pero destinados a espacios carentes de especial protección, conformados por los suelos no urbanizables de la Comunidad de Madrid. Unos instrumentos de carácter sectorial por centrarse en una temática ambiental pero subordinados a un hipotético instrumento de carácter regional. No se trata por tanto de instrumentos subregionales al uso, diferenciándose con los PORN además del tipo de territorio al que se vinculan (protegido vs no urbanizable) por las relaciones jerárquicas que hacen a estos instrumentos supeditados a los establecidos por normativa ambiental, jerárquicamente superior (un PORN prevalece al instrumento de OT en caso de contradicción).

Los Programas Coordinados de la Acción Territorial, marcados por la vaga definición dedicado a los mismos, parecen los responsables de una planificación subregional. No obstante, la falta de especificación de un ámbito supramunicipal en su definición y la idea de articulación de acciones, hace del instrumento algo más próximo a instrumentos destinados a regular intervenciones territoriales puntuales, que a establecer un ámbito supramunicipal de planificación conjunta para el desarrollo territorial sostenible.

Ilustrativo igualmente, frente a la carencia de regulación de los instrumentos categorizados expresamente como de planificación territorial por el marco legislativo de ordenación territorial de la Comunidad Autónoma, y en una clara vocación de atribuir competencias urbanísticas a la Comunidad de Madrid, la atención prestada a las denominadas Actuaciones de Interés Regional. Conforme al artículo 14.5 de la LMPTSUM, le atribuye a esta figura la función de desarrollar a los instrumentos de ordenación territorial.

3.3. OTROS INSTRUMENTOS DE SEGUNDO NIVEL

No se contemplan en el ámbito de estudio instrumentos de segundo nivel vinculados con la ordenación del territorio, en este caso, incluso los propios instrumentos de ordenación del territorio no han tenido desarrollo.

Figura 2. Instrumentos de ordenación del territorio en Madrid

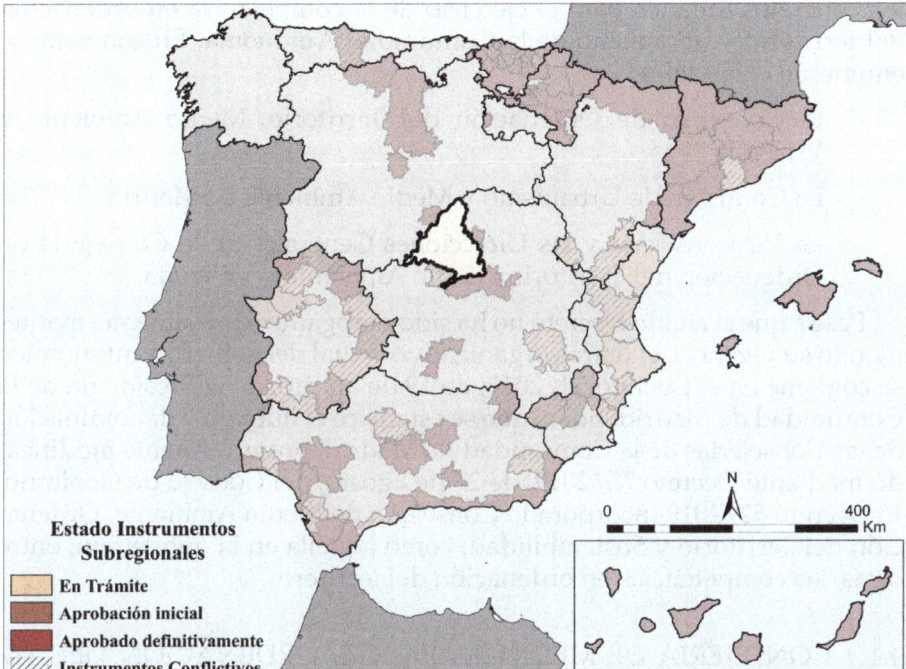

Fuente: Elaboración propia

4. ÓRGANOS RESPONSABLES DE LA ORDENACIÓN DEL TERRITORIO EN MADRID

En el presente epígrafe es objeto de análisis el marco orgánico de la ordenación del territorio en la Comunidad de Madrid. Se parte como premisa del Decreto 69/1983, de 30 de junio, sobre distribución de competencias en materia de Ordenación del Territorio y Urbanismo entre los órganos de la Comunidad Autónoma de Madrid. Es simbólica la propia rúbrica del título I del referido Decreto 69/1983, "órganos urbanísticos de la Comunidad" para, a renglón seguido, en su artículo 1 referirse a las "competencias administrativas en materia de ordenación del territorio y urbanismo". Su ejercicio compete, conforme al citado precepto, al Consejo de Gobierno de la Comunidad, el Consejero de Ordenación del Territorio,

Medio Ambiente y Vivienda, la Comisión de Urbanismo y Medio Ambiente de Madrid y demás órganos de la Consejería de Ordenación del Territorio, Medio Ambiente y Vivienda.

De manera ya más precisa, el artículo 2 del Decreto 69/1983, enumera los concretos órganos para el ejercicio de la competencia en ordenación del territorio y urbanismo de la Comunidad Autónoma. En concreto, se enumeran como tales:

- El Consejero de Ordenación del Territorio, Medio Ambiente y Vivienda.

- La Comisión de Urbanismo y Medio Ambiente de Madrid.

- La Viceconsejería y las Direcciones Generales de la Consejería de Ordenación del Territorio, Medio Ambiente y Vivienda.

Pese a que el citado Decreto no ha sido derogado expresamente, manteniendo su vigencia, el marco organizativo actual del gobierno autonómico se contiene en el Decreto 52/2019, de 19 de agosto, de la Presidenta de la Comunidad de Madrid, por el que se establece el número y denominación de las Consejerías de la Comunidad de Madrid, posteriormente modificado mediante Decreto 73/2019, de 27 de agosto, del Consejo de Gobierno. El Decreto 52/2019 incorpora la Consejería de Medio Ambiente, Ordenación del Territorio y Sostenibilidad, como aquella en la que recaen, entre otras, las competencias en ordenación del territorio.

4.1. CONSEJERÍA DE MEDIO AMBIENTE, ORDENACIÓN DEL TERRITORIO Y SOSTENIBILIDAD

Por su parte, el Decreto 278/2019, de 29 de octubre, del Consejo de Gobierno, establece la estructura orgánica de la Consejería de Medio Ambiente, Ordenación del Territorio y Sostenibilidad. El propio Decreto remite en diversas cuestiones a la Ley 1/1983, de 13 de diciembre, del Gobierno y Administración de la Comunidad de Madrid (cuyo artículo 19 también establece entre las Consejerías de la Comunidad de Madrid, la Consejería de Territorio, Medio Ambiente y Vivienda). A modo de ejemplo, al enumerar las competencias del titular de la Consejería de Medio Ambiente, Ordenación del Territorio y Sostenibilidad, con carácter general y en cuanto jefe del departamento, el artículo 1 del Decreto 278/2019, le otorga las competencias previstas en el artículo 41 de la Ley 1/1983 y las demás disposiciones vigentes y, en particular, las competencias autonómicas en materia de medio ambiente, evaluación ambiental, sostenibilidad ambiental, agricultura, ganadería, alimentación, desarrollo rural, urbanismo, estrategia territorial y suelo.

Igualmente relevante, la estructura orgánica de la Consejería de Medio Ambiente, Ordenación del Territorio y Sostenibilidad que, de conformidad con el artículo 2 del Decreto 278/2019, queda integrada por:

- Viceconsejería de Medio Ambiente, Ordenación del Territorio y Sostenibilidad, a la que quedan adscritas las siguientes:

  - Dirección General de Biodiversidad y Recursos Naturales.

  - Dirección General de Sostenibilidad y Cambio Climático.

  - Dirección General de Economía Circular.

  - Dirección General de Agricultura, Ganadería y Alimentación (a la que a su vez se adscribe el Comisionado del Gobierno de Bienestar Animal).

  - Dirección General de Urbanismo.

  - Dirección General de Suelo.

- Secretaría General Técnica.

De manera particular, al titular de la Consejería se le atribuyen unas concretas competencias que, como se indicaba, se relacionan en el artículo 7 del Decreto 69/1983. Del extenso listado de atribuciones (un total de 41 competencias enumera el artículo), la práctica totalidad están referidas en exclusiva a cuestiones urbanísticas, omitiéndose menciones concretas a competencias propiamente en ordenación territorial.

Significativa nuevamente la escasa o nula atención prestada a la ordenación del territorio lo que se corrobora por la propia organización de las direcciones generales, centradas en cuestiones urbanísticas y medioambientales pero que obvian una de las competencias que expresamente se le atribuye a la referida Consejería: la ordenación territorial.

4.1.1. Viceconsejería de Medio Ambiente, Ordenación del Territorio y Sostenibilidad

Pese a que el Decreto 69/1983 integra expresamente como órgano para el ejercicio de la competencia en ordenación del territorio en la Comunidad de Madrid, la Viceconsejería de Medio Ambiente y Ordenación del Territorio, a diferencia de las atribuciones que realiza a otros órganos, no le atribuye competencias específicas.

Es el Decreto 278/2019, de 29 de octubre, la norma vigente en la que se detallan las competencias atribuidas a este órgano, cuestión contemplada en su artículo 3. Con carácter general, en cuanto órgano superior de la

Administración de la Comunidad de Madrid, le atribuye el ejercicio de las funciones señaladas en el artículo 44 de la Ley 1/1983, de 13 de diciembre, de Gobierno y Administración de la Comunidad de Madrid. De manera precisa, el artículo 44.2, le asigna:

- Ejercer las competencias sobre el sector de actividad administrativa asignado que les atribuya el Decreto de estructura de la Consejería o que les delegue el Consejero.

- Ejercer las competencias inherentes a su responsabilidad de dirección y, en particular, impulsar la consecución de los objetivos y la ejecución de los proyectos de su ámbito que le encargue el Consejero, controlar su cumplimiento, supervisar la actividad de los órganos directivos adscritos e impartir instrucciones a sus titulares.

- Ejercer las competencias atribuidas al Consejero en materia de ejecución presupuestaria, con los límites que, en su caso, se establezcan por aquél.

- Resolver los recursos que se interpongan contra las resoluciones de los órganos directivos que dependan directamente de él y cuyos actos no agoten la vía administrativa, así como los conflictos de atribuciones que se susciten entre dichos órganos.

- Cualesquiera otras competencias que les atribuya la normativa en vigor.

Complementario al anterior, el artículo 3.2. del Decreto 278/2019, que enuncia como funciones a ejercer por el titular de la Viceconsejería de Medio Ambiente, Ordenación del Territorio y Sostenibilidad, además de las que determine la normativa vigente o le sean delegadas o atribuidas por el titular de la Consejería, las siguientes:

- Impulsar la consecución de los objetivos, así como la ejecución y control del cumplimiento de los proyectos que le encargue el titular de la Consejería.

- Coordinar la actividad de la Consejería conforme a las directrices de su titular.

- La realización de las actuaciones de promoción que se deriven del ejercicio de las competencias propias de la Consejería, conforme a las directrices de su titular.

- La representación del departamento en caso de vacante, ausencia o enfermedad del titular la Consejería.

4.2. COMISIÓN DE URBANISMO Y MEDIO AMBIENTE

La Comisión de Urbanismo representa el órgano colegiado máximo de deliberación, consulta y decisión de la Comunidad de Madrid en materia de urbanismo. Centra su atención, como su nombre indica, en cuestiones vinculadas con el urbanismo.

Como marco de referencia, su regulación se contiene en el artículo 8 del Decreto 69/1983, si bien centradas, como se indicaba, en aspectos puramente urbanísticos, relativas a la aprobación de los diferentes instrumentos de planeamiento urbanístico, tanto general como de desarrollo.

Por otro lado, el Decreto 1/2016, de 5 de enero, del Consejo de Gobierno, aprueba el Reglamento de Organización y Funcionamiento Interno de la Comisión de Urbanismo de Madrid, mientras que el Decreto 278/2019, le otorga la condición de órgano colegiado adscrito a la Consejería de Medio Ambiente, Ordenación del Territorio y Sostenibilidad.

El marco normativo descrito encuentra su amparo legal en la propia Ley 9/2001, de 17 de julio, del Suelo, de la Comunidad de Madrid (LSM). Esta ley, al regular la organización y cooperación interadministrativa en materia de urbanismo en la Comunidad Autónoma, contempla expresamente la Comisión de Urbanismo a cuya regulación dedica los artículos 238 y 239.

Según la LSM, la Comisión de Urbanismo de Madrid es el órgano colegiado máximo de deliberación, consulta y decisión de la Comunidad de Madrid en la materia objeto de la ley. Integrada en la estructura orgánica de la Consejería competente en materia de ordenación urbanística, le corresponde facilitar la infraestructura y los medios necesarios para su funcionamiento, así como adoptar sus acuerdos sobre la base de las propuestas formuladas por la Dirección General competente.

El artículo 238.2 de la LSM, se encarga de enunciar las funciones de la Comisión de Urbanismo de Madrid, en particular:

- El ejercicio de la potestad de planeamiento urbanístico en los términos de la LSM.

- La emisión de los informes previstos en la LSM y cuantos otros le sean solicitados por o a través del Consejero competente en materia de ordenación urbanística sobre cuestiones objeto de regulación en la misma.

- El otorgamiento de las calificaciones urbanísticas que procedan de conformidad con la LSM y los Proyectos de actuación Especial.

- La formulación de propuestas y sugerencias en materia de ordenación urbanística al Consejero competente en la misma.

- El seguimiento y la evaluación de la política urbanística.

- Cuantas otras se le atribuyan en la LSM o por norma legal o reglamentaria.

La composición y funciones de la Comisión de Urbanismo se contienen en el artículo 239 de la LSM, que distingue en su composición:

- El Presidente, que lo será el Consejero competente en materia de ordenación urbanística.

- El Vicepresidente, que lo será el Viceconsejero competente en materia de ordenación urbanística.

- Los Vocales que se determinen al establecer su organización y funcionamiento, entre los que deberán figurar, en todo caso, un representante por cada una de las Consejerías de la Comunidad con nivel orgánico de Viceconsejero o Director General; diez miembros electos en representación de los municipios, designados por el Gobierno a propuesta de la Federación de Municipios de Madrid; y cuatro miembros de libre designación nombrados por el Gobierno a propuesta del Consejero competente en materia de ordenación urbanística de entre personas con acreditada competencia en los asuntos propios de la Comisión.

- El Secretario de la Comisión será el Secretario General Técnico de la Consejería competente en materia de ordenación urbanística, y actuará con voz y sin voto.

5. PROCEDIMIENTOS Y RESPONSABILIDADES FORMALES

En el presente epígrafe, en sintonía con la propia estructura del presente trabajo, se analizan los procedimientos previstos para la elaboración y aprobación de los diferentes instrumentos de ordenación territorial en la Comunidad de Madrid.

5.1. PROCEDIMIENTO DE ELABORACIÓN Y APROBACIÓN DEL PRET

La LMPTSUM, coherente con su estructura, dedica el artículo 18 a regular el procedimiento para la elaboración, tramitación y aprobación del PRET.

La formulación del PRET puede tener lugar bien por iniciativa propia o por acuerdo adoptado por la Asamblea de Madrid, tras lo cual es el Consejo de Gobierno, a propuesta del Consejero competente en materia de ordenación del territorio y urbanismo, quien someterá a dicha Asamblea de Madrid el Documento de Bases, de conformidad con lo establecido en el artículo 16 de la LMPTSUM, para el desarrollo de los correspondientes trabajos, en el que se incluirán necesariamente la organización y los plazos previstos del proceso de formulación y los objetivos básicos del futuro Plan o, en su caso, de su modificación, así como la fijación de criterios para la misma. El Documento de Bases debe ser debatido y aprobado por la Asamblea, momento en el que la Consejería competente en materia de ordenación del territorio y urbanismo realizará los trabajos precisos para el proyecto del Plan, para lo que contará con la participación de las restantes Consejerías, de la Agencia del Medio Ambiente, de los Municipios y de la Administración General del Estado, así como de las personas, entidades y organizaciones sociales que por su especialización, importancia o relevancia sean expresamente invitadas a tal fin.

Elaborado el proyecto del Plan, será sometido por el Consejero competente a la Comisión de Urbanismo para su aprobación inicial. Tras lo cual tendrá lugar el trámite de información pública y audiencia. A la vista del resultado de los trámites citados, la Consejería procederá a la elaboración del proyecto definitivo, que elevará al Consejo de Gobierno para su aprobación provisional, previo informe de la Comisión de Urbanismo.

La aprobación definitiva del PRET se hará por ley de la Asamblea de Madrid y decreto del Consejo de Gobierno, conforme a la propia estructura del PRET prevista en la LMPTSUM y el carácter de las determinaciones que lo conforman. De esta forma, aprobado provisionalmente, el Consejo de Gobierno remitirá a la Asamblea de Madrid, como proyecto de ley, el documento que contenga las determinaciones básicas o esenciales de carácter normativo y las de ordenación sustantiva de aplicación directa. Publicada la ley de la Asamblea de Madrid, el Consejo de Gobierno aprobará mediante decreto el resto del PRET.

Por su parte, el art. 18.6 de la LMPTSUM prevé el procedimiento para la revisión del PRET o la modificación sustancial del contenido de alguno de sus dos documentos, el cual se ajustará a idéntico procedimiento que el previsto para su aprobación. Si la modificación afectase a uno sólo de los documentos del Plan, será aprobada definitivamente por ley de la Asamblea de Madrid o decreto del Consejo de Gobierno, según corresponda en función del carácter de las determinaciones afectadas.

Por su parte, los ajustes que sea necesario introducir y que no merezcan la consideración de modificación sustancial serán aprobados definitivamente por decreto del Consejo de Gobierno, adoptado a propuesta del Consejero competente en materia de ordenación del territorio y urbanismo, con audiencia previa de cuantas instituciones, corporaciones o entidades y organismos estuvieren afectados. El Consejo de Gobierno dará cuenta a la Asamblea de dichos ajustes.

Diagrama 1. Procedimiento de tramitación del PRET

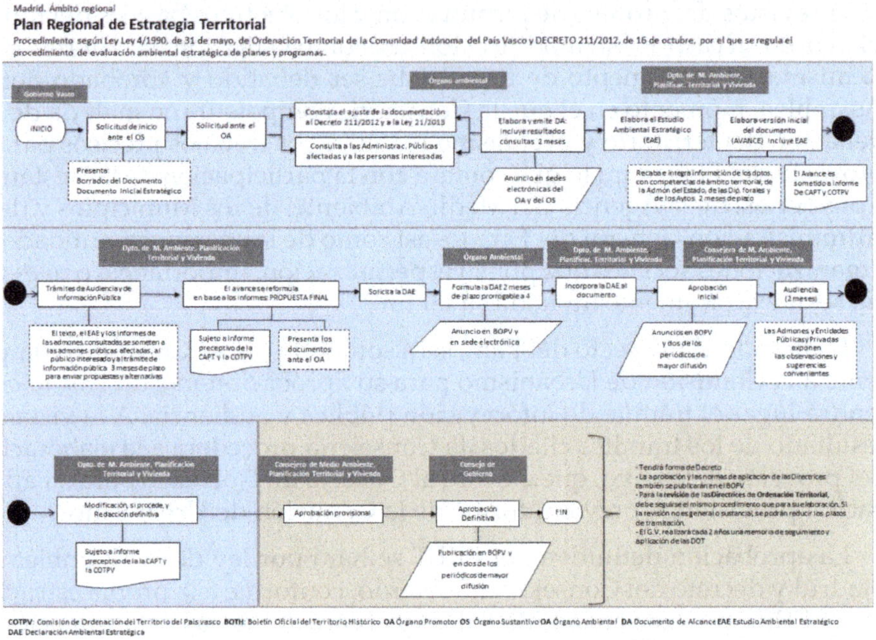

Madrid. Ámbito regional
Plan Regional de Estrategia Territorial
Procedimiento según Ley Ley 4/1990, de 31 de mayo, de Ordenación Territorial de la Comunidad Autónoma del País Vasco y DECRETO 211/2012, de 16 de octubre, por el que se regula el procedimiento de evaluación ambiental estratégica de planes y programas.

COTPV: Comisión de Ordenación del Territorio del País vasco **BOTH**: Boletín Oficial del Territorio Histórico **OA** Órgano Promotor **OS** Órgano Sustantivo **OA** Órgano Ambiental **DA** Documento de Alcance **EAE** Estudio Ambiental Estratégico **DAE** Declaración Ambiental Estratégica

Fuente: Elaboración propia

5.2. PROCEDIMIENTO DE ELABORACIÓN Y APROBACIÓN DE LOS INSTRUMENTOS SUBREGIONALES Y SECTORIALES

Tal y como se indicaba con anterioridad, uno los aspectos más llamativos que resultan en el escenario madrileño, es la falta de desarrollo en la normativa de los procedimientos de elaboración y aprobación de los instrumentos planificación territorial, más allá del instrumento regional. Algo que se abordará en los epígrafes finales del presente texto.

5.3. PROCEDIMIENTO DE ELABORACIÓN Y APROBACIÓN DE LOS INSTRUMENTOS DE OT DE SEGUNDO NIVEL

No existen instrumentos de segundo nivel en el caso de Madrid, donde es el urbanismo quien se encarga de planificar el territorio.

5.4. PROCEDIMIENTO DE LA EVALUACIÓN AMBIENTAL DE PLANES Y PROGRAMAS

Previo al tratamiento del procedimiento de EAE de planes y programas de la Comunidad Autónoma madrileña, destacar el hecho de que la normativa autonómica dictada es la Ley 2/2002, de 19 de junio, de Evaluación Ambiental de la Comunidad de Madrid. Norma previa a la vigente a nivel estatal Ley 21/2013, de 13 de diciembre, de Evaluación Ambiental. La opción del legislador madrileño ha sido, a través de la Ley 4/2014, de 22 de diciembre, de Medidas Fiscales y Administrativas, la derogación de buena parte de la Ley 2/20002, con efectos de 1 de enero de 2015, a excepción del título IV (artículos 41 a 48), dos preceptos del título V (concretamente los artículos 49 y 50), y un único artículo del título VI (artículo 72), la disposición adicional séptima (competencias sancionadoras y plazo de resolución) y el anexo quinto (actividades o proyectos con incidencia ambiental sometidos al procedimiento de evaluación ambiental de actividades en la Comunidad de Madrid).

En este contexto, la propia exposición de motivos de la Ley 4/2014, justifica lo anterior, ante el nuevo marco legal, mayoritariamente de carácter básico, que supone la entrada en vigor de la Ley 21/2013, y su afectación sustancial a las previsiones de la Ley madrileña 2/2002, y en particular, al imponer a los órganos sustantivos la obligación de participar desde su iniciación, en los procedimientos ambientales, además de otorgarles facultades de seguimiento de las declaraciones de impacto ambiental y la potestad sancionadora. Con ello, la Comunidad de Madrid opta por derogar gran parte de la Ley 2/2002, aplicando de manera directa la ley básica estatal y regulando las especialidades que, de acuerdo con la propia habilitación estatal, se aplicarán en el ámbito autonómico.

Como especialidades, la disposición transitoria primera "régimen transitorio en materia de evaluación ambiental", atribuye tanto la tramitación como la resolución del procedimiento de evaluación ambiental estratégica como las funciones que la Ley 21/2013 atribuye al órgano sustantivo, a la Consejería que ostente las competencias en materia de medio ambiente, salvo las consultas prevista en el artículo 22 de la propia Ley, que corresponderá al promotor. De igual forma, deriva a la Ley estatal la determinación de la sujeción al procedimiento de evaluación ambiental estratégica o simplificada, así como la identidad en los casos y requisitos en ella regulados.

6. EMBOTELLAMIENTOS Y CONDICIONES QUE ALTERAN EL FUNCIONAMIENTO DE LA ORDENACIÓN DEL TERRITORIO EN MADRID

El caso madrileño destaca por sus múltiples excepcionalidades. Se trata de una de las pocas Comunidades Autónomas que carece de un desarrollo real de esta función pública, apostando únicamente por el urbanismo y por una planificación sectorial ajena a la OT. Ya en la propia normativa en materia de OT reside el primero y más evidente de los condicionantes que ha perjudicado su desarrollo. Como se ha tenido ocasión de comentar en el presente texto, únicamente presenta un desarrollo adecuado en la ley (plazos, trámites, desarrollo, evaluación, etc.) para la figura del PRET. Del resto de figuras de OT previstas apenas existe una breve definición de las mismas sin mayor desarrollo, ni remisiones a posibles desarrollos reglamentarios complementarios. Es la materialización de la falta de interés político por la ordenación del territorio (el gran condicionante para el desarrollo de la ordenación del territorio en la región madrileña) en un contexto en el que se entiende la necesidad de un modelo regional de carácter territorial para la adecuada coordinación de las políticas públicas, al que dedica toda la atención en el texto legal, pero que no cuenta con un desarrollo y aprobación asociado.

Se detecta, en consecuencia, una falta de interés por un desarrollo completo de la ordenación territorial, lo que explica la falta de instrumentos de planificación de ámbito subregional, pero no se niega la necesidad de un instrumento regional, siendo el debate acerca de su idoneidad y formas, la mejor fuente de información para conocer qué ha dificultado su desarrollo. Para ello, sirve de fuente la sección de debate de la Revista Urbanismo del Colegio de Arquitectos de Madrid, número 23, del año 1994[4], donde en el marco de una necesidad de política regional de planeamiento territorial se plantean los retos a los que se enfrentaría un instrumento de estas características (con las implicaciones que tiene asociadas) en la Comunidad Autónoma. Sirva los problemas a los que se enfrenta un hipotético plan regional como los problemas a los que la propia función pública debería hacer frente en la región (en contexto temporal diferente al actual, donde las dinámicas y contextos territoriales difieren), y que se exponen a continuación.

La principal característica del territorio madrileño es el fenómeno metropolitano, el cual no solo se ciñe a los límites administrativos de la región, sino que afecta a otras Comunidades Autónomas colindantes (véase

---

4.   Disponible: https://www.coam.org/media/Default%20Files/fundacion/biblioteca/revista-urbanismo/1docs/revista-urbanismo-n23-pag70-75.pdf.

a modo de ejemplo el capítulo de Castilla-La Mancha y como esto ha condicionado su política de OT). Se está en consecuencia ante una cuestión de mucha más envergadura que lleva al eterno debate en torno a la falta de consolidación y desarrollo de la cuestión metropolitana en el contexto español, pese a contar con el adecuado marco que posibilitaría su desarrollo y que, sin duda, favorecía políticas públicas como la ordenación territorial en la que los límites administrativos de la propia organización territorial no responden a las necesidades reales del territorio[5].

Vinculada a la cuestión metropolitana se plantean una serie de aspectos que condicionan el desarrollo del instrumento regional. Por una parte, es objeto de discrepancia el establecimiento de un adecuado ámbito de actuación para un instrumento que si se ciñe a la región no da cobertura a la totalidad de la realidad metropolitana, pero que no puede cubrir todo el ámbito metropolitano pues invadiría las competencias de otras Comunidades Autónomas. Se plantean pues para el caso madrileño si más que una OT, materializada a través de un plan regional, sería preferible un planeamiento metropolitano que se ajustará al espacio funcional que representa el área metropolitana como tal. Esta discrepancia, a priori, debería tener fácil solución, en tanto la delimitación regional del instrumento no impide que en su contenido se prevean mecanismos de coordinación interregional con el fin de asegurar una adecuada evolución territorial. Es más, cualquier instrumento regional debe prever estas necesidades de coordinación más allá de sus límites para asegurar una adecuada articulación territorial y atender debidamente aspectos como los ambientales que no están sujetos a la lógica de delimitación administrativa y reclaman esfuerzos conjuntos. Dos reflexiones a este respecto son la falta de tradición en materia de gobierno metropolitano en España y la necesidad de entender que el territorio presenta geometrías variables que no atienden siempre a la lógica de las divisiones administrativas, lo cual no hace inviable su tratamiento.

Más allá de la necesidad de establecer una coordinación entre diferentes Comunidades Autónomas, se indica la necesidad de superar los déficits de coordinación internas a la región, siendo el entramado institucional un hándicap negativo añadido a la falta de voluntad cooperativa con un exceso de estructuras asociado. No existe una adecuada coordinación vertical. Un problema de comunicación entre niveles administrativos, particularmente cuando son de diferente color político, cuestión de la que se adolecen la mayor parte de las regiones españolas (Farinós et al. 2017). También se alude a un problema de legitimidad del órgano institucional.

---

5.   Sobre la cuestión metropolitana y la importancia de la escala no sólo para la planificación territorial sino para la propia Gestión Territorial, vid. Rando Burgos (2020).

Fruto de esta falta de coordinación y por tanto de capacidad de consenso surge un problema de inseguridad jurídica en tanto que no se encuentra apoyo adecuado para el desarrollo de un instrumento de estas características, haciendo inviable que salga adelante y se aplique adecuadamente un instrumento continuamente cuestionado. Así mismo, el municipalismo impide que tenga lugar un planteamiento supramunicipal (tanto regional como subregional) en tanto se entiende como un agravio a las competencias locales y su capacidad de decisión. Esto conduce a la argumentación que defiende la necesidad de revisar las relaciones entre escalas administrativas y sus competencias, al tratarse como fundamental poder ajustar tareas acordes a cada escala. Superando esta imagen negativa del plan supramunicipal mediante una adecuada concertación entre actores territoriales, gracias a una efectiva participación.

Otras de las cuestiones que representa un *obstáculo* tanto para un hipotético instrumento de OT regional como para el desarrollo de la propia función pública es la consideración de que son los enfoques integrales los inadecuados para abordar la realidad territorial, frente a unos supuestos planteamientos sectoriales más eficientes. Argumentan los autores de la crítica que los enfoques integrales no funcionaron previamente (caso de los planes de desarrollo), no obstante, y con el paso del tiempo, es cada vez más evidente que las supuestas ventajas de los enfoques sectoriales no solo no son tal, sino que no conducen a un resultado territorial mejor que el planteado mediante los instrumentos integrales. No obstante, es un debate abierto en el que se alega el argumento contrario, en el cual como mínimo debe conjugarse territorio y economía en el ámbito de la planificación al estilo del *Aménagement du Territoire* que se planteaba en Francia por la DATAR.

En contrapartida al argumento previo, y destaca por su vigencia actual como debate acerca de nuevos enfoques para la disciplina, se alega en contra del instrumento regional el enfoque normativo predominante que presenta, siendo necesario el planteamiento de enfoques estratégicos que aportan mayor flexibilidad y con una mayor aceptación asociada.

Y no solo se debate sobre los enfoques de la planificación y las características de los instrumentos, sino que se otorga valor a la necesidad de un seguimiento continuo y una evaluación de las políticas territoriales que aseguren la viabilidad de las propuestas y la corrección de las dinámicas negativas, en un marco en el que el instrumento de OT coordina, y encuentra un gran apoyo en la figura del observatorio territorial, como soporte a una política territorial que de esta manera no sería una mera imposición sino una apuesta concreta y seguida. Así como la necesidad de contemplar el territorio y su planificación con la suficiente entidad propia como para evitar que se ajuste a sus necesidades y desarrollos y no se presente asimilado a otras actividades.

7. SITUACIÓN RESULTANTE

Uno de los retos principales para el territorio madrileño es el desarrollo de los diferentes instrumentos de ordenación del territorio de carácter integral previstos en su normativa. Para ello se debe hacer frente a una realidad territorial muy particular, y es el hecho de que la totalidad del territorio de la Comunidad Autónoma se enmarca en un desarrollo y funcionamiento metropolitano. Un "continuo" que puede representar un inconveniente a la hora de llevar a cabo una planificación subregional para la cual es necesario delimitar ámbitos territoriales a escala supramunicipal, para los cuales establecer una ordenación destinada al desarrollo del modelo territorial. En este aspecto juega un papel fundamental el paisaje, manifestación visual del territorio y, por tanto, indicador excelente de las dinámicas territoriales que se producen. Es el paisaje un aspecto muy bien trabajado en la Comunidad Autónoma de Madrid que le va a permitir establecer unos ámbitos supramunicipales de trabajo con un enfoque funcional del territorio. Así mismo, y ante una realidad urbana tan predominante como en el caso madrileño, los nuevos enfoques para el suelo no urbanizado vinculados al desarrollo de la agricultura y la producción alimentaria van a resultar fundamentales para la ordenación territorial. Una reconsideración de la forma tradicional de entender la planificación, para dar paso a un enfoque basado en la necesidad de integrar tanto la economía como el medioambiente con la Ordenación del Territorio, siendo en el caso madrileño un elemento estratégico clave con el fin de dotar coherencia y funcionalidad a unos ámbitos subregionales que desde el punto de vista socioeconómico parecen disolverse en una matriz como la metropolitana que crea una realidad territorial que homogeniza el espacio hacia la ciudad central, pero que encuentra múltiples matices si entran en juego aspectos vinculados a la política de espacios naturales o a los enfoques de desarrollo local (más allá de su encaje metropolitano). Es fundamental además el desarrollo de una adecuada coordinación horizontal en la medida en la que el fenómeno metropolitano madrileño genera impactos territoriales que trascienden los límites y competencias regionales, y para los cuales es necesario una intervención territorial conjunta entre Administraciones afectadas.

A modo de conclusiones, y con una visión de crítica proactiva, pero con el firme propósito de tratar de aportar posibles soluciones para salir del estancamiento actual que en ordenación territorial muestra la

Comunidad de Madrid, reproducimos las propuestas planteadas con ocasión del IX Congreso Internacional de Ordenación del Territorio, celebrado en maro de 2019[6]:

- Actualización del marco legislativo con el fin de afrontar los retos actuales de la disciplina y las necesidades territoriales asociadas.
- Asunción del fenómeno metropolitano como entorno de referencia.
- Gobernanza territorial renovada.
- Necesidades de coordinación con las Comunidades Autónomas limítrofes.

Si bien la ausencia de planificación territorial ha sido motivo de crítica durante el presente informe, brinda una oportunidad magnífica para el territorio madrileño de desarrollar una política territorial basada en las experiencias exitosas que se han ido desarrollando con el paso del tiempo. Particularmente desde el punto de vista procedimental, dotando desde el primer momento a la Administración de las adecuadas herramientas de coordinación y cooperación para la tramitación de unos deseados futuros instrumentos de planificación. Tratando de anticiparse así a los conflictos y retos que en el presente informe se han detectado para el resto de las regiones españolas.

8. REFERENCIAS BIBLIOGRÁFICAS Y NORMATIVA

BIBLIOGRAFÍA

BENABENT FERNÁNDEZ DE CÓRDOBA, M. (2006). *La ordenación del territorio en España: evolución del concepto y de su práctica en el siglo XX*. Sevilla: Universidad de Sevilla – Consejería de Obras Públicas y Transporte de la Junta de Andalucía.

RANDO BURGOS, E. (2019a). *Legislación e instrumentos de ordenación del territorio en España*. Madrid: Editorial Iustel.

RANDO BURGOS, E. (2019b). La extraña relación de la Comunidad de Madrid con las políticas territoriales: un repaso y algunas propuestas. *Actas IX Congreso Internacional de Ordenación del Territorio*. FUNDICOT, marzo 2019.

RANDO BURGOS, E. (2020). *Régimen Jurídico de la Gestión Territorial*. Valencia: Editorial Tirant lo Blanch.

---

6. Rando Burgos (2019).

VALENZUELA RUBIO, M. (2011). La planificación territorial de la Región Metropolitana de Madrid. Una asignatura pendiente. *Cuadernos Geográficos*, 47, 95-129.

NORMATIVA

Ley 1/983, de 13 de diciembre, del Gobierno y Administración de la Comunidad de Madrid.

Ley 10/1984, de 30 de mayo, de Ordenación del Territorio de la Comunidad de Madrid.

Ley 9/1995, de 28 de marzo, de Medidas de Política Territorial, Suelo y Urbanismo.

Ley 9/2001, de 17 de julio, del Suelo, de la Comunidad de Madrid.

Ley 2/2002, de 19 de junio, de Evaluación Ambiental de la Comunidad de Madrid.

Ley 21/2013, de 13 de diciembre, de Evaluación Ambiental.

Decreto 69/1983, de 30 de junio, sobre distribución de competencias en materia de Ordenación del Territorio y Urbanismo entre los órganos de la Comunidad Autónoma de Madrid.

Decreto 1/2016, de 5 de enero, del Consejo de Gobierno, por el que se aprueba el Reglamento de Organización y Funcionamiento Interno de la Comisión de Madrid.

Decreto 52/2019, de 19 de agosto, de la Presidenta de la Comunidad de Madrid, por el que se establece el número y denominación de las Consejerías de la Comunidad de Madrid.

Decreto 73/2019, de 27 de agosto, del Consejo de Gobierno, por el que se modifica el Decreto 52/2019, de 19 de agosto.

Decreto 278/2019, de 29 de octubre, del Consejo de Gobierno, establece la estructura orgánica de la Consejería de Medio Ambiente, Ordenación del Territorio y Sostenibilidad.

Capítulo 16

El procedimiento de la planificación territorial en la Región de Murcia

Enrique Antequera Terroso

Ingeniero de Caminos. Prof. Departamento de Urbanismo. Universitat Politècnica de València

1. ANTECEDENTES[1]

La primera norma sobre Ordenación del Territorio en la Región de Murcia (RM) es la Ley 3/1987, de 23 de abril, de protección y armonización de usos del Mar Menor, en la que se establecían como instrumentos de protección y ordenación del territorio del Mar Menor y espacios circundantes, las Directrices de Ordenación Territorial, el Plan de Saneamiento del Mar Menor, el Plan de Armonización de usos del Mar Menor y el Plan de Ordenación y Protección del Litoral del Mar Menor. Aunque se realizaron estudios y propuestas, ninguno de dichos planes llegó a aprobarse.

Posteriormente se aprueba la Ley 4/1992, de 30 de julio, de Ordenación y Protección del Territorio de la Región de Murcia, que establece los siguientes instrumentos de ordenación territorial:

- Las Directrices de Ordenación Territorial de ámbito regional, subregional o comarcal y sectorial.

- Los Programas de Actuación Territorial.

- Las Actuaciones de Interés Regional.

Bajo esta ley se aprobaron las "Directrices de Ordenación Territorial y Plan de Actuación Territorial de la Bahía de Portmán y de la Sierra Minera", posteriormente derogadas por el documento de "Directrices y Plan de Ordenación del Litoral de la Región de Murcia" de 2004.

La ley de 1992 fue derogada en la mayor parte de su contenido por la Ley 1/2001 de 24 de abril de Suelo de la Región de Murcia, de la que se hablará posteriormente, manteniéndose exclusivamente el Título IV de Protección de Espacios Naturales, en el que se establece la figura de los planes de ordenación de los recursos naturales (Art. 45), además de crear las diferentes figuras de protección para los espacios de valor ambiental (Art. 48) y adscribir a una serie de espacios naturales de la región a las nuevas figuras de protección creadas (Disposición adicional tercera). Aunque con el tiempo han ido apareciendo diversas leyes con instrumentos de planeamiento con incidencia territorial, bien han sido derogadas (Ley 1/1995, de 8 de marzo, de Protección del Medio Ambiente de la Región de Murcia derogada por la Ley 4/2009 de Protección Ambiental Integrada), bien no se han desarrollado los nuevos instrumentos que pudieran tener algún reflejo territorial. Este sería el caso de las directrices, planes y programas al servicio del medio ambiente recogidos en el artículo 8 de la

---

1. Sintetizado de Díez de Revenga, Rodier y Picazo Córdoba (2006).

citada Ley 4/2009 y considerados a efectos de la ley, como instrumentos de OT cuando contenga determinaciones que deban prevalecer sobre el planeamiento urbanístico u otros instrumentos de OT de rango inferior. La citada Ley 1/2001 es la primera que integra las competencias regionales en materia de Urbanismo y Ordenación del Territorio. Bajo esta ley se redactaron y aprobaron las ya citadas Directrices y Plan de OT del litoral[2] y la "Actuación de Interés Regional de la Marina de Cope" (Acuerdo de Consejo de Gobierno de 23 de julio de 2004)[3]. Un poco más tarde y con la finalidad de reforzar la seguridad jurídica de esta ley, se aprueba el Decreto Legislativo 1/2005, de 10 de junio, que da lugar al texto refundido de la Ley del Suelo de la Región de Murcia, que agrupa en una única disposición legal, la Ley 1/2001 y las leyes 2/2002 de 10 de Mayo y la Ley 2/2004 de 24 de Mayo, que modificaban algunos artículos de la primera. Con esta base legal, se aprobó en 2006 las "Directrices y Plan de Ordenación Territorial del Suelo Industrial de la Región de Murcia"[4] y se aprobaron inicialmente, pero no llegaron a aprobarse definitivamente, las Directrices y Plan de OT de Noroeste (2009); del Altiplano (2010) y del Río Mula, Vega Alta y Oriental (2013)[5].

Por último, en 2015 se aprueba la Ley 13/2015 de Ordenación del Territorio y Urbanismo de la Región de Murcia[6] (LOTURM), la vigente actualmente, que establece las figuras de planificación territorial y urbana que se desarrollan en los apartados siguientes.

2. NORMATIVA BASE

La citada Ley 13/2015 fija una serie de figuras de ordenación territorial, cuya síntesis puede verse en la Tabla 1. Como se ha podido ver en el anterior apartado, la RM todavía no dispone de un plan territorial integrado de carácter regional pero sí de algunos de carácter subregional, aprobados definitivamente o en proceso de aprobación.

---

2. BORM. N.° 145 de 25 de Junio de 2004.
3. La actuación ha decaído tras las sentencias del STSJ de Murcia de 11 de febrero de 2011; el Auto del TS de 25 de octubre de 2012 y sentencia del Tribunal Constitucional de 13 de diciembre de 2012.
4. BORM n.° 137 de 16 de Junio de 2006.
5. Todas las directrices citadas en los párrafos anteriores están disponible en http://sitmurcia.carm.es/directrices-y-planes-de-ordenacion-territorial [Consultado el 20/11/2019].
6. BORM n.° 77 de 6 de Abril de 2015.

Tabla 1. Marco regulador y principales instrumentos de ordenación territorial en la Región de Murcia

Comunidad Autónoma	Región de Murcia
Antecedentes normativos	Ley 4/1992, de 30 de julio, de Ordenación y Protección del Territorio de la Región de Murcia. Ley 1/2001 de 24 de Abril de Suelo de la Región de Murcia. Decreto Legislativo 1/2005, de 10 de junio, del texto refundido de la Ley del Suelo de la Región de Murcia.
Legislación OT actual	Ley 13/2015, de 30 de marzo, de Ordenación Territorial y Urbanística de la Región de Murcia
Departamento OT actual	Consejería de Fomento e Infraestructuras - Dirección General de Ordenación del Territorio, Arquitectura y Vivienda - Subdirección General de Ordenación del Territorio Servicio de Ordenación del Territorio
Plan OT regional	No existe
Entrada en vigor (año)	
Normativa de aprobación	
Organismo impulsor	
Realización técnica	
Periodo tramitación PTG	
Otros planes OT	Directrices y Plan de Ordenación del Territorio (DPOT) del Litoral (Aprobación definitiva en 2004) DPOT del Suelo Industrial (Aprobación definitiva en 2006)
Otros planes con incidencia en OT	- Planes de Ordenación de Recursos Naturales (Ley 4/1992) - Directrices, Planes y Programas de protección del medio ambiente (Ley 4/2009)

Fuente: Elaboración propia

3. ESQUEMA DE INSTRUMENTOS[7]

La LOTURM establece, por lo que se refiere a la parte de ordenación, un amplio número de instrumentos de ordenación, cuyo esquema

---

7. Salvo otra indicación, los artículos que se citan en los apartados siguientes, hacen referencia a los de la Ley 13/2015 de Ordenación Territorial y Urbanística de la Región de Murcia (LOTURM).

puede verse en la Figura 1 adjunta (Art. 20 y ss.). La estructura de dichas figuras corresponde a una tipología en cascada pero bastante flexible, en tanto que los planes de mayor peso (los instrumentos ordinarios y excepcionales) pueden redactarse, aunque excepcionalmente, de forma autónoma de los situados jerárquicamente por encima de ellos.

Figura 1. Esquema de los instrumentos de OT en la Región de Murcia

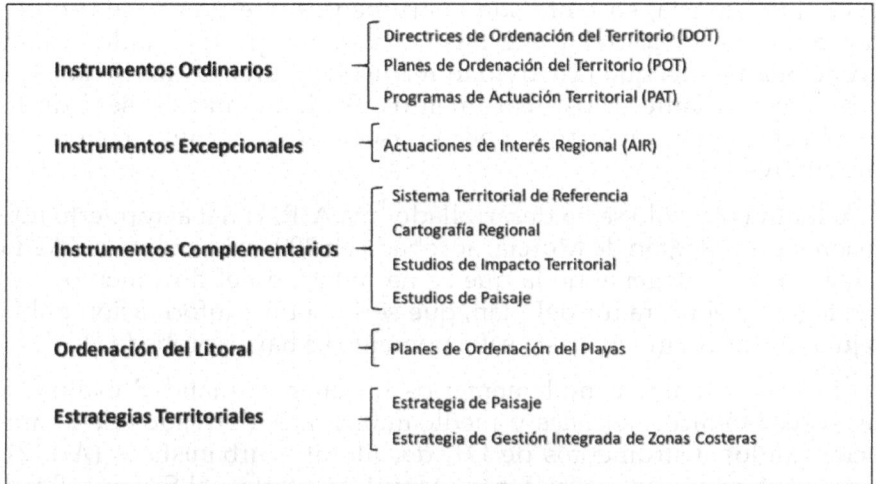

Fuente: Elaboración propia a partir de la Ley 13/2015, de 30 de marzo, de Ordenación Territorial y Urbanística de la Región de Murcia

La figura de planeamiento de mayor jerarquía son las Directrices de OT, que pueden ser de carácter integrado y ámbito regional o subregional o de carácter sectorial. Los planes de OT pueden ser igualmente de carácter integrado o sectorial y su ámbito es siempre subregional. Su función es desarrollar las directrices de OT regionales o subregionales, aunque también pueden redactarse de forma autónoma a éstas.

El último de los instrumentos ordinarios de OT son los Programas de Actuación Territorial, que desarrollan las previsiones de los planes de OT o de las directrices. Como en el caso de los planes de OT, excepcionalmente pueden ser autónomos.

Aunque aparentemente su tramitación se encuentra paralizada, la ZAL de Murcia-MEDFOOD, pasó en 2016 el primer proceso de participación pública exigido por la Ley 21/2013 de Evaluación Ambiental, iniciándose en octubre de 2018 un periodo de información pública de dos meses, tanto del PAT como del Estudio de Impacto Territorial según el artículo 43 de la LOTURM, sin que se haya aprobado en la actualidad.

Por lo que se refiere a los instrumentos excepcionales, las Actuaciones de Interés Regional (AIR) son proyectos de iniciativa pública o privada que pueden ser autónomos o desarrollar directrices o planes de OT. Las actuaciones declaradas como AIR, deberán ir dirigidas a mejorar el desarrollo económico y social o la implantación de infraestructuras o dotaciones.

Como se verá posteriormente, la legislación otorga a las AIR una especial importancia, en tanto son instrumentos que prevalecen sobre el planeamiento territorial y urbanístico vigente, posibilitando, aunque excepcionalmente, que la actividad territorial y urbanística de la región se realice mediante estos instrumentos. Su implantación será de forma directa o por concurso y podrán asociarse la administración y los particulares.

Actualmente, sólo se ha desarrollado una AIR, la del aeropuerto internacional de la Región de Murcia, aprobada en 2004 y hay otra, la ZAL Los Camachos – Cartagena, de la que se ha redactado el documento inicial estratégico y el borrador del plan, que se sometió a información pública en julio de 2018, sin que hasta este momento se haya aprobado.

Los instrumentos complementarios tienen por finalidad evaluar los efectos económicos, sociales y medioambientales derivados de la aprobación de los instrumentos de OT, del litoral y urbanísticos (Art. 21)[8]. Dentro del grupo de instrumentos complementarios, el Sistema Territorial de Referencia y la Cartografía Regional son herramientas de ayuda al análisis y toma de decisiones territoriales y urbanísticas. El primero de los dos, reúne la documentación técnica y de las bases de datos aportadas por los diferentes departamentos cuyas competencias tienen una repercusión territorial. El instrumento de Cartografía Regional es el que concentra toda la cartografía oficial, de uso obligado por los departamentos de la administración y los ayuntamientos para la redacción de los instrumentos territoriales y urbanísticos.

Los Estudios de Impacto Territorial deben acompañar obligatoriamente a los POTs, los PATs, las AIRs, los Planes Generales de Ordenación Municipal (PGOM) y a sus revisiones o modificaciones, a los Planes Parciales (PP) en suelos urbanizables sin sectorizar y a los Planes Especiales (PE) en suelo no urbanizable y en suelos urbanizables sin sectorizar. Como se verá posteriormente, los EIT presentan bastantes similitudes con algunas partes de los documentos integrantes de la EAE.

---

8. Alguno de los instrumentos de este grupo, presenta al menos conceptualmente, notables semejanzas con algunos documentos que integran una EAE.

Los Estudios de Paisaje no son obligatorios en las figuras de planificación territorial y sólo en algunos casos de las de planificación urbanística: en planes parciales o planes especiales en suelo urbanizable no sectorizado, en los planes especiales en suelo no urbanizable y en caso de actuaciones de interés público en suelo protegido o inadecuado para desarrollos urbanos. Estos estudios forman parte inseparable de los instrumentos a los que van asociados.

Por lo que se refiere al siguiente grupo de instrumentos, la ordenación del litoral, la legislación territorial de la RM diferencia claramente entre la parte terrestre del dominio público marítimo terrestre y sus zonas contiguas y el resto del territorio, estableciendo para la primera una figura específica de ordenación que son los Planes de Ordenación de Playas.

Las dos últimas figuras que aparecen en la Ley 13/21015 son las estrategias territoriales de paisaje y de gestión de costas, aunque la propia ley señala que se trata de un listado abierto y, por tanto, ampliable a otras estrategias. Las determinaciones de los instrumentos de Ordenación del Territorio son vinculantes para todas las administraciones públicas y para los particulares, en los términos que cada una establezca. Igualmente prevalecerán sobre las determinaciones de los instrumentos de rango inferior y sobre los planes urbanísticos, que deberán adaptarse a sus determinaciones en caso de contradicción (Art. 22).

La vigencia de todos los instrumentos de OT será indefinida, salvo que en ellos se especifique un plazo o circunstancias para su revisión (Art. 73).

Los instrumentos de OT y las estrategias territoriales se deberán someter a evaluación ambiental estratégica ordinaria. Los planes de ordenación de playas y las modificaciones en los instrumentos de OT, a ambiental estratégica simplificada (Art. 69). Se puede deducir de lo anterior, que el grupo de "Instrumentos Complementarios", no serán objeto de EAE.

3.1. INSTRUMENTO REGIONAL

El instrumento de mayor rango dentro de la planificación territorial son las Directrices de Ordenación del Territorio (DOT). Las DOT son instrumentos directores y pueden redactarse para ámbitos subregionales y también sectoriales.

La finalidad de las DOT es la regulación de actividades y la coordinación de políticas urbanísticas y sectoriales con incidencia territorial, pudiendo abarcar, como se ha indicado, el conjunto de la región, un ámbito determinado o sectores concretos (Art. 23).

Por lo que se refiere a las determinaciones, se ajustan a la separación clásica de los modelos de planificación física, entre las partes de análisis y diagnóstico y la de directrices reguladoras para el área o sector correspondiente, estableciendo las condiciones para su desarrollo mediante Planes de OT y Programas de Actuación Territorial.

3.2. INSTRUMENTO SUBREGIONAL

3.2.1. Los Planes de Ordenación del Territorio (POT)

Los POT son instrumentos directores y operativos para la regulación de la política territorial en un ámbito espacial o sector de actividad en desarrollo de las DOT o de forma autónoma (Art. 25).

Las funciones de los POT son, según tengan carácter integral o sectorial, la ordenación integrada de ámbitos subregionales, comarcales o supramunicipales, mediante la coordinación de las políticas sectoriales y urbanísticas de interés regional o la planificación de sectores de actividad específica que por tener incidencia territorial, requieren de un instrumento técnico de apoyo para la formulación de sus políticas sectoriales (Art. 25).

Los POTs establecerán la relación de proyectos y acciones de carácter sectorial, junto a las actuaciones urbanísticas de interés supramunicipal y a los mecanismos de concertación administrativa. La gestión de estas intervenciones podrá llevarse a cabo, total o parcialmente, de forma directa por los propios planes o mediante la elaboración de Programas de Actuación Territorial y Actuaciones de Interés Regional.

Las actuaciones urbanísticas e inversiones que se programen directamente precisarán de un análisis económico-financiero de viabilidad. Para la imputación de costes entre administraciones, organismos públicos y particulares, deberán disponer las bases para los mecanismos de concertación y cooperación que hagan viables convenios y acuerdos entre ellos (Art. 27).

Los POT tendrán una parte dedicada a la coordinación con el planeamiento municipal. En ella se podrá señalar los criterios básicos de actuación urbanística para un desarrollo urbanístico racional coherente con el modelo de ocupación y usos del territorio, los criterios urbanísticos básicos de localización y dimensionamiento de áreas industriales, usos terciarios, dotaciones y distribución de actividades; las densidades e intensidades de referencia, conformes con los objetivos de ordenación territorial; la estimación de reservas de suelo para la promoción pública de suelo industrial y para el desarrollo de la política regional de vivienda; determinaciones y criterios tendentes a evitar desequilibrios funcionales en las zonas limítrofes de los municipios y los criterios de homogeneización de los suelos no urbanizables de interés y criterios generales para su uso y protección.

Como se ha indicado en el tercer apartado, entre su documentación debe figura el Estudio de Impacto Territorial (EIT) (Art. 26) y su desarrollo se ajustará al procedimiento de EAE ordinaria (Art. 69). En la Figura 2 están localizados los tres POT antes citados que, en diferentes fases, se encuentran actualmente en tramitación.

Figura 2. Situación de los Planes de Ordenación del Territorio

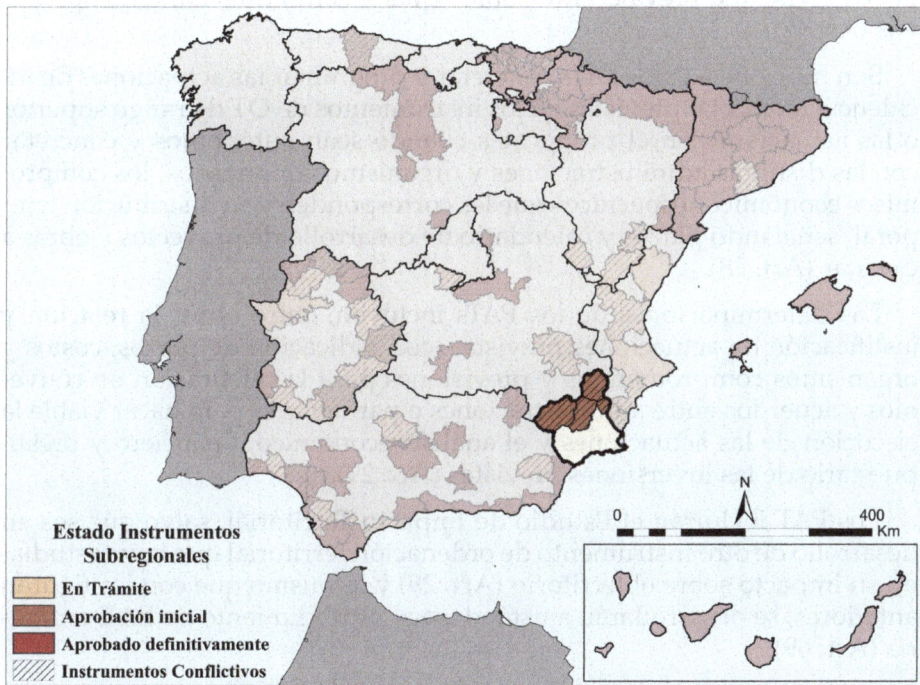

Fuente: Elaboración propia

3.2.2. Los Programas de Actuación Territorial (PAT)

Incluidos junto a los dos anteriores en la categoría de instrumentos ordinarios de OT, los PATs no pueden considerarse como tales, puesto que como indica el artículo 28 de la LOTURM, son instrumentos de carácter ejecutivo y de programación a corto plazo de las previsiones de los POTs y, en su caso, de las DOT. Excepcionalmente podrán ser autónomos (Art. 28). Se trata, por tanto, de desarrollar y no de establecer, las propuestas de los POTs y las DOTs.

Los PAT podrán desarrollarse directamente mediante proyectos de ejecución o mediante instrumentos de planeamiento urbanístico de desarrollo.

Las actuaciones y costos previstos en ellos se incorporarán a los presupuestos de las distintas administraciones públicas comprometidas y a otros instrumentos de planificación económica regional.

El planeamiento urbanístico municipal deberá respetar las previsiones de los PATs, que prevalecerán sobre aquel y serán directamente operativos (Art. 30).

Son funciones de los PATs concretar y programar las actuaciones de incidencia territorial previstas en los instrumentos de OT de rango superior o las actuaciones en él propuestas cuando sean autónomos y concretar con las distintas administraciones y organismos implicados, los compromisos económicos específicos que les corresponden y su distribución temporal, señalando plazos y calendario de desarrollo de proyectos y obras a ejecutar (Art. 28).

Las determinaciones de los PATs incluyen, entre otras, la relación y justificación de actuaciones previstas, con indicación de plazos, costos y organismos comprometidos y previsiones para la celebración de convenios y acuerdos entre administraciones o particulares para hacer viable la ejecución de las actuaciones y el análisis económico, financiero y presupuestario de las inversiones previstas (Art. 29).

Los PAT incluirán el Estudio de Impacto Territorial, salvo que sea en desarrollo de otro instrumento de ordenación territorial que haya estudiado su impacto sobre el territorio (Art. 29) y lo mismo que con las figuran anteriores, se desarrollarán ajustándose al procedimiento de EAE ordinaria (Art. 69).

3.2.3. Las Actuaciones de Interés Regional (AIR)

Según se establece en el artículo 31 de la LOTURM, se podrán considerar como AIR las actuaciones supramunicipales que beneficien a la región en cualquier aspecto ligado a la calidad de vida y, en general, las encaminadas al logro de los objetivos generales de la ordenación del territorio, y que por su magnitud, importancia o especiales características trascienda el ámbito municipal. El interés regional se declarará por el Consejo de Gobierno.

Lo anterior se traduce en que podrán declararse como AIR las actuaciones dirigidas a la ordenación y gestión de zonas en materia de viviendas, actividades económicas, infraestructuras, dotaciones, servicios y otras similares o para la implantación de infraestructuras, dotaciones e instalaciones de interés regional y alcance supramunicipal y como en el caso de las PAT, deberán incluir un Estudio de Impacto Territorial y seguir el proceso de EAE ordinaria.

Las AIR podrán promoverse y desarrollarse por iniciativa pública o privada y en desarrollo de determinaciones de las DOT o POT o, justificadamente, de forma autónoma. Las promovidas por las administraciones, podrán desarrollarse directamente, a través de concursos públicos o mediante consorcios entra administraciones y particulares.

Las AIR tendrán, según se indique en su declaración, un carácter inmediato o diferido. En el primer caso se deberán iniciar en los dos años siguientes desde su declaración[9]. En el segundo caso, se amplía a cinco.

La importancia que la LOTURM asigna a las AIR se pone de manifiesto en una serie de aspectos significativos:

- la actividad territorial y urbanística directa y propia de la CARM se podrá realizar de forma excepcional mediante AIRs, aunque la forma ordinaria será el desarrollo de planes y programas o el planeamiento urbanístico (Art. 31).

- prevalecerán, en caso de incompatibilidad, sobre el planeamiento territorial y urbanístico vigente (Art. 32).

- los promotores o entidades que pretendan llevar a cabo AIR podrán solicitar, con carácter previo a su tramitación, un informe de viabilidad, que no condicionará las facultades de declaración del órgano competente. Se acepta el silencio administrativo como positivo a los cuatro meses de solicitar el informe (Art. 33).

- la declaración de AIR podrá llevar aparejado, si así se establece en el acuerdo de aprobación definitiva, la declaración de utilidad pública y la necesidad urgente de ocupación (Art. 34).

- igualmente, si así se recoge en el documento de aprobación definitiva, podrá corresponder a la consejería competente en materia de urbanismo, la elaboración, tramitación y aprobación de todos los instrumentos y documentos que se precisen para el

---

9. Lo que implica un proceso de EAE extraordinariamente rápido.

desarrollo, ejecución, y gestión, incluidos los proyectos de urbanización (Art. 34).

- en el acuerdo de aprobación definitiva, se podrá eximir excepcionalmente a la AIR y a los planes y proyectos derivados de la misma, de las autorizaciones e informes cuya regulación sea competencia de la CA, sin perjuicio de lo determinado por las legislaciones estatal y europea (Art. 34).

3.2.4. Planes de Ordenación de Playas (POP)

Incluidos como instrumentos de OT, los POP inciden sobre la parte terrestre del DPMT y sus zonas contiguas.

Su finalidad es la ordenación de las playas, permitiendo su homogeneización, la compatibilización de usos, mejora de infraestructuras, establecimiento de paseos y sendas marítimas, accesos, aparcamientos y puntos de entrada y salida de embarcaciones (Art. 51).

Los POP se desarrollarán de forma coordinada con la planificación espacial marítima y los instrumentos de ordenación territorial (Art. 48) y vincularán a todas las administraciones y particulares en los términos que ellos establezcan. Sus determinaciones prevalecen sobre las de los instrumentos de rango inferior y sobre las de los planes urbanísticos. En este caso, el proceso de elaboración y aprobación sigue la tramitación de una EAE simplificada (Art. 69).

3.2.5. Estrategias Territoriales

Su objeto es la gestión integral del territorio considerando la interdependencia y diversidad de los sistemas territoriales, estableciendo políticas de protección, regulación y gestión, mediante procesos participativos y de coordinación de todos los agentes sociales e institucionales para lograr sus objetivos específicos (Art. 59).

Las ET comprometerán a las administraciones públicas y a los particulares, en los términos establecidos en ellas, prevaleciendo sobre los planes urbanísticos y su ajustarán a una EAE ordinaria (Art. 69).

3.2.5.1. Estrategia de Paisaje (EP)

Su función principal aplicar políticas de protección, gestión y ordenación, estableciendo procedimientos de participación e integrar al paisaje en las políticas de OT y urbanísticas (Art. 62).

Las determinaciones que establece la LOTURM son (Art. 63):

- Definición del ámbito territorial y de las unidades de paisaje.

- Diagnóstico.

- Medidas sobre la sensibilización, formación y educación, identificación y calificación, objetivos de calidad paisajística y aplicación de políticas en materia de paisaje.

- Programas de desarrollo.

3.2.5.2. Estrategia de Gestión Integrada de Zonas Costeras (EGIZC)

La Estrategia podrá desarrollarse en estrategias parciales y se desarrollará sobre la base de una perspectiva que tome en consideración las interrelaciones entre los sistemas naturales y las actividades humanas con incidencia sobre la costa, respetando la capacidad de carga de los ecosistemas así como las características locales y la participación de las partes interesadas y de las administraciones competentes.

Las determinaciones de las EGIZC contendrán, como mínimo, el ámbito de aplicación y legislaciones a considerar; los temas claves que afectan a la zona y la definición de los planes y programas que posibiliten solventar los problemas, indicadores de seguimiento y administraciones encargadas y financiación.

3.3. INSTRUMENTOS SECTORIALES

Aunque, como se ha visto en las páginas anteriores, las Directrices de Ordenación del Territorio y los Planes de Ordenación del Territorio pueden tener un carácter sectorial, la legislación territorial de Murcia no incorpora instrumentos de carácter exclusivamente sectorial.

3.4. OTROS INSTRUMENTOS DE SEGUNDO NIVEL

Como instrumentos de segundo nivel, se han incorporado dos, los Estudios de Paisaje y los Estudios de Impacto Territorial, que acompañan a otros de jerarquía superior a ellos.

3.4.1. Estudios de Paisaje (EsP)

Su función son el análisis y la evaluación del impacto que sobre el paisaje podría tener una actuación, actividad o uso concreto sobre el territorio y las medidas a adoptar para su correcta integración. (Art. 45).

Según establece la LOTURM, estos estudios sólo se deben incorporar obligatoriamente en figuras de planeamiento urbanístico: planes generales (Art. 116), planes parciales (Art. 142), planes especiales que ordenen suelos no urbanizables o urbanizables sin sectorizar (Art. 143) y actuaciones de interés público en suelo no urbanizable (Art. 95).

3.4.2. Estudios de Impacto Territorial (EIT)

Los EIT son documentos complementarios a los instrumentos de planificación territorial y urbanísticos. En el caso de los primeros son: los POTs, los PATs, las AIRs.

Los EIT deberán evaluar y corregir los impactos sobre: la población y su situación socioeconómica, el medio ambiente y los recursos, el sistema de ciudades y la localización de las actividades económicas, las infraestructuras y los equipamientos y el patrimonio cultural (Art. 43). Como se puede ver por su contenido, los EIT presentan similitudes con los documentos que forman parte de las evaluaciones estratégicas.

4. ÓRGANOS

4.1. COMISIÓN DE COORDINACIÓN DE POLÍTICA TERRITORIAL

Es un órgano de carácter consultivo dirigido a asegurar la colaboración y coordinación interadministrativa en materia de OT y urbanismo (Art. 15).

Las funciones de la Comisión vienen detalladas también en dicho artículo 15. De forma resumida, éstas son:

- Informar la revisión del planeamiento general, su adaptación a la ley y a los instrumentos de OT, así como las modificaciones de los mismos cuya aprobación corresponda a la Administración regional.

- Informar los planes y actuaciones con incidencia territorial, así como los instrumentos estratégicos de ordenación del territorio y del litoral, previstos en la ley. La Comisión también puede participar en la elaboración de los instrumentos de OT, mediante informes a solicitud de los órganos encargados de su redacción.

- Conocer e informar sobre criterios básicos para la conformación y difusión del STR y aportar la información necesaria para su elaboración.

- Informar sobre proyectos de normativa urbanística y de OT o cualesquiera otras funciones consultivas en dichas materias que pudiera encomendarle el Consejo de Gobierno.

La composición y funcionamiento de la Comisión viene regulada por el Decreto 59/2001 de 27 de julio por el que se regula la organización y funcionamiento de la Comisión de Coordinación de Política Territorial[10].

4.2. CONSEJO ASESOR DE POLÍTICA TERRITORIAL

El artículo 16 de la LOTURM establece, de forma genérica, que el Consejo Asesor de Política Territorial es el órgano regional de carácter participativo y deliberante para lograr la concertación en materia de ordenación del territorio, ordenación del litoral y urbanística.

El Consejo conocerá de los estudios, programas, planes, directrices y, en general, las líneas de actuación que establezcan las Administraciones públicas en materia de política territorial y que sean sometidas a su consideración para la formulación de propuestas o informes. Este mismo artículo indica que su composición, que se regulará mediante decreto, deberá asegurar la participación de las Administraciones públicas, agentes empresariales y profesionales y expertos de relevante prestigio en la materia.

Existe un proyecto de decreto de 2016, por el que se regula la composición y régimen de funcionamiento del Consejo Asesor de política territorial de la Región de Murcia[11] no aprobado, que desarrolla las funciones y composición del Consejo. Según este borrador de decreto, le corresponde con carácter preceptivo:

- Emitir informe, previo a la aprobación provisional de los instrumentos de OT y sus modificaciones, así como de los planes de ordenación de playas (salvo los supuestos previstos en el artículo 71.2 de la LOTURM)[12].

- Ser oído con carácter previo a la aprobación definitiva de las Directrices y Planes de OT y PAT, del Plan Cartográfico Regional y de las Estrategias de Gestión Integrada de Zonas Costeras.

---

10. BORM n.º 182 de 7 de agosto de 2001.
11. https://transparencia.carm.es/-/2018-fomento-decreto-consejo-asesor-politica-terriorial [Consultado 20/11/2019].
12. Este punto de la LOTURM establece el procedimiento abreviado de los planes de ordenación de playas en el caso de que el trámite ambiental certifique que el plan no tiene efectos significativos sobre el medio ambiente.

- Informar previamente a la aprobación definitiva de la Estrategia del Paisaje.

- Cuantas otras se le asignen en disposiciones legales.

La composición del Consejo puede verse igualmente en el citado borrador de decreto.

5. PROCEDIMIENTOS Y RESPONSABILIDADES FORMALES

La LOTURM sólo dedica cuatro artículos, del 69 al 72 a desarrollar el procedimiento de tramitación de los instrumentos de OT, que desde la aprobación de la Ley 21/2013 de Evaluación Ambiental, aúna los procesos de evaluación ambiental estratégica, la elaboración y la aprobación ambiental de los planes.

La LOTURM otorga al procedimiento un escaso protagonismo dado que, por ejemplo, no aparece referencia alguna al órgano promotor, sustantivo o medio ambiental[13] y realmente sólo el artículo 70 incide sobre el proceso de la tramitación, sin diferenciar entre la ordinaria y la simplificada. Por todo ello, no resulta sencillo seguir el procedimiento de aprobación de los planes que de forma tan resumida establece la ley.

Como norma general, la LOTURM integra en el proceso de redacción y tramitación del plan a los procedimientos establecidos en la Ley 21/2013 de EA, con alguna pequeña modificación, al combinar los pasos propios de la EAE según establece la citada ley de EA, con una tramitación tradicional y las consecuentes fases de aprobación inicial, provisional y definitiva, lo que hace el procedimiento sea posiblemente de tramitación sensiblemente más larga que si se hubiese seguido de forma estricta la ley 21/2013.

En consonancia con la ley estatal, sólo existe dos procedimientos de tramitación y de evaluación estratégica, el ordinario a aplicar a los instrumentos ordinarios (DOT, POT y PAT), a las AIR y a los instrumentos del grupo de Estrategias Territoriales (Estrategias de Paisaje y de Gestión Integrada de Zonas Costeras) y el simplificado, exclusivamente para los planes de ordenación de playas.

Todos los planes tienen la misma tramitación, con la única diferencia de la consejería competente para su elaboración y aprobación. Por lo que

---

13. Es el artículo 10 del Decreto 173/2019, por el que se establecen los Órganos Directivos de la Consejería de Agua, Agricultura, Ganadería, Pesca y Medio Ambiente (BORM n.º 207 de 7 de septiembre), el que atribuye a la Dirección General de Medio Ambiente "las competencias y funciones en materia de evaluación ambiental de planes y proyectos", por lo que se entiende que es esta Dirección General la que actúa como Órgano Ambiental.

respecta a las Directrices y Planes de Ordenación Territorial y Programas de Actuación Territorial, su elaboración corresponde a la consejería en la que radiquen las competencias de las materias objeto de regulación, en coordinación con la consejería competente en materia de OT y con los restantes departamentos de la Administración regional y de otras Administraciones públicas interesadas.

La aprobación inicial y provisional de los instrumentos citados, así como de las AIRs, compete al consejero competente en materia de OT, previo informe de la Comisión de Coordinación de Política Territorial. La aprobación definitiva de estos planes corresponde al Consejo de Gobierno, oído el Consejo Asesor de Política Territorial (Art. 36 y 69).

Respecto a los Planes de Ordenación del Playas, su elaboración es competencia de la consejería competente en materia de ordenación del litoral, mientras que su aprobación inicial y provisional corresponde al director general competente en materia de litoral y la definitiva al consejero competente en la materia (Art. 36).

Por tanto, los órganos que se acaban de citar, competentes para la aprobación definitiva del plan o programa, son los que ejercen el papel de órgano sustantivos.

Será en el apartado 5.5 en donde se van a desarrollar ambos procedimientos, el ordinario y el simplificado.

5.1. PROCEDIMIENTO DE ELABORACIÓN Y APROBACIÓN DEL INSTRUMENTO REGIONAL

Como se acaba de señalar, el único instrumento regional posible son las Directrices de Ordenación del Territorio de ámbito regional, para las que se sigue el mismo procedimiento que el resto de los planes territoriales que la LOTURM integran en el grupo de instrumentos ordinarios.

5.2. PROCEDIMIENTO DE ELABORACIÓN Y APROBACIÓN DE LOS INSTRUMENTOS SUBREGIONALES

Como instrumentos de carácter subregional se tiene los Planes de Ordenación del Territorio (POT), los Programas de Actuación Territorial y las Actuaciones de Interés Regional, que como se acaba de indicar, siguen todas ellas el mismo procedimiento que las Directrices de Ordenación del Territorio.

5.3. PROCEDIMIENTO DE ELABORACIÓN Y APROBACIÓN DE LOS INSTRUMENTOS SECTORIALES

Ya se visto anteriormente que los planes que figuran en los apartados 5.1 y 5.2 pueden tener también un carácter sectorial, por lo que el procedimiento de elaboración y aprobación será el mismo.

5.4. PROCEDIMIENTO DE ELABORACIÓN Y APROBACIÓN DE LOS INSTRUMENTOS DE OT DE SEGUNDO ORDEN

Como instrumentos de segundo nivel (Apartado 3.4), se han considerado los Estudios de Paisaje y los Estudios de Impacto Territorial, que acompañan a los planes antes citados, siguiendo, por tanto, los mismos procedimientos de aprobación que los planes a los que acompañan.

5.5. PROCEDIMIENTO DE LA EVALUACIÓN AMBIENTAL DE PLANES

Como se ha indicado, los instrumentos de OT de la RM siguen el procedimiento de EAE ordinaria[14], lo mismo que las estrategias territoriales. Los planes de ordenación de playas y las modificaciones de los instrumentos de OT, a la simplificada (Art 69).

5.5.1. Evaluación Ambiental Estratégica (EAE) Ordinaria

El proceso de EAE Ordinaria de los planes, que se indica a continuación, integra el articulado de la LOTURM con lo que figura en la guía de procedimientos y servicios de la Comunidad Autónoma de Murcia[15], que sigue exclusivamente el esquema dispuesto por la Ley de Evaluación Ambiental 21/2013 de 9 de diciembre (LEA).

1. Solicitud de inicio (Art. 18 LEA Y 70 LOTURM)

El Órgano Promotor (OP) presentará ante el Órgano Sustantivo (OS)[16], junto con la documentación exigida por la legislación sectorial, una

---

14. El artículo 20 de la LOTURM incluye claramente a las AIR, como un instrumento de OT de carácter extraordinario, por lo que según establece el artículo 69 de dicha ley, deberán someterse a una EAE ordinaria, tal como sucede, por ejemplo, con la propuesta de AIR actualmente en tramitación de la ZAL de Los Camachos.

15. http://www.carm.es/web/pagina?IDCONTENIDO=1328&IDTIPO=240&RASTRO =c672$m2469 [Consultado 20/11/2019].

16. Ya se ha indicado anteriormente, los departamentos de la administración que asumen los papeles de órgano sustantivo y medio ambiental.

solicitud de inicio de la EAE acompañada del borrador del plan y del Documento Inicial Estratégico (DIE). Una vez comprobada la documentación, se remitirá al Órgano Ambiental (OA).

En paralelo, la DG competente en materia de OT someterá al borrador del plan a información pública durante un mes para la presentación de alternativas y sugerencias. Este borrador o documento de avance del plan, deberá incorporar los criterios, objetivos y soluciones generales del plan.

2. Consultas previas y determinación del alcance del estudio ambiental estratégico (Art. 19 LEA y 70 LOTURM)

El OA someterá el borrador del plan y el DIE a consultas de las Administraciones públicas afectadas y de las personas interesadas, que se pronunciarán en un plazo de cuarenta y cinco días hábiles desde su recepción.

Recibidas las contestaciones a las consultas, el OA elaborará y remitirá al OP y al OS, el DA del EsAE, junto con las contestaciones recibidas a las consultas realizadas.

3. Estudio ambiental estratégico (Art. 20 LEA y 70 LOTURM)

Teniendo en cuenta el DA, el OP elaborará el EsAE, el que se identificarán, describirán y evaluarán los posibles efectos significativos en el medio ambiente de la aplicación del plan, así como unas alternativas razonables técnica y ambientalmente viables, que tengan en cuenta los objetivos y ámbito de aplicación geográfico del plan.

El EsAE se considerará parte integrante del plan y contendrá, como mínimo, la información contenida en el Anexo IV de la LEA, así como aquella que se considere razonablemente necesaria para asegurar su calidad.

El consejero competente en OT, previo informe de la Comisión de Coordinación de Política Territorial, a propuesta del DG competente en OT, podrá acordar la aprobación inicial del plan, que contendrá el EsAE. Estos documentos se someterán a información pública durante dos meses, como mínimo.

4. Información pública (Art. 21 LEA y 70 LOTURM)

El OS someterá la versión inicial del plan y el EsAE, a información pública previo anuncio en el diario oficial correspondiente y, en su caso, en su sede electrónica. La información pública será, como mínimo, de cuarenta y cinco días hábiles.

5. Consultas a las Administraciones públicas afectadas y personas interesadas (Art. 22 LEA y 70 LOTURM)

Simultáneamente al trámite de información pública, el OS someterá la versión inicial del plan, acompañado del EsAE, a consulta de las Administraciones públicas afectadas y de las personas interesadas que hubieran sido previamente consultadas. Las Administraciones públicas afectadas, y las personas interesadas dispondrán de un mínimo de cuarenta y cinco días hábiles para emitir los informes y alegaciones que estimen pertinentes.

En este trámite se solicitará informe a la DG competente en urbanismo y se dará audiencia a los ayuntamientos afectados.

6. <u>Propuesta final de plan o programa</u> (Art. 23 LEA y 70 LOTURM)

Tomando en consideración las alegaciones formuladas en los trámites de información pública y de consultas y previo informe de las alegaciones presentadas y de los informes emitidos, el promotor modificará, de ser preciso, el EsAE y elaborará la propuesta final del plan o programa.

El consejero competente en OT, previo informe del Consejo Asesor de Política Territorial y a propuesta del DG competente en OT, lo aprobará provisionalmente.

Las modificaciones realizadas en el documento aprobado provisionalmente serán sometidas a un nuevo trámite de información pública si dichas modificaciones significaran un cambio sustancial respecto al instrumento aprobado inicialmente[17].

7. <u>Análisis técnico del expediente</u> (Art. 24 LEA y 70 LOTURM)

El OS remitirá al OA el expediente de EAE (ExEAE) completo, integrado por:

a) La propuesta final de plan.

b) El estudio ambiental estratégico.

c) El resultado de información pública y de las consultas, así como su consideración.

d) Un documento resumen en el que el promotor describa la integración en la propuesta final del plan o programa de los aspectos ambientales, del estudio ambiental estratégico y de su adecuación al documento de alcance, del resultado de las consultas realizadas y cómo éstas se han tomado en consideración.

Si durante el análisis técnico del ExEAE, el OA estimara que la información pública o las consultas no se han realizado conforme a lo establecido

---

17. El artículo 70.5 no indica la duración de este nuevo periodo de información pública.

en esta ley, requerirá al OS para que subsane el ExEAE en el plazo máximo de tres meses. Este plazo suspenderá el cómputo del plazo para la formulación de la DAE.

De igual forma, si durante el análisis técnico del expediente OA concluyera que es necesaria información adicional para formular la DEA solicitará al OP la información que sea imprescindible, que complete el expediente, informando de ello al OS. El OP tiene un plazo de tres meses para aportar la información requerida, lo que suspende el plazo para la formulación de la DAE. Si trascurrido este plazo, no se hubiera aportado la documentación, el OA dará por finalizada la EAE.

8. Declaración ambiental estratégica (Art. 25 LEA y 70 LOTURM)

El OA, una vez finalizado el análisis técnico del expediente formulará la DAE, en el plazo de cuatro meses contados desde la recepción del expediente completo, prorrogables por dos meses más por razones justificadas debidamente motivadas y comunicadas al promotor y al órgano sustantivo.

9. Aprobación definitiva y publicidad. (Art. 26 LEA, 70 y 72 LOTURM)

El OP incorporará el contenido de la DAE en el plan y, de acuerdo con lo previsto en la legislación sectorial, lo someterá a la adopción o aprobación del Consejo de Gobierno, mediante decreto y a propuesta del consejero competente en materia de OT, que resolverá definitivamente sobre el instrumento.

La aprobación definitiva de los instrumentos se publicará, en un plazo de 15 días, en el Boletín Oficial de la RM y en la sede electrónica del órgano que los haya aprobado.

El anuncio de aprobación definitiva deberá contener[18]:

a) La resolución que aprueba definitivamente el instrumento de planeamiento.

---

18. El artículo 26 de la LEA es bastante más exigente que la LOTURM en este aspecto, ya que señala que en el anuncio figure la siguiente documentación:
a) La resolución por la que se adopta o aprueba el plan, y una referencia a la dirección electrónica en la que el OS pondrá a disposición del público el contenido íntegro de dicho plan.
b) Un extracto que incluya los siguientes aspectos:
1.º De qué manera se han integrado en el plan los aspectos ambientales.
2.º Cómo se ha tomado en consideración en el plan el EsAE, los resultados de la información pública y de las consultas, y la DAE, así como, cuando proceda, las discrepancias que hayan podido surgir en el proceso.
3.º Las razones de la elección de la alternativa seleccionada, en relación con las alternativas consideradas.
c) Las medidas adoptadas para el seguimiento de los efectos en el medio ambiente de la aplicación del plan.

b) Un extracto que incluya aspectos ambientales previstos en su legislación específica.

c) La normativa del instrumento.

d) Una dirección electrónica en la que se pondrá a disposición del público el contenido íntegro del plan.

Es la Comisión de Coordinación de Política Territorial la encargada de asegurar el seguimiento de la evolución de los planes (Art. 15).

5.5.2. Evaluación Ambiental Estratégica (EAE) Simplificada

Por lo que respecta a la EAE simplificada, la LOTURM incurre en una cierta contradicción ya que mientras en el artículo 69.3 indica que "*Los planes de ordenación de playas y las modificaciones de los instrumentos de ordenación territorial estarán sometidos a evaluación ambiental estratégica simplificada*", en el artículo 71 se cambia el sentido del anterior, para establecer que:

> "*1. Los planes de ordenación de playas y las modificaciones de los instrumentos previstos en este título se sujetarán al mismo procedimiento y documentación enunciados anteriormente para la tramitación del instrumento.*
>
> *2. No obstante lo dispuesto en el apartado anterior, en los casos en que el trámite ambiental hubiera finalizado con el pronunciamiento de que el plan no tiene efectos significativos sobre el medio ambiente, la tramitación continuará cumpliendo las siguientes reglas:*
>
> > *a) La aprobación inicial se someterá a información pública de un mes y no será necesario llevar a cabo el trámite de consultas.*
> >
> > *b) No será necesaria la aprobación provisional*".

En este caso, y ante la ausencia de planes de ordenación de playas aprobados por la Región de Murcia, no es posible dilucidar cual es la opción correcta, aunque, dado que lo indicado en el artículo 71 resulta un procedimiento más completo, parece que debe ser ésta la opción a elegir.

Como se ha señalado anteriormente, la LOTURM no diferencia en el artículo 70, que trata sobre el proceso de tramitación de los planes y programas, entre el procedimiento ordinario y el simplificado. Únicamente indica en su apartado 1 que:

"Junto con el avance se formulará y expondrá al público la documentación necesaria para iniciar el trámite ambiental".

Por ello y siguiendo, como se ha hecho con el caso de la evaluación ambiental ordinaria, se ha integrado lo indicado en la LOTURM con la guía de procedimientos y servicios de la Comunidad Autónoma de Murcia en lo referente a la tramitación simplificada[19].

1. Solicitud de inicio (Art. 29 LEA Y 70 LOTURM)

El Órgano Promotor (OP) presentará ante el Órgano Sustantivo (OS), la documentación exigida por la legislación sectorial, una solicitud de inicio de la EAE simplificada, el borrador del plan y del Documento Ambiental Estratégico (DAE) que contendrá, al menos:

a) Los objetivos de la planificación.

b) El alcance y contenido del plan propuesto y de sus alternativas razonables, técnica y ambientalmente viables.

c) El desarrollo previsible del plan o programa.

d) Una caracterización de la situación del medio ambiente antes del desarrollo del plan o programa en el ámbito territorial afectado.

e) Los efectos ambientales previsibles y, si procede, su cuantificación.

f) Los efectos previsibles sobre los planes sectoriales y territoriales concurrentes.

g) La motivación de la aplicación del procedimiento de evaluación ambiental estratégica simplificada.

h) Un resumen de los motivos de la selección de las alternativas contempladas.

i) Las medidas previstas para prevenir, reducir y, en la medida de lo posible, corregir cualquier efecto negativo relevante en el medio ambiente de la aplicación del plan o programa, tomando en consideración el cambio climático.

j) Una descripción de las medidas previstas para el seguimiento ambiental del plan.

---

19. https://sede.carm.es/web/pagina?IDCONTENIDO=1330&IDTIPO=240&RASTRO =c$m40288 [Consultado 20/11/2019].

Una vez comprobada la documentación, se remitirá al Órgano Ambiental (OA).

Como en el caso de la evaluación ordinaria, la DG competente en materia de OT someterá al borrador del plan a información pública durante un mes para la presentación de alternativas y sugerencias. Este borrador o documento de avance del plan, deberá incorporar los criterios, objetivos y soluciones generales del plan.

2. Consultas previas y determinación del alcance del estudio ambiental estratégico (Art. 30 LEA y 70 LOTURM)

El OA someterá el borrador del plan y el DAE a consultas de las Administraciones públicas afectadas y de las personas interesadas, que se pronunciarán en un plazo de cuarenta y cinco días hábiles desde su recepción.

3. Informe ambiental estratégico (Art. 31 LEA y 70 LOTURM)

Recibidas las contestaciones a las consultas, el OA elaborará y remitirá al OP y al OS, el Informe Ambiental Estratégico (IAE), para lo que tiene un plazo de cuatro meses.

El IAE determinará si el plan tiene efectos significativos sobre el medio ambiente, en cuyo caso el órgano ambiental elabora el DA y se seguirá con una tramitación ordinaria o si el plan no tiene efectos significativos sobre el medio ambiente, en cuyo caso el OA lo publicará en el BORM en un plazo máximo de 15 días.

4. Aprobación del plan (Art 32 LEA y 70 LOTURM)

El informe ambiental se remite al OP, quien elaborará el plan o programa definitivo y lo remitirá al OS para su aprobación definitiva.

6. EMBOTELLAMIENTOS Y CONDICIONES QUE ALTERAN EL FUNCIONAMIENTO

En el caso de la RM, las conclusiones no difieren de las realizadas en el informe sobre la Comunitat Valenciana, con el agravante en este caso, de una legislación que en la parte de tramitación de los planes, presenta bastantes aspectos que no resultan fáciles de incardinar en la legislación estatal.

A los problemas inherentes a la propia ley de EA, se añade en este caso, la práctica muy limitada en el tema de EAE. Así por ejemplo, la página que recoge los distintos documentos de evaluación tramitados según la vigente ley de EA, por lo que respecta a las evaluaciones ordinarias, en la actualidad sólo aparecen once documentos de alcance y una sola declaración ambiental, sin que exista documentación adicional alguna, por ejemplo, la relativas a los procesos de consulta y participación, de manera que no es posible establecer el procedimiento seguido en el trámite de EAE.

Por otro lado, la propia distribución de competencias entre los diferentes organismos de la Consejería responsable de las evaluaciones ambientales, también resulta algo confusa. Así por ejemplo, dentro de la Subdirección General de Calidad y Evaluación Ambiental de la DG de Media Ambiente, el Servicio de Gestión y Disciplina Ambiental es el responsable de la *"Instrucción de los procedimientos de autorización ambiental autonómica, y tramitación de la evaluación ambiental de planes, programas y proyectos, sin perjuicio de los informes y asesoramientos técnicos de los servicios, órganos y administraciones afectadas"*.

Por otro lado, en la misma subdirección general, el Servicio de Planificación y Evaluación Ambiental es responsable de la *"Emisión de informes técnicos en los procedimientos de autorización ambiental autonómica, evaluación ambiental de proyectos, planes y programas, y cualesquiera otros informes de carácter técnico de la competencia de la Dirección General"*[20].

7. SITUACIÓN RESULTANTE

La planificación territorial en la Región de Murcia, pese al número de figura que recoge la LOTURM, resulta muy limitada, con diversidad de planes cuya tramitación se ha iniciado, pero en la actualidad permanecen paralizados. Posiblemente por ello y también por el escaso número de municipios que integran la región (45), la tramitación de las evaluaciones estratégicas, resulta confusa y la información aportada sobre los procedimientos iniciados, escasa.

No es posible, por tanto, obtener conclusiones respecto a la situación actual, siendo necesario contrastar la imagen creada a partir de la información disponible, con un análisis sobre el terreno que permita aclarar los problemas aquí expuestos.

8. REFERENCIAS BIBLIOGRÁFICAS Y NORMATIVA

Díez de Revenga, E.; Rodier, A. y Picazo Córdoba, E. (2006). *La ordenación del territorio en la Región de Murcia: estado actual de la materia.* Murcia: Consejo Económico y Social de la Región de Murcia. colección estudios.

---

20. https://www.carm.es/web/pagina?IDCONTENIDO=50473&IDTIPO=100&RASTRO=c$m25987,121 [Consultado 20/11/2019].

Capítulo 17

El procedimiento de la planificación territorial en La Rioja

Enrique Antequera Terroso

Ingeniero de Caminos. Prof. Departamento de Urbanismo.
Universitat Politècnica de València

SUMARIO: 1. ANTECEDENTES. 2. NORMATIVA BASE. 3. ESQUEMA DE INSTRUMENTOS. 3.1. *Instrumento Regional.* 3.2. *Instrumento Subregional.* 3.2.1. Directrices de Actuación Territorial (DAT). 3.2.2. Zonas de Interés Regional (ZIR). 3.2.3. Los Proyectos de Interés Supramunicipal (PIS). 3.3. *Instrumentos Sectoriales.* 3.3.1. Normas de Coordinación del Planeamiento Urbanístico Municipal. 3.3.2. Los planes especiales (PE). 3.4. *Otros instrumentos de segundo nivel.* 4. ÓRGANOS. 4.1. *La Comisión de Ordenación del Territorio y Urbanismo (COTUR).* 4.2. *El Consejo Asesor de Medio Ambiente de La Rioja (CAMA).* 5. PROCEDIMIENTOS Y RESPONSABILIDADES FORMALES. 5.1. *Procedimiento de elaboración y aprobación de la ETR.* 5.2. *Procedimiento de elaboración y aprobación de los Instrumentos Subregionales.* 5.3. *Procedimiento de elaboración y aprobación de los Instrumentos Sectoriales.* 5.3.1. Las Normas de Coordinación del Planeamiento Urbanístico Municipal. 5.3.2. Los planes especiales. 5.4. *Procedimiento de elaboración y aprobación de los Instrumentos de OT de segundo orden.* 5.5. *Procedimiento de la evaluación ambiental de planes.* 6. EMBOTELLAMIENTOS Y CONDICIONES QUE ALTERAN EL FUNCIONAMIENTO. 7. SITUACIÓN RESULTANTE. 8. BIBLIOGRAFÍA Y NORMATIVA.

1. ANTECEDENTES

El primer referente legislativo en materia de OT en La Rioja, es la Ley 10/1998 de 2 de Julio de Ordenación del Territorio y Urbanismo[1]. Previamente, se habían aprobado diferentes planes con incidencia territorial con el sustento legal del Texto Refundido de la Ley del Suelo estatal y su Reglamento de Planeamiento. De la relación de planes aprobados con antelación a dicha ley de 1998, los más relevantes desde el punto de vista territorial, fueron el Plan Especial de Protección del Medio Ambiente Natural (PEMAN) y las Normas Urbanísticas Regionales (NUR)[2].

Posteriormente, se aprueba la Ley 5/2006, de 2 de mayo, de Ordenación del Territorio y Urbanismo de La Rioja (LOTUR), que sustituye a la ley de 1998. Esta ley mantiene el PEMAN y las NUR antes citadas, en tanto no se apruebe la Directriz de Suelo No Urbanizable que debe sustituir al primero y se revisen y adapten a la nueva ley de 2006 las normas urbanísticas regionales (Disposición Transitoria Cuarta). Recientemente se ha aprobado la citada Directriz[3] y, por lo que respecta a la actualización de las NUR, según se recoge en el documento "Política Territorial en La Rioja. Memoria 2007-2010"[4], el Consejo de Gobierno de La Rioja las aprobó inicialmente en enero de 2010, abriéndose entonces un plazo de exposición pública, sin que se haya aprobado definitivamente hasta el momento.

La LOTUR no se ha desarrollado reglamentariamente en su totalidad, pero si ha sufrido numerosas modificaciones, normalmente mediante la vía de leyes de acompañamiento (en siete casos) y en otros dos como consecuencia de la ley de capitalidad de Logroño y de la de administración electrónica y simplificación administrativa.

Su estructura jerárquica se ajusta a lo que la exposición de motivos de la propia ley define como un modelo "tradicional en cascada", que parte de una figura general y referida al conjunto del territorio, cuyas determinaciones se van concretando con "otros instrumentos más específicos y

---

1. BOR n.º 80 de 4 de julio de 1998.
2. BOR n.º 78 de 30 de junio de 1988.
3. Decreto 18/2019, de 17 de mayo, por el que se aprueba la Directriz de Protección del Suelo No Urbanizable de La Rioja (BOR n.º 65 de 29 de mayo de 2019).
4. Consejería de Turismo, Medio Ambiente y Política Territorial de La Rioja. https://www.larioja.org/territorio/es/politica-territorial/memoria-actividades [Consultado 30/10/2019].

determinaciones más vinculantes". Las figuras de OT que recoge la LOTUR son (Art. 15):

- La Estrategia Territorial de La Rioja (ETR).

- Las Directrices de Actuación Territorial (DAT). Dentro de este grupo, la LOTUR cita expresamente a la Directriz de Protección del Suelo No Urbanizable.

- Las Zonas de Interés Regional (ZIR).

- Los Proyectos de Interés Supramunicipal (PIS).

Por lo que respecta a la principal de ellas, la ETR de La Rioja no ha sido aprobada, aunque como se indica en el documento antes citado, en 2008 se redactó el documento de avance y en 2009 el documento inicial y aunque ambos fueron sometidos a exposición pública, no se llegó a la aprobación definitiva.

Las DAT son instrumentos subregionales de carácter integrado, lo que las diferencia de figuras similares existentes en la mayoría de comunidades, que normalmente posibilitan tengan también un carácter sectorial. Como se verá posteriormente, la figura del plan subregional sectorial queda asumida en la LOTUR por los planes especiales.

En relación a las ZIR y a los PIS, no se puede hablar figuras de OT propiamente dichas. Ni los ámbitos territoriales potencialmente afectados, ni las determinaciones que la LOTUR establece para ellas, se ajustan a las figuras clásicas de OT, sino más bien, a las urbanísticas. Pese a todo se han incluido dentro del grupo de instrumentos de OT subregionales, por mantener la clasificación de la LOTUR.

Según establece el artículo 10 del Decreto 29/2018[5], todas las figuras anteriores de OT antes citadas, así como los planes generales municipales y los planes especiales y de conjunto que afecten a más de un municipio[6], deben ajustarse a un procedimiento de EAE ordinaria.

En ese mismo artículo 10 se establece que serán objeto de EAE simplificada, las modificaciones menores de los instrumentos de ordenación y planes objeto de evaluación ordinaria y los planes parciales y planes

---

5. Que aprueba el reglamento de desarrollo del Título I "Intervención Administrativa" de la Ley 6/2017 de Protección del Medio Ambiente de La Rioja. BOR n.º 113 de 26 de septiembre.

6. Los planes de conjunto son planes generales municipales que abarcan más de un término municipal (Art. 85 LOTUR).

especiales, que establezcan el uso a nivel municipal de zonas de reducida extensión, así como los estudios de detalle.

Junto a estas figuras, se han incluido dentro de los instrumentos de carácter sectorial, a las Normas de Coordinación del Planeamiento Urbanístico Municipal y a los Planes Especiales, a la vista de los objetivos que la LOTUR les asigna en los artículos 86 y 77 respectivamente.

No se han considerado como instrumento o figura de ordenación del territorio, a las Normas Urbanísticas Regionales (Art 108 a 112 de la LOTUR), por su carácter netamente urbanístico y supletorio de la ausencia o carencias en el planeamiento urbanístico municipal.

2. NORMATIVA BASE

En la Tabla 1 se recoge la normativa, departamentos y planes vinculados a la OT.

Tabla 1[7]

Comunidad Autónoma	La Rioja
Antecedentes normativos	Ley 10/1998 de 2 de Julio de Ordenación del Territorio y Urbanismo
Legislación OT actual	Ley 5/2006, de 2 de mayo, de Ordenación del Territorio y Urbanismo Ley 3/2019, de 18 de marzo, que modifica la Ley 5/2006
Departamento OT actual	Consejería de Agricultura, Ganadería, Mundo Rural, Territorio y Población. (*Consejería de Fomento y Política Territorial*) Dirección General de Política Territorial, Urbanismo y Vivienda - (*Dirección General de Urbanismo y Vivienda*) - Servicio de Ordenación del Territorio - Área de Planificación Territorial
Plan OT regional	Estrategia Regional de La Rioja
Entrada en vigor (año)	NO APROBADA

7. Entre el momento de redactar este informe y la actualidad, se ha producido un cambio en la administración del gobierno de La Rioja, que ha significado también un cambio en la organización de las diferentes consejerías. En la tabla siguiente, figuran las denominaciones actuales y en segundo lugar y en cursiva, las que existían cuando se redactó el documento.

Comunidad Autónoma	La Rioja
Normativa de aprobación	Ley 5/2006, de 2 de mayo, de Ordenación del Territorio y Urbanismo
Organismo impulsor	El Consejo de Gobierno, a propuesta de la Consejería competente en materia de OT. Agricultura, Ganadería, Mundo Rural, Territorio y Población. (*Fomento y Política Territorial*)
Realización técnica	La Consejería competente en materia de OT. Agricultura, Ganadería, Mundo Rural, Territorio y Población. (*Fomento y Política Territorial*)
Periodo tramitación PTG	
Otros planes OT	- Las Directrices de Actuación Territorial - Las Zonas de Interés Regional - Los Proyectos de Interés Supramunicipal
Otros planes con incidencia en OT	Plan de Carreteras 2010-2021 Planes de Ordenación de Recursos Naturales Planes y Programas de protección ambiental (Ley 6/2017 de Protección del Media Ambiente de LR)

Fuente: Elaboración propia

3. ESQUEMA DE INSTRUMENTOS

Como se ha indicado en el apartado 1, el esquema de instrumentos de OT que establece la Ley 5/2006 es muy básico, con cuatro figuras dentro de los instrumentos de ordenación del territorio: Estrategia, Directrices, Zonas de Interés y Proyectos de Interés (Figura 1).

A la vista de los objetivos que les asigna la LOTUR, también se han integrado en el esquema, dentro del grupo de "Otros instrumentos sectoriales", las Normas de Coordinación del Planeamiento Urbanístico Municipal y los Planes Especiales.

Igualmente, se ha considerado también el origen de la iniciativa para la elaboración de los planes. Como se observa en la figura, todos, excepto los Proyectos de Interés Supramunicipal, son de iniciativa pública autónoma o en desarrollo de determinaciones de la figura jerárquica superior.

Figura 1. Instrumentos de ordenación territorial establecidos según la Ley 5/ 2006 de Ordenación del Territorio y Urbanismo de La Rioja

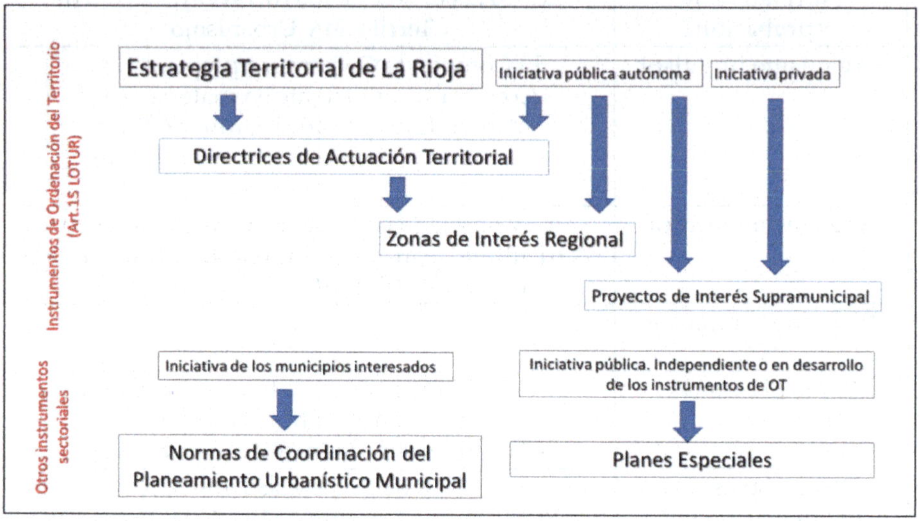

Fuente: Elaboración propia

3.1. INSTRUMENTO REGIONAL[8]

La Estrategia Territorial de La Rioja (ETR) tiene como finalidad establecer el "conjunto de criterios, directrices y guías de actuación sobre la ordenación física del territorio, los recursos naturales, las infraestructuras, el desarrollo espacial y urbano, las actividades económicas y residenciales, los grandes equipamientos y la protección del patrimonio cultural" (Art. 18).

Respecto a las determinaciones, la LOTUR sigue el modelo clásico de planificación física, asignando a la ETR un importante número de funciones que se pueden resumir en las siguientes (Art. 19):

- Análisis del territorio; diagnóstico de sus problemas y potencialidades y definición del modelo de desarrollo futuro.

- Estrategias y directrices para la ordenación del medio físico, de los asentamientos de población y de las áreas de localización de actividades económicas.

- Integración de los asentamientos urbanos y productivos con los sistemas de infraestructuras y fijación de criterios y directrices para la localización de los equipamientos regionales.

---

8. Salvo otra indicación, los artículos que se citan a partir de este apartado son los correspondientes a la LOTUR.

- Protección, aprovechamiento y disfrute del patrimonio cultural de la CA.

- Medidas y criterios para la coordinación y compatibilización del planeamiento urbanístico y de la planificación sectorial con incidencia sobre el territorio.

- Delimitación, en su caso, del ámbito de las DAT que deban aprobarse en desarrollo de la ETR.

- Orientaciones para el desarrollo de convenios y cooperación territorial y urbanística entre la CA y el resto de las administraciones.

- Propuesta de indicadores para el seguimiento de la evolución territorial de la CA.

- Cualesquiera otras previsiones que se determinen reglamentariamente o se considere conveniente incluir.

La ETR se aprueba mediante Ley y sus determinaciones pueden ser vinculantes u orientativas, según determine en cada caso la Estrategia.

La vigencia de la ETR debe entenderse como indefinida, aunque se establece que cada cinco años la consejería competente en OT, deberá elaborar un informe sobre su aplicación y su vigencia, proponiendo en caso de considerarlo necesario, su modificación (Art. 21). La Estrategia deberá someterse a una EAE Ordinaria (Art. 10 Decreto 29/2018). Para la modificación se seguirá el mismo procedimiento que para su aprobación.

3.2. INSTRUMENTO SUBREGIONAL

Como instrumentos de OT de carácter subregional figuran dos: las Directrices de Actuación Territorial (DAT) y las Zonas de Interés Regional.

3.2.1. Directrices de Actuación Territorial (DAT)

Las DAT son de carácter integrado, ordenando áreas de ámbito supramunicipal. Se pueden redactar en desarrollo de la ETR, en cuyo caso se ajustarán a los ámbitos territoriales que ésta haya establecido o de forma autónoma, aunque siempre abarcando términos municipales completos. (Art. 22)

Las funciones que la LOTUR establece para las DATs vienen también determinadas en el artículo 22 y son:

- Propiciar la utilización adecuada, racional y equilibrada del territorio, en cuanto recurso natural no renovable y soporte obligado de las actividades realizadas por agentes públicos y privados con incidencia en el mismo.

- Establecer los elementos básicos para la organización y articulación del territorio comprendido en su ámbito.

- Ser el marco de referencia para la formulación, desarrollo y coordinación de las políticas, planes, programas y proyectos de las Administraciones y Entidades Públicas, así como para el desarrollo de las actividades de los particulares, con incidencia en el territorio.

Como en el caso de la ETR, las DAT deben establecer un importante conjunto de determinaciones que abarcan al conjunto de subsistemas territoriales. De forma sucinta, éstas son:

- Ámbito geográfico y definición del modelo territorial en el ámbito objeto de actuación.

- Delimitación de las áreas susceptibles de especial protección ambiental o por tratarse de áreas sometidas a riesgos naturales o de otro tipo. Se podrá incluir también criterios y normas para la protección de los SNU que delimite.

- Determinaciones relativas al sistema urbano, incluyendo recomendaciones para el desarrollo y expansión de los núcleos urbanos y la previsión y criterios de localización e implantación de los equipamientos y servicios supramunicipales.

- Determinaciones relativas al sistema económico y productivo, comprensivas, entre otras, de esquemas de distribución espacial de las grandes áreas de actividad y, en su caso, criterios de implantación de las mismas.

- Determinaciones respecto al sistema de transportes y comunicaciones y a las demás infraestructuras territoriales, incluyendo criterios de implantación relativos al servicio de transporte de pasajeros y mercancías y previsiones y criterios de localización e implantación relativos a las infraestructuras de abastecimiento de agua y saneamiento, tratamiento y eliminación de residuos, hidráulicas, de telecomunicaciones, energéticas, o cualesquiera otras análogas.

- Criterios y normas para el uso y protección del patrimonio arquitectónico, arqueológico y de interés cultural.

- Criterios y medidas para la integración ambiental de actuaciones que se desarrollen en el ámbito de la Directriz.

- Principios y criterios generales para la ordenación urbanística municipal, con señalamiento, en su caso, de los ámbitos, integrados por dos o más municipios, para los que se considere conveniente el planeamiento urbanístico conjunto.

- En su caso, descripción individualizada de las actuaciones cuya ejecución se prevea de forma directa, con instrucciones para su diseño, estimación de sus costes, fórmulas para su desarrollo, coordinación con otras actuaciones y programación temporal de todas ellas.

- Identificación, cuando proceda, de aquellas actuaciones cuyo desarrollo se llevará a cabo mediante una ZIR o de un PIS.

- Reservas de suelo para su adquisición e incorporación al Patrimonio Regional de Suelo, cuando se consideren necesarias para asegurar la materialización de sus previsiones.

- Supuestos en que procederá la revisión de la Directriz.

Las DAT se elaboran por la consejería competente en OT, tienen una vigencia indefinida en tanto no se revise o modifique, por cumplir los criterios establecidos por la propia DAT o decisión del consejero competente y se aprueba mediante decreto del Consejo de Gobierno de La Rioja (Art. 24 y 25).

Como en el caso de le ETR, las DATs deben desarrollarse según una EAE de tipo ordinario (Art. 19 Decreto 29/2018).

3.2.2. Zonas de Interés Regional (ZIR)

Aunque incluida como una figura de ordenación territorial, las ZIR presentan particularidades que las aproximan más al planeamiento urbanístico que al propiamente del territorio.

Su objeto, tal como señala el Art. 30 de la LOTUR, es delimitar y ordenar ámbitos en los que se pretendan desarrollar actuaciones industriales, residenciales, terciarias, dotacionales o de implantación de infraestructuras que se consideren de interés o alcance regional. Por tanto, aunque los efectos derivados del desarrollo de una ZIR pueden tener un ámbito regional, la ordenación que determina la LOTUR se refiere a un espacio superficialmente limitado.

El carácter urbanístico de las ZIR queda todavía más claro cuando se observa que las determinaciones más importantes que establece la LOTUR para estas zonas, son de carácter urbanístico (Art. 31):

- Motivación del interés regional, de la adecuación de la zona para los objetivos que se pretenden y delimitación del ámbito territorial incluido dentro de la ZIR.

- Descripción de la operación u operaciones a desarrollar en la zona y determinaciones necesarias para la consecución de los objetivos perseguidos. Como mínimo, las previstas para los planes parciales. Se podrán variar las condiciones de edificabilidad o cualesquiera otras fijadas originariamente por el planeamiento municipal.

- Las ZIR de carácter industrial en SNU deberán contener los mismos estándares de los planes parciales, configurando un sector a efectos de la determinación y cesión del porcentaje correspondiente al aprovechamiento medio.

- Relación de bienes y derechos afectados y determinación del sistema de actuación elegido, de los previstos en la LOTUR, a excepción del sistema de agente urbanizador.

Una ZIR se iniciará a partir de lo establecido en una DAT o de forma independiente de ella (Art. 30) y se promoverán siempre por la administración regional o por entidades del sector público de la CA, a quien corresponde igualmente su ejecución (Art. 32). La declaración de una ZIR supone su declaración de utilidad pública (Art. 33).

Las ZIR se localizarán en terrenos clasificados como suelo no urbanizable o urbanizable y excepcionalmente, y para conseguir una adecuada integración con los sistemas y redes existentes o previstos, podrán comprender también terrenos destinados a sistemas generales (Art. 30) y vinculará al planeamiento urbanístico del o de los municipios implicados (Art. 33).

Las ZIR se aprueban mediante Orden del Consejero competente en OT (Art. 32) y están sometidas a una EAE Ordinaria (Art. 10 Decreto 29/2018).

3.2.3. Los Proyectos de Interés Supramunicipal (PIS)

Los PIS presentan una gran similitud con las ZIR que se acaban de comentar, aunque se pueden establecer dos diferencias sustantivas entre ellos. La primera es que mientras en las ZIR la iniciativa estaba en manos exclusivamente de la administración autonómica o del sector público, en estos segundos, su iniciativa y desarrollo puede tener su origen tanto en la administración como en el sector privado (Art. 34). La otra diferencia, proviene de la magnitud de los proyectos que se pueden acoger a una u otra figura. Mientras que, como se ha visto, las ZIR delimitan y ordenan ámbitos para desarrollar actuaciones industriales, residenciales, terciarias, dotacionales e infraestructurales de interés regional, el objeto de los PIS se entiende, a la vista de la LOTUR, más limitado ya que habla de implantación de infraestructuras, dotaciones e instalaciones de interés social e incidencia supramunicipal, aunque puedan estar localizadas en un único término municipal (Art. 34). No habla ni de ordenación ni de ajuste a las determinaciones de los planes parciales.

Debe entenderse, por tanto, que las PIS están enfocadas a localizaciones puntuales de servicios, equipamientos, etc., con una pequeña afectación superficial.

Las determinaciones que deben formar parte de un PIS son:

- Localización, incidencia territorial y justificación de su interés público o utilidad social.

- Entidad pública o privada o persona promotora del proyecto.

- Memoria y descripción de la ordenación y de las características técnicas del proyecto con los plazos de inicio y terminación de las obras y las fases en que se divida.

- Viabilidad económica del proyecto y de los medios con que cuente el promotor para hacer frente al coste de ejecución del mismo, indicando los recursos propios y las fuentes de financiación.

- Planeamiento urbanístico vigente en el término o términos municipales en los que se desarrolle el proyecto.

- Estudio o estudios de impacto ambiental previa consulta de su necesidad al órgano ambiental.

Los PIS se pueden desarrollar en suelo no urbanizable o en urbanizable no delimitado y se aprueban por resolución del Consejero competente en OT (Art. 36) y como en las figuras de ordenación anteriores, también deben someterse a EAE Ordinaria (Art. 10 Decreto 29/2018).

3.3. INSTRUMENTOS SECTORIALES

3.3.1. Normas de Coordinación del Planeamiento Urbanístico Municipal

Dentro de los instrumentos de carácter sectorial se puede incluir la figura de las Normas de Coordinación del Planeamiento Urbanístico Municipal, recogidas en el artículo 86 de la LOTUR.

Estas normas tienen por objeto establecer los objetivos de índole supramunicipal que habrán de alcanzar, desde la perspectiva de la OT y las políticas sectoriales con impacto en el territorio de la CA, los instrumentos de planeamiento urbanístico a que se refieran.

Su redacción corresponde a la Consejería competente en Urbanismo a instancia de los municipios interesados. Tras su aprobación inicial por la misma Consejería, se someterán a información pública y audiencia de los municipios interesados.

La aprobación definitiva, previo informe de la Comisión de Ordenación del Territorio y Urbanismo, corresponderá al mismo Consejero.

Aunque como se ha visto al inicio de este apartado, la LOTUR dedica el artículo 86 a desarrollar esta figura, no aparecen incluidas como tales en la relación de planes sometidos a EAE, ni ordinaria, ni simplificada en el artículo 10 del Decreto 29/2018, lo que debe interpretarse como una omisión en el articulado[9].

3.3.2. Los planes especiales (PE)

Como se ha indicado al inicio, los PE son la figura a través de la cual la LOTUR desarrolla la planificación territorial de carácter sectorial o el planeamiento general municipal.

Respecto a la primera posibilidad, el desarrollo del planeamiento territorial, el artículo 77 indica para estos planes, en sus apartados 1 y 2 que:

1. Podrán formularse planes especiales con carácter independiente o en desarrollo de los instrumentos de ordenación del territorio y del planeamiento municipal.

2. Los planes especiales contendrán las determinaciones necesarias para el desarrollo de los correspondientes instrumentos de ordenación, y, en su defecto, las propias de su naturaleza y finalidad, debidamente justificadas y desarrolladas en los estudios, planos y normas correspondientes.

Las funciones asignadas a los PE (Art. 78) son:

- Desarrollo de las infraestructuras básica de comunicaciones, de suministros y otras análogas.

- Protección de conjuntos histórico-artísticos y del paisaje, de las vías de comunicación, del suelo y subsuelo y del medio urbano y natural.

- Cualesquiera otras análogas.

Los planes especiales y de conjunto que afecten a más de un municipio se someterán a EAE Ordinaria, según el artículo 10 del Decreto 29/2018.

Los PE podrán ser formulados por cualquier administración pública (Art. 89). En caso de planes que desarrollen instrumentos de OT, su aprobación inicial y provisional corresponde a la Comisión de Ordenación del Territorio y Urbanismo y la definitiva, al Consejero con competencias en urbanismo (Art. 91)[10].

---

9. Aunque con una interpretación abierta de la normativa, pudieran estar incluidas en el apartado e) de dicho artículo que incluye a "Los planes especiales y de conjunto que afecten a más de un municipio".

10. Esto último no parece coherente. Los planes especiales también pueden desarrollar el planeamiento territorial, no solamente el urbanístico. Por otro lado, el plazo de

Entre ambas no puede haber un intervalo de tiempo superior a 2 meses. En la figura 2 que sigue puede localizarse el planeamiento territorial de La Rioja y su situación.

Figura 2. Situación de los instrumentos de ordenación del territorio en La Rioja

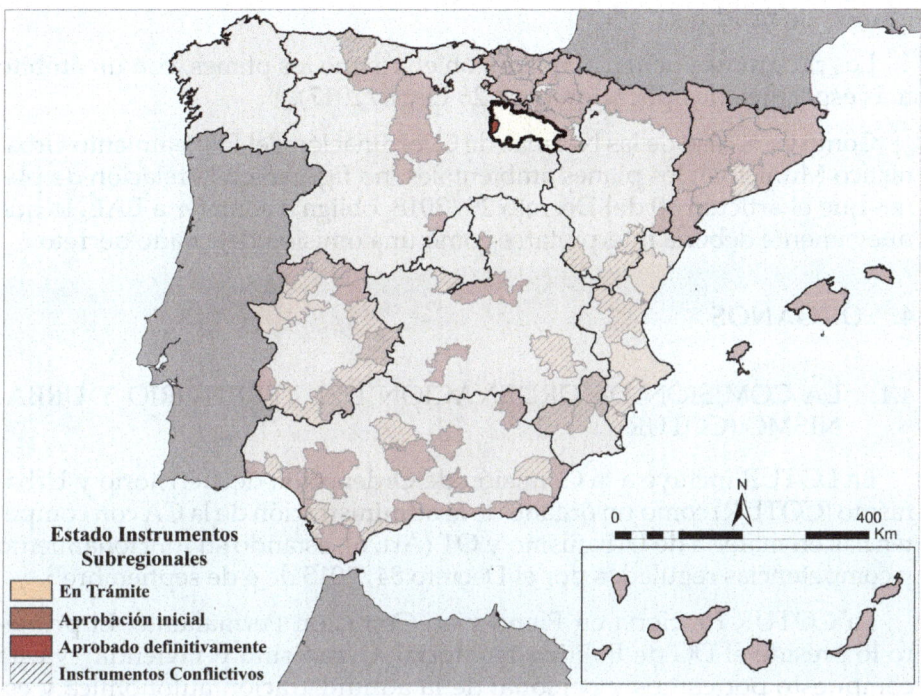

Fuente: Elaboración propia

3.4. OTROS INSTRUMENTOS DE SEGUNDO NIVEL

La Ley 6/2017 de Protección del Medio Ambiente de La Rioja[11] crea dos instrumentos de carácter ambiental, que pueden presentar, por sus funciones, componentes territoriales, aunque limitadas a un ámbito espacial reducido. Estos instrumentos son los planes y los programas ambientales.

Los primeros representan los instrumentos de desarrollo y ejecución de la política de medio ambiente de La Rioja y están dirigidos a la gestión,

tiempo dado entre la aprobación provisional y la definitiva difícilmente se ajusta al proceso de EAE al que, como se ha indicado, deben someterse este tipo de planes.
11. BOR n.º 54 de 12 de mayo.

protección, conservación y restauración del medio ambiente en su ámbito territorial. Su aplicación abarcará aquellos ámbitos susceptibles de un tratamiento unitario (Art. 25 Ley 6/2017).

Estos planes van dirigidos a la evitar o reducir la contaminación generada por áreas industriales o de las aguas superficiales y subterráneas y la gestión de residuos.

Los programas tienen el mismo objetivo que los planes, con un ámbito más específico de aplicación (Art. 26 Ley 6/2017).

Como en el caso de las Normas de Coordinación del Planeamiento Urbanístico Municipal, los planes ambientales, no figuran en la relación de planes que el artículo 10 del Decreto 29/2018, obliga a someter a EAE, lo que nuevamente debería interpretarse como una omisión del citado decreto.

4. ÓRGANOS

4.1. LA COMISIÓN DE ORDENACIÓN DEL TERRITORIO Y URBANISMO (COTUR)

La LOTUR incluye a la Comisión de Ordenación del Territorio y Urbanismo (COTUR) como un órgano de la administración de la CA con competencias en materia de Urbanismo y OT (Art. 6), estando su funcionamiento y competencias regulados por el Decreto 84/2015 de 4 de septiembre[12].

La COTUR funciona en Pleno y en Comisión Permanente. El primero lo preside el DG de Política Territorial, Urbanismo y Vivienda[13] y está compuesto por cargos y personal de la administración autonómica y estatal, alcaldes y hasta nueve vocales designados por el Consejero Agricultura, Ganadería, Mundo Rural, Territorio y Población (anteriormente de Fomento y Política Territorial). Por lo que se refiere a las figuras de OT, el artículo 2 del Decreto asigna al Pleno elaborar:

- El informe previo a la remisión de la ETR al Parlamento para su aprobación mediante Ley.

- El informe previo a la remisión de las DAT al Consejo de Gobierno para su aprobación por Decreto.

---

12. BOR n.º 116 de 9 de septiembre.

13. Aunque no hay referencias a reuniones de la Comisión posteriores al cambio en la administración de la Rioja ni tampoco referencia expresa a ella en el Decreto 4/2019 por el que se establece la estructura orgánica de la Consejería de Agricultura, Ganadería, Mundo Rural, Territorio y Población (BOR n.º 110 de 11 de septiembre), se entiende que debe estar presidida por el DG de Política Territorial, Urbanismo y Vivienda, que sustituye al anterior presidente, el DG de Urbanismo y Vivienda.

- La aprobación inicial de las ZIR, previa a su información pública y audiencia a los Ayuntamientos, además administraciones públicas afectados y agentes sociales. Tras este periodo de consultas, la COTUR informa previamente a la aprobación definitiva de la ZIR por Orden del consejero competente en OT.

- Aprobación inicial de los PIS, previa a su información pública y audiencia a los Ayuntamientos afectados. Tras el periodo de consultas, la COTUR informa previamente a su aprobación definitiva por Resolución del consejero competente en OT.

4.2. EL CONSEJO ASESOR DE MEDIO AMBIENTE DE LA RIOJA (CAMA)

Por otro lado, el artículo 8 de la Ley 6/2017 de Protección del Medio Ambiente de La Rioja, citada en el apartado anterior, establece el Consejo Asesor de Medio Ambiente de La Rioja (CAMA).

El CAMA es el órgano consultivo superior en materia de medio ambiente, que canaliza la participación pública colectiva, y tiene como funciones principales las de asesorar e informar la toma de decisiones en materia ambiental. Aunque dicho artículo, en su apartado 3 establece que "Su naturaleza, funciones y organización se establecerán reglamentariamente", lo cierto es que éstas ya figuraban en el Decreto 43/2010 por el que se establece la naturaleza, funciones y composición del Consejo Asesor de Medio Ambiente de la Comunidad Autónoma de La Rioja[14]. El artículo 3 de este decreto establece que las funciones del CAMA son:

- Canalizar la participación pública colectiva de los sectores representativos de los intereses sociales y medioambientales.

- Estudiar e informar cuantos asuntos de interés le sean sometidos a consulta por el Gobierno de La Rioja, relacionados con las materias de su ámbito.

- Formular propuestas y emitir cuantos informes le sean solicitados por el Gobierno de La Rioja, su Presidente o por el Presidente del CAMA.

- Ser consultado sobre los proyectos de disposiciones administrativas de carácter general en materia de medio ambiente que adopten la forma de Decreto, y sobre los proyectos de aprobación de los planes relacionados con el ciclo integral del agua, residuos, forestal y de recuperación, conservación y manejo de especies amenazadas.

- Cualesquiera otras que le sean atribuidas por las normas.

---

14. BOR n.º 94 de 4 de agosto de 2010.

La citada Ley 6/2017 de Protección del Medio Ambiente, sólo asigna al CAMA, al margen de sus funciones de asesoría, la elaboración de informes preceptivos de los planes y programas ambientales que pudieran elaborarse (Art. 25 y 26 Ley 6/2017).

El CAMA no aparece citado en la versión consolidada de la LOTUR.

5. PROCEDIMIENTOS Y RESPONSABILIDADES FORMALES

Como es conocido, en España la primera ley estatal que trasponía la Directiva 2001/46, fue la Ley 9/2006 relativa a la evaluación de los efectos de determinados planes y programas en el medio ambiente. Esta ley fue derogada por la ley 21/2013 de Evaluación Ambiental (LEA), vigente actualmente. La característica básica de esta ley es que establece un procedimiento único para los planes territoriales, la EAE ordinaria, que aúna en un mismo procedimiento, la elaboración, los procesos de participación pública y la aprobación ambiental del plan.

La legislación territorial de La Rioja, Ley 5/2006, se aprobó un mes más tarde que la citada Ley 9/2006, por lo que no incorporaba las determinaciones básicas de esta ley y tampoco, en las diferentes modificaciones que ha sufrido, las que figuran en la ley 21/2013. En su lugar, se ha ido adaptando mediante decretos y leyes a las exigencias legislativas. De esta forma, en la actualidad, la regulación de la elaboración, evaluación y aprobación de planes debe buscarse en las ya citadas Ley 5/2006 (LOTUR), Ley 6/2017 de protección del medio ambiente y en el Decreto 29/2018.

La Ley 6/2107 establece en su artículo 6 que *"El régimen jurídico y el procedimiento a seguir para la tramitación de la evaluación ambiental estratégica, cuando la competencia corresponda a esta comunidad autónoma, se regirá por lo dispuesto en la normativa estatal básica"*. Idea que se repite en la Disposición transitoria Tercera (DT 3.ª) de dicha ley y también en el artículo 12 del Decreto 29/2018 que remite igualmente a la legislación estatal cuando indica que *"La evaluación ambiental estratégica ordinaria de los planes urbanísticos e instrumentos de ordenación seguirá el procedimiento y plazos dispuestos en la Sección primera del Capítulo I del Título II de la Ley 21/2013, de 9 de diciembre, de evaluación ambiental"*.

En esta misma DT 3.ª de la Ley se hace una relación de los instrumentos que, con carácter general, deben estar sujetos a EAE ordinaria, que son:

a) Las zonas de interés regional.

b) Los planes generales municipales.

c) Las directrices de actuación territorial, siempre que no tengan por objeto la protección de medio ambiente.

d) Los planes especiales que afecten a suelo no urbanizable, siempre que no tengan por objeto la protección del medio ambiente o bienes de interés cultural.

Este listado ha sido completado (y corregido) por el Decreto 29/2018, que incluye en este grupo, a la Estrategia Territorial y a los planes especiales que afecten a más de un municipio (Art. 10), eliminando para estos últimos, la condición de que deban afectar a suelo no urbanizable.

Por lo que hace referencia al Órgano Ambiental, recae en la DG competente de calidad ambiental (Art. 16 Ley 6/2017).

Por tanto, el procedimiento a seguir es común en todos los instrumentos de OT y es el que establece la ley de EA estatal, con algunas particularidades que aparecen en el Decreto 29/2018 y en la ley 5/2006 y que no vienen recogidas en el esquema que puede leerse en la web de la Consejería de Sostenibilidad y Transición Ecológica del gobierno de La Rioja[15]. En esta línea, se echa en falta un texto legislativo que establezca de una forma clara estos procesos para los distintos tipos de planes que recoge la LOTUR, ya que no resulta sencillo la fusión entre el procedimiento de elaboración y aprobación de los planes que establece la LOTUR, con el proceso de EAE Ordinaria.

5.1. PROCEDIMIENTO DE ELABORACIÓN Y APROBACIÓN DE LA ETR

Como se ha indicado, la elaboración de la ETR corresponde a la Consejería competente en materia de OT y se aprueba mediante ley. El procedimiento para su elaboración y aprobación viene regulado por el artículo 20 de la LOTUR y en el Capítulo I del Título II del Decreto 29/2018, que sigue las siguientes fases:

a) FASE INICIAL. Actuaciones previas

El Consejo de Gobierno, a propuesta de la Consejería competente en OT, podrá acordar el sometimiento a información pública por plazo de un mes, de un documento de avance, preparatorio de la redacción del documento, que contenga sus líneas esenciales y permita debatir sus criterios, objetivos y soluciones generales (Art. 20 LOTUR)[16].

---

15. https://www.larioja.org/medio-ambiente/es/prevencion-control-ambiental/evaluacion-ambiental-estrategica/fases-proceso [Consultado 30/10/2019]. Los artículos que se citan son los de la ley estatal 21/2013 de EA.

16. La LOTUR no establece nada sobre la utilización posterior de los resultados de esta consulta.

A partir de esta fase previa a la elaboración propiamente dicha de la ETR, debe entenderse que se sigue, con ligeros cambios, el procedimiento de EAE establecido en la ley 21/2013 estatal, que sería, tal como se indica en la web de la Consejería de Sostenibilidad y Transición Ecológica del gobierno de La Rioja antes citada, el siguiente:

b) FASE 1. Solicitud de inicio de la evaluación ambiental y territorial estratégica (EAT) por el órgano promotor (Art. 18 LEA)

El órgano promotor (OP) presenta ante el órgano sustantivo (OS), una solicitud de inicio del procedimiento, acompañada de un borrador del plan o programa y del Documento Inicial Estratégico (DIE).

El DIE contendrá la siguiente información:

a) Los objetivos de la planificación.

b) El alcance y contenido del plan o programa propuesto y de sus alternativas razonables, técnica y ambientalmente viables.

c) El desarrollo previsible del plan o programa.

d) Los potenciales impactos ambientales tomando en consideración el cambio climático.

e) Las incidencias previsibles sobre los planes sectoriales y territoriales concurrentes.

A esta información se deberá incorporar la que se especifica en los artículos 7.1 y 12.3 del Decreto 29/2018:

- Información adicional señalada en el artículo 7.1 del Decreto:

f) Los tipos de proyectos que desarrollan el plan y podrían necesitar ser sometidos a evaluación de impacto ambiental.

g) Entre los potenciales impactos ambientales se añadirán los que afecten a la Red Natura 2000.

- Información adicional señalada en el artículo 12.3 del Decreto:

h) El alcance y desarrollo previsible en lo referente a clasificación del suelo y categorías según la clase de suelo afectada, usos y aprovechamiento previsto, así como sus alternativas razonables.

i) Potenciales impactos sobre el ámbito territorial afectado, en especial: población, áreas con valor ambiental, paisajístico o cultural o con afección potencial de riesgos naturales o tecnológicos, demanda de recursos hídricos previstos y cambio climático, Red Natura 2000[17] y otras figuras de protección.

---

17. Como se observa, la Red Natura 2000, aparece citada en los dos artículos.

j) Interrelación con los planes sectoriales en materia de protección del medio ambiente, planificación de los recursos hídricos, saneamiento y depuración, cambio climático y residuos, además de sistemas generales afectados y necesarios, así como los relativos a la protección civil.

El OS revisa la documentación presentada. Si no incluye alguno de los puntos anteriores, se requerirá al promotor para que en diez días hábiles los presente. Igualmente, el OS comprobará que la documentación presentada se ajusta a los requisitos exigidos por la legislación sectorial.

Una vez realizadas las comprobaciones anteriores, el OS remite al órgano ambiental (OA) la solicitud de inicio de la EAE y los documentos que la deben acompañar. El OA tiene un plazo de 20 días para resolver la inadmisión del procedimiento de EA en el caso de que:

- Estimara que el plan es manifiestamente inviable por razones ambientales.

- Si el DIE no reúne las condiciones de calidad mínimas exigibles.

- Si ya se hubiese inadmitido o se hubiese dictado una declaración ambiental estratégica (DAE) negativa para un plan análogo al presentado.

Con carácter previo a la adopción de la resolución por la que se acuerde la inadmisión, el órgano ambiental dará audiencia al promotor, informando de ello al órgano sustantivo, por un plazo de diez días hábiles que suspende el previsto para declarar la inadmisión.

c) FASE 2. Consulta a las administraciones públicas afectadas y elaboración del DA del Estudio Ambiental Estratégico (EsAE) (Art. 19 LEA)

El OA somete el DIE y el borrador del plan a consultas de las Administraciones públicas afectadas y público interesado durante 45 días.

Si transcurrido este plazo el OA cuenta con la información necesaria, elaborará el Documento de Alcance (DA) del Estudio Ambiental Estratégico (EsAE). Si no fuese así, bien por no haber recibido algunos de los informes de las administraciones afectadas, bien porque, aun habiéndose recibido, fuesen insuficientes, se requerirá al titular del órgano jerárquicamente superior al que tendría que emitir el informe para que, en un plazo de diez días hábiles, se emita dicho informe.

Una vez recibida la información, el OA elaborará el Documento de Alcance (DA) del Estudio Ambiental Estratégico (EsAE), que se publicará en la sede electrónica de los órganos ambiental y sustantivo (Art. 19 LEA). El plazo máximo para esta fase es de 3 meses.

d) FASE 3. Formulación por el OP de una versión inicial del plan y del EsAE. (Art. 20 LEA)

El OP elabora el EsAE, que incluye, como mínimo, la información requerida en el Anexo IV de la LEA y lo que el OA haya establecido en el DA y lo presenta ante el OS junto con la versión inicial del plan. El EsAE se considera parte del plan o programa.

El artículo 7 del Decreto 29/2018, en referencia al EsAE indica también que las alternativas previstas en él serán razonables y técnica y ambientalmente viables. Incluirán la alternativa cero, entendiendo por ésta la no realización del plan. Igualmente, en caso de que el plan establezca un marco para el desarrollo de infraestructuras, la selección de las alternativas incluirá un resumen del estado de cada una y de cómo se ha realizado la integración de los principios de la Ley 6/2017. El EsAE incluirá también el programa de vigilancia ambiental en los términos establecidos en el Anexo I del citado Decreto 29/2018, que se reproduce al final de este informe.

e) FASE 4. Sometimiento de la versión inicial del plan y del EsAE al proceso de participación e información pública y de consultas (Art. 21 LEA)

Estos documentos se someten a información pública durante 45 día como mínimo, previo anuncio en el BOR y en la sede electrónica. Además, se realiza una nueva fase de consultas durante 45 días a las mismas Administraciones públicas afectadas y público interesado previamente consultados según la Fase 2 anterior (Art. 22 LEA).

Ambos procesos, información pública y consultas, deben ser simultáneos (Art. 12.5 Decreto).

f) FASE 5. Propuesta de final del plan y del EsAE. (Art. 23 LEA)

A la vista del resultado de la información pública y las consultas, el OP puede modificar el EsAE y elabora la propuesta final de plan, que presentará ante el OS.

El artículo 20.c de la LOTUR establece que:

La Estrategia Territorial será sometida a información pública, también a efectos de la evaluación ambiental del planeamiento, por un plazo no inferior a tres meses. Simultáneamente, y con los mismos efectos, se dará audiencia a las Entidades Locales y demás Administraciones Públicas con competencias específicas en el área territorial afectada, así como a los agentes sociales.

Dado que en el artículo se habla expresamente de la Estrategia Territorial y no de una versión inicial o previa, se puede entender que la que se somete nuevamente a información pública y consultas, adicional a la que se establecen en el artículo 21 de la LEA (Fase 4), es la versión final del plan, previa a la DAE.

Sin embargo, la interpretación más razonable es que la fase de consultas a la que hace referencia este artículo 20.c de la LOTUR, dado que indica que se hace "también a efectos de la evaluación ambiental del planeamiento", es la del artículo 21 de la LEA, ampliado del mínimo fijado de 45 días, a los 90 días. Aunque en este caso, lo que se somete a consulta no es la versión final del plan, como parece deducirse del texto, sino una previa.

El plazo máximo para completar las fases 3, 4 y 5, es de 15 meses (Art. 17 LEA).

g) FASE 6. Análisis del expediente y formulación de la Declaración Ambiental Estratégica (DAE) por el OA (Art. 24 y 25 LEA)

El OS remite al OA el expediente completo, que incluye la documentación presentada por el OP, el resultado de la información pública y las consultas y un documento resumen. Tras el análisis técnico del expediente y si el OA lo considera necesario, podrá solicitar al OP información adicional dándole un plazo de 3 meses.

El OA formula la Declaración Ambiental Estratégica (DAE) en un plazo máximo de 4 meses prorrogable por 2 meses más. Se publicará en el BOR y en sede electrónica en un plazo de 15 días. Se trata de un informe preceptivo y determinante y no será recurrible.

La DAE tendrá una vigencia de 2 años hasta que se apruebe o adopte el plan, prorrogable hasta 2 años más a solicitud del OP, previo informe de las Administraciones públicas afectadas. En caso contrario el promotor deberá iniciar nuevamente el procedimiento (Art. 27 LEA).

Respecto a la modificación de la DAE de un plan aprobado, el artículo 28 de la LEA señala que podrá modificarse, de oficio por el OA o el OS, o a propuesta del promotor, cuando concurran circunstancias que determinen la incorrección de la DAE, incluidas las que surjan durante el procedimiento de evaluación de impacto ambiental, tanto por hechos o circunstancias de posteriores esta última o anteriores que, en su momento, no fueron o no pudieron ser objeto de la adecuada valoración.

Para ello, el OA consultará al OP, al OS, a las Administraciones públicas afectadas y al público interesado durante un plazo de 45 días y resolverá en un plazo de 3 meses. La decisión no es recurrible y se publicará en el BOR y en la sede electrónica en 15 días.

El órgano ambiental, en un plazo de tres meses contados desde el inicio del procedimiento, resolverá sobre la modificación de la declaración ambiental estratégica.

h) FASE 7. Redacción del plan definitivo y aprobación (Art. 26 LEA)

La ley estatal de EA establece que el OP integra las determinaciones de la DEA en el plan y las somete, de acuerdo con la legislación sectorial, a la aprobación del OS.

Por otro lado, el artículo 20 de la LOTUR indica que, previo informe de la COTUR y una vez acordada la Memoria Ambiental[18], se entiende que con el plan adaptado a la DAE por parte del OP, el Consejo de Gobierno, a propuesta de la Consejería competente en de OT, remitirá la ET al Parlamento para su aprobación mediante Ley (Art. 20 LOTUR).

En un plazo de quince días hábiles desde la adopción o aprobación del plan, el OS remitirá para su publicación en el BOR.

Aprobada la ET, la Consejería competente en materia de OT dirigirá al Consejo de Gobierno cada cinco años un informe sobre su aplicación, el grado de cumplimiento de sus previsiones y su vigencia, proponiendo, en caso de considerarlo necesario, su modificación (Art. 21 LOTUR).

5.2. PROCEDIMIENTO DE ELABORACIÓN Y APROBACIÓN DE LOS INSTRUMENTOS SUBREGIONALES

a) Directrices de Actuación Territorial (DAT)

El esquema general de elaboración y desarrollo de una DATs, se ajusta al visto anteriormente para la ETR, que, como se indicó, es el establecido en la Ley 21/2013 de Evaluación de Ambiental (LEA), con algunas especificidades que se indican a continuación (Art. 24 LOTUR).

- La elaboración de las DAT corresponde también a la Consejería competente en materia de OT, pero en este caso, se aprueba mediante decreto.

---

18. El término "Memoria Ambiental" aparece en el artículo 2 de la ya derogada Ley 9/2006, de 28 de abril sobre evaluación de los efectos de determinados planes y programas en el medio ambiente, en la que se define como *"documento que valora la integración de los aspectos ambientales realizada durante el proceso de evaluación, así como el informe de sostenibilidad ambiental y su calidad, el resultado de las consultas y cómo éstas se han tomado en consideración, además de la previsión sobre los impactos significativos de la aplicación del plan o programa, y establece las determinaciones finales"*. Posteriormente, en el artículo 12 de dicha ley se indica que *"La memoria ambiental contendrá las determinaciones finales que deban incorporarse a la propuesta del plan o programa. La memoria ambiental es preceptiva y se tendrá en cuenta en el plan o programa antes de su aprobación definitiva."*. Por tanto, debe entenderse que la Memoria Ambiental es el documento equivalente a la actual Declaración Ambiental Estratégica (DAE).

- El Consejero competente en OT, podrá acordar someter a información pública por plazo de un mes, de un documento de avance, preparatorio de la redacción del documento, que contenga sus líneas esenciales y permita debatir sus criterios, objetivos y soluciones generales[19].

- Las fases siguientes se ajustan al esquema ya establecido en el apartado anterior para la ETR, con un artículo, el 24.c de la LOTUR, que como en el caso del 20.c en referencia a la ETR, puede generar algunas dudas. Este apartado 24.c señala que:

> c) Redactado el proyecto, la aprobación inicial corresponde al Consejero competente en materia de ordenación del territorio. Dicho acuerdo se publicará en el «Boletín Oficial de La Rioja», abriéndose un período de información pública, a efectos sustantivos y ambientales, por un plazo mínimo de dos meses. Simultáneamente se dará audiencia a las Entidades Locales y demás Administraciones públicas con competencias específicas en el área territorial afectada, así como a los agentes sociales.

Como en el caso de lo señalado para la ETR, la razonable es que la fase de consultas a la que hace referencia este artículo, dado que indica que se hace "a efectos sustantivos y ambientales", es la del artículo 21 de la LEA, que la LOTUR amplia del mínimo de 45 días, hasta los 60 días.

- Informadas las alegaciones se someterá el expediente completo a informe de la COTUR y se acordará la Memoria Ambiental[20].

- La Consejería competente en materia de OT, elevará el documento al Consejo de Gobierno para su aprobación definitiva mediante Decreto.

b) Zonas de Interés Regional (ZIR)

Como se ha visto en el apartado 5, la Disposición Transitoria 3 de la Ley 6/2017 de Protección del Medio Ambiente de La Rioja, obliga a someter a las ZIR a una EAE ordinaria, siguiendo las fases establecidas por la Ley estatal 21/2013 de Evaluación Ambiental, aunque con algunas pequeñas aportaciones.

El proceso de aprobación de las ZIR viene recogido en el artículo 32 de la LOTUR, en el que se señala que las ZIR se promoverán, en todo caso,

---

19. En el caso de la ETR era el Consejo de Gobierno a propuesta del Consejero competente en OT, quien lo acordaba.
20. Declaración Ambiental Estratégica (DAE). Igualmente se debe volver a señalar lo ya escrito unas líneas antes en relación al informe de la COTUR y la Memoria Ambiental.

por la administración de la CA, o por alguna de las entidades integrantes de su sector público, siendo el consejero competente en OT, el responsable de su tramitación y aprobación mediante una Orden.

Como se indicó anteriormente, una ZIR puede desarrollarse como consecuencia de una DAT o de forma independiente de ella. En este último caso, el Consejo de Gobierno deberá pronunciarse previamente a su tramitación, sobre el interés supramunicipal de la actuación y sobre su ámbito territorial. Esta documentación se someterá a información pública y a consulta de los municipios y agentes interesados, durante dos meses.

Un punto de duda surge con la posible discrepancia entre lo señalado en artículo 32.4 de la LOTUR, que indica que:

> *4. El proyecto completo, una vez aprobado inicialmente por la Comisión de Ordenación del Territorio y Urbanismo, se someterá a información pública, a efectos sustantivos y ambientales, por plazo de un mes, mediante la inserción de anuncios en el «Boletín Oficial de La Rioja» y en un diario de difusión en la Comunidad Autónoma. Simultáneamente, y por el mismo plazo, se dará audiencia a los Ayuntamientos afectados y demás Administraciones públicas con competencias específicas en el área territorial afectada, así como a los agentes sociales.*

y los artículos 21 y 22 de la Ley 21/2013 de EA que en referencia a la versión inicial del plan y al estudio ambiental estratégico fija en un mínimo de 45 días el plazo de información pública y de consulta a las administraciones y al público interesado.

A la vista del expediente completo, previo informe de la COTUR y una vez acordada la Memoria Ambiental, el consejero competente en materia de OT dictará, mediante Orden, la aprobación definitiva.

c) Proyectos de Interés Supramunicipal (PIS)

Corresponde al Consejero competente en OT calificar, a los efectos de lo previsto en esta Ley, un Proyecto de Interés Supramunicipal (Art. 34 LOTUR).

El proceso de aprobación es similar al visto para las ZIR siendo la única diferencia que la aprobación definitiva por parte del consejero competente en OT se realizará mediante resolución del mismo (Art. 36 LOTUR).

Se entenderán desestimadas las solicitudes de tramitación de PIS promovidas por la iniciativa privada cuando, transcurrido el plazo de tres meses desde el ingreso del expediente completo en el Registro, no haya recaído resolución expresa.

5.3. PROCEDIMIENTO DE ELABORACIÓN Y APROBACIÓN DE LOS INSTRUMENTOS SECTORIALES

Como se indicaba en el aparatado 3.3 anterior, se han incluido en este aparatado de instrumentos sectoriales a las Normas de Coordinación del Planeamiento Urbanístico Municipal y a los Planes Especiales de desarrollo del planeamiento territorial.

5.3.1. Las Normas de Coordinación del Planeamiento Urbanístico Municipal

Respecto al proceso de elaboración y aprobación de las Normas de Coordinación, la legislación de La Rioja es muy escueta y contradictoria, de forma que, aunque a la vista de su contenido (Art. 86 LOTUR), parece claro que deben someterse a EAE Ordinaria, no figura citada de forma expresa en la relación de planes que según el artículo 10 del Decreto 29/2018, deben ser objeto de esta evaluación.

En el citado artículo 86 de la LOTUR, se dan algunas referencias al proceso de elaboración y aprobación, que establece:

- La elaboración debe solicitarse por los municipios interesados, siendo la consejería responsable de urbanismo, la encargada de su redacción.

- Esta misma consejería es la encargada de su aprobación inicial, debiéndose someter posteriormente a información pública y consultas a los municipios afectados durante un mes.

Como ya se ha indicado en apartados anteriores, este plazo no se ajusta al establecido en la Ley 21/2013 de EA, además de que el proceso de consultas debería ampliarse a todas las administraciones afectadas y al público interesado.

- Posteriormente, y previo informe de la Comisión de Ordenación del Territorio y Urbanismo, corresponderá al mismo Consejero la aprobación definitiva de las Normas de Coordinación del Planeamiento Urbanístico Municipal.

- Previo informe de la COTUR, el Consejero en Urbanismo, aprobará las normas.

En cualquier caso, no queda aclarado el encaje de la EAE ordinaria en el proceso de elaboración y tramitación de este tipo de documentos.

5.3.2. Los planes especiales

La tramitación de la figura de los planes especiales que desarrollen instrumentos de OT, viene recogida en el artículo 91 de LOTUR, que remita a los artículos 87 para el procedimiento de aprobación, al 88 para su aprobación definitiva y al 90 para su tramitación.

Como se indicó en el apartado 3.3 en referencia a su aprobación, la inicial y provisional corresponde a la Comisión de Ordenación del Territorio y Urbanismo de La Rioja y la definitiva al Consejero competente en Urbanismo, con un plazo máximo de aprobación, de dos meses tras la aprobación provisional.

Como se puede ver, el artículo 90 al que se remite la LOTUR para la tramitación de los planes especiales, es el que establece la tramitación de los planes parciales y planes especiales que desarrollen planeamiento urbanístico.

Siguiendo lo establecido por Moreno Molina (2016), aunque en referencia a los planes generales, la aprobación inicial del plan se produce tras la elaboración del documento de avance y del documento ambiental estratégico a cargo de la administración promotora del plan especial y, como se acaba de ver, su aprobación por la Comisión de Ordenación del Territorio y Urbanismo. Tras esta aprobación, se abre un plazo de información pública que la LOTUR fija en, al menos un mes (Art. 90.1.a), en contradicción con la ley de EA en el que el periodo de información y participación pública es de al menos, 45 días.

Tras este periodo, el órgano ambiental elabora la DAE, que se incorpora al contenido del plan especial por parte de la administración promotora del plan, siendo nuevamente la Comisión de Ordenación del Territorio y Urbanismo la encargada de su aprobación y lo somete a aprobación definitiva del Consejero competente en urbanismo.

5.4. PROCEDIMIENTO DE ELABORACIÓN Y APROBACIÓN DE LOS INSTRUMENTOS DE OT DE SEGUNDO ORDEN

No se han considerado planes de esta categoría.

5.5. PROCEDIMIENTO DE LA EVALUACIÓN AMBIENTAL DE PLANES

Una de las grandes ventajas de la EAE de planes y programas es que se realiza en paralelo a la propia redacción de éstos, de forma que una vez superada la aprobación "ambiental" con el plan finalizado, sólo resta la aprobación administrativa, cuyo procedimiento difiere según la figura del plan y la comunidad autónoma.

Por todo ello, se ha entendido más acorde con el proceso de elaboración y aprobación de las diferentes figuras de ordenación territorial, seguir el esquema de las EAE establecido en la legislación, sin diferenciar entre la fase de elaboración/aprobación y de evaluación ambiental, ya que discurren juntas.

6. EMBOTELLAMIENTOS Y CONDICIONES QUE ALTERAN EL FUNCIONAMIENTO

Como se ha podido ver en las páginas anteriores, la legislación territorial y de EA en La Rioja es un cúmulo de elementos contradictorios y de expresiones con significados equívocos, de manera que, por ejemplo, emplea la expresión "planificación urbanística" para referirse indistintamente a ella y a la territorial.

La opción elegida por la administración autonómica de no integrar en una misma ley de urbanismo y ordenación del territorio, a la evaluación ambiental, supone que ésta aparezca en diferentes leyes, con elementos incluso contradictorios respecto a la legislación estatal.

Por otro lado, desde el punto de vista de la planificación territorial, de todas las figuras que se recogen en la LOTUR, sólo se ha aprobado las Directrices de Protección del Suelo No Urbanizable con una tramitación simplificada de la EAE según se recoge en la propia Memoria de las Directrices. La CA no ha aprobado ni la ET ni ningún plan de menor jerarquía, por lo que no resulta posible tener criterio alguno en lo que se refiere a los embotellamientos y condiciones de funcionamiento.

7. SITUACIÓN RESULTANTE

La inexistencia de planificación territorial en La Rioja supone junto con alguna otra comunidad, una excepción en el conjunto estatal, donde en mayor o menor medida, todas tienen alguna experiencia en la ordenación territorial.

Posiblemente la escasa entidad territorial y poblacional de La Rioja, escasamente 5.000 Km^2 y algo más de 300.000 habitantes[21], así como su misma localización, relativiza la necesidad de disponer de instrumentos

---

21. De todas las CC.AA españolas, La Rioja es la última en población (sin contar a Ceuta y Melilla) y penúltima en superficie, sólo por encima de Baleares.

territoriales, lo que posiblemente se traduce en la escasa atención que su legislación presta a estos instrumentos.

8. BIBLIOGRAFÍA Y NORMATIVA

Moreno Molina, A. M. (2016). El planeamiento urbanístico y la evaluación ambiental estratégica: balance y reflexiones críticas sobre una relación problemática. *Rev. Práctica urbanística*, 143.

ANEXO I. CONTENIDO DEL PROGRAMA DE VIGILANCIA AMBIENTAL (DECRETO 29/2018)

El programa de vigilancia ambiental en el que se describan las medidas previstas para el seguimiento, deberá incluir un sistema de indicadores. Éstos deberán ayudar a la valoración de la integración de los aspectos ambientales en el plan o programa, tanto en la actualidad como en su fase posterior de seguimiento y deberán tener las siguientes características:

- Ser relevantes para el conocimiento del medio ambiente en La Rioja y contribuir al incremento de la conciencia ambiental de la sociedad riojana.

- Requerir para su elaboración datos que estén disponibles, ya sea en fuentes oficiales o, en su defecto, en otros organismos, instituciones, asociaciones, etc., cuyo prestigio en el ámbito de que se trate esté reconocido públicamente.

- Poder ser actualizados regularmente conforme a sus características de periodicidad y siempre que la carga de trabajo que ello represente sea razonable.

- Ser fácilmente interpretables y susceptibles de ser comprendidos por la gran mayoría de la población.

En este sentido, la definición se basará en la utilización de indicadores oficiales como por ejemplo los desarrollados por el Instituto de Estadística de La Rioja, el Instituto Nacional de Estadística o el EUROSTAT.

Cada indicador deberá definirse especificando su fórmula de cálculo, así como la periodicidad de medición y su unidad de medida.

En todo caso, se incluirá un indicador de seguimiento de la huella de carbono del plan o programa sometido a evaluación ambiental estratégica ordinaria.

Capítulo 18

El procedimiento de la planificación territorial en Navarra

BEREZI ELORRIETA

*Departamento de Geografía de la Universitat de Barcelona y Centro
Universitario Internacional de Barcelona (UNIBA)*

SUMARIO: 1. ANTECEDENTES. 2. NORMATIVA BASE. 3. ESQUEMA
DE INSTRUMENTOS. 3.1. *La Estrategia Territorial de Navarra.*
3.2. *Los Planes de Ordenación Territorial.* 3.3. *Planes Directores de
Acción Territorial.* 3.4. *Planes y proyectos sectoriales de incidencia
supramunicipal.* 4. ÓRGANOS. 4.1. *Consejo Social de Política Territorial.* 4.2. *Observatorio Territorial de Navarra.* 4.3. *Comisión de
Ordenación del Territorio.* 5. PROCEDIMIENTOS Y RESPON-
SABILIDADES FORMALES. 5.1. *Procedimiento de elaboración y
aprobación de la ETN.* 5.2. *Procedimiento de elaboración y aprobación
de los POT.* 5.3. *Procedimiento de elaboración y aprobación de los
PDAT.* 5.4. *Procedimiento de elaboración y aprobación de los PSIS.*
5.5. *Procedimiento de la Evaluación Ambiental Estratégica.* 6. EM-
BOTELLAMIENTOS Y CONDICIONES QUE ALTERAN EL
FUNCIONAMIENTO. 7. SITUACIÓN RESULTANTE. 8. REFE-
RENCIAS BIBLIOGRÁFICAS Y NORMATIVA.

1. ANTECEDENTES

El esquema de instrumentos vigente en la actualidad en Navarra proviene del año 2002, cuando se aprobó la nueva Ley Foral 35/2002 de
Ordenación del Territorio y Urbanismo (conocida como LFOTU). Anteriormente, desde finales de los años ochenta, habían existido diversos

proyectos de leyes que contemplaban instrumentos similares (como unas directrices de ordenación del territorio regionales, de carácter básicamente normativo, más próximo a la planificación física del territorio), aunque faltó el impulso político necesario para que se produjera su aprobación definitiva en el parlamento (Elorrieta, 2014).

La asunción de las competencias en ordenación del territorio y urbanismo se produjo formalmente en 1982, con la aprobación del Amejoramiento del Fuero de Navarra[1] (equivalente al Estatuto de Autonomía). La Comunidad Foral ha hecho uso de esa competencia exclusiva, mediante la aprobación de diversas Leyes Forales, pudiendo ponerse su inicio en la ley 12/1986, primera Ley Foral de Ordenación del Territorio; aunque más importante fue la Ley Foral 10/1994, de Ordenación del Territorio y Urbanismo, que representó un intento de constituir un instrumento jurídico de alcance global. No obstante, esta ley era muy dependiente del ordenamiento urbanístico estatal.

Poco a poco se iría configurando el campo de acción de la ordenación del territorio y la política urbanística, aunque en un principio se carecía de una conciencia clara y de una diferenciación muy definida entre ambas prácticas administrativas.

En cuanto a la política de ordenación del territorio, a pesar de la existencia de legislación al respecto desde la década de los ochenta, los antecedentes de planes o instrumentos de eran escasos, dado que únicamente llegaron a aprobarse las Normas Urbanísticas Comarcales de Pamplona, que habían entrado en vigor en 1999. Los proyectos de ordenación regionales (directrices) que preveía la legislación no llegaron a aprobarse de forma definitiva.

Finalmente, entre los años 2001 y 2002 se decidió emprender definitivamente la redacción de un plan regional con una visión marcadamente estratégica, por lo que tuvo que modificarse la propia Ley de ordenación del territorio para que se adaptara al nuevo sistema de instrumentos de ordenación que se preveía. Así es como se aprobó la mencionada LFOTU, el marco legal que establece las condiciones en las que se desarrolla en la actualidad la ordenación del territorio y el urbanismo en Navarra, y que define los instrumentos correspondientes a estas dos políticas.

---

1. Ley Orgánica 13/1982, de 10 de agosto, de Reintegración y Amejoramiento del Régimen Foral de Navarra, conocida como LORAFNA.

Figura 1. Aprobación de la norma y el instrumento regional de ordenación del territorio en Navarra

Fuente: Elaboración propia

Esta ley, como decíamos, supuso un cambio de instrumentos respecto a la anterior normativa e impuso como principal instrumento de ordenación territorial la Estrategia Territorial de Navarra (ETN), un plan de escala regional de carácter mucho más estratégico y cuyo objetivo fundamental habría de ser el de conseguir un desarrollo territorial sostenible para el territorio navarro (Elorrieta et al., 2016). Con la elaboración de la Estrategia, se pretendía crear un instrumento menos rígido de lo que habría sido un plan normativo y más adaptable a los cambios sobre el territorio (Zarraluqui, 2003). Otros instrumentos que contemplaba la ley, pero de escala subregional, eran los Planes de Ordenación Territorial (POT) y los Planes Directores de Acción Territorial (PDAT). La nueva LFOTU estableció que todos estos instrumentos deben someterse a los procedimientos de evaluación ambiental y territorial, con el fin de garantizar la sostenibilidad en Navarra y la protección de su medio ambiente.

Finalmente, la ETN fue formalmente aprobada en junio de 2005, y supuso un salto cualitativo importante respecto a los anteriores proyectos, ya que poseía un carácter mucho más flexible, estratégico, orientativo e integral. Aunque tuvieron que transcurrir más de veinte años desde que Navarra asumió las competencias en materia de ordenación del territorio hasta que finalmente aprobó un instrumento de planificación regional, el proceso de redacción y aprobación del plan resultó ser relativamente rápido en comparación con otras CCAA, ya que se completó en un plazo de menos de cuatro años con la aprobación de la ETN en el parlamento navarro.

2. NORMATIVA BASE

Tabla 1. Marco regulador e instrumental de la OT en Navarra

Comunidad Autónoma	Comunidad Foral de Navarra
Antecedentes normativos	Ley Foral 12/1986, de 11 de noviembre, de Ordenación del Territorio de Navarra Ley Foral 10/1994, de 4 de julio, de ordenación del territorio y urbanismo de Navarra Ley Foral 35/2002 de Ordenación del Territorio y Urbanismo de Navarra (LFOTU)
Legislación OT actual	Decreto Foral Legislativo 1/2017, de 26 de julio, por el que se aprueba el Texto Refundido de la Ley Foral de Ordenación del Territorio y Urbanismo (DFLOTU)
Departamento OT actual	Departamento de Desarrollo Rural, Medio Ambiente y Administración Local → Dirección General de Medio Ambiente y Ordenación del Territorio → Servicio de Ordenación del Territorio y Urbanismo
Plan OT regional	Estrategia Territorial de Navarra
Entrada en vigor (año)	2005
Normativa de aprobación	Aprobada por el Parlamento de Navarra
Organismo impulsor	Dirección General de Ordenación del Territorio y Vivienda del Gobierno de Navarra (en aquel momento era el Departamento competente en OT) Dirigido y coordinado desde la sociedad pública Navarra de Suelo Residencial, S.A.–NASURSA–
Periodo tramitación	Julio de 2001-Junio de 2005
Otros planes OT	- Planes de Ordenación Territorial (POT) - Planes Directores de Acción Territorial (PDAT) - Planes y Proyectos Sectoriales de Incidencia Supramunicipal
Otros planes con incidencia territorial	- Planificación Sectorial. Los informes y memorias de la ETN analizan su incidencia en el modelo de desarrollo territorial

Fuente: Elaboración propia a partir del Gobierno de Navarra

En Navarra, la legislación regula conjuntamente la ordenación del territorio y el urbanismo. Aunque las bases de la actual regulación fueron establecidas por la Ley Foral 35/2002 (LFOTU), en el año 2017 se aprobó por Decreto Foral legislativo el nuevo Texto Refundido de la Ley Foral de Ordenación del Territorio y Urbanismo (DFLOTU), con el fin de integrar algunas modificaciones que se habían hecho en 2015 por la Ley Foral 5/2015 de medidas para favorecer el urbanismo sostenible, la renovación urbana y la actividad urbanística en Navarra. La información básica sobre la legislación y los instrumentos de OT se resume en la Tabla 1.

3. ESQUEMA DE INSTRUMENTOS

La legislación de OT de Navarra contempla como principal instrumento de ordenación territorial en la escala regional la Estrategia Territorial de Navarra (ETN). La ETN sirve como marco de referencia e instrumento orientador para la elaboración de los Planes de Ordenación Territorial (POT), que son los planes de escala inmediatamente inferior (escala subregional) que aportan mayor concreción a las orientaciones de la ETN. También en la escala subregional hallamos los Planes Directores de Acción Territorial (PDAT), que concretan actuaciones sectoriales derivadas de los POT, así como los planes y proyectos sectoriales de incidencia supramunicipal (ver Figura 2). La legislación determina que todos estos instrumentos deben someterse a los procedimientos de evaluación ambiental y territorial. Por otro lado, la misma legislación establece cuáles deben ser los instrumentos de planeamiento urbanístico.

Figura 2. Esquema de instrumentos de planificación territorial, sectorial y urbanística de Navarra

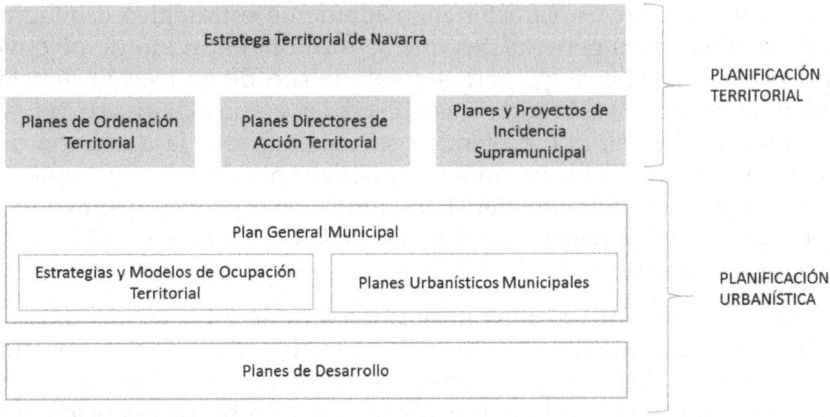

Fuente: Elaboración propia a partir del Gobierno de Navarra

Por último, el DFLOTU de 2017 también contempla la elaboración de una Estrategia Navarra del Paisaje, un instrumento que determinaría la forma en que se integran los Documentos de Paisaje en los instrumentos de ordenación del territorio y urbanísticos. De hecho, La Ley Foral 5/2015 de medidas para favorecer el urbanismo sostenible, la renovación urbana y la actividad urbanística en Navarra ya incluyó de forma determinante la atención al paisaje en la legislación navarra, como parte integrante de la sostenibilidad. La Comisión de Paisaje del Consejo Social de Política Territorial ha trabajado en esta dirección, aunque el instrumento definitivo aún no ha sido aprobado.

Es de destacar, además, que el Observatorio Territorial de Navarra en sus informes analiza la incidencia de otras políticas sectoriales en el modelo de desarrollo territorial de Navarra, así como su adecuación a los principios y directrices establecidos en la ETN, con el objetivo de analizar y garantizar la coherencia entre las diferentes políticas que intervienen sobre el territorio.

3.1. LA ESTRATEGIA TERRITORIAL DE NAVARRA

Tal como preveía la Ley 35/2002, la ETN se erigió en el instrumento de planificación primordial de la Comunidad Foral, una vez se produjo su aprobación en el Parlamento de Navarra en junio de 2005. Dicha ley ordenaba la elaboración de la ETN con carácter orientativo, y le atribuía las siguientes finalidades: la cohesión social y económica del territorio, la competitividad regional, la conservación y uso racional de su patrimonio natural y cultural, la integración con la Estrategia Territorial Europea, la cooperación con el entorno geopolítico y el soporte a los agentes institucionales, sociales y económicos de Navarra para el diseño de políticas de interés común.

La ETN presenta un carácter marcadamente estratégico e integrador, con determinaciones generalistas que se formulan a modo de objetivos y criterios de actuación, y que, en general, no son de aplicación directa. Es un plan esencialmente dirigido a establecer las grandes líneas de actuación en materia territorial, que pretenden servir de guía a la actuación de los agentes privados y de los organismos públicos navarros en un contexto de visión a largo plazo. Sus características, junto con el protagonismo otorgado al contexto europeo, hacen que sea uno de los mayores ejemplos de europeización de la ordenación del territorio en España (Elorrieta, 2018).

Uno de los distintivos más importantes de la ETN es el preciso mecanismo de seguimiento que establece para la valoración de los efectos territoriales del plan y el grado de consecución de sus objetivos. La forma de valorar en el tiempo la evolución y el grado de consecución de sus grandes estrategias es el empleo de indicadores, que valoran no sólo su situación sino también su tendencia (Gobierno de Navarra, 2011). Este sistema se emplea en la actualidad para evaluar el grado de implementación no solo de la ETN sino también de los POT.

El horizonte de aplicación de la ETN es a largo plazo (25 años), aunque se somete a un proceso de permanente actualización. En caso de entenderse que la ETN debe revisarse, debe someterse al mismo procedimiento de elaboración previsto en el DFLOTU. Hasta hoy no se ha previsto una revisión debido a su coste administrativo y económico, si bien el Consejo Social de Política Territorial contempla la posibilidad en el corto plazo (D. Munárriz, comunicación personal, 7 de mayo de 2019), puesto que se quiere incorporar en las orientaciones de la ETN algunos aspectos críticos para el territorio, tales como las áreas desfavorecidas, la implicación de la transición (ecológica, climática, energética, económica, social y cultural) y la reciente aprobación de la Ley Foral de Administración Local, que prevé la constitución de comarcas (NUT 4 de la Unión Europea).

3.2.   LOS PLANES DE ORDENACIÓN TERRITORIAL

Figura 3. Procedimiento de tramitación de los Planes de Ordenación Territorial

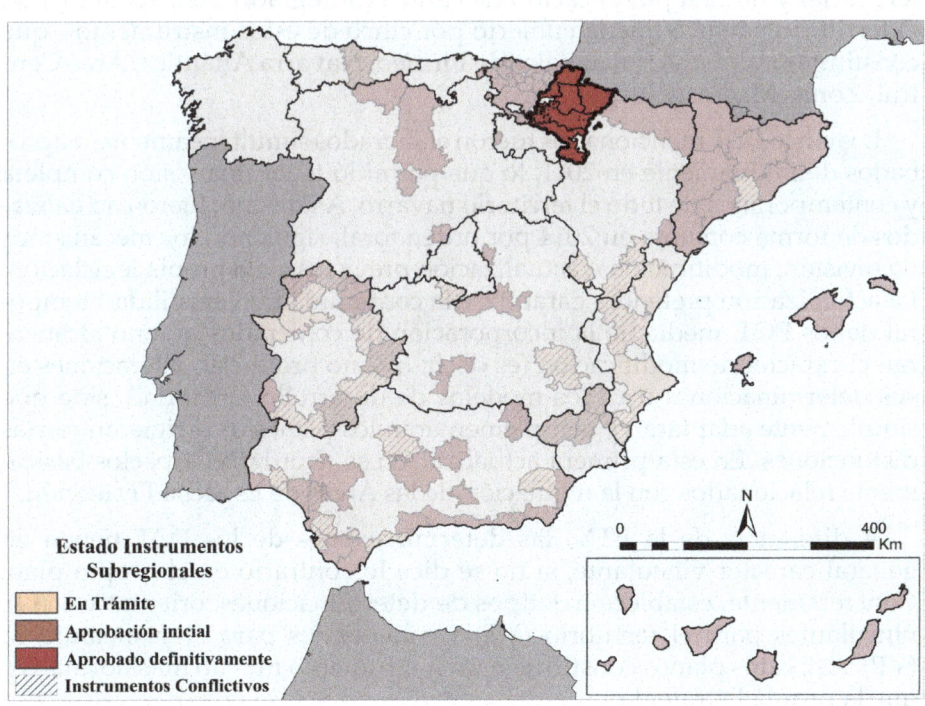

Fuente: Elaboración propia

Los Planes de Ordenación Territorial (POT) establecen determinaciones o normas sobre los aspectos fundamentales para la estructura orgánica del territorio en sus áreas de actuación. Según la legislación, los Planes de Ordenación Territorial tienen por objeto la ordenación del territorio de áreas o zonas de Navarra de ámbito supramunicipal, y sus principales funciones son:

- Propiciar la utilización adecuada, racional y equilibrada del territorio.

- Establecer los elementos básicos para la organización y articulación del territorio.

- Constituir el marco de referencia territorial para la formulación, desarrollo y coordinación de las políticas, planes, programas y proyectos de las administraciones públicas, o de las actividades de los particulares con incidencia en el territorio.

El ámbito de aplicación de los POT está constituido por áreas geográficas diferenciadas (establecidas en la ETN), por su homogeneidad territorial, o por áreas que, por su dimensión y características funcionales, precisen de una consideración conjunta y coordinada de su problemática territorial y de una planificación de carácter integrado. Así, actualmente, el territorio navarro queda cubierto por cinco de estos instrumentos, que constituyen las áreas funcionales de Pirineo, Navarra Atlántica, Área Central, Zonas Medias y Eje del Ebro.

Los cinco POT mencionados fueron elaborados simultáneamente, y aprobados definitivamente en 2011, lo que permitió tener una visión completa y contemporánea de todo el territorio navarro. Asimismo, fueron actualizados de forma conjunta en 2014 por orden foral, siguiendo los mecanismos de revisión, modificación y actualización previstos en la propia legislación. La actualización pretendía garantizar la continuidad y versatilidad temporal de los POT, mediante la incorporación de contenidos que no alcanzaran el carácter de modificación (es decir, que no producían alteraciones en sus determinaciones o en los modelos de desarrollo territorial), sino que simplemente adaptaran y complementaran los planes o corrigieran ciertas disfunciones. En esta primera actualización se abordaron aspectos básicamente relacionados con la regulación de las Áreas de Especial Protección.

A diferencia de la ETN, las determinaciones de los POT tienen en general carácter vinculante, si no se dice lo contrario en el propio plan. Concretamente, establece tres tipos de determinaciones: orientativas (O), vinculantes para el territorio (VT) y vinculantes para el planeamiento (VP). Así, estos planes constituyen un instrumento mucho más normativo que la propia Estrategia.

3.3. PLANES DIRECTORES DE ACCIÓN TERRITORIAL

Los Planes Directores de Acción Territorial (PDAT) constituyen el siguiente eslabón de la cascada de planificación, que en el caso navarro ha seguido el orden cronológico natural desde las escalas superiores hacia las inferiores. Tienen un carácter más operativo y programático, ya que concretan, coordinan y programan las actuaciones sectoriales que se derivan de los POT. De hecho, su ámbito de aplicación se circunscribe al ámbito del Plan de Ordenación Territorial al que desarrolla.

Las actuaciones sectoriales de los PDAT se corresponden con el desarrollo de grandes áreas residenciales o de actividad económica, los equipamientos y servicios de carácter supramunicipal, el sistema de transportes y comunicaciones, y el resto de las infraestructuras territoriales tales como las de abastecimiento y saneamiento, tratamiento y eliminación de residuos, hidráulicas, de telecomunicación, energéticas o cualesquiera otras análogas.

Bajo este objetivo, los PDAT pueden establecer reservas de suelo con destino a las previsiones que definan con la finalidad de preservar dichos suelos de acciones que puedan dificultar o impedir su desarrollo. Sus determinaciones son vinculantes para el planeamiento de los entes locales a los que afecta, de manera que el planeamiento urbanístico afectado puede sufrir modificaciones a raíz de la aprobación de un PDAT. En cualquier caso, hasta el momento no se ha llegado a aprobar ningún PDAT, un hecho que ha generado, en el seno de la propia administración regional, un debate sobre la utilidad y aplicabilidad de este tipo de instrumento (D. Munárriz, comunicación personal, 7 de mayo de 2019).

3.4. PLANES Y PROYECTOS SECTORIALES DE INCIDENCIA SUPRAMUNICIPAL

Los Planes y Proyectos Sectoriales de Incidencia Supramunicipal (PSIS) son instrumentos vigentes en Navarra desde el año 1986 y que han alcanzado un lugar destacado como instrumento de ordenación territorial, siendo ampliamente utilizados por el Gobierno Foral.

La razón de ser de los PSIS fue sacar del ámbito de la competencia local aquellas actuaciones públicas o privadas que el Gobierno considerase necesarias por su importancia supralocal, evitando que fuesen obstaculizados por las entidades locales (Alli, 2013). Así, la normativa inicialmente dispuso que los PSIS debían quedar excluidos del control de las entidades locales, no sólo en cuanto al planeamiento, sino también en su ejecución. No obstante, el uso inadecuado de los instrumentos y la falta de respeto a la autonomía municipal y al planeamiento territorial fue objeto de numerosos debates en el Parlamento, aunque este último aspecto fue corregido en 2012 en cuanto a la vinculación de las determinaciones, a través de una pequeña modificación de la LFOTU.

Los PPSIS son instrumentos de planificación ejecutiva, cuya operatividad y versatilidad en el régimen anterior los hizo merecedores de su conservación en la LFOTU, como instrumentos de acción sectorial que se imponían sobre la ordenación territorial (Alli, 2013). Sus determinaciones son vinculantes para el territorio, de modo que pueden provocar la modificación del planeamiento local. Además, son los únicos instrumentos que pueden ser de iniciativa pública o privada, por lo que a menudo implican importantes intereses del sector privado.

Los Planes SIS tienen por objeto actuaciones de tipo residencial, de actividad económica o el desarrollo de planes y políticas públicas, cuya incidencia y efectos trasciendan del municipio o municipios sobre los que se asienten, ya sea por la magnitud, la importancia o por las especiales características que presenten. Al igual que el planeamiento urbanístico municipal, los Planes SIS pueden necesitar planeamiento de desarrollo (Planes Parciales, Planes Especiales y Estudios de Detalle).

Los Proyectos SIS, a su vez, tienen por objeto la implantación de infraestructuras o instalaciones del sistema de transportes, hidráulicas, de gestión ambiental, energéticas, de telecomunicación y cualesquiera otras análogas, cuya incidencia y efectos trascienda al municipio o municipios sobre los que se asienten.

4. ÓRGANOS

4.1. CONSEJO SOCIAL DE POLÍTICA TERRITORIAL

El Consejo Social de Política Territorial (CSPT) es un órgano de asesoramiento y participación para que los agentes institucionales, sociales, económicos y ambientales puedan colaborar en el seguimiento e impulso del desarrollo territorial de Navarra. Su función es conocer las líneas de actuación que establezca la Administración de la Comunidad Foral en materia de política territorial, para lo que emite informes preceptivos y no vinculantes sobre las disposiciones de carácter general reguladoras de la ordenación del territorio y sobre los distintos tipos de instrumentos de planificación (ETN, POT y PDAT).

La regulación y composición del CSPT se estableció en el Decreto Foral 166/2004 de 5 de abril y cuenta con el apoyo de la unidad técnica del Observatorio Territorial de Navarra para el desarrollo de sus actividades (reuniones del pleno y comisiones, elaboración de programaciones y memorias anuales, informes, comunicación, etc.).

Así pues, este órgano se encarga de realizar un seguimiento a toda la planificación territorial puesta en marcha en la Comunidad Foral. En la propia ETN también se recogía la propuesta de crear un sistema de seguimiento socio-político de la implementación del plan, algo que trata de llevarse a la práctica mediante el CSPT. No obstante, hay que señalar que este órgano tiene un carácter meramente consultivo, sin capacidad para la toma de decisiones. Los informes emitidos por el Consejo Social son preceptivos pero no vinculantes. En cualquier caso se trata, en principio, de un órgano independiente no dominado por el Gobierno y que posee una unidad técnica también independiente.

Como hemos dicho, en el CSPT no sólo están representados numerosos agentes institucionales sino también agentes privados (confederación de empresarios), académicos (universidades), colegios profesionales y agentes de la sociedad civil (organizaciones sindicales, ambientalistas, etc.). Como agentes institucionales, se encuentran representados varios departamentos del Gobierno de Navarra, convirtiéndose así en un espacio de coordinación horizontal. Esto permite dar una cierta coherencia a las políticas de ordenación del territorio que se diseñan desde el Departamento donde se adscribe la ordenación del territorio, ya que los demás sectores están al tanto de las acciones y líneas estrategias emprendidas en materia territorial.

4.2. OBSERVATORIO TERRITORIAL DE NAVARRA

El Observatorio Territorial de Navarra (OTN) nació como una unidad técnica del Consejo Social de Política Territorial, el órgano de asesoramiento y participación de la Comunidad Foral especializado en temas territoriales. Sus funciones están reguladas en el mismo Decreto Foral 166/2004 de 5 de abril.

El trabajo del OTN se orienta en seis líneas estratégicas y de acción:

1- Apoyo a la gestión del Consejo Social de Política Territorial.

2- Seguimiento del desarrollo territorial de Navarra a través de la elaboración de estudios (publicación de las llamadas Observaciones Territoriales).

3- Seguimiento del desarrollo territorial de Navarra a través de trabajos de investigación en el marco de programas europeos.

4- Gestión de información territorial y desarrollo de servicios territoriales, a través del Centro de Recursos Territoriales.

5- Desarrollo y cooperación territorial en políticas con un claro enfoque territorial y gestión de proyectos de desarrollo territorial coherentes con el Modelo de Desarrollo Territorial.

6- Implementación del Sistema de Evaluación Territorial, realizando acciones de monitorización de las políticas con incidencia en el territorio.

Así pues, una de sus principales funciones es la evaluación y seguimiento de los instrumentos de ordenación territorial. Debe realizar una evaluación continua de la aplicación de dichos instrumentos y de la situación del territorio con relación a ellos, generando los correspondientes informes anuales y cuatrienales.

Pese a que el Observatorio es en realidad un órgano de carácter técnico, al depender del CSPT, debe presentar los resultados de su trabajo a un órgano mixto que es el que elabora los informes en última instancia.

En la actualidad el OTN mantiene su carácter de órgano técnico y administrativo del CSPT y forma parte del organigrama de NASUVINSA. También está integrado como sección en LURSAREA - Agencia Navarra del Territorio y la Sostenibilidad, que es una red dirigida a coordinar y dinamizar a las administraciones locales, grupos de acción local y agentes del territorio.

4.3. COMISIÓN DE ORDENACIÓN DEL TERRITORIO

La Comisión de Ordenación del Territorio (COT) es el órgano consultivo y de coordinación de la Administración de la Comunidad Foral de Navarra en materia de ordenación del territorio. Está presidida por el titular del Departamento competente en materia de ordenación del territorio y urbanismo, y su composición también incluye, además de los representantes de la Administración de la Comunidad Foral de Navarra que se designen, cuatro representantes de los Ayuntamientos de Navarra a propuesta de la Federación Navarra de Municipios y Concejos. Igualmente, pueden formar parte de ella un representante de la Administración del Estado y los representantes de aquellas organizaciones y asociaciones que reglamentariamente se determinen.

La función que se atribuye a la Comisión de Ordenación del Territorio es, fundamentalmente, informar los diferentes instrumentos de ordenación territorial de la Comunidad Foral.

5. PROCEDIMIENTOS Y RESPONSABILIDADES FORMALES

En primer lugar, cabe mencionar que más allá de la legislación territorial que regula la elaboración y aprobación de los instrumentos, diversas leyes forales han modificado los procedimientos de elaboración concretamente en lo que se refiere a la participación pública, fomentando la participación más allá del estricto requerimiento de exposición pública. Dichas modificaciones posteriores regulan específicamente algunos trámites tanto territoriales como urbanísticos.

5.1. PROCEDIMIENTO DE ELABORACIÓN Y APROBACIÓN DE LA ETN

La elaboración de la ETN fue una iniciativa de la Dirección General de Ordenación del Territorio y Vivienda del Gobierno de Navarra, que en aquel momento era el Departamento competente en OT. La coordinación técnica de los trabajos se llevó a cabo desde la sociedad pública NASURSA - Navarra de Suelo Residencial, SA (que fue absorbida posteriormente por la empresa pública NASUVINSA, Navarra de Suelo y Vivienda, SA), aunque algunos trabajos de análisis fueron encargados a terceras empresas mediante concurso público. También fue NASURSA la que proyectó la metodología de elaboración de la ETN, en la que se conjugaban de forma coordinada los procesos de participación, de análisis y administrativos. El documento se elaboró en diferentes fases, comenzando con una recopilación de información y un *benchmarking* de regiones y políticas territoriales, posteriormente un análisis y diagnóstico (incluyendo un diagnóstico integrado en torno a seis principios o directrices estratégicas derivadas de la Estrategia Territorial Europea y de las Estrategias de Desarrollo Sostenible), una fase de formulación del propio documento y, por último, la corrección del plan tras su exposición al público (Zarraluqui, 2003).

Diagrama 1. Procedimiento de tramitación de la Estrategia Territorial de Navarra

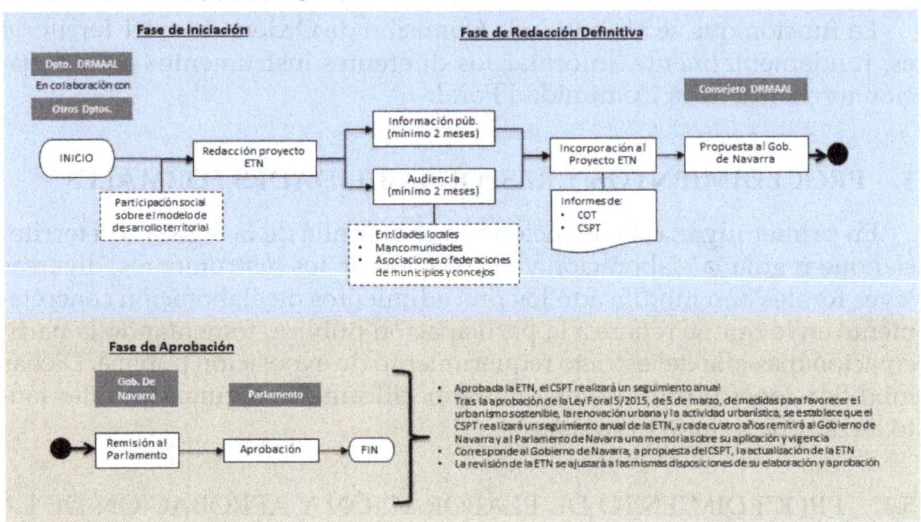

Navarra / Ámbito regional

Estrategia Territorial de Navarra

Procedimiento de elaboración y aprobación según Ley Foral 35/2002, de 20 de diciembre, de Ordenación del Territorio y Urbanismo (Artículo 33)

Fuente: Elaboración propia

La participación pública en el proceso de elaboración de la ETN es una de las particularidades del instrumento. El Gobierno de Navarra declaró en las bases del trabajo su interés de que la ETN fuera un proyecto abierto en su formulación, y que tanto el diagnóstico como la propia estrategia fueran resultado de la integración de la visión experta y de la percepción socio-política. Asimismo, los agentes sociales, económicos y del ámbito académico participan en el seguimiento y la evaluación de la política territorial a través del CSPT.

Aunque hubo este impulso extra a la participación pública, el procedimiento general de elaboración y aprobación de la Estrategia Territorial de Navarra viene recogido en el Artículo 33 la ley de ordenación territorial:

- La ETN será elaborada por el Departamento competente en materia de ordenación del territorio y urbanismo, en colaboración con los demás Departamentos del Gobierno de Navarra, y tras un proceso de participación social sobre el modelo de desarrollo territorial elegido por la Estrategia.

- El proyecto de Estrategia se someterá a información pública y a audiencia de las entidades locales, así como de las mancomunidades y asociaciones o federaciones de municipios y concejos en que estén representadas, por plazo de al menos dos meses.

- La Comisión de Ordenación del Territorio y el Consejo Social de Política Territorial informarán, previamente a su aprobación, el proyecto de Estrategia Territorial de Navarra.

- El titular del Departamento competente en materia de ordenación del territorio y urbanismo, propondrá al Gobierno de Navarra la remisión al Parlamento de Navarra del proyecto de Estrategia Territorial de Navarra.

- La ETN se aprobará por el Parlamento de Navarra.

- Aprobada la ETN, el Consejo Social de Política Territorial realizará un seguimiento anual empleando los indicadores del Observatorio Territorial de Navarra.

- Corresponde al Gobierno de Navarra, a propuesta del CSPT, la actualización de la Estrategia.

- La revisión de la ETN se ajustará a las mismas disposiciones enunciadas para su elaboración y aprobación.

5.2. PROCEDIMIENTO DE ELABORACIÓN Y APROBACIÓN DE LOS POT

La responsabilidad máxima de elaboración y tramitación de los POT recayó en su momento sobre el Departamento de Vivienda y Ordenación del Territorio. Al igual que en el caso de la ETN, NASURSA tuvo encomendada la dirección técnica y la organización de todos los procedimientos administrativos y de participación. Hoy en día, la competencia en OT la ejerce el Servicio de Territorio y Paisaje del Departamento de Desarrollo Rural, Medio Ambiente y Administración Local.

No obstante, la elaboración de los POT requirió de la coordinación y colaboración de todos los departamentos del Gobierno de Navarra, que se expresó en la participación con representantes en las Comisiones Técnicas y de Seguimiento, en reuniones periódicas, y en la emisión de informes internos de evaluación y mejora de los documentos.

Así, en la elaboración de los POT se configuró un sistema de participación pública mediante tres pilares: por un lado, el propio Gobierno (incluyendo a todos aquellos Departamentos que tuvieran una incidencia sobre la ordenación territorial); por otro lado, la instituciones de escala municipal (ayuntamientos afectados por cada uno de los POT); y finalmente, los agentes económicos, sociales y universidades. Este sistema ordenado mediante Comisiones Técnicas y Comisiones de Seguimiento se adelantaba a las estipulaciones establecidas posteriormente por las leyes forales de participación, transparencia y gobierno abierto, que incluso tomaron como ejemplo el proceso participativo de los POT.

El procedimiento de elaboración y aprobación de los Planes de Ordenación Territorial está contemplado en el Artículo 36 de la ley de ordenación territorial, que indica lo siguiente:

- El Plan de Ordenación Territorial será elaborado por el Departamento competente en materia de ordenación del territorio y urbanismo, en coordinación con los demás Departamentos del Gobierno de Navarra, de oficio o a propuesta de los Ayuntamientos interesados.

- La elaboración del Plan incluirá las fases de avance y de proyecto. Tanto el avance como el proyecto de POT se someterán a información pública, anunciada en el Boletín Oficial de Navarra, y a audiencia de las entidades locales incluidas en su ámbito de incidencia, por plazo mínimo de un mes.

- Una Comisión de seguimiento designada y presidida por el titular del Departamento competente en materia de ordenación del territorio y urbanismo, en la que tendrán participaciones representantes de la Administración de la Comunidad Foral, de las entidades locales y de los sectores económico y social del ámbito propuesto, emitirá informes sobre el avance y sobre el proyecto, así como sobre las alegaciones y sugerencias presentadas a los mismos. Los representantes de las entidades locales presentes en la Comisión de seguimiento serán nombrados por las entidades locales afectadas por el POT correspondiente.

- La Comisión de Ordenación del Territorio de Navarra y el Consejo Social de Política Territorial, emitirán informe sobre el proyecto de POT.

- El titular del Departamento competente en materia de ordenación del territorio y urbanismo propondrá al Gobierno de Navarra la aprobación del proyecto de POT.

- El POT se aprobará por el Gobierno de Navarra mediante Decreto Foral.

En el Artículo 37 se detalla la vigencia, revisión, modificación y actualización de los POT, y en él se indica que su vigencia es indefinida, y que su revisión se ajustará a las mismas disposiciones enunciadas para su elaboración y aprobación.

Diagrama 2. Procedimiento de tramitación de los Planes de Ordenación del Territorio

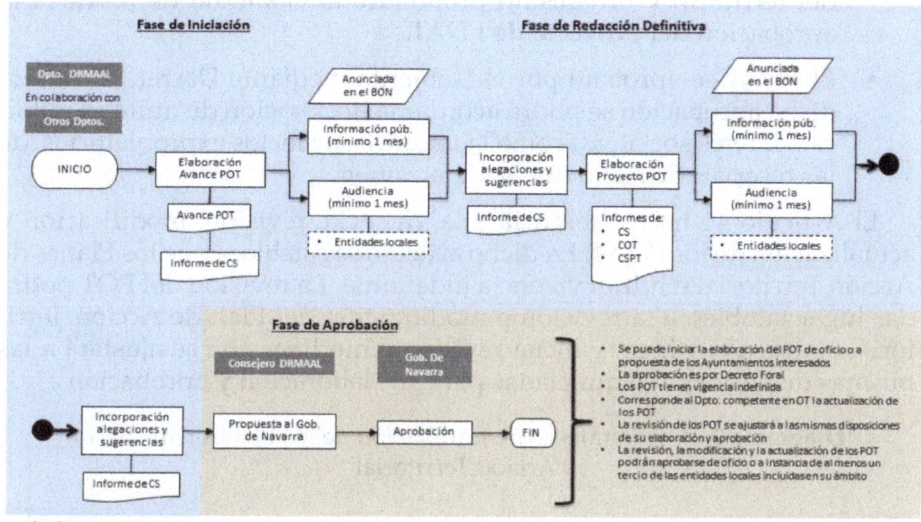

Navarra / Ámbito subregional
Planes de Ordenación Territorial
Procedimiento de elaboración y aprobación según Ley Foral 35/2002, de 20 de diciembre, de Ordenación del Territorio y Urbanismo (Artículo 36)

Abreviaturas
COT: Comisión de Ordenación del Territorio
CS: Comisión de Seguimiento
CSPT: Consejo Social de Política Territorial
DRMAAL: Desarrollo Rural, Medio Ambiente y Administración Local

Fuente: Elaboración propia

5.3. PROCEDIMIENTO DE ELABORACIÓN Y APROBACIÓN DE LOS PDAT

Como ya se ha mencionado, hasta el momento no se ha aprobado ningún PDAT e incluso existe un debate abierto en torno al futuro del propio instrumento. En cualquier caso, según el Artículo 40 de la ley de ordenación del territorio, el procedimiento de elaboración y aprobación de los PDAT es el siguiente:

- El Plan de Acción Territorial será elaborado por el Departamento competente en materia de ordenación del territorio y urbanismo, en coordinación y con la participación de los demás Departamentos del Gobierno de Navarra a cuyas competencias afecte.

- El proyecto del PDAT será sometido a información pública, anunciada en el Boletín Oficial de Navarra, y a audiencia de las entidades locales incluidas en su ámbito de incidencia, por plazo mínimo de dos meses.

- La Comisión de Ordenación del Territorio de Navarra y el Consejo Social de Política Territorial emitirán informe sobre el proyecto de PDAT.

- El titular del Departamento competente en materia de ordenación del territorio y urbanismo propondrá al Gobierno de Navarra la aprobación del proyecto de PDAT.

- El PDAT se aprobará por el Gobierno mediante Decreto Foral. En dicha aprobación se podrá acordar la declaración de utilidad pública o interés social, así como la urgencia, a efectos expropiatorios, de las reservas de suelo que se determinen.

El Artículo 41 hace referencia a la vigencia, revisión, modificación y actualización de los PDAT. En dicho artículo se establece que los Planes de Acción Territorial tendrán vigencia indefinida. La revisión del POT podrá dar lugar también a la revisión o modificación del Plan de Acción Territorial al que dio origen, y dicha revisión o modificación se ajustará a las mismas disposiciones enunciadas para su elaboración y aprobación.

Diagrama 3. Procedimiento de tramitación de los Planes Directos de Acción Territorial

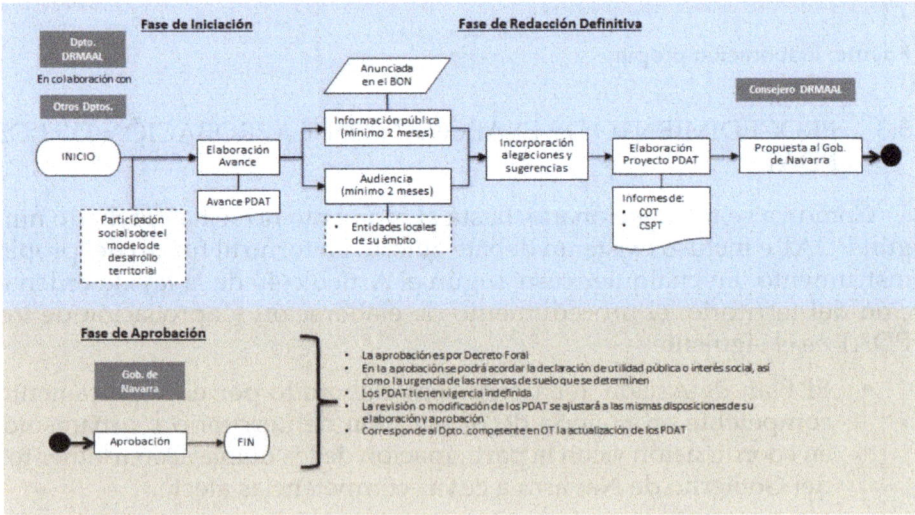

Fuente: Elaboración propia

5.4. PROCEDIMIENTO DE ELABORACIÓN Y APROBACIÓN DE LOS PSIS

A diferencia de los PDAT, los PSIS han sido instrumentos ampliamente utilizados en la Comunidad Foral desde su entrada en vigor en la legislación. Las obras previstas en los PSIS de implantación de infraestructuras, dotaciones e instalaciones, así como las de usos mayoritariamente residenciales, pueden ser declaradas de interés general por el Gobierno de Navarra, en cuyo caso no están sujetas al control preventivo local.

El procedimiento de elaboración y aprobación de los PSIS viene recogido por el Artículo 45 de la ley de ordenación del territorio y urbanismo, que señala lo siguiente:

- Los Planes y Proyectos Sectoriales de Incidencia Supramunicipal podrán ser promovidos por la iniciativa pública o privada.

- La formulación y aprobación de los Planes o Proyectos Sectoriales de Incidencia Supramunicipal se ajustarán al siguiente procedimiento:

    a) El organismo, entidad, persona jurídica o física que promueva un PSIS lo someterá a la consideración del Gobierno de Navarra.

    b) El titular del Departamento competente en materia de ordenación del territorio y urbanismo, en coordinación con los Departamentos afectados y previo informe de la Comisión de ordenación del territorio, elevará propuesta de aprobación o desestimación de la declaración de incidencia supramunicipal al Gobierno de Navarra.

    c) El Gobierno de Navarra declarará, si así lo estima conveniente, dicho PSIS, a los efectos de lo previsto en esta ley foral.

    d) El Acuerdo del Gobierno de Navarra declarando el Plan o Proyecto como de Incidencia Supramunicipal se publicará en el Boletín Oficial de Navarra, y se someterá el expediente por plazo mínimo de un mes a los trámites simultáneos de información pública y de audiencia a los Ayuntamientos sobre los que incida.

    e) Informadas las alegaciones por el Departamento competente en materia de ordenación del territorio y urbanismo, se someterá a informe de la Comisión de ordenación del territorio.

    f) El Gobierno de Navarra, a propuesta del titular del Departamento competente en materia de ordenación del territorio y urbanismo, acordará, si procede, la aprobación, pudiendo establecer las condiciones o las medidas correctoras necesarias.

653

- Se entenderán desestimadas las solicitudes de PSIS promovidos por la iniciativa privada cuando, transcurrido el plazo de cuatro meses desde el ingreso del expediente completo en el registro, no haya recaído resolución expresa.

- En la aprobación definitiva por el Gobierno de Navarra se podrá acordar, en su caso, la declaración de utilidad pública o interés social, así como la urgencia a efectos expropiatorios.

- Las modificaciones de las determinaciones de los PSIS serán aprobadas por el Departamento competente en materia de ordenación del territorio y urbanismo, previa exposición pública de un mes y audiencia a los Municipios afectados, o bien por el Ayuntamiento correspondiente, si así lo autoriza el citado Departamento.

- Los PSIS tienen una vigencia indefinida. No obstante, el Gobierno de Navarra, de oficio o a instancia de parte, podrá acordar su extinción en el que caso de determinados supuestos.

Diagrama 4. Procedimiento de tramitación de los Planes y Proyectos Sectoriales de Incidencia Supramunicipal

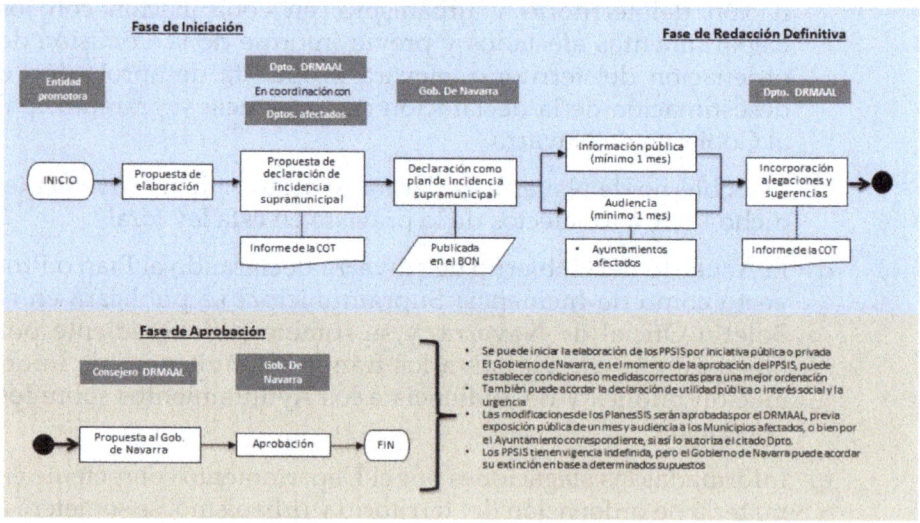

Fuente: Elaboración propia

5.5. PROCEDIMIENTO DE LA EVALUACIÓN AMBIENTAL ESTRATÉGICA

La evaluación ambiental estratégica es el procedimiento establecido para evaluar, corregir y controlar los efectos que sobre el medio ambiente pueden tener determinados planes o programas, a través de la integración de la variable ambiental en la elaboración y aprobación de los referidos planes y programas.

La legislación de OT navarra indica que los instrumentos de ordenación territorial serán sometidos a los procedimientos de evaluación ambiental y territorial a los que estén obligados por la normativa. La Ley Foral 4/2005, de 22 de marzo, de Intervención para la Protección Ambiental (LFIPA), regula el procedimiento de Evaluación Ambiental Estratégica aplicada a instrumentos de ordenación del territorio y urbanística. Esta ley señala que deberán someterse a evaluación ambiental estratégica con carácter previo a su aprobación todos los instrumentos de OT que hemos mencionado (ETN, POT, PDAT y PSIS).

Los contenidos y procedimientos de la LFIPA están muy modificados por la afección de la Ley 21/13 de evaluación ambiental estatal. En cualquier caso, según la LFIPA (Título II, Capítulo I), el procedimiento de Evaluación Ambiental Estratégica aplicada a instrumentos de ordenación del territorio es el siguiente:

- El promotor público o privado incorporará, desde el inicio de su elaboración, la variable ambiental y deberá remitir al Departamento competente en materia de medio ambiente (actualmente Departamento de Departamento de Desarrollo Rural, Medio Ambiente y Administración Local) un estudio de la incidencia ambiental del plan o programa y la documentación completa que se determine reglamentariamente, incluidos los anejos y cartografía descriptivos de las diferentes acciones que contemple.

- En el estudio de incidencia ambiental se identificarán y evaluarán los posibles efectos que sobre el medio ambiente pueda tener su aplicación, así como las alternativas posibles evaluadas con criterios ambientales.

- Para la elaboración del estudio de incidencia ambiental el promotor podrá dirigir consultas al Departamento competente en materia de medio ambiente en relación con la concreción y extensión del citado estudio, el cual en el plazo de diez días podrá elevar las consultas a las personas, instituciones y Administraciones públicas previsiblemente afectadas por el plan o programa. En el plazo máximo de un mes el Departamento competente en materia de medio ambiente notificará al promotor el resultado de las consultas, que deberá ser tenido en cuenta para la elaboración del estudio de incidencia ambiental.

- El Departamento competente en materia de medio ambiente pondrá a disposición del promotor del plan o programa la información ambiental disponible para la elaboración del estudio de incidencia ambiental.

- Comprobada por el Departamento competente en materia de medio ambiente la suficiencia del estudio de incidencia ambiental, se someterá, junto con el resto de documentos que integran el plan o programa, a los trámites de información pública, informes y audiencia que establezca la legislación.

- Si en el procedimiento de aprobación del plan o programa no estuviera prevista la información pública de los mismos, el Departamento competente en materia de medio ambiente someterá, previo anuncio en el Boletín Oficial de Navarra, el estudio de incidencia ambiental junto con el plan o programa, a información pública por un período de treinta días.

- A la vista de las alegaciones que se presenten y antes de dictar la declaración de incidencia ambiental sobre el plan o programa, si el Departamento competente en materia de medio ambiente considera que debe ser desfavorable o deben imponerse medidas correctoras lo pondrá en conocimiento del promotor para que presente las alegaciones oportunas en un plazo de quince días.

- Tramitado el procedimiento, y de manera previa o simultánea a la aprobación del plan o programa, el Departamento competente en materia de medio ambiente emitirá la declaración de incidencia ambiental en la que se manifestará sobre la conveniencia ambiental de aprobar el plan o programa. En caso favorable podrá determinar las medidas correctoras que se estimen oportunas y los proyectos derivados del plan o programa que deberán someterse a un procedimiento de intervención ambiental.

- Una vez emitida la declaración de incidencia ambiental se notificará al promotor y al órgano competente para su aprobación. Ningún plan o programa podrá ser aprobado sin la declaración de incidencia ambiental.

- En los instrumentos de ordenación del territorio y planeamiento urbanístico en que existan distintas fases de elaboración mediante documentos previos de planeamiento (tales como avances, estrategia y modelo de ocupación del territorio) y proyectos tramitables, en el procedimiento de evaluación ambiental estratégica se podrá prever la existencia de una declaración preliminar de incidencia ambiental, previa o simultánea a la aprobación del documento previo de planeamiento, y una declaración de incidencia ambiental definitiva, previa o simultánea a la aprobación definitiva del plan o programa.

- En el supuesto de planes o programas promovidos por la Administración de la Comunidad Foral de Navarra, resolverá el Gobierno de Navarra respecto de la conveniencia de su aprobación o sobre el contenido de la declaración de incidencia ambiental.

- El plazo máximo para la emisión de la declaración de incidencia ambiental será el establecido para la aprobación definitiva del plan o programa en su legislación reguladora. En su defecto el plazo para la emisión de la declaración de incidencia ambiental será de cuatro meses desde la presentación completa del plan o programa y el estudio de incidencia ambiental. Transcurrido el citado plazo sin que haya recaído la declaración de incidencia ambiental ésta se entenderá desfavorable.

- La declaración de incidencia ambiental será publicada en el Boletín Oficial de Navarra.

6. EMBOTELLAMIENTOS Y CONDICIONES QUE ALTERAN EL FUNCIONAMIENTO

En la Comunidad Foral de Navarra se ha realizado un gran esfuerzo en las últimas dos décadas para fortalecer la ordenación del territorio, aprobar la cascada de instrumentos de planificación y dinamizar los procesos y espacios de gobernanza relacionados con las políticas territoriales. Como resultado, efectivamente ha habido un gran impulso a la aprobación de planes y la visión territorial ha ganado un gran peso en el resto de las políticas sectoriales. No obstante, también se identifican una serie de obstáculos o limitaciones en la implementación de las políticas territoriales.

En relación a los instrumentos de planificación, han existido discordancias de diferente índole. Por un lado, en el caso del instrumento regional, el propio carácter estratégico de la ETN ha resultado ser un inconveniente para su aplicación práctica, dado que realiza propuestas a largo plazo que exceden de los ritmos administrativos, y también ha resultado complejo que las actuaciones sectoriales o de las escalas inferiores se ajustaran al marco establecido por las directrices de la ETN.

Por otro lado, gracias a este mismo carácter estratégico y orientativo, la aprobación de la ETN no generó grandes discrepancias con las políticas sectoriales o los agentes privados desde su aprobación. Por el contrario, los Planes de Ordenación del Territorio, cuyas determinaciones son más rígidas y territorializadas, suscitaron mayores desacuerdos, pues estaban concebidos como instrumentos con mayor poder vinculante y visibilizaron algunos intereses enfrentados. Así, la aprobación de los POT puso de manifiesto el conflicto (aún no resuelto) entre la OT y las políticas sectoriales, pues la adopción de una cultura institucional basada en compartir los procesos de planificación es todavía una asignatura pendiente (Elorrieta, 2014).

En cuanto a los PDAT, después de casi dos décadas desde la aprobación de la LFOTU ha quedado en evidencia que se trata de un tipo de plan que no ha encajado bien en el esquema de instrumentos de Navarra. Hasta el momento no hay ningún PDAT aprobado, y de hecho existe un debate abierto en la administración pública relación a este tipo de instrumentos (D. Munárriz, comunicación personal, 7 de mayo de 2019): actualmente se debate entre la posibilidad de eliminarlo del DFLOTU o revitalizarlo con la actualización de los POT, puesto que pueden ser un instrumento ejecutivo de los órganos comarcales en el ejercicio de las competencias que asuman.

Por contra, los PSIS han sido instrumentos tan ampliamente utilizados que incluso se ha hablado de un cierto uso abusivo por parte del Gobierno de Navarra (Beltrán, 2000). Como ya se ha indicado, las obras previstas en los PSIS pueden ser declaradas de interés general por el Gobierno de Navarra, en cuyo caso no están sujetas al control preventivo local. Así, el Gobierno ha empleado los PSIS para actuaciones de todo tipo hasta llegar a considerarlos como su medio habitual de proceder, incluso contra el planeamiento local (Alli, 2013). En definitiva, a pesar de su integración actual en el esquema de instrumentos de OT, se deduce una disfunción en su uso y una aplicación en ocasiones improcedente e impuesta desde la escala regional.

Por otro lado, al margen de los propios instrumentos, existen también ciertas dificultades relacionadas con la gobernanza que alteran el funcionamiento del sistema de planificación territorial. Como se ha mencionado anteriormente, la falta de permeabilidad entre los departamentos encargados de la OT y de las políticas sectoriales hace que existan grandes dificultades para que la ordenación del territorio funcione como política horizontal: pese a los esfuerzos realizados por asegurar la participación de otras Consejerías en las decisiones sobre la política territorial (a través de su presencia en órganos como el CSPT), en la práctica, la planificación sectorial no incorpora la esfera de la OT de manera decidida para que aporte una visión regional e integral (Elorrieta, 2014).

Por otra parte, la articulación de los anteriormente mencionados órganos técnicos y políticos presenta ciertas disfunciones relacionadas, sobre todo, con su carácter independiente. Como ya se ha señalado, el Observatorio Territorial de Navarra es un órgano de carácter técnico que asesora al Consejo Social de Política Territorial. En teoría, ambos órganos deberían tener un carácter independiente del gobierno, y la relación del OTN debería producirse directamente con la comisión ejecutiva del CSPT. Sin embargo, en la práctica, el diálogo político-técnico a menudo se produce directamente entre el Departamento competente en OT y el Observatorio Territorial, de manera que la dirección del Observatorio recae en gran medida sobre el propio Gobierno, y no tanto sobre el CSPT (Elorrieta, 2014). Esto provoca que se ponga en cuestión la independencia del OTN como órgano de asesoría técnica.

Por último, existe también un componente de capacitación técnica entre los elementos que alteran el correcto funcionamiento de las políticas de OT: dicho funcionamiento se ve afectado por la escasez o insuficiente preparación de los recursos humanos de la administración (D. Munárriz, comunicación personal, 7 de mayo de 2019), que centran su labor en garantizar la adecuación legal de las actuaciones y no tanto en la coherencia de las intervenciones territoriales.

7. SITUACIÓN RESULTANTE

Navarra es sin duda una de las comunidades autónomas españolas donde la ordenación del territorio como política pública presenta un mayor grado de desarrollo y consolidación. Durante su trayectoria desde la asunción de competencias por parte del Gobierno Foral, se pasó de varias décadas de *impasse* a un periodo de gran impulso y afianzamiento con la entrada del siglo veintiuno.

El marco legislativo actual de la OT ha sufrido numerosas modificaciones desde su aprobación en 2002, pero hasta el momento el esquema de instrumentos no ha perdido vigencia. El sistema navarro de instrumentos de ordenación del territorio tiene a su favor el haber seguido el orden en cascada para la tramitación de los instrumentos de las diferentes escalas, desde la escala regional hacia la subregional, de forma que ha favorecido el encaje de los instrumentos inferiores en relación a las directrices más generalistas de la estrategia regional. Además, la aprobación simultánea de todos los POT hace que haya una situación homogénea y coherente desde el punto de vista de la OT en el conjunto del territorio. La elaboración y tramitación de los instrumentos ha sido relativamente ágil en comparación con otras Comunidades Autónomas, a pesar de los amplios métodos de participación puestos en marcha en diferentes fases del proceso.

A pesar del buen funcionamiento de la cascada de planificación entre la escala regional y los POT, lo cierto es que existen debates sobre el esquema de instrumentos vigente, en especial relativos a la adecuación de los PDAT, pero también al uso indiscriminado de los PSIS que en ocasiones llegan a contradecir el planeamiento urbanístico local.

La Estrategia Territorial de Navarra, por su parte, destaca en el contexto español por su inspiración en las directrices europeas de OT y su carácter estratégico y flexible (Elorrieta, 2018). Tanto la ETN como los POT han sido también ejemplos de buenas prácticas en cuanto a los mecanismos de seguimiento y evaluación dispuestos, así como los amplios procesos de participación abiertos. La participación impulsada en la elaboración y aprobación de los diferentes instrumentos ha sobrepasado lo estrictamente requerido por la legislación y se han implicado agentes sociales, privados y de la academia, además de otras administraciones en sentido vertical y horizontal.

La existencia de órganos políticos y técnicos especializados probablemente ha sido determinante a la hora de culminar con éxito la aprobación de la estrategia regional y los planes subregionales. Se aprecia una importante labor técnica del Observatorio Territorial, así como un interesante espacio de participación y seguimiento en el CSPT.

Aun así, los mayores condicionantes en el funcionamiento del sistema de OT provienen de los problemas relacionados con la gobernanza territorial. Así, aunque se han realizado esfuerzos creando espacios de coordinación horizontal en la administración regional, se percibe que queda camino por hacer para que la OT se convierta realmente en una política transversal donde se compartan los procesos de planificación entre las políticas sectoriales y territoriales.

8. REFERENCIAS BIBLIOGRÁFICAS Y NORMATIVA

BIBLIOGRAFÍA

Alli, J. C. (2013). Régimen de los Planes y Proyectos Sectoriales de Incidencia Supramunicipal de la Comunidad Foral de Navarra. Un intento frustrado de control de la discrecionalidad. *Revista Jurídica de Navarra*, 55-56, 217-255.

Beltrán, J. L. (2000). La ordenación del territorio en Navarra. *Euskonews & Media*, 85, 6-30.

Elorrieta, B. (2014). *La planificación territorial en el Estado español a la luz de las políticas territoriales europeas. De la teoría a la praxis* (Tesis doctoral). Universitat de Barcelona.

Elorrieta, B., Olcina, J. y Sánchez, D. (2016). La sostenibilidad en la planificación territorial de escala regional. *Cuadernos Geográficos*, 55 (1), 149-175.

Elorrieta, B. (2018). Spain Following in the EU's Footsteps: The Europeanization of Spatial Planning in its Autonomous Communities. *Planning Practice & Research*, 33(2), 154-171.

Gobierno de Navarra (2011). *El Proceso de Evaluación Territorial, algo más que seguimiento*. Pamplona: Gobierno de Navarra.

Zarraluqui, L. (2003). La Estrategia Territorial de Navarra, primera experiencia en España de aplicación de los principios de planificación y desarrollo espacial europeos a un nivel regional. *Urban*, 8, 111-122.

NORMATIVA

Decreto Foral 166/2004, de 5 de abril, por el que se regula el Consejo Social de Política Territorial De Navarra.

Decreto Foral Legislativo 1/2017, de 26 de julio, por el que se aprueba el Texto Refundido de la Ley Foral de Ordenación del Territorio y Urbanismo de Navarra.

Ley Orgánica 13/1982, de 10 de agosto, de reintegración y amejoramiento del Régimen Foral de Navarra Ley Foral 12/1986, de 11 de Noviembre, de Ordenación del Territorio.

Ley Foral 10/1994, de 4 de julio, de Ordenación del Territorio y Urbanismo.

Ley Foral 35/2002, de 20 de diciembre, de Ordenación del Territorio y Urbanismo de Navarra.

Ley Foral 4/2005, de 22 de marzo, de Intervención para la Protección Ambiental.

Ley Foral 5/2015, de 5 de marzo, de medidas para favorecer el urbanismo sostenible, la renovación urbana y la actividad urbanística en Navarra, que modifica la Ley Foral 35/2002, de 20 de diciembre, de Ordenación del Territorio y Urbanismo.

Capítulo 19

El procedimiento de la planificación territorial en el País Vasco

Itxaro Latasa Zaballos

Escuela Técnica Superior de Arquitectura, Urbanística y Ordenación del Territorio. Universidad del País Vasco

SUMARIO: 1. ANTECEDENTES. 2. NORMATIVA BASE. 3. ESQUEMA DE INSTRUMENTOS. 3.1. *Directrices de Ordenación del Territorio del País Vasco (DOT). 3.2. Planes Territoriales Parciales. 3.3. Planes Territoriales Sectoriales (PTS).* 4. ÓRGANOS. 4.1. *Comisión de Ordenación del Territorio del País Vasco (COTPV). 4.2. Consejo Asesor de Política Territorial del Gobierno Vasco (CAPTPV).* 5. PROCEDIMIENTOS Y RESPONSABILIDADES FORMALES. 5.1. *Procedimiento de elaboración y aprobación de las Directrices de Ordenación del País Vasco (DOT). 5.2. Procedimiento de elaboración y aprobación de los Planes Territoriales Parciales. 5.3. Procedimiento de elaboración y aprobación de los Planes Territoriales Sectoriales. 5.4. Procedimiento de la Evaluación Ambiental Estratégica (EAE).* 6. EMBOTELLAMIENTOS Y CONDICIONES QUE ALTERAN EL FUNCIONAMIENTO. 7. SITUACIÓN RESULTANTE. 8. BIBLIOGRAFÍA Y NORMATIVA.

1. ANTECEDENTES

Los instrumentos de ordenación territorial vigentes en la Comunidad Autónoma del País Vasco fueron creados mediante la Ley 4/1990, de 31 de mayo, de Ordenación del Territorio del País Vasco. El instrumento marco, de escala regional, son las Directrices de Ordenación del Territorio que constituyen, por otra parte, el primer instrumento que aborda de forma integral la política de ordenación del territorio.

Previamente a la Ley 4/1990 no existió ningún instrumento de ordenación de carácter regional. Los únicos antecedentes –pocos y nada exitosos– de política territorial a esta escala se produjeron a mediados del pasado siglo. Sin embargo, a escala local, e incluso comarcal, sí cabe destacar la creación de una estructura administrativa en materia urbanística cuyas bases perdurarán durante muchos años, y la redacción de una importante generación de planes: el Plan General de Ordenación Urbana de Bilbao y su Comarca de 1946, el Plan General de Ordenación de San Sebastián y su Comarca de 1950 y la redacción de unas Ordenanzas Generales de Edificación (Erquicia, 2000).

Más allá del urbanismo, el intento más reseñable es el que realizó a comienzos de la década de los cuarenta el arquitecto Pedro Muguruza, quien impulsó decididamente, y como novedad, la elaboración del Plan de Ordenación de Guipúzcoa. Más allá de este plan, su ambición era mayor, puesto que pretendía que sirviera, además, como "prototipo y como ensayo para poder abordar a continuación la ordenación de otras provincias y Áreas Metropolitanas siguiendo, en cualquier, caso algunos de los principios expuestos en la Carta de Atenas: "la ciudad debe ser estudiada en el conjunto de su región de influencia. Un plan regional reemplazará el simple plan municipal. El límite de la aglomeración será función del radio de su acción económica". La opción de Muguruza de seleccionar a Guipúzcoa para aquel, digamos, experimento fue intencionada y dirigida desde el primer momento y la justificó, sobre todo, en la voluntad de obtener una regulación urbanística de las actividades industriales, tan fundamentales en el caso de este territorio, y para poner freno a implantaciones desordenadas carentes de una visión amplia y de conjunto de lo que debería ser un armónico conjunto urbano" (Ponte Ordoqui, 2017). El plan no prosperó y sería Bidagor quien posteriormente retomaría la idea, por considerar que había llegado el momento de retomar los trabajos relativos a la planificación provincial. Tampoco en esta ocasión prosperó.

Otro de los intentos reseñables fue el que se realizó en Bilbao en 1943, de la mano del entonces alcalde Joaquín Zuazagoitia, quien impulso la realización de un Plan Comarcal de Bilbao y su área de influencia. Como señalan Beaskoetxea y Martínez (2011) este ilustre personaje supo ver que la clave para obtener la autorización para realizar el plan estaba en Madrid y obtuvo de la corporación autorización para gestionar dicho plan con el Ministerio de la Gobernación y la Dirección General de Arquitectura. La propuesta de Zuazagoitia llegó en un momento idóneo, en tanto que coincidía con el concepto jerarquizado que defendía Bidagor desde la Dirección General de Arquitectura. Recibió así el apoyo del arquitecto y el proyecto se elaboró en el plazo de dos años. Zuazagoiti consiguió que las Cortes Franquistas aprobaran la Ley de Bases para la Ordenación Urbanística y Comarcal de Bilbao y su zona de influencia, que sirvió de marco para la aprobación posterior del plan comarcal, el 1 de marzo de 1964. Este plan, que en el ámbito de la reflexión teórica fue un auténtico avance, entre otras razones porque superó la limitada visión municipal y porque "aportó novedades en la técnica de zonificación, al asignar una función y uso a cada comarca, permitiendo el intervencionismo público en el ámbito territorial" fue, en la realidad, un "desastre sin paliativos" (Beaskoetxea y Martínez, 2011, p. 92).

En la década de los ochenta del pasado siglo, la Comunidad Autónoma del País Vasco tenía una necesidad urgente de un marco jurídico propio que estableciera las líneas maestras de la organización administrativa en materia de ordenación del territorio. Por un lado, era apremiante paliar los efectos de un proceso de industrialización y crecimiento urbano descontrolado, que habían ocasionado un grave deterioro ambiental y de la calidad de vida. Por otro lado, la Ley 27/1983, de Relaciones entre las Instituciones Comunes de la Comunidad Autónoma y los Órganos Forales de sus Territorios Históricos, había generado una situación de concurrencia competencial sobre un mismo territorio, entre el Gobierno Vasco y los órganos forales. Con todo, hubo que esperar hasta el año 1990 para que se aprobara la primera ley de ordenación del territorio de la Comunidad Autónoma.

De forma previa a la aprobación de la ley marco, el Gobierno Vasco había puesto en marcha alguna iniciativa para empezar a asumir su recién estrenada competencia en ordenación del territorio. En 1984, Decreto 223/1984, de 10 de Julio, sobre estructura orgánica del Departamento de Política Territorial, Transportes y Turismo, creó la figura de la Comisión de Ordenación del Territorio del País Vasco. Un año más tarde, el Decreto 278/1985, de 30 de Julio, estableció las funciones, composición y régimen de funcionamiento de dicha comisión. Este fue el primer órgano de la administración vasca al que se le atribuyeron las competencias para elaborar los criterios básicos de la Política de ordenación del territorio y urbana de conformidad con lo establecido por la Planificación económica del sector público vasco y proponer las medidas precisas para coordinar las actuaciones de planeamiento territorial y urbano y de su ejecución por los distintos Departamentos del Gobierno, así como por las demás Administraciones de la Comunidad Autónoma del País Vasco. A la Comisión le correspondía elevar una moción razonada, al Consejero de Política Territorial y Transportes, para iniciar el procedimiento de formulación de los entonces vigentes Planes Directores Territoriales de Coordinación e informar el procedimiento en sus distintas fases de elaboración y aprobación.

El final de la década vio por fin la aprobación de la Ley marco de ordenación territorial, que fue resultado de un largo y controvertido proceso de desencuentros y negociaciones. La crisis interna del partido en el poder (EAJ-PNV), protagonizada por la distribución de competencias entre el Gobierno Vasco y las Diputaciones Forales y los desencuentros políticos en torno a temas tan importantes como la definición de la ordenación del territorio, su vinculación con el urbanismo y con el medio ambiente, dificultaron y enlentecieron la aprobación de la Ley 4/1990). Y no solo eso, sino que además contribuyeron a la aprobación de un "texto legal sencillo, especialmente en lo relativo a los instrumentos de ordenación previstos y que hacía referencia exclusivamente a la ordenación del territorio teniendo como principales objetivos la utilización racional y ordenada del suelo y el equilibrio territorial, el consenso interinstitucional, la coherencia de las políticas sectoriales, la coordinación de los planeamientos municipales, etc. En definitiva, un modelo –como en la mayoría de las Comunidades Autónomas– cercano al modelo alemán de planificación física y en los que no se aportaban elementos relativos a la planificación económica" (Urkidi, 2011, p. 639).

2. NORMATIVA BASE

La información básica sobre la legislación y los instrumentos de OT se resume en la siguiente tabla:

Tabla 1

Comunidad Autónoma	País Vasco
Antecedentes normativos	
Legislación OT actual	Ley 4/1990, de 31 de mayo, de Ordenación del Territorio del País Vasco.
Departamento OT actual	Medio Ambiente, Planificación Territorial y Vivienda
Plan OT regional	Directrices de Ordenación del Territorio
Entrada en vigor (año)	2019 (revisión de las DOT aprobadas en 1997, Decreto 28/1997, de 11 de febrero)
Normativa de aprobación	DECRETO 128/2019, de 30 de julio, por el que se aprueban definitivamente las Directrices de Ordenación Territorial de la Comunidad Autónoma del País Vasco.
Organismo impulsor	Gobierno Vasco

Comunidad Autónoma	País Vasco
Periodo tramitación DOT	El proceso de redacción y tramitación de las Directrices dura desde el año 1990 hasta el año 1997. En 2015 se inicia el proceso de revisión, que culmina en 2019.
Otros planes OT	Planes Territoriales Parciales y Planes Territoriales Sectoriales
Otros planes con incidencia en OT	Planes directores/estratégicos/sectoriales Programa de Desarrollo Rural Comarcal 2015-2020

Fuente: Elaboración propia

3. ESQUEMA DE INSTRUMENTOS

Los instrumentos de ordenación territorial vigentes son los que creó la Ley 4/1990 de Ordenación del Territorio del País Vasco:

- A escala regional, el instrumento marco o rector son las Directrices de Ordenación del Territorio del País Vasco, aprobadas por primera vez en 1997 y modificadas por decreto de 30 de julio de 2019.

- A escala subregional, los denominados Planes Territoriales Parciales (PTP), que debían desarrollar la ordenación de las Áreas Funcionales previamente definidas por las DOT.

- Como instrumento de carácter sectorial se crearon los Planes Territoriales Sectoriales (PTS).

El conjunto de instrumentos no conforma un sistema propiamente escalonado, pero sí jerárquico. En el nivel superior las DOT y en el inferior los PTS, cuyas determinaciones deben ser acordes a las DOT y a los PTP o adaptarse a ellos en caso de elaboración previa. El artículo 17.5 establece de forma específica que, las contradicciones de los Planes Territoriales Sectoriales con las Directrices de Ordenación Territorial y, en su caso, con los Planes Territoriales Parciales, serán causa de nulidad de la parte o partes del Plan Sectorial que las contengan.

La relación de coherencia entre los instrumentos y entre estos y el planeamiento municipal queda, en principio, garantizada mediante determinaciones fijadas en los distintos procedimientos de elaboración y aprobación y, de forma particular, mediante el control de la Comisión de Ordenación del Territorio del País Vasco. Este órgano es competente para elaborar los criterios básicos de la política de ordenación del territorio, de conformidad con lo establecido por la planificación económica del sector público vasco y proponer las medidas precisas para coordinar las actuaciones de planeamiento territorial y urbano y de su ejecución por los distintos Departamentos de la Administración General de la Comunidad Autónoma del País Vasco, así como por las demás Administraciones de la Comunidad Autónoma del País Vasco (Decreto 157/2008, de 9 de septiembre, de la Comisión de Ordenación del Territorio del País Vasco).

Tabla 1.

		Zonal	Sectorial
Instrumentos de Planificación	**Regional**	Directrices de Ordenación Territorial DOT Planes Territoriales Sectoriales	
	Subregional	Planes Territoriales Parciales	

Fuente: Elaboración propia

3.1. DIRECTRICES DE ORDENACIÓN DEL TERRITORIO DEL PAÍS VASCO (DOT)

Las Directrices de Ordenación Territorial del País Vasco constituyen el marco general de referencia para la formulación de los restantes instrumentos de ordenación regulados en la Ley 4/1990, así como de los planes de ordenación previstos en la Legislación sobre régimen del suelo. Los planes, programas y acciones con incidencia en el territorio que puedan desarrollar las diferentes Administraciones Públicas de carácter autonómico, foral o local, en el ejercicio de sus respectivas competencias, deben acomodarse al marco general.

El modelo territorial creado por las DOT se fundamenta en cuatro elementos o pilares:

1. El medio físico y los espacios naturales valiosos como base para la identificación de la vocación y capacidad de acogida del territorio que garantice un modelo equilibrado y sostenible.

2. La red de ciudades, como sistema organizado Una red de ciudades bien jerarquizada que lidera el desarrollo de forma equilibrada y lo transmite al resto del territorio.

3. Las áreas funcionales como escala territorial intermedia.

4. Las interrelaciones a través de la red de infraestructuras básicas, como elementos vertebradores, esenciales en el diseño del modelo.

Las afecciones de las DOT al planeamiento fueron objeto de discusión y desacuerdo entre las diferentes fuerzas políticas que participaron en la elaboración de la Ley 4/1990. Urkidi Elorrieta (2010) señala que en las versiones consecutivas que se fueron elaborando, se aprecia una tendencia a aligerar el grado de vinculación del documento. Aunque esto sea cierto, pasado el tiempo y comparando los instrumentos de ordenación creados por otras CC.AA., se puede concluir que el efecto vinculante de las DOT no es desdeñable. La vinculación directa de las DOT se resume en cuatro cuestiones:

-   La delimitación de las Áreas Funcionales sobre las que se desarrollarían los PTP.

-   La cuantificación de viviendas previstas a nivel territorial y municipal siguiendo la fórmula establecida en las DOT.

-   La obligación del planeamiento municipal de clasificar el suelo rústico siguiendo las categorías y régimen de usos establecido en la matriz de la Directriz del Medio Físico.

-   La prohibición de edificar vivienda aislada en Suelo Rústico que no estuviese vinculada a una explotación agraria (Urkidi Elorrieta, 2010: 642).

Además, el artículo 6 de la Ley 4/1990 exige a las DOT determinaciones necesarias para la definición del modelo territorial: la delimitación y definición precisa de espacios que deban ser objeto de especial protección (Art. 6.3) o la definición de las áreas más idónea para servir de asentamiento a las grandes infraestructuras y· equipamientos de los que depende la vertebración del territorio (Art. 6.5).

Dos años después de la aprobación de la Ley marco y tal como dispuso la misma (artículo 10.11), el Gobierno Vasco llevó a cabo una primera revisión de las DOT en la que se analizaba la situación y aplicación de las Directrices. Tres años más tarde, en 2004, se realizó una segunda valoración; esta vez, los resultados fueron publicados en la revista Euskonews & Media, en un artículo firmado por el Viceconsejero de Ordenación del Territorio y Biodiversidad (Muniategi, 2004)[1].

Las dos primeras revisiones fueron satisfactorias, dado que se estaban cumpliendo los objetivos y las metas del proceso de ordenación territorial y del modelo proyectado y las Directrices estaban ejerciendo

---

1.   Posteriormente, el Gobierno Vasco reelaboró esta memoria mediante la inclusión de los cambios propuestos por la Dirección de Industria y Minas. Esta última fue aprobada por la COTPV en sesión 1/2003 de 24 de enero.

correctamente el papel de marco de referencia para los restantes planes territoriales o urbanísticos, definido en la Ley 4/90 (Muniategi, 2004). Sin embargo, en 2005 se empezó a sentir la necesidad de revisar y modificar algunas cuestiones. En 2006 el propio Gobierno encargó la elaboración de un informe a diferentes expertos. Uno de dichos informes es el que firmó el catedrático de Urbanismo y Ordenación del Territorio Xabier Unzurrunzaga Goikoetxea. Este experto reconocía el esfuerzo realizado por la administración vasca, pero realizaba igualmente críticas severas, no tanto al modelo creado por las DOT como a las actividades con incidencia territorial que se llevaron a cabo al margen de lo previsto, a la falta de un estudio riguroso de las complejas características morfológicas y paisajísticas del medio natural o a la descoordinación estructural en la proyectación y construcción del territorio. La malla-red del sistema viario sería para Unzurrunzaga una buena muestra de esto último.

En octubre de 2010 el Consejo de Gobierno decidió iniciar el procedimiento de modificación de las Directrices. Se acordó entonces realizar una modificación que se calificó de no sustancial, por no suponer alteración del modelo territorial vigente. El objeto de la misma era el de adecuar la fórmula del cálculo de las previsiones de creación de vivienda nueva en los municipios de acuerdo a la evolución de la población en los últimos años, la variación del tamaño familiar y del número de personas que habitan las viviendas y al número de viviendas vacías o desocupadas existentes en los municipios. Se trataba de fijar nuevas pautas para avanzar hacia un modelo de ocupación del suelo más compacto y, por tanto, menos derrochador y más sostenible. Tras un proceso largo y dubitativo, en 2016 se aprobó la modificación de las DOT que recogía los cambios mencionados (DECRETO 4/2016, de 19 de enero, de modificación del Decreto por el que se aprueban definitivamente las Directrices de Ordenación Territorial de la Comunidad Autónoma del País Vasco, en lo relativo a la cuantificación residencial).

Con el inicio de la X.ª Legislatura (2012) y la aprobación del nuevo programa de Gobierno, el Gobierno Vasco se propuso realizar un profundo proceso de revisión de las DOT, mediante un proceso participativo integral, haciendo coincidir los hitos de la tramitación administrativa en el contexto del foro que facilita el Euskal Hiria Kongresua. En 2015 se emitió la resolución 36/2015 por la que se disponía la publicación del Acuerdo del Consejo de Gobierno para la iniciación del procedimiento de revisión de las Directrices de Ordenación Territorial.

En este contexto de revisión de las DOT empezaron a surgir voces extremadamente críticas sobre el modelo territorial y de desarrollo que se había impulsado desde el Gobierno Vasco. La sociedad civil se organizó, aglutinada en torno a un colectivo conocido como Deshazkundea: red vasca por el decrecimiento. Representantes muy señalados de diferentes ámbitos de la sociedad, la cultura y la política vasca unieron sus fuerzas y se manifestaron a través de la prensa, de artículos científicos y, fundamentalmente, a través del informe conocido como "Directrices para la cohesión territorial por un modelo territorial redistributivo, multifuncional, solidario y sostenible" (DOT-DESHAZKUNDEA, 2011). La crítica a la política de ordenación del territorio y al modelo de desarrollo promovidos y materializados por el Gobierno Vasco fue –y es– feroz y radical. La falta de democracia, de transparencia, la visión cortoplacista exclusivamente productivista e insostenible son los ejes de argumentan, a través de un exhaustivo análisis de los documentos de ordenación. Además de la crítica, el objetivo del mencionado informe era proponer unas Directrices alternativas dentro de un paradigma de sostenibilidad, equidad y participación ciudadana. La actividad de este grupo sigue hoy en día, más intensa que nunca, intentando informar e implicar a la sociedad vasca.

Dentro del proceso oficial de modificación de las DOT iniciado en 2015 (Resolución 36/2015), el proceso ha seguido su curso. En Euskal Hiria Kongresua 2015 se dio inicio al proceso de participación; en Euskal Hiria Kongresua 2016 se presentó el Avance; en Euskal Hiria Kongresua 2017 se presentó la aprobación inicial, y en la Euskal Hiria Kongresua 2018[2] lo hizo el documento de aprobación provisional-previo a la aprobación definitiva, de febrero de 2018[3]. Finalmente, el 30 de julio de 2019 se aprobaron definitivamente las nuevas DOT, que fueron presentadas en el congreso de Euskal Hiria, en noviembre de 2019. El expediente completo está disponible para consulta en la página web del Departamento de Medio Ambiente, Planificación Territorial y Vivienda, junto con la documentación correspondiente a las 49 alegaciones presentadas por distintas administraciones, departamentos del Gobierno Vasco y asociaciones civiles.

Con respecto a las nuevas DOT, hay que destacar que, aunque en líneas generales mantienen las características básicas de un modelo territorial que ha funcionado bien, se han complementado con otras cuya urgencia se ha ido incrementando en los últimos años y que, además, están en línea con los retos territoriales identificados tanto a nivel de la Unión Europea, como a nivel mundial. Nos referimos a cuestiones como la regeneración urbana, la puesta en valor del suelo como recurso limitado, el cambio climático, la movilidad sostenible, el paisaje, la infraestructura verde, los servicios de los ecosistemas, la gestión sostenible de los recursos, la perspectiva de género,

---

2. Bilbao, 26 y 27 de noviembre de 2018.
3. ORDEN de 20 de febrero de 2018, del Consejero de Medio Ambiente, Planificación Territorial y Vivienda, por la que se aprueba inicialmente el documento de la revisión de las directrices de Ordenación Territorial.

la salud, la accesibilidad, la inmigración, la participación y la buena gobernanza, entre otros. Fruto también del profundo análisis y revisión crítica de las primeras DOT, el nuevo documento incluye medidas para abordar cuestiones todavía mal resueltas, como son la coordinación inter e intrainstitucional y la relación entre la planificación sectorial y la territorial.

Los diez principios rectores del proceso de revisión son un buen reflejo del contenido del nuevo documento:

1.- Incorporar la infraestructura verde y la puesta en valor de los servicios de los ecosistemas a la ordenación del medio físico.

2.- Visibilizar de forma específica el hábitat rural en la ordenación territorial.

3.- Incorporar al sistema urbano la figura de los ejes de transformación.

4.- Optimizar la utilización del suelo ya artificializado promoviendo la regeneración urbana y la mixticidad de usos, así como evitar el crecimiento ilimitado a través del establecimiento del perímetro de crecimiento urbano.

5.- Promover una respuesta ágil y eficaz para las necesidades de suelo para nuevas actividades económicas, propugnando fundamentalmente la regeneración, renovación y redensificación del suelo existente.

6.- Incluir la gestión del paisaje a través de los instrumentos de ordenación territorial.

7.- Incorporar el concepto de gestión sostenible de los recursos: agua, soberanía energética, economía circular y autosuficiencia conectada (recursos de las materias primas).

8.- Promover la movilidad y logística sostenible concediendo especial atención a la movilidad peatonal y ciclista, al transporte público multimodal y a la optimización de la combinación de los distintos modos de transporte, en un escenario temporal en el que se contará con los servicios del tren de alta velocidad. (Decreto 128/2019, 58).

9.- Incluir cuestiones novedosas en la ordenación del territorio que se consideran de carácter transversal como la accesibilidad universal, la perspectiva de género, el euskera, el cambio climático, la salud y la interrelación territorial.

10.- Promover una buena gobernanza en la gestión de la política pública de la ordenación del territorio, a través, principalmente, del seguimiento y la evaluación de los planes, de la participación, y de la integración administrativa. (pg. 58).

3.2. PLANES TERRITORIALES PARCIALES

Figura 1. Situación de los Planes Territoriales Parciales

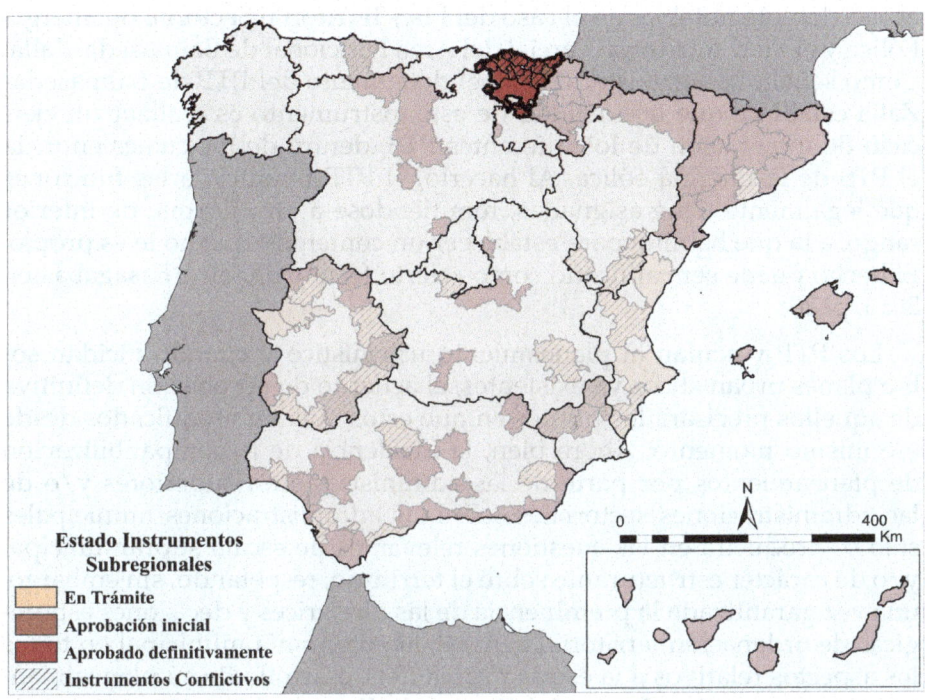

Fuente: Elaboración propia

Según la web del Departamento de Medio Ambiente, Planificación Territorial y Vivienda, los PTP son los planes de ordenación de escala comarcal que concretan y amplían lo definido en las DOT y en los PTS. Su ámbito de aplicación son las áreas funcionales establecidas por las DOT, que dividen el territorio de la CAPV en 15 espacios diferenciados por su homogeneidad interna. Cada uno de estos PTP sirven de guía supramunicipal para la redacción de los Planes Generales de Ordenación Urbana (PGOU) que cada municipio redacta. Esta definición es diferente a la que se hace en la Ley 4/1990, en el sentido de que subvierte el orden de prelación establecido, que situaba los PTP jerárquicamente por encima de los PTS. No es una cuestión menor sino una de las manifestaciones de una tendencia habitual a dejar la ordenación territorial en manos de la política sectorial. Para valorar este inadecuado "traspaso" de funciones, es preciso tener en cuenta que el PTP es el único instrumento de desarrollo que asegura la visión holística, esto es, la integración de las diferentes visiones sectoriales y verticales que se dan sobre el territorio (Urkidi, 2011).

La relación jerárquica entre PTP y PTS ha generado conflictos jurídicos, especialmente notables en el caso del Plan Territorial Sectorial de Energía Eólica y el Plan Territorial Parcial del Área Funcional de Balmaseda-Zalla. Como señala Lasagabaster (2013), el documento del PTP de Balmaseda-Zalla establece que la finalidad de este instrumento es realizar un ejercicio de integración de los diferentes PTS, dentro de los cuales enuncia el PTS de la Energía eólica. Al hacerlo, el PTP renuncia a las funciones que legalmente tiene asignadas, remitiéndose a otra norma, de inferior rango, a la que habilita para establecer un contenido que no le es propio. El hecho puede ser calificado como «cierto fraude de ley» (Lasagabaster, 2013, p. 20).

Los PTP vinculan al planeamiento urbanístico y cuando incidan sobre planes urbanísticos ya existentes, el acuerdo de aprobación definitiva de aquellos precisará los puntos en que estos queden modificados desde ese mismo momento. Ahora bien, la incidencia de la compatibilización de planeamientos por parte de las administraciones superiores y/o de las administraciones sectoriales sobre las administraciones municipales sólo se producirá en las cuestiones relevantes de escala supramunicipal y/o de carácter estructurante sobre el territorio, respetando, sin embargo, una vez garantizada la preminencia de las directrices y decisiones estratégicas de ordenación territorial general, la autonomía municipal en todos los aspectos relativos a la escala propia del desarrollo de su planeamiento urbanístico (Plan Territorial Parcial de Donostialdea. Documento de Aprobación Inicial).

La función de los PTP en la configuración del modelo territorial queda bien definida a través del artículo 12 de la Ley 4/1990, que establece cuál debe ser el contenido de estos planes. Según el mencionado artículo, la documentación de los PTP debe incluir:

a) Definición de los objetivos de la ordenación a partir del análisis del estado actual del territorio de la situación socioeconómica y de sus posibilidades de evolución.

b) Señalamiento de los espacios aptos para servir de soporte a las grandes infraestructuras según sus características.

c) Definición de la ubicación de los equipamientos de interés común para el área o zona objeto del Plan.

d) Criterios, principios y normas generales a los que habrá de atenerse la ordenación urbanística.

e) Definición de los espacios que hayan de ser objeto de remodelación, regeneración o rehabilitación con el fin de evitar su degradación o de conseguir su recuperación para usos, total o parcialmente distintos, así como de los programas a desarrollar a estos efectos y de las medidas de apoyo encaminadas a incentivar su realización.

f) Cuantificación de las superficies de suelo que hayan de reservarse en todo caso con destino a alguna de las siguientes finalidades:

- Construcción de viviendas de protección oficial, tanto de promoción pública como privada, o cualesquiera otras que en el futuro pudieran ser limitadas en su precio final mediante regulación específica.

- Promoción pública de suelo industrial al objeto de posibilitar la formación de polígonos urbanizados.

g) Criterios, normas y principios necesarios para el desarrollo de las determinaciones contenidas en las Directrices.

Con respecto a la revisión de los PTP, la Ley 4/1990 no proporciona ninguna indicación. Sí lo hacen los PTP de algunas de las áreas funcionales. Es el caso, por ejemplo, del Plan de la Rioja Alavesa, que establece las condiciones precisas que demandarán una revisión del instrumento o, en caso de no producirse ninguna de las condiciones previstas, la revisión deberá producirse en un plazo máximo de 16 años.

La Ley marco sí señaló las condiciones para la modificación, que puede ser sustancial o no. Las modificaciones sustanciales deben ajustarse al mismo procedimiento que el de elaboración del instrumento. Las modificaciones no sustanciales fueron establecidas posteriormente, en 2003, mediante el Decreto 206/2003, de 9 de septiembre, que regula el procedimiento para la aprobación de las modificaciones no sustanciales de las Directrices de Ordenación Territorial, Planes Territoriales Parciales y Planes Territoriales Sectoriales.

3.3. PLANES TERRITORIALES SECTORIALES (PTS)

Los PTS son planes con incidencia territorial elaborados y aprobados por los distintos departamentos del Gobierno Vasco o por los órganos forales de los territorios históricos. En el primer caso son planes de ámbito regional y en el segundo de ámbito provincial. Las competencias de las Diputaciones Forales quedan matizadas por el hecho de que los planes sectoriales que elaboren deben someterse con carácter previo a su aprobación definitiva al informe preceptivo de la Comisión de Ordenación del Territorio del País Vasco (Art. 20, Ley 4/1990).

Las alternativas para la ubicación de obras, actividades o servicios que se planteen desde la ordenación sectorial deberán ser acordes con la que determinan los instrumentos de rango superior, debiendo justificar de manera explícita su compatibilidad con la ordenación territorial vigente. De rango superior son los PTP, tal como queda explicitado en el artículo 17 de la Ley 4/1990 cuando exige que se garantice la correcta inserción de los Planes Territoriales Sectoriales en el marco territorial definido por las DOT y por los Planes Territoriales Parciales. Tanto es así, que el mismo artículo 17, apartado 5.°, afirma que las contradicciones de los Planes Territoriales Sectoriales con las Directrices de Ordenación Territorial y, en su caso, con los Planes Territoriales Parciales, serán causa de nulidad de la parte o partes del Plan Sectorial que las contengan. En cualquier caso, el Gobierno Vasco se reserva la potestad de aprobar las rectificaciones que resulten imprescindibles en los instrumentos de ordenación territorial cuando no existan alternativas acordes a la ordenación vigente y se trate de actuaciones de excepcional interés público. En caso de que se produzca este supuesto, la aprobación definitiva de los Planes Territoriales Sectoriales queda supeditada a la aprobación de las rectificaciones pertinentes de los instrumentos de ordenación territorial y carece de eficacia hasta ese momento.

En relación a los efectos de los PTS, el artículo 22 de la Ley 4/1990 establece que serán vinculantes para el planeamiento urbanístico municipal cuando se trate de planes que por su naturaleza trasciendan el ámbito o interés estrictamente municipal y se encuentren correctamente insertados en el marco territorial definido por las Directrices de Ordenación y Planes Territoriales Parciales.

Con respecto a la revisión de los PTP, la Ley 4/1990 tampoco proporciona ninguna indicación y, su modificación no sustancial debe ajustarse a las determinaciones del Decreto 206/2003.

4. ÓRGANOS

4.1. COMISIÓN DE ORDENACIÓN DEL TERRITORIO DEL PAÍS VASCO (COTPV)

La Comisión de Ordenación del Territorio del País Vasco es el órgano superior consultivo y de coordinación de la Administración del País Vasco en el área de actuación de Ordenación del Territorio, del litoral y urbanismo. Su organización, competencias y funciones fueron establecidos por el Decreto 157/2008, de 9 de septiembre.

La COTPV es el órgano competente para elaborar criterios básicos de la política de Ordenación del Territorio y Urbana, de conformidad con lo establecido por la planificación económica del sector público vasco y para proponer medidas que permitan coordinar las actuaciones del Planeamiento Territorial y Urbano que propongan los órganos competentes del Gobierno y de la Administración de la CAPV. En relación con estas competencias este órgano tiene asignadas una lista detallada de funciones en el ámbito de la ordenación territorial y del urbanismo, relacionadas en buena parte con el deber de informar distintos tipos de planes y de las desviaciones en la aplicación de la normativa de Uso de Suelo y Urbanismo. Además, también figuran entre sus funciones la de autorizar las modificaciones de los Planes que tuvieren por objeto una diferente zonificación o uso urbanístico de las zonas verdes o espacios libres previstos en la ordenación estructural y la fijación de criterios de cuantificación residencial, industrial y de servicios, así como infraestructuras, equipamientos y recursos naturales, actividades y materias cuya ordenación sean competencia del Gobierno Vasco. Por último, es función también de la COTPV proponer el nombramiento de las personas que integran el Consejo Asesor de Política Territorial del Gobierno Vasco.

Los informes preceptivos de este órgano son vinculantes en los Planes Generales y demás planes de ordenación estructural, en todo aquello referente a la acomodación del Plan a los instrumentos de ordenación territorial y a todos aquellos aspectos sectoriales que, con arreglo a la normativa aplicable y a proyectos de carácter supramunicipal aprobados, resulten de la competencia de la Administración estatal, autonómica o foral.

La Comisión actúa en Pleno y en Secciones (una por cada Territorio Histórico). Este órgano tiene además la potestad de constituir ponencias técnicas, permanentes o especiales, para el estudio y preparación de los asuntos que se sometan a su consideración.

La composición del pleno de la COTPV es la siguiente:

- Presidencia. La persona titular del Departamento de Medio Ambiente, Planificación Territorial y Vivienda.

- Vicepresidencia. La persona titular de una de las Viceconsejerías del Departamento de Medio Ambiente (Planificación Territorial).

- Vocales

  · Un representante con categoría de Viceconsejero o Viceconsejera o Director o Directora de cada uno de los siguientes Departamentos: Seguridad; Desarrollo Económico y Competitividad;

Empleo y Políticas Sociales; Educación, Política Lingüística y Cultura; Salud; Medio Ambiente y Política Territorial.

· El Viceconsejero o la Viceconsejera de Medio Ambiente y los Directores o Directoras de Planificación Territorial, de Medio Natural y Planificación Ambiental y de Administración Ambiental del Gobierno Vasco.

· El Director o Directora General de la Agencia Vasca del Agua.

· Dos representantes de cada Diputación Foral.

· Una persona Representante de la Administración del Estado.

· Tres personas representantes, una por cada Territorio Histórico, de la asociación vasca de municipios EUDEL.

La composición de la Sección es la misma que la del pleno en cuanto a la presidencia y la vicepresidencia. Lo vocales se reducen a tres y son:

· El Director o Directora General de la Agencia Vasca del Agua.

· Una persona representante de la Diputación Foral competente.

· Una persona representante, de la Asociación de Municipios del respectivo Territorio Histórico de EUDEL.

La COTPV deberá emitir los informes en el plazo de TRES meses, excepto en los Planes de Compatibilización, que se realizarán en dos meses.

4.2. CONSEJO ASESOR DE POLÍTICA TERRITORIAL DEL GOBIERNO VASCO (CAPTPV)

El Consejo Asesor de Política Territorial es el órgano de participación adscrito al Departamento competente en materia de ordenación del territorio creado para garantizar la necesaria coordinación de la política territorial del Gobierno Vasco y la implicación social en la ordenación del territorio de la Comunidad Autónoma.

Este órgano, que debe reunirse al menos una vez al año, cumple las siguientes funciones:

- Informar el Avance de las Directrices de Ordenación Territorial, previamente a su remisión a todas las Administraciones públicas territoriales y demás entidades públicas y privadas que se estimen interesadas.

- Informar el documento constitutivo de las Directrices de Ordenación Territorial, previamente a su aprobación inicial y provisional.

- Cuantos otros informes o funciones se le encomienden por disposiciones legales o reglamentarias, por el Gobierno Vasco o por el Departamento competente en materia de Ordenación del Territorio.

El Consejo Asesor de Política Territorial estará compuesto por los siguientes miembros:

- Presidencia. La persona titular del Departamento competente en materia de Ordenación del Territorio.

- Vocales:

  · Un representante de cada Departamento del Gobierno Vasco.

  · Tantas personas entre la ciudadanía como miembros de la Administración que por su profesión o representación en la problemática relacionada con la ordenación del territorio sean consideradas idóneas. En todo caso, deberá nombrarse un vocal en representación de las asociaciones vinculadas al sector primario, las asociaciones de empresarios y los sindicatos y asociaciones ecologistas.

Aunque la representación social es amplia, es preciso recordar que los miembros son elegidos por la Comisión de Ordenación del Territorio, en la que los representantes institucionales son mayoría.

5. PROCEDIMIENTOS Y RESPONSABILIDADES FORMALES

La Ley de Ordenación del Territorio del País Vasco es muy parca en lo que se refiere a las pautas para la elaboración de los instrumentos. Es, posteriormente, la documentación de los propios instrumentos la que aclara, detalla y matiza numerosas cuestiones al respecto. Es preciso obtener la información que contienen los propios planes sobre su proceso de aprobación.

5.1. PROCEDIMIENTO DE ELABORACIÓN Y APROBACIÓN DE LAS DIRECTRICES DE ORDENACIÓN DEL PAÍS VASCO (DOT)

La competencia para decidir la elaboración o modificación de las Directrices corresponde al Gobierno Vasco, quien debe iniciar el procedimiento mediante acuerdo y precisar el plazo para que el departamento competente en materia de ordenación territorial realice el avance. Una vez tomado el acuerdo de inicio, el procedimiento sigue las siguientes fases:

- Para la realización del avance se recabará información de los departamentos del Gobierno Vasco con competencias de alcance territorial, de modo que aporten sus previsiones respecto de los contenidos sectoriales. El mismo tipo de consulta se realiza a la Administración del Estado y a las Diputaciones Forales. Las distintas instancias cuentan con tres meses de plazo para enviar la información. El órgano redactor podrá recabar de cualquiera de las administraciones de la CA los datos que necesite. Estas dispondrán de dos meses para enviar la información solicitada y las sugerencias que estimen convenientes.

- El Avance de Directrices será sometido a informe del Consejo Asesor de Política Territorial del Gobierno Vasco y de la Comisión de Ordenación del Territorio del País Vasco. Los informes que emitan se anexan al documento de avance y se envían a las entidades públicas y privadas que se estimen interesadas. Estas disponen de un plazo de tres meses para aportar cuantas observaciones propuestas y alternativas estimen oportunas.

- En caso necesario, el avance se reformula y se somete nuevamente a informe del Consejo Asesor de Política Territorial del Gobierno Vasco y de la Comisión de Ordenación del Territorio del País Vasco.

- El/la titular del departamento competente en materia de ordenación del territorio emite el acuerdo de aprobación provisional de las DOT. La publicación de dicho acuerdo en los boletines oficiales y en la prensa da inicio al trámite de audiencia a las administraciones y entidades públicas y privadas, que disponen de dos meses para exponer cuantas observaciones y sugerencias estimen convenientes.

- En función del resultado de los trámites anteriores, se modifica el documento del plan, que vuelve a ser sometido a informe del Consejo Asesor de Política Territorial y de la Comisión de Ordenación del Territorio. A continuación, el/la titular de departamento competente en materia de ordenación del territorio procede a otorgar la aprobación provisional de las Directrices, que elevará al Consejo de Gobierno para su aprobación definitiva, en forma de decreto. El documento final, junto con las normas para la aplicación de las directrices se publican en el Boletín Oficial del País Vasco y en la prensa.

Las modificaciones no sustanciales se realizarán siguiendo el procedimiento determinado por el Decreto 206/2003, de 9 de septiembre, que regula el procedimiento para la aprobación de las modificaciones no sustanciales de las Directrices de Ordenación Territorial, Planes Territoriales Parciales y Planes Territoriales Sectoriales. Las modificaciones sustanciales deben ajustarse al mismo procedimiento que el de elaboración del instrumento.

Diagrama 1. Procedimiento de tramitación de las Directrices de Ordenación Territorial

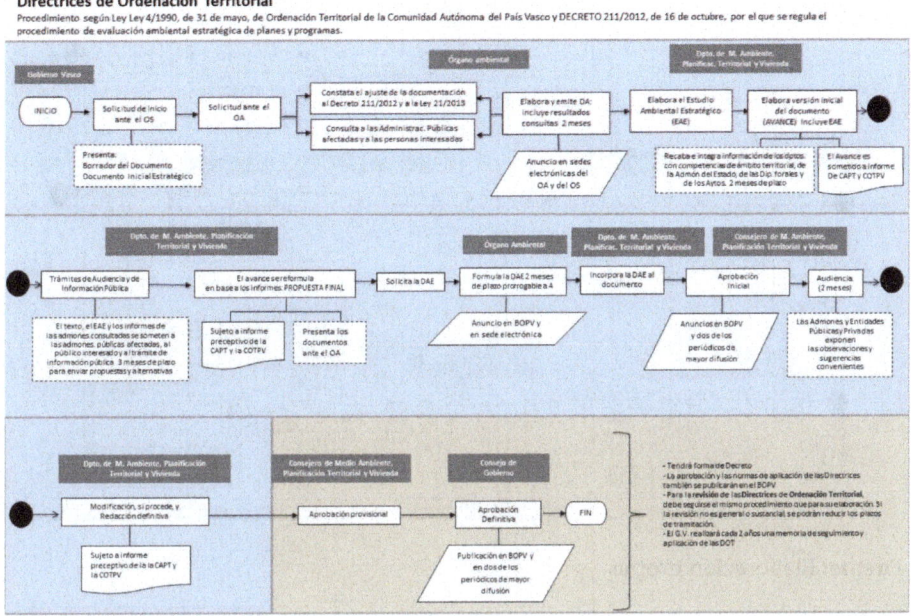

Fuente: Elaboración propia

5.2. PROCEDIMIENTO DE ELABORACIÓN Y APROBACIÓN DE LOS PLANES TERRITORIALES PARCIALES

La iniciativa para su formulación corresponde indistintamente al departamento competente en materia de OT y a las Diputaciones Forales, salvo que el PTP afecte a Municipios de diferentes Territorios Históricos, en cuyo caso la iniciativa será ejercitada siempre por el citado Departamento, de oficio o a instancia de las Diputaciones Forales. Los municipios afectados podrán realizar un acuerdo para instar el ejercicio de la iniciativa. Si dicho acuerdo es de al menos dos tercios de los municipios, que representen como mínimo la mitad de la población, tendrá carácter vinculante para las administraciones competentes.

Diagrama 2. Procedimiento de tramitación de los Planes Territoriales Parciales

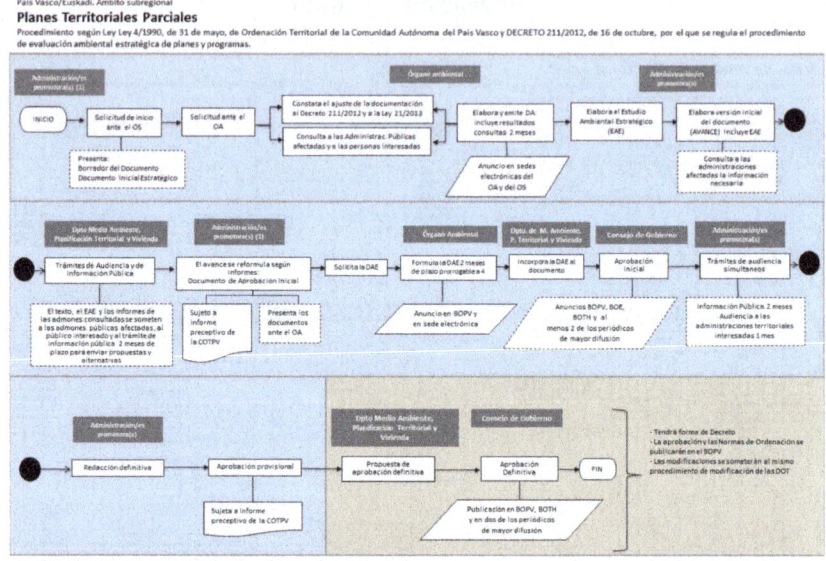

Fuente: Elaboración propia

Una vez tomado el acuerdo de inicio, el procedimiento sigue las siguientes fases:

- En aras a conseguir la necesaria coordinación entre las distintas administraciones de la CAPV, la administración promotora recabará del resto de administraciones la información general y específica, necesaria para la redacción del PTP. Más allá de esta exigencia, los esfuerzos de coordinación han dependido de los PTP concretos. En el caso del plan de Donostialdea, por ejemplo, se incluye un apartado específico al respecto, con su correspondiente plano.

- El órgano promotor elabora un avance del PTP que se remite a todas las administraciones públicas territoriales interesadas. Disponen de dos meses para formular observaciones, sugerencias, alternativas y propuestas. Se elabora entonces el documento de aprobación inicial, que está sujeto a informe preceptivo de la Comisión de Ordenación del Territorio de País Vasco. La aprobación se publicita mediante anuncios en BOPV, BOE, BOTH y en al menos dos de los periódicos de mayor difusión.

- Se abre trámites simultáneos de Información Pública y de Audiencia a las administraciones interesadas, que deben recibir la documentación completa. En el primer caso el plazo es de dos meses y en el segundo de un mes.

- A la vista del resultado de los trámites precedentes se adoptará el acuerdo de aprobación provisional del que se dará traslado, junto con el expediente, a la Comisión de Ordenación del Territorio para su preceptivo informe.

- La Comisión de Ordenación del Territorio remite el expediente con su informe al Departamento de Urbanismo, Vivienda y Medio Ambiente, que eleva la correspondiente propuesta al Gobierno Vasco para la aprobación definitiva del Plan.

La aprobación mediante Decreto del Gobierno Vasco se publicará en el Boletín Oficial del País Vasco juntamente con las Normas de Ordenación. Asimismo, será publicada en el Boletín Oficial del Estado, en el Boletín Oficial del Territorio Histórico correspondiente y en, al menos, dos periódicos de mayor circulación en la Comunidad Autónoma.

5.3. PROCEDIMIENTO DE ELABORACIÓN Y APROBACIÓN DE LOS PLANES TERRITORIALES SECTORIALES

Diagrama 3. Procedimiento de tramitación de los Planes Territoriales Sectoriales

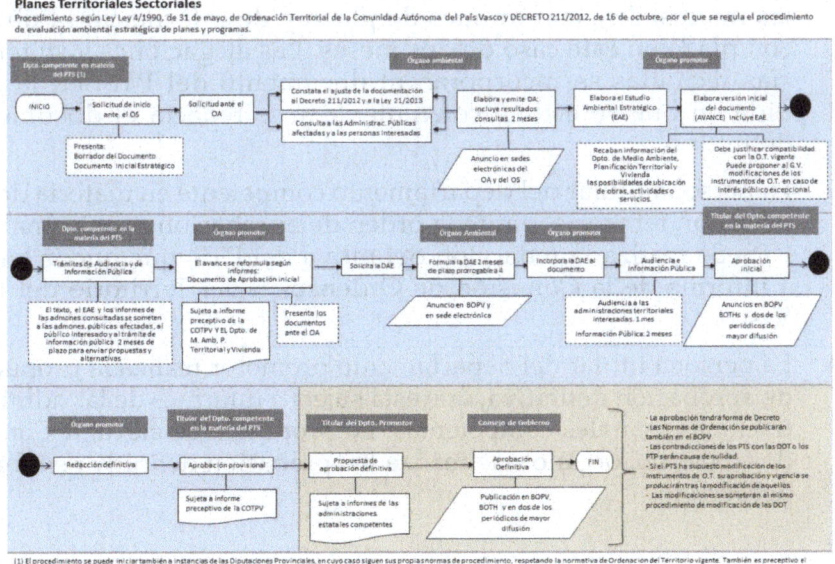

Fuente: Elaboración propia

El inicio del procedimiento se produce por iniciativa del departamento del Gobierno Vasco con competencias en la materia del PTS, para el ámbito regional y por iniciativa de las diputaciones forales en el ámbito provincial. Una vez tomado el acuerdo de inicio, el procedimiento sigue las siguientes fases:

- Con el fin de garantizar la coherencia con el planeamiento territorial vigente, el departamento promotor solicita al departamento competente en materia de ordenación del territorio información sobre las posibilidades de ubicación de obras, actividades o servicios. Elaboran entonces el documento de avance.

- Tras la elaboración del avance se lleva a cabo el trámite de audiencia. Para ello, el promotor envía el Avance a las Administraciones Territoriales interesadas. Estas disponen de dos meses para enviar observaciones y sugerencias. Con los resultados, se realizan las modificaciones que se estimen convenientes y se elabora el documento de aprobación inicial, que se somete a informe de la Comisión de Ordenación del Territorio del País Vasco.

- Se lleva a cabo la aprobación inicial, que se publicita por medio de anuncios en el Boletín Oficial del País Vasco, en el Boletín Oficial de los Territorios Históricos y en dos de los periódicos de mayor difusión.

- Se abren trámites de audiencia a las administraciones territoriales interesadas, con un mes de plazo y de Información Pública, con plazo en este caso de dos meses. Las alegaciones y sugerencias recibidas se incorporan al documento del PTS, en la medida en que se estime conveniente y se redacta el documento definitivo.

- La persona titular del departamento competente en materia de ordenación territorial emite la orden de aprobación provisional del PTS. Se realiza la redacción definitiva del PTS, que queda sujeto a informe de la Comisión de Ordenación del Territorio del País Vasco.

- La persona titular del departamento promotor realiza la propuesta de aprobación definitiva, que está sujeta a informes de las administraciones estatales competentes. La propuesta se eleva al Consejo de Gobierno, órgano que realiza la aprobación definitiva en forma de Decreto.

5.4. PROCEDIMIENTO DE LA EVALUACIÓN AMBIENTAL ESTRATÉGICA (EAE)

La evaluación ambiental estratégica de planes y programas es un instrumento preventivo especialmente adecuado para preservar los recursos naturales y proteger el medio ambiente. Mediante este instrumento se introduce la variable ambiental en la toma de decisiones sobre planes y programas con incidencia importante en el medio ambiente.

El procedimiento está regulado en la CAPV por el Decreto 211/2012, de 16 de octubre, de Evaluación Ambiental Estratégica de Planes y Programas, adaptado a la Ley 21/2013, de 9 de diciembre, de Evaluación Ambiental. El artículo 4 de dicho decreto establece que están sometidos al trámite de EAE todos los planes de ordenación territorial de la CAPV.

El Decreto 211/2012 adaptó la normativa previa a las condiciones de la normativa marco estatal pero, en el desarrollo de las competencias propias del gobierno autónomo y con el fin de reforzar el carácter preventivo del instrumento, promovió un inicio más temprano del procedimiento. Reforzó también la participación ciudadana, estableciendo que la misma se lleve a cabo desde las fases preliminares del proceso planificador, cuando estén abiertas todas las opciones y antes de la toma de decisiones.

Según el Decreto 211/2012, el procedimiento de Evaluación Ambiental Estratégica aplicada a los instrumentos de ordenación del territorio es el siguiente:

- El órgano promotor del plan presenta ante el órgano sustantivo una solicitud de inicio de la evaluación ambiental estratégica ordinaria, acompañada del borrador del plan o programa y de un documento inicial estratégico.

- El órgano promotor del Plan remite al órgano ambiental el documento de inicio. Es un documento técnico que elabora el propio órgano promotor para la iniciación del procedimiento de evaluación ambiental estratégica del plan y que contiene la información establecida en el artículo 8 del Decreto 211/2012.

- El órgano ambiental consulta a las administraciones públicas afectadas y al público interesado, otorgándoles plazo de un mes para enviar las observaciones que consideren oportunas. A la vista de la documentación y de las respuestas a las consultas, el órgano ambiental elabora, en un plazo de dos meses, el documento de alcance, en el que se determina la amplitud y nivel de detalle del informe de sostenibilidad ambiental.

- Si, analizada la mencionada documentación, el órgano ambiental determinase la ausencia de impacto ambiental del plan, podrá resolver motivadamente en ese sentido, finalizando el procedimiento de EAE.

- Teniendo en cuenta el documento de alcance, el promotor elabora el estudio ambiental estratégico (antiguo Informe de Sostenibilidad Ambiental), en el que se identifican, describen y evalúan los posibles efectos significativos en el medio ambiente de la aplicación del plan, así como unas alternativas razonables técnica y ambientalmente viables, que tengan en cuenta los objetivos y el ámbito de aplicación geográfico del plan.

- El promotor debe elaborar la versión inicial del plan teniendo en cuenta el estudio ambiental estratégico, y presentar ambos documentos ante el órgano promotor.

- El órgano sustantivo somete la versión inicial del plan o programa, acompañada del estudio ambiental estratégico, durante un plazo no inferior a 45 días hábiles, al trámite de consultas de las administraciones públicas afectadas y del público interesado así como al trámite de información pública.

- El promotor elabora la propuesta final del plan o programa, tomando en consideración las alegaciones formuladas durante los trámites de información pública y de consultas y, de ser preciso, modifica el estudio ambiental estratégico. Igualmente, el promotor elabora un documento resumen en el que se describe la integración en la propuesta final del plan o programa de los aspectos ambientales, del estudio ambiental estratégico y de su adecuación al documento de alcance, del resultado de las consultas realizadas y cómo éstas se han tomado en consideración. El promotor presenta estos documentos ante el órgano ambiental.

- El órgano promotor solicita la Declaración Ambiental Estratégica (DAE).

- Finalizado el análisis técnico del expediente, el órgano ambiental formula la declaración ambiental estratégica y la publica en el "Boletín Oficial del Estado" o diario oficial correspondiente. El plazo para la formulación de la DAE es de dos meses, pudiéndose prorrogar por dos meses más.

- Finalmente, el órgano sustantivo incorpora el contenido de la declaración ambiental estratégica en el plan o programa y hace pública la adopción o aprobación de éste, a través del "Boletín Oficial del Estado" o diario oficial correspondiente.

6. EMBOTELLAMIENTOS Y CONDICIONES QUE ALTERAN EL FUNCIONAMIENTO

En una primera valoración de conjunto, hay que reconocer que sigue siendo válida la valoración que hizo Urkidi en 2011, cuando afirmó que el grado de desarrollo de los instrumentos previstos en la LOTPV es uno de los más importantes de todas las Comunidades Autónomas. A día de hoy, se han aprobado catorce de los quince Planes Territoriales de las Áreas Funcionales y ocho de los doce Planes Territoriales Sectoriales de escala regional.

El proceso no ha sido fácil y no ha estado exento de complicaciones. Una primera revisión de los plazos transcurridos entre las fases de avance y de aprobación definitiva es suficientemente significativa (Tabla 1). En el caso de los Planes Territoriales Parciales, solo cuatro de ellos tuvieron periodos de tramitación que se pueden considerar muy razonables, entre los tres y los cinco años. Para la aprobación de la mayoría hicieron falta plazos que oscilan entre los siete años del PTP del Área Funcional de Eibar, los doce años del PTP de Beasain-Zumárraga y los diecinueve años del PTP del Área Funcional de Donostialdea-Irún. Por último, el avance del plan aun sin aprobar –PTP del Área Funcional de Tolosa– se realizó en 1997; en 2013 se llevó a cabo la aprobación inicial y a día de hoy, siete años después, todavía no ha culminado.

En el caso de los Planes Territoriales Sectoriales la situación muestra rasgos similares. De los once PTS de escala regional, siete han llegado a término, mientras que tres de los cuatro restantes se encuentran en proceso de aprobación y el último todavía no se ha iniciado. El balance se podría considerar extremadamente positivo si no fuera porque la tramitación del último de los planes aprobados – el PTS Agroforestal– se prolongó durante trece años (de 2001 a 2014) y porque tres de los PTS que todavía no se han aprobado iniciaron su andadura entre 2002 y 2003; se trata además de planes de gran transcendencia para el desarrollo, la cohesión y el equilibrio territorial: PTS de Puertos de Euskadi, PTS de la Red Intermodal y Logística de Transporte y PTS Promoción Pública de Vivienda.

El hecho de que algunos planes parciales se hayan tramitado en plazos que no son excesivos –si tenemos en cuenta la complejidad de la tarea que abordan–, parece una muestra de que el retraso, –o verdadero atasco en algunos casos– no obedece a la posible complejidad de los procedimientos de tramitación que exige la LOTPV (Fases de aprobación provisional y definitiva). Lo que demuestra más bien es que los problemas son de otra índole, más vinculados a los conflictos y desacuerdos en el ámbito político (tanto entre facciones políticas como entre el gobierno central y los órganos forales), a los intereses y presiones de determinados grupos de poder y a la confrontación entre la administración y la sociedad.

El hecho de que su tramitación se haya prolongado durante dieciséis años y de que sigan sin aprobar es una prueba indiscutible de que el retraso no está vinculado a los procedimientos de tramitación sino a conflictos como los mencionados. En alguno de los casos, como en el del plan sectorial de Puertos de Euskadi, la confrontación ha trascendido a la prensa y son hechos bien conocidos el conflicto partidista y el choque de intereses que han atascado una y otra vez este plan. La construcción de un puerto exterior en la Bahía de Pasajes y sus consecuencias, (suculentos beneficios económicos de determinadas operaciones urbanísticas o los graves perjuicios ambientales) ha generado –y genera– enfrentamientos de difícil resolución y promesas reiteradamente incumplidas por parte de la administración. El Plan de Residuos de Guipúzcoa, que figura como uno de los PTP provinciales aprobados, esconde otro de esos procesos enquistados, y en este caso también intencionadamente ocultados a la ciudadanía. En otros casos, la falta de transparencia de la administración y la práctica inexistencia de procesos de participación ciudadana hacen más difícil adentrarse en la trama de esos planes enquistados. También cabe preguntarse, por último, hasta qué punto no ha sido la propia administración pública la que ha retrasado la tramitación de algunos planes cuya existencia habría obstaculizado la realización de actuaciones en nada acordes con la política territorial proyectada. Las consecuencias de la demora y la descoordinación entre planes no han sido banales. Como ya indicaba Xabier Unzurrunzaga en su informe-diagnóstico de Adecuación de las DOT a las actuales expectativas de la OT, buena parte de las intervenciones infraestructurales y sectoriales han surgido de forma puntual de facto, por generación espontánea, al margen de lo previsto en los modelos territoriales de los vigentes documentos de Ordenación Territorial y Urbana, en base a la presión de agentes económicos en un contexto de fuerte dinámica de expansión. (…) (Unzurrunzaga, 2006).

Matizando la afirmación inicial, es preciso concluir que, sin negar el carácter modélico que se le ha atribuido tradicionalmente a los procesos de planificación territorial en la CAPV, sus mayores virtudes se encuentran en las propuestas teóricas más que en las realizaciones prácticas. Frente a un modelo teórico sin duda impecable, el análisis de los planes de ordenación elaborados revela errores, carencias e insuficiencias a las que el gobierno autonómico debería prestar mayor atención. La coordinación intra e interinstitucional y la participación ciudadana se revelan como asignaturas pendientes todavía. Es cierto que, en el proceso de revisión de las DOT, el Gobierno Vasco ha abierto un proceso de participación ciudadana sin precedentes, cuyos resultados habrá que empezar a analizar para descubrir hasta qué punto las alegaciones y sugerencias planteadas por la sociedad civil se plasman en el documento final. Pero también es cierto que si realmente existe esa voluntad de hacer participar a la ciudadanía en la definición del modelo territorial –y por ende, el socioeconómico–, no se entienden por qué no ha iniciado ya procesos participativos abiertos y transparentes para el caso de los Planes Territoriales Sectoriales de Puertos de Euskadi o de Residuos de Guipúzcoa. Contrastar los últimos planes parciales aprobados con la documentación sobre sus respectivos procesos es una tarea todavía por realizar, que permitiría arrojar luz sobre las luces y sombras de la actuación de la administración en materia de ordenación territorial durante los últimos años.

Tabla: Secuencia de inicio y aprobación de los Planes Territoriales Parciales

PLANES TERRITORIALES PARCIALES			
Tipo	Año de inicio	Año de aprobación definitiva	AREA FUNCIONAL
PTP	1999	2004	ALAVA CENTRAL
PTP	1999	2004	LAGUARDIA
PTP	1997	2005	EIBAR
PTP	1997	2005	MONDRAGÓN-BERGARA
PTP	2002	2005	LLODIO
PTP	1997	2006	BILBAO METROPOLIT
PTP	1997	2006	ZARAUTZ- AZPEITIA
PTP	1997	2009	BEASAIN-ZUMARRAGA (GOIERRI)
PTP	2002	2010	IGORRE
PTP	2002	2011	DURANGO
PTP	2008	2011	BALMASEDA- ZALLA
PTP	1997	2016	DONOSTIA- SAN SEBASTIAN
PTP	2001	2016	GERNIKA- MARKINA
PTP	2009	2016	MUNGIA
PTP	1997	En proceso	TOLOSA[1]

---

1.   Realizada aprobación inicial 15/10/2013.

PLANES TERRITORIALES SECTORIALES			
PTS	1994	1998	PTS Ordenación de Márgenes de los Ríos y Arroyos de la CAPV (Vertiente Cantábrica)
PTS	1998	1999	PTS Ordenación de Márgenes de los Ríos y Arroyos de la CAPV (Vertiente Mediterránea)
PTS	1997	2002	PTS Red Ferroviaria en la CAPV
PTS	2000	2002	PTS de Energía Eólica
PTS	1998	2004	PTS de Zonas Húmedas de la CAPV
PTS	2001	2004	PTS de Creación Pública de Suelo para Actividades y de Equipamientos Comerciales
PTS	2005	2007	PTS de Protección y Ordenación del Litoral de la CAPV
PTS	2001	2014	PTS Agroforestal
PTS	2010		Segundo PTS de Energía Eólica
PTS	2002	En proceso	PTS de Puertos de Euskadi
PTS	2002	En proceso	PTS de la Red Intermodal y Logística de Transporte
PTS	2003	En proceso	PTS Promoción Pública de Vivienda
PTS	En proceso	En proceso	PTS de Patrimonio Cultural

Fuente: Departamento de Planificación Territorial, Vivienda y Transportes del Gobierno Vasco. Elaboración propia

7. SITUACIÓN RESULTANTE

Tras 22 de vigencia y desarrollo de las DOT, existe en la CA del País Vasco una verdadera cultura de la OT. Con todos los matices aplicables a una afirmación general, se puede concluir que instituciones públicas y privadas, agentes sociales y económicos y la población, han ido asumiendo la política de ordenación territorial como una necesidad tanto para el desarrollo socioeconómico como para el control y salvaguarda (gobierno) del territorio. La consolidación del planeamiento de escala intermedia (los PTP de las AAFF) representa la aceptación de que existen intereses y problemas comunes que superan los límites locales y requieren una escala de tratamiento acorde. Las evidencias constantes de los problemas medioambientales, de la globalización y del mundo en red facilitan, sin duda, la comprensión de la complejidad escalar de los hechos territoriales.

En este clima de "normalidad" con respecto a la planificación territorial acaba de culminar un profundo proceso de revisión de las Directrices de Ordenación Territorial del País Vasco. Como se ha señalado previamente, este proceso dio sus primeros pasos hace ya 13 años cuando el Gobierno Vasco solicitó a una serie de especialistas en la materia un diagnóstico sobre las DOT de 1997. Hemos visto que algunos de los resultados fueron especialmente críticos y que, posteriormente, la política territorial del gobierno regional ha sido objeto de nuevos reproches desde diferentes frentes, de forma particular por cuestiones de índole ambiental y del modelo socioeconómico que se propugna a través de las DOT. En este sentido, la revisión de las DOT ha supuesto un ejercicio de reflexión y análisis en torno a las críticas que ha ido recogiendo el instrumento a lo largo de los años. El gobierno regional ha asumido buena parte de las deficiencias y errores que se achacaban a las DOT y está proponiendo una serie de medidas para su mejora o solución. El propio proceso de diagnóstico en profundidad de los resultados que ha producido la política de ordenación territorial es la primera de las medidas adoptadas. La falta de participación de instituciones, expertos, agentes y ciudadanía era otro de los aspectos más duramente criticados de la política territorial del ente autónomo. En este sentido también, el esfuerzo ha sido notorio. En primer lugar, durante el proceso de elaboración del avance, de noviembre de 2015 a noviembre de 2016, se abrió un programa de participación institucional y social, mediante distinto tipo de actividades presenciales y online. Posteriormente, tras las fases de avance, aprobación inicial y provisional, se produjeron los obligados periodos de audiencia y participación pública. Todos los resultados de los distintos procesos participativos han sido dados a conocer públicamente y conforman un volumen ingente de información que puede ser consultada en la página web del Departamento de Medio Ambiente, Planificación Territorial y Vivienda[2]. Los detalles del proceso han sido analizados y ampliamente elogiados por Iriarte Irureta

---

2.   http://www.euskadi.eus/revision-dot/web01-s2ing/es/.

(2017), quien lo ha catalogado como "un caso de buena gobernanza y de participación 'tridimensional' en la gestión de las políticas públicas".

El análisis de las modificaciones reales que supondrán las nuevas DOT con respecto al modelo y a la política territoriales es una tarea por hacer. Lo mismo cabe decir sobre la adecuación entre lo que la sociedad vasca quiere y ha manifestado y lo que el nuevo instrumento ha recogido al respecto. El propio proceso participativo y un consenso razonable son, de momento, razones suficientes para el optimismo. Por el momento, tenemos un documento que proyecta la política territorial de la CA hasta 2040, cuyas novedades más significativas se recogen en forma de diez principios rectores y de conceptos nucleares: la infraestructura verde y los servicios de los ecosistemas como un paso más allá de lo que es la ordenación del medio físico; el hábitat rural como muestra de una preocupación continuada por su mantenimiento y por su papel fundamental de protección de paisaje; los Ejes de Transformación; la regeneración urbana y la redensificación como claves de la optimización de usos del suelo; la inclusión del paisaje en los instrumentos de ordenación; soberanía energética, economía circular, gestión del agua y movilidad son los ejes en el ámbito de la sostenibilidad y cambio climático, perspectiva de género, euskera y gobernanza en el centro de las políticas transversales (Erquicia, 2018).

8. BIBLIOGRAFÍA Y NORMATIVA

BIBLIOGRAFÍA

BEASKOETXEA GANGOITI, J. M. Y MARTÍNEZ RUEDA, F. (2011). La creación del "Gran Bilbao" en el franquismo y el alcalde Joaquín Zuazagoitia (1942-1959). *Bidebarrieta*, 22, 79-92.

DOT-DESAZKUNDEA (2012). Directrices para la cohesión territorial. Por un modelo territorial redistributivo, multifuncional, solidario y sostenible. DOT-Desazkundea, Bilbo. https://dotdesazkundea.files. wordpress.com/2012/06/directrices-alternativas.pdf [Consultado 08/ 10/2018].

ERQUICIA OLACIREGUI, J. M. (2000). El futuro de la ordenación en la Comunidad Autónoma Vasca. *Euskonews & Media*, 85. http://www.eus konews.eus/0085zbk/gaia8505es.html [Consultado 16/04/2017].

ERQUICIA OLACIREGUI, J. M (2018). La revisión de las Directrices de Ordenación Territorial, LURRALDEA 2040. 11_Planur-e, verano 2018. http://www.euskadi.eus/contenidos/informacion/revision_dot/

es_def/adjuntos/Articulos%20cualificados/2018%20Planur-e%20
%20art%C3%ADculo%20revisi%C3%B3n%20DOT.pdf   [Consultado
07/01/2019].

GOBIERNO VASCO (2016) Revisión de las Directrices de Ordenación Territorial de la CAPV AVANCE.

IRIARTE IRURETA, I. (2017). La experiencia del proceso participativo de la revisión de las Directrices de Ordenación Territorial de la CAPV: un caso de buena gobernanza y de participación «tridimensional» en la gestión de las políticas públicas. *R.V.A.P.*, 109, 361-388. http://www.euskadi.eus/contenidos/informacion/revision_dot/ es_def/adjuntos/Articulos%20cualificados/Art%C3%ADculo%20 revisi%C3%B3n%20participativa%20DOT%20RVAP.pdf   [Consultado 13/11/2018].

LASAGABASTER HERRARTE, I. (2013). Consideraciones jurídicas sobre la planificación de instalaciones eólicas en la Comunidad Autónoma del País Vasco. *IeZ: Ingurugiroa eta zuzenbidea = Ambiente y derecho*, 11, 13-28.

MUNIATEGI ELORZA, A. (2004). Cinco años de las directrices de Ordenación Territorial de la C.A.P.V. *EuskoNews & Media*, 239. http://www.eusko news.com/0239zbk/gaia23901es.html [Consultado 13/05/2018].

PONTE ORDOQUI, E. (2017). *La construcción de la ciudad: Gipuzkoa 1940-1976.* Donostia-San Sebastián: Diputación Foral de Guipúzcoa.

UNZURRUNZAGA GOIKOETXEA, X. (2006). Adecuación de las DOT a las actuales expectativas de la OT http://www.euskadi.eus/contenidos/ informacion/dots_reestudio/es_1165/adjuntos/unzurr.pdf [Consultado 08/10/2018].

URKIDI ELORRIETA, P. (2010). Evolución del planeamiento territorial en la Comunidad Autónoma Vasca. 1990-2009. *Geográficos*, 47, 637-666.

NORMATIVA

Ley de 17 de Julio de 1945 de Bases para la ordenación de Bilbao.

Decreto 223/1984, de 10 de Julio, sobre estructura orgánica del Departamento de Política Territorial, Transportes y Turismo.

Decreto de 1.º de marzo de 1946 por el que se aprueba la redacción oficial de la Ley de Ordenación Urbanística y Comarcal de Bilbao y su zona de influencia.

Ley 27/1983, de Relaciones entre las Instituciones Comunes de la Comunidad Autónoma y los Órganos Forales de sus Territorios Históricos.

Ley 4/1990, de 31 de mayo, de Ordenación del Territorio del País Vasco.

Decreto 28/1997, de 11 de febrero, por el que se aprueban definitivamente las Directrices de Ordenación Territorial de la Comunidad Autónoma del País Vasco.

Decreto 206/2003, de 9 de septiembre, que regula el procedimiento para la aprobación de las modificaciones no sustanciales de las Directrices de Ordenación Territorial, Planes Territoriales Parciales y Planes Territoriales Sectoriales.

DECRETO 157/2008, de 9 de septiembre, de la Comisión de Ordenación del Territorio del País Vasco.

Decreto 211/2012, de 16 de octubre, de Evaluación Ambiental Estratégica de Planes y Programas.

Ley 21/2013, de 9 de diciembre, de Evaluación Ambiental.

DECRETO 4/2016, de 19 de enero, de modificación del Decreto por el que se aprueban definitivamente las Directrices de Ordenación Territorial de la Comunidad Autónoma del País Vasco, en lo relativo a la cuantificación residencial.

RESOLUCIÓN 36/2015, de 29 de julio, del Director de la Secretaría del Gobierno y de Relaciones con el Parlamento, por la que se dispone la publicación del Acuerdo adoptado por el Consejo de Gobierno por el que se dispone la iniciación del procedimiento de revisión de las Directrices de Ordenación Territorial de la Comunidad Autónoma del País Vasco, aprobadas por Decreto 28/1997, de 11 de febrero.

DECRETO 128/2019, de 30 de julio, por el que se aprueban definitivamente las Directrices de Ordenación Territorial de la Comunidad Autónoma del País Vasco.

Capítulo 20

Tramitación y aprobación de los instrumentos de Ordenación del Territorio en España: diagnóstico de conjunto y propuestas de mejora

Joaquín Farinós, Enrique Peiró, Mercedes Almenar,
Enrique Antequera, Manuel Borobio, Berezi Elorrieta,
Juan Garrido, Itxaro Latasa, Esther Rando
y Sergio Segura

el modelo de desarrollo escogido y sus crisis. 3. A MODO DE CONCLUSIONES. 4. REFERENCIAS BIBLIOGRÁFICAS.

En el presente capítulo, a partir del análisis de cada una de las CCAA españolas que ya se ha presentado en los capítulos 3 a 19 precedentes, se realiza una síntesis final, clasificando comportamientos o, si es el caso, identificando algunas pautas comunes entre ellas, con el fin de detectar retos comunes y buenas prácticas que pudieran ser extrapolables a partir de las que poder plantear algunas recomendaciones. Se analiza con detalle, de acuerdo con la normativa y práctica administrativa existentes, el proceso mediante el que se formulan y aprueban los instrumentos de OT[1]. Un proceso muy garantista que se alarga mucho en el tiempo, lo que acaba restándoles utilidad (Farinós, Peiró y Antequera, 2020).

El análisis llevado a cabo ha permitido detectar cuáles son los principales embotellamientos que motivan esta dilación y sus causas. De acuerdo con este análisis, y tomando como referencia las distintas teorías de la planificación territorial (vid. Benabent, 2016), se realiza una caracterización de los procedimientos de tramitación y una sintética valoración de la situación de la OT en España.

1. PROCEDIMIENTOS ADMINISTRATIVOS, RESPONSABILIDADES ASOCIADAS, PROCESOS Y PUNTOS DE CONFLICTO EN LA TRAMITACIÓN DE LOS INSTRUMENTOS DE ORDENACIÓN DEL TERRITORIO

Los resultados evidencian que los procedimientos de tramitación en materia de ordenación territorial se enfrentan a diversos problemas en los procedimientos regulados (véase una síntesis de los resultados en las figuras 1 y 2). En los párrafos que siguen se identifican y tipifican los distintos tipos de conflictos. La dilación, y los conflictos entre administraciones y actores territoriales concernidos en el procedimiento, acaban restando utilidad y reconocimiento social a esta política.

---

1. Los autores quieren agradecer los comentarios y observaciones al borrador del texto realizados por Josefina Cruz Villalón, Manuel Benabent Ferrnández de Córdoba y María José García Jiménez, que sin duda han contribuido a mejorar esta versión final.

En lo relativo al ámbito regional, se han evidenciado conflictos en siete de las CCAA. En el caso de Andalucía, Galicia y Castilla y León, estos se han traducido en dilatados procesos de elaboración y aprobación, si bien se han llegado finalmente a concretar en una figura de planeamiento aprobada y vigente. Más evidente es la falta de acuerdo y los problemas derivados de cambios de gobierno en los casos de La Rioja y de Castilla-La Mancha, que ha llevado a suspender la tramitación de unos planes regionales que han quedado sin aprobar. Una situación que no resulta necesariamente irreversible, como demuestra el caso extremeño, que cuenta con un instrumento regional con una dilatada tramitación (por momentos suspendida), que se ha retomado recientemente para su concreción y aprobación final. Mención aparte requieren los casos de Madrid y Murcia, únicas CCAA que no han iniciado los trámites para desarrollar un instrumento de carácter regional[2]. Así como el caso de las Islas Canarias, marcado por la derogación de su planificación de ámbito regional por medio de una ley que deja esta ordenación cada vez más en las entidades locales sin un claro criterio de conjunto, yendo de más a menos. Cuestiones, tanto estas como las relativas al ámbito subregional, que se presentan a continuación, que son objeto de estudio detallado en los diferentes capítulos del presente libro que se ha dedicado a cada comunidad autónoma, así como en los epígrafes de este mismo capítulo en los que se presentan de forma sintética los resultados a nivel del conjunto de CCAA.

---

2. Al respecto hay que aclarar que en el caso de Madrid existió al menos la voluntad de tramitar un plan de ámbito regional como forma de abordar un fenómeno metropolitano que va más allá de los límites administrativos de la región. Quedó como borrador, sin mayor desarrollo; en ningún caso se inició un procedimiento formal de tramitación.

Figura 1. Situación de los planes regionales de OT (a fecha de octubre de 2020) e incidencias en su tramitación

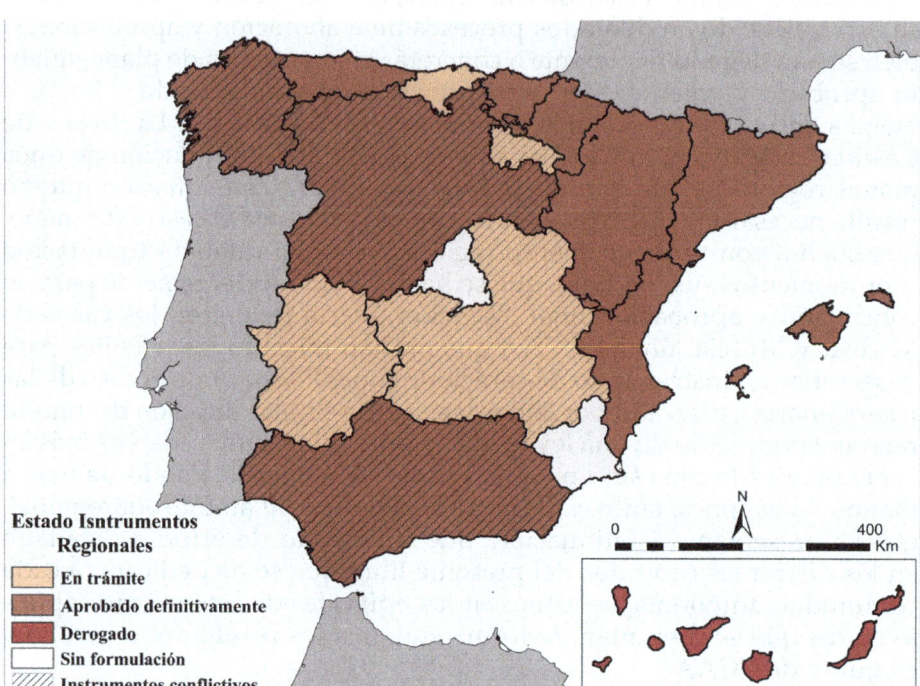

Estado Isntrumentos Regionales

- En trámite
- Aprobado definitivamente
- Derogado
- Sin formulación
- Instrumentos conflictivos

Fuente: Elaboración propia

Los instrumentos subregionales son "*el nivel más sensible […] procuran la conexión entre las grandes decisiones de los planes regionales (e incluso subregionales de mayor escala) y la precisión de las determinaciones y las técnicas de los planes de desarrollo y gestión del planeamiento general de escala municipal (urbanístico)*" (Farinós, García y Aldrey, 2018). Únicamente cinco CCAA (Baleares, Canarias Cataluña, Navarra y el País Vasco) han dotado la totalidad de su territorio de figuras de ámbito subregional (vid. la figura 2). De ellas, los problemas en su tramitación se presentaron en el caso del País Vasco; lo que supuso algunos retrasos en su aprobación; y en el último de los Planes Territoriales Parciales tramitados en Cataluña.

A este grupo de cinco se acerca la Comunidad Valenciana que, tras sucesivos vaivenes y revisiones de los documentos, se encuentra tramitando de un grupo de instrumentos de ámbito subregional que dotan de cobertura a la mayor parte de su territorio (con problemas en el caso del

PAT del Área Metropolitana de Alicante y Elche, paralizado, así como el PATEVAL del área Metropolitana de Valencia, en el que poder encajar la pretendida ampliación del puerto de Valencia y la salida norte del tren AVE, dos grandes proyectos estratégicos de carácter infraestructural que hay que hacer compatibles con el Plan.

Más habitual es la tramitación de figuras de planeamiento para determinados entornos territoriales, sin llegar a cubrir, por el momento, la totalidad del territorio autonómico. Destacan en este grupo Castilla y León, la única de este conjunto que no ha presentado tramitaciones conflictivas, como si ha ocurrido en el caso de Castilla-La Mancha, Aragón, Murcia, Extremadura o Andalucía. En Madrid, Galicia o Cantabria no se han desarrollado instrumentos subregionales.

Figura 2. Situación de los planes subregionales de OT (a fecha de octubre de 2020) e incidencias en su tramitación

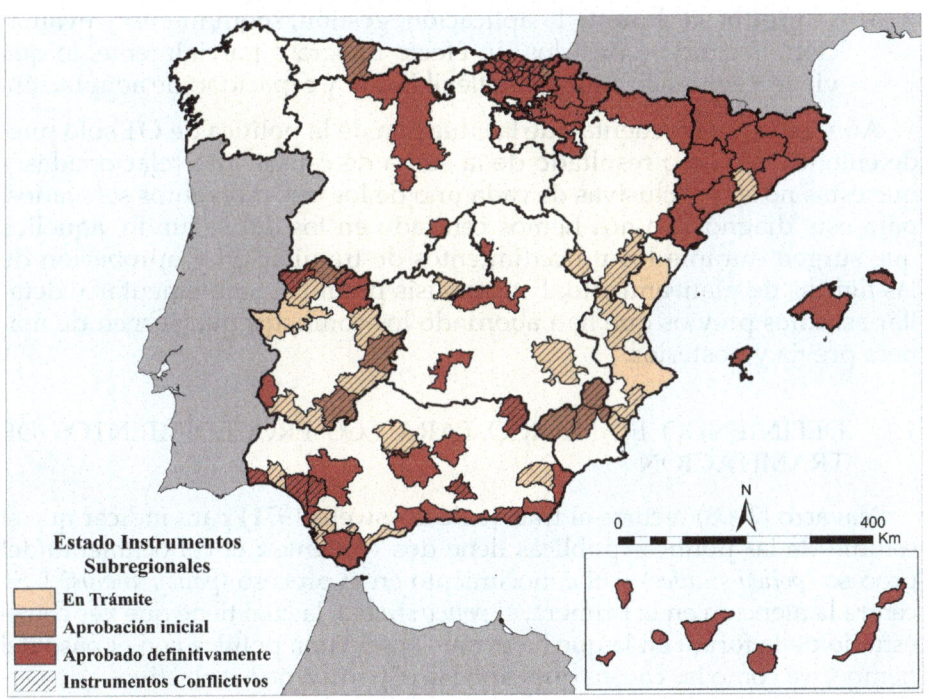

Fuente: Elaboración propia

Se presentan a continuación, a modo de síntesis del conjunto, los resultados de los análisis realizados para las diecisiete CCAA españolas en los capítulos precedentes respecto de las causas, los departamentos y unidades responsables de los momentos en que se producen los estrangulamientos durante la tramitación y el inicio de aplicación de los instrumentos de Ordenación del Territorio.

Aplicando el criterio temporal, cabe distinguir entre los estrangulamientos que:

1) se producen o bien antes o bien inmediatamente después de la tramitación y aprobación. Son casos en los que la política de OT deja de ser considerada o bien se abandona con el paso del tiempo y queda sin efecto.

2) surgen durante el proceso de tramitación y aprobación. Los instrumentos inician su tramitación, pero quedan sin desarrollo efectivo o bien tardan muchos años (mínimo de 5) hasta llegar a su aprobación final.

3) se producen durante la aplicación, gestión, seguimiento y evaluación, llegando a dejarlos sin efecto íntegra o parcialmente; lo que viene a evidenciar su escasa flexibilidad y capacidad de adaptación.

Aun teniendo en cuenta que la situación de la política de OT solo puede entenderse como resultado de la suma de causas interrelacionadas y que éstas no son exclusivas de cada uno de los tres momentos señalados, para este diagnóstico nos hemos centrado en los del segundo, aquellos que surgen durante los procedimientos de tramitación y aprobación de las figuras de planeamiento. Este análisis permite complementar y detallar estudios previos que han abordado los conflictos que surgen de manera previa y posterior.

1.1. DEFINIENDO EL MARCO PARA LOS PROCEDIMIENTOS DE TRAMITACIÓN

Navarro (2008) recurre al trabajo de Lasswell (1971) para indicar que el estudio de las políticas públicas tiene dos vertientes: el conocimiento del proceso (*policy studies*) y el conocimiento en el proceso (*policy analysis*). Se centra la atención en la primera, el *policy studies*, la cual tiene que ver con el estudio de la forma en la que ha evolucionado una política con el paso del tiempo, así como las causas que explican el porqué de los objetivos que persigue, sus instrumentos y los actores participes del proceso[3] (Aguilar, 2012).

---

3. *"Se mira al proceso desde fuera, como un observador externo que observa una política (en su totalidad o en una de sus fases) y a quien lo que importa es explicar por qué se han ido*

En este sentido hay que aclarar que no se ha prestado atención al ciclo completo de las políticas públicas, al que se ajusta (aunque con particularidades) la de Ordenación del Territorio[4]. La atención se ha centrado especialmente en la tercera fase (la de formulación de alternativas para la acción) y la cuarta (de toma de decisiones), de las seis fases referidas. En estas fases del ciclo, tal y como plantea Navarro (2008, p. 242), es posible aproximarse a cuestiones como las formas en las que se toman las decisiones y cuál es el criterio que prevalece en este proceso (racionalidad, presión o casualidad), los participantes en esta toma de decisiones, la construcción y evaluación de las alternativas, cómo se discierne entre estas, o los roles de cada uno de los participantes. La cuestión de fondo en ese momento es la del poder (control y ejercicio), que en palabras de la citada autora *"nos lleva al corazón del proceso de la política"*. La figura 4 presenta una modelización para el conjunto del Estado español sobre cómo tiene lugar la tramitación de los instrumentos de planeamiento territorial a partir del análisis de los procedimientos en las diecisiete CCAA.

Cabe aclarar que los procedimientos de tramitación en los que se han centrado los diferentes organigramas realizados para cada Comunidad Autónoma aluden al momento que en la figura 3 se ha denominado "Desarrollo de procedimientos". Momento en el que transcurren las etapas que caracterizan el proceso de elaboración del plan, que comprende:

1. La definición de finalidades y objetivos

2. Tareas de análisis y predicción

3. Identificación de alternativas

4. Evaluación y selección de las alternativas

---

produciendo los distintos acontecimientos [...] Aquí, la meta está en identificar las variables o factores que determinan los sucesos que se van produciendo en el proceso de políticas públicas y en poder así identificar la lógica que lo dirige en un ámbito de acción o en una política concreta, el estilo de tomar decisiones, su patrón de planteamiento y de solución, etc." (Navarro, 2008, p. 235). Por su parte, las *'policy analysis'* *"aspiran a orientar los cursos de acción idóneos, eficaces y eficientes para poder realizar los fines preferidos en contextos dados y restrictivos. Pretende definir los mejores instrumentos y procedimientos de la acción pública"*. (Navarro, 2008, p. 236).

4. Una aproximación simplificada pero ilustrativa de las fases o etapas que sigue cualquier política pública es la siguiente: (1) Identificación y determinación de los problemas. (2) Constitución de la agenda pública. (3) Formulación de las alternativas para la acción. (4) Toma de decisiones o legitimación de estas. (5) Implementación de las políticas públicas. (6) Seguimiento y evaluación.

5. Implementación de las decisiones y su posterior tarea de seguimiento y evaluación (una vez el plan ha sido aprobado)

Figura 3. Representación esquemática del procedimiento de tramitación y aplicación de las figuras de OT en España

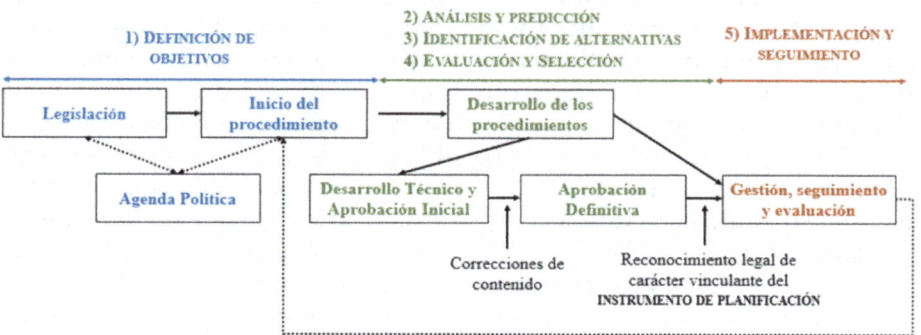

Fuente: Elaboración propia

Con este enfoque racional-comprehensivo, la correlación entre lo planteado por la conceptualización teórica y su desarrollo resulta clara. Sin embargo, se requiere del estudio de las responsabilidades en cada caso y parte del proceso, y también debe considerarse (para un estudio completo de las complicaciones procedimentales) desde la configuración de la agenda política (vid. Vera y Farinós, 2015) hasta la aprobación del instrumento para su puesta en práctica.

Como la experiencia vivida en distintas CCAA ha venido a demostrar, la aprobación de la respectiva ley de OT no se traduce de inmediato en su desarrollo ni en la concreción y aplicación de los instrumentos que plantea. No es inusual que los decalajes entre lo uno y lo otro superen la década o que, incluso, estos instrumentos acaben olvidados en el limbo, siendo sustituidos por los de otras políticas afines, supuestamente sustitutivas de la OT, como forma de bordear el compromiso legal y político establecido. Por tanto, se requiere de la necesaria voluntad política, impelida por la demanda social o por los tribunales de justicia, para que tenga lugar un necesario segundo impulso que permita iniciar los trámites de desarrollo de los instrumentos de planeamiento.

Este esfuerzo no será el último, pues otro más será necesario para mantenerlo en el tiempo y ver cumplidas las expectativas haciendo frente a la "fatiga" a la que los sucesivos problemas, que van surgiendo con el tiempo a lo largo del proceso tal y como se verá en los epígrafes que siguen, someten al aparato técnico-administrativo-político responsable de la OT.

1.2. IDENTIFICANDO LAS CAUSAS, MOMENTOS Y RESPONSABILIDAD DE LOS ESTRANGULAMIENTOS

Aun con las particularidades propias de cada Comunidad Autónoma, los procedimientos de tramitación de los instrumentos de OT pueden ser entendidos como el conjunto de tareas que diferentes actores realizan de manera organizada y que tiene como resultado el desarrollo y aprobación de un determinado instrumento. Se interpretan como estrangulamientos las barreras o anomalías que aparecen durante el desarrollo de estas tareas, dificultando su normal desarrollo y haciendo que el proceso se desvíe de su sentido originario, se dilate en el tiempo o llegue a detenerse por completo.

El estudio de los estrangulamientos va más allá de su simple identificación. Es necesario conocer en qué momentos del procedimiento se producen y la unidad responsable de la fase o tarea en la que tienen lugar. Es el punto de partida para considerar posibles soluciones a las causas y efectos del conflicto que conduce al estrangulamiento o parálisis del procedimiento.

El procedimiento se compone de diversas tareas, llevadas a cabo por diferentes grupos de actores:

- **Responsables políticos:** altos cargos de la administración autonómica encargados de las tareas de toma de decisiones que tienen lugar durante los procedimientos, en las etapas de inicio (toman la iniciativa de iniciarlo), aprobación inicial y sobre todo y en última instancia de su aprobación definitiva.

- **Responsables técnicos:** agrupa a las personas encargadas de los trabajos técnicos asociados al plan, incluyendo tanto a responsables de su elaboración (públicos o privados) como de elaboración de documentación para los procedimientos de Evaluación Ambiental Estratégica, de sostenibilidad económica y de impacto de género, así como de los trámites de información, consulta y alegaciones.

Aunque en el procedimiento de EAE también participan otros actores, de otras administraciones, de los intereses privados y de la sociedad civil, únicamente se consideran en este análisis estos dos grupos dado que son los responsables de las diferentes acciones realizadas a lo largo de un procedimiento de ordenación del territorio (en la que se incluye la EAE) que hemos dividido en cuatro grandes etapas[5]:

- **Etapa de iniciación del procedimiento.** Se trata de una etapa de responsabilidad política, en la que se decide si el instrumento de OT debe formar parte de la agenda política y, si es así, cómo se va a emprender su elaboración; lo que suele cristalizar en la aprobación y publicación de un acuerdo de formulación. En esta etapa (con variedad formal según cada Comunidad Autónoma) se inicia el procedimiento, determinando cuál debe ser su contenido (materializado en un borrador o documento de avance en muchas ocasiones, representando un documento sucinto y esquemático de carácter técnico en esta etapa) y concretando las responsabilidades asociadas en su elaboración[6].

---

5. Las etapas escogidas difieren de las más tradicionales, que de hecho subdividen. De acuerdo con un criterio más tradicional utilizado por los expertos en la materia (los autores agradecen las observaciones recibidas en este sentido por pate de Manuel Benabent), las etapas serían tres:

    1) **Formulación,** que se iniciaría con la decisión/acto político por parte del organismo competente en la que se determina redactar un plan, lo que supone establecer el ámbito, los objetivos, las fases, los contenidos básicos que se desea contenga el plan, órgano de redacción, etc. El acuerdo de formulación, aunque no se exija por ley, llega a someterse a audiencia de los municipios, para recoger sus alegaciones (como ocurre por ejemplo en Andalucía y la Comunitat Valenciana). La fase de formulación dura hasta que el plan está formulado es decir redactado y apto para su tramitación. Esta fase no tiene efecto alguno en los particulares, aunque en esta fase se produzcan determinados documentos como los denominados AVANCES del plan, como un acto preparatorio y previo de la elaboración del plan. Esta etapa se cerraría cuando ya se tiene un proyecto de plan o borrador de plan redactado. Se correspondería con la primera de las cuatro etapas propuestas.

    2) **Tramitación**: etapa que transcurre desde que se inicia el procedimiento de aprobación, a partir del momento en que se cuenta con un proyecto de plan o borrador de plan redactado, y culmina con la aprobación definitiva (antes de la misma puede tener aprobación inicial o provisional; aunque ya en la mayoría de las CCAA solo hay dos aprobaciones: una provisional y otra definitiva). La aprobación provisional habilita para la información pública, para que los particulares presenten sus alegaciones y para la audiencia a las administraciones y otros organismos públicos, para que en su caso presenten los respectivos informes de carácter sectorial o generales (caso de los municipios).
    Esta fase se ha subdividido en dos para este análisis: la segunda (redacción y aprobación inicial) y tercera (aprobación definitiva) de las cuatro que se han propuesto, con la intención de reforzar el carácter definitivo de la aprobación final.

    3) **Ejecución o implementación**: tras la aprobación definitiva y por todo el periodo de vigencia que se estipule en la ley o en el propio plan. Se corresponde con la cuarta de las etapas propuestas.

6. La normativa asigna las responsabilidades y lo hace de manera genérica, usando términos como órgano promotor, órgano ambiental, órgano sustantivo u otros del

- **Etapa de redacción y aprobación inicial del instrumento.** Etapa donde confluyen el trabajo técnico, con la orientación política tras una fase de información pública y audiencia. En esta etapa se llevan a cabo los trabajos de elaboración del plan y su contenido (incluyendo la EAE y las etapas de información, participación y alegaciones). Cuenta, en general, con una aprobación inicial, resolución de carácter político en el que los responsables dan el visto bueno a los trabajos técnicos realizados hasta el momento (supervisión).

- **Etapa de aprobación final del instrumento.** Fase fundamentalmente de carácter político en la que se produce la aprobación definitiva del instrumento, previa aprobación provisional (habitualmente). Las diferentes instancias de la administración dan el visto bueno a la figura de planeamiento y hacen sus últimas apreciaciones, que en ocasiones obligan a la elaboración de un texto refundido en el que se recogen todos los condicionantes e informes (sectoriales y otros) preceptivos. El ejecutivo o el parlamento regional los aprueba y son publicados en el Diario Oficial.

- **Etapa de implementación y gestión.** Última etapa, tras su aprobación, de carácter principalmente técnico, pero también político-decisional. Una vez el instrumento tiene su aprobación definitiva, se pone en marcha para el plazo establecido. Cada vez más en esta etapa se realizan labores de seguimiento y evaluación, como monitorización y control de la ejecución, lo que suele dar lugar a un compendio de expedientes e informes complementarios[7].

1.3. CATEGORÍAS PROPUESTAS PARA EL ANÁLISIS DE LOS POSIBLES ESTRANGULAMIENTOS

De la combinación de estos dos criterios (responsabilidades y etapas) surgen una serie de categorías en las que clasificamos las posibles causas de los estrangulamientos (vid. tabla 1), para facilitar su identificación y análisis, que permita conducir a propuestas para su corrección.

---

tenor, que requieren de la conveniente matización de acuerdo con la configuración administrativa y el reparto competencial en las fases sucesivas de desarrollo del plan.

7.   Si fruto de este control se detectan errores, ello conduce a introducir correcciones en la forma de implementarlo o en el propio plan. En este segundo caso se vuelve a las etapas de tramitación (2 y 3) para tramitar las modificaciones parciales necesarias (en tanto se tramitan, quedan en suspenso esas partes del plan, mientras que se sigue ejecutando el resto). Si estas modificaciones tienen alcance estructural o implican un cambio en los objetivos inicialmente previstos del plan, lo que procede no es ya la modificación sino la revisión del plan, es decir, la formulación de un nuevo plan.

Tabla 1. Categorías resultantes del cruce de variables

	Etapa de Inicio (EI)	Etapa de Redacción y Aprobación Inicial (ER)	Etapa de Aprobación Definitiva (EA)	Etapa de Implementación y Gestión(EG)
Responsabilidad Política (RP)	RP-EI	RP-ER	RP-EA	RP-EG
Responsabilidad Técnica (RT)	RT-EI	RT-ER	RT-EA	RT-EG

Fuente: Elaboración propia

Las categorías resultantes son las siguientes:

- **RP-EI (Responsabilidad Política en la Etapa de Inicio):** Los estrangulamientos enmarcados en esta categoría responden a los casos en los que no tiene lugar el desarrollo técnico efectivo al no existir voluntad política, al no incorporarse en las respectivas agendas políticas por no considerarse una cuestión prioritaria o por verse comprometida por la influencia de importantes grupos de presión que pueden verse afectados directa o indirectamente. Puede ocurrir, por el contrario, y entonces no se trata de una barrera sino de un catalizador, que esta voluntad exista y el plan se vea impulsado.

- **RP-ER (Responsabilidad Política en la Etapa de Redacción y Aprobación Inicial):** El procedimiento queda bloqueado en los momentos de toma de decisiones por parte de los actores políticos durante la etapa de aprobación inicial. Bien por los recelos políticos o competenciales surgidos entre las distintas administraciones y departamentos implicados o bien por un inadecuado sistema de coordinación intersectorial y multinivel que termina por diluir la iniciativa.

- **RP-EA (Responsabilidad Política en la Etapa de Aprobación Definitiva):** Falta de voluntad política por aprobar una figura de planeamiento que se encuentra totalmente elaborada (desde el punto técnico) pero que, al no contar con su aprobación definitiva, no tiene ningún efecto. Suele deberse a que se produce algún tipo de cambio: en la directriz política original, en el gobierno, en la demanda ciudadana o en el contexto socioeconómico.

- **RP-EG (Responsabilidad Política en la Etapa de Implementación y Gestión):** Los problemas se presentan en un doble plano: en la interpretación más o menos flexible del instrumento (cuestión inherente a la gestión y al nivel de concreción y claridad con que se formula e ilustra el plan) y en la rendición de cuentas (cuestión relacionada con la gestión, el seguimiento y evaluación). Respecto de la flexibilidad, los responsables políticos pueden situarse tanto en el margen más restrictivo como en el más laxo de las determinaciones del instrumento (no hay clara correlación de lo uno o lo otro con los buenos resultados del instrumento). Por su parte, en la rendición de cuentas tienen gran repercusión las indagaciones a las que deben responder los responsables de la gestión del instrumento, los sistemas de freno y contrapeso políticos acordados (oposición, defensores del pueblo, tribunales ordinarios y específicos, etc.); a través de los canales pertinentes (preguntas parlamentarias, informes de los defensores del pueblo, etc.). En caso de discrepancias insalvables estas se acaban resolviendo en los tribunales. Todo ello puede llevar a replantear las determinaciones del instrumento, idealmente para su mejora, pero si no se es ágil (que es lo habitual) puede paralizarlo y dejarlo sin efectividad. Como también lo hace el hecho de que la legislación (de OT u otra) no engarce y asegure el desarrollo de los Planes de OT con las leyes de presupuestos.

- **RT-EI (Responsabilidad Técnica en la Etapa de Inicio):** Aunque teóricamente es posible que se produjesen estrangulamientos enmarcados en esta categoría, la etapa de inicio presenta un carácter fundamentalmente político. La participación de las responsabilidades técnicas, en el mejor de los casos, se limita a: la realización de tareas de recabar información de las administraciones afectadas (aspecto no vinculante y que por tanto no es causa de bloqueo) y/o a la elaboración de un documento de avance que sirva de base para el posterior desarrollo técnico de la figura de planeamiento. En tanto que primera versión de avance, difícilmente incumplirá estándares técnicos que bloqueen el procedimiento. Por tanto, en la práctica no resulta relevante.

- **RT-ER (Responsabilidad Técnica en la Etapa de Redacción y Aprobación Inicial):** Los estrangulamientos enmarcados en esta categoría están causados por conflictos que surgen durante el desarrollo técnico del instrumento, la EAE y demás informes vinculantes, así como en los procesos de información, participación y alegación.

- **RT-EA (Responsabilidad Técnica en la Etapa de Aprobación Definitiva):** En ocasiones (en el caso de los planes urbanísticos es lo habitual), los instrumentos de OT se aprueban en Comisiones en las que los técnicos asistentes (normalmente funcionarios, entidades

707

públicas y colegios profesionales, pero también a veces privados) realizan sus observaciones, pudiéndose dar el caso de que el instrumento no se apruebe definitivamente o que solo se apruebe parcialmente. Estos técnicos del resto de administraciones no deciden (suelen tener voz, pero no voto), pero sí pueden llegar a influir la decisión política; si no directamente, de forma indirecta. Alguno de estos técnicos, de motu proprio o a instancia de la administración a la que pertenecen (sectorial o de otra escala o nivel), o de los intereses particulares que representan (asociaciones ecologistas, empresarios, propietarios del suelo...), pueden acabar impugnando la aprobación de algún instrumento. Algo que resulta cada vez más frecuente. Los últimos casos y sentencias judiciales invitan a una mayor prudencia, como parece haber calado en muchos de los técnicos y responsables de las administraciones autonómicas. Esto, junto con el cada vez más importante papel de la figura del interventor, también puede acabar teniendo sus efectos sobre la ambición y las posibilidades de innovación en la planificación, que logra así quedar confinada y mantenerse en límites cerrados de acuerdo con las tradicionales formas de hacer, a las que es difícil sustraerse si no es a costa de un gran esfuerzo y nueva fatiga.

- **RT-EG (Responsabilidad Técnica en la Etapa de Implementación y Gestión):** Las administraciones, a través de sus equipos, son las responsables de ejecutar el instrumento una vez queda aprobado y es ley; lo que puede verse afectado por las posibles interferencias (políticas o de otro tipo). Por su parte, el seguimiento o evaluación, cuando existe una obligación legal de establecer indicadores de seguimiento (dentro del propio Plan o por las recientes nuevas leyes de transparencia que han aprobado las CCAA), también puede depender de ellos, aunque la tendencia habitual es a la externalización de dicha observación territorial (cuando se produce). Lógicamente, si el plan no se aplica por bloqueo político, o por conflictos de interés que deber acabar resolviendo los tribunales, ese seguimiento no se llega a producir por causas no técnicas sino de otro tipo (políticas o por conflictividad con otros intereses presentes en el territorio). El no cumplimiento de la evaluación en plazo estipulado, a partir de la que poder proceder a la modificación o revisión del plan si fuera necesario, algo que no resulta inusual en absoluto, no tiene ningún efecto disciplinario, pero lógicamente sí lo tiene sobre la efectividad del instrumento en un contexto de necesidades cambiantes.

Las ocho categorías planteadas permiten identificar estrangulamientos que aparecen como consecuencia de anomalías en el procedimiento en un determinado marco de funcionamiento establecido. Sin embargo, existe la posibilidad de que este marco se vea alterado y acabe afectando y condicionando todo el proceso. Se trata de cambios en la organización de la administración, por su remodelación tras unas elecciones y cambio de gobierno o por una remodelación del mismo durante la legislatura. Pero también hay que tener en cuenta los procesos de promoción y concurso interno del propio personal de la administración. Por ello se incorporan dos nuevas premisas a las categorías definidas anteriormente:

✓ **1.ª premisa**: las categorías en las que la responsabilidad es política (independientemente de la etapa en la que tenga lugar el estrangulamiento) son susceptibles de causar estrangulamientos debido a los cambios de ciclo político. Lo que puede suponer interpretaciones y valoraciones diferentes de la política territorial y sus instrumentos.

✓ **2.ª premisa**: las categorías en las que el peso de los cuerpos técnicos es mayor, y la dependencia de lo político menor, resisten mejor los cambios políticos; particularmente cuando los altos responsables de los servicios técnicos permanecen en sus puestos. Esta circunstancia, desde el punto de vista procedimental, puede otorgar mayor estabilidad en tanto asegura que, una vez iniciado el procedimiento, el instrumento puede contar con un desarrollo más continuado (encontrando trabas únicamente en su aprobación definitiva, donde sí dependerá de la voluntad política del momento). Por el contrario, los cambios en los puestos de trabajo de estos técnicos por promoción, libre designación o concurso interno, pueden significar, en algunas ocasiones, ciertas desventajas tales como cambios en los propósitos y criterios de concepción y aplicación, así como dilación en su tramitación y pérdida de la secuencia histórica de sucedidos.

Dos son los principales efectos que pueden afectar a los procedimientos de formulación y aprobación) como consecuencia de los estrangulamientos, vid. la figura 4:

▪ La **dilación temporal (potencial motivo de paralización) y la pérdida de efectividad,** haciendo que los procedimientos se alarguen más de lo previsto, haciendo ineficaces unos instrumentos que no llegan a materializarse con la rapidez suficiente como para que el diagnóstico y la selección de la alternativa propuesta sigan siendo los más adecuados.

▪ Incluso **la paralización**, de manera que el instrumento quede sin desarrollo o aprobación efectiva. Ello suele conducir a la renuncia de los instrumentos de carácter integral y se opte por **instrumentos**

con un enfoque más sectorial, con el argumento de que en su caso las tramitaciones menos conflictivas. Las desavenencias o cambios de criterio entre lo acordado en la fase de participación pública y la aprobación definitiva pueden conducir a la pérdida del refrendo ciudadano, cuando no la presentación de recursos con intentos de impugnación y anulación.

Figura 4. Origen, forma y efectos de las causas de estrangulamiento detectadas

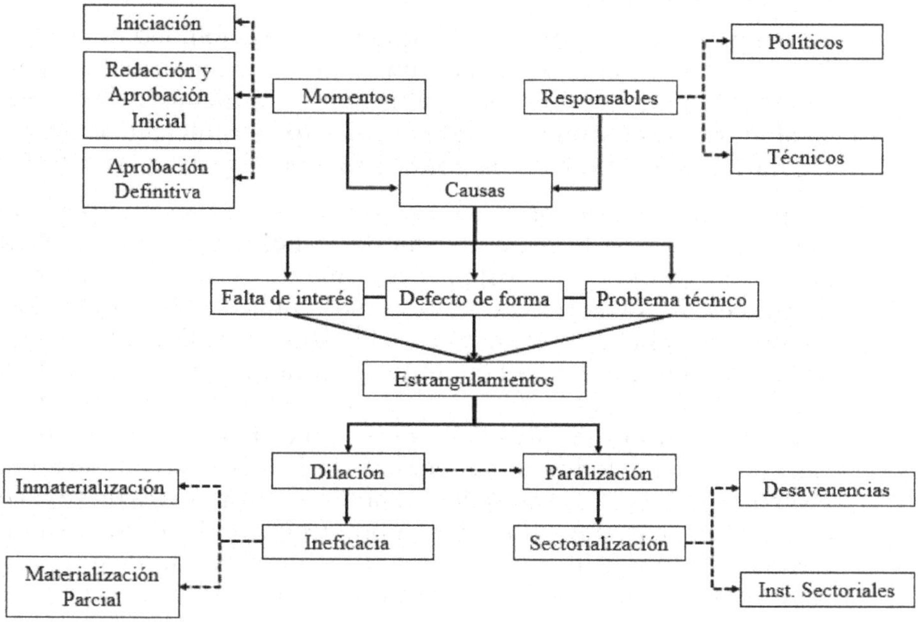

Fuente: Elaboración propia

1.4. PRINCIPALES CLASES DE ESTRANGULAMIENTOS POR TIPOS DE PLANES

A continuación, se presentan los estrangulamientos surgidos durante los procesos de tramitación de los distintos planes objeto de estudio (regionales, subregionales y litorales[8]) durante su proceso de su tramita-

---

8.   Sobre los instrumentos el criterio seguido es el siguiente. La ordenación del territorio *sensu stricto* la conforman los instrumentos regionales y subregionales, y no es tan

ción. Una tramitación que se considera estándar si presenta una duración comprendida entre los 4 y los 7 años, siendo la EAE el proceso que mayor tiempo para su realización requiere, y considerando que toda tramitación que exceda este tiempo puede considerarse conflictiva. En este sentido, una breve aclaración. La EAE, véase el capítulo segundo de esta obra, no se desarrolla como tal hasta el año 2006; por tanto, instrumentos tramitados previamente se caracterizan por una mayor brevedad (caso excepcional el de Galicia donde precisamente la EAE ha sido conflictiva y presenta notables irregularidades).

La información recogida en las tablas 3 a 6 que siguen aparece organizada por CCAA de acuerdo con los siguientes criterios: denominación genérica que recibe cada tipo de instrumento, situación en la que se encuentran (aprobados, en trámite o paralizados)[9] y tiempo transcurrido desde el inicio del procedimiento hasta el momento en el que se encuentra. Por último, se indica la categoría de conflicto (SC en caso de no presentar conflictos asociados) y las causas de su estrangulamiento (si lo hay, de acuerdo con la tipología establecida en la tabla 1).

Los resultados que recogen las tablas reflejan que:

- En los instrumentos de escala regional:

    - Destaca la **responsabilidad política** como principal motivo de los estrangulamientos, que se traducen tanto en dilaciones en los procesos de **tramitación** como en bloqueos en la fase de **aprobación definitiva**.

    - Más complejo resultaría precisar la existencia de estrangulamientos en la etapa de gestión, lo que requeriría conocer los procesos de seguimiento y evaluaciones necesarios, de los cuales muchas veces se carece, incumpliendo lo que se recoge en las propias normativas.

    - Desde el punto de vista de los **momentos,** con la excepción de Madrid donde el estrangulamiento se produce en los albores

---

relevante tanto su escala como su naturaleza integral y estratégica. En cuanto a los litorales, estos son instrumentos subregionales de carácter sectorial.

9. Información actualizada sobre el estado de los diferentes instrumentos de planeamiento territorial puede encontrarse en las bases de datos que en el marco del proyecto GOBEFTER se van actualizando en https://gdls.blogs.uv.es/bases-de-datos/. Esta misma información se recoge de manera visual e interactiva en los visualizadores desarrollados y disponibles en: https://gdls.blogs.uv.es/visores/.

del instrumento, por falta de voluntad política (RP-EI) a la hora de desarrollar la OT en la región, el resto de CCAA concentran los conflictos hacia los momentos finales del procedimiento; principalmente en:

- Los momentos de **aprobación definitiva** (RP-EA), que en La Rioja han implicado el bloqueo de un instrumento que queda sin desarrollo efectivo, o con retrasos notables hasta su aprobación (caso de Andalucía, Castilla y León y Galicia).

- Los escasos momentos de responsabilidad política que aparecen en **la etapa de redacción**: relativa a la solicitud de un informe preceptivo de la Comisión Regional de Urbanismo y Ordenación del Territorio como último trámite previo al de aprobación definitiva (caso de Castilla-La Mancha, donde el instrumento ha quedado bloqueado y sin desarrollo efectivo).

- Mención especial requiere el caso de Extremadura que, aunque se encuentra en estos momentos tramitando su figura de planeamiento regional, se apunta un estrangulamiento asociado al procedimiento de EAE, **bloqueado tras la aprobación el Documento de Alcance del Estudio Ambiental Estratégico**.

- EN LOS INSTRUMENTOS DE ESCALA SUBREGIONAL:

  - Nuevamente prevalecen las **responsabilidades políticas** como principales causantes de los estrangulamientos que se producen durante su tramitación; asociado a una falta de voluntad política manifiesta en:

    - Castilla-La Mancha: quedando sin desarrollo tras el acuerdo de formulación (RP-EI).

    - Extremadura: donde es la solicitud de un informe preceptivo de la Comisión Regional de Urbanismo y Ordenación del Territorio la que bloquea el procedimiento (RP-EI).

    - Murcia: donde las figuras quedan pendientes de aprobación definitiva, a pesar de estar completamente desarrollados.

  - Por el contrario, en Asturias el motivo es el **desarrollo técnico** del documento en su etapa inicial (RT-EI); en Extremadura es la propia redacción técnica del documento la que dilata el proceso (RT-ER).

- En los Planes del Litoral:

Los **planes litorales**[10] se caracterizan por procedimientos que han presentado diversos tipos de conflicto, dada la gran presión de usos e intereses existentes en este espacio. En el litoral cantábrico, en Asturias y en Cantabria (donde el plan se limitaba a recoger lo establecido en los PGOU del conjunto de municipios litorales), las presiones fueron menores. En el caso catalán, la voluntad por preservar el único 5% de frente costero sin urbanizar no planteó conflictos sustantivos, gracias a una adecuada colaboración entre la administración autonómica y los municipios, siguiendo la teoría del palo y la zanahoria (incentivos de cofinanciación si sí y bloqueo a la revisión de los planes si no). Esta negociación y pactos dieron lugar al Plan Director Urbanístico del Sistema Costero catalán.

En el caso canario, su figura de planeamiento para el ámbito litoral se encuentra bloqueada en su desarrollo (RT-ER). El plan de ordenación del litoral andaluz fue declarado nulo por el Tribunal Superior de Justicia de Andalucía en 2017 por defecto de forma (al haber sido aprobado por un gobierno en funciones). En el caso valenciano, la elaboración de un plan del litoral era un mandato recogido en la ya derogada ley 4/2004, al amparo de la cual nunca se llegó a aprobar (llegaron a haber hasta 11 versiones del documento). Fue necesario esperar al cambio de legislación (que omitió dicha obligación en la LOTUP de 2014), pero sobre todo de signo en el ejecutivo autonómico (surgido del llamado 'Acord del Botànic'), para que finalmente se tramitara y aprobara en 2018 el PATIVEL[11]. Situación similar a la del caso gallego, donde la ley 9/2002 planteaba el desarrollo de un plan sectorial en un plazo de dos años que nunca fue llevado a cabo. Por ese motivo, un segundo texto legal, la ley 6/2007, no solo impulsó la tramitación del POL gallego sino que además le otorgó el rango de Plan Territorial Integral (un plan subregional de carácter integral)[12].

---

10. No se alude al caso balear al carecer de un plan litoral propiamente dicho. Su ordenación recae sobre la planificación sectorial, el urbanismo y/o la legislación e instrumentos ambientales.

11. Los conflictos, en forma de impugnaciones y contenciosos aparecieron una vez aprobado, dado que fue pensado para bloquear futuros desarrollos urbanos en los municipios del litoral y procuraba desclasificaciones en espacios de claro valor para el adecuado funcionamiento sistémico de la Infraestructura Verde de la Comunitat Valenciana.

12. Acción reseñable pues la tendencia habitual es la contraria, ante la dificultad por desarrollar un plan integral se opta por uno sectorial. Se recomienda la lectura del capítulo sobre Galicia para conocer los pormenores de esta situación.

Tabla 2. Estrangulamientos producidos en las figuras de ámbito regional

	INSTRUMENTO	SITUACIÓN	DILACIÓN	CATEGORÍA	FASE
AND	Plan de Ordenación del Territorio	Aprobado	11 años (iniciado en 1995)	RP-EA	Discrepancias político-técnicas entre AGE y Junta Andaluza
ARG	Estrategia de Ordenación Territorial	Aprobado	3 años		SC
AST	Directrices Regionales de Ordenación del Territorio	Aprobado	4 años		SC
BAL	Directrices de Ordenación Territorial	Aprobado	2 años[13]		SC
CAN	Directrices de Ordenación Territorial	Aprobado	2 años		SC
CANT	Plan Regional de Ordenación Territorial	En redacción			
CLM	Plan de Ordenación del Territorio "Estrategia Territorial Castilla-La Mancha"	Paralizado	12 años (iniciado en 2007)	RP-ER	Informe preceptivo de la COTU
CyL	Directrices de Ordenación del Territorio	Aprobado	10 años (iniciado en 1999)	RP-EA	Trámites de aprobación
CAT	Plan Territorial General	Aprobado	12 años	RP-EI	Falta de impulso político

---

13. Mención especial requiere el caso Balear, pues si bien es cierto que desde que en 1997 se da comienzo a la elaboración de un documento de avance con el que se inicia *de facto* el procedimiento de tramitación, y este se finaliza sin especiales incidencias, le precede un incumplimiento de lo establecido en su normativa regional en la materia del año 1987, por la que dicho avance debía tramitarse en un plazo de 8 meses desde su entrada en vigor. El motivo fue una falta de consenso político al respecto del

	Instrumento	Situación	Dilación	Categoría	Fase
C.VAL	Estrategia Territorial	Aprobado	4 años	SC	Sin retraso significativo
EXT	Directrices de Ordenación Territorial	En redacción	6 años (iniciado en 2013)	RT-ER	Trámites de EAE
GAL	Directrices de Ordenación Territorial	Aprobado	15 años	RP-EA	Trámites de aprobación[14]
RIO	Estrategia Territorial	Paralizado	11 años (iniciado en 2008)	RP-EA	Trámites de aprobación
MAD	Plan Regional de Estrategia Territorial	Formulación fallida	24 años (iniciado en 1995)	RP-EI	Falta de impulso político
MUR	Directrices de Ordenación del Territorio		No formulado		
NAV[15]	Estrategia Territorial	Aprobada	4 años		SC
PV	Directrices de Ordenación Territorial	Aprobado	4 años		SC

Fuente: Elaboración propia

14. Aunque se identifica la etapa de aprobación inicial (que a priori corresponde a la categoría RP-ER) como primer momento de bloqueo, en el caso gallego, es la etapa equivalente a la aprobación provisional tras la cual no hay más procesos técnicos, y que por tanto encaja en la categoría RP-EA.

15. Aunque el caso Navarro se ha considerado ejemplo de buen hacer, en tanto las tramitaciones han sido fluidas y sin mayores conflictos aparentes, estos sí son notables en momentos previos y evidencian la problemática de naturaleza política.

Tabla 3. Estrangulamientos producidos en las figuras de ámbito subregional

	Instrumento	Estado	Dilación[16]	Categoría	Fase
AND	Planes de OT	Aprobados	6-10 años	RP-EA RT-ER	Modificaciones menores para trabajos técnicos y conflictos en la EAE
ARG	Directrices de Ordenación Territorial Zonales	Tramitación correcta o inconclusa	8-10 años	RP-EI RT-EA	Falta voluntad Política. Derogación por incumplimiento norma
AST	Directrices Subregionales de OT	Paralizado	13 años	RT-ER	Información pública del documento de avance y el Documento Inicial Estratégico (DIE)
BAL	Planes Territoriales Insulares	Aprobados	3-5 años		SC
CAN	Directrices de OT	Aprobados	4-10 años	RT-ER	Información pública, subsanación ambiental y corrección de errores
CANT	Planes Comarcales de OT		No formulado		
CLM	Plan de OT Supramunicipal Integral	Tramitación correcta o inconclusa	5-8 años	RP-EI	Planteamiento inicial sin desarrollo
CyL	Directrices de Ámbito Subregional	Aprobados Planes no iniciados	4-6 años	RP-EI	Falta de voluntad política. Desacuerdos políticos
CAT	Planes Territoriales Parciales	Aprobados; a falta de uno en trámite	7-10 años	RP-ER	Concreción del ámbito de estudio y desarrollo de las tareas de redacción iniciales

16. Se indica la dilación media para el conjunto de los instrumentos, para una valoración detallada véanse los capítulos correspon-

	INSTRUMENTO	ESTADO	DILACIÓN	CATEGORÍA	FASE
C.VAL	Planes de Acción Territorial Subregional	En redacción[17]			Redacción del instrumento y, en menor medida, información pública y el informe del CUOTEX
EXT	Planes Territoriales Parciales	Tramitados correctamente o planes inconclusos	7-9 años	RT-ER RP-ER	
GAL	Planes Territoriales Integrados	Formulación fallida			
RIO	Directrices de Actuación Territorial	No formulados			
MAD	Programas de Coordinación de la Acción Integral	No formulados			
MUR	Directrices y Planes de OT	Tramitación correcta o inconclusa	9-10 años	RP-EA	Falta la aprobación definitiva
NAV	Planes de OT	Aprobados	4 años		SC
PV	Planes Territoriales Parciales	Aprobados	6-8 (13) años	RP-ER	Conflictos intra e inter-institucionales[18].

Fuente: Elaboración propia

17. Los instrumentos actualmente en trámite son herederos (con alguna reconsideración tanto formal como funcional) de los que se plantearon con la entrada en vigor de la Ley 4/2004, de 30 junio de la Generalitat, de Ordenación del Territorio y Protección del Paisaje (LOTPP); quedando el PAT del Sistema Rural como el principal olvidado de aquel periodo. Para una información más detallada vid. Farinós, Peiró y Zornoza (2019). Cabe aclarar que tanto el PATIVEL como el PAT de l'Horta, aunque de escala subregional no se consideran en esta tabla por su naturaleza sectorial.

18. En el caso del País Vasco (PV) es necesario el trámite del informe de la COTPV en dos momentos, generando en ambos casos estrangulamientos en el procedimiento.

Tabla 4. Estrangulamientos producidos en las figuras de ámbito litoral[19]

	Instrumento	Estado	Dilación	Categoría	Causa
AND	Plan de Protección del Corredor Litoral de Andalucía	Anulado por sentencia judicial			SC
AST	Plan Territorial Especial de Ordenación del Litoral Asturiano	Aprobado			SC
CAN	Directrices de Ordenación del Litoral Canario	Trámite	13 años	RT-ER	Bloqueado en el documento de avance
CANT	Plan de Ordenación del Litoral	Aprobado			SC
CAT	Plan Director Urbanístico del Sistema Costero	Aprobado			SC
C. VAL	Plan de Acción Territorial de la Infraestructura Verde del Litoral de la CV	Aprobado			SC
GAL	Plan de Ordenación del Litoral de Galicia	Aprobado			SC
MUR	Directrices y Plan de Ordenación Territorial del Litoral de la Región de Murcia	Aprobado			SC
PV	Plan territorial Sectorial de protección y ordenación del litoral del PV	Aprobado			SC

Fuente: Elaboración propia

19. Tanto Baleares como Canarias, paradójicamente, son las únicas autonomías que carecen de una planificación litoral propiamente dicha; es decir, no cuentan con un plan que centre su atención en el espacio litoral, el cual queda fragmente y en manos de otros instrumentos de planificación.

1.5. INFLUENCIA DEL CICLO POLÍTICO EN LOS ESTRANGULA-MIENTOS REGISTRADOS

Vistos los resultados del análisis del procedimiento desde un punto de vista interno, se complementan ahora con los efectos derivados de los cambios de ciclo político durante su tramitación. Nuevamente se presentan organizados por CCAA y tipo de instrumentos, momento de inicio de la tramitación (número de legislatura y signo político del gobierno), momento de finalización del procedimiento (si se ha producido, indicando número de legislatura y signo político del gobierno). Por último, se recoge si han existido estrangulamientos y si estos coinciden con los cambios de color político en la administración.

Tabla 5. Estrangulamientos derivados del ciclo político en las figuras de ámbito regional

	Instrumento	Inicio	Fin	Contexto político del estrangulamiento
AND	Plan de OT	IV Legislatura (PSOE)	VII Legislatura (PSOE)	Estrangulamiento con gobierno de coalición
ARG	Estrategia de OT	VIII legislatura (PP)	VIII legislatura (PP)	Sin estrangulamiento con partido único
AST	Directrices Regionales de OT	II Legislatura (PSOE)	II Legislatura (PSOE)	Sin estrangulamiento con partido único
BAL	Directrices de Ordenación Territorial	IV Legislatura (PP)	IV Legislatura (PP)	Sin estrangulamiento con partido único
CAN	Directrices de Ordenación Territorial	VI Legislatura (Coal. Can.)	VII (Coal. Can.)	Sin estrangulamiento con partido único
CANT	Plan Regional de Ordenación Territorial	IX Legislatura (PRC-PSOE)	En desarrollo	En tramitación durante la que se produce un cambio de signo político en el gobierno.
CLM	Plan de OT "Estrategia Territorial Castilla-La Mancha"	VII legislatura (PSOE)	Inacabado	Bloqueo de la figura, independiente de los dos cambios de color político en contexto de partidos únicos
CyL	Directrices de Ordenación del Territorio	V Legislatura (PP)	VII Legislatura (PP)	Dilación en contexto de partido único
CAT	Plan Territorial General	II Legislatura (CiU)	V Legislatura (CiU)	Dilación en contexto de partido único
C.VAL	Estrategia Territorial	VII Legislatura (PP)	VII Legislatura (PP)	Sin estrangulamiento durante gobierno con partido único

	Instrumento	Inicio	Fin	Contexto político del estrangulamiento
EXT	Directrices de Ordenación Territorial	VI Legislatura (PSOE)	En redacción	Dilaciones con cambios de color político en contexto de gobiernos de partido único
GAL	Directrices de Ordenación Territorial	III Legislatura (PP)	VII Legislatura (PP)	Dilaciones con cambios de color político en contexto de gobiernos de partido único
RIO	Estrategia Territorial		Paralizado	
MAD	Plan Regional de Estrategia Territorial		Formulación fallida	
MUR	Directrices de Ordenación del Territorio		No formulado	
NAV	Estrategia Territorial	VIII Legislatura (UPN)	VIII Legislatura (UPN)	Sin estrangulamientos en contexto de partido único
PV[20]	Directrices de Ordenación Territorial	V Legislatura (PNV-PSE-EA)	XI Legislatura (PNV-PSE)	Sin estrangulamiento en contexto de gobiernos de coalición

Fuente: Elaboración propia

20. Las primeras Directrices se aprobaron en 1997, siendo actualizadas por las actualmente en vigor aprobadas en 2019.

Tabla 6. Estrangulamientos derivados del ciclo político en las figuras de ámbito subregional[21]

	INSTRUMENTO	INICIO	FIN	ESTRANGULAMIENTO
AND	Planes de OT	III Legislatura (PSOE)	XI Legislatura (PP-VOX-C's)	Sí.
ARG	Directrices de Ordenación Territorial Zonales	VI Legislatura (PSOE-PAR)	VII Legislatura (PSOE-PAR)	Sí. En un contexto de gobiernos de coalición.
AST	Directrices Subregionales de OT	VI Legislatura (PSOE)	Sin finalizar (2020)	Sí. Bloqueo de la figura en contexto de dos cambios de color político
BAL	Planes Territoriales Insulares	IV Legislatura (PP)	VI Legislatura (PP)	No. En contexto de dos cambios de color político
CAN	Directrices de OT	III Legislatura (CDS)	X Legislatura (PSOE)	Sí. En contexto de cambio de color político
CANT	Planes Comarcales de OT		Sin formulación	
CLM	Plan de OT Supramunicipal Integral	VI legislatura (PSOE)	Finalizados en plazo e inacabados	Sí. Bloqueo de la figura, independiente de los dos cambios de color político
CyL	Directrices de Ámbito Subregional	V Legislatura (PP)	VII Legislatura (PP)	Sí. Dilación en contexto de partido único
CAT	Planes Territoriales Parciales	IX Legislatura	IX Legislatura	Solo en un caso, por conflicto de delimitación de un área próxima al espacio metropolitano
C.VAL	Planes de Acción Territorial Subregional	IX Legislatura	En redacción	Sí. Figuras de segunda generación.

21. El periodo contemplado para los instrumentos de ámbito subregional incluye todas las legislaturas en las que se han tramitado instrumentos y la OT ha estado activa.

722

	INSTRUMENTO	INICIO	FIN	ESTRANGULAMIENTO
EXT	Planes Territoriales Parciales	VI Legislatura (PSOE)	X Legislatura (PSOE)	Actualmente proceso bloqueado en etapa de EAE.
GAL	Planes Territoriales Integrados		Formulación fallida	
RIO	Directrices de Actuación Territorial		Sin formulación	
MAD	Programas de Coordinación de la Acción Integral		Sin formulación	
MUR	Directrices y Planes de OT	VII Legislatura (PP)	VIII Legislatura (PP)	Sí, en un contexto de partido único
NAV	Planes de OT	VIII Legislatura (UPN)	VIII Legislatura (UPN)	No
PV	Planes Territoriales Parciales	V Legislatura (EAJ-PNV – PSE-EE)	XI Legislatura (EAJ-PNV – PSE-EE)	Sí, en un contexto de gobiernos de colación

Fuente: Elaboración propia

723

Esto permite profundizar en los resultados obtenidos en trabajos previos (Farinós et al. 2017, 2018), que ya han puesto de manifiesto la existencia de un cierto sesgo ideológico, en tanto han sido gobiernos de carácter más progresista los que mayoritariamente apuestan por la planificación territorial; sin que por ello exista una oposición frontal a la OT por parte de gobiernos más conservadores, que también han desarrollado y tramitado figuras de planeamiento tanto de ámbito regional como subregional. Y viceversa. Cuestión compleja que supera el criterio ideológico como única explicación para adentrarse en cuestiones de agenda política (vid. Farinós, Vera y Lloret, 2018)[22].

Ello ayuda a entender la dinámica detectada de concentración de aprobación de los planes en periodos previos a las elecciones, ya que cada nueva legislatura no solo implica un posible cambio de color político del gobierno, de las condiciones de las coaliciones e incluso de equipos de gobierno, aunque continúe siendo del mismo color. Y con ello, la posibilidad de que exista una nueva agenda política en la que o bien la OT ya no resulte una prioridad o bien que cambie sustancialmente el entendimiento sobre las formas y los fines de la OT[23]. Lo que acaba desembocando en la necesidad de reiniciar parte de los trabajos técnicos para hacer los cambios, de fondo o solo de forma y nombre, que se ajusten a los nuevos enfoques (un ejemplo reciente ha sido el documento de las PROT de Cantabria tras las elecciones de 2019).

Ello puede acabar por traducirse en su exclusión de la agenda política o en su reconsideración; y con ello, el estrangulamiento del procedimiento, independientemente de la etapa en la que se encuentre, quedando sin probación definitiva o, si ya fueron aprobados, sin implementar por problemas en la asignación de recursos designados a su cierre en los nuevos ejercicios. Las posibilidades de bloqueo se multiplican. La conformación de la agenda política alcanza su mayor complejidad en la formación de gobiernos de coalición, condicionada a los resultados de una negociación entre formaciones no siempre afines ideológicamente, que pueden no compartir valores ni objetivos.

---

22. Una agenda política que según la distinción de Losada (2014), ratificada para la OT por Garrido (2020), puede ser institucional (formada a partir de un listado de problemas a los que los decisores públicos sienten la necesidad de dar una respuesta, en principio, independientemente de si la sociedad los siente como problemas o no) o sistémica (formada a partir todos aquellos problemas que lo son en tanto en cuanto la sociedad los comienza a percibir como tales). Por ello en su definición influye, y mucho, el contexto socioeconómico.

23. Tan negativo es que la OT no se incluya en la agenta política como que se incorpore de manera incorrecta, de manera que consolide malas praxis.

Precisamente, tal y como plantea Robles Egea (1992), las coaliciones se constituyen, entre otras razones, para poder llevar adelante determinados proyectos y disminuir la gravedad de los conflictos, amortiguados por el reajuste de fuerzas. Las coaliciones de gobierno tienen muy escasa tradición a nivel español (el actual es el primer Gobierno de España de coalición), pero es muy dilatada a nivel de gobiernos autonómicos (a quienes compete la política de OT). Según Garmendia (2019), aproximadamente un tercio del total de gobiernos autonómicos constituidos lo han hecho bajo esta fórmula.

Estas coaliciones, sobre todo cuando no existe una gran distancia social ni de valores y objetivos entre los grupos políticos implicados, se han demostrado especialmente proclives para la política e instrumentos de OT. Muchos de ellos se diseñaron, elaboraron, aprobaron o implementaron en gobiernos de coalición. Coincidiendo con factores positivos para ello como el liderazgo institucional, la voluntad política y la coordinación, limando los conflictos habitualmente inherentes a la planificación territorial. La importancia de las coaliciones para la aprobación de los instrumentos de OT puede observarse en la tabla 7: el 47% de ellos se decidieron bajo gobiernos de coalición, el 58% en el caso de instrumentos de ámbito regional.

Tabla 7: Tipos de gobierno que aprueban los planes en el periodo 1978-2015

	N.º Total	% Total	N.º Regionales	% Regionales	N.º Subreg.	% Subreg.	N.º Litoral	% Litoral
Absoluta	30	37,97	4	33,33	24	40	2	28,57
Minoritario	12	15,19	1	8,33	9	15	2	28,57
Coalición	37	46,84	7	58,33	27	45	3	42,85
Total	79	100	12	100	60	100	7	100

Fuente. Elaboración propia a partir de los datos publicados por Farinós, García y Aldrey (2018)

En el contexto autonómico español, y hasta la actualidad, esta circunstancia se ha visto más propiciada cuando la coalición la han protagonizado partidos progresistas y partidos nacionalistas (para los que la dimensión material del territorio se combina de forma más clara con la simbólica, vid. Herrero, 2009). Por tanto, se puede lanzar la hipótesis de que es bajo este tipo de gobiernos cuando más factible resulta que los instrumentos de OT vean la luz y sean llevados a la práctica.

- EN LOS INSTRUMENTOS DE ESCALA REGIONAL:

A escala regional, los procedimientos en los que no han aparecido estrangulamientos han sido desarrollados en los cuatro años de una única legislatura, en la que no se han producido cambios de color político en la administración. Es el caso de Aragón, Asturias y Comunitat Valenciana. Pero no se puede concluir lo contrario; esto es, que sean los cambios de color político los únicos causantes de los estrangulamientos. Sirvan de ejemplo el caso de Castilla y León, en el que no tienen lugar cambios gubernamentales durante unos procedimientos de tramitación que sí presentaron estrangulamientos en un contexto de gobierno monocolor. En este mismo sentido requiere mención particular el caso de Castilla-La Mancha, con un plan territorial de ámbito regional que no ha tenido aprobación definitiva a pesar de que, en este caso, el color político no cambia, aunque sí se pase en la X Legislatura (2019-2023) de un gobierno monocolor en minoría que necesita del pacto a otro de mayoría absoluta responsable del cambio de orientación en el que parece haberse descartado la OT *sensu stricto* en favor de otras lecturas de carácter más sectorial y económico.

Las coaliciones de gobierno han resultado un factor positivo en el caso andaluz, cuyo plan regional tuvo su impulso inicial tras la conformación del gobierno de coalición, aunque no por ello se libraría de una tramitación conflictiva que retrasó su aprobación[24]. Un caso particular es el balear, donde han sido frecuentes los gobiernos de coalición para alcanzar la gobernabilidad[25]. Sin embargo, algunas de estas coaliciones no logran aportan estabilidad, siendo frecuentes cambios continuos en la composición de las mismas durante las legislaturas. Es el caso de la V Legislatura (1999-2003), cuando se materializa y aprueba un planeamiento regional en Baleares, en un clima político convulso que, sin embargo, no se tradujo en conflictos durante su tramitación en espera de nuevos ciclos donde tomar nuevas decisiones.

Los cambios al frente del departamento responsable de OT, sin cambiar el signo político, también se han producido en la X Legislatura en Aragón, Asturias, Baleares y Comunitat Valenciana; cambiando sin embargo los planteamientos y el interés por la OT en algún caso, como en el de la Comunitat Valenciana. En sentido diferente, en Cantabria sí se produce

---

24. Cuando la inoperatividad de la IV legislatura (1994-1996), momento en el que se aprobó la Ley de Ordenación del Territorio y se inicia de la redacción del Plan de Ordenación del Territorio de Andalucía, acabó con el ejecutivo monocolor que había venido gobernando la autonomía desde su constitución. El nuevo escenario tras las elecciones de 1996 *"supuso la incorporación de un nuevo partido capaz de hacer posible la formación de un gobierno mayoritario... La participación del Partido Andalucista con su presencia en dos consejerías, Turismo y Deporte y Relaciones con el Parlamento, aportó altas dosis de estabilidad y gobernabilidad"* (Delgado, 2001: 325).

25. En un contexto muy particular donde destaca el papel de Unión Mallorquina como *"grupo bisagra, determinante para la izquierda o la derecha"* (https://cutt.ly/2ygcUkK).

el cambio de signo político en el responsable del departamento, pero que quiere seguir adelante con el PROT aprovechando lo ya realizado. Todas estas evidencias ponen de manifiesto el valor de la cuestión de la existencia de una clara agenda territorial, algo que por el momento únicamente puede asegurarse en el caso vasco.

- EN LOS INSTRUMENTOS DE ESCALA SUBREGIONAL:

A nivel subregional, las dinámicas son muy similares a las detectadas para los instrumentos de ámbito regional. En el marco de una legislatura única, los procedimientos se desarrollan sin estrangulamientos. La presencia de un gobierno monocolor es motivo de eficiencia en el procedimiento (caso nuevamente de Castilla y León, por ejemplo), mientras los cambios de color político pueden suponer un bloqueo y abandono del que, tras el regreso a la administración del partido inicial, no se llegue a recuperar (caso de Castilla-La Mancha).

El peso de las coaliciones en la aprobación de estos instrumentos de carácter subregional es considerable (45%, vid. la tabla 7), pero no la diferencia respecto a los casos protagonizados por las mayorías absolutas no resulta significativa (tan solo un 5% más). En lo que a gobiernos de coalición se refiere, ya se ha indicado el caso andaluz como paradigmático, cobrando especial protagonismo al centrar la atención en los ámbitos subregionales. Tal y como plantea Matas et. al. (2000), uno de los resultados más positivos del gobierno de coalición fue que su V Legislatura (1996-2000) ha sido la más pródiga de toda la andadura autonómica en el debate y la aprobación definitiva de proyectos y proposiciones de ley. Entre ellos la de los primeros instrumentos de OT autonómicos (tanto regional, como subregionales y sectoriales), encontrando en este periodo las únicas figuras de planeamiento de ámbito subregional que han contado con un desarrollo sin mayores incidencias. Los instrumentos tramitados a partir del año 2004 se han enfrentado a más problemas y retrasos.

- EN LOS PLANES DEL LITORAL:

De acuerdo con los datos, el 43% de los mismos fueron aprobados por gobiernos de coalición. Explicar este fenómeno resulta complejo, pero todo parece apuntar a que la creciente preocupación por preservar la costa de la presión urbanística (más tras los niveles de saturación alcanzados y el estallido de la burbuja inmobiliaria) ha tenido mucho que ver para que partidos de distinto signo político se pongan de acuerdo en un tema que, a priori, pudiera parecer lo suficientemente conflictivo como para tratar de esquivarlo en unas negociaciones de coalición de gobierno.

Todos estos resultados reflejan cómo se han venido desarrollado unos procedimientos que se han visto habitualmente enmarcados en un contexto político en el que, hasta fechas muy recientes, ha prevalecido el bipartidismo y la constitución de gobiernos basados únicamente en mayorías absolutas o de partido único (Garmendia, 2019). Una situación bien distinta a la que se ha vivido frecuentemente en regiones como Canarias, Aragón, País Vasco, Cantabria, Baleares o Navarra; menos Andalucía (durante el periodo 1996-2004 y 2012-2015) y Cataluña (con el Govern del Tripartit). A ellas se ha unido la Comunidad Valenciana, aunque solo a partir de los comicios de 2015 (Govern del Botànic, reeditado en 2019).

2. DIAGNÓSTICO DE LA OT EN ESPAÑA DESDE EL PUNTO DE VISTA PROCEDIMENTAL Y PROPUESTAS DE AVANCE

A partir de los capítulos precedentes, centrados en el análisis de los procedimientos de tramitación y aprobación de las diferentes figuras de planeamiento territorial de las diecisiete CCAA españolas, en este se ha tratado de caracterizar dichos procedimientos, así como identificar y tipificar los principales estrangulamientos que se producen en el conjunto. Es una muestra más de los retos a los que la OT se enfrenta, tratando de contribuir a un mejor conocimiento y valoración del funcionamiento de esta política pública en nuestro país.

2.1. LA ASIGNATURA PENDIENTE DE LA NEGOCIACIÓN Y EL ACUERDO FRENTE A LA JUDICIALIZACIÓN DE LOS CONFLICTOS

Uno de esos retos sobre el que cabe insistir a tenor de los resultados obtenidos es el de la coordinación; tanto la vertical (multinivel entre los diferentes niveles político-administrativos) como la de tipo horizontal (entre departamentos sectoriales, de un mismo nivel o de varios –en ese caso cooperación que podríamos llamar "en diagonal"–).

Tanto la OT como el urbanismo, señala Benabent (2014), conforman el planeamiento físico desde la escala local (a la que se ciñe el urbanismo) a la supramunicipal y regional (ámbitos en los que actúa la OT), siguiendo la lógica de la planificación en cascada, basada en una jerarquía desde lo regional a lo local. Afecta al conjunto de cada territorio autonómico y, consecuentemente, a las distintas administraciones públicas que concurren en él con sus respectivas competencias. Esto acaba por producir fricciones institucionales entre los niveles con las competencias en materia de planificación urbanística-territorial, "un lugar de permanentes tensiones y conflictos entre las instancias regionales y los municipios" (Hildenbrand, 2007, pág. 150).

En este sentido resulta fundamental, por un lado, una coordinación vertical, en la línea de lo apuntado por Rodríguez-Arana (2006), con el fin de obtener los mejores resultados en el desarrollo de una determinada competencia o en la gestión de sistemas que integran elementos interdependientes. Por otro, un proceso de cambio desde una administración decimonónica, de corte napoleónico (sectorial de compartimentos estancos), hacia un nuevo modelo de administraciones interdependientes donde la coordinación resulta fundamental para conseguir la necesaria coherencia entre las actuaciones, así como una mayor participación de los administrados (Pascua, 2004). A lo último han venido contribuyendo decisivamente los sucesivos cambios en la legislación en materia de Evaluación Ambiental Estratégica y de participación ciudadana, que tienen su origen en el Convenio de Aarhus que ratificaron la UE y los Estados miembros en 1998.

A ello se ha venido a sumar un nuevo enfoque del planeamiento territorial, un nuevo estilo de planificación integral o comprehensiva con el objetivo del desarrollo territorial sostenible, que ha podido consolidarse en algunos países de nuestro entorno (Allmendinger, 2009). No obstante, y aunque la vocación transversal de la OT la llevaría a actuar como crisol de las políticas públicas sectoriales (Peiró y Farinós, 2019) contribuyendo a mejorar el rendimiento de las administraciones que las llevan a cabo, la realidad es otra muy distinta. El conflicto de intereses permanente hace de la coordinación y la cooperación objetivos poco alcanzables hasta ahora; especialmente en el caso de las políticas territoriales (vid. Farinós, Monteserín y Escribano, 2018; Farinós, 2019).

Pero junto a la coordinación interadministrativa, en la que prima la obligatoriedad, también se recogen en nuestro ordenamiento jurídico otros principios generales de las relaciones interadministrativas, cuya observancia se hace particularmente relevante, por necesaria, para la consecución de las políticas territoriales. Es el caso de la cooperación, de carácter voluntario, o los principios de colaboración y concertación (vid. Farinós, 2018 y 2019; Rando, 2020). La prevalencia o conjunción de estos principios, y los consiguientes mecanismos organizativos implantados por cada una de las Comunidades Autónomas, lleva a Rando (2020:

pp. 75-119) a diferenciar tres modelos: modelos de planificación territorial basado en el principio de coordinación interadministrativa; modelos de planificación territorial basado en los principios de coordinación y cooperación interadministrativa; y modelo de planificación territorial basado en los principios de concertación, colaboración y participación[26].

2.2. INSTITUCIONALIZACIÓN DE ESPACIOS PARA LA COORDINACIÓN DURANTE EL PROCEDIMIENTO DE ELABORACIÓN DE LOS PLANES: LOS ÓRGANOS ADMINISTRATIVOS COLEGIADOS

En los procedimientos de tramitación y aprobación de las figuras de planeamiento son los órganos administrativos colegiados (con diferentes denominaciones según la comunidad autónoma) los espacios en los que se persigue la coordinación. Como señala Jiménez (2017), el modelo colegial pretende una formación horizontal de los actos mediante concurrencia de voluntades, optando de esta manera por la ponderación de puntos de vista entre los miembros que lo conforman. La fórmula del órgano colegiado experimenta un notable impulso desde que la Ley 30/1992 introdujera los órganos colegiados compuestos (incluyendo como participantes a representantes de diferentes administraciones) y los órganos de participación (órganos de composición mixta, en los que entre sus participantes se encuentran organizaciones representativas de intereses sociales; en este caso se trata de órganos consultivos)[27].

Las decisiones de estos órganos, acorde a la normativa vigente (Ley 40/2015, de 1 de octubre, de Régimen Jurídico del Sector Público) tienen

---

26. En base a la prevalencia de unos u otros principios señalados, la autora realiza una primer propuesta de clasificación de las CCAA en los siguientes modelos: modelo de planificación territorial basado en el principio de coordinación interadministrativa (Aragón, Asturias, Baleares, Murcia y Extremadura); modelo de planificación territorial basado en los principios de coordinación y cooperación interadministrativa (Andalucía, Canarias, Castilla y León, Galicia, País Vasco, Navarra y Comunidad Valenciana); y modelo de planificación territorial basado en los principios de concertación, colaboración y participación (Cantabria, Castilla-La Mancha, Cataluña, La Rioja y Madrid).

27. La Ley 30/1992 de 26 de noviembre, de Régimen Jurídico de las Administraciones Públicas y del Procedimiento Administrativo Común, ha sido posteriormente hoy actualizada en dos leyes que la sustituyen desarrollando por separado sus anteriores contenidos: la Ley 40/2015, de 1 de octubre, de Régimen Jurídico del Sector Público, la que aquí nos interesa desatacar, y la Ley 39/2015, de 1 de octubre, de Procedimiento Administrativo Común.

efectos jurídicos frente a terceros, cuando su actuación tenga un carácter preceptivo (en el caso de los planes urbanísticos). En el caso de los instrumentos de OT estos llegan tras su aprobación definitiva por la autoridad competente (por el Consejo de Gobierno, con rango de Decreto, o por el Parlamento Regional). Como espacios formales para la coordinación en el proceso de planeamiento territorial, se han convertido en elementos de referencia para una práctica planificadora con una predominante orientación sectorial.

Los órganos colegidos asociados al procedimiento de elaboración de los instrumentos de OT, de forma previa a su aprobación final, son espacios marcadamente tecnocráticos, si atendemos a su composición según las distintas normas autonómicas. Prevalece la participación representada de los diferentes departamentos sectoriales y administraciones públicas, así como la presencia de colegios profesionales y asociaciones técnicas.

La búsqueda de la mejor alternativa técnicamente de ordenación, en un estilo de planificación que hemos calificado de 'duro' (basado en el 'hard law'), condiciona un procedimiento en el que los órganos colegiados actúan en etapas muy avanzadas del mismo, en el momento en que se concreta lo que el plan pretende, cosa que se hace, sin embargo, sin haber adoptado acuerdos previamente para poder llegar a ello y facilitar su tránsito. En ellas, más que la coordinación, lo que se persigue es la verificación del plan, validando que su contenido se ajuste a lo establecido en las diferentes normativas sectoriales. Puede aplicárseles entonces la misma crítica que reciben los discutidos procesos de participación, que en la realidad casi siempre no lo son y quedan situados en los tres, a lo sumo cuatro, primeros peldaños de la conocida vieja escalera de la participación de Arnstein (una participación más consultiva que colaborativa y con poco poder ciudadano real).

Tabla 8. Comisiones de Ordenación del Territorio de las Comunidades Autónomas

	Denominación	Tipo	Función	Bloquea
AND	Comisiones Territoriales (antes llamadas provinciales) de OT y Urbanismo	OCC	Informar, durante el trámite de información pública, con carácter previo a su aprobación, los distintos Planes de OT.	Sí
ARG	Comisión delegada del Gobierno para la Política Territorial (1) Consejo de OT (2)	OCC (1) OP (2)	(1) Deliberación y toma de decisiones (2) Órgano representativo consultivo	No
AST	Comisión de Urb. y OT (CUOTA)	OP	Consulta, emisión de informes, coordinación, impulso y aprobación	Sí
CANT	Comisión Regional de OT y Urb. (CROTU)	OP	Consulta, emisión de informes, coordinación, impulso y aprobación	No
C-LM	Comisión Regional de OT y Urb. (CROTU) / Comisiones Provinciales de OT y Urbanismo	OCC	Informar y asesorar	Sí
CyL	Consejo de Medioambiente Urbanismo y OT	OP	Deliberante y Resolutorio	No
CAT	Comisión de Política Territorial y Urbanismo	OP	Emisión de informes preceptivos	No
C. VAL	Comité Estratégico de Política Territorial	OP	Seguimiento de la ETCV e impulsar actuaciones estratégicas que dinamicen el territorio	No
EXT	Comisión de Urb. y OT (CUOTE) (1) Comisión de Coordinación Intersectorial (2)	OP	Emisión de informes	Sí
GAL	--			

	DENOMINACIÓN	TIPO	FUNCIÓN	BLOQUEA
I. BAL	Comisión de Coordinación de Política Territorial	OCC	Trabajos técnicos y emisión de informes	No
I. CAN	–			
La RIO	Comisión de OT y urbanismo (COTUR)	OCC	Informes y aprobación	Sí
MAD	Comisión de Urb. y Medioambiente	OCC	Centrado en el urbanismo	No
MUR	Comisión de Coordinación de Política Territorial	OCC	Colaboración y coordinación interadministrativa	Sí
NAV	Comisión de OT	OP	Órgano consultivo y coordinación	No
PV	Comisión de OT (COTPV)	OP	Informes preceptivos	Sí

Fuente: Elaboración propia

733

De este modo, la tarea de planificar, una vez decidido a nivel político iniciar la redacción de un plan, esta acaba siendo un ejercicio tecnocrático, liderado desde los departamentos responsables de OT, que preceptivamente deben reunir todas las cuestiones sectoriales con impacto territorial. Lo hacen recabando distintos informes sectoriales, que encuentran en las comisiones más una verificación ex post, justo antes de la aprobación, que una verdadera coordinación de contenidos a lo largo de todo el proceso de elaboración de los planes de OT. Esto es muy evidente en el caso de los planes subregionales, que se prefieren de carácter sectorial en lugar de integral (salvo en Andalucía, donde todo plan subregional de OT es integral), conduciendo a situaciones como la que se acaba de referir (para un mayor detalle vid. Farinós, Peiró y Antequera, 2020; Peiró y Farinós, 2019).

Desde el punto de vista procedimental, la tabla 8 recoge los diferentes órganos colegiados que participan de los procedimientos de tramitación y aprobación de los planes: Órganos de participación (OP) y Órganos Colegiados Compuestos (OCC).

2.3. EFECTIVIDAD Y PROPUESTAS DE MEJORA

2.3.1. De las comisiones de OT autonómicas

La aparición de estrangulamientos no puede sorprender si se considera que la coordinación durante la redacción del planeamiento se realiza en realidad mediante la recepción de los diferentes informes sectoriales (que las más de las veces no se elaboran con la diligencia necesaria) que los órganos colegiados revisan. Si, fruto de los mismos, la propuesta de plan debe modificada y el plan reformulado (cuando el informe es de carácter preceptivo y vinculante), puede acabar entrándose en un círculo vicioso hasta el punto de llegar al bloqueo[28].

El País Vasco resulta ejemplar como buena práctica en este sentido. Presenta un procedimiento particular en el que la Comisión de OT participa en dos momentos: en las etapas iniciales, de manera previa a la aprobación inicial de la figura de planeamiento, y antes de la aprobación definitiva. Si bien en ambos momentos se producen retrasos, estos son más notables y frecuentes en la primera intervención de la Comisión que

---

28. Jurisprudencialmente se ha consolidado, e incorporado a distintas legislaciones autonómicas, que si, como consecuencia de los informes sectoriales y/o de las alegaciones, hay alteraciones sustanciales en el plan, ello exige una nueva aprobación, con el consiguiente nuevo proceso de información pública y audiencia.

en la segunda, donde incluso no llegan a producirse. Resulta una evidencia de lo adecuado de incorporar la coordinación desde las primeras etapas del procedimiento.

En el mismo sentido, Extremadura también ha tomado medidas a este respecto con la entrada en vigor de la Ley 2/2018, de 14 de febrero, de coordinación intersectorial y de simplificación de los procedimientos urbanísticos y de ordenación del territorio de Extremadura, y el Decreto 128/2018, de 1 de agosto, por el que se regula la composición, organización y funcionamiento de la Comisión de Coordinación intersectorial y el procedimiento de coordinación intersectorial. Concentra la coordinación sectorial en un único órgano (que además es el responsable de suministrar toda la información sectorial que se estime necesaria para el desarrollo del procedimiento), actuando además desde la etapa de aprobación inicial y no únicamente al final del procedimiento.

También lo ha hecho Andalucía (vid. Farinós, Peiró y Antequera, 2020), que aprobó el Decreto Ley 5/2012 y el posterior Decreto 36/2014), por los que se reconoce la necesidad de lograr una efectiva coordinación intersectorial que reduzca los trámites de desarrollo y/o revisión del planeamiento urbanístico (art. 3 del Decreto Ley 5/2012); a la par que pretende reforzar el papel de los instrumentos de OT como figuras jerárquicamente superiores que supediten el desarrollo urbanístico (modificando el art. 5.1 y el art. 22.1 de la vigente Ley 1/1994, de 11 de enero, de OT de Andalucía). Por su parte, el Decreto 36/2014, que regula el ejercicio de las competencias en materia de OT y urbanismo, replantea la composición y funcionamiento de los órganos colegiados, tanto consultivos como decisorios, aumentando la participación de estos en las etapas previas a la tramitación del planeamiento (en lugar de hacerlo en sus fases finales). Como principal medida destaca la creación de las Comisiones Provinciales de Coordinación Urbanística[29].

---

29. Su finalidad es lograr la debida homogeneización e integralidad en los informes preceptivos del planeamiento urbanístico, así como facilitar la coordinación y cooperación para reducir los dilatados plazos vinculados al planeamiento. Un espacio de participación y debate de todos los actores territoriales destinado a la coordinación intersectorial. Las restantes medidas contempladas en el Decreto 36/2014 tratan de reajustar la configuración administrativa andaluza acorde a las necesidades de las diferentes normativas tramitadas: se renombran y atribuyen nuevas funciones a las Comisiones Territoriales de Ordenación del Territorio y Urbanismo (antiguas Comisiones Provinciales de Ordenación del Territorio y Urbanismo) y al Consejo Andaluz de Ordenación del Territorio y Urbanismo (antigua Comisión de Ordenación del Territorio y Urbanismo). Desaparece la Comisión Interdepartamental de Valoración Territorial y Urbanística, cuyas funciones se reparten entre las dos anteriores. Para más detalles vid. el Título II, Capítulo I, arts. 14 al 16.

También en el caso de la Comunitat Valenciana, la Ley 1/2019 de 5 de febrero, de modificación de la Ley 2/2014 de 25 de julio de Ordenación del Territorio, Urbanismo y Paisaje (LOTUP), introduce un procedimiento novedoso, en la línea de los casos anteriores, con el fin de agilizar la emisión de los informes sectoriales, auténtico cuello de botella en la mayoría de las tramitaciones de las EAE de planes y programas, especialmente los urbanísticos, sobre los que se centra esta iniciativa (art. 53 de la nueva ley 1/2019).

La existencia de estos órganos colegiados responde a una forma de proceder de acuerdo con el estilo de planificación territorial que se desarrolla en las regiones españolas. Avanzar hacia formas de tramitación más eficientes, que rompieran con la bien ganada idea de que la planificación es un proceso farragoso, facilitaría el que todo el territorio pudiera llegar a contar con una figura de planeamiento, ampliando la cobertura territorial de los planes subregionales de OT, llegando a poder cerrar el mapa del conjunto de España.

Con todo, eso no resuelve los problemas de implementación y gestión ni el de la legitimización social de la OT. En este sentido, nuevamente hay que destacar el caso del País Vasco, no solo por ser una de las escasas regiones que está tratando de dotar a todo su territorio (pendiente de aprobar únicamente el PTP del Área Funcional de Tolosaldea) de figuras de planeamiento, sino porque les ha dado continuidad. Así lo demuestran las modificaciones que han realizado tanto de su figura de planeamiento regional (sus Directrices) como algunas de sus figuras de ámbito subregional (los Planes Territoriales Parciales). En el capítulo de esta obra dedicado al País Vasco se destaca cómo estos procedimientos de revisión han contado con un proceso de participación ciudadana sin precedentes. Queda por ver si el resultado es satisfactorio para los grupos participantes, de forma que la experiencia continúe en el futuro. No cabe duda de la necesidad de reconsiderar la forma en que se participa, más allá de lo estrictamente formal, de acuerdo con lo que la normativa exige, y es posible acercarse a un nuevo planteamiento de carácter más integral y participado.

2.3.2. Otros factores limitantes más allá de la institucionalidad: voluntad política y presiones socioeconómicas por el modelo de desarrollo escogido y sus crisis

Procedimientos llevados a cabo en el marco de una única legislatura, y, por tanto, sin cambios de color político en la administración, a priori pueden evitar más fácilmente los problemas. Es la forma preferida de actuar a fin de evitar que el procedimiento quede suspendido. Sin embargo, no siempre es posible. Casos como el andaluz, el castellano-leonés y, más recientemente, el valenciano, reflejan cómo surgen problemas que obligan a que el proceso se dilate más de una legislatura. En los tres casos, el gobierno regional, de coalición, permaneció, o aún permanece, aunque los socios de la coalición cambien (Comunitat Valenciana).

Tener que alargarse más de una legislatura es lo más común. Si el procedimiento se bloquea por razones políticas (por ejemplo, en la etapa de aprobación definitiva), la experiencia viene a demostrar que difícilmente puede retomarse, incluso en los casos en los que el partido de gobierno que inició la tramitación vuelva al gobierno (caso de Castilla-La Mancha). No obstante se encuentran ejemplos, como el de las Islas Baleares, en el que el procedimiento se inicia al final de una legislatura, dando paso a un cambio de color político en la siguiente en la que se siguen desarrollando nuevas figuras de planeamiento. Representa un caso excepcional en un gobierno regional en el que las coaliciones, dicho sea de paso, han sido frecuentes (Garmendia, 2019). Menos problemas existen cuando la política de OT y la tramitación de sus instrumentos es una apuesta decidida por parte de un gobierno monocolor que se mantiene en el tiempo (como es el caso de Extremadura desde 2015).

La mayor parte de los procedimientos evaluados tuvieron lugar en un contexto político en el que el bipartidismo era predominante, y los gobiernos regionales se conformaban por mayorías absolutas. Cada nueva legislatura puede conllevar una nueva agenda política en la que la OT ya no resulte una prioridad. Sin su inclusión en la agenda política, los procedimientos acaban resintiéndose, y las posibilidades de bloqueo se multiplican. Aunque existe cierto sesgo ideológico, en tanto han sido gobiernos de carácter más progresista y nacionalista los que mayoritariamente han venido apostando por la planificación territorial (Farinós et al. 2017), no es norma general que aplique en todos los casos, como tampoco que exista una oposición frontal a la OT por parte de gobiernos conservadores. Más que una cuestión de color político es una cuestión de agenda, muchas veces marcada por la coyuntura económica y las propias condiciones locales.

En la definición de la agenda política influye, y mucho, el contexto socioeconómico, como ha sido el caso tsunami urbanizador y del posterior estallido de la burbuja inmobiliaria, temas ambos profusamente tratados en la bibliografía y recogidos por los medios de comunicación. Cuando acaban evidenciándose los efectos de la insostenibilidad (económica, ambiental y social, por este orden), ha sido más fácil procurar revisiones del modelo y avanzar hacia el desarrollo de instrumentos de planificación territorial y urbanística más acordes. Las crisis (económica-financiera primero, sanitaria motivada por la pandemia del COVID-19 después), se dice, han hecho más por la sostenibilidad que muchas de las políticas que se han tratado de poner en marcha hasta la fecha. Falta por ver su capacidad de resiliencia y su nivel de obsolescencia programada en cuanto la memoria colectiva falle.

3. A MODO DE CONCLUSIONES

La Ordenación del Territorio en las CCAA españolas se ha consolidado como una política de planificación integral de usos del suelo (Cruz, 2018, Segura, 2019) que tiene por objetivo lograr "un desarrollo equilibrado de las regiones y la organización física del espacio según un concepto rector", como forma de garantizar la calidad de vida de las personas gracias a la adecuada interacción con su entorno (CEMAT, 1983). Es el resultado de la influencia de un urbanismo del que va a heredar unas formas y objetivos (Vaquer, 2018) que van a ir adquiriendo progresivamente matices gracias a la incidencia de las políticas europeas (Peiró, Elorrieta y Farinós, 2020).

Aunque ilustrativa, esta aproximación requiere de concreción en alguna de las cuestiones que plantea. La primera de ellas es la de las implicaciones derivadas del hecho de que centre su atención en la cuestión de los usos del suelo. Según Mazza (2010), una planificación con tal cometido presenta una serie de características básicas. El suelo es un recurso escaso y limitado, al que acompaña un título de propiedad, cuyo uso va a verse condicionado mediante el control y localización de los derechos de propiedad (privada, en menos ocasiones pública); un ejercicio realizado normalmente por las administraciones públicas competentes[30]. Ello implica que las decisiones se tomen pensando en el largo plazo, lo cual solo será viable por la vía coercitiva o si se alcanzan los acuerdos necesarios.

El ciclo político incide sobre los procedimientos de tramitación y aprobación, y a su posterior implementación, ante la inseguridad que produce un potencial cambio de gobierno tras unas nuevas elecciones. Ante esto, el proceso de planificación es un proceso conflictivo que implica la

---

30. Especialmente ilustrativo resultan los casos de Galicia y Extremadura, siendo las CCAA que de manera más reciente han revisado su normativa en la materia, haciendo explícitas a través de la búsqueda de seguridad jurídica como fin último de una planificación territorial que pretende la clarificación del espacio en el que tendrá lugar una serie de intervenciones territoriales (y su consecuente transformación física) son entendidas como las formas de avanzar hacia un modelo de desarrollo que, aunque marcado por la cuestión ambiental (en especial en lo que a su preservación se refiere), mantiene una lógica desarrollista (aunque matizada) que le es inherente.

contraposición de intereses cuya disputa requiere de la intervención política a través de la planificación para su resolución[31].

Y es aquí donde el segundo de los aspectos a concretar entra en escena: el del enfoque mediante el cual se plantea y plasma una planificación entendida como herramienta de legitimación de dicha intervención política. Todo ello gracias, tal y como planteó Faludi (1973), a su enfoque de racionalidad comprensiva, lo que permitió que la planificación fuera considerada como ciencia (positivista) (véase al respecto Benabent, 2016). Sin embargo han surgido críticas a este enfoque, a pesar de que la evidente influencia del enfoque modernista todavía continúa, que reclaman abrir nuevas perspectivas girando el debate de la planificación en torno a las ideas de la post-política y la post-democracia (vid. Van Assche, 2007). Esto es, un acercamiento a la planificación fronética (Farinós y Vera, 2016), basada sobre todo en la coordinación, cooperación y el consenso, adaptada a cada contexto y localidad, a sus actores (racionalidad comunicativa), pero también a las relaciones de poder y conflicto existentes, para encontrar la solución más acorde en cada momento, lo que exige una evaluación continua y permanente.

Los resultados obtenidos en este trabajo evidencian los conflictos todavía presentes y por resolver en materia de OT e invitan a considerar este debate con un objetivo claro: avanzar hacia una re-conceptualización de la OT como la política pública por excelencia para el territorio (aunque no de manera exclusiva[32]). Como herramienta de soporte normalizada en los procesos de toma de decisiones en toda acción de gobierno haciendo de ella una forma de meta-gobernanza (Farinós, 2017) al amparo de la cual se desarrolle una planificación territorial de carácter integral, desde un estilo de planificación más estratégico y colaborativo. Respondiendo así a la consideración de la planificación y gestión territorial como el ámbito predilecto para el ejercicio de la gobernanza (Koresawa y Konvitz, 2001; Harris, 2001; Faludi, 2002). Con el objetivo de asegurar el adecuado funcionamiento de los sistemas socio-ecológicos, gracias a una visión compartida para el futuro del territorio entre todos los niveles y actores concernidos, que deben participar en el proceso de gestión y gobierno de las políticas de desarrollo territorial (Farinós, 2008).

---

31. Para una aproximación a la idea del conflicto como elemento inherente del desarrollo socioeconómico en una sociedad democrática; vid. Torre, 2016.

32. Siguiendo la diferenciación que realiza Ferrao (2015, p. 331-332), la OT forma parte de las políticas territoriales que él llama "explícitas", junto con las de desarrollo territorial y de cooperación territorial. El resto de las categorías incluyen políticas territoriales "implícitas" (políticas sectoriales con impacto territorial), políticas sectoriales "territorializadas" (con capacidad de intervención territorial) y las intervenciones territoriales de base territorial (vinculadas a los proyectos estratégicos).

Una forma ambiciosa de entender la Ordenación del Territorio, que no por ello resulta inviable. Sin embargo, ello supone una reconsideración no solo de la propia política de OT y la forma en que se lleva a cabo (planificación y gestión), sino también del marco institucional y de la forma de llevar a cabo la acción de gobierno (Healey, 2006). A pesar de contar con uno de los dispositivos normativos más desarrollados para poder implementar una efectiva gobernanza, incluyendo su vertiente territorial, esta se enfrenta a un rechazo por parte de un *statu quo* que no parece conforme con las reestructuraciones en las relaciones de poder que implicaría (Romero y Farinós, 2011). Esta última cuestión comienza a estar en el foco de atención del ámbito académico, que reivindica la necesidad de participación sobre la definición de nuevas formas de gobierno y de estructuración administrativa (véase al respecto la reflexión de Cruz, 2020).

A la vista de todo lo expuesto cabe preguntarse si los problemas de coordinación son cuestiones inherentes a los procedimientos de tramitación de las figuras de planificación territorial y urbanística o un problema en el funcionamiento de las administraciones que acaba repercutiendo en el desarrollo de las políticas públicas, entre ellas la OT. Es cierto que la naturaleza de la OT la hace diferente, pero tampoco sus problemas se han resuelto aplicando la horma y lógica imperante de tratarla como una política sectorial más (de usos del suelo). Por tanto, nos inclinamos más por lo segundo.

Como indica Farinós (2018) *"Los mecanismos de coordinación se han demostrado claramente insuficientes hasta la fecha. Ello no favorece la solución negociada de los posibles conflictos entre las distintas políticas y administraciones"*. Vaquer (2017) lo ejemplifica a la perfección para el caso del urbanismo y la vivienda con el siguiente comentario: *"en el Estado autonómico conviven un urbanismo eminentemente municipal con una política de vivienda eminentemente autonómica, y por ello han seguido reproduciéndose los desencuentros"*.

Así pues, la OT no ha escapado de la tradicional lógica sectorial. Aunque debe contemplar todos los aspectos sectoriales con impacto territorial en su formulación, no cuenta con el respaldo suficiente para llegar a convertirse en el hilo conductor de dichas políticas, a las que por el contrario acaba estando supeditada porque le preceden en el tiempo y cuentan con un mayor reconocimiento, tradición y más recursos. Esto resulta muy evidente en el caso del urbanismo, al que la OT pretende controlar, y de las infraestructuras de transporte, que definen nuevas funcionalidades y por tanto el modelo territorial (una cuestión que empieza a estar discutida en la actualidad –vid Aparicio, 2020–).

La consideración de política territorial como hilo conductor de la acción pública nos traslada directamente a la idea de gobernanza territorial; y a la de que la responsabilidad de su formulación y concreción debe ser una tarea compartida, independientemente de donde se ubiquen las responsabilidades en el organigrama de las administraciones (habitualmente dispersas, si concentradas en posiciones poco influyentes –vid. Farinós et al. 2017).

En cuanto a los procedimientos se refiere, planificación territorial y planeamiento urbanístico comparten el mismo reto. Autores como Vaquer (2017) y García (2015) reflejan cómo los procedimientos de tramitación de las figuras de planeamiento local son costosos y dilatados en el tiempo, lo que le lleva a ser planteado para el largo plazo y así tratar de evitar, tanto como sea posible, entrar de nuevo en el farragoso, y a veces traumático, procedimiento de revisión y nueva tramitación de plan. Sin embargo, en la realidad, el plan puede quedar rápidamente obsoleto en un contexto como el actual de rápidos cambios. Por su parte, una larga tramitación puede desvirtuar no solo la memoria justificativa (la definición del problema; las circunstancias territoriales pueden verse alteradas) sino también la memoria de ordenación. Su contenido puede acabar siendo objeto de constantes modificaciones, que se prefieren de carácter puntual o pormenorizado, que no siempre responden a una lógica de conjunto. El factor tiempo se convierte, por tanto, en enemigo de la planificación.

Los cambios, como decíamos, se suceden una vez aprobado el plan, motivo por el que su seguimiento y evaluación continua resultan necesarios. Para ello se requiere de una serie de criterios de comprobación, que deben ser contemplados durante el mismo proceso de elaboración del instrumento (evaluación 'ex ante'). Por tanto, frente a una concepción muy lineal y rígida del planeamiento, de certezas y seguridades absolutas (imposibles si no es a costa de falsear la realidad social), resultan convenientes unos planteamientos más flexibles, de gestión de las incertidumbres y de reducción de los riesgos, con un enfoque de carácter más iterativo, en forma de espiral ascendente.

Casos como el extremeño o el valenciano, en los que el procedimiento queda bloqueado y es recuperado más de una década después, parecen situarse en este entendimiento más bien reactivo de la planificación territorial. Una OT que, aunque capaz de corregir desarrollos territoriales inadecuados previamente experimentados, sin embargo puede llegar a carecer de la suficiente entidad como para, por un lado, poder sustentar un potente modelo alternativo de futuro; por otro, ser capaz de ir más allá de otorgar seguridades jurídicas a determinadas intervenciones territoriales y, lo que es más importante, perdurar en el tiempo.

En parte, los bloqueos y desfases temporales que surgen en los procedimientos de elaboración y la aprobación de los planes de OT son causados porque existen elementos que no han sido atendidos de forma conjunta y coherente (integral). Este es el caso de la falta de desarrollo de marcos teórico-conceptuales (Segura, 2019) y metodológicos (Nogués et al., 2019) para el seguimiento y evaluación de los propios instrumentos de ordenación. La apuesta decidida por generar e impulsar mecanismos de seguimiento y evaluación, más allá de la generación de una necesaria batería de indicadores, facilitaría la renovación y adaptación de los planes. Pero no hay que olvidar que, junto a estos mecanismos de seguimiento y evaluación (esenciales para contar con documentos actualizados y con capacidad de respuesta a las dinámicas territoriales), se debe avanzar hacia una mejor gestión territorial, entendida como *"el conjunto de mecanismos o instrumentos llamados a ejecutar, hacer realidad en el territorio, las propuestas, objetivos y actuaciones previstos en los instrumentos de planificación, y que debe centrarse en reequilibrar, vertebrar y redistribuir la riqueza"* (Rando 2020: 442). Pero esto ya será objeto de una próxima publicación en una posterior edición. Esta ha significado un primer e importante intento de desgranar los procedimientos de tramitación y sus problemas, con una visión global para el conjunto del Estado.

4. REFERENCIAS BIBLIOGRÁFICAS

AGUILAR, F. (coord.) (2012). *Política pública*. México: Siglo XXI.

ALLMENDINGER, P. (2009). *Planning theory*. Basingstoke, UK: Palgrave Macmillan.

APARICIO, A. (2020). El papel de la logística y del sector transporte en las transformaciones del modelo de desarrollo. En A. Serrano (coord.), *Planificación y gestión integrada como respuesta*. Valencia: Universitat de Valencia. (en prensa).

BENABENT, M. (2016). Teorías de la planificación territorial: métodos de decisión. *Ciudad y territorio: Estudios territoriales*, 189, 353-368.

CEMAT (1983). *Carta Europea de Ordenación del Territorio*. Aprobada el 20 de mayo de 1983 en Torremolinos (España). Consejo de Europa. Conferencia Europea de Ministros Responsables de la Ordenación del Territorio.

CRUZ, J. (2018). La ordenación del territorio en España en busca de su identidad. Estudio comparado del modelo territorial. En J. Farinós (coord.). J. Farinós y E. Peiró (eds.), *Territorios y Estados: Elementos para la coordinación de las políticas de Ordenación del Territorio en el siglo XXI* (pp. 927-958). Valencia: Tirant Humanidades.

CRUZ, J. (2020). El modelo territorial. En J. Farinós (coord.), *Desafíos y oportunidades de un mundo en transición. Una interpretación desde la geografía* (pp. 503-524). Valencia: PUV.

DAVIDOFF, P. Y REINER, T. A. (1962). A choice theory of planning, *Journal of the American Institute of Planners*, 28(2), 103-115.

DELGADO, S. (2001). Recesión al libro de Antonio Robles Egea, Juan Motabes Pereira et al. Coaliciones políticas y gobernabilidad, Institut de Ciéncies Politiques i Socials. *Revista de Estudios Políticos*, 112 (abril-junio), 321-331.

FALUDI, A. (1973). *A Reader in Planning Theory*. Michigan: Pergamon Press.

FALUDI, A. (2002). Positioning European Spatial Planning. *European Planning Studies*, 10(7), 897-909.

FARINÓS, J. (2008). Gobernanza territorial para el desarrollo sostenible: estado de la cuestión y agenda, *Boletín de la A.G.E.*, 46, 11-32.

FARINÓS, J. (2017). La gobernanza como elemento de transformación territorial, ambiental y urbana. ¿Gobernanza territorial sin territorio? En A. Serrano (coord.). J. Farinós y A. Serrano, A. (eds.), *Ordenación del territorio, urbanismo y medio ambiente en un mundo de cambio* (pp. 213-245). Valencia: Cátedra de Cultura Territorial Valenciana.

FARINÓS, J. (2018). Organización del Estado y modelo territorial (o de la dimensión territorial de la política). En L. Estupiñán, G. Moreno, y A. Montiel (coords.), *La cuestión territorial a debate: España y Colombia* (pp. 105-132). Colombia: Universidad Libre.

FARINÓS, J. (2019). La cooperación horizontal de carácter territorial entre CCAA, un reto para la política de OT y para el modelo de organización del Estado. En J. Farinós, J. Ojeda, y J. M. Trillo (eds.), *España: Geografías para un Estado posmoderno* (pp. 187-205). Madrid/Barcelona: AGE/Geocrítica.

FARINÓS, J., ALDREY, J. A., DEL RÍO, D. Y PEIRÓ, E. (2017). Situación y evolución de la política de ordenación del territorio en los gobiernos y administraciones de las CCAA. En XXV Congreso AGE, 25-27 de octubre, Madrid: AGE/UAM, 2460-2470.

FARINÓS, J., GARCÍA, M.J. Y ALDREY, J.A. (2018). Desarrollo legislativo y planificador en materia territorial y urbanística a nivel español. En J. Farinós (coord.). J. Farinós y E. Peiró (eds.), *Territorios y Estados: Elementos para la coordinación de las políticas de Ordenación del Territorio en el siglo XXI* (pp. 959-1061). Valencia: Tirant Humanidades.

FARINÓS, J., MONTESERÍN, O. Y ESCRIBANO, J. (2018). Cooperación territorial y desarrollo: una mirada desde la escala transregional y de los espacios metropolitanos, rurales y turísticos, *Revista do Desenvolvimiento Regional (Redes)*, 23(3), 35-65.

Farinós, J.; Peiró, E. y Antequera, E. (2020). Retos para la planificación y gestión territorial en España: las ineficiencias en el proceso de aprobación de los planes y sus causas. En J. Farinós (coord.), *Desafíos y oportunidades de un mundo en transición; una interpretación desde la Geografía* (pp. 562-578). Valencia: PUV.

Farinós, J., Peiró, E. y Zornoza, C. (2019). Análisis del suelo y del planeamiento urbano y territorial en la Comunitat Valenciana en el periodo 2006-2017. En J. Farinós (coord.). J. Farinós y E. Peiró (eds.), *Informe sobre la evolución y situación socioterritorial de la Comunitat Valenciana* (pp. 269-353). Valencia: Cátedra de Cultura Territorial/Universitat de València.

Farinós, J., Vera, O. y Lloret, P. (2018). Nueva cultura política y territorial; relaciones entre política y territorio. O de como situar el territorio en la agenda política. En J. Farinós (coord.), *Territorio y Estados. Elementos para la coordinación de las políticas de Ordenación del Territorio en el siglo XXI* (pp.115-160). Valencia: Tirant Humanidades.

Farinós, J. y Vera, O. (2016). Planificación territorial fronética y ética práctica. Acortando las distancias entre plan y poder (política). *Finisterra*, 101, 45-69.

Ferrão, J. (2015). Ambiente e Território: Para una Nova Geração de Políticas com Futuro. En V. Soromenho-Marques y P. Trigo Pereira (coords.), *Afirmar o Futuro. Políticas Públicas para Portugal. Volumen II: Densenvolvimento Sustentável, Economia, Território e Ambiente* (pp. 328-336). Lisboa: Fundação Calouste Gulbenkia.

García, M.ª J. (2015). *Coordinación entre el planeamiento territorial y urbanístico. Aproximación al caso valenciano*. Valencia: PUV-UV.

Garmendia, A. (2019). *40 años de Gobiernos autonómicos en España: competición política, feudos electorales y calidad de gobierno*. Madrid: Fundación Alternativas.

Garrido, J. (2020). Cuestiones preliminares a abordar en la concreción de una propuesta metodológica para el seguimiento y evaluación de planes territoriales en España. *Investigaciones Geográficas*, 73, 75-94. https://doi.org/10.14198/INGEO2020.GC.

Harris, N. (2001). Spatial Development Policies and Territorial Governance in an Era of Globalisation and Localisation. En OCDE (ed.). *Towards a New Role for Spatial Planning* (pp. 33-58). París: OCDE.

Healy, P. (2006). Transforming governance: challenges of institutional adaptation and a new politics of space, *European Planning Studies*, 14(3), 299-320.

HERRERO, M. (2009). La dimensión material y simbólica de los conflictos territoriales. Una perspectiva para la gobernabilidad de los territorios. En J. Farinós, J. Romero y J. Salom (ed.), *Cohesión e inteligencia territorial. Dinámicas y procesos para una mejor planificación y toma de decisiones* (pp. 265-290). Valencia: IIDL/PUV, Colección 'Desarrollo territorial. Serie Estudios y Documentos' n.º 7.

HILDENBRAND, A. (2007). Tres propuestas para una relación efectiva entre las escalas regional y local en materia de ordenación del territorio. En J. Farinós y J. Romero (coord.), *Territorialidad y buen gobierno para el desarrollo sostenible: nuevos principios y nuevas políticas en el espacio europeo* (pp. 147-190). Valencia: PUV, Colección 'Desarrollo territorial. Serie Estudios y Documentos' n.º 2.

JIMÉNEZ, J. J. (2017). Órganos colegiados de las distintas Administraciones públicas, en la Ley 40/2015, de Régimen Jurídico del Sector Público, *Auditoría Pública*, 72, 107-114.

KORESAWA, A. Y KONVITZ, J. (2001). Towards a New Role for Spatial Planning. En OCDE (ed.), *Towards a New Role for Spatial Planning* (pp. 27-28). París: OCDE.

LASWELL, H. D. (1971). *A preview of policy sciences*. Nueva York: Elsevier publishing Co.

LOSADA, R. (2014). La formación de la agenda como punto de partida de las políticas públicas. En G. Pastor (ed.), *Teoría y práctica de las políticas públicas* (pp. 47-66). España: Tirant Lo Blanch.

MAZZA, L. (2010). Notes on Strategic Processes in Land Use Planning. En M. Cerreta, G. Concilio, y V. Monno (eds.), *Making Strategies in Spatial Planning. Knowledge and values* (pp. 79-85). London/New York: Springer.

MEYERSON, M. Y BANFIELD, E. C. (1955). *Politics, planning and the public interest*. New York: Free Press.

NAVARRO, C. (2008). El estudio de las políticas públicas, *RJUAM*, 17, 231-255.

NOGUÉS, S., GONZÁLEZ-GONZÁLEZ, E. Y CORDERA, R. (2019). Planning regional sustainability: An index-based framework to assess spatial plans. Application to the region of Cantabria (Spain), *Journal of Cleaner Production*, 225, 510-523.

PASCUA, F. (2004). Órganos colegiados. *Asamblea: revista parlamentaria de la Asamblea de Madrid*, 2(n.º extra), 349-374.

Peiró, E., Elorrieta, B. y Farinós, J. (2020). Opciones para un nuevo estilo de ordenación del territorio integrada en España a partir de los instrumentos de la política de cohesión europea. En J. Farinós (coord.), *Desafíos y oportunidades de un mundo en transición; una interpretación desde la Geografía* (pp. 521-532). Valencia: PUV.

Peiró, E. y Farinós, J. (2019). La planificación territorial de carácter sectorial en España: diagnóstico y propuesta de clasificación regional. *Ciudad y Territorio. Estudios Territoriales*, 51 (200), 249-264.

Rodríguez-Arana, J. (2006). Modelo territorial y principio de cooperación. *Revista de estudios de la administración local y autonómica*, 300-301, 139-164.

Rando Burgos, E. (2020). *Régimen jurídico de la gestión territorial*. Valencia: Tirant lo Blanch.

Robles Egea, A. (1992). Reflexiones sobre las coaliciones políticas. *Revista de Estudios Políticos*, 77, 303-320.

Romero, J. y Farinós, J. (2011). Redescubriendo la gobernanza más allá del bueno gobierno. Democracia como base, desarrollo territorial como resultado, *Boletín de la AGE*, 56, 295-319.

Segura, S. (2019). Marco conceptual y componentes clave para el seguimiento y evaluación en la ordenación del territorio, *TERRA. Revista de Desarrollo Local*, 5, 83-104.

Torre, A. (2016). El rol de la gobernanza territorial y de los conflictos de uso en los procesos de desarrollo de los territorios, *Rev. Geogr. Valpso*, 53, 7-22.

Van Assche, K. (2007). Planning as/and/in context: Towards a new analysis of context in interactive planning, *METU JFA*, 24(2), 105-117.

Vaquer, C. (2017). Planes urbanísticos y planes de vivienda: la extraña pareja, *REALA (Nueva Época)*, 7, 68-85.

Vaquer, C. (2018): *Derecho del Territorio*. Valencia: Tirant lo Blanch.

Vera, O. y Farinós, J. (2015). La atención prestada al territorio en las políticas públicas. Apuntes a partir de la primera fase de un Delphi. En J. R. de la Riva, P. Ibarra, R. Montorio, y M. Rodrigues (eds.), *Análisis espacial y representación geográfica: innovación y aplicación* (pp. 423-432). Zaragoza: Universidad de Zaragoza-AGE.

Thomson Reuters Proview
Guía de uso

¡ENHORABUENA!

ACABAS DE ADQUIRIR UNA OBRA QUE **INCLUYE LA VERSIÓN ELECTRÓNICA.**
DESCÁRGATELO Y APROVÉCHATE DE TODAS LAS FUNCIONALIDADES.

ACCESO INTERACTIVO A LOS MEJORES LIBROS JURÍDICOS
DESDE IPHONE, IPAD, ANDROID Y
DESDE EL NAVEGADOR DE INTERNET

FUNCIONALIDADES DE UN LIBRO ELECTRÓNICO EN **PROVIEW**

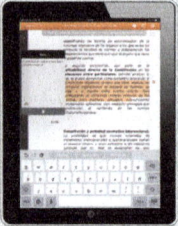

SELECCIONA Y DESTACA TEXTOS
Haces anotaciones y escojes los colores para organizar tus notas y subrayados.

USAS EL TESAURO PARA ENCONTRAR INFORMACIÓN
Al comenzar a escribir un término, aparecerán las distintas coincidencias del índice del Tesauro relacionadas con el término buscado.

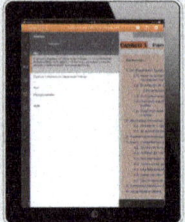

HISTÓRICO DE NAVEGACIÓN
Vuelve a las páginas por las que ya has navegado.

ORDENAR
Ordena tu biblioteca por: Título (orden alfabético), Tipo (libros y revistas), Editorial, Jurisdicción o área del derecho, libros leídos recientemente o los títulos propios.

CONFIGURACIÓN Y PREFERENCIAS
Escoge la apariencia de tus libros y revistas en ProView cambiando la fuente del texto, el tamaño de los caracteres, el espaciado entre líneas o la relación de colores.

MARCADORES DE PÁGINA
Crea un marcador de página en el libro tocando en el icono de Marcador de página situado en el extremo superior derecho de la página.

BÚSQUEDA EN LA BIBLIOTECA
Busca en todos tus libros y obten resultados con los libros y revistas donde los términos fueron encontrados y las veces que aparecen en cada obra.

IMPORTACIÓN DE ANOTACIONES A UNA NUEVA EDICIÓN
Transfiere todas sus anotaciones y marcadores de manera automática a través de esta funcionalidad

SUMARIO NAVEGABLE
Sumario con accesos directos al contenido

Estimado cliente,

Para acceder a la versión electrónica de este libro, por favor, accede a **http://onepass.aranzadi.es**

Tras acceder a la página citada, introduce tu dirección de correo electrónico (*) y el código que encontrarás en el interior de la cubierta del libro. A continuación pulsa enviar.

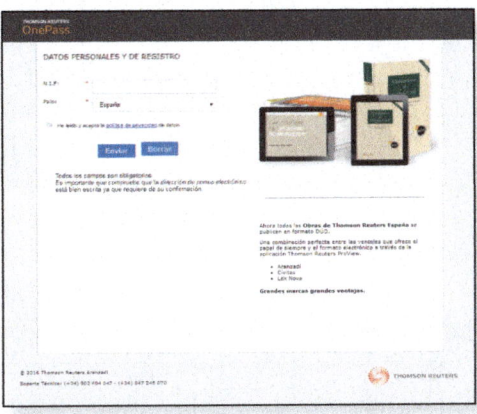

Si se ha registrado anteriormente en **"One Pass"** (**), en la siguiente pantalla se te pedirá que introduzcas la contraseña que usa para acceder a la aplicación **Thomson Reuters ProView™.** Finalmente, te aparecerá un mensaje de confirmación y recibirás un correo electrónico confirmando la disponibilidad de la obra en tu biblioteca.

Si es la primera vez que te registras en **"One Pass"** (**), deberás cumplimentar los datos que aparecen en la siguiente imagen para completar el registro y poder acceder a tu libro electrónico.

- Los campos **"Nombre de usuario"** y **"Contraseña"** son los datos que utilizarás para acceder a las obras que tienes disponibles en **Thomson Reuters Proview™** una vez descargada la aplicación, explicado al final de esta hoja.

Cómo acceder a **Thomson Reuters Proview™:**

- **iPhone e iPad:** Accede a AppStore y busca la aplicación **"ProView"** y descárgatela en tu dispositivo.
- **Android:** accede a Google Play y busca la aplicación **"ProView"** y descárgatela en tu dispositivo.
- **Navegador:** accede a **www.proview.thomsonreuters.com**

Servicio de Atención al Cliente

Ante cualquier incidencia en el proceso de registro de la obra no dudes en ponerte en contacto con nuestro Servicio de Atención al Cliente. Para ello accede a nuestro Portal Corporativo en la siguiente dirección **www.thomsonreuters.es** y una vez allí en el apartado del **Centro de Atención al Cliente** selecciona la opción de **Acceso** a Soporte para no Suscriptores (compra de Publicaciones).

(*) Si ya te has registrado en **Proview™** o cualquier otro producto de Thomson Reuters (a través de One Pass), deberás introducir el mismo correo electrónico que utilizaste la primera vez.

(**) **One Pass:** Sistema de clave común para acceder a Thomson Reuters Proview™ o cualquier otro producto de Thomson Reuters.

the answer company™
THOMSON REUTERS®